普通高等教育"十五"国家级规划教材

材料成形工艺学

齐克敏　丁　桦　主编

北　京

冶金工业出版社

2016

内 容 简 介

本书系统阐述了材料成形过程的基本原理与生产工艺。全书共分三篇，内容包括：液态成形及焊接成形，挤压、拉拔成形以及锻造、冲压成形，轧制成形的原理、金属流动规律、力能参数计算、各种成形的工艺研究和设计方法以及各种成形制品的形状精度控制和质量控制等，同时还介绍了各种成形的新技术及发展趋势。各篇后分别附有思考题和练习题以备读者检验自己对所学内容掌握情况。

本书是普通高等学校机械类、材料工程类专业本科教学用书，也可供研究生和相关工程技术人员参考使用。

图书在版编目（CIP）数据

材料成形工艺学/齐克敏,丁桦主编 . —北京：冶金工业出版社，2006. 1 （2016. 7 重印）

普通高等教育"十五"国家级规划教材

ISBN 978-7-5024-3865-4

Ⅰ. ①材…　Ⅱ. ①齐…　②丁…　Ⅲ. ①工程材料—成型—工艺学—高等学校—教材　Ⅳ. ①TB3

中国版本图书馆 CIP 数据核字（2013）第 177115 号

出 版 人　谭学余
地　　址　北京市东城区嵩祝院北巷 39 号　邮编　100009　电话　(010)64027926
网　　址　www. cnmip. com. cn　电子信箱　yjcbs@ cnmip. com. cn
责任编辑　程志宏　美术编辑　李　新　版式设计　张　青
责任校对　王贺兰　李文彦　责任印制　牛晓波
ISBN 978-7-5024-3865-4
冶金工业出版社出版发行；各地新华书店经销；三河市双峰印刷装订有限公司印刷
2006 年 1 月第 1 版，2016 年 7 月第 3 次印刷
787mm×1092mm　1/16；37.5 印张；1002 千字；581 页
69. 00 元
冶金工业出版社　投稿电话　(010)64027932　投稿信箱　tougao@ cnmip. com. cn
冶金工业出版社营销中心　电话　(010)64044283　传真　(010)64027893
冶金书店　地址　北京市东四西大街 46 号(100010)　电话　(010)65289081(兼传真)
冶金工业出版社天猫旗舰店　yjgycbs. tmall. com
（本书如有印装质量问题，本社营销中心负责退换）

前　言

本书是根据2002年教育部"教高函〔2002〕17号"文件所批复的"十五"国家级规划教材组织编写的普通高等学校教学用书。

当今我们已跨入了技术经济时代，这个时代的核心是科技，其关键在于人才，因此教育是基础。为了适应技术经济时代要求，培养具有竞争能力的人才，学校承担着提高受教育者的科技创新能力、创造能力以及就业创业能力的重任，为此教育必须改革，要加强基础科学，拓宽专业面，以增强学生的竞争能力。国家教育部于1998年颁布了"普通高等学校本科专业目录"。在该目录中将原金属压力加工、铸造、锻造、焊接、热加工、塑性成形专业合并成"材料成形与控制工程"专业。新的专业课程设置打破了过去专业面过窄，分工过细的计划经济模式，适应了市场经济、技术经济模式的要求。基于旧的专业课教材已不再适应新专业课教学要求，我们组织了有较丰富教学经验的教师，在总结其多年教学实践的基础上编写了《材料成形工艺学》一书。

本书在编写过程中本着"推陈出新、薄古厚今，加强理论，突出重点，力避重叠繁琐，强调理论联系实际，有利培养学生创新意识"的指导思想，理论与工艺并重，充分吸收各专业领域原教材的精华，认真研究了专业教学的要求，并尽可能使书的内容接近学科的前沿和体现创新发展的思路，力求真实地反映学科的发展水平。

全书共分三篇。第一篇为金属液态与半固态及焊接成形原理与工艺，主要介绍液态成形工艺原理，金属液态砂型成形工艺，连铸及其他特种液态成形工艺；焊接成形原理，各种焊接方法及工艺；第二篇为金属挤压、拉拔与锻压原理及工艺，主要介绍金属挤压、拉拔时金属流动规律，制品的组织性能控制，力能参数计算方法及各种挤压、拉拔工艺及相关新技术，锻造、冲压成形原理、自由锻造、模锻工艺，冲压、冲裁、弯曲、拉深与特种冲压工艺及产品质量控制；第三篇为轧制理论与工艺，主要介绍轧制时金属的流动规律，变形原理，力能参数计算方法。型材、板材和管材的轧制工艺，形状及质量控制方法，工艺规程设计方法及各种轧制新工艺、新技术和发展趋势。全书内容简洁而充实，系统性强，理论联系实际，既有深度，亦有广度。各篇后分别附有思考题和习题以备读者学习之用。本书可作为普通高等学校"材料成形与控制工程"专业及相关专业教学用书，亦可供工程技术人员参考。

全书由东北大学齐克敏、丁桦主编，参加本书编写的有贾光霖（第一篇第1、2、5章及第4章的一部分）；辛啟斌（第一篇第3章及第4章的一部分）；吕朝阳（第一篇第6章）；丁桦（第二篇第1、2、3、5、6、7、8、10章）；曹富荣（第二篇第4、9章）；赵宪明（第二篇第11、12、13、14、15、16、17、18、19章）；邱春林（第三篇第1、2、3、4、5、6章及第7章的一部分）；高秀华、吴迪（第三篇第8、9、10章），高秀华（第三篇第16、17、18、19、20章）；齐克敏（第三篇第11、12、13、14、15章及第7章的一部分）。全书由王廷溥教授、胡林教授担任主审，并邀请张国志教授审阅了第一篇，李宝绵副教授审阅了第三篇的挤压和拉拔部分，上述教授对本书提出了许多宝贵意见，编者对他们的辛勤劳动表示衷心的谢意。

由于编者水平有限，书中还可能存在一些不足，敬请读者批评、指正。

编　者
2005 年 9 月于东北大学

目　　录

第一篇　　金属液态与半固态及焊接成形原理与工艺

第二篇　金属挤压、拉拔与锻压原理及工艺

第三篇　轧制理论与工艺

第一篇 金属液态与半固态及焊接成形原理与工艺

1 金属液态成形概述

1.1 金属液态成形工艺特点

金属液态成形工艺通常称为铸造。铸造是将液态金属浇注到具有和机械零件形状相适应的铸型型腔中，经过凝固、冷却之后，获得毛坯或零件的金属材料的加工成形方法。金属液态成形工艺的制品称为铸件、铸锭、铸坯、铸带等等。到目前为止，尽管大部分的金属液态制品首先制作成毛坯，经机械加工才能成为各种机器零件，但是，随着少余量和无余量液态金属成形工艺方法的快速发展，有许多液态金属成形制品无需再经机械或其他的加工工序即可满足使用精度和粗糙度的要求而直接使用。因此，金属液态成形工艺越来越受到人们的重视，概括起来金属液态成形工艺有以下特点：

（1）适应性强。就生产的铸件而言，小至几克，大至数百吨。壁厚从 0.5mm 到 1m 左右。长度从几毫米到十几米。可以说，铸造方法不受零件大小、形状和结构复杂程度的限制。铸造方法又可以适用于各种合金的成形，如常用的铁碳合金（铸铁、铸钢）、铝合金、铜合金、镁合金、锌合金等。特别是对于一些零件结构异常复杂、合金熔点很高、难变形、价格昂贵的合金成形，只能选择铸造方法。近年来，金属液态快速成形、特种成形工艺的不断发展，使得金属液态成形工艺更加具有广泛的适应性。

（2）尺寸精度高。一般情况下，铸件比锻件、焊接件的尺寸精度高，更接近于零件的尺寸，可节约大量的金属材料和机械加工工时。近年来，快速发展的精确成形技术可节约金属材料 50% ~ 90%，减少机械加工工时 30% ~ 70%，而且成形件的内部质量大大提高。目前，各种铸造方法所能达到的尺寸精度和表面粗糙度如表 1-1-1 所示。

表 1-1-1　各种铸造方法的尺寸精度和表面粗糙度

铸造方法	尺寸精度等级 /CT	表面粗糙度 $R_a/\mu m$	铸造方法	尺寸精度等级 /CT	表面粗糙度 $R_a/\mu m$
普通砂型	11 ~ 15	50 ~ 400	低压铸造	5 ~ 9	
高压造型	8 ~ 10	12.5 ~ 50	壳型铸造		1.6 ~ 25
压力铸造（有色金属）	5 ~ 7	0.4 ~ 50	金属型铸造	5 ~ 8（黑色7 ~ 9）	0.8 ~ 100
熔模铸造（钢）	5 ~ 7	0.8 ~ 12.5			

（3）成本低。铸件重量在一般机械装备总重量中占 40% ~ 80%，在金属切削机床中占 70% ~ 80%，在汽车及农业机械中占 40% ~ 70%，但它的成本仅占总成本的 25% ~ 30%。成本低廉的主要原因是由于：1）容易实现大量机械化生产；2）与锻造相比消耗动力少；3）可

铸出形状复杂的零件，加工余量大为减少；4）废旧金属可以再生利用。由于铸造生产过程不断得到完善以及铸造新工艺、新技术不断被采用，铸件的精度得到提高，使得少余量和无余量铸造新工艺得到迅速发展，这对减少金属的浪费，降低生产成本，改变机械行业的面貌具有十分重要的意义。同时由于对铸造合金基础理论深入的研究，铸件质量检验方法的完善，使得铸件的质量和性能有了很大的提高。过去一些重要的承受交变载荷的零件多采用锻件，现在由于铸件力学性能与稳定性得到提高和保障，同样工况条件下，铸件的选用及球墨铸铁曲轴在汽车和大型机车的内燃机上的应用就是一个很好的实例。

钢的连铸工艺不断成熟与发展更是突出的一例，普通连铸坯、异型坯、薄板坯、薄带等，使钢水的成形收得率提高 6% ~ 12%，成材的成本降低 5% ~ 10% 以上，连铸管坯轧管成本降低 15% 以上。而且，近年来世界范围内的连铸比大幅度提高，中国的连铸比已超过 96%，钢的连铸工艺产生了巨大的经济效益。

液态金属成形工艺也存在某些不足，由于液态金属成形工艺过程涉及的工序较多，每道工序过程难以精确控制，废品率较高。液态金属成形件一般组织疏松，晶粒粗大，铸件内部有时出现缩孔、缩松、裂纹、偏析等缺陷，导致铸件的某些力学性能降低。另外，液态金属成形工作环境较差，劳动强度高，对周围环境污染较严重，这些都有待通过科技发展，工艺的不断进步而得到改善。

1.2　金属液态成形主要工艺方法

铸造生产过程是一个复杂的综合性工艺的组合，它包括许多生产工序和环节，从材料的准备，到合金熔配、造型、制芯、合箱浇注、液态金属凝固、冷却到获得合格铸件，生产工序较多，周期较长，如采用特种铸造工艺，生产工艺将大大简化，周期也将大大缩短。

目前铸造方法的种类繁多。如按铸型材料的不同，金属液态成形可分为砂型铸造和特种铸造两大类。砂型铸造按其造型方法分类，又可分为：手工造型、一般机器造型和高压造型。而在特种铸造方法中，又可分为：金属型铸造、压力铸造、离心铸造、低压铸造、熔模铸造、陶瓷型铸造、连续铸造、真空吸铸、磁型铸造、挤压铸造等。按所用合金分类，可分为：铸铁、铸钢、铝合金、镁合金、铜合金、锌合金、钛合金铸造等。还有其他分类方法，这里不再详细介绍。

各种铸造方法都有其特点和应用范围，究竟应该采用哪一种铸造方法，要根据铸件的大小、形状、生产批量、对铸件精度和表面粗糙度的要求以及经济性加以综合考虑。

随着科学技术发展和社会发展的需要，当前液态金属成形工艺技术发展很好，在加强铸造基础理论研究的同时，发展铸造新工艺及新设备，在稳定提高铸件质量、精度和粗糙度的前提下发展专业化生产，积极实现铸造生产过程的机械化、自动化，减少公害，节约能源，降低成本，使铸造技术进一步成为可与其他成形工艺相竞争的少余量、无余量成形工艺。概括起来讲，铸造生产应该在优质、高精度前提下，实现高产低耗、无害、价廉。

近年来，金属凝固理论与技术研究的进展，不仅促进了铸造工艺的发展和铸件质量的提高，而且在冶金过程，金属及合金的组织形成控制中发挥着越来越大的作用。同时也导致了各种新型材料及其加工工艺的诞生和发展。

2 金属液态成形工艺原理

2.1 液态金属的充型过程

液态金属的成形工艺过程一般要经过浇注系统在一定的时间内，将液体金属充满铸型型腔，这一过程称之为充型过程，这是金属液态成形工艺重要的第一步。液态金属的充型过程是在高温物理化学反应与机械冲刷等同时存在的情况下，极短时间内发生的复杂过程。所以，液态金属成形过程的一些缺陷，如浇不足、冷隔、砂眼、抬箱、卷入性气孔、夹砂等都是在充型异常的条件下产生的。而现代钢铁工业生产中的连铸坯质量，一定程度上取决于钢水从大包到中间包再到结晶器的浇注过程。为此，研究者们用物理模拟方法、计算机数值模拟方法及大量工业试验经验总结，深入研究液态金属的充型过程，弄清液态金属在浇注系统中和铸型型腔中的流动特点与规律，弄清液态金属充型过程与铸型之间热作用、机械冲刷作用及物理化学作用，进而了解液态金属在充型过程中可能出现的缺陷和采取的工艺措施。

2.2 液态金属充型过程的水力学特点

利用一般的水力学公式对液态金属的充型过程进行计算要首先认识液态金属充型过程的水力学特点，并在一定的假设条件下，忽略某些影响因素达到解决问题的目的。液态金属充型过程主要有如下水力学特点。

（1）多相黏性流动。流体力学中一些经典公式是研究无黏性的理想均质的单相液体而得出的。然而，实际上液态金属，例如铝合金、铁碳合金等，远不是一个单相。例如现代冶金工业生产中的钢液，在连铸工艺之前，经过转炉、电炉熔炼之后，还要经过炉外精炼（LF炉、VD、AOD等），$50\mu m$以上的夹杂物都可以去除，气体的总含量可以控制在$4 \times 10^{-4}\%$以下，这样的钢水真可谓洁净的高质量钢水。但夹杂物、气体仍然存在，其中常见固相包括Al_2O_3，SiO_2，MnO，MnS等，气相包括CO，CO_2，H_2，N_2，O_2等，而且在连铸的过程中还在不断地增加。因此，含有夹杂物和气体的钢水一定是黏性的多相流体。

（2）不稳定流动。液态金属在充型过程中，合金在浇注系统和铸件中流动，都存在着激烈的热交换，液态金属温度、铸型或连铸结晶器壁的温度在不断变化，浇注系统的断面积也不断发生变化，因而液态金属充型过程的流速、流态都要发生变化，故流动是不稳定的。

（3）紊流流动。实践证明，液态金属在浇注系统中的流动都具有紊流性质。一般情况下，其雷诺数Re都远大于临界雷诺数$Re_{临}$。

例如，某钢种在连铸工艺过程中，结晶器的管道直径为0.15m，如果结晶器在有电磁搅拌的条件下钢水的平均旋转周向速度为0.12m/s，浇注温度为1535℃，运动黏度为$\mu = 0.407 \times 10^{-6} m^2/s$，计算$Re$：

$$Re = \frac{vD}{v} = \frac{0.12 \times 0.15}{0.407 \times 10^{-6}} = 44226 \gg Re_{临}(2300) \qquad (1\text{-}2\text{-}1)$$

因此，不管是在一般铸件的浇注过程中，还是在钢的连铸工艺过程中，液态金属的流动大都是紊流流动。

（4）在"多孔管"中流动。液态金属充型过程中，特别是对于砂型铸造，浇注系统及铸型的型腔都具有一定的透气性，即使是在金属型铸造和钢的连铸工艺过程中，浇注系统也不是完全封闭的。所以，液态金属在充型过程中就像在"多孔管"中流动。

综上所述，液态金属在充型过程中的水力学特点与理想液体相比有明显的区别。但是，液态金属在充型时间较短的过程中，一些水力学的规律在一定程度上也适用于液态金属的流动过程。

2.3　液态金属充型过程的水力学计算

2.3.1　计算目标

图 1-2-1 和图 1-2-2 是铸造工艺中液体金属充型和简单浇注系统示意图，图 1-2-3 是连铸工艺过程中钢水从大包到结晶器的流动过程示意图。在形成铸件的工艺过程中，按照浇注系统各组成部分的断面积，浇注系统分为下面三种形式。

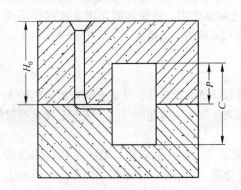

图 1-2-1　液态金属充型过程示意图

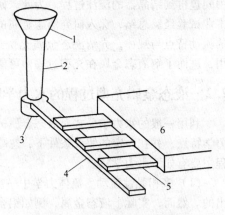

图 1-2-2　简单浇注系统结构示意图
1—浇口杯；2—直浇道；3—直浇口底座；
4—横浇道；5—内浇道；6—铸件

（1）开放式浇注系统

$$F_内 > F_横 > F_直$$

式中　$F_内$——内浇道的断面积；

　　　$F_横$——横浇道的断面积；

　　　$F_直$——直浇道的断面积。

（2）封闭式浇注系统

$$F_内 < F_横 < F_直$$

（3）半封闭式浇注系统

$$F_横 > F_直 > F_内$$

以封闭式的浇注系统为例，一般设计在一定的时间之内充满铸型，如果在内浇道截面一定的条件下，为了保证液态金属充型过程中的流速，显然直浇道的高度是关键，它为计算目标。

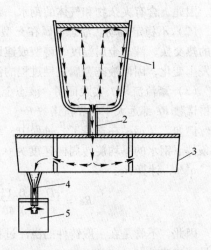

图 1-2-3　连续铸钢工艺浇注过程示意图
1—钢水包；2—长水口；3—中间包；
4—浸入式水口；5—结晶器

2.3.2　计算过程及结果

如图 1-2-1 所示为充填下半箱的过程，由伯努利方程得：

$$H_0 = \frac{v^2}{2g} + \Sigma h_{浇损} \tag{1-2-2}$$

式中　H_0——内浇道以上的液态金属的静压头的高度，m；

　　　　v——液态金属从内浇道流出速度，m/s；

　$\Sigma h_{浇损}$——在浇注过程中，克服各种阻力压头损失的总和。

也可以用速度的损失表示：

$$\Sigma h_{浇} = \Sigma \xi_{浇} \frac{v^2}{2g}$$

式中，$\Sigma \xi_{浇}$ 为浇注系统沿程和局部阻力系数总和。

所以

$$H_0 = \frac{v^2}{2g}(1 + \Sigma \xi_{浇}) \tag{1-2-3}$$

$$v = \sqrt{\frac{2gH_0}{1 + \Sigma \xi_{浇}}} \tag{1-2-4}$$

所以

$$G_1 = F_{内} v \tau_1 \gamma = F_{内} \tau_1 \gamma \sqrt{\frac{2gH_0}{1 + \Sigma \xi_{浇}}} \tag{1-2-5}$$

式中　G_1——充满下半箱的重量，N；

　　　τ_1——时间，s；

　　　γ——重度，N/m³；

　　　$F_{内}$——内浇道的横截面积，m²。

令：$\mu = \dfrac{1}{\sqrt{1 + \Sigma \xi_{浇}}}$ 为流量消耗系数（有黏性的实际液态金属的流量/无黏性的理想流体的流量）。

所以

$$G_1 = F_{内} \tau_1 \gamma \mu \sqrt{2gH_0} \tag{1-2-6}$$

$$F_{内} = \frac{G_1}{\gamma \tau_1 \mu \sqrt{2gH_0}} \tag{1-2-7}$$

这样就得到了充满下半箱的结果。

充填上半箱情况如下：

（1）压头变化，损失增加。即不仅有 $\Sigma h_{浇} = \Sigma \xi_{浇} \dfrac{v^2}{2g}$ 的损失，而且还有 $\Sigma h_{型} = \Sigma \xi_{型} \dfrac{v^2}{2g}$ 的损失；这样由伯努利方程得：

$$H_{平均} = \frac{v^2}{2g}(1 + \Sigma \xi_{浇} + \Sigma \xi_{型}) \tag{1-2-8}$$

式中，$H_{平均}$ 为充填上半箱时的平均压头，m。

其中

$$v = \sqrt{\frac{2gH_{平均}}{1 + \Sigma\xi_{浇} + \Sigma\xi_{型}}} \tag{1-2-9}$$

（2）充满上半箱的重量计算如下：

$$G_2 = F_{内}v\tau_2\gamma = F_{内}\tau_2\gamma\sqrt{\frac{2gH_{平均}}{1 + \Sigma\xi_{浇} + \Sigma\xi_{型}}} \tag{1-2-10}$$

令：$\mu = \dfrac{1}{\sqrt{1 + \Sigma\xi_{浇} + \Sigma\xi_{型}}}$ 为流量消耗系数（有黏性的实际液态金属的流量/无黏性的理想流体的流量）。

所以

$$G_2 = F_{内}\tau_2\gamma\mu\sqrt{2gH_{平均}} \tag{1-2-11}$$

因此，也得到浇注系统内浇道的断面积：

$$F_{内} = \frac{G_2}{\gamma\tau_2\mu\sqrt{2gH_{平均}}} \tag{1-2-12}$$

但是，同一个铸件浇注系统的内浇道的断面积应该是一个，因此，写出下列通式：

$$F_{内} = \frac{G}{\gamma\tau\mu\sqrt{2gH_{平}}} \tag{1-2-13}$$

式中　$H_{平}$——充填整个铸型时的平均压头，m。

上式为充满整个铸件的浇注系统内浇道的断面积的表达式。$H_{平}$需要通过压头做功的办法求出。其他参数都是已知的，求解 $H_{平}$ 时仍然要分上半箱、下半箱。设 W_1 为压头充满下半箱所做的功，W_2 为压头充满上半箱所做的功。

$$W_1 = G_1 H_0 \tag{1-2-14}$$

$$W_2 = G_2\frac{H_0 + (H_0 - P)}{2} = G_2\left(H_0 - \frac{P}{2}\right) \tag{1-2-15}$$

$$W = W_1 + W_2 = GH_{平} \tag{1-2-16}$$

即：

$$GH_{平} = G_1 H_0 + G_2\left(H_0 - \frac{P}{2}\right) \tag{1-2-17}$$

所以

$$H_{平} = \frac{G_1}{G}H_0 + \frac{G_2}{G}\left(H_0 - \frac{P}{2}\right) = H_0 - \frac{P^2}{2C} \tag{1-2-18}$$

到此，完成了浇注系统的水力学计算，人们即可以利用上述的理论计算结果，对液态金属的充型过程进行分析研究。

2.4　液态金属充型能力及停止流动机理

2.4.1　充型能力

液态金属充满铸型的型腔，获得形状完整、轮廓清晰的铸件的能力称为液态金属的充型能力。在钢的连铸工艺中称为钢的可浇性，它是决定连铸坯的表面质量和浇钢过程顺利与否的重要因素。显然，同一种合金，浇注不同性质的铸型，充型能力不同。而不同合金，浇注相同的铸型，充型能力也不同。由此可见，影响液态金属的充型能力的主要因素是金属及合金性质、铸型性质、浇注条件、铸型（件）结构等。其中金属及合金性质，即液态金属的流动能力，或称流动性是决定液态金属充型能力的内因，起主导作用。因此，人们用稳定工艺条件下的砂型三螺旋线法来检测液态金属的流动性，如图 1-2-4 所示。

2.4.2　停止流动机理

对于不同的合金在完全相同的铸型条件下，充型能力不同的根本原因是由于它们停止流动机理不同，如图 1-2-5、图 1-2-6 和图 1-2-7 所示。

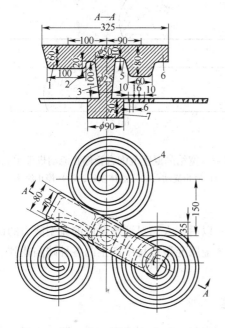

图 1-2-4　螺旋形流动性试样结构示意图
1—浇口杯；2—低坝；3—直浇道；4—螺旋试样；
5—高坝；6—溢流道；7—全压井

图 1-2-5　流动性试样的宏观组织照片
（a）纯铝（99.99% Al）；（b）Al-5% Sn 合金
（从左向右流动，浇注温度 t_L +83℃）

（1）对于纯金属、共晶合金或结晶间隔很窄的合金，如低碳钢等，由于它们的结晶特点是在一定的温度点开始凝固，当具有一定的过热度的液态金属在管道中流动时，靠近管壁的液态金属首先达到凝固温度并开始在管壁上凝固，一般是以柱状晶组织从管壁向里推进，而中心的过热液态金属可以继续向前流动，而且能够全部或部分地熔化正在生长的柱状晶，如图 1-2-6 所示。如图 1-2-5(a) 所示，这是纯金属充型停止流动后的凝固组织，都是柱状晶。当流动的液态金属的过热度散失殆尽，柱状晶一直生长到中心，液态金属完全在流动的前端之前被堵塞而停止流动，如图 1-2-6 所示。由此可见，纯金属、共晶合金的流动时间相对较长，流动性好。因此，在液体金属成形工艺过程中，要求重点保证铸件的表面质量时，一般可以选择共晶合金，会具有较好的流动性，即较好的充型能力。

（2）对于有一定结晶温度范围的合金。由于它们的结晶特点是在一定的温度范围内，当具有一定过热度的液态金属在管道中流动，不断接触管壁的液态金属前端首先达到凝固温度，并开始有部分的固相以枝晶析出。此时，液态金属中虽然有部分固相，但还可以继续向前流动，而流动阻力越来越大，流动速度越来越慢，当液态金属的前端析出 15% ~ 20% 左右的固相时，在流动的前端被堵塞而停止流动，如图 1-2-5(a)、图 1-2-7 所示。这类合金的流动性不好。因此，用结晶温度范围较宽的合金铸造时，应适当提高浇注温度，对液态金属进行净化处理，改善铸型条件，才能获得表面质量好的铸件。

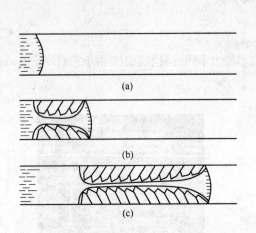

图 1-2-6　纯金属和结晶温度范围很窄合金
停止流动机理示意图
(a) 液相流动；(b) 晶体生长；(c) 停止流动

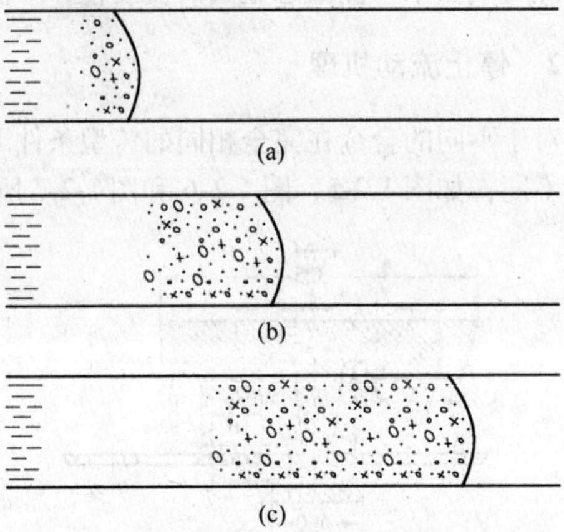

图 1-2-7　宽结晶温度范围合金停止流动机理示意图
(a) 液相流动；(b) 晶体生长；(c) 停止流动

　　不同性质的金属或合金的停止流动的机理被揭示以后，人们对液态金属的充型能力的认识豁然开朗，对于提高液体金属的充型能力，防止液体金属充型过程中产生的各种缺陷找到了依据。

2.4.3　液态金属充型过程的主要缺陷及防止措施

　　液态金属充型过程的主要缺陷是浇不到，形状不完整，轮廓不清晰。凸、凹、变形、夹杂（粘砂）、起皮、裂纹、气孔以及表面化学成分不均等。

　　防止上述缺陷的主要措施，首先就是改善液体金属的性质，调整液体金属的浇注温度，对液体金属进行变质及净化处理。选择适宜的铸型，例如可以选不同的砂型、石膏型、金属型制作铸件，铸件的不同的部位用不同的材料做型。对于连铸工艺中的结晶器，从材质、厚度、结构形式、表面镀层处理、冷却强度的选择等等，都经过长时间的试验研究，不断改进，才保证铸坯具有较好的表面质量。金属型薄壁铸件要想获得形状完整，轮廓清晰，表面质量好的铸件，选择好涂料也是重要的手段之一。

2.5　液态金属成形凝固动态曲线

2.5.1　液态金属凝固动态曲线

　　如图 1-2-8 所示，依据凝固体断面上实际测得的温度 T 随时间 τ 变化曲线，在同一个时间坐标下，制作凝固体断面上不同位置与时间的框图，确定金属在凝固过程中典型温度点（液相温度，固相温度，共晶温度等），把凝固体断面上实际测得的温度随时间变化曲线上确定的温度点投影到凝固体断面上不同位置与时间的框图中，把不同时间，不同位置的同一温度点（液相温度、固相温度）连接起来，即得到金属凝固动态曲线。图1-2-8（a）中的1~6为凝固体断面上的位置编号。

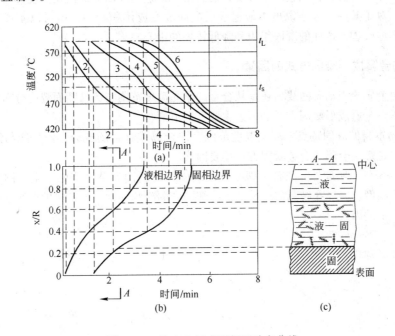

图 1-2-8 液态金属成形凝固动态曲线

（a）金属凝固体断面的温度-时间曲线；（b）凝固动态曲线；（c）某时刻的凝固状态

2.5.2 液态金属凝固方式

液态金属的凝固、冷却是决定铸件或铸坯内部质量的关键，而金属在凝固过程中凝固区的宽窄是判断铸件或铸坯内部质量的依据。从液态金属的凝固动态曲线上，可以判断出铸件在凝固的不同时间，凝固区域的宽窄，相对比较决定凝固体的断面上的凝固方式，不同的凝固方式直接影响着金属凝固体的组织状态和凝固过程的缺陷。

2.5.2.1 逐层凝固方式

纯金属、共晶合金、结晶温度范围很窄的合金（如：低碳钢）在凝固过程中凝固体的断面上又具有较大温度梯度时的凝固，属于逐层凝固方式。

对凝固质量的影响：流动性能好，容易获得健全的凝固体。液体补缩好，凝固体的组织致密，形成集中缩孔的倾向大（形成缩松的倾向小，可以采取一定的工艺措施消除集中缩孔）。热裂倾向小（因为热裂是在凝固区形成的，凝固区域窄，晶间不易出现裂纹，即使出现也可以焊合）。气孔倾向小，应力大，宏观偏析严重。

2.5.2.2 体积凝固方式

结晶温度范围很宽的合金（高碳钢）在凝固过程，当凝固体的断面上具有较小温度梯度时的凝固，属于体积凝固方式。

对凝固质量的影响：流动性能不好，不容易获得健全的凝固体。液体补缩不好，凝固体的组织不致密，形成集中缩孔的倾向小。热裂倾向大（因为热裂是在凝固区形成的，凝固区域宽，晶间易出现裂纹），气孔倾向大，应力小，宏观偏析不严重。

2.5.2.3　中间凝固方式

介于逐层凝固和体积凝固之间的凝固方式称为中间凝固方式。特别是在连铸工艺过程中，从结晶器到二冷区，恰当地调整冷却强度，适当地降低连铸坯断面的温度梯度分布，降低钢水的浇注温度，对于某些钢种来说虽不能把逐层凝固改变成体积凝固，但可以实现中间凝固方式，可大幅度地改善连铸坯的凝固组织和降低铸坯的中心缺陷。

2.5.3　影响金属成形凝固方式的因素

无论是由金属凝固动态曲线，还是从合金的结晶温度范围与铸件断面温度分布的关系中都可以知道，影响金属成形凝固方式的因素主要有以下两种。

（1）金属本身的凝固特点。凝固温度范围，即金属或合金的成分，液相线与固相线之间的温度差，这是影响金属或合金凝固方式重要因素。

（2）外界条件。所谓外界条件，即是决定凝固体的断面温度分布的因素，例如像连铸工艺过程中浇注温度，铸坯在结晶器内及二次冷却区内的冷却强度，连铸机的运行状态等都是影响铸坯凝固质量的因素。

3 金属液态砂型成形工艺

3.1 金属液态砂型成形方法和工作条件

金属液态砂型成形是铸造生产中最重要的生产方式，它生产成本低，生产效率高，适用范围广，灵活性大。用砂型生产的铸件占铸件总产量80%以上。

3.1.1 砂型成形方法

原砂（或再生砂）、黏结剂（包括固化剂）和附加物经混制而成型砂（或芯砂）。利用机械设备把型砂（或芯砂）制成砂型（或砂芯）的工艺过程称为造型制芯。在造型制芯过程中，型（芯）砂由外力作用下成形并达到一定的紧实度或密度而成为砂型（或砂芯）。

造型制芯是金属液态砂型成形最基本的工序，通常分为手工造型和机器造型两大类。手工造型是利用简单的器械进行砂型（芯）的制作，其特点是操作方便灵活，适应性强，模样生产准备时间短，但生产率低，劳动强度大，铸件质量不易保证。所以手工造型只适用于单件小批量生产。机器造型是利用造型机和制芯机进行砂型（芯）的制作，其特点是生产效率高、劳动条件好、劳动强度低、铸件的尺寸精度高、表面质量好，是大批量生产砂型的主要方法。

3.1.2 砂型结构

图1-3-1是型砂紧实后的结构示意图，它是由原砂、黏结剂及必要的附加物组成的一种具有一定强度的微孔-多孔隙体系。原砂是骨干材料，占型砂总质量的82%～99%；黏结剂起黏结砂粒的作用，以黏结膜形式包覆在砂粒表面并形成公共黏结膜，使型砂具有必要的强度和韧性；附加物是为了改善型（芯）砂某些性能而加入的物质。

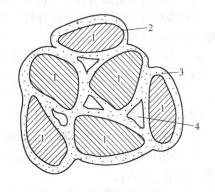

图 1-3-1 砂型结构示意图
1—砂粒；2—黏结剂；3—附加物；4—孔隙

砂型的紧实程度用紧实度或密度来表示。在制作砂型的过程中，外力的大小影响砂型的紧实度。例如对于黏土湿砂型，砂斗中型砂的紧实度为 $1150～1250kg/m^3$，普通造型机制出的砂型其紧实度约为 $1650kg/m^3$，高压造型机制出的高密度砂型其紧实度可达 $1700kg/m^3$ 以上。

由于砂型是一个微孔-多孔隙体系，所以砂型中微孔的物理特性决定了砂型的特点。砂型中微孔的物理特性主要指孔隙率和微孔尺寸。

（1）孔隙率 n。将砂型（芯）微孔的容积 V_k 与砂型（芯）总容积 V 之比定义为砂型的孔隙率，即

$$n = \frac{V_k}{V} \times 100\%$$

砂型的孔隙率反映了砂型（芯）中微孔的数量。孔隙率与砂型中原砂的颗粒大小和真密度无关，与颗粒形状、颗粒尺寸分布和堆积方式有关。原砂的颗粒形状粗略地可分为圆形、钝角形和尖角形。砂粒越圆整，砂型孔隙率也就越大。对于原砂的颗粒尺寸，其分布越均匀则孔

隙率越大。在砂型制作过程中，成型压力的大小会影响到砂粒的堆积方式。砂型在浇注过程中，由于高温作用导致的砂粒变形和黏结膜燃烧分解，都会改变砂型的孔隙率。在捣击式制样机冲击三次的标准紧实条件下，试样的紧实度一般为 1500 ~ 1800kg/m³，孔隙率为 30% ~ 40%。

砂型的容重、导热性、热膨胀、透气性等与砂型的孔隙率有关。

（2）微孔尺寸。微孔尺寸是砂型孔隙的尺寸度量，反映微孔的大小。微孔尺寸与砂型中原砂的颗粒大小、颗粒形状和堆积方式有关。砂型的微孔尺寸影响砂型的抗金属液渗透能力。

3.1.3　砂型工作条件

在铸件成形过程中，砂型的工作条件非常恶劣，既要在室温下能承受搬运、合箱等生产工序中可能发生的振动、撞击、挤压等各种力的作用，更要能承受高温金属液的热、机械、化学等作用而发生的一系列反应，如传热、传质、发气、化合、分解、变形、溃碎等。这些反应又反作用于金属液，使铸件相应地在成分、组织、结构和外观上发生各种变化，从而能形成所要求形状和性能的铸件，同时也可能使铸件产生某些铸造缺陷，影响铸件质量和成品率。

液态金属浇入砂型后，与砂型的型腔表面层部分发生作用。我们将砂型的受作用部分称为接触区，而未受影响部分称为一般区。接触区的范围与铸件大小、金属液浇注温度、砂型的型腔结构、砂型材料的性质等因素有关。

在金属液充型过程中，金属液的流动对砂型的型腔表面有冲击和冲刷作用，高温金属液对砂型有热作用并与造型材料发生化学反应，同时有大量气体产生。随着型腔内金属液温度的降低，铸件表层开始凝固结壳，铸件与砂型界面之间在某些部位产生气隙，砂型的某些部位还可能阻碍铸件的收缩。

液态金属在充型和凝固过程中，铸件与砂型界面将发生下列几种作用：

（1）热作用——传热、传质。在金属和砂型间有热交换、水分迁移、气体迁移和元素扩散。

（2）机械作用——冲击、冲刷、静压力。

1）如果砂型表层强度不够，金属液将冲坏型壁，使铸件产生表面缺陷；

2）如果砂型整体强度不够，型壁在金属液静压力作用下发生移动，使铸件产生尺寸误差缺陷（胀箱、肥大）。

（3）化学和物理化学作用——造型材料本身、造型材料与液态金属发生化学和物理化学反应。

1）造型材料自身的分解和化学反应，可改变界面气氛和压力，引起铸件气孔缺陷；

2）金属液与造型材料起化学和物化反应，可引起铸件粘砂、表面成分改变、气孔等缺陷。

在铸件浇注和凝固过程中，砂型处于传热、传质、传力及化学反应的工作条件下。如果条件不利，就会影响液态金属的充填和凝固，使铸件产生缺陷，影响铸件质量。所以，砂型要具备一定的工艺性能，以适应金属与砂型界面上的各种作用。研究铸件砂型界面作用发生的原理、过程及效果，对于提高铸件质量非常重要。

3.2　液态金属与砂型的物理作用

3.2.1　液态金属与砂型之间的传热和传质现象

传热是指物体间的热量交换，传质是指物体间的物质迁移，传热与传质是很普遍的自然现象。液态金属浇入砂型后，传热使砂型接触区的温度快速升高，促进了传质现象的迅速发生和发展，并导致金属与砂型相互作用的诸多现象。显然，在这些现象的发生过程中，热现象是起主导作用的。

在砂型铸造中，传热与传质相互影响，其过程比较复杂。

3.2.1.1 金属与砂型的传热

金属液态成形过程的传热遵循传热学的一般规律，热流方向为铸件→铸型→大气，传热方式有对流、辐射和导热。需要注意的是，在铸件充型和凝固过程中，对流、辐射和导热各自所起作用的大小在不同温度是不一样的。

研究金属与砂型的传热，其关键部位是不同材料的接触界面，即铸件/砂型（芯）界面、铸件/冷铁界面、砂型/大气界面，其中前两个界面的传热过程直接影响铸件质量；其关键数值是材料的热物性参数和传热边界条件。材料的热物性参数包括导热系数 λ、密度 ρ、热容 C、热扩散率 $a\left(=\dfrac{\lambda}{\rho C}\right)$、蓄热系数 b（$=\sqrt{\lambda \rho C}$）、换热系数 h_a、辐射系数 ε 及金属的结晶潜热 Q。

在液态金属砂型成形过程中，影响传热的因素有：

（1）体系温度。金属液的浇注温度、铸型初始温度、环境温度；

（2）材料热物性。导热系数、密度、热容、换热系数、辐射系数；

（3）几何条件。铸件的形状与壁厚、涂料层厚度、砂型厚度；

（4）合金性能。相变与结晶潜热。

3.2.1.2 砂型的温度场

液态金属在浇注和凝固冷却过程中，将把热量传给砂型，使其温度不断升高，当散向周围环境的热量大于从金属获得的热量时，砂型温度也开始下降。砂型受热后将发生一系列的变化，这些变化对铸件质量影响很大。所以，人们对砂型温度场进行研究，借助砂型温度场来分析金属对砂型的加热过程及产生伴生缺陷的可能性，合理控制型砂性能和浇注工艺，防止铸件产生铸造缺陷。

确定砂型的温度场有下列几种方法：

（1）实验法。在砂型内设置测温系统；

（2）解析计算法。由于砂型传热过程复杂，影响因素多，该法只能适用简单传热过程；

（3）数值模拟法。利用计算机软件求解传热方程的数值解。

图1-3-2为黏土湿砂型的典型温度场，从中可以看出砂型温度场的特点：近界面处（型壁处）的砂型升温快，型外部温度低；砂型内各层初期温度梯度大，随时间间增加温度梯度逐渐变小。这表明铸件与砂型的传热过程主要发生在型腔表面层，浇注和凝固初期。砂型受热后，与常温比较其性能将发生很大变化。

影响砂型温度场的因素主要是铸件的大小、壁厚和结构，金属浇注温度，砂型的热物性参数。

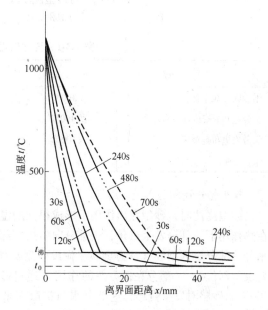

图1-3-2 黏土湿砂型的温度场

3.2.1.3　砂型中的水分迁移

铸型在浇注过程中，存在着许多传质现象，如造型材料在热作用下的燃烧、分解、气体扩散、水分迁移、金属氧化物向砂型中的渗透等。

水分迁移是浇注铸件时砂型在热作用下，界面处表面层的水分向砂型里层迁移的过程。在铸造生产过程中，湿砂型在浇注后开箱时常常会发现紧贴铸件的一层砂，强度很高，几乎不含水分，但距表面一定距离（2~5mm）的砂层，水分特别多，强度很低。这就是型砂中水分迁移造成的结果。

A　砂型的区域划分

水分迁移发生后，根据砂型中各层水分含量将砂型划分成 4 个区域（见图 1-3-3），各区域之间的界面是随着热作用时间的增加而向里层移动的，开始移动较快，最后处于传热传质的平衡状态。干砂区与水分饱和凝聚区的分界面是水分蒸发界面，水分饱和凝聚区与水分未饱和凝聚区的分界面是水分凝聚界面。各区域的特性列于表 1-3-1，从中可以看出，水分饱和凝聚区是一个高水分、低强度区，该区域将型腔表面的干砂区与砂型正常区隔开，当其抗拉强度较低时会使干砂区脱离砂型而形成铸件的夹砂结疤缺陷；当其抗压强度较低时会使干砂区向砂型内部移动形成铸件的胀砂缺陷。

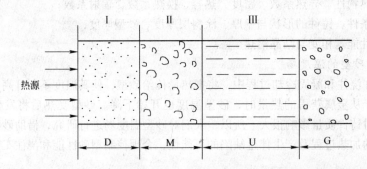

图 1-3-3　湿砂型浇注时砂型内的水分分布示意图

D—干砂区；M—水分饱和凝聚区；U—水分未饱和凝聚区；G—正常区

表 1-3-1　浇注时湿砂型各区的特性

名　　　称		温　度	水　分	强　度	界　面
干砂区（烘干区）	D	>100℃	极　少	高	I/II 蒸发
水分饱和凝聚区	M	约100℃	多	很　低	
水分未饱和凝聚区	U	<100℃	较　多	较　低	II/III 凝聚
未受影响区（正常区）	G	常　温	适　宜	正常	

B　水分迁移过程

砂型浇注时，砂型在热作用下形成很大的温度梯度，型腔表面层温度迅速升高，表层水分在热作用下一部分发生汽化，一部分向砂层内部扩散，使表层变为水分极少的干砂层。汽化的水分一部分进入型腔（液态金属未淹没砂型发气部位）或侵入金属液内（液态金属已淹没砂型发气部位）；一部分在压力差的作用下通过砂型孔隙向砂层内部迁移，当迁移到温度低于100℃的砂层时发生凝结，这部分水与扩散而来的液相水共同构成了砂型的水分饱和凝聚区。水分饱和凝聚区与砂型正常区的含水量相差很大，由于水分扩散能力的逐步降低而形成水分未饱和凝聚区（过渡区）。

湿砂型中出现水分迁移现象的传热、传质特征是：

（1）热通过两种方式传递：一是通过温度梯度进行导热，未被吸收的热通过干砂区传导至蒸发界面使水分汽化；二是靠蒸汽相传递热量，蒸汽的迁移依赖于蒸汽的压力梯度；

（2）干砂区的外侧为水分蒸发界面和水分凝聚区，没有温度梯度；

（3）铸件的表面温度及其降温速度与干砂区的厚度及其蓄热系数有关。

由此可见，砂型内出现水分迁移现象，实际上是砂型温度梯度和湿度梯度综合作用的结果。

3.2.1.4　砂型的热膨胀和热应力

砂型受热后，造型材料的体积将发生变化。比如石英砂就会发生晶格点阵的变形和晶格转变，使膨胀率在600℃可达到1.375%。

A　砂型的热膨胀

将液体金属浇入铸型时，型腔表面层温度急剧升高，并因而发生膨胀和强度变化。不同的造型材料其热膨胀量也不同。石英砂的热膨胀量最大，锆英砂的热膨胀量最小，所以石英砂铸型易产生膨胀类缺陷。

对于黏土砂，主要使用石英砂为耐火骨料，黏土为黏结剂，砂型的强度靠湿黏土包裹砂粒形成的黏结膜来建立。在浇注时，砂型中的石英砂粒发生膨胀，粘结膜失水发生收缩，但由于砂型的主体是石英砂，黏土量很少，所以砂型整体是膨胀的。砂型温度愈高，温度变化愈快，则砂型膨胀量愈大。

按砂型热膨胀的程度，将热膨胀分为微观膨胀和宏观膨胀过程：膨胀为砂型体系内部所容纳（黏结膜收缩、孔隙缩小）称为微观膨胀过程；膨胀不能为砂型体系内部所容纳，而使砂型体系尺寸增大称为宏观膨胀过程。砂型受热时，首先发生微观膨胀，进而发生宏观膨胀。砂型紧实度愈大，原砂粒度愈大，粒度愈集中，砂型受热速度愈快，则砂型的宏观膨胀量愈大。铸件的膨胀类缺陷是由宏观膨胀引起的。

B　砂型的热应力

砂型在热膨胀过程中如果受阻，则砂型将产生压应力。因为该应力是由砂型受热引起的，所以叫热压应力。在砂型铸造中大多使用砂箱，所以浇注时砂型的膨胀受到阻碍，将产生热压应力。砂型的热压应力与砂型的宏观膨胀量、砂型韧性和砂型的受阻程度有关。砂型的宏观膨胀量愈大，砂型韧性愈差，砂型的受阻程度愈强烈，则砂型的热压应力愈大。

需要注意的是，不是砂型受热温度愈高，砂型热压应力愈大。因为热压应力与砂型宏观膨胀量和砂型韧性有关，当砂型温度升高时，虽然膨胀量变大，但韧性也同时变好，反而使压应力小于低温时的热应力。

3.2.1.5　膨胀类缺陷——夹砂结疤和鼠尾

对于湿型铸造来讲，由于砂型受热膨胀而引起的铸件缺陷主要是夹砂结疤和鼠尾。这种缺陷的形成部位是型腔的上平面（夹砂结疤）或下平面（鼠尾）以及浇冒口附近。

A　缺陷特征

图1-3-4表明了夹砂结疤和鼠尾缺陷的几种形式。根据缺陷形成的不同阶段，该类缺陷具有下列特征：

（1）鼠尾——型壁表面呈带状翘起，翘起砂层未破裂；

（2）沟槽——型壁表面呈带状凸起，凸起砂层未破裂；

（3）夹砂——型壁表面呈带状凸起后砂层破裂，但未折断；

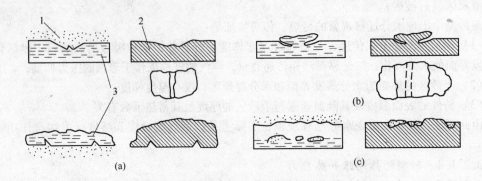

图 1-3-4　鼠尾和夹砂结疤缺陷的几种形式
(a) 鼠尾、沟槽；(b) 夹砂；(c) 结疤
1—砂型；2—铸件；3—金属液

(4) 结疤——型壁表面呈带状凸起破裂后折断。

B　形成机理

在浇注过程中，砂型表层被金属液烘烤加热（主要是热辐射），使砂型里外层之间产生温度差，产生水分迁移现象而形成干砂区和高湿度低强度的水分饱和凝聚区。由于砂型里外层温度不同而使砂型各层的膨胀量不同，当表面烘干层（干砂区）膨胀受阻时就形成较大的热压应力。在这种情况下，干砂区和水分饱和凝聚区将产生相对滑移的趋势，当干砂区的压应力大于水分饱和凝聚区的剪切应力时，干砂区边缘翘起而形成鼠尾缺陷；当水分饱和凝聚区的抗拉强度较低时，干砂区就会凸起导致分层，严重时凸起的砂层就会破裂，金属液进入层间孔隙而形成夹砂缺陷，如果金属液将凸起的砂层冲断，在砂层折断部位就形成结疤缺陷，漂走的砂块还可能形成砂眼和表面砂孔缺陷。图 1-3-5 示意说明了夹砂结疤和鼠尾缺陷的形成过程。

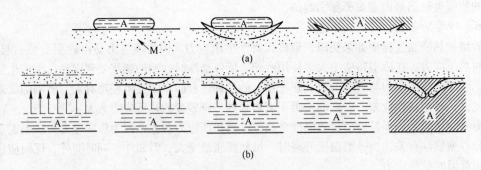

图 1-3-5　鼠尾和夹砂结疤缺陷形成过程示意图
(a) 鼠尾；(b) 夹砂结疤
M—水分凝聚区；A—金属（液）

从夹砂结疤的形成过程来看，产生夹砂结疤的倾向与砂型干砂区和水分饱和凝聚区的性能有关，干砂区的热压应力愈大，水分饱和凝聚区的强度愈低，则产生夹砂结疤的可能性愈大。

表面烘干层（干砂区）的凸起（翘起）和开裂通常是在与金属液接触前发生的，因为金属液覆盖砂型后表面烘干层的凸起阻力会增大。所以，加快浇注速度可防止这类缺陷的产生。

C　防止措施

防止夹砂结疤和鼠尾缺陷的产生，应该从提高砂型的热湿拉强度和降低热压应力着手，具体可采取如下措施：

（1）造型材料方面采取的措施包括：

1）使用粒度分散的原砂，并控制原砂中的 SiO_2 含量，这样会降低砂型表面烘干层的热压应力；

2）使用钠基膨润土或钙基活化膨润土作黏结剂，这样会提高砂型的热湿拉强度；

3）使用能提高砂型热湿拉强度、降低表面烘干层热压应力的附加物，如煤粉、渣油等；

4）控制型砂的含水量，降低型砂的含泥量。

（2）工艺方面采取的措施包括：

1）缩短浇注时间，使金属液尽快充满型腔；

2）合理设计浇注系统和选择浇注位置，避免局部型壁烘烤时间过长和过热；

3）保证砂型排气通畅；

4）砂型的紧实度要均匀，不宜过大。

3.2.2 液态金属对砂型的冲击和冲刷

在浇注和充型过程中，液态金属对砂型的型腔表面产生冲击和冲刷作用，液态金属在凝固前对砂型产生静压力，铸件在浇注位置时越高，则砂型下部的静压力越大。在砂型性能不好的情况下，液态金属对砂型的这些机械作用会使铸件产生砂孔、胀箱、缩沉、跑火等铸造缺陷。

3.2.2.1 金属液对砂型表面的冲刷和冲击作用

浇注过程中，流动着的金属液对型壁有摩擦力，当摩擦力大于型壁表层砂粒间的结合力时就会把砂粒冲下来，进入型腔其他部位，使铸件产生砂眼缺陷。金属的浇注温度越高，砂型的激冷作用越弱，砂型表面高温强度越低，则砂型的抗冲刷能力越差。

流动着的金属液对阻挡其流动的型壁还具有冲击作用。在型腔内，垂直面有流体的势能变化，水平面有流体的动能变化，这些能量对砂型产生冲击动压力。金属液对型壁表面的冲击动压力为：

$$P_{动} = \frac{\rho v^2 F}{g} \tag{1-3-1}$$

式中　$P_{动}$——金属液对砂型表面的动压力；

　　　F——金属液的流动截面积；

　　　v——金属液的流速；

　　　ρ——金属液的密度。

当动压力大于砂型表面的高温强度时，型壁表面将被冲坏，铸件将出现砂眼、多肉等缺陷。

金属的浇注速度越大，流动方向越垂直型壁，砂型表面高温强度越低，则砂型的抗冲击能力越差。

3.2.2.2 砂眼

铸件表面或内部充塞着型砂的空洞，称为砂眼，也称砂孔。这是湿型铸造的常见缺陷。砂眼使铸件表面质量变差，造成铸件局部应力集中和打压件渗漏，严重者会使铸件报废。

铸件产生砂眼的原因是，合箱时未将型腔内的散落砂清理干净，或合箱后砂型运输过程中发生掉砂，或浇注过程中由于金属液的冲击和冲刷使砂型破坏产生的冲砂，这些砂块在金属液凝固前未浮到冒口或积砂孔内，就会产生砂眼。

为了防止砂眼的产生，可采取下列措施：提高砂型的表面强度，如使用合理的型砂配方、型腔表面刷涂料等；合理设置浇注系统和冒口，如采用底注式或缓流式浇注系统、设置排渣冒口等；严格执行操作规程，注意清理散落砂。

3.2.2.3　型壁移动与缩沉

在浇注过程中，型壁在液态金属压力的作用下发生位移的现象称为型壁移动。它对铸件的尺寸精度、缩孔和缩松等缺陷的形成有很大的影响。

造成型壁移动的原因是砂型紧实度低，在金属压力（如金属液的静压力、铸铁石墨化时的膨胀力等）作用下，砂型进一步被紧实。型壁移动使型腔扩大，不仅会使铸件胀大，还会因此造成原有冒口中的金属液不够补缩而使铸件出现缩孔和缩松缺陷。生产中把由于种种原因引起型腔胀大而使铸件同时出现胀大造成的缩孔、缩松的现象称为"缩沉"。

防止型壁移动的措施有：采用液态金属静压头小的铸造方案；提高砂型的硬度和紧实度的均匀性；选用耐火度高和导热性好的原砂；控制型砂中的水分。

3.2.3　砂型中的气体

在铸件浇注过程中，砂型在液态金属的热作用下会产生大量气体，砂型中的这些气体及铸件砂型界面的气氛对铸件的凝固过程和铸件质量有很大影响。

3.2.3.1　气体来源和界面气氛

砂型中的气体，其来源与型砂配方和砂型工作条件（温度）有关：

（1）砂型型腔、微孔中的空气；

（2）砂型中水分的汽化；

（3）造型材料燃烧、分解、化学反应产生的 H_2、CO_2、CO、N_2、CH_4 等气体；

（4）浇注时由浇注系统卷进的空气；

（5）金属凝固析出的气体。

浇注期间砂型中可能存在的气体包括 H_2、CO_2、CO、N_2、H_2O、CH_4、NH_3、甲醛、硫化物及各种有机化合物。根据浇注时产生的各种气体含量的不同，金属与砂型的界面可有三种气氛：

1）还原性气氛——以 CO、H_2 为主；

2）氧化性气氛——以 CO_2、O_2 为主；

3）中性气氛——以 N_2 为主。

界面气氛影响着金属与砂型的界面作用。如氧化性气氛利于金属液向砂型中渗透，易产生粘砂缺陷，铸件表面容易脱碳；而还原性气氛对防止粘砂有利。

浇注时产生的大量气体可使铸件产生气孔缺陷。根据铸件气孔中气体的来源将气孔分为三类：

（1）析出性气孔——金属液在凝固时由于溶解度的降低析出气体而形成的气孔；

（2）反应性气孔——金属液的某些成分之间或金属液与造型材料、冷铁、熔渣进行化学反应产生气体而形成的气孔；

（3）侵入性气孔——造型材料在热作用下产生的气体及空气侵入金属液中而形成的气孔。

3.2.3.2　侵入性气孔

侵入性气孔是湿砂型铸造最常见的一种缺陷。

A　气孔特点

侵入性气孔常常在浇注位置的上表面和靠近砂芯表面处形成，气体来源主要是型、芯产生的气体（受热水分蒸发，材料分解、燃烧）、卷入气体（浇注时卷气）和冷铁、芯撑产生的气体（水分、油垢气化）。

侵入性气孔的特征是：气孔数量少，容积大（与另外两类气孔比较）；孔壁光滑，表面氧化（呈现灰色）；孔洞的形状呈梨形、椭圆形和圆形。

B　形成机理

浇注时，型芯在金属液作用下发生水分气化、有机物燃烧分解和升华、碳酸盐分解等反应而产生大量气体。当砂型排气不良时就使金属与砂型界面处的气体压力增加，当气体压力超过某一临界值后，气体就会侵入到金属液中形成气泡。随着金属液的凝固，来不及上浮的气泡就形成气孔（见图1-3-6）。

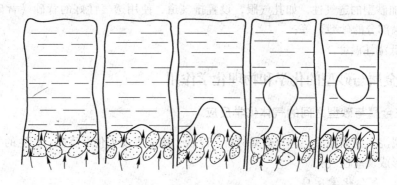

图1-3-6　侵入性气孔形成示意图

侵入性气孔的形成条件是：

$$P_{气} > P_{静} + P_{阻} + P_{腔} \tag{1-3-2}$$

式中　$P_{气}$——铸件/砂型界面处气泡（气核）的压力；

$P_{静}$——界面处气泡（气核）位置的液态金属静压力，$P_{静} = gh\rho$；

$P_{阻}$——气泡（气核）进入液态金属中的阻力，$P_{阻} = \dfrac{2\sigma}{r}$，$\sigma$ 为液态金属表面张力，r 为气泡（气核）半径；

$P_{腔}$——型腔中金属液面压力，当型腔与外界相通时为大气压。

铸件/砂型界面处气泡（气核）的受力情况如图1-3-7所示。可以看出，界面处气泡（气核）的压力是形成侵入性气孔的驱动力，而液态金属静压力、型腔中金属液面压力及金属液中新相生成需克服的界面能成为气孔生成的阻力。在浇注过程中，界面处的这几种力是随时间变化的。对于铸件的同一铸造方案，气泡进入金属液的临界压力（$P_{静} + P_{阻} + P_{腔}$）是相同的，而界面处气体压力的大小与造型材料的发气性有关。在浇注开始时，造型材料迅速发气，使气体压力快速升高，随着浇注时间的增加，发气物质逐渐减少，部分气体通过砂型孔隙和排气孔排到型外，界面处的气体压力开始下降，并逐渐趋于平稳。可能产生侵入性气孔的时段为气体压力大于临界压力的一段时间。

砂型的发气性、透气性对气孔的产生影响很大。造

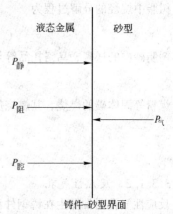

图1-3-7　铸件/砂型界面处的受力情况

型材料的发气速度越快、发气量越大、发气温度越低，越容易产生气孔。所以，侵入性气孔的形成与下列因素有关：

(1) 金属液特性——黏度、表面张力、润湿角，影响气泡的生成和上浮；

(2) 浇注条件——浇注温度、浇注位置，影响造型材料的发气性和气泡的上浮；

(3) 砂型特性——发气性、透气性，影响界面处的气体压力。

C　防止措施

为了防止侵入性气孔的产生，可以采取下列措施：

(1) 控制砂型的发气性，如减少造型材料中的发气物质，使用发气速度慢、发气温度高的造型材料；

(2) 增加砂型的透气性，如扎气眼，设置排气道，使用透气性好的背砂（背砂用于形成不与铸件接触部分的砂型）等；

(3) 降低浇注温度。

3.3　液态金属与砂型的化学和物理化学作用

3.3.1　液态金属与砂型之间的气体化学反应

液态金属浇入到型腔后，将与造型材料、冷铁、熔渣等发生化学反应，产生的气体残留在金属中就会形成反应性气孔。

3.3.1.1　气体化学反应

浇注时金属与铸型界面产生的气体化学反应主要是金属液的氧化和造型材料的燃烧分解。

A　金属被水汽氧化

在金属液的热作用下，砂型中迅速产生大量的水蒸气。未能及时通过铸型逸出的高温水蒸气，在界面处与金属液表面接触，并使金属液中的金属元素氧化：

$$m\mathrm{Me} + n\mathrm{H_2O} \longrightarrow \mathrm{Me}_m\mathrm{O}_n + 2n\mathrm{H} \tag{1-3-3}$$

这里的金属 Me 为 Fe，Mn，Si，Al 等。氧化反应生成金属氧化物和氢，其中的氢一部分进入金属液中，一部分形成氢气。

B　造型材料燃烧分解

无机黏结剂中的碳酸盐在 900℃ 左右分解，产生 CO_2，其分解过程为

$$\mathrm{MeCO_3} \stackrel{\triangle}{\longrightarrow} \mathrm{MeO} + \mathrm{CO_2} \uparrow \tag{1-3-4}$$

树脂中烷烃的分解过程为

$$\mathrm{C}_n\mathrm{H}_{2n+2} \stackrel{\triangle}{\longrightarrow} n\mathrm{C} + (n+1)\mathrm{H_2} \tag{1-3-5}$$

树脂砂中的尿素、乌洛托品等与高温金属接触后，首先分解出氨，氨又进一步分解，即

$$2\mathrm{NH_3} \stackrel{\triangle}{\longrightarrow} \mathrm{N_2} + 3\mathrm{H_2} \tag{1-3-6}$$

煤粉等固体碳的燃烧，其燃烧反应为

$$\mathrm{C} + \mathrm{O_2} \longrightarrow 2\mathrm{CO}$$

$$\mathrm{CO} + \frac{1}{2}\mathrm{O_2} \longrightarrow \mathrm{CO_2} \tag{1-3-7}$$

3.3.1.2　反应性气孔

反应性气孔通常发生在铸钢件和球墨铸铁件中，用树脂砂生产的铸件也易产生。气孔形成部位主要在铸件表皮下 1~3mm 处，所以也称皮下气孔。

反应性气孔的特征是分布均匀、致密，空洞细长（对于铸钢件也称针孔），孔壁光滑，表面未氧化（呈银亮色或有金属光泽）。气孔中所含气体成分主要是 H_2、N_2、CO。

金属液与界面气体反应形成气泡核心，金属液中的气体向气泡核心扩散使其长大形成气泡。根据形核气体的不同，气孔形成机理有 CO 学说、H 学说和 N 学说，各种学说适合各自的合金材质和造型材料。

3.3.2　液态金属向砂型的渗入过程及与砂型的物理化学反应

砂型是一个多孔隙物质，金属液进入型腔后在条件有利的情况下会向砂型内渗入，并与造型材料发生物理化学反应，使铸件产生粘砂缺陷。

铸件表面上粘附着一层难以清除的砂粒或含砂物质称为粘砂。粘砂容易在热作用强烈或热作用时间长的部位形成，如铸件厚壁处、浇冒口附近、铸件凹槽处和小芯表面。粘砂缺陷会降低铸件的表面质量，增加铸件清理难度，不利于机械加工，但一般不会使铸件报废。

3.3.2.1　粘砂的类型及鉴别

A　类型

根据铸件与砂粒联结情况的不同，一般将粘砂分为两类：金属渗入砂型微孔中，将砂粒钩联下来称为机械粘砂；金属氧化物渗入砂型微孔中并与砂粒起反应称为化学粘砂。

B　鉴别

正确鉴别粘砂类型对于有效地防止粘砂是非常重要的，因为不同的粘砂类型其产生原因不同，防止措施也不同。常用的鉴别方法列于表1-3-2。

表 1-3-2　粘砂类型的常用鉴别方法

部　位	方　法	机械粘砂	化学粘砂
铸件表面	肉眼观察	白色毛刺	灰黑色连续蜂窝状
铸件表面	金相观察	可分清砂与金属	分不清砂与金属
粘砂层	电测法（测电阻）	小	大
粘砂层	化学法（与酸作用）	剩单个砂粒	剩联体物

3.3.2.2　机械粘砂

机械粘砂也称渗透粘砂、物理粘砂，它是由金属液渗入砂型表面的微孔中形成的。可以用金属渗入到砂型微孔中的深度来评价粘砂程度：如果渗入深度小于半层砂粒，铸件不发生粘砂，只使其表面粗糙；如果渗入深度小于2层砂粒，铸件发生轻度粘砂；如果渗入深度大于2层砂粒，铸件就发生严重粘砂。

A　机械粘砂的形成机理

根据毛细理论，将砂型表面砂粒间的微孔看成是直径细小的毛细管，认为机械粘砂是金属液与型砂微孔的毛细现象引起的。铸件在浇注和凝固过程中，金属液在动压力、静压力和砂型毛细管作用下，向砂型微孔中渗入，这时在金属/砂型界面存在着金属液的动压力和静压力 $P_{金}$、型腔中金属液面压力 $P_{腔}$、界面处砂型微孔中气体压力 $P_{气}$ 以及金属液与砂型微孔作用的毛细压力 $P_{毛}$。金属液恰能渗入砂型微孔的临界压力为：

$$P_{临} = P_{气} - P_{腔} - P_{毛} \tag{1-3-8}$$

金属液渗入砂型微孔的条件为：

$$P_{金} > P_{临} = P_{气} - P_{腔} - \frac{2\sigma\cos\theta}{r} \tag{1-3-9}$$

式中　σ——金属液界面张力；

　　　θ——金属液对砂型的润湿角；

　　　r——为砂型微孔半径。

由于金属在铸型中的凝固和冷却，所以影响粘砂的因素要比上式复杂得多。

B　影响机械粘砂的因素

影响铸件产生机械粘砂的因素较多，其中主要的是：

(1) 金属液凝固时间：浇注温度越高，铸件热节越大，则金属对砂型的热作用时间越长，越容易产生粘砂；

(2) 砂型特点：砂型的微孔尺寸越大，激冷能力越弱，蓄热量越小，发气量越小，越容易产生粘砂；

(3) 界面特性：金属液的表面张力及其与砂型的润湿性影响到粘砂的产生，金属液润湿砂型，则 $P_{临}$ 降低，金属易于渗入，这时表面张力愈大，渗入愈深。控制界面气氛可改变金属液对砂型的润湿性；

(4) 金属液静压力：砂型某部位的金属液静压力与铸件高度和浇注位置有关，金属液静压力大的部位容易产生粘砂。

C　防止产生机械粘砂的措施

为了预防机械粘砂的产生，常常采用下列措施：

(1) 缩小砂型孔隙　使用比较细的原砂，提高砂型紧实度，或在型腔表面刷涂料；

(2) 缩短金属液对砂型的热作用时间　适当降低浇注温度，使用激冷材料（非石英质砂或激冷涂料）；

(3) 加附加物改善界面润湿条件　向型砂中加入受热时可生成不被金属液润湿的材料（如光亮碳），可产生还原性气氛的附加物，这类附加物主要是煤粉、重油和煤泥；

(4) 调整液态金属的静压力　通过改变浇注位置来减小易产生粘砂部位的液态金属静压力。

3.3.2.3　化学粘砂

化学粘砂是铸钢件和大型铸铁件容易产生的铸造缺陷。根据粘砂层的附着强度和物质特性，将化学粘砂分为易剥离型和难剥离型两类。

A　粘砂层结构

经分析认定，化学粘砂层主要由金属氧化物和低熔点化合物组成，即

粘砂层 = 金属氧化层 + 烧结层（低熔点化合物）

在氧化层中，可检测到 Fe_3O_4、Fe_2O_3、FeO 等各种氧化铁成分。在不同的浇注条件下（铸件材质、铸型种类），各种氧化铁的相对含量不同。如果界面氧化性气氛很强，则由 FeO 转化为高价氧化铁的量就多。上述三种氧化铁的性能各不相同（见表 1-3-3），这对于粘砂层的粘结强度影响很大。

表 1-3-3　各种氧化铁的性能

氧　化　物	熔点/℃	组　织	对石英的润湿性	结晶时体积变化
FeO	1370	致密	润湿	小
Fe_3O_4	1597	疏松	不润湿	大
Fe_2O_3	>1600	疏松	不润湿	大

在烧结层中，由于 FeO 与造型材料发生反应，可生成正硅酸铁（$2FeO \cdot SiO_2$）、偏硅酸铁（$FeO \cdot 2SiO_2$）、玻璃状硅酸铁（$mFeO \cdot nSiO_2$）等硅酸铁，其他尚有 MnO、Na_2O 与硅酸铁形成的多元化合物。所以，烧结层主要是由硅酸铁及其多元化合物构成。正硅酸铁和偏硅酸铁为晶体结构。上述各种硅酸铁的含量与铸件冷却速度有关。

B　化学粘砂的形成机理

一般认为，化学粘砂的形成包括两部分：一是粘砂层的形成，二是粘砂层与铸件的结合。下面分别讨论。

a　金属液的表面氧化及粘砂层的形成

铸件浇注后，砂型在金属热作用下产生大量的氧化性气体 CO_2 和水汽。金属液将被型腔中的空气、水汽和 CO_2 氧化，形成熔融氧化膜：

$$Fe + O_2 \longrightarrow FeO$$

$$Fe + CO_2 \longrightarrow FeO + CO$$

$$mMe + nH_2O \longrightarrow Me_mO_n + 2nH$$

金属液表面被氧化生成的氧化铁，在液态时 FeO 多，而在凝固后的冷却过程中要有一部分 FeO 转化为高价氧化铁。所以，高温氧化生成的氧化铁可分成 Fe_3O_4、Fe_2O_3、FeO 三部分，它们构成了粘砂层中的金属氧化层。

金属氧化物（熔融氧化膜）易于向砂型微孔中渗透，并与砂粒、黏结剂反应形成硅酸铁等化合物：

氧化铁与砂粒反应：　　　　　$FeO + mSiO_2 \longrightarrow FeO \cdot mSiO_2$

氧化铁与黏土反应：$FeO + Al_2O_3 \cdot mSiO_2 \longrightarrow FeO \cdot mSiO_2 + Al_2O_3$

所以，硅酸铁等低熔点化合物构成了粘砂层中的烧结层。化学粘砂的形成过程可以按如下进程来表示：

$$\text{金属液} \xrightarrow{\text{氧化}} \text{氧化铁} \begin{cases} Fe_2O_3 \\ Fe_3O_4 \\ FeO（大多数） \to \begin{cases} a)\ \xrightarrow{\text{冷却时}} \begin{cases} Fe_2O_3,\ Fe_3O_4 \\ FeO \end{cases} \longrightarrow \text{氧化层（很薄）} \\ b)\ \xrightarrow{\text{与造型材料反应}} \text{硅酸铁} \longrightarrow \text{烧结层（很厚）} \end{cases} \end{cases}$$

b　粘砂层与铸件的结合

如图 1-3-8 所示，粘砂层的结合部位有两处：铸件与氧化层、氧化层与烧结层。可将氧化层分为三层（见图 1-3-9），其中 Ⅰ 层的氧化物主要为 FeO 和 Fe_3O_4，Ⅱ 层的氧化物主要为 FeO、Fe_3O_4 和 Fe_2O_3，Ⅲ 层的氧化物主要为 Fe_3O_4 和 Fe_2O_3。由于高价氧化铁形成时相变体积变化大，应力大，所以 Ⅰ 层与铸件的结合力最大，Ⅲ 层与铸件的结合力最小。

在金属的氧化过程中，如果氧化性气氛浓厚，则金属氧化层厚，高价氧化铁也多，氧化层中的 Ⅱ、Ⅲ 层厚；如果氧化性气氛不足，则金属氧化层薄，高价氧化铁也少，氧化层中的 Ⅱ、Ⅲ 层薄。金属氧化层的厚薄，以临界厚度 $h_{临}$ 来区分，其值大约为 $100\mu m$。金属氧化层与铸件的联结强度与金属氧化层厚度、密度和化学成分有关，如果氧化层厚度大于临界厚度 $h_{临}$，则粘砂层（烧结层）会从氧化层中的 Ⅱ、Ⅲ 层处断裂，从而脱离铸件；如果氧化层厚度小于临界厚度 $h_{临}$，粘砂层就不易从氧化层中的 Ⅱ、Ⅲ 层处断裂。$h_{临}$ 被称为粘砂的临界厚度。所以，在铸件凝固和冷却过程中造成很强的氧化性气氛，增加氧化层厚度，也是防止产生化学粘砂的一个措施。

烧结层对化学粘砂层的清理也有着重要作用。在化学粘砂层的形成过程中，如果冷却速度快、金属氧化物多，则烧结层中的玻璃体物质多，烧结层脆性大、易破裂，很容易将烧结

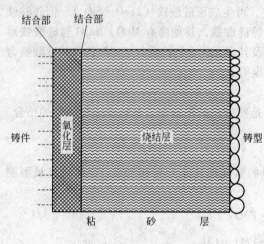

图 1-3-8　化学粘砂层结构示意图

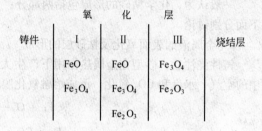

图 1-3-9　氧化层的氧化物分布

层从铸件上剥离掉；如果冷却速度慢、SiO_2 多，则烧结层中的结晶体物质多，烧结层韧性好、联结力强，很难将烧结层从铸件上清理下来。

所以，对于形成化学粘砂层的铸件，即使氧化层很薄，但低熔点化合物（烧结层）冷却后形成玻璃体，也可使化学粘砂层清理掉，获得光滑表面的铸件。比如水玻璃砂，在浇注铸钢件时，金属表面易氧化，烧结层中金属氧化物多，脆性大，烧结层易清除。而在浇注铸铁件时，温度低，氧化少，烧结层就不易清除。

C　防止产生化学粘砂的措施

根据化学粘砂的形成机理和化学粘砂层的结构特性，可以采取下列措施来防止化学粘砂的产生或减轻化学粘砂层的清理难度。

a　控制金属氧化层

在型砂中加入受热后可生成还原性气氛的附加物，如煤粉、重油、沥青等，以减轻金属液的氧化程度。降低浇注温度也可以减轻金属液的氧化程度。金属氧化物少，可有效防止烧结层的形成。对于金属氧化不可避免的情况，可在型砂中加入氧化铁粉等氧化剂，强化金属的氧化过程，造成很厚的金属氧化层，以便将烧结层清理掉。

b　控制烧结层

在型砂中加入受热后可生成不被金属液润湿材料的附加物（如煤粉），或使用不被金属液润湿的非石英质砂、非石英质涂料，以减少金属液对砂型微孔的渗入，控制烧结层的形成。当烧结层的形成不可避免时，要增加体系的激冷强度，或增加低熔点化合物中的金属氧化物量，使之形成玻璃体烧结层，降低清理难度。

3.3.3　砂型表面合金元素的作用

利用金属-砂型间的相互作用可以使砂型表面涂料层中的合金元素渗入到铸件表面形成一层合金层，这一过程称为铸件表面合金化，也称铸渗现象。根据渗入合金的特性，这层合金层可以改善铸件的耐磨、耐热、耐蚀及其他性能，从而提高铸件的使用寿命。

这种铸件表面合金化方法与生产中已经广泛采用的非铸造途径的表面强化方法（如化学热处理、金属喷镀、表面堆焊等）相比较，具有不需要专用的处理设备且生产周期短，成本低，零件不变形等许多优点。与整体的合金铸件相比较，合金元素能得到有效的利用，铸件表

面各部分的不同性能要求可以设法通过铸渗不同的合金来满足需要，而铸件其他部分的材质仍可采用常规材料。这样既可节约贵重金属材料，降低成本，又达到物尽其用的目的。铸件表面合金化的应用范围很广，铸铁、铸钢、铜合金、铝合金铸件等等都可采用此法来改善其工作性能。如普通灰口铸铁（HT200）件经过表面渗铬以后其使用寿命可成倍提高。

3.3.3.1　铸件表面合金化的方法

A　表面孕育法

在砂型的特定部位涂上含有合金元素或其氧化物的涂料，利用金属液的热量使合金元素熔化并扩散到金属液中，从而在铸件表面形成合金化层并获得所要求的特定性能。例如：拖拉机履带板上的小孔是磨损严重的部位，在形成小孔的砂芯表面涂刷含粉状铬铁合金的涂料，可以大大提高小孔的耐磨性；冷硬车轮砂型中轮辋部分的型腔表面上涂以含碲的涂料，可使轮辋表面成为白口层，提高其耐磨性；在使用金属型生产薄壁灰口铸铁件时，经常采用含有大量硅铁合金粉的涂料，以防止铸件表面产生白口。

在这类情况下，涂料中合金元素的熔化及扩散受铸件热容量及生产条件的限制，使合金化层的深度很不稳定，而且合金元素还常常被氧化，影响合金化效果。此外，用来使金属氧化物还原（再扩散到金属液中去）的还原剂渣化，也会影响合金化层的深度和质量。

B　铸渗法

在铸型的型腔表面涂敷一层高硬度物质（如 WC、TiC、SiC、刚玉等），浇注后，金属液渗入涂敷层中并在高硬度（高熔点）物质颗粒间凝固，从而把它们保持下来，形成硬化层。如果金属液和高硬度物质之间润湿性差，结合力弱，则在使用中，后者往往容易脱落。生产中为了使高硬度物质粘附在型腔壁上，有时使用铁丝网，这样可能使表面硬化层达不到所要求的厚度。有时表面硬化层还含有渣化了的黏结剂或者产生气孔，从而难于获得稳定的表面硬化层。

C　金属涂敷铸造法

在铸型的型腔表面涂敷一层含有合金化元素的涂料，该涂料能够在浇注金属后产生孔隙，金属液能够渗入涂料层中，使涂料中的合金元素熔化并在涂料中熔剂的帮助下与合金元素实现合金化。为了得到稳定的合金化表面层，选用的合金元素应能为渗透到涂层中的金属液所熔化并与金属液合金化，涂料层中不应含有渣化物质。为保证和调节表面层的厚度，涂层中要使用黏结剂，而且为避免黏结剂渣化和保证涂层中有较多的孔隙以便金属液渗入其中，最好使用有机黏结剂。

3.3.3.2　铸件表面合金化工艺

在铸件表面合金化过程中，影响铸件表面合金化效果，即影响表面合金化层的厚度、组织及其与母材结合的主要工艺因素有：含合金元素的涂料（或膏剂）的组成及配制、母材合金的种类、涂料层在砂型中的位置、砂型及涂料层或膏块的预热、浇注系统结构、金属液浇注温度等。而涂料的组成及配制又是其中很重要的因素，特别是合金粉末、黏结剂及熔剂的选配。这些影响因素之间的关系比较复杂，相互制约，不能孤立地考虑某一因素的影响。一般对表面合金化用涂料的基本要求是：

（1）涂层中要有孔隙以利金属液的渗透；

（2）涂在砂型壁上的涂料或涂膏能在要求时间内自然固化而不开裂；

（3）尽可能避免浇注后黏结剂渣化，以免因排渣困难而形成渣孔。

A　合金粉末

用来合金化的合金粉末要有适当的粒度，以保证金属液能渗入合金粉粒的间隙中并能与母材金属结合良好。一般说来，粒度细渗透深度浅，粒度粗渗透深度大。此外，母体金属液与固体粉粒之间的表面润湿性也是保证形成表面合金化层的重要条件之一。很多合金材料，例如：B-Fe、V-Fe、Mo-Fe、25Cr-5Ni-Cu 等等都可以在铸钢件（ZG40 及高锰钢）上形成合金化层。其中以 Cr-Fe 形成合金化层的能力最强，对于 30mm 的试件能形成 3～5mm 厚的合金层。生产中为得到较大的渗透深度，常采用熔点较低的某种合金。

B　黏结剂

使用的黏结剂应保证涂料或膏块有一定的强度，在浇注时不变形也不会被金属液冲散，能形成稳定的毛细孔隙，能改善金属液与涂料层之间的润湿性。

在铸件表面合金化中可供采用的黏结剂很多，例如水玻璃、桐油及其他有机黏结剂。桐油的最佳适用量为铁合金质量的 3.0%～10%，但发气量多，渣量多。水玻璃的用量为铁合金质量的 2%～7%，能较好地形成合金层，其发气量、渣量都较少。由于水玻璃能包裹铁合金颗粒，防止其氧化，并在高温下溶化，从而除去了铁合金表面上原有的氧化膜，起到了净化作用，因而用它作黏结剂的比较多。使用有机黏结剂都能形成合金层，只是呋喃树脂有中等的发气量而且渣量多。

C　熔剂

熔剂的作用是在浇注初期包住合金粉粒使之不被氧化，当它受热熔化时，能除去合金粉粒表面的氧化膜，起到净化作用，提高金属液与合金粉粒的浸润能力。熔剂的种类较多，如硼砂、硼酸、碳酸钠、氟化钠、氯化钠等，它们可以单独使用或复合使用。不同的熔剂以及不同的加入量所获得的表面合金化效果是不相同的。熔剂对形成合金层有良好的作用，提高熔剂加入量可改善合金效果，一般以 5%～12%（质量分数）为宜。采用复合熔剂，例如以硼砂为主再适当添加碳酸钠、氟化钠，将有利于清除合金层中的熔渣。

应该注意的是：黏结剂、熔剂尽管是表面合金化常用配方的组分，且还一直在进行改进，对铸件表面合金化也起到了一定效果，但是黏结剂、熔剂也常常使合金层中出现气孔、夹渣等缺陷。真空铸渗工艺可以使这种情况得到改进。它是将合金粉放在要求合金化铸件部位的相应型腔表面，合金粉的上面覆以塑料薄膜，利用真空泵抽气造成的薄膜内外压力差将合金粉固定。如果合金化层很薄，也可不覆塑料薄膜，靠抽气产生的真空吸附作用将合金粉固定在型腔表面，这样就避免了由于采用黏结剂，甚至熔剂（如果可不用）引起的夹渣、气孔等缺陷，也增强了金属液向合金粉的渗透力。

D　浇注温度

浇注温度会影响合金化层的厚度及其与母材金属熔合的质量。浇注温度过低，金属液的渗透能力差，难于形成厚的合金化层，而且合金化层也不易与母材金属熔合，常出现夹渣、气孔等缺陷；若浇注温度过高，有冲散涂敷层而不能形成合金化层的危险。因此，需要按照涂料中合金粉的种类和含量来考虑浇注温度。

E　浇注系统及涂敷层在砂型中的位置

涂敷层无论是在上面、底面和侧面都能形成合金化层，但放在底面和侧面时要好些。置于底面时，要防止涂料与金属液反应产生的气体和夹杂物来不及上浮而在结合区的母体金属中出现气孔、渣孔等缺陷。置于侧面时，要控制浇注温度，使母体金属的凝固和合金层的熔合配合良好，否则侧面上的合金粉由于自重或者因为在液态下的停留时间较长而出现下沉现象（铸件壁上下的合金层厚度不均匀）。

浇注系统的设置应使金属液平稳地流入型腔，避免剧烈地冲刷涂敷层。同时，内浇口的设置应尽可能地使铸件各部分均匀冷却，以保证表面合金化层与母材金属的熔合质量。冒口的设置不得破坏合金层的完整性。

　　F　砂型和涂敷层的预热

　　对砂型和涂敷层进行预热，可使金属液在砂型中的液态停留时间延长，降低涂料层对金属液的激冷作用，有利于金属液的渗透。预热温度太高，将使黏结剂、熔剂失去作用（溃散和氧化）；预热温度太低，则达不到预热效果。一般预热温度以 200~300℃ 为宜。

3.4　湿砂型成形工艺

　　用黏土作黏结剂的型砂称为黏土砂，并按砂型的干燥状态分为湿砂型、干砂型和表干砂型。干砂型和表干砂型要经过一定程度的烘干才能进行浇注，而湿砂型不必进行烘干，直接浇入高温金属液。干砂型和表干砂型一般用于中、大型铸件生产，砂型、砂芯经烘干或表层烘干后再装配合箱浇注。因其生产周期长、劳动条件差、能耗高、铸型尺寸精度差、生产管理繁杂等缺点，正逐渐被各种自硬砂型所取代。湿砂型铸造是液态金属成形工艺中使用最广泛、最方便的一种成形方法，一般用于生产中小型铸件。

3.4.1　湿砂型工艺特点

　　湿砂型铸造的特点是：生产灵活性大，生产效率高，生产周期短，便于组织流水生产，易于实现生产过程的机械化和自动化；生产成本低，黏结剂来源广泛，价格低廉；相对于烘干之后再浇注的表干砂型和干砂型可节省烘干设备、能源和车间生产面积；使用造型机生产的砂型，特别是高密度砂型可显著提高铸件尺寸精度；机器造型的劳动条件好，无粉尘，无气味；砂型浇注后溃散性好；适于生产成批大量的中小型铸件。但是，采用湿砂型铸造，铸件质量对型砂性能比较敏感，如果型砂性能控制不好，铸件易产生夹砂结疤、粘砂、气孔、砂眼和胀砂等铸造缺陷。

　　湿砂型铸造，使用现代化砂处理设备使型砂质量得到一定保证，先进的造型机械使型砂紧实度均匀、起模平稳、铸型质量较高，促进了湿砂型铸造方法应用范围的扩大。例如汽车、拖拉机、柴油机等工业生产中，质量在 300~500kg 以下的薄壁铸铁件，目前均采用湿砂型铸造。

　　在湿砂型铸造中，压实比压为 0.15~0.4MPa 的造型属于低压造型，例如普通机器造型，其砂型平均密度为 1200~1300kg/m³；压实比压为 0.4~0.7MPa 的造型属于中压造型，例如气动微震压实造型，其砂型平均密度为 1400~1500kg/m³；压实比压大于 0.7MPa 的造型属于高压造型，例如射压造型、多触头高压造型，其砂型平均密度达到 1500~1600kg/m³，提高了砂型的尺寸精度、铸件的尺寸精度和降低铸件表面粗糙度值。另外，气流冲击造型和动力（机械）冲击造型也达到高压造型的效果，并使生产率提高。高压造型和冲击造型可获得高密度砂型，且砂型紧实度均匀，所以也称高密度造型。

　　湿砂型铸造，尽管有先进的造型设备，完善的工艺装备，但要想稳定的获得轮廓清晰、表面光洁、尺寸精度高、内在质量好的铸件，必须在生产过程中全面控制型砂质量，即从原材料到型砂的配方、混制、储运、使用等必须严格监控，保证型砂始终具有所要求的工艺性能，必须有合理的铸造工艺。

3.4.2　湿砂型用型砂的基本性能

　　制作湿砂型所使用型砂的基本性能也就是型（芯）砂必须具备的工艺性能，这些性能直接影响铸件的尺寸精度、表面质量和内在质量。在生产中，要根据铸件材质、铸件重量和壁厚大小、浇注温度、金属液压头、砂型紧实方法、压实比压、起模方法、浇注系统的形状、位置和出气孔情况以及砂型表面风干情况等的不同，对型砂提出相应的性能要求。湿型砂的工艺性能有强度、透气性、流动性、可塑性与韧性、干湿程度、抗夹砂结疤能力及抗粘砂能力。

3.4.2.1　湿态强度

强度是指在外力作用下型砂破坏时所承受的应力。根据型砂所处状态的不同，型砂强度分为湿态强度、干态强度（或硬化强度）、高温强度、残留强度（或溃散强度）等。根据型砂受力状况的不同，型砂强度又分为抗压强度、抗剪强度、抗弯强度、抗拉强度、抗裂强度等。湿态强度表示湿型砂是否具备足够的强度可以用来造型、搬运和抵抗金属液的机械作用。

如果型砂的湿态强度过低，在造型、下芯、合箱、搬运过程中可能造成砂型的破损，甚至塌箱；在浇注时砂型表面可能被金属液冲坏、型壁移动，使铸件产生砂眼、胀箱和跑火缺陷。如果型砂的湿态强度太高，则砂型的退让性差，铸件在凝固过程中容易产生裂纹，同时砂型的溃散性也差，使铸件落砂困难，增加清理工作量。所以，要求型砂要有适宜的湿态强度。

湿态强度的测试方法：对于试样，使用万能强度试验机测湿压强度；对于砂型，使用型砂表面强度计测表面强度。

3.4.2.2　透气性

透气性是指型砂允许气体通过的能力。浇注过程中砂型所产生的气体，一部分靠冒口、明排气孔或暗排气孔排出，大部分要通过砂型排出。如果砂型透气性差，排气不利，就会使铸件产生气孔、浇不足等缺陷，严重的会出现呛火。

型砂透气性的高低主要受原砂颗粒的大小、颗粒形状、粒度分布、含泥量、含水量、黏结剂种类和加入量及砂型紧实度的影响。如果型砂透气性太好，说明砂型微孔的尺寸较大，铸件易产生表面粗糙和粘砂缺陷。所以，要求型砂要有适宜的透气性。

使用透气性测定仪来测定型砂的透气性。

3.4.2.3　流动性

流动性是指型砂在外力或自重作用下沿模样和砂粒间相对移动的能力，也就是型砂在紧实时紧实度容易均匀的能力。流动性好的型砂可形成紧实度均匀、轮廓清晰、表面光洁的型腔，造型效率高。所以，要求型砂要有良好的流动性。

根据型砂种类的不同，可使用阶梯硬度法、侧孔质量法、环形空腔法和试样质量法测试型砂的流动性。

3.4.2.4　可塑性和韧性

可塑性是指型砂在外力作用下变形，外力去除后仍保持所赋予形状的能力。可塑性好的型砂，造型、起模、修型方便，铸件表面质量好。

型砂可塑性的获得是由于黏土被水润湿后在砂粒表面形成一层薄膜（粘结膜），外力作用时砂粒沿着薄膜产生滑移的结果。型砂中黏土含量越多，砂粒越细，可塑性就越好。一般来讲，凡是增加型砂湿强度的因素，均能提高可塑性。

黏土湿型砂的可塑性用型砂极限应变值来衡量。使用标准圆柱形试样，在测定湿压强度的同时用千分表测出试样破坏前高度的减少量（称为变形量），并按下式求出型砂的极限应变值 ε：

$$\varepsilon = \sigma_s \Delta l \times 1000 \tag{1-3-10}$$

式中　σ_s——型砂标准试样的湿压强度，$\times 10^4 Pa$；

　　　Δl——型砂标准试样破坏前的变形量，cm。

韧性是指型砂由于塑性变形而吸收能量的能力，也就是抵抗脆性破坏的能力。它是型砂强度与变形量的总和。韧性好的型砂起模性好，砂型不易损坏，型腔轮廓清晰，造型效率高。起模性表示起模时砂型的棱角和吊砂是否容易损坏的能力。增加黏土加入量和相应地增加含水量可明显提高型砂的韧性。型砂中失效黏土和粉尘含量的增加，会使型砂韧性变差，起模困难。

在实际生产中，常用测定型砂的破碎指数来间接反映型砂的韧性，破碎指数可用落球法或跌碎法测定。这两种方法都是将置于一定高度的湿态试样降落在一定目数的筛网上，用残留在筛网里的型砂重量占整个试样重量的百分比来表示。型砂破碎指数越大，说明型砂韧性越好。

3.4.2.5 抗夹砂结疤能力

为了保证铸件质量，要经常检验型砂的抗夹砂结疤能力。目前，检验型砂抗夹砂结疤能力的方法有：测定型砂的热湿拉强度、测定型砂的热压应力和测定型砂的起皮时间。型砂的热湿拉强度反映的是型砂在热作用下所形成水分饱和凝聚区的抗拉强度。热湿拉强度越高，热压应力越低，起皮时间越长，说明型砂的抗夹砂结疤能力越好。

3.4.2.6 抗粘砂能力

为防止铸铁件产生粘砂缺陷，都要往型砂中加入防粘砂材料——煤粉、重油等。在实际生产中，一般通过检测有效煤粉含量来反映型砂的抗粘砂能力，如果有效煤粉含量低于要求的范围，就可能发生粘砂缺陷。

由于煤粉、重油等在高温作用下进行燃烧而放出大量气体，所以常常通过型砂发气性的测量来确定有效煤粉含量。型砂的有效煤粉含量要适当，而且应根据对铸件表面光洁程度的具体要求和清理方法的不同来确定。如果型砂中有效煤粉含量过高和发气量过大，当砂型透气性能较差时就会使铸件产生气孔、冷隔、浇不足等缺陷。

3.4.2.7 干湿程度

要使型砂具有良好的综合性能，必须有一个适宜的干湿程度，即适宜的型砂水分。型砂水分对型砂性能和铸件质量影响很大，表1-3-4列出了型砂干湿程度与型砂基本性能的关系及其对铸件质量的影响。可以看出，控制好型砂的干湿程度，就能有效地防止铸件产生缺陷。

表 1-3-4 干湿程度对型砂基本性能的影响

干湿程度	湿态强度	透气性	流动性	韧 性	产 生 缺 陷
湿	低	很差	差	好	夹砂结疤、气孔、胀砂、浇不足
适宜	较高	好	中等	中等	
干	低	差	好	差	冲砂、砂眼

最适宜干湿程度是指型砂能获得各种性能都较好（综合性能好）时的干湿程度。最适宜干湿程度可采用下列方法进行判别。

A 测定含水量

直接测定型砂的含水量。此方法简单易行，但存在的问题是：由于黏土砂中的水分以多种形式存在，如结构水、结晶水、层间水、毛细水和自由水，它们的遗失温度不同。所以，型砂含水量有时不能真实地反映型砂的干湿程度。比如两种型砂测出相同的含水量，但泥分多的型砂显得发干，而泥分少的发湿。

型砂的最适宜干湿程度与型砂成分有关。对于型砂质量稳定的车间，通过测定含水量能够掌握型砂的最适宜干湿程度；而对于一般车间当型砂成分不稳定时则把握性很小。

B　手感法

用手握紧型砂再松开，观察砂团的松散情况。此法为主观人为判断，与判断者的实际经验有关，不能定量。

C　测定紧实率

紧实率是指型砂被紧实前后的体积变化率：

$$紧实率 = \frac{型砂被紧实的体积}{型砂紧实前体积} \times 100\%$$

紧实率是在三锤制样机上或 SYY 液压制样机上进行测定（见图 1-3-10），并按下式计算

$$紧实率 = \frac{紧实距离\ h}{试样筒高度\ H} \times 100\% \qquad (1\text{-}3\text{-}11)$$

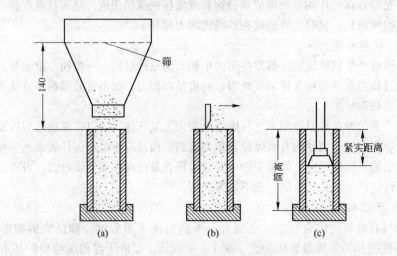

图 1-3-10　测定型砂紧实率的方法

（a）填满型砂；（b）刮去多余型砂；（c）紧实

由于标准试样筒的高度 $H = 100\text{mm}$，所以

$$紧实率 = h\%$$

型砂越干，紧实前紧实度越大，则紧实后体积变化越小，紧实率就越低。紧实率对型砂的干湿程度敏感，能够真实反映型砂水分的变化，型砂水分增加，紧实率也增大。紧实率可以反映型砂成分和混砂效果，型砂中的泥分增加则紧实率下降，混砂均匀度增加则紧实率也增加。紧实率易于测试，将测试装置安装在混砂机上，随时调整型砂水分加入量，实现型砂性能的在线控制。所以，紧实率是测定型砂干湿程度的一个科学方法，通过它可方便准确地找到最适宜干湿程度。

各种造型方法对型砂性能的要求不同，可以通过紧实率来控制。根据已有的生产经验，在最适宜干湿程度下，手工造型的紧实率应控制在 47.5% ~ 52.5%，普通机器造型的紧实率应控制在 45% ~ 50%，高压、气冲造型的紧实率应控制在 40% ~ 45%，挤压造型的紧实率应控制在 35% ~ 40%。

将紧实率控制在最适宜干湿程度下的型砂水分称为最适宜水分。它与型砂的原材料种类、型砂配方、造型方法有关。

为保证铸件质量，就要求型砂具有较好的综合性能。要达到这些性能要求，就必须合理选择原材料，具有正确的型砂配方和制备工艺。

3.4.3　湿砂型用原材料

湿砂型使用的原材料包括原砂、黏土和附加物。其中原砂为骨料，黏土为黏结剂，附加物为改善型砂某些性能的添加剂。原材料经过混碾后，黏土、附加物和水混合成浆，包覆在砂粒表面形成一层粘结膜。粘结膜的黏结力决定型砂的强度、流动性、可塑性和韧性，砂粒间的孔隙决定型砂的透气性，原砂的种类、品位和粒度决定型砂的耐火度。

3.4.3.1　原砂

自然界中砂和土都是岩石的风化物，它们常常是混杂在一起的，其中还包含其他一些杂质。在铸造上将颗粒直径小于等于 $22\mu m$ 的称为泥，大于 $22\mu m$ 的称为砂。在砂和土的混合物中，泥量的质量分数大于 50% 的称为泥，否则为砂。

A　原砂的种类

铸造用原砂根据其矿物成分通常分为两类：石英质原砂和非石英质原砂。

a　石英质原砂

铸造生产中使用量最大的原砂是以石英为主要矿物成分的天然硅砂。天然硅砂是由火成岩风化形成的。一般说来，砂中的主要成分是石英，此外还混有一些长石、云母和黏土矿物等夹杂物。就其矿床在自然界的形成而言，铸造用硅砂可分沉积砂、砂岩砂和人造硅砂三种。

(1) 沉积砂　沉积砂是天然颗粒状砂子，也称天然砂，主要由岩石变质风化而成。由于风化过程运动的距离长、时间长（一般经过几亿年以上），砂粒所具有的尖角和棱边已被磨圆。因此，就颗粒形貌而言，天然砂品位较好。

(2) 砂岩砂　除了细小颗粒状的天然硅砂外，还有其他两种形式存在：石英砂岩和石英岩。沉积的石英颗粒被胶体的二氧化硅或氧化铁、碳酸钙等物质胶结成块状，称为石英砂岩。石英砂岩的质地比较松散，易于加工破碎，颗粒大多呈钝角形。

(3) 人造硅砂　如果沉积的石英砂粒在地壳高温高压作用下，经过变质而形成坚固整体的岩石则称为石英岩。这种石英岩通常含有很高的 SO_2，质地极为坚硬。经过人工破碎、筛分后就可得到"人造硅砂"（或称为人造石英砂），制得的原砂具有尖锐的角和棱边，颗粒形貌较差。

石英质原砂资源丰富，分布极广，易于开采，价格低廉，能满足一般铸铁、铸钢和非铁合金铸件生产的要求而得到广泛应用，但是石英质原砂还有一些缺点：热膨胀系数比较大，而且在 573℃ 时会因相变而产生突然膨胀；热扩散率和蓄热系数比较低；容易与铁的氧化物起作用等。这些都会对金属与砂型的界面反应起不良影响。在生产高合金钢铸件或大型铸钢件时，使用石英质原砂配制的型砂，铸件容易发生粘砂缺陷，使铸件的清砂十分困难，劳动条件变差。

b　非石英质原砂

石英质砂以外的一些砂统称非石英质原砂，亦称特种砂。非石英质原砂是指矿物组成中不含或只含少量游离 SiO_2 的原砂。

为改善劳动条件，提高铸件表面质量，在铸钢件生产中已逐渐采用一些非石英质原砂来配制无机和有机化学黏结型砂、芯砂或涂料。这些材料与石英质原砂相比，大多数具有较高的耐火度、热导率、热扩散率和蓄热系数，热膨胀系数低而且膨胀均匀，无体积突变，与金属氧化物的反应能力低等优点，能得到表面质量高的铸件并改善清砂劳动条件。但这些材料中有的价格较高，比较稀缺，故应当合理选用。

作为铸造用原砂的非石英质原砂，主要有锆砂、镁砂、铬铁矿砂、橄榄石砂、刚玉砂、石灰石砂等。

（1）锆砂亦称锆英砂，主要由硅酸锆（$ZrSiO_4$）组成，属四方晶系，外观为无色的锥柱形细颗粒，颗粒形状为圆形和钝角形。锆砂的密度为 4.4 ~ 4.7 g/cm^3，莫氏硬度 7 ~ 8，其熔点随所含杂质的不同约在 2038 ~ 2420℃ 之间。锆砂的热膨胀性比硅砂、镁砂、铬铁矿砂等材料都小，只及硅砂的 1/3 ~ 1/6，能避免铸件产生夹砂结疤类缺陷，而热导率和蓄热系数、密度都比石英砂高很多，因此铸件冷却凝固速度快，可细化金属组织，提高铸件的力学性能；热化学稳定性高，几乎不被熔融金属或金属氧化物浸润，有利于阻止金属液浸入砂型孔隙，可有效防止化学粘砂的产生，减少机械粘砂缺陷。

作为造型材料的骨料锆砂有许多优点，如：粒形好、热稳定性极好、热导率高等，但锆砂价格较贵，目前在我国除极个别工厂使用进口锆砂作为合金钢铸件和大型铸钢件厚壁处用型砂（面砂）外，较多工厂使用国产锆砂磨粉制成抗粘砂涂料、涂膏。

（2）镁砂的主要成分是 MgO，它是由菱镁矿（$MgCO_3$）经 1500 ~ 1650℃ 高温煅烧 MgO 重新结晶及烧结再经破碎分选而获得的。镁砂中含有 SiO_2、CaO、Fe_2O_3 等杂质，其熔点约在 1840℃ 左右。镁砂的蓄热系数约为硅砂的 1.5 倍；热膨胀率比石英小，没有因相变而引起的体积突然变化。镁砂外观呈深褐色，密度为 2.9 ~ 3.1 g/cm^3，莫氏硬度 4 ~ 4.5。

镁砂属碱性耐火材料，不与氧化铁或氧化锰发生化学作用，因而常用作生产高锰钢铸件的型砂或涂料。

（3）铬铁矿砂由铬铁矿破碎而得到，主要矿物组成为铬铁矿 FeCrO、镁铬铁矿（Mg，Fe）Cr_2O_4 和铝镁铬铁矿（Fe，Mg）(Cr，Al)$_2O_4$。铬铁矿砂的密度为 4.0 ~ 4.8 g/cm^3，莫氏硬度为 5.5 ~ 6，耐火度高于 1900℃。铬铁矿砂在化学上比较稳定，有很好的抗碱性渣的作用，不与氧化铁等起化学反应，比镁砂更为优越。加热至 1700℃ 以前无相变，体积基本上稳定。热导率比硅砂大数倍，有良好的激冷作用。在金属液浇注过程中，其本身发生固相烧结，因此有助于防止金属液的渗透，其抵抗钢液渗透的能力高于锆砂、镁橄榄石砂或细硅砂，具有不润湿性。但是铬铁矿砂也有某些不利之处，与锆砂相比，热膨胀率几乎是锆砂的 2 倍，粒形不如锆砂圆整；略偏碱性，其耗酸值大于锆砂，用于酸硬化树脂砂时要多加硬化剂。铬铁矿砂作为造型材料的骨料，具有与锆砂相似的主要优点，且价格较锆砂便宜。

我国铬铁矿产量不多，主要依靠国外进口。在铸造生产中，铬铁矿砂主要是配制成面砂，用于制造厚大铸钢件和各种合金钢铸件，特别是它们的局部热节处，或制成涂料。

在湿砂型铸造中，非石英质原砂主要用于铸钢件和较大铸铁件生产的局部用砂和涂料。

B　原砂的性能

原砂的性能主要包括含泥量、颗粒组成、颗粒形貌、矿物组成和化学成分、pH 值和需酸量，下面分别加以介绍。

a　原砂的含泥量

含泥量是指原砂或型砂中直径小于 0.022mm（22μm）的细小颗粒所占的质量份额，其中既有黏土，也包括极细的砂子和其他非黏土质点。含泥量对湿砂型性能的影响主要有：

（1）原砂中泥分增多，则砂型的孔隙直径减小，透气性下降。如果希望提高砂型的透气性，就必须选用含泥量较低的原砂；

（2）当其他条件相同时，原砂的含泥量增多，则型砂的湿态抗压强度提高，达到最适宜干湿程度的型砂含水量也提高。泥分使型砂湿态抗压强度提高的原因，可以解释为泥分的颗粒细微，使砂粒间接触点增多，此外，还有些原砂的泥分中可能含有一些黏土矿物；

（3）如果原砂的泥分中不含黏土矿物，则原砂中含泥量增多会使型砂变脆，起模性变差。

使用树脂等化学黏结剂时，对原砂中泥分含量的要求更为严格，这是因为泥分的表面积大，会消耗掉大量黏结剂。树脂砂用原砂均需经过水洗去泥，尽量降低原砂含泥量到 0.2% ~ 0.3%（质量百分数），必要时还可对原砂进行擦洗净化处理，使含泥量降至 0.1% 以下。

b 原砂的颗粒组成

原砂的颗粒组成包括两个概念：砂粒的粗细程度和砂粒粗细分布的集中程度，即粒度和粒度分布。

原砂是许多不同形状、不同尺寸的颗粒集合体。描述原砂的粒度和粒度分布，是就集合体的共性而言的，是模糊的概念。尽管组成集合体的个体千变万化，但集合体的共性特征却可以保持不变。原砂的粒度和粒度分布是集合体颗粒尺寸的概略平均值，用筛分的方法评定，即用一套筛孔尺寸自大而小的铸造用试验筛（见表 1-3-5）来筛分已洗去泥分的干砂样。粒度分布则是筛分时所见的砂粒分布于各筛上的情形。

表 1-3-5 我国曾用过和现行的铸造标准试验筛

JB 435—1963		JB 2488—1978			JB/T 9156—1999		
筛 号	网孔尺寸 /mm	筛 号	网孔尺寸 /mm	网丝公称直径 /mm	筛 号	网孔尺寸 /mm	网丝公称直径 /mm
6	3.36	6	3.20	0.800	6	3.350	1.250
12	1.68	12	1.60	0.450	12	1.700	0.800
20	0.84	24	0.80	0.300	20	0.850	0.500
30	0.59	28	0.63	0.250	30	0.600	0.400
40	0.42	45	0.40	0.150	40	0.425	0.280
50	0.297	55	0.315	0.200	50	0.300	0.200
70	0.21	75	0.200	0.130	70	0.212	0.140
100	0.149	100	0.154	0.100	100	0.150	0.100
140	0.105	150	0.100	0.072	140	0.106	0.071
200	0.075	200	0.071	0.055	200	0.075	0.050
270	0.05	260	0.056	0.040	270	0.053	0.036

铸造用试验筛的筛号以筛网的目数来命名，目数表示筛网 1in 长度上含有的网孔数量。原砂经筛分后，可用不同的方法表示其粒度和粒度分布。下面介绍几种常用的粒度和粒度分布的表示方法。

（1）用目数表示 经筛分后，以相邻三筛残留量之和为最大值的三筛为主要粒度组成部分，再以主要粒度组成部分的最粗筛和最细筛的目数表示粒度。例如：主要粒度组成部分为 50、70、100 三个筛号的砂，即以 50/100 表示其粒度。粒度的代号见表 1-3-6。

表 1-3-6　石英砂的粒度分组

分组代号	主要组成部分三筛的网孔尺寸 /mm	用筛号表示的代号	分组代号	主要组成部分三筛的网孔尺寸 /mm	用筛号表示的代号
85	1.700, 0.850, 0.600	12/30	15	0.212, 0.150, 0.106	70/140
60	0.850, 0.600, 0.425	20/40	10	0.150, 0.106, 0.075	100/200
42	0.600, 0.425, 0.300	30/50	07	0.106, 0.075, 0.053	140/270
30	0.425, 0.300, 0.212	40/70	05	0.075, 0.053, (底盘)	—
21	0.300, 0.212, 0.150	50/100			

（2）美国铸造师学会平均细度表示　美国铸造师学会（AFS）规定的 AFS 平均细度，世界各国采用者甚多，美国、英国和日本基本上都用 AFS 平均细度来表示砂的粒度。其原理是：如果将砂样换算成同样质量的均一直径颗粒，而砂粒的总表面积仍与原来一致，则这种均一砂粒所能通过的筛号即为 AFS 平均细度。AFS 平均细度的数值大致与砂子的比表面积（即单位质量砂子的表面面积）成正比，但不能反映粒度分布情况。

（3）GB/T9442—1998 规定的表示方法　国家标准 GB/T9442—1998 规定同时用筛号数（目数）和平均细度值来表示硅砂的粒度，硅砂的牌号表示如下：

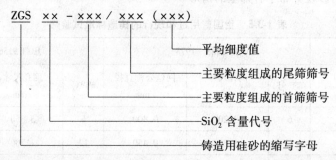

同时规定铸造用硅砂的主要粒度组成部分三筛不小于 75%，四筛不小于 85%，用主要粒度组成四筛的首筛号和尾筛号表示粒度。

由于我国现行的砂试验筛与 AFS 的标准筛完全相同，计算平均细度值的"细度因数"与 AFS 计算细度的乘数也完全一致，平均细度值的计算方法也与 AFS 平均细度计算方法相同，平均细度值也与 AFS 平均细度相同。

c　原砂的颗粒形貌

原砂的颗粒形貌也包括两个概念：砂粒的形状和砂粒的表面状况。

（1）原砂的颗粒形状　用光学显微镜或扫描电子显微镜观察原砂的颗粒，可以清楚地看出各种砂粒的不同轮廓形状（即"粒形"）。对于铸造用原砂的粒形，通常只概略地分为三类（JB435—1963 和 JB2488—1978 标准），即圆形、钝角形和尖角形，分别用符号"○"、"□"、"△"表示。如果一种形状的原砂含有其他形状的颗粒，则只要不超过 1/3，就仍用主要颗粒的粒形符号表示。否则就用两种符号表示，并将数量较多的粒形符号排在前面，例如□—△、□—○等。此种方法简便易行，概括性较好。

目前，也常用角形因数这个具有数值概念的参数来描述并评定砂粒的形状。角形因数的定义是砂粒的实际比表面积与理论比表面积的比值。其原理是：等体积的各种几何体中，球形的表面积最小。因而可以用砂粒的实测表面积与同体积假想圆球表面积的比值来表示该砂粒形状偏离圆球形的程度。比值为 1 时，砂粒为圆球形，比值越大，砂粒的形状就越偏向尖角形。由于同一原砂中，每一颗粒的形状和大小各不相同，不可能逐个颗粒分别测定和计算。所以，角形因数的定义是：单位质量原砂的实测表面积（即实际比表面积）与单位质量同样粗细等直径假想圆球的表面积（即理论比表面积）的比值。按照国家标准 GB/T9442—1998 的规定，铸造用砂的颗粒形状根据角形因数分级情况如表 1-3-7 所示。

表 1-3-7　原砂按角形因数分级

形　状	分级代号	角形因数	形　状	分级代号	角形因数
圆　形	○	≤1.15	方角形	□—△	≤1.63
椭圆形	○—□	≤1.30	尖角形	△	>1.63
钝角形	□	≤1.45			

对湿砂型而言，通常用圆形砂，一方面它有利黏结剂更有规则和均匀的分布，使砂粒间能形成较好的粘结膜；另一方面，圆形砂流动性好，易紧实，因此可以得到较高的湿态强度和适度的透气性。对树脂等化学黏结剂砂型和砂芯来说，当然更是以圆形、椭圆形较好，因为其表面积小，而黏结剂价高，这样可以用最少黏结剂获取较高强度和得到较好的其他性能。

（2）原砂的表面状况　用目视方法或用低倍放大镜观察圆形砂时，得到的印象是表面非常光滑。但是，即使是很好的圆形砂，用扫描电子显微镜在高放大倍率下观察时，也可见表面上布满裂隙、脉纹、凹坑和孔洞，与平常见到的卵石极为相似，根本不是光滑的。钝角形砂和砂岩砂，情况更为严重。天然硅砂，在扫描电子显微镜下观察，表面上都附着有很牢的污染膜，在上述裂隙、脉纹和凹坑中，污染物就更多了。污染物主要是黏土类矿物或铁的氧化物。水洗只能除去少量较粗的污染物。擦洗效果好一些，表面的污染膜也只能清除一部分，凹陷中的污染物基本上不能脱除。因此，就不难理解有时需要加酸擦洗了。将原砂置于树脂砂再生设备中处理，使颗粒相互摩擦，脱除污染的效果较好，但表面污染膜也不能完全消除，凹陷处残留的污染物就更多一些。到目前为止，不论用任何方法处理，都不能完全清除砂粒表面上的微观污染，它对型砂粘结性能的影响是值得重视的。此类污染以两种方式影响型砂的粘结：一是削弱黏结剂对砂粒表面的附着，从而降低型砂的强度；二是与型砂中某些加入剂作用（如与树脂自硬砂的酸性硬化剂作用），从而影响型砂的强度。

d　石英砂的矿物组成和化学成分

石英砂的矿物成分主要是石英，其次是长石及少量的云母、铁的氧化物（褐铁矿，赤铁矿，磁铁矿）、碳酸盐（石灰石，白云母，菱苦土）、硫化物（黄铁矿）等。石英的密度为 $2.65g/cm^3$，莫氏硬度为 7，熔点为 1713℃。长石、云母及其杂质中所含有的碱金属氧化物、碱土金属氧化物等能与 SiO_2 和氧化铁生成易熔物质，这类低熔物本身熔化并粘连其他砂粒而形成不同程度的烧结现象。石英砂中的其他矿物成分会降低石英砂的硬度和熔点。

由于石英砂的矿物组成分析需要特殊的岩相分析设备和专门技术，所以一般工厂只化验石英砂的化学成分，根据化学成分可间接地大致估计出石英砂中各种主要矿物成分所占比例，把原砂中的 SiO_2 含量作为衡量和控制原砂质量的一个重要指标。铸造用石英砂根据国家标准 GB/T9442—1998，按 SiO_2 含量分为五级，如表 1-3-8 所示。

表 1-3-8　石英砂按二氧化硅含量的分级

分级代号	98	96	93	90	85
最小二氧化硅含量/%	98	96	93	90	85

生产中通常根据铸件的合金种类、质量、壁厚的不同来选定原砂的化学成分和矿物组成。例如铸钢的浇注温度高达1500℃左右，钢液含碳分较低，型腔中缺乏能防止金属氧化的强还原性气氛，与铸型相接触的界面上金属容易氧化生成FeO和其他金属氧化物，因而较易与型砂中杂质进行化学反应而造成化学粘砂。所以要求原砂中要含有较多的二氧化硅，严格控制有害杂质含量。铸钢件的浇注温度越高，壁厚越厚，则对原砂中二氧化硅含量的要求就越高。

铸铁的浇注温度一般在1400℃以下，铁水中含有较多碳分，湿砂型浇注时型砂中加入有煤粉等附加物，能产生大量还原性气氛，在与铸型相接触的界面上金属基本不氧化。实际上湿砂型铸铁件很少发生化学粘砂。所以，生产铸铁件时原砂中的二氧化硅含量可以低一些。

石英砂的二氧化硅含量影响原砂的烧结点。烧结点指的是原砂颗粒表面或砂粒间的混杂物开始熔化的温度，它是原砂各种组合成分耐火性能的综合反映。所以，有时采用测定原砂烧结点的办法能更直观地说明原砂作为耐火材料的表现如何，而且可用来推测原砂中SiO_2含量的高低和杂质的多少。石英砂的化学成分对铸件质量有很大影响。原砂中SiO_2含量每降低5%（质量分数），其烧结点大约下降50℃。对于生产一般铸铁件，使用低SiO_2含量原砂时烧结成壳问题不明显。但是，铸铁件较厚或浇注温度较高时型砂易烧结成砂壳，混入回用砂中有可能引起型砂性能恶化。

e　原砂的pH值和需酸量

原砂的化学性质对树脂砂的硬化有不可忽视的影响。含碱性物质的原砂，将延缓酸硬化树脂砂的硬化过程，甚至会使其不能硬化。对于胺硬化的树脂砂，原砂中如含有碱性物质，将会使其硬化进程加速。在这两种情况下，都会影响型砂的质量。对于以化学方式硬化的水玻璃砂，原砂中含有的碱性物质理论上对其硬化也有影响，但由于水玻璃的用量比树脂砂中的树脂多很多，而且水玻璃又是强碱性物质，其影响也就微不足道了。

（1）原砂的pH值，只能在加水搅拌以后才能测得数据，所以是其中含有的能溶于水的碱性或酸性物质的表征，并不是完整地反映原砂的碱性。

（2）原砂的需酸量，原砂中含有不溶于水的碱性物质和能与酸作用的碳酸盐时，这些物质不能反映在原砂的pH值上，但却能与树脂自硬砂的酸性硬化剂发生反应，从而影响树脂砂的硬化性能和终强度。需酸量是原砂中含有的与酸反应的物质的表征，它表明用酸硬化剂时原砂本身所需的酸量，与pH值是完全不同的概念。很可能见到这样一种情况：原砂的pH值小于7，呈酸性，但其需酸量却相当高。

3.4.3.2　黏土

黏土是湿砂型的主要黏结剂。黏土被水湿润后具有粘结性和可塑性；烘干后硬结，具有干强度，而硬结的黏土加水后又能恢复粘结性和可塑性，因而具有较好的复用性。但如果烘烤温度过高，黏土被烧死或烧枯，就不能再加水恢复塑性。黏土资源丰富，价格低廉，所以应用广泛。

A　黏土的分类

黏土主要是由细小结晶质的黏土矿物所组成的土状材料。黏土矿物的种类很多，按晶体结构可分为高岭石、蒙脱石和伊利石。各种黏土矿物主要是含水的铝硅酸盐，化学式可简写成：$mAl_2O_3 \cdot nSiO_2 \cdot xH_2O$。例如，高岭石的一般化学式为$Al_2O_3 \cdot 2SiO_2 \cdot 2H_2O$，蒙脱石为$Al_2O_3 \cdot 4SiO_2 \cdot H_2O \cdot nH_2O$（式中的$nH_2O$是层间水）。黏土是由各种含有铝硅酸盐矿物的岩石经过长期的风化、热液蚀变或沉积变质作用等生成的。

根据黏土矿物组成的不同，可分为普通黏土和膨润土两类。膨润土主要是由蒙脱石矿物组成的，主要用于湿砂型铸造的型砂黏结剂。普通黏土主要是由高岭石矿物组成的，主要用于干砂型铸造的型砂黏结剂和修炉、修包的黏结剂。普通黏土和膨润土的性能列于表1-3-9。

表1-3-9 铸造用黏土的特性

特 性	普通黏土	膨 润 土
主要矿物组成	高岭石：$Al_2O_3 \cdot 2SiO_2 \cdot 2H_2O$	蒙脱石：$Al_2O_3 \cdot 4SiO_2 \cdot nH_2O$
颗粒尺寸/μm	较粗：直径0.3~0.4	较细：直径0.02~0.2
吸水膨胀特性	小	大
加热体积变化	小	大
黏结性	小	大
熔化温度/℃	1650~1775	1200~1300

根据国家专业标准《铸造用膨润土和黏土》JB/T9227—1999的规定，普通黏土的分级见表1-3-10。普通黏土的牌号以耐火度等级和强度等级表示，在强度等级中，前者为湿压强度等级，后者为干压强度等级。例如：耐火度高、湿压强度值为30~50kPa、干压强度值大于500kPa的普通黏土牌号为NG-3-50。

表1-3-10 铸造用普通黏土的分级

按耐火度分级		按湿压强度分级		按干压强度分级	
等级代号	耐火度/℃	等级代号	湿压强度/kPa	等级代号	干压强度/kPa
G（耐火度高）	>1580	5	>50	50	>500
		3	30~50	30	>300~500
D（耐火度低）	1350~1580	2	20~30	20	200~300

注：混合料配制：标准砂2000g，黏土200g，水100mL。干混2min，湿混8min。干压强度试样在180±5℃保温1h，在干燥器中冷却至室温后测定。

根据JB/T9227—1999的规定，按主要交换性阳离子的不同，铸造用膨润土可分为钠基膨润土和钙基膨润土，分别以PNa和PCa表示。铸造用膨润土按pH值不同又可分为酸性和碱性两类，分别用S和J表示。铸造用膨润土按工艺试样湿压强度和热湿拉强度分级如表1-3-11所示。

表1-3-11 铸造用膨润土的分级

按湿压强度分级		按热湿拉强度分级	
等级代号	湿压强度值/kPa	等级代号	热湿拉强度值/kPa
10	>100	25	>2.5
7	>70~100	20	>2.0~2.5
5	>50~70	15	>1.5~2.0
3	30~50	5	0.5~1.5

注：混合料配制：标准砂2000g，膨润土100g，干混2min，加水40mL，再混8min，测紧实率，控制在43%~47%。

膨润土的牌号以分类、分级代号顺序排列表示。例如湿压强度值为30~50kPa，热湿拉强度值为0.5~1.5kPa的酸性钙膨润土，其牌号为PCaS-3-5。

B　黏土的结构特征

各种黏土之所以具有不同的性能，其基本原因是黏土矿物的结晶结构不同。通过 X 射线衍射法的研究，可以得知按照黏土矿物的晶层排列，有两层型、三层型等不同形式。黏土矿物的晶格中都包含着硅氧四面体晶片和铝氧八面体晶片这两种基本结构单位。

高岭石是 1:1 型两层结构的黏土矿物，它的每一个单位晶层是由一层硅氧四面体层和一层铝氧八面体层结合而成的。四面体层的尖端指向八面体，并和它共用一个氧。这种单位晶层在垂直方向层层叠起，在水平方向无限展开而构成高岭石的晶体。高岭石晶体的单位晶层厚度为 0.72nm。由于高岭石相邻的单位晶层之间是由氧面和氢氧面呈氢键紧紧联结，因此高岭石的结晶在水中不容易分散，颗粒较粗，水分子不能进入单位晶层之间，所以吸水膨润现象、吸水率均较小。

蒙脱石是典型的 2:1 型三层结构的黏土矿物，其单位晶层是由两层硅氧四面体，中间夹着一层铝氧八面体组成的。四面体的尖端指向单位晶层内部，四面体与八面体共同占有氧。晶层沿水平方向延伸，并在垂直方向层层叠置。蒙脱石两相邻单位晶层之间是由 O 层和 O 层相接的，不形成氢键，靠一般分子间力相结合。因此蒙脱石的单位晶层之间结合力微弱，水分子和水溶液中的离子或其他极性分子容易进入单位晶层与单位晶层之间，使晶格沿晶片的法线方向膨胀。所以，蒙脱石的单位晶层厚度可以变化，无层间水时单位晶层厚度为 0.96nm，而有层间水时可以增至 2.14nm。在某些情况下，例如钠蒙脱石在多水的条件下，其晶体甚至能分离成单位晶层，故这类黏土矿物的晶粒特别细小。

C　黏土的表面电荷和可交换阳离子

黏土颗粒表面通常都带有微弱的负电荷。为了使负电荷得到平衡，黏土矿物通常吸附一些阳离子，如 Ca^{2+}、Mg^{2+}、Na^+、K^+ 等。由破键和外露氢氧基而吸附的阳离子有可能被其他阳离子交换出来。蒙脱石的晶体内部离子置换主要发生在八面体层，所引起的电荷要经过较长的距离才能起作用，所以束缚力较弱，所吸附的阳离子有可能被其他的阳离子交换出来。黏土中能被交换出来的吸附的阳离子被称为交换性阳离子。

黏土中所含交换性阳离子的数量为阳离子交换容量。根据国家专业标准《铸造用膨润土和黏土》JB/T9227—1999 的规定，膨润土中如果某一交换性阳离子量占阳离子交换容量的 50% 或 50% 以上时，称其为主要交换性阳离子，如果为钠离子则称为钠基膨润土；如果为钙离子则称为钙基膨润土。如果任一交换性阳离子量均在阳离子交换容量的 50% 以下时，则以其中含量相对较多的两种交换性阳离子表示，如为钙离子与钠离子，则称为钙钠基膨润土或钠钙基膨润土，以 PCaNa 或 PNaCa 表示（含量较多的阳离子的符号在前）。钠基膨润土和钙基膨润土工艺性能的差别列于表 1-3-12。

表 1-3-12　铸造用膨润土的工艺性能

性　　能	钠基膨润土	钙基膨润土	性　　能	钠基膨润土	钙基膨润土
吸水膨胀性，胶体分散性	大	中等	湿压强度	稍低	高
型砂流动性	中等	好	热湿拉强度	高	较低
型砂韧性	好	中等			

可以看出，钠基膨润土的型砂韧性好，热湿拉强度高。所以，使用钠基膨润土可以获得型腔表面质量好的砂型，可有效防止铸件夹砂结疤缺陷的产生。

根据黏土的阳离子交换特性，可以对钙基膨润土进行处理，使之转变为钠基膨润土。这种

离子交换过程，通常称为膨润土的活化处理。在膨润土的活化处理过程中，最常用的活化剂为碳酸钠，其反应过程为

$$Ca^{2+}\text{-}蒙脱石 + Na_2CO_3 \rightarrow Na^+\text{-}蒙脱石 + CaCO_3 \downarrow$$

使用碳酸钠作为活化剂效果较好，因为上述反应中可生成难溶性的 $CaCO_3$，使反应进行得比较完全，同时碳酸钠的价格也较低廉。经活化处理后的钙基膨润土与天然钠基膨润土的性能相近。

D　黏土的湿态粘结机理

在型砂制备过程中，黏土吸附水分而形成具有一定黏结力的粘结膜，其包覆在砂粒表面从而建立起湿砂型的强度。黏土的湿态粘结机理可以从胶体化学的观点来解释。

黏土在水中将发生水化作用，形成一种胶体，带负电的黏土颗粒将极性水分子吸引在自己的周围，形成胶团的水化膜，依靠黏土颗粒间的公共水化膜，通过其中的水化阳离子所起的"桥"或键的作用，使黏土颗粒相互联结起来，如图1-3-11所示。在水化膜中处在吸附层的水分子被黏土质点表面吸附得很紧，而处于扩散层中的水分子较松，公共水化膜就是黏土胶粒间的公共扩散层。相邻的黏土胶粒表面都带有同样的负电荷，按理应该互相排斥。但由于存在于公共扩散层中阳离子的吸引作用，它们反而互相结合起来。很明显，黏土胶粒的扩散层愈薄，这种吸引力就愈强。如果水分过低，则不能形成完整的水化膜；如果水分过高，就会出现自由水。在这两种情况下，湿态黏结力都不大，只有在黏土和水量比例适宜时，才能获得最佳的湿态黏结力。一般说来，黏土颗粒所带电荷愈多或黏土颗粒愈细小，比表面积愈大，则湿黏结力愈大。

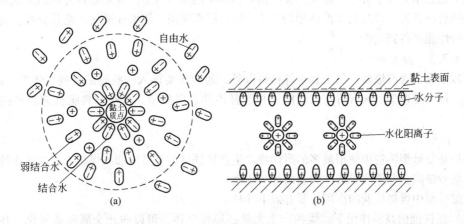

图1-3-11　黏土颗粒间黏结力示意图

关于黏土颗粒与砂粒之间的粘结则被解释为：砂粒因自然破碎及其在混碾过程中产生新的破碎面而带微弱负电，也能使极性水分子在其周围规则地定向排列。这样，黏土颗粒与砂粒之间的公共水化膜，通过其中水化阳离子的"桥"或键的作用，使黏土砂获得湿态强度。也有学者认为，一般湿砂型使用膨润土，其水与黏土的比例远未达到胶体状态下的水含量，黏土颗粒之间既有阳离子的"桥"联结，又有"表面联结"。直接吸附在膨润土颗粒表面的极性水分子彼此联结成六角网格结构，增加水分，逐渐发展成接二连三的水分子层。黏土颗粒就是靠这种网格水分子彼此连接，从而产生了湿态黏结力。这种极性水分子有规则排列网格的联结称为"表面联结"。

E　黏土受热后的变化

如图 1-3-11(a)所示，黏土在湿态下含有三种水分：(1) 吸湿水，这种水分处于黏土胶团外围，不受黏土颗粒电荷的吸附作用，也称自由水；(2) 在黏土矿物单位晶层底面的取向排列的偶极水和交换性阳离子吸附的阳离子水化膜，统称为层间吸附水，也称结合水（靠近黏土质点的为强结合水，远离黏土质点的为弱结合水）；(3) 参与构成黏土矿物晶格的 OH 水，称为晶格水或结构水。

湿润的黏土在加热过程中将出现脱水、体积收缩、矿物分解等一系列变化。黏土表面的液态自由水在稍高于室温的条件下就可逐渐蒸发掉，加热至 105 ~ 110℃时完全失去自由水。随着水分的失去，黏土质点相互靠近而出现收缩，同时因相互附着力增大，干强度相应提高。再加热将失去层间吸附水，体积会进一步收缩。继续加热升温，黏土会失去结构水（蒙脱石为500 ~ 700℃，高岭石为 400 ~ 600℃），晶格结构发生变化，成为完全丧失粘结作用的死黏土。

所以，在回用的旧砂中，受到高温金属液作用的部分型砂中的黏土将失去粘结作用，成为型砂中的有害成分。而大部分型砂中的黏土可以重新吸水，再次获得粘结强度。

F　黏土的应用

黏土的种类要根据铸件材质、结构和大小，造型方法、铸型种类等生产条件，各类黏土特性来正确选择。湿砂型使用钠基膨润土可以提高型砂的韧性和抗来砂结疤能力。钙基膨润土具有型砂容易混碾、流动性好、溃散性好的优点，并具有价格优势。对于中小型铸件的生产，可能铸件本来就不易产生夹砂结疤缺陷，尤其是湿型铸铁型砂中含有煤粉等附加物和使用含 SiO_2较低的原砂，对防止夹砂结疤也起作用的情况下，使用钙基膨润土通常可以取得良好效果。使用高压造型生产大中型铸钢件的型砂，就要选用天然钠基膨润土或活化土作为黏结剂。

黏土的黏结力与水分含量有关，要控制好型砂中的水分含量。使用粉状普通黏土或膨润土时，混砂后应放置一段时间（湿砂型约为 2 ~ 3h）后再使用，使水分被黏土充分吸收、均匀分布，型砂性能可得到改善。

3.4.3.3　附加物

型砂中除了含有原砂、黏土和水等材料以外，通常还要加入一些辅助材料如煤粉、渣油、淀粉等，目的是使型砂具有特定的性能，并改善铸件表面质量。这些材料统称为型砂的附加物。

A　煤粉

煤粉是湿砂型铸造中使用最多的附加物。生产铸铁件的型砂中加入煤粉，可以防止铸件表面产生粘砂缺陷，并能改善铸件的表面光洁程度。

在湿砂型中煤粉所起的作用主要有以下几种：

(1) 在铁液的高温作用下，煤粉产生大量还原性气体，可以防止金属液被氧化，并使铁液表面的氧化铁还原，减少了金属氧化物与造型材料进行化学反应的可能性。产生的气体在砂型孔隙中形成压力，增加了金属液渗入型砂的难度。

(2) 煤粉受热形成的半焦充填堵塞砂型表面砂粒间的孔隙，使金属液不能渗入。

(3) 煤粉受热后变为胶质体，具有可塑性。如果由开始软化至固化之间温度范围比较宽，则可以缓冲石英颗粒在该温度区间因受热而形成的膨胀应力，从而可以减少因砂型受热膨胀而引起的铸造缺陷。

(4) 煤粉在受热时产生的碳氢化物挥发分在 650 ~ 1000℃高温下，于还原性气氛中发生气相热解，在金属和铸型界面上析出一层带有光泽的碳，称为光亮碳，其结晶构造与石墨很接近。这层光亮碳阻止了型砂与铁液的界面反应，而且也使型砂不易被金属液所润湿，对防止机械粘砂有更加显著的作用。目前，普遍认为煤粉防止铸铁件产生粘砂主要是靠形成光亮碳膜，而还原性气氛和堵塞孔隙的作用是辅助性的。

在生产中，煤粉的加入也带来一些问题，例如增加了型砂灰分、焦炭物质和适宜水分；降低了型砂透气性、流动性和韧性，恶化了车间环境。煤粉过多还会因发气量过大而加大铸件生成气孔或浇不足缺陷的危险性。

B　渣油

渣油又名燃料油或重油，是石油加工产品的残渣或中间产品。用作型砂附加物的渣油其主要成分为分子较大的油分、石蜡、胶质和沥青质。这些渣油都是深褐色黏稠膏状物，混砂时难以混碾均匀，一般均用轻柴油稀释成黏度合适的渣油液，使加料和混碾更为方便。

渣油液作为型砂附加物的作用如下。

（1）渣油受热分解出大量还原性气体并且析出的光泽碳量比煤粉高很多，热解速度也比煤粉快。因此，可以与煤粉互相配合使用，增强了煤粉的防粘砂效果。此外，渣油液能提高型砂的紧实流动性，使铸型表面密实，减少砂粒间孔隙，砂样的密度提高，透气性明显下降。因此，配合使用渣油液和煤粉两种附加物可以得到显著的防粘砂效果，并能大大改善铸件表面光洁程度。

（2）型砂中含有渣油液能减轻型砂对模型的粘附现象，改善起模性能。用渣油液代替一部分煤粉作为型砂的防粘砂附加物，就可以减少旧砂中灰分的积累，保持型砂具有良好的韧性、起模性等性能。

（3）渣油液还能增加型砂的变形量，改善韧性，提高型砂表面抗风干性和表面强度。铸钢湿砂型中加入适量的渣油液对于改进型砂性能和提高铸件质量也有明显效果。

渣油液中的轻柴油在浇注后低温下就立即蒸发逃逸。如果型砂中加入过多的渣油液，就会在浇注后发出大量烟气，不但会恶化车间的劳动条件，而且还可能使薄壁铸件发生冷隔或浇不足的缺陷。所以不能用渣油液全部代替湿型砂中的煤粉。

C　淀粉

在湿砂型中加入淀粉类材料，其目的是减少夹砂结疤类缺陷和冲蚀缺陷，增加型砂变形量，提高型砂韧性和可塑性。降低起模时模样与砂型间的摩擦阻力，减少因砂型表面风干和强度下降而引起的砂孔缺陷。除铸铁湿砂型外，淀粉在铸钢湿砂型中应用更加普遍。

湿砂型用淀粉实际上是冻胶化淀粉或 α 淀粉，是由玉米粉经加热处理制成的。冻胶化淀粉与糊精的使用效果有明显差异。糊精能显著提高型砂的表面强度、热湿拉强度和韧性，但使湿压强度和流动性剧烈下降。冻胶化淀粉虽然对型砂的表面强度、热湿拉强度和韧性的提高不如糊精多，但可使湿压强度和紧实流动性不下降。

3.4.4　湿砂型用型砂的成分及制备

3.4.4.1　型砂的成分

用于制作湿砂型的型砂中含有原砂、黏土、煤粉等物质。砂型经过浇注，型腔的表面层受到金属液的强烈热作用，型砂成分将发生变化，如黏土和煤粉的烧损、泥分的增加等。所以，型砂每回用一次（或几次），就要补加一定量的新砂、黏土和煤粉，以保证型砂性能不变，也就是要控制型砂成分。

A　有效黏土

砂型在浇注后，与铸件接触部分的黏土将失去结构水变成失效黏土，失去粘结作用。在湿砂型中，作为黏结剂的黏土分为有效黏土和失效黏土两部分，失效黏土就是死黏土，在型砂中已经不具备黏结剂的作用。对于有效黏土，还可进一步分为两部分：起黏结作用的黏土和未起黏结作用的黏土。

为保证回用砂的性能，在混砂时要补加一定量的新黏土。黏土补加量应等于失效黏土量，以保证型砂中有效黏土的含量。

型砂中有效黏土含量对型砂性能有很大影响：有效黏土含量过高，则型砂流动性下降，砂型紧实不均匀；有效黏土含量不足，则型砂强度降低，铸件易产生冲砂、夹砂结疤缺陷。

型砂中有效黏土的含量可以通过测定型砂的吸蓝量来确定，因为型砂中的失效黏土无吸附色素的能力。

B　有效煤粉

铸型浇注后，与铸件接触部分的煤粉等炭质附加物将燃烧分解，产生挥发性物质，生成气体、光亮炭、残焦、灰分等，使煤粉含量下降。所以回用砂中也要补加一定量的煤粉，以保证型砂中有效煤粉的含量。

型砂中有效煤粉的含量主要影响粘砂、夹砂结疤的防止效果，含量太少时效果不明显。通过测定型砂发气量来确定有效煤粉含量。

C　有害成分

型砂中的有害成分包括失效黏土、煤粉残焦和灰分等。

浇注后的砂型，型腔的表面层受到金属液的强烈热作用，距表面一定深度之内的黏土在高温作用下，失去结构水，成为失效黏土（死黏土）。失效黏土的一部分在高温作用下包裹在砂粒表面上，烧结形成一层牢固的膜，不能用水洗掉，成为砂粒的一部分，这层膜又称为惰性膜（见图 1-3-12）。型砂经无数次循环混制和浇注受热，惰性膜将不断增厚，使砂粒直径增大，这个过程又称为砂粒的鲕化（鱼卵石化）现象。砂粒表面包覆的惰性膜是多孔

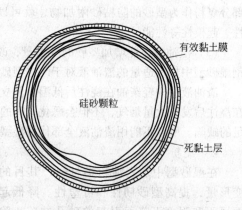

图 1-3-12　砂粒鲕化现象示意图

性的，这是由于黏土中水分受热逃逸和型砂中煤粉等附加物部分燃烧所造成的。砂粒鲕化的结果是砂粒的密度有所降低，型砂的适宜含水量有所提高。由于砂粒中石英含量减少，惰性膜的退让性好，所以铸件产生夹砂结疤缺陷的倾向也减轻。但是惰性膜的熔点低，只有约 1150℃，如果砂粒的惰性膜太厚，同时浇注温度过高，就会造成铸件表面不光洁，产生粘砂缺陷。所以，为防止砂粒过度鲕化，每次回用旧砂时都需加入一定量的新砂。

型砂中的有害成分除使砂粒鲕化外，还会使型砂的强度、透气性下降。

D　泥分

型砂中直径小于 $22\mu m$ 的物质都属于泥分，它包括型砂中的有效黏土、有效煤粉、有害成分以及原砂中的泥分。型砂中泥分的含量称为含泥量。

型砂的含泥量对型砂性能影响很大。含泥量高，型砂的透气性和耐火性下降；含水量增加，将增加铸件产生气孔和粘砂缺陷的倾向。含泥量低，表明型砂中的有效黏土和有效煤粉量少，型砂的强度下降，这将增加铸件产生夹砂结疤和砂眼缺陷的倾向。所以，回用砂中要补加新砂，控制型砂中的含泥量。

一般普通湿砂型的成分和性能列于表 1-3-13 和表 1-3-14。

表 1-3-13 普通湿砂型的成分

成 分	原砂 SiO$_2$ 含量/%	有效黏土量/%	有效煤粉量/%	含泥量/%	含水量/%
铸铁件	<92	6~8	4~8	12~16	4.6~6
铸钢件	>96	6~8	0	8~14	4~5

表 1-3-14 普通湿砂型的性能

性 能	紧实率/%	透气性	湿压强度/MPa	热湿拉强度/kPa	破碎指数/%
铸铁件	45~55	<100	0.06~0.1	1.0~2.5	70~90
铸钢件	45~55	<120	0.06~0.1	1.0~2.5	70~90

3.4.4.2 型砂的制备

在湿砂型的铸造生产中，制备型砂时都尽量回用旧砂（即重复使用过的型砂），这样做有利于降低生产成本。但是简单地重复使用旧砂，会使型砂性能变坏，铸件质量下降。因为浇注铸件时砂型在热作用下型砂成分发生了变化，铸件打箱后砂中常有铁块、铁豆和砂块等杂物。因此，必须对旧砂进行磁选、破碎团块、过筛除去杂物、除尘、降温等处理，并向旧砂中补充加入新砂、膨润土、煤粉和水等材料，才能使混制出的型砂性能符合要求。

A 原材料的处理

如果新砂的含水量大于 2%，就要对新砂进行烘干处理，以便控制型砂水分。也可将黏土制成黏土浆或煤粉黏土浆，以利于型砂黏结膜的形成和提高其均匀性。因为湿砂型铸造使用的型砂原材料中旧砂占 80%~90%（质量分数），所以旧砂的处理是非常重要的。

旧砂的处理过程主要包括：震动破碎、磁分离、除尘、冷却等。磁分离是去除旧砂中的铁块、铁豆等金属物体，冷却是为了解决热砂问题。

温度超过室温 10℃ 的型砂或大于 50℃ 的旧砂都称为热砂。热砂对型砂性能、造型操作和铸件质量都有不良影响。因为：（1）砂温高，水分容易蒸发，使型砂紧实率不易控制；（2）热砂蒸发出的水蒸气，会凝结在冷的皮带、砂斗和模板表面上，使型砂的运送和造型起模困难，还会降低铸件表面的光洁程度；（3）热砂使砂型表面容易脱水，降低表面强度，浇注时引起冲砂和砂眼缺陷；（4）热砂发出的水蒸气会凝聚在冷铁和砂芯上，易使铸件产生气孔缺陷。

解决热砂问题的主要措施有：（1）加强落砂、过筛、运输和混砂过程的通风，利用旧砂中水分的蒸发吸收热量，降低旧砂温度；（2）根据旧砂温度自动调节增湿量，然后使用沸腾冷却装置、冷却提升机、搅拌冷却装置等冷却设备降低旧砂温度；（3）增大砂铁比，增加型砂周转量和减少型砂循环次数；（4）为了防止热砂粘附模板，还可将模板加热，减少温差，避免水汽凝结在模板上。

铸造生产的机械化、自动化程度愈高，型砂周转愈快，愈要注意解决热砂问题。

B 型砂混制工艺

型砂混砂设备主要有碾轮式、摆轮式和叶片式混砂机。碾轮式混砂机混制的型砂质量好，但生产效率低，常用来混制面砂和单一砂；摆轮式和叶片式混砂机混制的型砂质量稍差，但生产效率高，常用来混制背砂和单一砂。混砂工艺分为干混和湿混两种方法，具体过程为（以碾轮式混砂机为例）：

（1）湿混：砂 + 部分水 $\xrightarrow{\text{混匀}}$ 黏土 + 煤粉 $\xrightarrow{\text{混 1~2min}}$ 水 $\left.\begin{array}{l}\end{array}\right\}$ 混至要求紧实率 →出碾→调匀→松砂→造型机

（2）干混：砂 + 黏土 + 煤粉 $\xrightarrow{\text{混 1~2min}}$ 水

湿混工艺的劳动条件好，黏土强度发展快；干混工艺黏土易结团（砂碾边缘部），但加料过程简单。

生产中常用混砂效率来评价混砂机和混砂工艺的优劣。混砂效率的定义为：

$$混砂效率 = \frac{起黏结作用的黏土量}{有效黏土量} \times 100\%$$

这也是评价混砂机工作正常与否的一个指标。混砂效率的测定方法是：分别测定型砂预定混碾时间所制试样和型砂预定混碾时间延长 5min 所制试样的抗压强度，两者的比值乘以 100% 既为混砂效率。

3.4.4.3　型砂的质量控制

为了保证生产出合格或优质铸件，就要控制型砂质量，定期检测型砂性能和成分。具体的检测项目有含水量、紧实率、湿压强度、热湿拉强度、透气性、破碎指数、含泥量、有效黏土含量、有效煤粉含量和颗粒组成。检测频率与造型方法和铸件产量有关。大量生产的造型生产线，型砂的含水量、紧实率、湿压强度和透气性要每小时检测 1 次；热湿拉强度、破碎指数、有效黏土含量和有效煤粉含量要每天检测 1 次；含泥量和颗粒组成要每周检测 1 次；旧砂的有效黏土含量和有效煤粉含量每周检测 2 次。

将型砂性能的测定结果记录绘图，就能得到性能变化趋势，分析产生铸件缺陷的可能性，确定调整型砂成分的措施。更进一步，可以建立型砂质量管理专家系统，根据输入的性能数据推测铸件质量，给出型砂成分的调节量。

3.4.5　高密度湿砂型的特性

3.4.5.1　高密度造型及其特点

高密度造型是指提高造型紧实力制得较高紧实程度或较高密度砂型的造型方法。高密度造型包括各种高压造型和高速冲击（动力冲击和气流冲击）造型。

高压造型是目前铸造工业广泛使用的湿型铸造工艺，具体可分为高压多触头造型、射压造型和挤压造型等。一般认为，压实比压达到 0.7MPa 以上称为高压造型，用此法生产出来的铸件不仅尺寸精度高、表面粗糙度大大改善，而且能使铸件更加致密、力学性能更高、加工余量减少、铸件质量减轻、劳动条件改善、生产率大大提高等。

冲击造型是一种更好的湿型造型法，它能得到更均一、更高的紧实度和强度的砂型，还可以提高砂型的尺寸精度。按照造型机工作原理，冲击造型可分为气冲和动力冲击两类。其共同点在于用冲击力将填入砂箱的松散型砂突然加速，利用型砂被加速到模板时受阻产生的强烈冲击力使型砂紧实成型。

对于高压造型，随压实比压的增大，砂型的湿态抗压强度、湿拉强度、硬度和密度也相应提高，透气性明显下降。所以，高压造型的压实比压不宜过高，一般为 0.7 ~ 1.5MPa。

高压造型还存在回弹现象。回弹是由于在高压造型时，型砂首先发生塑性变形，砂粒间的黏结膜被挤压而变薄，至砂粒相互接触后，再增加压实比压则会产生弹性变形和形成内压应力，在成形压力消除后型砂将恢复黏弹性变形前的原状，于是出现了砂型的回弹。当压实比压很高时，砂箱和工装也可能会有一定的变形，也会引起砂型的回弹。砂型的回弹量随压实比压的增大而增加，回弹现象将使起模性变差。

高密度湿砂型的透气性差、密度大、热导率高，容易引起"水爆炸"现象，从而会出现型壁移动，并使铸件产生气孔、局部表面粗糙和机械粘砂甚至整个铸件表面粘砂等缺陷。水爆炸的生成过程可用图1-3-13说明。浇注时，金属液在很高的速度下冲击湿型的型腔表面，形成相当高的接触压力，使金属液渗入型砂的孔隙中（图1-3-13（a））。由于高密度砂型的热导率较高，使先渗入的金属迅速冷却凝固并堵塞了砂粒间的孔隙，结果使砂粒间的水分急剧蒸发（水爆炸），由于砂粒间孔隙已被堵塞，蒸汽排不出去，只能进入金属液内（图1-3-13（b））并被加热和产生体积膨胀。于是在金属液内产生了瞬时压力波，迫使金属液向型壁内层渗透，也使进入金属液内的气体所形成的分散性气泡相互合并集中成为较大气泡（图1-3-13（c））。该气泡有可能通过型壁上未堵塞的孔隙逸出，如果此时金属液温度已低，就会留在金属中形成气孔缺陷。试验证明，除了高比压和高砂型硬度以外，型砂中的含水量高，煤粉类附加物多，都能增大水爆炸趋势。

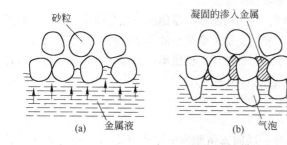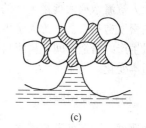

图 1-3-13　砂型水爆炸形成过程示意图
（a）金属液渗入砂型；（b）金属在孔隙中凝固，水气爆炸；
（c）金属进一步渗入砂型，气泡集中增大

高密度造型的机器设备及流水线日臻完善，自动化程度和砂型生产率都相当高，铸件质量得到充分保证。但高密度造型方法的第一次投资费用（主要是设备费）较多，投产后的设备维修保养要求较高，还要注意解决砂型回弹现象和"水爆炸"现象。

3.4.5.2　高密度造型的型砂特点

与通常的造型方法相比较，高密度造型的型砂性能具有以下特点：

（1）湿强度。为提高砂型的硬度，避免造型、起模时砂型破损，浇注时型壁移动，型砂应当具有高的湿强度，因为高湿强度是保证砂型高硬度的必要条件。

（2）透气性。高密度造型的砂粒排列比较密实，所以要求透气性稍微高些。但透气性不宜太高，以防铸件表面粗糙或出现机械粘砂。

（3）流动性。气流冲击造型的紧实过程是在一瞬间使砂粒高速运动。有人认为在这种情况下，黏土膜由于具有触变性而降低了黏滞性，使砂粒的运动大大地加速。因此要求在紧实前为疏松的低密度状态，有利于砂粒在高速度下产生高的工作压力，使模板处砂型得到更好的紧实。

（4）紧实率和含水量。型砂比通常造型型砂稍干一些。因为在高密度造型条件下，型砂较湿易引起铸件产生气孔缺陷或水爆炸现象。而且由于紧实率过高而降低型砂的松散流动性，对于挤压造型方法而言，可能射不满砂箱；对于多触头高压造型方法而言，要求的压实行程也许会超过限度。含水量过多，还将导致砂型的残留强度高，不利于落砂。但是型砂也不应太干，因为紧实率太低时型砂不易混匀，型砂的韧性差，起模性差，易掉砂，浇注时易冲砂。

（5）抗夹砂结疤能力。高密度造型的紧实程度高，所以希望型砂具有较好的抗夹砂结疤能力。

（6）抗机械粘砂能力。由于高密度造型的砂型比较紧实，生产铸铁件时可以降低型砂中的有效煤粉含量。这对于防止呛火和水爆炸粘砂也有好处。

3.5　树脂砂型成形工艺

现代铸造生产中广泛使用树脂砂制作砂芯和砂型。以树脂为黏结剂的型（芯）砂主要有热法覆膜树脂砂、热芯盒树脂砂、冷芯盒树脂砂、呋喃树脂自硬砂等。树脂砂硬化后强度高，特别适合于机器造型制芯，生产的铸件表面质量好，铸件缺陷少，能制出复杂、薄壁铸件。树脂砂的缺点是对原砂质量要求高，树脂黏结剂价格高，对空气有一定污染。为节约树脂用量，一般采用经水洗或擦洗处理过的纯净圆形颗粒的原砂。

在大量流水或大批量生产的铸造车间，使用树脂砂机器制芯，配合高压、挤压、冲击、静压等高密度造型工艺，为大量生产薄壁、光洁、加工余量小的复杂铸件创造了条件。对单件或小批量生产的铸造车间，树脂自硬砂和冷芯盒的应用，也使车间面貌、生产效率以及铸件质量发生根本变化。

3.5.1　热法覆膜树脂砂

在造型、制芯前砂粒表面上已覆盖有一层固态树脂膜的型砂（芯砂）称为覆膜砂，也称壳型（芯）砂。覆膜砂一般为干态颗粒状，具有良好的流动性和存放性。用覆膜砂制作的砂芯和砂型，其强度高、透气性好、尺寸精度高、表面轮廓清晰、便于长期存放，适合制作复杂砂芯。

覆膜砂表层的树脂膜为线型结构，且含有潜性固化剂。覆膜砂受热时包覆在砂粒表面的树脂熔融，在潜性固化剂的作用下，熔融的树脂由线型结构迅速转变成不熔融的体型结构，从而使覆膜砂固化成形。覆膜砂的固化温度一般为 200～300℃，固化时间为 30～150s，固化温度越高、固化时间越长，结壳越厚。利用覆膜砂既可以制作实体芯、壳芯、壳型，还可以用于金属型覆砂铸造、热法砂衬离心铸造等。下面介绍铸造生产中最常用的壳芯生产工艺。

用覆膜砂制作壳芯通常采用摇摆式壳芯机，通过射砂、结壳、排除余砂、固化、起模等工艺环节完成制芯过程。图 1-3-14 是使用射砂法制作壳芯的示意图，其制芯工艺包括：

（1）芯盒温度。芯盒温度是影响壳层厚度及强度的主要因素之一。确定芯盒温度时，要保证覆膜砂上的树脂膜软化及固化所需的足够热量；要保证形成需要的壳层厚度且壳芯表面不焦化；尽量缩短结壳及硬化时间以提高生产率。芯盒温度一般控制在 230～300℃。

（2）射砂压力及时间。射砂压力应根据砂芯的形状及复杂程度来确定，以能使覆膜砂紧密地充填芯盒为宜。射砂时间过长会使已结壳的型壳滑移，造成结壳很薄；时间过短则砂芯不能成形。射砂压力一般为 0.15～0.4MPa，射砂时间一般控制在 3～10s。

（3）结壳时间。结壳时间的长短取决于砂芯的强度要求。壳层越厚，砂芯强度越高。壳厚为 6～10mm 时，一般把结壳时间控制在 10～65s。

（4）摇摆倒砂时间。壳芯机在结壳阶段结束后，将芯盒射砂口朝下，以 45°角的幅度左右摇摆，倒掉未结壳的余砂。该段时间可根据砂芯外形复杂程度及射砂口的布置情况来确定，以倒净余砂为宜。

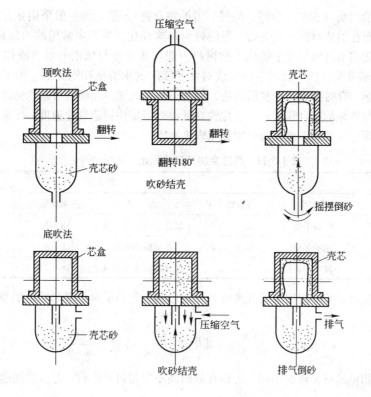

图 1-3-14　射砂法制芯示意图

（5）硬化时间。为使砂壳充分硬化，倒砂后仍要持续硬化一段时间，时间长短要根据壳厚和芯盒温度而定。时间过短，壳层未完全固化则砂芯强度低；时间过长则砂芯表层易烧焦。硬化时间一般控制在 20～100s。

3.5.2　热芯盒树脂砂

热芯盒制芯工艺是在原砂中加入适量的呋喃树脂黏结剂和固化剂，将混好的树脂砂射入到要求温度的金属芯盒中，在芯盒的热作用和固化剂的催化作用下，树脂由线型结构交联成体型结构而硬化制出砂芯。

热芯盒树脂砂制芯的优点是：制芯设备简单，芯砂硬化快，生产效率高；砂芯的常温强度高、尺寸精度高、浇注后的溃散性好。其缺点是：砂芯厚度受到限制，厚大截面的砂芯需要较长的硬化时间，特别是截面尺寸有突变时易出现薄处硬化过度，厚处硬化不足的现象，造成砂芯破损率增大；必须用金属制作芯盒，制造工艺相对比较复杂；与冷芯盒制芯工艺比较能源消耗增多。

热芯盒树脂砂制芯最适合汽车、拖拉机行业大量流水生产中小型砂芯的制作，砂芯最大截面厚度不宜超过 50mm。如果截面过厚，可分块制作，然后粘合成中空的砂芯，既有利于砂芯的固化和排气，又可节约造型材料。

3.5.2.1　热芯盒树脂砂的配比和混制工艺

热芯盒树脂砂所用的原砂一般采用粒度组别为 21 的圆形砂为佳。原砂要进行清洗以去除杂质和减少含泥量，进行干燥处理使原砂充分干燥。黏结剂大多使用呋喃树脂，根据树脂合成原料的不同分为呋喃Ⅰ型树脂（脲醛与糠醇的缩合物）、呋喃Ⅱ型树脂（酚醛与糠醇的缩合物）和中氮呋喃树脂（脲醛、糠醇、酚醛三者的缩合物）。催化剂一般采用在常温下呈中性或弱酸性的盐，而在加热时激活成强酸，促使树脂迅速硬化。生产中常用的为氯化铵、硝酸铵、磷酸铵、苯磺酸的水溶液。对于呋喃Ⅰ型树脂一般用氯化铵与尿素的水溶液作固化剂（配比为 1:3:3）；呋喃Ⅱ型树脂一般用苯磺酸或对甲苯磺酸的水溶液作固化剂。为了改善热芯盒树脂砂的某些性能，有时要加入一些附加物，例如三氧化二铁粉和硼砂可减少铸件气孔缺陷；硅烷可增加树脂与砂粒的结合强度；三氯化铁在低温时可加快树脂硬化速度；尿素可消除游离甲醛的刺激气味等。常见热芯盒树脂砂配比见表 1-3-15。

表 1-3-15　热芯盒树脂砂的配比（质量分数）　　　　　　　　（%）

序号	原砂	树脂		催化剂		氧化铁粉（占原砂质量）
		类型	占原砂质量	类别	占树脂质量	
1	100	呋喃Ⅰ型	2.2 ~ 2.4	氯化铵尿素水溶液	18 ~ 20	0.24 ~ 0.26
2	100	呋喃Ⅱ型	2.8 ~ 3.0	苯磺酸水溶液	6 ~ 8	
3	100	中氮呋喃树脂	2.4 ~ 2.9	氯化铵尿素水溶液	18 ~ 20	0.14 ~ 0.18

混制热芯盒树脂砂要使用螺旋式或叶片式混砂机，先加干料，混匀后再加湿料，其混制工艺如下：

$$砂 + 氧化铁粉 \xrightarrow[20 \sim 30s]{干混} + 催化剂 \xrightarrow[40 \sim 50s]{湿混} + 树脂 \xrightarrow[80 \sim 90s]{湿混} 出砂$$

热芯盒树脂砂最好是随混随用，芯砂存放时间不要超过 4 小时。存放时间越短，芯砂的流动性越好。

3.5.2.2　热芯盒树脂砂制芯工艺

热芯盒树脂砂主要用于制芯机制芯，可根据砂芯大小和生产需要选用不同的制芯设备。热芯盒制芯机的制芯工艺为：首先将芯盒加热到工作温度，清理盒腔表面并喷涂一层脱模剂；然后合型射砂，保持一定时间进行加热硬化；待砂芯达到要求强度后开型出芯。在制芯过程中，要注意控制下列一些工艺参数：

（1）芯盒温度。砂芯的硬化温度取决于所选用的树脂和催化剂种类，同时也与砂芯大小和形状有关。温度低硬化慢，温度过高又会造成砂芯表面焦化，芯盒温度一般控制在 200 ~ 260℃。

（2）射砂压力及时间。射砂压力要根据砂芯的形状及复杂程度、芯砂的流动性来确定。形状简单、流动性好可选用较低的射砂压力，反之要选用较高的射砂压力。射砂压力越高，射头及芯盒的磨损也随之加剧。射砂压力一般控制在 0.3 ~ 0.6MPa，射砂时间一般为 0.5 ~ 1s。

（3）硬化时间。硬化时间主要取决于砂芯截面的大小，小砂芯一般在 30s 内，中等砂芯一般在 60s 左右，截面厚度超过 50mm 的大砂芯也要控制在 120s 以内。由于砂芯被顶出芯盒后仍可利用余热继续硬化，因此硬化时间可控制在砂芯可完整顶出不变形，冷却后内部无未硬化的芯砂即可。

热芯盒树脂砂芯易吸潮，制好的砂芯不易久放，应尽快使用。

3.5.3　冷芯盒树脂砂

冷芯盒树脂砂制芯工艺是将混制好的冷芯盒树脂砂射入芯盒中，然后用吹气设备吹入气体固化剂，砂芯在常温下迅速固化，通过吹干燥清洁的压缩空气冲洗净化砂芯中残余固化剂后即可出芯。出芯后可以立即下芯、合型、浇注，以减少砂芯储存时间。目前普遍采用的气硬冷芯盒工艺有三乙胺法和二氧化硫法，这两种方法工艺类似，仅黏结剂和固化气体不同。

　　与覆膜树脂砂和热芯盒树脂砂相比，冷芯盒树脂砂制芯工艺有以下优点：制芯周期短，生产效率高；砂芯在常温下硬化，可节省能源和改善劳动条件，可使用廉价的木质和塑料芯盒，降低芯盒制作成本；没有芯盒受热变形问题，制得的砂芯尺寸精度高，表面质量好；没有过硬化问题，对砂芯截面尺寸的大小和变化无限制。其存在的不足是：树脂及固化剂均为易燃物品，必须在30℃以下保存；砂芯强度略低于壳芯和热芯盒；气体固化剂如三乙胺、二氧化硫等有毒有味，不能直接排放到大气中，要有尾气处理装置，制芯时芯盒要密封；砂芯对环境湿度比较敏感，吸湿后强度有所降低。针对固化剂的环境污染问题，近几年又开发出酯硬化法和二氧化碳法冷芯盒制芯工艺，使固化剂处理设备大大简化，树脂和固化剂中的有害成分减少，基本不污染环境。

3.5.3.1　三乙胺法

　　三乙胺法冷芯盒制芯工艺使用双组分黏结剂（组分Ⅰ是液体酚醛树脂，组分Ⅱ是聚异氰酸酯），用三乙胺或二甲基乙胺等液态叔胺作催化剂，使用冷芯盒制芯机制芯。制芯时将两组黏结剂按1:1的比例加入原砂中，混匀后射入芯盒，然后吹入以氮气为载体的雾化三乙胺，砂芯可在数秒至几十秒内硬化。砂芯硬化后吹入干燥的压缩空气清洗砂芯，去除砂芯中残余的三乙胺，然后取出砂芯即可使用。三乙胺法制芯过程如图1-3-15所示。

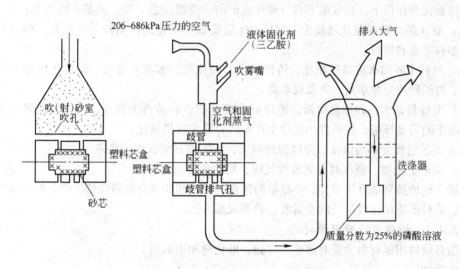

图1-3-15　三乙胺法制芯工艺过程

　　三乙胺法冷芯盒树脂砂所用的原砂也采用粒度组别为21的圆形砂。原砂的含水量要低于0.1%，含泥量要少于0.3%，需酸量要尽量低，砂温最好控制在21～27℃。树脂黏结剂的总加入量一般占原砂质量的1.5%，混砂时黏结剂的两个组分可同时加入，也可分别加入，混砂时间控制在2min以内。催化剂的用量和砂芯的硬化速率在很大程度上取决于芯盒工装通气的有效性和砂芯本体的几何形状。在实际生产中，硬化1t砂芯约需0.45～1kg胺，输送1kg胺约需7kg载体气体。一般的制芯工艺是：射砂压力为0.3～0.55MPa，射砂时间为3～5s，吹三乙胺时间为4～15s，吹压缩空气净化时间为10～20s。

3.5.3.2　SO₂法

　　SO₂法是在原砂中加入酚醛树脂或呋喃树脂，再加入有机过氧化物混制成芯砂，将混好的芯砂射入芯盒，再向芯盒中吹SO₂气体，使砂芯快速硬化。砂芯硬化后随即吹入干燥微热的洁净空气清洗砂芯，去除砂芯中残余的 SO_2，排出的气体经洗涤塔用稀碱液中和处理。SO_2 属于酸硬化树脂系统，SO_2 被芯砂中的过氧化物氧化并与黏结剂和氧化剂中的水反应生成 SO_3、H_2SO_4 等一组络合的酸，这些酸是使树脂交联或固化的固化剂，能使砂芯很快硬化并放出热量。

SO_2 法对原砂的要求与三乙胺法相同，使用酚醛树脂、无氮或中氮呋喃树脂作黏结剂，加入量为原砂质量的 1% ~ 1.5%。使用的过氧化物分为无机和有机两大类：无机过氧化物相对比较便宜，但是芯砂有效使用期短，主要采用过氧化氢，加入量为树脂质量的 25% ~ 50%；有机的主要采用过氧化丁酮，加入量为树脂质量的 40% ~ 60%，芯砂可使用时间可达 8h 以上。在 SO_2 法中通常要加入硅烷（占树脂质量的 0.3%）以增强砂芯的黏结强度。SO_2 法的制芯设备和工艺过程与三乙胺法类似，但在许多方面要优于三乙胺法，例如砂芯的热强度高，使铸件的尺寸精度和表面质量高；出砂性特别好，对铝镁合金也极易出砂；芯砂有效使用期特别长，混好的芯砂只要不接触 SO_2 就不会硬化；砂芯硬度发展快，出模后 1h 内强度可达终强度的 85% ~ 95%；发气量低，浇注时烟雾气味小。

3.5.4　酸催化树脂自硬砂

酸催化树脂自硬砂是指原砂（或再生砂）以呋喃树脂或热固性酚醛树脂为黏结剂，在相应的酸性催化剂作用下，在室温下自行硬化成形的一类型（芯）砂，其基本特点为：

（1）型（芯）砂的硬化过程无需加热，比需要加热硬化的树脂砂节省能源，同时可采用木质或塑料芯盒和模板。

（2）与黏土砂和水玻璃砂相比，铸件的尺寸精度高，表面质量好。但由于树脂和催化剂价格贵，对原砂质量要求高，所以成本高。

（3）型砂易紧实，砂型易溃散，铸件好清理，旧砂容易再生回用，因而大大降低劳动强度，改善车间劳动环境，使单件小批量生产车间容易实现机械化。

（4）工艺过程受环境温度、湿度的影响大，工艺控制要求比较严格。

（5）混砂、造型、浇注时有刺激性气味，要注意劳动保护。

树脂自硬砂特别适合于单件、小批量的铸铁、铸钢和非铁合金铸件的生产，即可造型，又可制芯，是目前应用比较广泛的金属液态砂型成形方法。

3.5.4.1　树脂自硬砂用原材料

树脂自硬砂用原材料主要有原砂、树脂、催化剂和添加剂。

A　原砂

原砂质量对树脂用量、树脂砂强度以及铸件质量影响很大，选用原砂时要力争节省黏结剂，注意下面的要求：需酸值要低，一般要 ≤5mL；含泥量要少，一般要 ≤0.2%；粒度组别在 21 左右，粒形要好，角形因数最好 ≤1.30；含水量要 ≤0.2%。

B　树脂

树脂的选择主要根据铸件的材质、型砂性能要求（如硬化时间、高温强度等）和材料成本来确定。根据呋喃树脂含氮量的多少，将其分为无氮呋喃树脂、低氮呋喃树脂、中氮呋喃树脂和高氮呋喃树脂。树脂中含氮量越少，树脂砂的高温性能越好，铸件产生气孔缺陷的倾向越小，但树脂价格越高，型砂溃散性越差。对于铸钢件，由于浇注温度高，热作用比较强烈，铸件易产生氮气孔，所以要使用低氮或无氮呋喃树脂。而对于非铁合金铸件，由于浇注温度较低，型砂高温强度要求不高，但应有好的溃散性，可使用高氮树脂。

树脂的黏度不要大于 100mPa·s，因为黏度太高会影响混砂设备的计量准确性和稳定性，同时对粘结膜的形成和均匀程度也有不利影响。树脂中的游离甲醛会影响混砂和造型制芯的劳动环境，故应尽可能低，质量分数要控制在0.5%以下。树脂的pH值过低会缩短树脂存放期，一般选用pH值为6.5~7.5的树脂。

C 催化剂

催化剂的种类和加入量决定了树脂砂的硬化速度和终强度。生产中经常使用的催化剂有对甲苯磺酸、苯磺酸、磷酸和硫酸乙酯等，按酸性的强弱排列为：硫酸乙酯＞苯磺酸＞对甲苯磺酸＞磷酸。催化剂的酸性越强，树脂砂的硬化反应越快，但终强度也越低，所以，要根据砂型（芯）的强度要求和复杂程度来合理选择催化剂的种类。催化剂的加入量要根据要求的硬化速度、环境温度和湿度、砂温情况、树脂种类来确定。加入量不足，型（芯）砂硬化慢，强度低；加入量过高，会使树脂膜焦化，强度明显降低。对于呋喃树脂，加入量一般控制在树脂质量的25%~55%。

D 添加剂

在酸催化树脂自硬砂中加入硅烷可提高粘结强度，降低树脂加入量。加入氧化铁粉可防止冲砂和产生气孔，加入甘油和苯二甲酸二丁酯可增加砂型（芯）的韧性。

3.5.4.2 树脂自硬砂混制工艺

酸催化树脂自硬砂生产铸铁件和铸钢件的典型配方及性能如表1-3-16所示。

表1-3-16 酸催化树脂自硬砂的配比

编 号	配比（质量比）				24h 抗拉强度 /MPa	用 途
	新砂	旧砂	树脂（占原砂质量）/%	催化剂（占树脂质量）/%	硅烷（占树脂质量）/%		
1	25	75	0.8（中氮呋喃树脂）	40（对甲苯磺酸）	0.1~0.3	>1.0	10kg~16t 各类机床铸铁件
2	20	80	1.0~1.5（无氮呋喃树脂）	30~45（对甲苯磺酸）	0.2~0.3	≥0.98	摇枕、侧架等低合金钢铸件

混制树脂自硬砂的混砂设备要能准确定量（如树脂、催化剂的流量误差不能超过±3）、混碾均匀、覆膜效果好，混砂过程型（芯）砂发热少。树脂自硬砂混砂机根据出砂过程分为连续式和间歇式两类，一般混砂量较少时采用间歇式混砂机，混砂量较大时或连续生产的造型线采用连续式混砂机。混砂时按一定顺序将原砂、树脂、固化剂和添加物加入混砂机快混，混匀后即卸料，随混随用。典型的混砂工艺如下：

$$砂 + 催化剂 \xrightarrow{混匀} + 树脂 \xrightarrow{混匀} 出砂$$

混砂时间与混砂设备的混砂效率有关，在保证形成均匀粘结膜的条件下应尽量缩短混砂时间。原砂（包括旧砂）的加入温度在20~25℃范围为宜，既不可太低，也不可太高。混制好的型（芯）砂硬化温度在20~30℃为宜，温度过高则硬化时间太短，温度过低则使硬化起模时间延长。

3.5.4.3 树脂自硬砂的硬化特性和造型制芯工艺

由于树脂自硬砂使用显性催化剂，所以在混砂时就开始了树脂的硬化反应。根据硬化强度与硬化时间的关系可以得到如图1-3-16所示的树脂自硬砂硬化特性曲线，从中可以看出硬化过程分为三个阶段：从树脂与催化剂接触时间 t_0 开始到 t_4 为预固化阶段，此时缩聚反应开始进行，但强度增长缓慢；从 t_4 开始到起模时间 t_5 这段时间为密闭全固化阶段，此时缩聚反应进行激烈，强度增长迅速；从 t_5 开始以后的时间为敞露全固化阶段，此时缩聚反应继续进行，强度继续迅速增长，直至达到最大强度。制好的砂型（芯）如果吸潮，其强度还会有所下降。树脂自硬砂达到最高强度时间 t_6 不一定出现在 24h，但通常将 24h 的抗拉强度称为终强度。

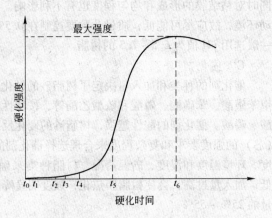

图 1-3-16　树脂自硬砂硬化特性曲线
t_0—树脂与催化剂接触；t_1—混砂结束；t_2—紧实结束；
t_3—可使用时间；t_4—全固化开始；t_5—起模时间；
t_6—达到最高强度时间

可使用时间 t_3、起模时间 t_5 和终强度是树脂自硬砂的重要性能指标。可使用时间是指混砂后能够制出合格砂型（芯）的那段时间。型（芯）砂从混砂机出来后，应尽快完成造型紧实工作，否则会使型（芯）的终强度下降。可使用时间与树脂和催化剂种类、原砂温度、环境温度和湿度等条件有关。起模时间是指从混砂结束开始，在未起模的砂型（或芯盒内制的砂芯）硬化到能满意地起模（或出芯），而不发生砂型（芯）变形和损坏所需的时间间隔。在保证型（芯）起模时不损坏或不变形的前提下，应尽早起模，避免增加起模难度。起模时间应视型（芯）的形状、复杂程度和尺寸大小来决定，通常在抗拉强度达到 0.15～0.35MPa 时起模。从方便生产操作来看，希望树脂自硬砂的可使用时间长些，起模时间短些为好，即它们的比值越大越好，这取决于树脂和催化剂的硬化特性。实际生产中，最高的比值是 0.75，一般为 0.35～0.6。

采用流动性好的树脂砂，造型时可以减轻劳动强度，但要注意对凹部、角部的紧实。在机械化生产线上使用微振台紧实型（芯）砂，利用翻转起模机进行起模，可以显著提高紧实和起模的效率和质量。

3.5.4.4　旧砂再生

树脂砂型浇注后，固化的树脂膜将在金属铸件的热作用下发生变化：与铸件接触的砂型部分，其树脂膜被完全烧掉；靠近铸件的砂型部分，其树脂膜受热炭化，呈多孔海绵状的焦化物沉积在砂粒表面；距铸件有一定距离的砂型部分，其树脂膜在热作用下变脆；远离铸件的砂型部分，其树脂膜基本没有变化，仍然完好地包覆在砂粒表面，甚至其强度比浇注前还有所提高。树脂砂型浇注后的旧砂就是上述几部分的混合物，这样的旧砂必须经过再生处理才能继续使用。旧砂再生的目的就是破碎结块的砂团，去除砂粒表面的固化树脂膜，去除砂中的灰分、微粉、铁豆等杂物。树脂砂的旧砂再生一般采用干法再生工艺。

树脂砂的旧砂再生，可以最大限度地减少因废砂排放造成的环境污染，使 90% 以上的旧砂得以回用。由于再生砂颗粒表面光滑，粒度分布均匀，需酸值降低，微粉少，这就可以节省树脂和催化剂，减低生产成本。再生砂热稳定性好，树脂砂性能容易控制，有利于提高铸件质量，减少脉纹、机械粘砂等缺陷。

4　金属液态成形特种工艺

4.1　连铸工艺

4.1.1　连铸工艺的发展概况

对液态金属进行连续铸造成形的最初设想是由英国转炉炼钢的发明者亨利·贝塞麦（Henry Bessemer）在 19 世纪中期提出的。在 20 世纪 30 年代成功地生产出铜、铝等有色金属的连铸产品，完成了液态金属连续成形工艺技术的雏形。

由于钢的熔点高、比热大、导热系数小，使得凝固速度较慢，当时被认为很难用连续成形方法进行生产。连铸机的结晶器负滑脱振动技术是使钢的连铸成为可能的关键技术，它有效地防止了连铸钢坯与结晶器壁之间"粘结"现象的发生。因此，在 20 世纪 50 年代连续铸钢才开始步入工业生产阶段。直到采用弧形连铸机后，钢连铸技术的应用才实现了一次真正的突破，因为弧形连铸机不仅提高了生产率，降低了设备投资，而且更有利于安装在一般的炼钢厂房内。

此后，连铸技术日趋成熟，钢包冶金的完善化大大有利于连铸的操作，特别是钢包炉（Ladle Furnace，LF）的使用不仅对改善钢的清洁性有积极作用，而且也是精确调节钢水温度达到良好的浇注性能的有力手段。同时，电磁冶金技术、结晶器非正弦振动技术、低过热度浇注技术、二冷配水动态控制技术、动态轻压下技术、铸坯质量在线监控技术、连铸生产过程在线检测和计算机自动控制技术、无缺陷铸坯热装和直轧技术、中间包冶金、耐火材料功能化、保护渣性能优化等系列技术及其相应的设备进步，促使连铸生产效率与铸坯质量不断提高，钢铁生产更加稳定向前发展。

中国是世界上开发和应用连铸技术较早的国家之一。20 世纪 50 年代中期就进行过连续铸钢方面的试验研究，并且在 1956 年建成了中国第一台工业实验铸机。进入 20 世纪 60 年代，中国连铸技术的开发与应用推进到一个新的阶段，突出表现在对弧形连铸技术的研究与开发上，于 1964 年就有一台板坯连铸机投产。这是一台方、板坯兼用机，曲率半径 6m。浇铸板坯最大宽度是 1700mm，这也是世界上最早的生产用弧形连铸机之一。此后，一批弧形连铸机相继建成投产。到 2012 年底，我国钢产量近 7.2 亿吨，连铸比已超过 96%，钢铁生产呈现出快速、稳步的增长势头。

当前，连铸技术发展的基本趋势是力求浇铸尽可能接近最终产品尺寸的铸坯，即所谓"近终形连铸"，以便进一步减少中间加工工序，节省能源、减少贮存和缩短生产周期。另一个趋势是不断地提高铸机的作业率，提高铸坯无缺陷率、铸坯热送及直轧率等。连铸工艺的最终目标是"连铸高质量钢坯"，它包括铸坯清洁性、表面质量和内部质量。总之，近终形连铸、高作业率连铸和连铸高质量铸坯三者实际上是相互关联的，在连铸的发展中必将体现出优质、高效和经济性的优势。

4.1.2　连铸机及主要产品

图 1-4-1 是典型的现代钢铁企业大量使用的弧形连铸机的示意图，连铸机的主要组成部分是：（1）钢水包（又称大包）及其回转台；（2）中间包及其控流、移动装置；（3）结晶器及

其振动装置；（4）二次冷却段及其支撑
装置；（5）拉坯及矫直机；（6）引锭杆
及其移动装置；（7）铸坯切割及其运输
装置；（8）铸机连续运行的计算机控制
系统。

　　连铸机按照生产的铸坯形状可分
为：方坯连铸机、板坯连铸机、圆坯连
铸机、矩形坯连铸机、异形坯连铸机
等。

　　连铸机发展至今，经过了几种不同
的形式的变换与改进，如图 1-4-2 所示。
目前，主要使用的连铸机是全弧形铸机，
直弧形、水平式铸机也有应用。

　　随着科学技术的不断发展，近终形
连铸的目标是由钢水直接浇注成 20mm
以下至几毫米厚的薄带坯，如图 1-4-3

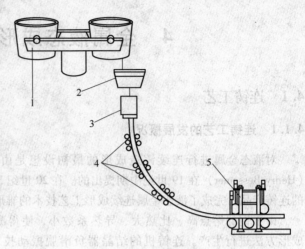

图 1-4-1　弧形连铸机示意图
1—钢水包；2—中间包；3—结晶器；4—二冷段；5—拉矫机

所示。这种薄带坯不必经热轧，而是直接经冷轧机轧成带钢。

　　连铸工艺的主要产品是铸坯，其中包括：方坯、板坯、圆坯、异形坯等。还有管坯、管
子、带材、线材，甚至是具有一定外形的结构件等。

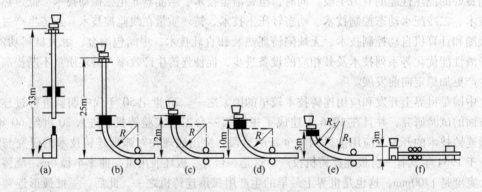

图 1-4-2　连铸机型示意图
（a）垂直连铸机；（b）立弯形连铸机；（c）直弧形连铸机；
（d）全弧形连铸机；（e）椭圆形连铸机；（f）水平式连铸机

4.1.3　连铸工艺与铸坯质量

4.1.3.1　连铸坯传热与凝固

　　钢的连铸工艺是从钢液浇注到结晶器开始的。因此，结晶器是连铸机的关键组成部分，好
比是连铸机的"心脏"。它的主要作用表现在以下几方面：

　　（1）在尽可能高的拉速下保证铸坯出结晶器时形成需要的形状并有一定的坯壳厚度，形
成铸坯的完整外形，而且抵抗钢水静压力不拉漏；

　　（2）结晶器内坯壳的生长要均匀稳定；

　　（3）结晶器的结构、振动、保护渣状态等，对铸坯的表面质量有决定性的影响。

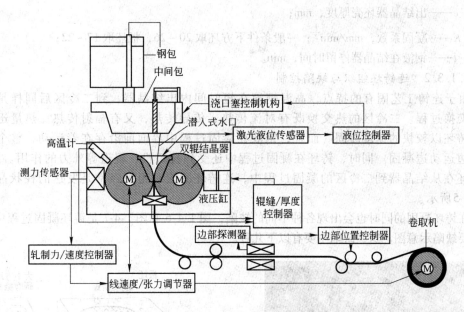

图 1-4-3　双辊薄带坯连铸机示意图

在连铸工艺过程中，结晶器是一个非常强的热交换器，并形成了复杂的传热机构，如图 1-4-4 所示。在结晶器里钢液热量导出使坯壳形成并生长，控制浇钢过程中结晶器的热流变化可以作为控制结晶器凝固坯壳生长的有效措施。

一般来说，在结晶器内液面及向上、向下方向的散热是很小的，仅占总散热量的 3% ~ 6%。因此，水平方向由结晶器内的冷却水带走的热量为主，可由下式计算：

$$Q = h(T_a - T_w)F \qquad (1-4-1)$$

式中　h——传热系数，$W/mm^2 \cdot ℃$；

　　　T_a——钢液温度，℃；

　　　T_w——冷却水温度，℃；

　　　F——结晶器的有效传热面积，mm^2。

总之，钢液热量传给结晶器冷却水经过以下步骤：（1）钢液与坯壳的对流传热，控制浇注过程结晶器内钢液的流动，可以调整对流传热。这部分的传热的热阻为 R_6。（2）坯壳的传导传热，这部分的传热的热阻为 R_5。（3）坯壳与结晶器壁的传热，这部分的传热的热阻为 R_4 和 R_3，它占整个结晶器传热热阻的 65% 以上，控制坯壳与结晶器壁的空隙、保护渣层的厚度与性质，是调整结晶器传热关键。（4）结晶器壁的传热，结晶器壁为铜合金具有良好的导热性，热阻为 R_2。（5）结晶器壁与冷却水的强烈对流传热，热阻为 R_1。

结晶器传热过程的控制是保证连铸工艺操作稳定和铸坯表面质量的基础，确定出结晶器凝固坯壳厚度，一般由下式表示：

$$e = K\sqrt{t} \qquad (1-4-2)$$

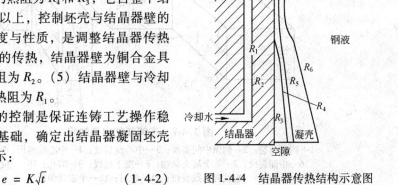

图 1-4-4　结晶器传热结构示意图

式中　　e——出结晶器坯壳厚度，mm；

　　　　K——凝固系数，mm/min$^{\frac{1}{2}}$；一般条件下方坯取 20 ~ 26，板坯取 17 ~ 22；

　　　　t——钢液在结晶器停留时间，min。

4.1.3.2　连铸坯组织与缺陷控制

由于连铸工艺固有的特点，高温钢液在短时间内出结晶器，到二冷区后同样是强烈的热交换过程。二冷区的热交换既有对流传热、传导传热，又有辐射传热。热量迅速传出，铸坯以较快的速度凝固。而且，钢液在凝固过程中界面前沿存在着运动，整个铸坯也是边运动边凝固。同时，铸坯在凝固过程中还受到拉矫机、辊道等外力的作用。因此，连铸坯在从结晶器到二冷区的凝固过程中，连铸坯的宏观组织经常是发达的柱状晶，如图1-4-5所示。

在铸坯凝固的同时也会出现各种不同的缺陷，图 1-4-6 和图 1-4-7 是铸坯凝固过程中形成的主要缺陷示意图。这些缺陷主要有以下几种。

图 1-4-5　连铸坯宏观组织照片

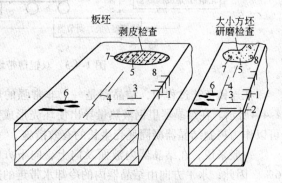

图 1-4-6　连铸坯的表面缺陷

1—角部横裂纹；2—角部纵向裂纹；3—表面横裂纹；
4—宽面纵裂纹；5—星状裂纹；6—振动痕迹；
7—气孔；8—大型夹杂物

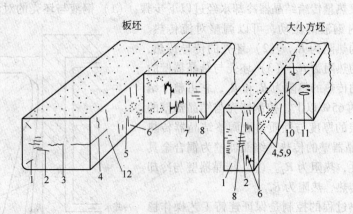

图 1-4-7　连铸坯的内部缺陷

1—内部角裂；2—侧面中间裂纹；3—中心线裂纹；4—中心线偏析；5—疏松；
6—中间裂纹；7—非金属夹杂物；8—皮下鬼线；9—缩孔；10—中心星状
裂纹对角线裂纹；11—针对；12—半宏观偏析

A　表面缺陷

如图 1-4-6 所示，表面缺陷主要包括：表面裂纹、角部裂纹、振动痕迹、表面夹渣、表面脱碳和偏析、表面凹陷等。

铸坯的表面缺陷严重地影响着连铸机的正常生产和轧制成材的表面质量，特别像汽车面板等高表面质量用材。铸坯表面缺陷的形成机理，经过科技工作者的研究认为，钢水在结晶器内形成初凝固壳的状态是决定铸坯表面质量的关键。提高铸坯表面质量的主要工艺措施如下：

（1）控制结晶器的传热，使初凝固壳均匀，这是减轻铸坯表面裂纹、表面凹陷的先决条件。

（2）控制结晶器振动，严重的振动痕迹经常会引起铸坯表面横裂纹，理论和生产实践表明，小振幅（3~5mm）、高振动频率（70~200Hz）、非正弦振动形式等，都对提高铸坯表面质量有良好效果。

（3）选择高性能的保护渣，结晶器使用保护渣，既可以保护结晶器液面不被二次氧化，它又可以分布在初凝固壳与结晶器壁之间，起到调整坯壳与结晶器壁的传热和拉坯过程的润滑作用。

（4）优化结晶器的倒锥度、改善结晶器内壁镀层，也能提高铸坯表面质量。

B　内部缺陷

如图 1-4-7 所示，铸坯内部缺陷主要包括：中心缩孔、中心缩松、裂纹、偏析、夹渣、气孔等。铸坯从结晶器拉出来时，坯壳很薄，中心是未凝固的钢液。铸坯在强烈的水冷条件下，在弯曲、矫直或辊子压力的作用下，正在凝固的固液界面既容易产生裂纹，又容易产生偏析、缩孔、缩松等缺陷。

提高铸坯内部质量主要工艺措施如下：

（1）控制二冷段传热，使铸坯在凝固过程中，尽可能处于均匀的冷却状态，改善铸坯断面的温度分布，调整铸坯的凝固方式，使铸坯中心断面上尽可能获得较高比率的等轴晶。这是减轻铸坯内部缺陷的有效措施。

（2）控制钢液包的温度，尽量降低中间包浇钢的过热度，这是铸坯获得较高比率等轴晶组织的非常有效的工艺措施。

（3）加强连铸工艺过程中对钢液的保护，防止二次氧化和污染，降低铸坯的夹杂物含量。

（4）连铸机运行正常，铸机对弧、对中好，控制系统先进也是生产高质量铸坯的重要条件。

4.1.3.3　连铸工艺相关技术

在连铸工艺不断进步的同时，为了进一步提高铸坯的表面和内部质量，开发了电磁搅拌（EMS）、电磁制动等连铸工艺的相关技术，为提高铸坯的表面质量和内部质量发挥了巨大作用。已经成为高水平、现代化铸机统一体。

A　电磁搅拌

图 1-4-8 是电磁搅拌器在连铸机上不同位置安装的示意图。在电磁搅拌作用下，无论是结晶器内、二冷区及二冷区末端，都起到促进铸坯内钢液的流

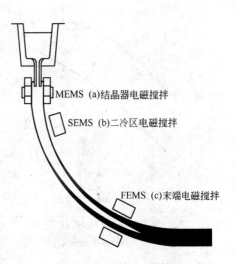

MEMS (a)结晶器电磁搅拌

SEMS (b)二冷区电磁搅拌

FEMS (c)末端电磁搅拌

图 1-4-8　连铸机安装电磁搅拌器示意图

动，正是由于流动加强了铸坯的热交换，使整个铸坯内传热和传质发生很大的变化，如果在凝固过程中这两个因素发生变化，凝固的最终组织状态也要改变。

（1）结晶器电磁搅拌对连铸坯结晶器初凝固的影响。结晶器电磁搅拌可以有效地改善铸坯的表面和内部质量，近年来国内外许多厂家大量采用，特别是在小方坯、大方坯和矩形坯应用更为广泛。图 1-4-9 是连铸机上安装结晶器电磁搅拌装置的示意图。结晶器电磁搅拌主要是在钢水凝固初期，通过电磁搅拌的作用，使初凝固壳趋于均匀并促进夹杂物上浮，对于连铸坯的表面及皮下质量有着良好的作用。

连铸坯的凝固过程是一个复杂的传热、传质过程。连铸过程中高温钢水要在 20s 到 80s 时间内通过长度为 1m 左右结晶器，形成一定厚度（一般为 8～16mm）的坯壳，钢液凝固放出热量

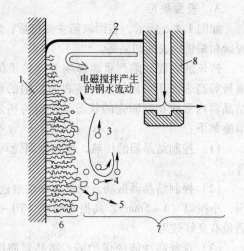

图 1-4-9　结晶器电磁搅拌作用示意图

1—带有电磁搅拌的结晶器；2—结晶器液面；3、4—气泡与夹杂物；5—枝晶碎片；6—初凝固壳；7—未凝固的液相区；8—浸入式水口

的 28% 左右由结晶器传出。使结晶器产生温升，因此必须冷却。但是，由于结晶器自身结构、材质，结晶器内水缝结构、水流分布，结晶器使用的保护渣性能等原因，都会造成结晶器内冷却强度不均。冷却强度不均会使钢液在结晶器内形成的坯壳不均，铸坯的初凝壳不均如果是暂时的问题不大，但持续发生问题就严重了，轻则铸坯表面出现凹陷、裂纹，重则会使裂纹很快发展造成漏钢事故，严重影响连铸坯质量和安全生产。因此，在连铸生产的进程中漏钢有时发生，特别是小方坯会多一些，自从结晶器电磁搅拌普遍应用以后，漏钢率大都降低到 1% 以下。

结晶器内电磁搅拌的作用是促进钢水的运动，从而加速结晶器内外的传热，结晶器内钢水凝固过程中固液界面前沿温度分布稳定，消除了初生坯壳局部生长不均匀的现象。

铸坯表面和皮下的针孔或渣气孔常常成为轧制后产品的表面缺陷，而且对产品的使用性能影响很大，特别对于合金钢来说这种缺陷对产品影响更大。但是，采用以后，由于针孔和夹杂物的减少而使铸坯的表面质量大大改善，如图 1-4-10 所示。

钢液在结晶器内的凝固速度是比较快的，在这种条件下由于温度不断降低，又有一部分钢水凝固，气体在凝固界面前沿即出现过饱和状态，这样必然有少量气体析出，而且依附在夹杂物等界面上形成气泡。当然，在结晶器内凝固界面前沿这种小气泡和夹杂物数量的多少首先取决于钢液的洁净度，在铸坯的凝固过程中这些小气泡一旦形成很容易被生长的枝晶所捕获，这是形成铸坯皮下的针孔、渣气孔和夹杂物的主要原因。在普通

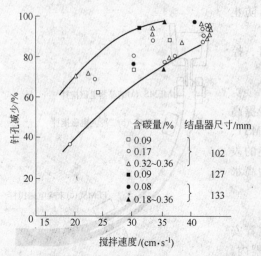

含碳量/%	结晶器尺寸/mm
□ 0.09	
○ 0.17	
△ 0.32～0.36	} 102
■ 0.09	127
● 0.08	
▲ 0.18～0.36	} 133

图 1-4-10　结晶器电磁搅拌对铸坯缺陷的影响

的连铸工艺过程中，结晶器内的钢液也呈现不同形式的运动，使一部分气泡和夹杂物也可能有机会上浮到液面被保护渣吸收，但大部分气泡和夹杂物没有机会上浮到液面，特别是高拉速的方坯连铸生产工艺中。

在连铸机上使用了之后能改善轧制后产品的表面质量，主要是由于能促使结晶器内的钢水产生较强的旋转运动，电磁搅拌的这种作用对于圆坯和方坯来说效果更是明显。钢水在结晶器内的旋转运动使钢水中的气体在凝固界面前沿析出之后，电磁搅拌所引起的旋转运动对钢水凝固过程中界面前沿析出的气体和存在的夹杂物的去除作用很大。非电磁场作用下的一般旋转运动，钢水、气泡及夹杂物在同一半径上的径向速度差只与二者的密度差有关，密度大的钢水向外运动，而密度小的气泡、夹杂物向里运动，这样也能实现钢水与气泡、夹杂物的分离，但速度很慢。在电磁场作用下的旋转运动，液态金属与夹杂物在同一半径上的径向速度差由钢液和夹杂物的电导率的差值决定。在电磁场中钢液做旋转运动，旋转运动的力是旋转磁场感应而产生的电磁力在切线方向的分力。然而，液态金属受到的电磁力比夹杂物要大，二者在同一半径上的切向速度差值就大。因此受到的离心力不同，在旋转电磁磁场作用下钢水做旋转运动时，金属中的气泡、夹杂物能迅速向里运动，脱离结晶器内钢液凝固的固液界面前沿，这样会有更多的机会逐渐上浮后去除，这是结晶器内电磁搅拌对减少铸坯皮下针孔、渣气孔和夹杂物作用的根本原因。

结晶器内电磁搅拌可以显著地提高铸坯等轴晶率和减轻铸坯的中心偏析如图1-4-11所示。

在无电磁搅拌的情况下，过热度小于50℃，等轴晶率随过热度降低而增加。而过热度大于50℃，等轴晶率为零。然而，对于结晶器电磁搅拌或二冷区电磁搅拌，即使过热度为50℃，等轴晶率至少可达30%左右。

连铸坯的凝固过程是一个比较典型定向散热、高冷却强度、凝固界面近乎平面推进的凝固过程。依据凝固理论，在铸坯的断面上存在较高的温度梯度，铸坯的凝固方式趋于逐层凝固。而在铸坯的凝固界面前沿也是具有较高的温度梯度，这样凝固界面前沿具有很小的成分过冷，也有利于铸坯形成柱状晶。所以，对含碳量较低的钢种，连铸坯的组织一般为较高比率的柱状晶。然而，在铸坯断面上发达的柱状晶，必然又带来铸坯的中心偏析及其他缺陷。

结晶器内的电磁搅拌促使钢水在一定的范围内运动，加速结晶器内外、上下的热交换，从而降低了铸坯断面的温度梯度，使凝固界面前沿的成分过冷度变大，从而改变了铸坯的凝固方式，抑制柱状晶的生长，获得了较高比率的等轴晶。由于铸坯的断面上为较高比率的细等轴晶，严重的中心偏析自然就降低了，如图1-4-12所示。

（2）二冷电磁搅拌。电磁搅拌对连铸坯二冷区凝固过程的影响。连铸坯的大部分组织是从结晶器出来以后形成的，也就是说在二冷区的凝固状态是决定连铸坯内部质量的关键。

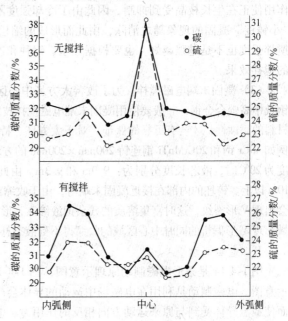

图1-4-11　结晶器电磁搅拌对中心偏析的影响

不管是对于方坯还是板坯，二冷区的冷却强度虽然有强弱之分，但就连铸工艺的一般冷却水平来说也是强冷，使整个铸坯通过二冷区基本上凝固完了，铸坯的凝固速度还是很快的。因此，连铸坯的不同断面上在通过二冷区的各段时，冷却强度一般来说是不均匀的，铸坯的某一段冷却比较强，凝固组织迅速生长，甚至很快达到中心，如图1-4-13所示，在没有应用电磁搅拌的条件下，连铸坯出结晶器以后，铸坯内部的液芯被分割了，剩余的液芯的凝固收缩得不到上面钢水补充，就像原来铸锭一样，因此称为连铸坯的"小铸锭"凝固。而这种"小铸锭"凝固形成了铸坯内部缩孔、缩松等严重缺陷，严重影响了连铸坯质量。

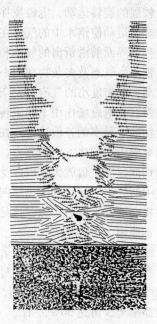

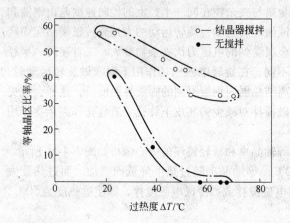

图1-4-12　结晶器电磁搅拌对铸坯等轴晶率的影响

图1-4-13　连铸坯形成"小铸锭"
凝固示意图

电磁搅拌引起铸坯内钢水的运动特点是在凝固界面前沿速度最大，这种强烈的运动的冲刷作用使正在生长枝晶受到抑制，因此由于冷却强度不均形成的枝晶快速生长搭桥现象消除了，"小铸锭"凝固的现象随之消除，由此而形成的缩松、偏析也就不存在了。当然二冷区的电磁搅拌强度也不是越强越好，也要根据坯型、钢种和连铸工艺参数确定电磁参数，才能取得良好的搅拌效果。

（3）凝固末端电磁搅拌。为了改善大方坯中心区域的V形偏析和中心缩松，尤其是中高碳钢及中高碳合金钢，一般要使用凝固末端电磁搅拌技术，才能提高轧制成材的综合性能，特别是材料的耐蚀性，才会有可靠的保证。对于大方坯、特别是合金钢大方坯连铸，铸坯的液芯较长。例如40Cr钢和20CrMnTi钢连铸200mm×200mm的方坯，弧形半径8m以上的铸机，在中包过热度为20℃时，液芯长度分别为：9.9m和9.3m。由此可知，坯型增大、过热度增高液芯都要在10m以上。铸坯的内部在接近凝固末端时，由于收缩或其他因素在刚刚凝固的等轴晶组织上可能会出现V形裂纹，这时富集溶质的残余钢液渗入，形成大方坯中心区域形成V形偏析。在中心区域出现V形偏析的同时中心区域的收缩得不到液态补缩，致使中心区域产生缩松。

　　B　电磁制动

图1-4-14是条形电磁制动原理示意图，图1-4-15是双条形电磁制动对连铸坯质量影响的示意图。电磁制动是利用在电磁场中运动的导体会产生感应电流，载流导体又与磁场作用，从而使载流导体受到与原来运动方向相反的作用力。电磁制动对铸坯质量的影响主要表现在以下几方面：

（1）降低了注流的透入深度，同时又增加了侧出口以上的速度，这样就使钢水中的夹杂物在结晶器内有可能上浮到液面，被保护渣吸收，提高了连铸坯的洁净度。

（2）大大减轻了注流对板坯窄边的冲击速度，降低了窄边坯壳重熔的可能性，减少了铸坯的裂纹，减轻了漏钢的危险性，不仅提高了铸坯质量，而且保证安全生产。

（3）降低液面波动，并且提高弯月面的温度，对减轻振痕，提高铸坯表面质量有很大的作用。

（4）注流的分散，上反流速度增加，这些都会使结晶器内传热加快，降低铸坯断面的温度梯度，有利于提高铸坯的等轴晶率。

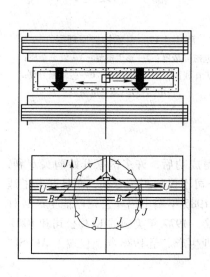

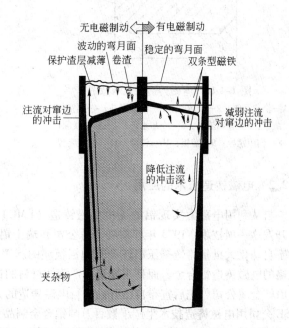

图 1-4-14 条形电磁制动原理图　　　　图 1-4-15 双条形电磁制动对连铸坯质量影响示意图

4.2 电磁铸造

4.2.1 基本原理

电磁铸造（Electromagnetic Casting EMC）是苏联在 20 世纪 60 年代研究成功的，当时主要用于有色金属，并实现了铝、铜等有色金属的无模铸造，获得表面光滑的铸坯。

图 1-4-16、图 1-4-17 是电磁铸造装置示意图和工作原理图。从图中可以看出，电磁铸造是借助电磁力克服金属液的静压力实现无接触铸造的方法，其基本原理是感应器通以交流电，产生交变磁场。液态金属浇注到引锭装置的过程中通过交变磁场，因电磁感应使液态金属内产生感生涡流，液态金属便成了载流导体并与感应器产生的交变磁场相互作用，进而产生始终指向液态金属中心的电磁力。当电磁力足够大时，就可束缚液态金属向外的静压力，将液态金属推离感应器，形成独立的液柱。液态金属在此条件下冷却、凝固，获得表面光滑、组织细小的铸坯。

电磁铸造工艺发明以后，世界各国的研究者们纷纷对其进行了深入的理论研究和应用技术研究，不断地推动了这一项技术的工业应用与开发。例如：上引电磁连铸、水平电磁连铸、悬浮熔炼等技术先后开发成功并投入应用，极大地促进了材料成形与凝固技术的发展。

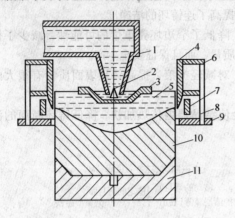

图 1-4-16　电磁铸造工艺示意图
1—浇注系统；2—节流法；3—浮标漏斗；4—电磁屏
蔽罩；5—金属液柱；6—冷却水环；7—感应线圈；
8—调距螺栓；9—盖板；10—铸锭；11—引锭装置

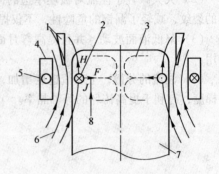

图 1-4-17　电磁铸造原理图
1—电磁屏蔽罩；2—感生电流；3—液态金属；
4—工作线圈；5—线圈电流；6—感应磁力线；
7—电磁铸锭；8—电磁力

4.2.2　电磁铸造技术的应用

自从利用电磁力实现铝的无模电磁铸造（EMC）获得成功后，许多国家开始购买专利，并开发这一项技术。1973 年苏黎联合总公司和瑞士铝业公司不仅购买了专利，而且开发了适用于自动化大批量铸造挤压铝坯和轧制铝板坯的新工艺。1985 年瑞士铝业公司已能生产各种规格的电磁铸造铝合金，而且主要是生产罐体材料的铝合金。1977 年美国的 KCC 公司和 REG-NOIDS 金属公司曾先后宣布自己开始进行电磁铸造的大工业生产。至 1988 年，仅瑞士 ALUSU-ISSE 公司用电磁铸造技术生产了数百万吨铝合金制品。

我国从 1974 年开始工业装置的电磁铸造研究，经过几年的努力，成功地完成了电磁铸造铝合金圆锭的开发。实践证明，电磁铸造的铸坯表面光滑、晶粒细化、成分偏析减轻、机械性能提高。从此以后，一些科研院所和工厂联合开展了对方坯电磁铸造的研究，也取得了非常突出的研究成果，并实现了计算机在线控制。

同时，国内的一些单位对电磁铸造工艺中的电磁结晶器优化设计、双锭电磁铸造工艺、液面控制以及电磁铸造工艺过程中的电磁场、流场、温度场等都进行了试验研究和数值模拟，这些对推动电磁铸造技术的发展起到了重要的促进作用。

4.2.3　软接触电磁连铸

4.2.3.1　概述

为了实现连铸与连轧的全面衔接，保持较高的直轧比例就必须消除铸坯表面缺陷，尤其是要消除铸坯表面横裂、角部热裂和防止铸坯表面卷入气泡或非金属夹杂物。而非金属夹杂物、气泡以及与振痕共生的表面横裂三者主要存在振痕的谷底处。因此，要提高铸坯的表面质量就需要研究表面缺陷的形成机理，才能减轻或消除铸坯表面缺陷。研究结果表明，铸坯的表面质量主要取决于结晶器内初生坯壳的均匀性，最初几秒钟传热强度和热流分布的均匀性，即结晶器内弯月面的初始凝固过程直接影响到铸坯的表面质量。铸坯表面常见的表面振痕因弯月面区域受到结晶器的振动和保护渣动压的作用而产生。长期以来，为了消除铸坯的表面缺陷，冶金工作者一直在致力于改善弯月面处的工作条件，诸如改变结晶器的振动方式（正弦振动、非正弦振动、水平与垂直同步的振动方式等）、高振频小振幅、减少负滑脱率来减轻振痕、改变保护渣的性能增加润滑效果等，但这些措施并没有从根本上解决铸坯的表面质量问题。因此，在一定的拉速条件下获得高质量的连铸坯，传统的连铸工艺存在固有的局限性。

在连铸技术迫切需要不断改进的形势下，1984年美国通用电气公司在一项电磁场连铸技术专利中提出了软接触电磁连铸技术雏形。1986年法国人 VIVES 发表了此技术的研究结果，并应用于铝坯连铸中，结果表明采用该技术的铸坯质量明显优于普通连铸坯。通过软接触电磁连铸技术改善结晶器弯月面处初始凝固条件，减轻结晶器振动对弯月面的影响，减小初凝壳与结晶器壁间的接触压力及振动摩擦力，实现了稳定提高铸坯表面质量的目的，从而为实现连铸-连轧奠定基础。

4.2.3.2 电磁连铸原理及工艺特点

软接触电磁连铸的原理与电磁铸造相同，如图1-4-17所示。但是它们的工作原理又与电磁铸造不同，主要是有模和无模的区别，如图1-4-18所示，这是方坯软接触电磁连铸工艺示意图。其基本原理是在具有透磁和聚能结构的软接触结晶器外安装感应器，使高频磁场透过结晶器作用于液面附近，液态金属的弯月面内形成感应涡流，弯月面处的液态金属变成了载流导体，载流导体再与感应器产生的高频磁场相互作用，使其受到垂直于铸坯初凝壳的电磁力。电磁力和结晶器两者共同来支撑弯月面处的初凝固壳和钢液，从而减少初凝固壳和钢液与结晶器之间的接触压力和振动摩擦力，使保护渣液的渗流通道通畅，并在此条件下凝固，从根本上改善了铸坯的表面质量。

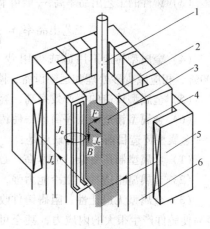

图 1-4-18 电磁连铸工艺示意图
1—浸入式水口；2—保护渣；3—液态金属；
4—缝隙；5—感应器；6—结晶器壁

此外，高频磁场对结晶器的铸坯熔池还具有电磁搅拌作用，使初凝壳晶粒细化，电磁场对铸坯的感应加热，则降低了铸坯初始凝固的位置和初凝壳的形态。可见，高频电磁场输出的电磁力和焦耳热能够改善弯月面与结晶器的接触状态，使得由于往复振动而引起的弯月面波动对初凝壳的影响得以减轻，并使铸坯的等轴晶区可能会扩大，达到了控制连铸坯初期凝固、提高铸坯表面质量的目的。

软接触电磁连铸工艺和软接触凝固理论、技术以及电磁结晶器的雏形已经提出多年，这是国内外科技工作者智慧的结晶。电磁连铸对改善铸坯表面质量的功能已被实验所证实，但要实现工业应用还有相当距离，需要深入研究的问题仍很多。这些问题主要是：关于软接触电磁连铸结晶器的电磁参数和结构、性能对铸坯质量的影响规律，高频电磁场作用下的凝固过程及其对铸坯表面质量影响的机制等。在已有研究工作的基础上，尚需进一步开展研究工作和工业试验，进行更深入的探索。

4.3 金属型成形工艺

金属型成形工艺是将液态金属（合金）浇注到金属材质的铸型中，并在重力的作用下凝固成形，以获得铸件的一种铸造方法。国外又称重力金属型铸造。由于铸型是用金属材料制成，可以反复使用数千次到数万次，又称永久型铸造。

在永久型铸造中，金属型铸造是应用得最广泛的液态金属成形方法，特别是铝合金、镁合金的金属型铸造已经与砂型铸造居于同等重要的地位。由于轻合金金属型铸件的质量（机械性能、尺寸精度、表面质量等）显著优于砂型铸件，同时，金属型的寿命（浇注次数）很长，因此在中小型铸件的成批生产中，大都采用金属型铸造。在液态金属特种成形方法中，连续铸造、压力铸造、低压铸造、挤压铸造、真空吸铸、离心铸造等都要使用金属型。

金属型铸造与砂型铸造比较，在技术上和经济上有许多优点：

（1）金属型生产的铸件，其机械性能比砂型铸件高。同样合金，其抗拉强度平均可提高约25%，屈服强度平均可提高约20%，这是由于铸件在凝固时冷却速度快，铸件表层结晶组织细密，形成"铸造硬壳"，其抗蚀性能和硬度亦显著提高。

（2）铸件的精度和表面粗糙度等级比砂型铸件高，而且质量和尺寸稳定。如金属型生产的铸件其粗糙度比砂型铸件高一级。这样就可以减少加工余量，降低成本。

（3）铸件的工艺出品率高，一般可节约液体金属15%～3%。铸件的工艺出品率按下式计算：

$$工艺出品率 = \frac{铸件重量}{铸件重量 + 浇冒口重量} \times 100\% \tag{1-4-3}$$

（4）金属型铸造不用砂或少用砂（有的铸件需要砂芯），一般可节省造型材料80%～100%，相应减少砂处理和运输设备，降低车间粉尘量，减轻环境污染，改善劳动条件。

（5）金属型铸造的生产效率高，容易实现机械化和自动化。

（6）金属型铸造的工序简单，使铸件产生铸造缺陷的因素减少。

金属型铸造目前存在的缺点是：

（1）金属型制造复杂，成本高，必须从结构上和工艺上保证它有足够长的寿命。

（2）金属型不透气，激冷能力强，容易产生铸件浇不足、铸铁件白口等缺陷。

（3）金属型无退让性，阻碍铸件收缩。金属型对于铸件凝固冷却产生的收缩没有退让性，容易使铸件产生很大的内应力，甚至可能产生变形和裂纹，要求生产中能及时拔芯和取出铸件。所以，某些易热裂的合金不适宜采用金属型成形工艺。

（4）金属型铸造时，铸型的工作温度、合金的浇注温度和浇注速度、铸件在铸型中的凝固时间及使用的涂料等，对铸件质量的影响非常敏感，工艺过程需要严格控制。

（5）金属型铸造生产的铸件结构、重量、尺寸等受到限制。如黑色金属只能生产形状简单的小型铸件；铸件壁厚不能太薄。这主要是受充型能力和模具寿命的限制。

4.3.1　金属型成形的特性

金属型与砂型的根本区别在于两者的铸型材料不同。砂型是由颗粒状的耐火材料组成的松软多空隙的型体，而金属型则是用金属材料制成的坚固密实的型体。因此两者在性能上有着显著的区别：

（1）砂型——有良好的透气性和退让性，较差的导热性和激冷能力。

（2）金属型——优良的导热性和很强的激冷能力，没有透气性和退让性。

金属型的这些特点决定了它在铸件形成过程中有自己的规律。下面对金属型在铸件形成过程中的主要特性进行分析，为正确地制定金属型成形工艺提供依据。

4.3.1.1　型腔内气体对金属充填过程的影响

假设金属型在浇注前，型腔内气体的温度为 T，体积为 V，重量为 G，气体常数为 R，则气体压力 P 为：

$$P = RT\frac{G}{V} \tag{1-4-4}$$

液态金属在充填铸型的过程中，型腔内的气体（空气、砂芯受热产生的气体）由于受热膨胀和体积压缩而使压力增大，压力变化为：

$$\Delta P = RG \frac{\Delta T}{\Delta V} \tag{1-4-5}$$

其结果造成充型反压力（大小为 ΔP），它成为液态金属充型的阻力。充型反压力与金属液的充型速度、型内发气情况、铸型排气能力和型腔内气体温度变化程度有关。充型速度越快，铸型排气能力越差，砂芯总体积越大，型腔内气体温度变化越大，则充型反压力越大。

如果充型反压力 ΔP 超过临界值 $P_{临}$（金属液静压力和表面张力之和），型腔气体就会钻进金属液内，通过浇注系统向外逸出（这种现象被称为呛火），不仅破坏了金属液的连续流动，而且还会对某些合金（如铝合金）造成强烈氧化。在呛火过程中，如果受到初晶或凝固层的阻拦，气体就会留在金属中形成气孔。

型腔中的气体由于受热膨胀和体积压缩而使压力增大，形成阻碍液体金属进入的区域称为气阻。一般情况下，型腔内的气体大部分能从冒口和排气孔中排出，但由于铸型无透气性，某些局部死角处的气体无法排除，就会形成气阻，使铸件产生浇不足缺陷。所以，在金属型铸造中一定要注意型腔的整体排气和型腔死角的排气。

4.3.1.2 铸件凝固过程中热交换的特点

金属液一旦进入型腔，就把热量传给金属型壁，金属液的温度就不断降低，铸型的温度不断升高。这时铸型起到两个作用：其一是把热量积蓄起来；其二是把积蓄的热量散发到周围的大气或冷却水中（具有冷却系统的金属型，如连铸结晶器）。金属液通过型壁散热，进行凝固并产生收缩，而金属型通过型壁吸热，若散热速度不快，温度就会升高而产生膨胀。随着凝固过程的进行，在铸件与铸型界面的某些部位将产生气隙。

金属与铸型的热交换特点如图 1-4-19 所示：在产生气隙前，由于金属液和铸型紧密接触，界面处几乎没有温度差；而在产生气隙后，由于气隙的导热性比较差，所以铸件和铸型之间存在很大的温度差，铸件的散热速度减慢。

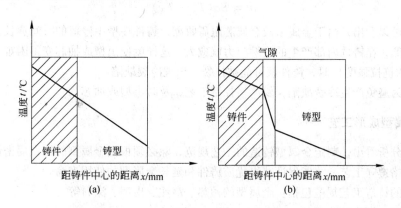

图 1-4-19 金属型铸造的铸件/铸型温度变化
（a）气隙产生前；（b）气隙产生后

在金属型铸造时，铸件与铸型之间要刷一层涂料，连铸时要流入一层渣膜，在"铸件-气隙-金属型"系统中，涂料与渣膜也被认为是"气隙"的一部分。涂料（渣膜）和空气的导热系数都很小，所以可通过改变涂料（渣膜）的热物理性质和厚度来控制铸件或铸坯的凝固速度。

4.3.1.3 金属型对铸件收缩的阻碍

在金属型铸造中，金属型芯及型壁凸起部分在铸件凝固过程中无退让性，会阻碍铸件收缩。

A   在固液两相区

根据金属凝固原理，在金属液温度进入结晶区间（固液两相区），就开始有凝固收缩，当收缩受到阻碍时，就可能形成热裂缺陷。由于金属型会阻碍铸件的收缩，所以对于凝固收缩大的合金要特别注意。

B   在固相区

随着铸件温度的降低，当低于固相线进入弹性变形温度时，由于铸型的阻碍，在铸件内会引起应力，这个应力 σ 的大小可用下式表示：

$$\sigma = E(\varepsilon - K) \tag{1-4-6}$$

式中 E——铸件材料的弹性模量；

　　　　ε——铸件在弹性温度范围内的自由收缩率；

　　　　K——铸型退让系数。

对于金属型或金属芯，$K = 0$（无退让性），则其收缩应力最大，即

$$\sigma = E\varepsilon \tag{1-4-7}$$

铸件在弹性温度范围内的自由收缩率为：

$$\varepsilon = \alpha(T_弹 - T_出) \tag{1-4-8}$$

式中 α——铸件在弹性温度范围内的线收缩系数；

　　　　$T_弹$——铸件材料弹性变形开始温度；

　　　　$T_出$——铸件出型或抽芯温度。

铸件内应力为：

$$\sigma = E\alpha(T_弹 - T_出) \tag{1-4-9}$$

从上式可以看出，由于金属型及金属芯阻碍收缩，铸件在型中停留的时间愈长，即出型或抽芯温度愈低，在铸件内部产生的收缩应力就愈大。这样就使出型或抽芯变得困难，当 $\sigma > \sigma_b$（铸件材料的抗拉强度）时，铸件就可能被拉裂，出现冷裂缺陷。

所以，为避免产生冷裂缺陷，要严格控制工艺，及时出型或抽芯。

4.3.2   金属型成形工艺

从上节分析看出，制定金属型铸造的工艺规范，除必须根据金属型的特点周密设计外，生产时还须严格遵守工艺，才能保证获得优质铸件和延长金属型的使用寿命。

金属型的铸造工艺规范包括：金属型的预热、浇注、出型、涂料等。

4.3.2.1   金属型的预热

在金属型铸造过程中，如果采用冷型浇注，即金属型不预热，则液态金属冷却过快，流动性剧烈降低，将导致铸件出现冷隔、夹杂、气孔、浇不足等缺陷。同时，铸型受到剧烈的热作用，应力倍增，导致金属型工作条件变差，易损坏，铸型使用寿命降低。所以，金属型在第一次浇注前一定要预热。

金属型要反复使用，经过第一次浇注后铸型温度有所提高。为了保证铸件质量，要使铸型温度保持在工艺要求的工作温度范围内。铸型的工作温度是指浇注时铸型的温度。在连续生产时，可通过调整铸型的冷却时间来控制金属型的温度。常用合金的金属型预热温度和工作温度

如表 1-4-1 所示。

表 1-4-1　金属型预热温度和工作温度

铸造合金	铸件特点	预热温度/℃	工作温度/℃
灰口铸铁		250~350	≥200
可锻铸铁		150~250	120~160
铸　铜		150~300	>80
铝合金	一般件	200~300	200~300
	薄壁复杂件	300~350	300~350
	金属芯	200~300	200~300
镁合金	一般件	200~300	200~300
	薄壁复杂件	300~400	300~400
	金属芯	300~400	300~400
铜合金	锡青铜	150~250	60~100
	铝青铜	120~200	60~120
	铅青铜	80~125	50~75
	一般黄铜	100~150	≤100
	铅黄铜	350~400	250~300

4.3.2.2　金属型的浇注

在浇注金属型时，要控制金属液的浇注温度、浇注速度和浇注过程。浇注温度过低，铸件易产生冷隔、气孔、夹杂和浇不足等缺陷；浇注温度过高，会降低铸型使用寿命。浇注速度的控制，开始要慢浇以防止金属液飞溅，中间要快浇以便尽快充型，收尾要慢浇以防止金属液溢出。浇注过程要保证液流平稳，不能断流。

常用合金的浇注温度见表 1-4-2。

表 1-4-2　金属型铸造的浇注温度

黑　色　金　属			非　铁　合　金		
铸造合金	铸件特点	浇注温度/℃	铸造合金	铸件特点	浇注温度/℃
普通灰铸铁	壁厚>20	1300~1350	铝合金	铝铜合金	680~740
	壁厚<20	1360~1400		铝硅合金	680~780
球墨铸铁		1360~1400	镁合金		720~780
可锻铸铁		1320~1350	青　铜	锡青铜	1050~1150
普通碳素钢	大　件	1420~1440		铝青铜	1130~1200
	中、小件	1420~1450		磷青铜	980~1060
高锰钢		1320~1350	锰铁黄铜		1000~1040

4.3.2.3　铸件的出型和抽芯时间

金属型浇注完成后，铸件在型内停留的时间愈长，温度就愈低，其收缩量也就愈大。由于型腔凸凹部分的阻碍，使取件难度加大；铸件收缩产生的抱紧型芯力的作用，使抽芯难度加大。所以，金属型在浇注后要控制铸件在铸型内的停留时间。

金属型的出型和抽芯时间与铸件结构、铸件壁厚、合金性质、浇注温度有关，一般通过实验来确定合适的出型和抽芯时间。

4.3.2.4　金属型的涂料

在金属型铸造中，常需在金属型的工作表面喷刷涂料。涂料的作用是调节铸件的冷却速度，保护金属型，利用涂料层蓄气排气。

金属型涂料由粉状耐火材料＋黏结剂＋溶剂＋附加物构成。铝合金的金属型涂料见表 1-4-3。

表 1-4-3　铝合金铸件金属型涂料的成分与配比（质量分数/%）

编号	成　分	配　比	应　用	编号	成　分	配　比	应　用
1	氧化锌 水玻璃 热　水	9～11 4～6 其余	中、小型及表面要求光洁的铸件型腔工作面	3	氧化锌或白垩粉 石墨粉 二氧化钛 水玻璃 热　水	4 9 9 7 其余	大型及厚壁铸件型腔工作面
2	氧化锌 白垩粉 二氧化钛 水玻璃 热　水	6 4 3 6 其余	表面要求光洁的铸件型腔工作面	4	石墨粉 水玻璃 热　水	10～15 6 其余	斜度小的型芯及厚壁铸件型腔工作面

4.3.3　金属型成形工艺研究发展趋势

利用金属型成形是铸造生产走向连续化、机械化、自动化的必要条件和必由之路，是金属液态成形的发展方向。图 1-4-20 为金属型成形工艺生产铸件的系统化示意图。不难看出，科学地选择金属型的冷却方法及其控制，合理选择金属型用材料，严格控制金属液质量（成分、温度、杂质等），并选择好涂料、铸造机和相关设备，合理设计和优化工艺方案，将直接影响金属型是否能有效、稳定和高质量地生产合格铸件。

金属型成形工艺是一个系统化工程，其研究发展趋势主要有下面几点：

（1）寻求更加理想的金属型用新材料，以提高铸件质量和金属型使用寿命。

自从 20 世纪 90 年代末日本成功地利用含有 Zr、Cr 元素的铜合金金属型生产球铁件以来，许多国家目前正在研究开发导热高、硬度高、强度高的铜合金材料，以满足球铁件的生产要求。铜金属型生产的球铁件力学性能尤其是疲劳性能较铸铁金属型生产的高，且生产效率高，生产周期快，型温的自动控制方便并容易实现，金属型寿命长（比铸铁金属型高一个数量级），因此铜金属型铸造的研究与应用正快速发展。

（2）计算机充型数值模拟技术在金属型生产上的应用。

日本、韩国和中国已开始研究并应用计算机充型数值模拟软件，并应用在金属型生产线上，严格控制浇注工艺参数，保证了铸

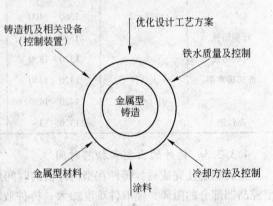

图 1-4-20　金属型铸造的系统化示意图

件的质量。

（3）研究金属型生产铸件的凝固特性和组织特性以及力学特性。

日本由金属型生产的汽车转向节球铁件，使用寿命高于锻钢件，韩国、中国等由金属型生产的球铁汽车齿轮基本取代了锻钢齿轮，不仅延长了使用寿命，还减轻了质量，对汽车的轻量化起到了积极作用。

（4）对金属液质量的稳定及管理技术进行深入研究并用于生产。

（5）进一步完善铸铁金属型生产线主机和相关设备的功能，并进行科学衔接，提高自动化水平，以提高生产效率，降低生产成本。

4.4 负压实型铸造工艺

负压实型铸造是以实型铸造和真空密封造型等工艺为基础而发展起来的一种新的金属液态成形方法。

4.4.1 负压实型铸造工艺过程及特点

4.4.1.1 负压实型铸造工艺过程

负压实型造型法是将覆有涂料的泡沫塑料模样置于可抽真空的特制砂箱内，填入干砂或铁丸，使其充填模样的内外型直至砂箱的上口，并加以微震紧实成实体的铸型；然后，用塑料薄膜覆盖住砂箱上口，以确保铸型呈密封状态；再将浇口杯和冒口圈放置在直浇口和冒口位置的塑料薄膜上。同时，又在密封薄膜上另撒上一层干砂，以防止浇注过程中溅出的金属液烫坏塑料薄膜影响铸型内的真空度。浇注时，开动真空泵抽真空，借助砂箱内的负压与箱外形成"压力差"，使铸型紧实和固定。随即可以进行浇注，待铸件表面层凝固后，便可停泵，造型材料又恢复了它原来具有的流动性。待铸件凝固后即可落砂取出铸件，整个过程如图1-4-21所示。

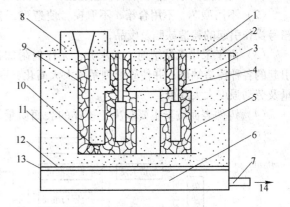

图 1-4-21 负压实型成形过程示意图

1—干砂；2—密封塑料薄膜；3—干砂或自硬砂；4—冒口；
5—模样；6—抽气室；7—抽气机管；8—浇口杯；9—直浇道；
10—横浇道；11—有底砂箱；12—金属丝网；
13—多孔隔板；14—连接真空泵

负压实型铸造是利用物理手段使型料紧固成形的造型方法。它的工艺特点主要表现在"负压"和"实型"两个方面。"负压"，即利用真空泵将砂箱内型料间的空气抽走，使密封的砂箱内部处于负压状态，于是，砂箱内部与外部产生一定的压差。在此压差的作用下，砂箱内松散流动的干型料便紧固成坚硬的铸型，并具有足够高的强度来抵抗金属液的机械作用。"实型"，即利用泡沫塑料作模型材料，制作成与所需铸件外形轮廓和尺寸完全相同的气化模。实体模样埋型后，在抽真空和不起模的情况下进行浇注。泡沫塑料气化模在高温金属的热冲击下，迅速分解气化。金属液取代气化模的位置，凝固冷却后得到铸件。

由于型腔中泡沫塑料的存在，与传统的空腔铸造相比，负压实型铸造不仅充填速度要慢，而且充填形态也有明显的不同。在负压实型铸造中，由于泡沫塑料的绝热作用，充型过程中只有流动前沿附近的泡沫塑料发生熔化、气化，流动前沿的流形总是从内浇道开始以放射弧状依

次向前推进，如图 1-4-22 所示。在负压存在
的前提下，厚壁铸件还存在所谓的附壁效
应，即金属液会沿着铸型壁先行。负压度越
高，附壁效应越严重。

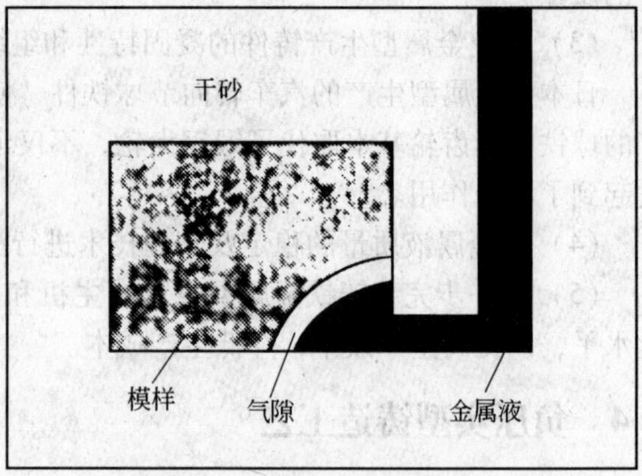

负压实型铸造金属充填速度主要受模样
的分解、分解产物的逸出、分解产物背压的
控制。降低模样密度，提高涂料和型砂的透
气性，提高浇注温度和砂型真空度都有助于
提高充型速度。在一定范围内提高金属充型
压头和加大浇口面积也能提高充填速度。

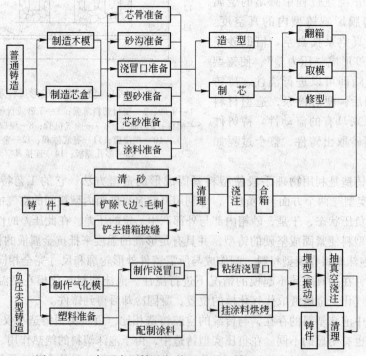

图 1-4-22　负压实型铸造的金属液充型过程

4.4.1.2　负压实型铸造特点

负压实型铸造作为一种新工艺，其工艺
过程与传统砂型铸造明显不同，图 1-4-23 为具体生产工艺过程对比示意图。

A　负压实型铸造的优点

负压实型铸造具有的显著优点是：

（1）铸件的尺寸、形状准确，重复性好，具备精密铸造铸件的特点，可减少机械加工余量；

（2）不用型芯、不用合箱、不取模，使造型工艺大大简化，并消除了由制芯、取模、合
箱等操作引起的铸造缺陷及废品；

（3）由于采用无粘结剂、无水分、无任何附加物的干砂，根除了由水、附加物和粘结剂
引起的各种铸造缺陷；并使砂处理系统大大简化，取消了混砂工序，落砂极易实现，落砂工作
量及劳动强度大大降低；

（4）铸件表面质量主要取决于模样的表面质量，而在原料选用合适、工艺参数合理、模

图 1-4-23　负压实型铸造与普通湿砂型铸造工艺过程对比

具表面粗糙度细的情况下，可获得表面质量很好的模样和铸件；

（5）由于不分型，铸件无飞边毛刺，使清理打磨工作量减少50%以上；

（6）大大改善了工人的工作条件，对工人的技术熟练程度要求大大降低；

（7）操作简便，极易在机械化或自动化造型流水线上进行成批大量生产；

（8）投资少，见效快。

B　负压实型铸造的缺点

负压实型铸造也有其自身的缺点：

（1）制作泡沫塑料模的模具设计及生产周期长，成本较高，因而要求产品有相当的批量才合算；

（2）尺寸大的模样较易变形，须采取适当的措施。

C　负压实型铸造的工艺要素

使用负压实型铸造，要注意控制下面三个工艺因素：

（1）在泡沫塑料模样的外表面涂刷一层特殊的耐火涂料，这是用负压实型铸造获得光洁铸件的关键环节；

（2）采用振动力来紧实无粘结剂的型砂，提高型料在模样四周的紧实度；

（3）从砂箱的侧面、底面或顶部抽真空，以获得坚固的铸型，消除气化模气化后产生的烟雾。

4.4.2　负压实型铸造工艺装置及生产线

负压实型铸造生产中使用的装置分为基础工艺装置和一般工艺装置。基础工艺装置是指采用本工艺时必须具备的基本设备，如图1-4-24所示，主要有可抽真空的特制砂箱、真空泵（包括预真空罐）、振动工作台；其余的为一般工艺装置，如模样制作加工的发泡模具等。

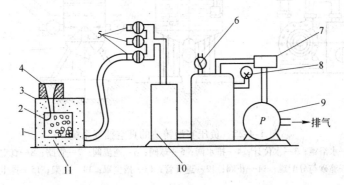

图1-4-24　负压实型铸造装备简图

1—金属砂箱；2—泡沫塑料气化模；3—密封塑料薄膜；4—浇口；5—阀门；6—压力调节阀；7—过滤网；8—真空表；9—真空泵；10—真空罐；11—干石英砂

4.4.2.1　砂箱

A　砂箱的尺寸和形状

砂箱尺寸的大小应满足实型模样组成的模组的尺寸（含箱边和上、下面的吃砂量）要求。砂箱是长期使用的工艺装置，所以一般生产线只配置一种适合多品种中小型铸件批量生产规格的砂箱。造型时，填砂、紧实的时间与砂箱的容积成正比，造型速度随砂箱体积增大而降低。实型模组相对于砂箱中部的惯性偏移将随砂箱尺寸的增大而增大。这些都说明，在批量生产时，圆形砂箱比方形砂箱要好。从砂箱结构上考虑，为满足紧实型砂过程的刚度要求，加强方形砂箱刚度的费用也高。砂箱的刚度和对称是非常重要的，它会影响砂型紧实的均匀性，因为紧实均匀性不好将导致铸件产生缺陷。

　　B　砂箱的结构

　　砂箱的结构应考虑长期使用的通用性。为满足负压实型铸造的工艺特点，砂箱的箱体是由一定厚度（一般为 6~8mm）钢板焊接成顶面敞口、底面封闭的容器，箱体结构由下列部分组成：

　　（1）外侧的顶面敞口外周边做成法兰翻边，中部及底部周边焊加强筋以增强刚度；箱体外侧焊接起重吊钩和翻箱卡紧结构；还有的在箱底部装置行走运送机构以及与振动台定位的卡紧结构；

　　（2）箱体内设置抽气室或抽气软管，用管道引出箱体外与抽真空系统连接。

　　C　砂箱种类

　　负压实型铸造使用的砂箱可分为筛网抽气室砂箱和导管式抽气砂箱。

4.4.2.2　真空系统

　　如图 1-4-25 所示，真空泵和水浴罐、真空软管等一起组成了负压实型铸造所必需的真空系统。真空泵是负压实型铸造生产中最基本的设备。

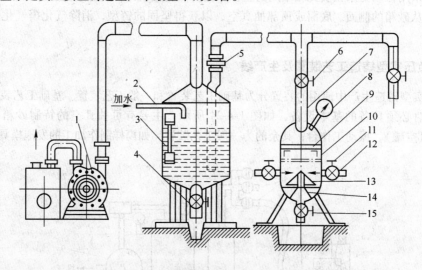

图 1-4-25　负压实型铸造的真空抽气系统

1—真空泵；2—水浴罐；3—水位计；4—排水阀；5—球阀；6—逆流阀；7—管路；8—真空表；9—滤网；
10—滤砂与分配罐；11—止阀；12—进气管；13—挡尘罩；14—支架；15—排尘阀

　　在浇注时为了使砂箱内维持一定的真空度，有三部分气体需要靠真空泵抽走：

　　（1）一个被充分振实的铸型，仍有占砂箱总容积 30% 左右的空气占据在型料颗粒的空隙之间；

　　（2）泡沫塑料在高温金属液的热冲击下，迅速分解气化产生大量的气体；

　　（3）浇注瞬间由直浇口带入砂箱内的气体，以及通过密封塑料薄膜泄漏到砂箱内的气体。

　　因此，选择真空泵的原则是抽气容量要大，而对它所能达到的真空度要求并不高。影响真空泵抽气量的因素十分复杂，实际生产中决定真空泵的抽气量时，可考虑以下几个因素：浇注铸件的大小、铸件的材质、砂箱大小及同时浇注的砂箱数量。

4.4.2.3　振动工作台

负压实型铸造中干砂的充填和紧实是得到优质铸件的重要工序。振动会使干砂产生垂直与水平方向移动，促使干砂填满实型模样的各个部位。特别是干砂的横向移动，能使实型模样的水平孔洞及平面的背面充满干砂，因为只靠干砂的自由流淌和它的垂直位移是无法充满的。这是铸件是否产生缺陷的关键。所以，振动工作台是负压实型铸造的重要设备，振动台的工作状况，直接影响型料的充填和紧实效果，不良情况下会造成模样变形、粘砂、胀砂等缺陷，而且也可能造成振动台自身的损坏。

振动工作台按工作中能否移动分为固定式振动台和移动式振动台。按激振力的方向分为一维、二维和三维振动台，要根据生产铸件的具体结构来确定振动方式。一般认为：

（1）三维振动的充填效果和紧实效果最好，二维振动在模样放置和振动参数选择合理的情况下也可满足中等复杂程度模样的造型要求，一维振动效果较差，只适用于较简单模样的造型；

（2）在一维振动中，垂直方向振动比水平方向振动效果好；

（3）两种振动的振幅和频率均不同时，或两种振动存在一定的相位差时，产生的运动轨迹有利于干砂的充填和紧实。

模样在砂箱中的摆放位置确定以后，如果模样在水平方向有较大的平面结构或难以充填的侧凹、上凹结构，则要选用三维振动方式。

4.4.2.4　机械化生产线

负压实型铸造机械化生产线典型布置如图 1-4-26 所示。机械化生产线采用开放式布局，由三条铸型输送线组成，一条为造型线，两条为浇注冷却线。在造型线上完成翻箱、预加砂、放泡沫塑料模、振实，在浇注线上完成覆膜、抽真空、浇注、冷却，两条浇注冷却线交替运行。造型时每 4 箱一组，第一组 4 箱依次由运箱小车送入 1 号浇注冷却线，经覆膜、抽真空、浇注；第二组 4 箱同样依次进入 2 号浇注冷却线，完成与 1 号浇注冷却线相同的操作；第三组 4 箱再次被送入 1 号浇注冷却线进行覆膜、抽真空、浇注，同时将第一组 4 箱依次推到冷却工位进行冷却。依此类推，直到砂箱被推出浇注冷却线，由运箱小车送回造型线上，进入翻箱机

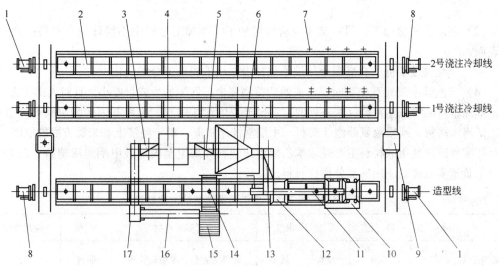

图 1-4-26　负压实型铸造机械化生产线布置简图

1—推箱缸；2—砂箱；3—提升机；4—砂冷却器；5—斗式提升机；6—储砂斗；7—抽真空接头；
8—接箱缸；9—运箱小车；10—雨淋加砂斗、振实台；11—螺旋输送机；12—雨淋预加砂斗；
13—斗式提升机；14—翻箱机；15—落砂机；16、17—带式输送机

翻箱。铸件和砂子经过落砂机落砂，铸件由上面滑出，砂子经筛分、磁选、冷却后回用。翻箱后的空箱经预加砂、放模、加砂、振实后完成造型，然后重新由运箱小车运到浇注冷却线投入下一个循环。

4.4.3　模样材料及制模技术

在负压实型铸造中，制作实体模样的泡沫塑料的气化和燃烧特性对铸件质量影响很大，模样制作方法和工艺对生产效率和铸件表面质量同样起着关键作用。

4.4.3.1　模样材料

负压实型铸造工艺与传统砂型工艺最显著的差别是使用高温液体金属能气化的高分子材料作模样，造型后不取出模样直接进行浇注，给造型工艺带来了许多便利。造型技术的这种变革，决定了模样材料不能用木材和金属，而必须用泡沫塑料制成气化模。所谓气化模，就是在浇注过程中遇高温金属液后能很快气化的模样。这样金属液取代气化模的位置，凝固冷却后便得到与模样一样的铸件。同时，由于负压实型铸造每浇注一个铸件需要消耗一个模样，因此模样材料在负压实型铸造中占有相当重要的地位。

但气化模遇到高温金属液要发生热分解，这是一个复杂的物理-化学过程，它将影响液态金属成型过程中的传热、传质和动量传输，这就带来了许多新问题：譬如，热分解过程会对金属液充型过程产生影响，铸件还会产生某些与热分解产物相关的铸造缺陷。另外，气化模材料热分解产生的大量烟气会恶化浇注条件，气化模车间排放的有机废气对环境的危害也一直是人们普遍关心的问题。泡沫塑料模的气化完全与否，以及模样材料的质量好坏，不仅是产生负压实型缺陷的根源，同时还是影响铸件质量和劳动环境的主要因素。因此，如何正确地选用模样材料，对于负压实型铸造生产是非常重要的。

制作模样用的材料可以是各种泡沫塑料，但应满足以下的铸造工艺要求：

（1）模样材料的密度要小，刚性要好，具有一定的抗压强度，保证造型时不变形、不破损；

（2）能承受机械加工，同时又要容易机械加工。在加工过程中不脱珠粒，容易得到光洁的表面；

（3）气化温度要低，在高温金属液的热冲击作用下能迅速分解气化；

（4）与液体金属相互作用时，生成的残留物要少，气体的生成量要小，且对人体无害。

泡沫塑料品种基本符合这些条件的有：聚苯乙烯泡沫塑料、聚甲基丙烯酸甲酯泡沫塑料、聚乙烯泡沫塑料、硬质聚氨酯泡沫塑料、汞烷泡沫塑料等。由于经济上和来源方面的原因，目前负压实型铸造使用的材料主要是聚苯乙烯泡沫塑料和聚甲基丙烯酸甲酯泡沫塑料。表1-4-4列出了负压实型铸造使用的部分模样材料及其特性。

表 1-4-4　用于负压实型铸造工艺的泡沫塑料

名　　称	简　　称	强　度	发气量	主要热解产物	价　格	应用情况
聚苯乙烯	EPS	最大	最小	毒性芳香烃、单质碳较多	便宜	最广
聚甲基丙烯酸甲酯	PMMA	小	大	小分子气体少、单质碳少	贵	较广
共聚物	EPS-PMMA	小	较大	小分子气体较多、单质碳少	贵	较广
聚亚烃基碳酸酯	PAC	小	大	小分子气体较多、单质碳少	贵	研究中
聚丙烯	PP	小	大	小分子气体较多、单质碳少	贵	研究中

从表 1-4-4 中看出，聚苯乙烯同其他泡沫材料比较，在相同密度下发气量小、强度大，而且价格便宜、来源广泛。但是它的热解产物中芳香烃有毒性，而且产物中单质碳的含量高，用于铸钢件易产生增碳缺陷。聚甲基丙烯酸甲酯、聚亚烷基碳酸酯、聚丙烯等气化模材料弥补了聚苯乙烯热解产物存在的缺陷，但是它们具有一个共同的缺点：在相同密度下，发气量大、强度低，在浇注过程中容易造成金属液的返喷和模样的变形。从材料的使用性能、来源和价格等方面综合考虑，目前应用得最广泛的还是聚苯乙烯及其与聚甲基丙烯酸甲酯的共聚物。

4.4.3.2 模样制作

泡沫塑料模样的制作是负压实型铸造生产的第一道工序，是确保铸件质量的关键环节。由于泡沫塑料系多孔的蜂窝状闭孔结构组织，密度小、质地软、强度低和导热性差，因此其加工方法与加工硬质的木材和金属有所不同。负压实型铸造每生产一个铸件，就需要一个泡沫塑料实型，所以制作模样的效率要高，生产规模也需适应批量生产的要求。

制作泡沫塑料实型有机械加工和发泡成型两种方法。机械加工成型方法使用泡沫板材，利用电热丝切割、磨削、刨削、车削、锯削等加工方法，将泡沫板材加工成分体模型，经胶合装配成整体模样。这种方法的材料利用率低，制造费时，又需要熟练技术工人，只适合大件、单件或小量生产。发泡成型方法是把熟化后的泡沫珠粒填满金属模具的型腔，将蒸汽经过模具壁上的气孔进入型腔中（或其他加热方法），在几秒到几分钟的时间内使泡沫珠粒受热软化和膨胀。由于模具型腔壁的限制，膨胀的颗粒相互粘结在一起，并填满整个空隙形成一个整体，经冷却定型后从发泡模具中取出即得所需的泡沫塑料模样。用这种方法制得的泡沫塑料实型尺寸准确、表面光洁、材料利用率高，主要用于制作成批大量生产用的中小模样。

对于复杂的模样往往不能整体发泡成型或加工成型，就需要分块制作，最后再将各块粘合成整体。另外，模样与浇冒口系统组成模样组，也需要粘合工序。粘合工序一般是采用黏结剂来完成的。经常使用的黏结剂可分为热熔胶型、水溶型和有机溶剂型粘胶。要求黏结剂不仅要有低的发气性、足够高的强度，还必须有相对快干的性能以满足大批量生产要求。目前大量生产中普遍使用的都是热熔胶。

4.4.4 负压实型铸造用涂料

制作完成的泡沫塑料模样，使用前需要在其表面涂覆耐火涂料。在造型时涂料层使泡沫塑料模样与干砂隔离，在浇注时涂料层使泡沫塑料模样与金属液隔离，这样有利于防止铸件缺陷的产生，提高铸件质量。

4.4.4.1 涂料的作用和要求

在负压实型铸造中，涂料的作用是：

（1）提高模样的强度和刚度，防止填砂振动造型及负压定型时模样的变形，保证铸件的尺寸精度；

（2）提高模样表面抗型砂冲刷能力，防止加砂过程模样表面破损；

（3）浇注时防止液体金属侵入铸型，特别是在负压较大时防止出现粘砂和毛刺，促使获得表面光洁的铸件；

（4）防止冲砂、掉砂，特别在模样拐角处。

由于负压实型铸造的特点，对涂料的要求如下：

（1）要有一定强度、刚度及耐磨性；

（2）要有好的透气性，有助于模样热解气体产物的逸出；

（3）能很好地涂挂在泡沫塑料模样表面，形成均匀的涂层，涂层内表面无气孔、微孔；

（4）涂层要有一定的耐火度；

（5）涂层容易从铸件上剥落；

（6）对特殊铸件如薄壁铝铸件要有一定的绝热性。

4.4.4.2　涂料的主要性能、组成和配方

A　涂料的主要性能

在负压实型铸造中，耐火涂料层是涂覆在泡沫塑料模样的外表。泡沫塑料不透气、变形温度低（约70℃左右）、对水的亲和力差、吸水性弱、气化后的发气量大，这些特性要求涂覆在其表面的耐火涂料要具有下述性能：

（1）要有一定的透气性。透气性是负压实型铸造涂料的一个关键指标。涂料透气性的好坏直接影响分解产物的排出，因而影响铸件质量。在不影响涂料操作使用性能的前提下，应尽可能提高涂料的透气性。

（2）常温强度和高温强度要高。涂料的常温强度对模样表面抗型砂冲刷能力、防止填砂振动造型及负压定型时模样的变形等有重要作用。强度越高，抗型砂冲刷能力越强。涂料的高温强度要高，膨胀性要低，以避免浇注过程中由于金属液的冲刷作用，将粘附不牢的涂层冲掉而使铸件产生粘砂。

（3）黏度。涂料黏度的大小，可以影响涂料的操作性能和厚度，因而影响涂料的强度和透气性。对于浸涂法的涂料，流杯黏度在120~150s为好。

（4）粘附性要好。使涂挂后能在模样外表面获得一定厚度的耐火涂层。如果粘附性差，则可造成涂层厚度不够或不均，甚至涂层不连续。

此外涂料的悬浮性和涂敷性也是影响涂料使用的重要性能。

B　涂料的组成

负压实型铸造涂料主要由耐火材料、黏结剂、载体、悬浮剂和附加物组成。

（1）耐火材料是形成涂料的骨料。负压实型铸造涂料所用耐火材料有刚玉、锆英石、石英、铝矾土、高岭土类熟料、镁砂、硅藻土等。涂料的耐火材料应具备耐火度高、颗粒细、与液体金属不发生反应等特点，在生产中应根据合金种类、铸件大小和壁厚等因素来选择。

耐火材料的粒度对涂料性能影响较大，特别对透气性影响更大。如果粒度太粗，涂料的悬浮稳定性差，铸件表面粗糙，但涂层透气性高；粒度太细，浇注时涂层容易产生裂纹，涂层透气性低。不同粒度适当配合，可提高涂料的密度，减少涂层的收缩而提高抗裂性。

（2）溶剂载体是用来溶解黏结剂，并携带耐火材料在模样表面形成涂料层。根据溶剂载体的不同将涂料分为水基涂料（以水为载体）和醇基涂料（以酒精为载体）。醇基涂料也称快干涂料。负压实型铸造一般采用水基涂料。

（3）黏结剂的作用是将耐火材料颗粒相互粘结起来，干燥后使涂层形成一定强度，它与泡沫塑料模样不应发生化学反应。常用的黏结剂有活化膨润土、羟甲基纤维素水溶液、聚醋酸乙烯乳液（白胶）等，另外酚醛树脂、硫酸纸浆废液和聚乙烯醇缩丁醛等也有人应用。根据黏结剂的成分，分为无机黏结剂和有机黏结剂两大类。

（4）悬浮剂的作用是促使耐火材料在溶剂载体中呈悬浮状态，防止沉淀。悬浮剂使涂料具有悬浮性和适当的流变性。常见的悬浮剂有活化膨润土、羟甲基纤维素、轻质耐火砖粉和聚乙烯醇缩丁醛等。膨润土作悬浮剂，涂料在烘干及浇注时容易开裂、脱落。羟甲基纤维素按其黏度分为高、中和低三种，中黏度的羟甲基纤维素配成2%水溶液时，使用方便，成本较低。羟甲基纤维素和膨润土配合使用效果比单独使用要好，尤其是和钠基膨润土配合使用效果最为理想。

（5）附加物主要用于改善涂料某方面的性能。如表面活性剂、发泡剂、消泡剂、防腐剂等，应根据需要，选择加入。

C　涂料的配方

涂料的配方对其性能影响极大，表1-4-5为负压实型铸造经常使用的几种涂料配方。

表 1-4-5　负压实型铸造用水基涂料（质量分数/%）

成　分	涂　料　编　号			
	1	2	3	4
硅砂粉	100	100		
锆英粉			100	100
膨润土	1~2	2~3	3~4	3~4
CMC(加水 50 倍稀释)	5~10			4
轻质耐火砖粉		5		4~8
聚醋酸乙烯乳液	3~5			2~3
糖浆			5	
亚硫酸纸浆废液		8		
其他附加物	少量静电剂	适量苏打	适量苏打	硅溶胶（6%）
水	适量	适量	适量	适量
应用	铸铁	铸铁	铸钢	铸钢

注：材料加入量为耐火骨料的质量百分数。

4.4.4.3　涂料的烘干工艺

涂料烘干受泡沫塑料软化温度的限制，所以一般在 55℃ 以下的气氛中烘干 2~10h。烘干时注意空气的流动，以降低湿度，提高烘干效率。烘干设备有鼓风干燥箱、干燥室及连续式烘干窑等，热源有电热、热气或暖气等。烘干过程中还必须注意模样的合理放置或支撑，防止变形。

4.4.5　负压实型铸造工艺要点

工艺设计是负压实型铸造整个工艺过程的关键环节，在制定工艺时必须认真考虑以下 3 条原则：

（1）确保铸件质量。根据本法的特性，浇冒口系统的设置不仅要便于铸件的补缩，更应有利于模样的气化，在确定浇注位置时，要考虑使填砂和造型操作尽量减少模样变形的可能性。

（2）好的经济效益。根据零件的数量、结构特点和生产条件来选定模样是加工成型、还是发泡成型；是采用实体模，还是空心结构；或是其他造型材料造型等，以便取得最大的经济效益。

（3）造型操作方便。由于泡沫塑料模的强度低，要考虑使模样的结构有利于填砂和紧实。模样在铸型中的位置一般是凹穴向上，以达到方便操作。

4.4.5.1　工艺方案的确定

负压实型铸造不需分型面，不用取模，从而方便了模样的设计、制造和造型过程，可以容易地制造出任何复杂形状的铸件。

选择浇注位置时要考虑到有利于干砂填充、紧实,模样凹穴尽可能开口朝上;模样安放要有利于金属液与模样置换过程的进行、不间断,有利于铸件成形;尽可能立浇、斜浇,避免大平面的平浇,以保证金属液有一定的上升速度,并且有利于凝固补缩。

在制作泡沫塑料模过程中,为便于起模,需设置起模斜度。铸件的最小壁厚不仅受到铸件结构、尺寸、材质、铸型条件、浇注速度、浇注温度、铸型真空度、涂料等的影响,还受模样最小壁厚的制约。因为泡沫塑料模样的最小截面上应容纳三颗以上预发泡珠粒,才能保证铸件的尺寸精度和表面粗糙度的要求。小珠粒虽然可达到最佳的充填效果和表面形貌,但难以达到低密度的要求。部分铸造合金的最小壁厚限制见表 1-4-6。

表 1-4-6　铸造合金适宜的最小壁厚

合金种类	铸　钢	灰口铸铁	球墨铸铁	铝合金	铜合金
最小壁厚/mm	5～6	3～5	4～5	2～3	2～3

4.4.5.2　浇冒口系统的设计

负压实型铸造的浇注系统结构比较简单,一般采用直筒形直浇道,形状可为圆形或方形。浇口杯要足够大,可以防止浇注时断流,稳定金属压头,使充型平稳。负压实型铸造时,金属液的流动速度比空腔铸造要慢得多,因此其浇口截面应比普通铸造法大。通常,铸钢件约大10%～20%,铸铁件约大20%～50%。

浇注系统的位置对金属液的流动场和温度场均有较大影响,因而也影响模样的分解及分解产物的流向。顶注式浇注系统充型速度快,有利于防止浇不足、冷隔缺陷,有利于定向凝固和补缩,但分解产物与金属液流向相反,容易出现夹杂,适于高度不大的铸件。底注式浇注系统充型平稳,可以实现层流,使模样有序气化。但金属液流动前沿与分解产物接触时间较长,温度下降比较多,充填速度最慢,容易在铸件顶面出现皱皮缺陷。当然可在顶部设置集渣冒口收集分解产物,保证铸件无皱皮缺陷。底注式浇注系统适合于高大铸件。中注式浇注系统是从铸件侧面注入金属液,兼有顶注和底注的功能。对于高大件,可采用阶梯式浇注系统。

负压实型铸造中冒口有补缩和排渣的作用。一般采用球形暗冒口,也可采用明冒口,其设计可沿用传统的砂型铸造冒口设计原则和方法。

4.4.5.3　造型工艺

造型工艺主要包括干砂充填和振动紧实。一般是分层多次加砂,可边加砂边紧实,也可加砂后再振动紧实。常见的干砂填充方法有柔性管加砂法和雨淋式加砂法。柔性管加砂法比较灵活,雨淋式加砂法特别适合单一品种铸件大量流水线上使用。

振动一般是采用三维振动台,可以使型料更好地充填到模样束的各个内部通道中(特别是一些向上的直孔等),并达到一定的紧实度。对不同的模样应采用不同的振动工艺,以达到最佳的紧实度和充填效果。生产中振动时间一般控制在 15～60s 即可满足要求,振动时间过长是无益的。

4.4.5.4　浇注工艺

浇注过程中,铸型内存在着动量、能量、质量传输等复杂的物理、化学变化,对铸件的质量有决定性的作用。因此必须选择合适的浇注工艺,才能获得质量良好的铸件。

A　浇注温度

由于泡沫塑料模的存在,浇注过程中会消耗大量的热量,因此负压实型铸造的浇注温度一般比普通砂型要高 30～80℃。各种合金常用的浇注温度见表 1-4-7。

表 1-4-7 铸造合金适宜的浇注温度

合金种类	铸 钢	灰口铸铁	球墨铸铁	铝合金	铜合金
浇注温度/℃	1450~1700	1360~1420	1380~1450	700~750	1000~1200

B 真空度与抽气量

负压技术是负压实型铸造中解决实型缺陷和环境污染的关键。在一定范围内提高真空度，可提高金属液的流动性，增强充型能力，有利模样分解产物的排出。但真空度太高，金属液会突破涂料层形成铸件表面的针刺和粘砂缺陷。真空度太低，铸型的紧实度小，若浇注高大或厚壁铸件易产生胀砂缺陷；同时降低了排气能力，铸件易产生气孔和增碳缺陷。因此，选择合适的真空度是确保铸件质量的重要条件。

真空泵抽气量的大小，不仅影响铸型的紧实度和真空度，还会影响模样的气化产物能否全部排出型外的效果。如果抽气量太大，将会造成能源的浪费和设备利用率的降低。因此，与真空度一样，抽气量同样也是影响铸件质量的主要因素。因此要正确地选用适宜抽气量的真空泵。需要注意的是，真空泵抽气量的大小应大于或等于在负压条件下泡沫塑料模的发气量与铸型各挥发物发气量的总和。

C 浇注速度

负压实型铸造浇注过程一般采用慢-快-慢的浇注方式。刚开始应慢浇，以防止模样气化过快而反喷。金属液充满直浇道后加快浇注速度，可以保证金属液尽快充填，以避免发生型壁塌陷，也有利于防止钢铁件的增碳。浇注后期应慢浇，以防止金属液的外溢，造成金属液的浪费和砂处理的麻烦。

4.5 快速成形工艺

20世纪80年代后期发展起来的快速成形（Rapid Prototyping，简称 RP）技术，被认为是近年来制造技术领域的一次重大突破，其对制造业的影响可与数控技术的出现相媲美。快速成形技术是一种基于离散堆积成形思想的新型成形技术，是集计算机、数控、激光和新材料等最新技术而发展起来的先进的产品研究与开发技术，它对促进企业产品创新、缩短新产品开发周期、提高产品竞争力有积极的推动作用。自该技术问世以来，已经在发达国家的制造业中得到了广泛应用，并由此产生一个新兴的技术领域。

4.5.1 成形方式的分类

根据现代成形理论的观点，从物质的组织方式上，可把成形方式分为以下四类。

（1）去除成形（Dislodge Forming）。去除成形是运用分离的方法，把一部分材料（裕量材料）有序地从基体上分离出去而成形的方法。传统的车、铣、刨、磨等加工方法均属于去除成形，现代的电火花加工、激光切割、打孔等也是去除成形。去除成形最先实现了数字化控制，是机械工业目前主要的成形方式。

（2）受迫成形（Forced Forming）。受迫成形是利用材料的可成形性（如塑性等）在特定外围约束（边界约束或外力约束）下成形的方法。传统的铸造、轧制、锻压和粉末冶金等均属于受迫成形，是冶金工业目前主要的成形方式。

（3）堆积成形（Stacking Forming）。堆积成形是运用合并与连接的方法，把材料（气、液、固相）有序地合并堆积起来的成形方法。堆积成形是在计算机控制下完成的，其最大特点是不受成形零件复杂程度的限制。快速成形即属于堆积成形，它是基于离散/堆积成形原理的现代成形方法。

（4）生长成形（Growth Forming）。生长成形是利用材料的活性进行成形的方法，自然界中生物个体发育均属于生长成形，"克隆"技术是产生在人为系统中的生长成形方式。随着活性材料、仿生学、生物化学、生命科学的发展，这种成形方式将会得到很大发展。

在前三种成形方式中，去除成形与受迫成形均属于传统成形方式，快速成形（堆积成形）是20世纪80年代末出现的成形方式，它从成形思想上突破了传统的成形方法。从材料组织情况来看，去除成形要产生切屑，材料利用率较低，受迫成形一般也都产生工艺废料，如浇冒口、飞边等，快速成形由于是材料由小到大地堆积，因而材料利用率可以很高，从理论上讲可达100%。从产品精度和性能看，去除成形通常为最终成形，精度高；受迫成形多用于毛坯制造，但也有一些受迫成形工艺直接用于最终零件和产品成形，如精密铸造和锻造、注塑加工、型材和薄带轧制等，属净成形或近净成形范畴；快速成形属于净成形工艺，精度较好，目前的工艺水平一般可达±0.1mm数量级，经过补偿或校正还可以进一步提高。从制造零件的形状看，传统加工方法由于受刀具或模具等的形状限制，无法制造极复杂的曲面和异形深孔等，而快速成形则没有这些限制。从理论上讲，快速成形可以制造任意复杂形状的零件。从材料上看，快速成形可以制造塑料、陶瓷、金属及各种复合材料零件。快速成形技术直接完成从CAD模型到各种材料零件的转变。

由传统的"去除成形"到今天的"堆积成形"，由有模制造到无模制造，这就是快速成形技术对制造业产生的革命性意义。

4.5.2　快速成形技术原理

快速成形技术是先进制造技术的重要分支，它不仅体现在制造思想和实现方法上有了突破，更重要的是在制作零件的质量、性能、大小和制作速度等方面，也取得了很大的进展。它是建立在CAD/CAM技术、激光技术、数控技术和材料科学的基础上，基于离散/堆积成形原理的成形方法。图1-4-27是快速成形技术的流程示意图。

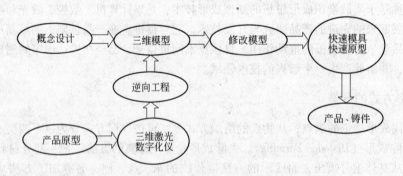

图1-4-27　快速成形技术的工艺流程

快速成形技术的基本原理是，对于一个新的概念设计或是产品原型（对于产品原型要经过形状逆向工程获得实体几何信息），任何三维零件都可看成是许多二维平面沿某一坐标方向叠加而成，因此可先将CAD系统内三维实体模型离散成一系列平面几何信息，再采用粘接、熔结、聚合作用或化学反应等手段，逐层有选择地固化液体（或粘接固体）材料，从而快速堆积制作出所要求形状的零部件（或模样）。制造方式是不断地把材料按照需要添加在未完成的工件上，直至零件制作完毕，即所谓"使材料生长而不是去掉材料的制造过程"，其实现过程如图 1-4-28 所示。

快速成形技术具有以下特点：

（1）制造原型所用的材料不限，各种金属和非金属材料均可使用；

（2）原型的复制性、互换性高；

（3）制造工艺与制造原型的几何形状无关，在加工复杂曲面时更显优越；

（4）加工周期短，成本低，成本与产品复杂程度无关，一般制造费用降低 50%，加工周期节约 70% 以上；

（5）高度技术集成，实现了设计制造一体化。

快速成形技术的优越性显而易见，它可以在无需准备任何模具、刀具和工装卡具的情况下，直接接受产品设计（CAD）数据，快速制造出新产品的样件、模具或模型。因此，快速成形技术的推广应用可以大大缩短新产品开发周期、降低开发成本、提高开发质量。它采用离散堆积原理，将所设计物体的 CAD 模型转化成实物样件。由于快速成形技术采用将三维形体转化为二维平面分层制造的原理，对物体构成复杂性不敏感，因此物体越复杂越能体现它的优越性。

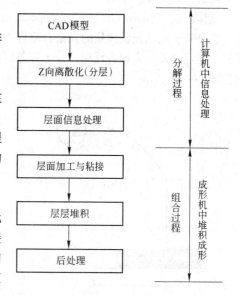

图 1-4-28　快速成形技术的离散/堆积过程

快速成形技术已成为先进制造技术和新产品研发手段。快速成形技术可实现任意复杂形状的新产品样件的快速制造，制造出的模型或样件可直接用于新产品的设计验证、功能验证、外观验证、工程分析、市场订货等，非常有利于优化产品设计，从而大大提高新产品开发的一次成功率，提高产品的市场竞争力，缩短研发周期，降低研发成本。

4.5.3　快速成形方法

快速成形技术按原型的成形方式分为：熔化沉积、立体印刷、选择性激光烧结、叠层实体制造、三维打印、固基光敏液相法、热塑性材料选择性喷洒法等。下面介绍几种主要方法的工作原理及其特点。

4.5.3.1　熔化沉积成形

熔化沉积成形（Fused Deposition Modeling，简称 FDM），其成形材料可用石蜡、尼龙（聚酯塑料）、ABS 塑料、低熔点合金等，可实现塑料零件和低熔点金属零件的无模成形制造。FDM 工作原理如图 1-4-29 所示。首先由 CAD 系统对准备制造的零件进行三维实体造型设计，再由专门的计算机切片软件将三维 CAD 模型切割成若干薄层平面图形数据。FDM 系统采用专用喷头，成形材料以丝状供料，材料在喷头内被加热熔化，计算机根据 CAD 模型各层切片的平面几何信息控制喷头沿零件截面轮廓和填充轨迹运动，同时将熔化的材料挤出沉积成实体零件的一超薄层，材料迅速凝固，并与周围的材料凝结。整个模样从基座开始，由下而上逐层堆积生成。

FDM 工艺不用激光器件，因此使用简单、维护方便，成本较低，无毒无味和运行稳定可靠，符合环保要求。用石蜡成形的零件原型，可以直接用于精密铸造。用 ABS 制造的原型因具有较高强度而在产品设计、测试与评估等方面得到广泛应用。由于以 FDM 工艺为代表的熔融材料堆积成形工艺具有一些显著优点，该类工艺发展非常迅速。

4.5.3.2　立体印刷

立体印刷（Stereo Lithography Apparatus，简称 SLA）又称之为激光立体造型或激光立体光刻。它是基于液态光敏树脂的光聚合原理工作的，这种液态材料在一定波长和强度的紫外光的照射下能迅速发生光聚合反应，分子量急剧增大，材料也就从液态转变成固态。SLA 工作原理图如图 1-4-30 所示。

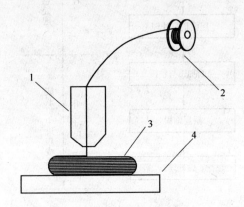

图 1-4-29　熔化沉积成形示意图
1—三维喷头；2—料丝供给；
3—成形零件；4—工作台

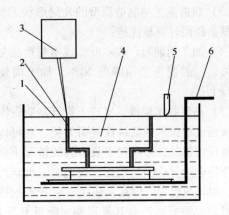

图 1-4-30　立体印刷工艺示意图
1—液面；2—成形零件；3—激光扫描器；4—液态
光敏树脂；5—刮平器；6—升降台

在图 1-4-30 所示的容器中，盛有在紫外光照射下可固化的液态树脂，如环氧树脂、乙烯酸树脂或丙烯酸树脂。立体印刷开始时，升降台通常定位在到距液面不到 1mm（相当于 CAD 模型最下一层切片的厚度）处。随后 x-y 激光扫描器根据第一层（即最下一层）切片的平面几何信息对液面扫描，该层液面被激光照射到的那部分液态树脂由于光聚合作用而固化在升降台上。接着升降装置又带动升降台使其下降相当于第二层切片厚度的高度，x-y 激光扫描器再按照第二层切片的平面几何信息对液面扫描，使新一层液态树脂固化并紧紧粘在前一层已固化的树脂上，如此重复进行直至整个三维零件制作完成。

SLA 方法是目前快速成形技术领域中研究得最多的方法，也是技术上最为成熟的方法。SLA 工艺成形的零件精度较高，适合成形小件，能直接得到塑料产品，特别适合制作铸造塑料模。但这种方法也有自身的局限性，比如需要支撑、树脂收缩导致产品精度下降等。

4.5.3.3　选择性激光烧结

选择性激光烧结（Selective Laser Sintering，简称 SLS）是用二氧化碳类红外激光对已预热（或未预热）的金属粉末或塑料粉末逐层扫描加热，使其达到烧结温度，最后烧结出由金属或塑料制成的立体结构。

SLS 与 SLA 的生产过程相似，首先由 CAD/CAM 系统根据 CAD 模型各层切片的平面几何信息生成 x-y 激光束在各层粉末上的数控运动指令。制作过程如图 1-4-31 所示，随着工作台的分步下降，将粉末一

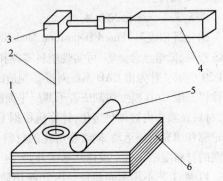

图 1-4-31　选择性激光烧结示意图
1—工作台；2—激光束；3—扫描镜；
4—激光器；5—铺粉滚筒；6—粉末

层一层地撒在工作台上，再用平整辊将粉末滚平、压实，每层粉末的厚度均对应于 CAD 模型的切片厚度。各层上经激光扫描加热的粉末被烧连到基体上，而未被激光扫描的粉末仍留在原处起支撑作用，直至烧结出整个零件。

SLS 工艺的特点是材料适应面广，不仅能制造塑料零件，还能制造陶瓷、石蜡等材料的零件，特别是可以制造金属零件，这使 SLS 工艺颇具吸引力。SLS 工艺无需对原型进行支撑，因为未烧结的粉末起到了支撑的作用。在铸造生产中，用 SLS 工艺制作精密铸造的蜡模、造型用的金属模、陶瓷模等。

4.5.3.4 叠层实体制造

叠层实体制造（Laminated Object Manufacturing，简称 LOM）又名分层（或层压）实体制造，它的生产程序是根据 CAD 模型各层切片的平面几何信息对箔材（通常为底面涂胶的纸）进行分层实体切割。如图 1-4-32 所示的装置由供料轴和收料轴不断传送箔材，工作时激光器发出的 CO_2 激光束进行 x-y 切割运动，将铺在升降台上的一层箔材切成最下一层切片的平面轮廓。随后升降台下降一层高度，箔材供料轴和收料轴又传送新的一层箔材，铺上并用热压辊碾压使其牢固地粘在已成型的箔材上，激光束再次进行切割运动切出第二层平面轮廓，如此重复直至整个三维零件制作完成。

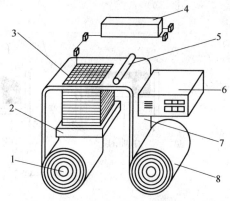

图 1-4-32 叠层实体制造示意图

1—收料轴；2—工作台；3—成形平面；4—激光器；
5—热压辊；6—控制计算机；7—料带；8—供料轴

LOM 工艺只需在箔材或者纸上切割出零件截面的轮廓，而不用扫描整个截面。因此成形厚壁零件的速度较快，易于制造大型零件。工件外框与截面轮廓之间的多余材料在加工中起到了支撑作用，所以 LOM 工艺也无需支撑。

4.5.3.5 三维打印

三维打印（Three Dimension Printing，简称 3DP）工艺也称粉末材料选择性黏结，它与 SLS 工艺类似，采用粉末材料成形，如陶瓷粉末，金属粉末。所不同的是材料粉末不是通过烧结连接起来的，而是通过喷头用黏结剂（如硅胶）将零件的截面"打印"在材料粉末上面。如图 1-4-33 所示，喷头在计算机的控制下，按照截面轮廓的信息，在铺好的一层粉末材料上有选择性地喷射黏结剂，使部分粉末粘结，形成截面层。一层完成后，工作台下降一个层厚，铺粉，喷黏结剂，再进行后一层的粘结，如此循环形成三维产品。用黏结剂粘接的零件强度较低，要放到加热炉中作进一步的固化或烧结，以提高粘结强度。在铸造中常用该方法制造陶瓷壳型和壳芯。

4.5.4 快速成形在铸造中的应用

快速成形技术与铸造相结合的产物是快速铸造技术（Quick Casting，简称 QC），这种快速铸造使得各种材料、任何复杂形状、内部结构精细的铸件都能生产出来，产品开发周期短、精度高。快速成形为实现铸造的短周期、多品种、低成本、高精度提供了一个快速响应技术，显示出了强大的生命力和巨大的应用潜力。快速成形技术在铸造上的应用如图 1-4-34 所示。

4.5.4.1 直接铸造法

直接铸造法主要是指由快速成形技术直接一步成形铸造用的型壳、型芯，型壳、型芯经处

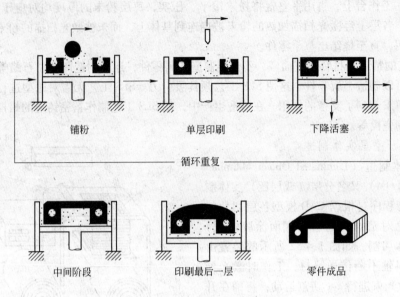

铺粉　　　　　　　　单层印刷　　　　　　　下降活塞

循环重复

中间阶段　　　　　　印刷最后一层　　　　　零件成品

图 1-4-33　三维打印示意图

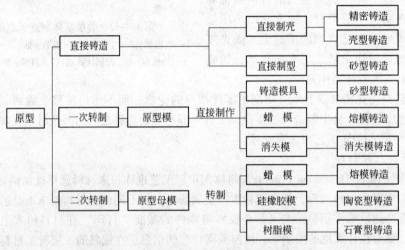

图 1-4-34　快速成形技术在铸造上的应用

理后即可进行浇注，铸造出金属零件。由于从原型到金属零件不经过造型转化，故称直接铸造法。该类工艺方法一般用于单件、复杂零件的制造。

　　A　直接壳型铸造

　　直接壳型铸造是利用选择性激光烧结（SLS）对以反应性树脂包覆的陶瓷粉和铸造覆膜砂进行烧结，可以一步制成铸造用的型壳、型芯的方法。在 CAD 环境中，直接将零件模样转换为壳型，再配以浇注系统。型壳的厚度可取 5 ~ 10mm，烧结过程中，非零件部分进行烧结，零件部分仍是粉末。烧结完成后将粉末倒出，再经固化处理就获得铸造用的型壳，进行浇注后即可制得金属零件。用此方法，省去传统熔模铸造的多种工艺过程，是传统铸造的重大变革。它的最大优点是速度快，不需要任何模具，甚至不需画图，设计工程师通过计算机网络将资料送到铸造车间的系统中便可完成型壳的设计与制作。该工艺的不足之处主要是零件表面粗糙度值较高。其关键技术是型壳厚度、型壳表面粗糙度及固化处理工艺。

B　直接制模铸造

直接制模铸造（Direct Shell Production Casting，缩写为DSPC）是采用三维打印快速成形技术（3DP），如图1-4-35所示，具体生产过程为：

（1）将工件原形的CAD模型输入型壳设计软件，生成用于浇注铸件的壳型电子模样（包括铸件收缩余量、铸造圆角、加工余量、壳型型腔数目、浇注系统等），进行充型凝固模拟，预测铸造时可能出现的各种问题，完善模型并确定壳型和壳芯的厚度等尺寸，以确定所需制壳材料的重量等参数，如图1-4-35(a)、(b)所示。

（2）把壳型电子模样输至模壳制造装置（3DP装置），由计算机控制工作台的升降、喷头的运动和黏结剂的喷射，将电子模样制成固体的三维陶瓷模壳，如图1-4-35(c)～(e)所示。

（3）去除型壳内外的未被粘接的粉料，然后像熔模铸造一样烘干、烧结型壳，浇注金属液，获得与原形CAD模型形状、尺寸相同的铸件，如图1-4-35(f)、(g)所示。

直接制模铸造使熔模铸造成为金属成形方法中更具吸引力的工艺，因为它是一种柔性、环保工艺，几乎所有的复杂外形以及某些复杂的内部结构都能制作。该工艺的成形材料也可以是铸造用砂，直接制得铸造用的砂型，浇注后即可获得金属零件。该方法由于设备运行费用低，成形尺寸大，成形材料便宜，适合用于单件大型复杂零件的铸造。

4.5.4.2　一次转制法

一次转制法主要是指由快速成形技术（如FDM、LOM、SLS、SLA等）提供的原型作为母

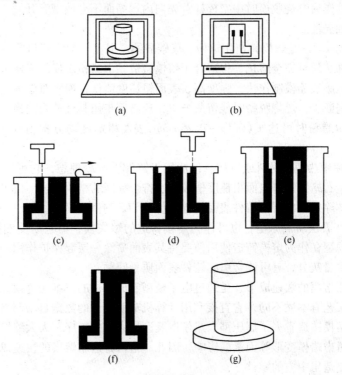

(a)　　　　　　　　(b)

(c)　　　　　(d)　　　　　(e)

(f)　　　　　　　(g)

图1-4-35　直接制模铸造的过程

(a) CAD设计的零件模型；(b) 模壳设计软件构造的模壳；(c) 3DP装置上表面沉积薄层陶瓷粉；
(d) 喷头喷射微滴黏结剂；(e) 过程重复出所有的薄层；(f) 取走模壳处的疏松粉，
熔烧模壳注入熔融金属；(g) 分开模壳露出完成的铸件

模，可直接与普通砂型铸造、熔模铸造、负压实型铸造等铸造工艺结合，制造金属零件。由于从原型到金属零件要经过一次转化，故称一次转制法。该类工艺方法一般用于单件、小批量零件生产。

A　普通砂型铸造用模样的快速成型

选用适当的树脂材料制得原型模样，再进行表面喷镀，或者用 LOM 制得原型，然后将模样直接安装在模板、芯盒上使用。为了提高模样的耐磨性，可在树脂模样表面喷涂铝合金。LOM 纸质原型具有与木模同等水平的强度，等同甚至更优的耐磨性能，可与木模一样进行钻孔等机械加工，也可以进行刮腻子等修饰加工。因此，以此代替木模，不仅适用于单件铸造生产，而且也能适用于小批量铸造生产，还可以用做大型木模。

使用这种方法制作模样的优点是，模样的制作周期以及消耗工时都大大降低，可以实现无人化操作，不需要熟练的模样工，可减少模样保管场地等。

B　精密铸造用熔模的快速成形

几乎所有的快速成形技术制作的原型都可以作为熔模铸造的蜡模。

SLA 成形材料是丙烯酸酯或环氧树脂等热固性光敏树脂。这些材料只能烧失掉，不能加热熔化。所以要在成形树脂模样的外表涂覆陶瓷耐火材料后焙烧，将模样烧掉而剩下陶瓷壳体，将型壳加入背砂浇注金属液，冷却后即可得到铸件。为了避免由于树脂聚合物模样在结壳后脱模燃烧时的膨胀所导致的型壳破裂，将树脂模样制成中空的，或用薄到 1mm 的肋在三个正交方向互相连接起来的支撑网格来构成其中的中空部分，其外壁开有引流孔将中部未硬化的树脂排出。这样在结壳后燃烧脱模时中空模样首先向内塌缩而不会使型壳开裂。该法制成的型壳浇注出的铸件表面光洁。

SLS 成形材料可以是熔模铸造用蜡粉、聚碳酸酯、尼龙、ABS 塑料等。石蜡、聚碳酸酯等热塑性材料，加热后可完全熔化，很适合于熔模铸造。由蜡粉制成的模样可直接进入后续的熔模铸造工序。聚碳酸酯模制作快、强度高、表面粗糙度值低，模样对温度变化不敏感，在制作过程中变形和脆断少，燃烧脱蜡时残留灰分少，现已逐步用其代替石蜡模。用 SLS 工艺制成的原型尺寸在使用蜡粉时可达 ±(0.13~0.25)mm，表面粗糙度均方根值在 3.048~4.064μm 之间。

FDM 主要使用热塑性材料或石蜡。该法用于铸件生产最理想，它可以采用灰分含量很低的工业标准铸造石蜡，制造表面粗糙度值较低、符合标准的精铸蜡模。由于采用通常的铸造石蜡可快速从壳体除蜡，但所得铸件表面粗糙度值比 SLS 制件要高一些。

LOM 用纸张叠层所制原型，也可作为熔模铸造的熔失模，但它易受潮并在蒸汽环境中发出气味，因此原型在作为熔模铸造使用前要将其表面喷涂一层起保护作用的聚氨酯。加热焙烧时模样会留下少量灰分，有可能会引起铸件表面质量问题。

精密铸造用熔模的快速成形，是通过电子模型制成固体的三维陶瓷模壳。该工艺与传统的熔模铸造制壳工艺有本质不同，它直接利用计算机辅助设计的数据自动制造陶瓷壳，而无需模具或压型，使熔模铸造省去了制压型、蜡模以及涂挂涂料的工序，大大缩短了熔模铸件的生产周期，也不用考虑蜡模变形等因素的影响。因此，精密铸造用熔模的快速成形不仅可制得近形零件，并能制造出中空的零件。

C　实型铸造消失模的快速成形

SLA、LOM、FDM 等生成的树脂或热塑性材料原型均可以采用负压实型铸造工艺直接生产铸件。将涂有耐火材料的成型模样放置于密封并充满干砂的箱体中，抽掉箱中空气，使砂型紧实；将熔化的金属液浇入砂型中，烧掉模样并取代其位置而形成金属零件。由于烧掉模样时会残留下少量的灰分，这将直接影响零件的表面质量。SLS 使用聚苯乙烯和 PMMA 粉末，制成的模样可作为实型铸造的消失模，其烧结温度低、强度高、气化快、灰分少。

4.5.4.3 二次转制法

二次转制法主要是指由快速成形技术（如 FDM、LOM、SLS、SLA 等）提供的原型作母模，可浇注蜡、硅橡胶、环氧树脂、聚氨酯等软材料，构成软模具，再用软模具与熔模铸造、陶瓷型铸造、石膏型铸造等铸造工艺结合，制造金属零件。由于从原型到金属零件要经过二次或二次以上工艺转化，故称二次转制法。该类工艺方法一般用于批量生产的零件制造。该技术的关键是原型翻制软模具的尺寸精度和表面粗糙度的保证及模具的定位。

快速成形技术与铸造技术的结合，能将零件的 CAD 模型快速有效地转变为金属零件。在铸造生产中应用快速成形技术，使铸造生产过程（特别是熔模铸造）发生重大改进，它不仅能将过去小批量、难加工、周期长、费用高的铸件生产得以实施，而且将传统的分散化、多工序的铸造工艺过程集成化、自动化和简单化。铸造过程的快速成形技术，不仅实现了单件小批复杂铸件的直接制作，也使成批大量生产铸件的模具制作得以快速实现。

5　半固态金属成形工艺

5.1　半固态金属成形工艺概况

半固态金属的概念、半固态金属的制备及其成形工艺的雏形都是 20 世纪 70 年代初,在美国麻省理工学院 M. C. Flemings 教授的指导下,D. B. Spencer 等研究人员使用自制的高温黏度计测量 Sn-15% Pb 合金高温黏度时发现的。当时他们测量合金高温黏度值的大小是由该温度状态下合金承受剪切应力值的大小来表征。在他们多次测量合金的剪切应力值大小的实验过程中,由于自制的高温黏度计实施测量剪切应力值时对液态金属,特别是液态金属在温度不断降低,凝固逐渐进行的过程中其装置对液态金属与先析出的初生固相有一定的搅拌作用,即使在较高固相体积分数时也是如此,而且出现了剪切应力大幅度降低的反常现象。实验者把这种具有特殊力学性能的金属熔体迅速凝固,并进行显微组织检查,发现在 Sn-15% Pb 合金的基体中初生固相都呈球状。M. C. Flemings 教授和他的研究者们把这种金属熔体及其初生固相组分呈微细球状质点均匀地悬浮在剩余的液体金属母液中,而不呈树枝状骨架的均匀混合凝固组织称为半固态金属。

随后,麻省理工学院的研究者们又对不同金属的半固态组织的形成机理、半固态金属浆料及半固态金属坯料的力学行为和半固态金属的成形工艺特点进行了研究工作,为使半固态金属成形理论与技术逐渐成为金属材料加工领域的新学科做出了开创性的贡献。

在过去三十多年的研究中,人们首先探索了不同的搅拌方式及其对液态金属凝固过程的剪切速率,流变铸造温度、冷却速度等因素对半固态金属凝固组织形态的影响,以及半固态金属的黏度、固相体积分数、固态颗粒尺寸、形态及固态颗粒的聚集程度等的影响规律。从而为半固态金属的制备与成形技术的工业化应用奠定了基础。

近年来,半固态金属的制备与成形技术的工业应用已取得很大进展。世界上有许多国家都已开始了半固态金属成形技术的研究和应用开发,半固态金属成形技术已到了工业应用阶段。特别是半固态浆料与坯料的制备工艺及技术都有很大进展,使用电磁搅拌技术已能批量生产出供触变成形用的半固态金属坯料,建成了半固态金属触变成形生产线,大批量生产出汽车上使用的铝合金半固态成形件及其他零件,如图 1-5-1、图 1-5-2 及图 1-5-3 所示。

从 20 世纪 70 年代末,我国的一些科研院所相继开始进行半固态金属理论与技术的研究工作,在半固态金属浆料制备技术与成形工艺方面都取得了一定的进展,利用电磁搅

图 1-5-1　半固态铝合金压铸成型的涡型轮

图 1-5-2　半固态铝合金触变成形件

(a)   (b)   (c)

图 1-5-3　半固态镁合金触变成形件

（a）汽车座椅靠背架；（b）复印机齿轮和扇叶；（c）集成电路芯片散热器

拌设备已能够生产出一定尺寸的铝合金半固态坯料的试验产品，为准备进行工业性试验打下一定的基础。

5.2　半固态金属浆料制备方法

对于某一种合金，通过实验找到合适的温度范围，施加强力搅拌，要不断有固相析出，但又不允许有凝固壳出现，并由外向内推进，直到金属熔体转变成固相具有颗粒状的半固态金属浆料。半固态金属浆料迅速冷却凝固成固体就成为半固态金属坯料。半固态金属浆料或坯料的成功制备是半固态金属成形关键的第一步。依据上述的工艺原理，半固态金属浆料或坯料的制备方法主要有以下几种。

5.2.1　机械搅拌法

机械搅拌法是人们制备半固态金属浆料最早使用的方法，它主要是利用机械装置控制叶片或搅拌棒高速旋转，对液态金属进行接触式强力搅拌，从而改变金属熔体在凝固过程中初生固相的形态，使不断增加的固相变成球状的颗粒且均匀地分布在剩余的金属熔体中，成功地制备了半固态金属浆料。如图 1-5-4 和图 1-5-5 所示，这是两种机械搅拌法制备半固态金属浆料的示意图。

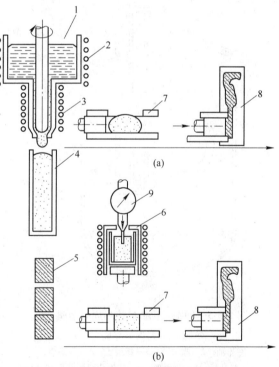

图 1-5-4　连续式机械搅拌半固态金属制备
与成形工艺示意图

（a）半固态金属浆料制备及流变成形工艺；（b）半固态
金属坯料制备及触变成形工艺

1—连续供给合金；2—感应加热器；3—冷却器；
4—流变铸锭；5—坯料；6—坯料重新加热装置；
7—压射室；8—压铸型；9—软度指示计

　　由于机械搅拌法制备半固态金属浆料的装置结构简单、造价低、操作与控制方便，非常适合实验室的研究工作和小批量半固态金属浆料制备的需要，是一种广泛应用的半固态金属浆料制备方法。但由于机械搅拌法制备半固态金属浆料的方法也存在着搅拌棒的强度与寿命，搅拌棒的熔蚀造成对液态金属的污染等原因，对于大量的连续生产高质量的半固态金属浆料，机械搅拌法受到了限制。

5.2.2　电磁搅拌法

　　连铸工艺中电磁搅拌技术的广泛应用给人们极大的启示，半固态金属的成形技术出现不久，人们很快就想到应用电磁搅拌技术，对金属熔体进行非接触式搅拌，同样可以改变金属熔体在凝固过程中初生固相的形态，使不断增加的固相变成球状的颗粒且均匀地分布在剩余的金属熔体中，成功地制备了半固态金属浆料。如图 1-5-6 所示，这是电磁搅拌垂直和水平两种搅拌法制备半固态金属浆料或坯料装置的示意图。通过不断的改进，对电磁搅拌器进行多级、变频、变强度的设计，完全达到了连续、大批量、无污染、高质量制备半固态金属浆料或坯料的目的。电磁搅拌法尽管成本高一些，但仍然已成为各种合金半固态浆料制备的主要工艺方法之一。

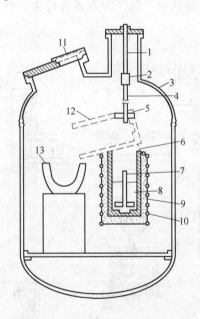
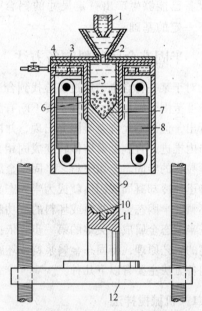

图 1-5-5　间歇式机械搅拌半固态金属　　　　　图 1-5-6　电磁搅拌立式半固态金属浆料制备
浆料制备装置示意图　　　　　　　　　　　　　　及铸造装置示意图

1—冷却轴；2—联轴节；3—新型盖；4—石墨棒；　　　1—中间包水口；2—结晶器水口；3—结晶器水冷隔板；
5—石墨叶片；6—热电偶；7—工作位置的石墨棒；　　4—结晶器水冷套；5—结晶器绝热层；6—结晶器外壁；
8—液体金属；9—石墨坩埚；10—感应线圈；　　　　7—坯料的凝固前沿；8—电磁搅拌器；9—坯料；
11—观察孔；12—浇注位置；13—锭模　　　　　　　10—引锭头；11—引锭杆；12—拉坯机

5.2.3　其他方法

　　随着半固态金属成形技术的发展给工业界带来的效益，人们越来越重视这项技术的研究与开发，制备半固态金属浆料的技术更是当务之急。除了以上两种搅拌液态金属的方法之外，研究者们又开发了多种制备半固态金属浆料的技术，其中主要有以下几种：（1）喷射成形法（Osprey），金属熔化成液态后，用特殊形式搅拌（气相冲击），熔滴在飞行过程中凝固并被剪切，枝晶组织变成了颗粒状组织，这些固态颗粒被收集起来，再经加热到局部熔化温度也可得到半固态浆料或坯料。（2）粉末冶金法，制粉-混合-预制成形-加热、加压（合金的半固态温度、保温）形成半固态坯料。应该说此方法基本与粉末冶金工艺相同，但又有一些区别。此种工艺有利于制作复合材料，材料利用率高，没有搅拌工序，但存在有制粉工序，坯料的密度不高等问题。（3）应变诱发熔化激活技术（Strain-Induced Melt Activation），金属原材料经大变形量压力加工，然后加热到半固态温度，先发生再结晶，使其部分熔化后让初生相转变成颗粒状，形成半固态金属坯料。

此外，制备半固态金属浆料或坯料的工艺方法还有：紊流效应法、金属熔体混合法、超声波震荡法、低过热度浇注法等方法。

5.3　半固态金属成形原理与工艺方法

5.3.1　流变铸造

半固态金属浆料是固相与液相共存状态，在金属中存在有一定的固相率，液相组分介于固相粒子之间，固相粒子之间结合力很弱，因而变形抗力很低，且具有一定的流动性，容易充满型腔而直接成形，类似铸造的工艺，但又不同，因为其流动性不好，要靠外力作用——注射成形，如图1-5-4所示。

5.3.2　触变铸造

半固态金属成形工艺既可以借用液态金属的成形工艺，又具有它自己独特的优势。例如液态金属压铸、模锻、挤压铸造成形，这三种液态金属成形的特种铸造工艺一直被模具的寿命短和液态金属充型过程中的喷溅造成的铸件缺陷而困扰。然而，半固态金属坯料进行压铸、模锻、挤压成形就截然不同，现以半固态金属坯料压铸成形为例说明。

如图1-5-4所示，这是半固态金属压铸的工艺过程示意图。半固态金属浆料经过冷却变成了固态完全一样的坯料，可以任意截取不同质量和形状的坯料。当把坯料加热到半固态的温度时，用硬度计检测加热的过程，随后既可以按照压铸的操作工艺一举成形。半固态金属浆料或坯料在一定的温度范围内，它的黏度具有随剪切力的增加而减小的特点，即搅溶性。对于某些合金即使固体含量占50%的半固态浆料，当剪切力较低或趋于零时，其黏度会大大提高，以至使浆料或坯料像软固体一样。当压铸工艺进行时，施加剪切力，则又可以使其黏度迅速降低，重新具有一定的流动性，使压铸工艺得以顺利进行。

5.3.3　半固态金属轧制

如图1-5-7及图1-5-8所示，金属压力加工的轧制工艺完全可以应用于半固态金属的成形过程中，在一定的温度下半固态金属的浆料

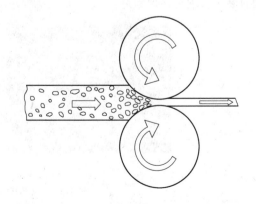

图1-5-7　半固态金属坯料轧制成形工艺示意图

或坯料变形抗力大大减小，不但轧制的产品质量提高，而且轧机的功率消耗降低，轧辊及其他部件的寿命也提高。

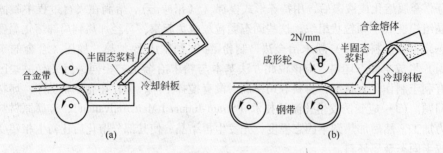

图 1-5-8　半固态金属浆料轧制成形工艺示意图

（a）双轮牵引式半固态金属铸轧机；（b）带轮牵引式半固态金属铸轧机

5.4　半固态金属成形工艺特点

半固态金属成形工艺与液态金属成形工艺相比有如下一些优点。

（1）减少了热冲击。由于半固态金属浆料或坯料在搅拌工艺制备过程中已有50%左右的熔化潜热散失了，其温度比液态金属压铸时还需要的过热度要低得多，所以半固态金属压铸时，大大减少了对压室、压铸型型腔和压铸机组成部件的热冲击。据对青铜压铸工艺过程测试表明，半固态金属压铸与液态金属压铸相比，压铸型表面的最大受热程度降低了75%，表面的温度梯度降低了88%。因此半固态压铸可以提高压室、压铸机组成部件，特别是压铸型的使用寿命。

（2）提高了成形件的质量。由于半固态金属在搅拌中获得了近似球粒的固相浆料，快速凝固可得到高性能的均匀致密的晶粒组织。又由于半固态金属黏度比液态金属高，充型时内浇口处的流速低，因此在充型过程中少喷溅，无湍流，卷入空气少。还由于半固态金属凝固时收缩小，所以半固态金属压铸件不易出现缩孔、缩松，组织致密，提高了铸件寿命。如图1-5-9及图1-5-10所示，半固态金属铝合金件与普通铸件相比，具有组织细小、内部疏松少、尺寸精度高、表面质量高和性能好等特点，同时因减少或无切削加工，从而降低了零件的制造成本。譬如，汽车制动缸体通常用铸铁制造，而汽车轻量化趋向于金属模铸造工艺。在应用半固态加工技术后，与前面两种工艺相比，不但提高了生产自动化程度，而且易于实现近终形制造。

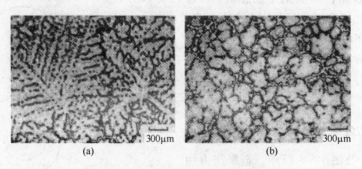

图 1-5-9　AZ9ID 镁合金的显微组织

（a）未搅拌的铸态组织；（b）机械搅拌半固态组织

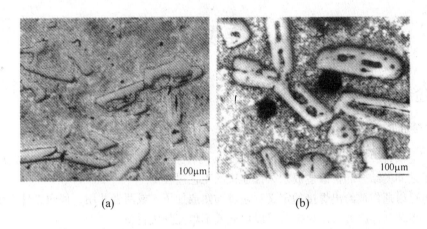

图 1-5-10　AlSi24 合金的等温电磁搅拌淬火显微组织

（a）未搅拌的铸态组织；（b）电磁搅拌半固态组织

（3）节约能源与材料。半固态金属坯料平时像一般的固体金属一样搬运、切割，由于不需要像液态金属压铸成形那样设计浇注系统，大大提高了压铸件的收得率。以汽车上的部分悬挂件为例，半固态金属压铸要比液体金属压铸可节省金属料 20% ~ 45%。而且半固态金属的压铸件还比液体金属压铸件的加工余量减少 13% 左右。

半固态金属成形技术确定的一套从金属液经半固态金属到最终产品的加工技术，可以有效地避免因反复加热和冷却金属所带来的能量消耗，达到充分利用冶金热能的作用。对于铝合金来说，半固态金属成形比液体金属铸造，可节能 35% 左右，

（4）有利于制备复合材料。在此之前，金属基复合材料的制备工艺过程中，像 WC、三氧化二铝、碳纤维等与铝合金等形成复合材料时，经常出现纤维相或颗粒相与液体金属润湿性不好、漂浮、偏析等技术难题。有了半固态金属的制备与成形工艺，上述问题会得到克服，为金属基的各种复合材料的制备开辟新的途径。

6　焊接成形工艺

6.1　概述

6.1.1　焊接的定义

从微观上来说，可以给出焊接的定义如下：两种或两种以上的材料（同种或异种）通过原子或分子之间的结合和扩散造成永久性连接的工艺过程。

一般也可以通俗地给出焊接的定义：通过加热或加压，或两者并用，使两工件产生原子间结合的加工工艺和连接方式。焊接时可以填充或不填充焊接材料。

6.1.2　焊接过程的物理本质

从理论上来说，两块分离的材料的两个表面靠近得足够紧密，两者之间的距离能够接近到一个原子的距离，亦即0.4到0.5个nm（纳米）时，这两块材料就能连接在一起，就能形成一个连接在一起的材料。但是实际上，在常温下，在一般情况下这种情况不会发生，因为即使这两个要结合的表面经过精密加工，从微观上来看，这个表面依然是凹凸不平的，而且由于材料表面存在氧化膜及水分、油等吸附层杂质，这种氧化膜和杂质极大地阻碍材料的连接。

因此焊接过程的物理本质就是采用施加外部能量的办法，去除阻碍原子键结合的一切表面氧化膜和吸附层杂质，促使分离材料的原子接近，形成原子键的结合，得到一个优质的焊接接头。常用的施加外部能量的方法主要有加热和加压两种。加热是把材料加热到熔化状态，或者把材料加热到塑性状态；加压使材料产生塑性流动。

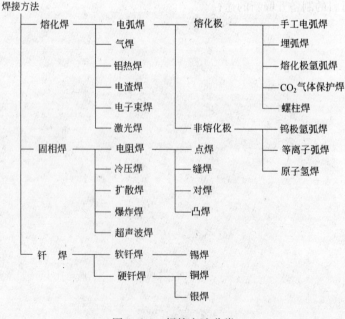

图 1-6-1　焊接方法分类

6.1.3 焊接方法的分类

金属焊接方法有很多，根据热源不同可以把焊接方法主要分为熔焊、压焊和钎焊3大类，如图1-6-1所示。

（1）熔化焊。在焊接过程中将工件接口加热至熔化状态，不加压力完成焊接的方法。熔焊时，热源将待焊两工件接口处迅速加热熔化，形成熔池。熔池随热源向前移动，冷却后形成连续焊缝而将两工件连接成为一体。

（2）固相焊。在加压条件下使两工件在固态下实现原子间结合，又称压力焊或接触焊。

（3）钎焊。利用比工件熔点低的金属材料作钎料，将工件和钎料加热到高于钎料熔点、低于工件熔点的温度，利用液态钎料的毛细作用润湿工件，填充接头间隙并与工件实现原子间的相互扩散而实现焊接的方法。

6.1.4 焊接的特点

相对于机械连接、铆接和粘结，焊接具有明显的优点。

（1）连接性能好。焊缝具有良好的机械性能，能耐高温高压，能耐低温，具有良好的密封性、导电性、耐腐蚀性、耐磨性等。例如对于 120×10^4 kW 核电站锅炉，外径 $\phi 6400$ mm，壁厚200mm，高13000mm，工作参数为17.5MPa、350℃，要求焊缝不能泄漏（有放射性物质），这只有采用焊接方法才能制造出来。

（2）重量轻、成本低。采用焊接方法制造金属结构，一般比铆接节省金属材料10%～20%，采用焊接方法制造船舶、车辆、飞机、飞船、火箭等运输工具，可以减轻自重，提高运载能力，焊接工时少，生产周期短。采用焊接方法可以制成双金属结构，如不锈钢或钛衬里、耐磨或耐高温层的堆焊等，可获得优良的使用性能，又能节省大量昂贵的合金材料。

（3）工艺简化。可以采用焊接方法（以小拼大）制造重型、复杂的机器零、部件，简化铸造和锻造工艺，简化切削加工工艺，如万吨水压机的横梁、立柱、工作缸、塔式齿轮等机器零件可以采用焊接方法，简化加工工艺。

但是，采用焊接结构也存在一定的缺点，主要表现在以下几方面：

（1）焊接结构的止裂性差。焊接接头中如果出现裂纹，在拉应力的作用下，裂纹容易扩展，导致结构失效。

（2）焊接结构是不可拆卸的，不便于更换修理部分的零、部件。

（3）产生焊接残余应力和焊接变形，影响零件工作时的应力状态，降低承载能力。

（4）易产生焊接缺陷，如裂纹、未焊透、夹渣等，缩短使用寿命，甚至造成脆断。

6.1.5 焊接方法的应用

6.1.5.1 金属结构制造

焊接主要用于制造金属结构，如锅炉、压力容器、管道、船舶、车辆、桥梁、飞机、火箭、起重机、海洋结构、冶金设备等。它也用来制造机器零件部件和工具等，如重型机械和冶金、锻压机械的机架与轴、齿轮、模具、刀具等。几乎所有工业部门都需要焊接。世界上一些主要工业国家，每年生产的焊接结构约占钢产量的45%左右。在石油化工方面已能焊成容量为10万 m^3 的储罐和压力为100MPa的高压容器。大容量核电站的压力壳，高13m、内径 $\phi 5$ m、重540t，是用250～500mm厚的锻件经焊接制成的。输油、输气管道在能源工程中占有重要位置，有时要穿过冻土地带或在海底敷设，都采用全焊结构。在造船方面，船体和内部结构也是全焊的，焊接工时占整个船体建造工时的 30% ~ 40%。一条万吨船的焊缝总长达数十千米。在冶金方面，一个冷轧连轧车间有十几万米管道，全部需要用焊接连接起来，压焊还便于实现机械化，劳动条件较好，如点焊、缝焊广泛应用于航空、汽车工业和家用电器工业。堆焊是制造双金属的主要手段。焊接在重大设备修复工作中也是必不可少的。焊接已成为现代工业中一种不可缺少而且日益重要的加工工艺方法。

6.1.5.2　机械再制造

机械零件经过一定时间的使用以后，都会出现一定程度的磨损、裂纹甚至断裂，导致零件失效。采用焊接方法可以实现对磨损部位、裂纹和断裂处的修补，然后再经过机械加工，完全可以使零件恢复使用。随着能源和原材料对国民经济的瓶颈作用的日益明显，采用焊接方法实现机械零件的机械再制造将具有巨大的经济和社会意义。

6.2　焊接成形原理

6.2.1　焊接电弧

焊接电弧是两电极之间持久而强烈的气体放电现象，其宏观表现是发出强光，释放大量热量。电弧的结构如图 1-6-2 所示，靠近阴极表面的部分叫做阴极区，阴极区发射电子；靠近阳极表面的部分叫做阳极区，阳极区为正离子区，接受电子；界于这两个区域之间的部分叫做弧柱区，弧柱区为气体电离区。

电弧产生的过程是，当两电极接触时，短路产生高温，接触的金属很快熔化并产生金属蒸气。当两电极间距离迅速达到 2 ~ 4mm 时，阴极表面金属在电场、高温等作用下发射大量电子；阳极表面金属在电场、高温作用下发生电离；在弧柱区，高速运动的电子与原子、分子间相互碰撞产生大量热量并导致原子、分子的电离。同时部分离子与电子间还会复合成原子或分子，并放出光。

电弧放电的特点是电压低，通常为 20 ~ 50V 左右；电流大，一般从几安培到几千安培；温度高，一般可达 5000 ~ 30000K。可以满足焊接的要求。焊接电弧的主要作用是把电能转换为热能，同时产生光辐射和响声（电弧声）。电弧的高热可以用于焊接、切割和炼钢等。电弧阴极区和阳极区的温度与电极材料的熔点有关。用碳钢焊条焊接碳钢时，各区的温度分别为：弧柱区 6000 ~ 8000K，阳极区 2600K，阴极区 2400K。

焊接电弧电压在阳极区、弧柱区和阴极区的分布是不同的（图 1-6-2）。阴极区的电压降

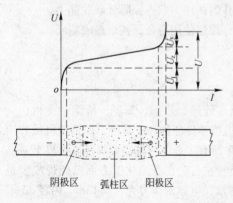

图 1-6-2　电弧结构和电位分布

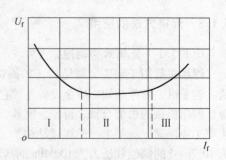

图 1-6-3　焊接电弧的静特性

叫做阴极电压降，阳极区的电压降叫做阳极电压降，弧柱区的电压降叫做弧柱电压降。在一定弧长条件下，当电弧稳定燃烧时，电弧电压与焊接电流之间的关系，称为电弧的静特性（图1-6-3）。焊接电弧的电压和电流之间为非线性关系。开始时随电流的增加电弧电压下降，属负特性。当电流增加到一定值时，随电流的增加，电弧电压基本不变，呈平特性。当电流更大时，电压随电流的增加而升高，表现出上升特性。

6.2.2　焊接热循环

当焊接热源作用时，焊件上某一点的温度随时间的变化过程，叫作焊接热循环。图1-6-4为低合金钢手弧焊时实测的焊件上不同点的焊接热循环曲线。可见，离焊缝越近的点其加热速度越大，峰值温度越高，冷却速度也越大，并且加热速度比冷却速度大得多。

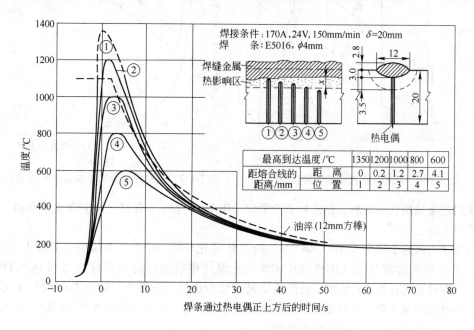

图 1-6-4　焊接热循环曲线

与一般热处理过程相比较，焊接时的加热速度要大得多，但焊接时在某一高温的保温时间（高温持续时间）却又非常短促，只不过几秒到十几秒。这就是焊接热循环所具有的重要特征。决定焊接热循环特征的主要参数有：加热速度，峰值温度，高温持续时间，在某一温度时的瞬时冷却速度，或在某一温度区间的冷却时间等，如图1-6-5所示。

6.2.3　焊接化学冶金过程

从母材和焊条的加热熔化，熔滴的产生和过渡，到熔池的形成、停留和结晶，要发生一系列的化学冶金反应，影响焊缝金属的化学成分和性能。

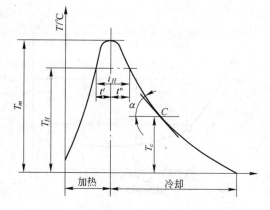

图 1-6-5　焊接热循环曲线的特征参数

空气中的氮气、氢气和氧气以及空气中的水分、工件和焊接材料表面的油、锈和水等，在电弧高温作用下，会发生分解，成为氮原子、氢原子和氧原子。

氮原子和氢原子在熔滴和熔池处于高温时，大量地溶入液体金属中，当熔池温度下降至结晶温度时，氮和氢的溶解度急剧下降，如图 1-6-6 所示。结晶时析出的气体来不及逸出液体金属表面，便成为气孔。这是焊缝中形成气孔的重要原因。

氮还以针状氮化物（Fe_4N）形式析出，分布在晶界和固溶体内，因而焊缝中含氮量会大大提高，使得焊缝的强度和硬度增加，塑性和韧性明显下降，如图 1-6-7 所示。

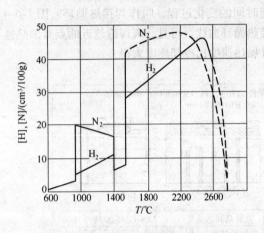

图 1-6-6　氮和氢在铁中的溶解度

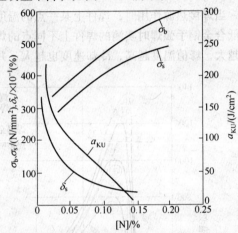

图 1-6-7　氮对焊缝金属常温力学性能的影响

氢引起金属脆化（氢脆、白点）和冷裂纹。图 1-6-8 表明，焊缝金属中含氢量增加，其延伸率明显下降。

氧原子与液态金属发生 Fe、Mn、Si、Cr、Al 氧化反应，使焊缝金属的含氧量大大增加。例如，焊丝 H08 含氧量为 0.01% ~ 0.02%，光焊丝焊接的焊缝金属含氧量可达 0.15% ~ 0.30%。焊缝金属含氧量的增加，会严重降低焊缝金属的力学性能，如图 1-6-9 所示，强度、塑性和韧性都明显下降。尤其是使低温冲击韧性急剧下降，要引起冷脆等严重问题。氧化还使焊缝金属合金元素烧损，影响焊缝的性能。

因此，为了保证焊缝质量，需要采取机械保护和冶金处理两项措施。

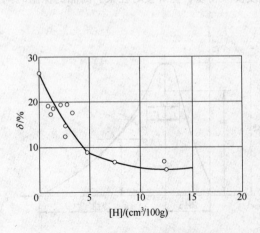

图 1-6-8　氢含量对低碳钢塑性的影响

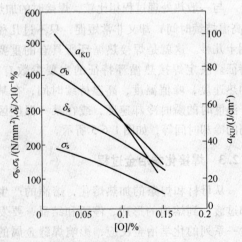

图 1-6-9　氧含量对焊缝金属常温力学性能的影响

（1）机械保护。如采用焊条药皮、埋弧焊焊剂和气体保护焊的保护气体（CO_2、Ar 气）等，使电弧空间的熔滴和熔池与空气隔绝，防止空气进入。此外，还要清除坡口及两侧的锈、水、油污；烘干焊条、焊丝和焊剂等焊接材料，去除水分等。

（2）冶金处理。如通过焊条药皮、焊丝和焊剂里添加合金等，进行脱氧，去氢，去硫、渗合金等，从而保证和调整焊缝的化学成分。如：

$$Mn + FeO \longrightarrow MnO + Fe$$

$$Si + 2FeO \longrightarrow SiO_2 + 2Fe$$

$$MnO + FeS \longrightarrow MnS + FeO$$

$$CaO + FeS \longrightarrow CaS + FeO$$

6.2.4 焊缝金属的凝固和组织

6.2.4.1 焊缝金属凝固的特点

（1）熔池的体积小，冷却速度快。在电弧焊条件下，熔池的体积最大不过 $30cm^3$，重量不超过 100g，由于熔池金属被冷金属所包围，熔池边缘的平均冷却速度约为 4～100℃/s，比铸锭的冷却速度大 10000 倍左右，这样，对于含碳量高、合金元素多的钢材或铸铁，易产生硬化组织。此外，熔池中心与边缘之间有很大的温度梯度，致使焊缝中柱状晶得到很大发展，很难得到等轴晶。

（2）熔池中的液态金属处于过热状态。在电弧焊条件下，低碳低合金钢熔池的温度为 1770±100℃，熔滴的温度可达 2300±200℃，而一般钢锭的浇铸温度很少超过 1550℃，由于过热度大，使合金元素烧损严重，致使熔池中作为非自发形核的质点大为减少，更促使柱状晶得到发展。

（3）熔池在运动状态下结晶。一般熔化焊时，熔池以等速随着热源在不断地移动，因此熔池中金属的熔化和凝固过程是同时进行的。此外，电弧和气体的吹力，焊条或焊丝的摆动以及熔池内部气体的逸出，都会产生搅拌作用，有利于排除气体和夹杂，也有利于得到致密的焊缝。

6.2.4.2 焊缝金属凝固的一般规律

（1）焊缝金属凝固的非自发形核。在焊接条件下，熔池中存在两种现成的表面：一种是合金元素或杂质的悬浮质点；另一种是熔合区附近加热到半熔化状态母材金属的晶粒表面，非自发晶核就依附在这个表面上，并以柱状晶的形态向焊缝中心成长。焊接时，为改善焊缝金属的性能，通过焊接材料加入一定量的合金元素（如 Mo、V、Ti 和 Nb 等），可以作为熔池中自发晶核的质点，从而使焊缝金属的晶粒细化。

（2）熔池中晶粒的选择性长大。熔池金属开始凝固时，晶体取向与最大温度梯度方向（散热最快方向）一致的晶粒优先从靠近熔合区的母材上沿着最大温度梯度方向长大，直到熔池的中心，形成粗大的柱状晶粒，其他取向的晶粒的成长受到限制。

（3）焊缝金属的化学成分不均匀性。焊缝金属在凝固过程中，由于冷却速度很快，已凝固的焊缝金属中化学成分来不及扩散，合金元素在焊缝和熔合区中的分布是不均匀的，导致焊缝金属中产生明显的显微偏析、区域偏析和层状偏析。

6.2.5 焊接接头的组织和性能

熔焊时在集中热源的作用下，焊缝两侧发生组织和性能变化的区域称为热影响区（Heat

Affected Zone，简称 HAZ）或称近缝区。焊接接头由焊缝和热影响区（HAZ）两部分组成。对于低碳钢而言，焊接接头的性能主要决定于焊缝金属的性能，而对于合金钢来说，焊接接头的性能不仅仅决定于焊缝，同时也决定于焊接热影响区，对有些金属来说，焊接热影响区的性能比焊缝更重要。

6.2.5.1　焊缝的组织和性能

焊缝的组织在多数情况下均呈有方向性的粗大柱状晶。存在成分偏析，组织不致密。但是，由于焊接熔池小，冷却快，化学成分控制严格，碳、硫、磷都较低，还通过渗合金调整焊缝化学成分，使其含有一定的合金元素，因此，焊缝金属的力学性能尤其是强度可以满足实际要求。

6.2.5.2　热影响区（HAZ）的组织和性能

对于一般常用的低碳钢和某些低合金钢（不易淬火钢），根据组织特征，热影响区可分为以下四个区，如图 1-6-10 所示。

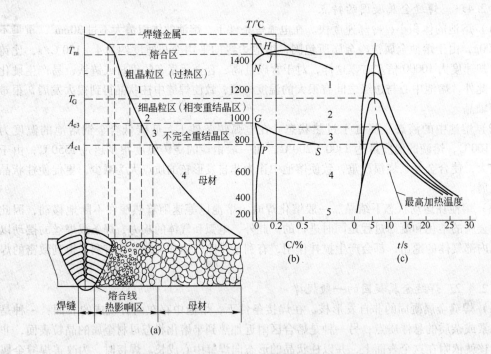

图 1-6-10　焊接热影响区不同温度与铁碳状态图的关系

（a）焊接热影响区的组织分布；（b）铁碳状态图；（c）焊接热循环；

T_m—峰值温度；T_G—晶粒长大温度

（1）熔合区。此是焊缝与母材相邻的部位，又称半熔化区，温度处于固液相线之间。熔合区范围虽窄，但化学成分和组织性能不均匀，对接头的强度、韧性影响较大。在多数情况下，熔合区易产生冷、热裂纹，是焊接接头的薄弱环节。

（2）过热区。此区的温度范围是处在固相线以下到 1100℃ 左右，金属处于过热状态。该区的晶粒粗大，常常产生脆化和裂纹。与熔合区一样，是焊接接头的薄弱环节。

（3）相变重结晶区（正火区）。温度处在 A_{c3} ~ 1100℃ 之间。焊接加热时铁素体和珠光体全部转变为奥氏体，冷却时得到均匀、细小的珠光体和铁素体，相当于热处理时的正火组织。此区的塑性和韧性都较好。

（4）不完全重结晶区。温度处在 $A_{c3} \sim A_{c1}$ 之间。焊接加热时只有部分铁素体和珠光体全部转变为奥氏体，冷却时得到均匀、细小的珠光体和铁素体，而另一部分未能转变为奥氏体的铁素体晶粒长大。因此，该区的晶粒大小不均匀，力学性能也不均匀。

不易淬火钢的热影响区的大小与焊接方法、板厚、热输入等有关，表1-6-1列出了几种不同焊接方法焊接低碳钢和不易淬火钢时，热影响区的平均尺寸。由表可见，所采用焊接方法的能量越集中，热影响区的宽度越窄。低碳钢和不易淬火钢的热影响区的组织分布和性能如表1-6-2所示。

表 1-6-1　不同焊接方法热影响区的平均尺寸

焊接方法	各区的平均尺寸/mm			总宽度/mm
	过热区	相变重结晶区	不完全重结晶区	
手弧焊	2.2 ~ 3.0	1.5 ~ 2.5	2.2 ~ 3.0	6.0 ~ 8.5
埋弧自动焊	0.8 ~ 1.2	0.8 ~ 1.7	0.7 ~ 1.0	2.3 ~ 4.0
电渣焊	18 ~ 20	5.0 ~ 7.0	2.0 ~ 3.0	25 ~ 30
氧乙炔气焊	21	4.0	2.0	27
真空电子束焊				0.05 ~ 0.75

表 1-6-2　低碳钢热影响区的组织分布和性能

部　位	温度范围	组织特征	性　能	裂纹倾向
熔合区	液固相线之间（1400 ~ 1250℃）	过热组织，晶粒粗大	塑性、韧性很差	热、冷裂纹
过热区	固相线（1250）~ 1100℃	过热组织晶粒粗大	塑性和韧性很低	冷、热裂纹
正火区	1100℃ ~ A_{c3}	正火组织（细小均匀的 F + P）	塑、韧性和机械性能良好	
不完全重结晶区	$A_{c3} \sim A_{c1}$	粗大的 F + 细小的 F + P	机械性能不均匀	

对于焊接淬硬倾向较大的钢种（易淬火钢），如果母材焊接前是正火或退火状态，则热影响区分为淬火区和部分淬火区；如果母材焊接前是淬火状态，则热影响区分为淬火区、部分淬火区和回火区。

6.2.5.3　影响焊接接头性能的因素

焊接接头的机械性能决定于它的化学成分和组织。因此，影响焊缝化学成分和焊接接头组织的因素，都影响焊接接头的性能。

（1）焊接材料。焊条、焊丝和焊剂熔化后成为焊缝金属的组成部分，直接影响焊缝金属的化学成分。

（2）焊接方法。不同焊接方法的热源，其温度高低和热量集中程度不同。因此，热影响区的大小和焊接接头组织粗细都不相同，接头的性能也就不同。此外，不同焊接方法，机械保护效果也不同。因此，焊缝金属纯净程度，即有害杂质含量不同，焊缝的性能也不同。

（3）焊接工艺。焊接时，为保证焊接质量而选定的诸物理量（例如焊接电流、电弧电压、焊接速度、线能量等）的总称，叫焊接工艺参数。熔化焊时，由焊接能源（热源）输入给单位长度焊道上的能量，称为线能量。其计算公式为

$$E = \eta \frac{UI}{v} \tag{1-6-1}$$

式中，E 为线能量，J/cm；U 为电弧电压，V；I 为焊接电流，A；v 为焊接速度，cm/s；η 为有效热系数，焊条电弧焊 $\eta = 0.66 \sim 0.85$，埋弧焊 $\eta = 0.9 \sim 0.99$。

采用小线能量可以减小热影响区，降低残余应力。

（4）焊后热处理。焊后正火、回火，能细化接头组织，改善接头性能。

6.2.6　焊接变形和焊接应力

6.2.6.1　焊接残余应力和变形的影响

产生焊接变形，可能使工件形状尺寸不合要求，影响组装质量和焊接质量，矫正焊接变形需要多费很多工时，增加制造成本，同时还会降低塑性，降低接头性能，焊接变形使结构形状发生变化，还会产生附加应力，降低承载能力。焊接残余应力降低承载能力，会引起焊接裂纹，甚至造成脆断，焊接容器在腐蚀介质下使用时，焊接残余应力还能促使产生应力腐蚀裂纹。此外，残余应力的释放会产生一定的变形，引起形状、尺寸的不稳定。

6.2.6.2　焊接残余应力和变形的产生过程

金属材料如果在整体均匀的加热和冷却过程中，能完全自由膨胀和收缩，那么在加热过程中产生变形，不产生应力，在冷却之后，恢复到原来的形状尺寸，没有残余变形，也没有残余应力，如图 1-6-11(a)所示。

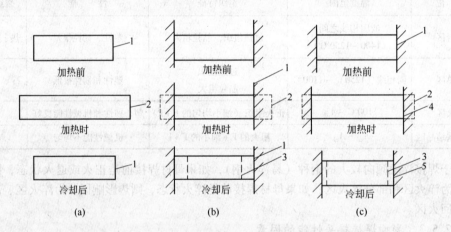

图 1-6-11　焊接变形和残余应力产生原因示意图
(a) 能自由膨胀和收缩时；(b) 不能膨胀和收缩时；(c) 不能自由膨胀和收缩时
1—加热前的位置；2—自由膨胀时的位置；3—自由收缩时的位置；
4—不能自由膨胀时的位置；5—不能自由收缩时位置

如果在加热和冷却过程中完全不能膨胀和收缩，那么，如图 1-6-11(b)所示，加热时不能从位置 1 自由膨胀到位置 2，受到压应力的作用，当温度较低时，受到的压应力小于屈服强度，产生的变形是压缩弹性变形，冷却时还回到原来的位置；当温度足够高时（对于低碳钢，温度升高 100℃时），受到的压应力大于屈服强度，产生塑性压缩变形，冷却时，不能从加热时的位置 1 自由收缩到位置 3，而仍处于位置 1，于是受拉应力并残余下来，称为残余应力。这种情况下有残余应力而没有残余变形。

焊接过程由于是局部加热，因此在加热过程中，加热的金属受周围冷金属的拘束，不能自由膨胀，但也能膨胀一些，如图1-6-11(c)所示，不能从位置1自由膨胀到位置2，而只能膨胀到位置4，此时，加热的金属受压应力，产生塑性压缩变形。在冷却过程中，不能自由收缩，但也能收缩一些，如图1-6-10(c)所示，冷却后不能从位置4自由收缩到位置3，而只能收缩到位置5，因此，这部分金属受拉应力并残留下来，这就是焊接残余应力。从位置1到位置5的变化，就是焊接残余变形，一般简称焊接变形。

焊接过程的不均匀温度场以及由它引起的局部塑性变形和比容不同的组织是产生焊接应力和变形的根本原因。当焊接引起的不均匀温度场尚未消失时，焊件中的这种应力和变形称为瞬态焊接应力和变形；焊接温度场消失后的应力和变形称为残余焊接应力和变形。在没有外力作用的条件下，焊接应力在焊件内部是平衡的。焊接应力和变形在一定条件下会影响焊件的功能和外观，因此是设计和制造中必须考虑的问题。

6.2.6.3 焊接残余应力

(1) 焊接残余应力的分布。在自由状态下焊接的平板，沿焊缝方向的纵向残余应力 σ_x 在焊缝及其附近一般为拉应力，在远离焊缝处则为压应力。对于低碳钢和强度不高的低合金结构钢，焊缝上的残余应力 σ_x 可达到材料的屈服强度 σ_s（如图1-6-12(a)）；垂直于焊缝方向的横向残余应力 σ_y 的分布如图1-6-12(b)所示，两端为压应力，中间为拉应力；横向残余应力 σ_y 与焊接顺序和方向有关，如图1-6-12(c)所示，从中间往两边焊接，中间区段为压应力，两边为拉应力；从两边往中间焊接，中间区段为拉应力，两边为压应力；也就是说，后焊的区段一般为拉应力。

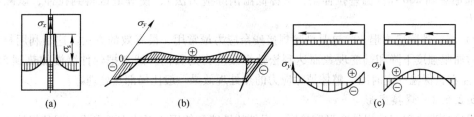

图 1-6-12　焊接残余应力的分布示意图
(a) 纵向残余应力 σ_x；(b) 连续焊接时的横向残余应力 σ_y；
(c) 分段焊接时的横向应力 σ_y

(2) 焊接残余应力的影响。焊接残余应力对焊件产生如下方面的影响。

1) 对强度的影响：如果在高残余拉应力区中存在严重的缺陷，而焊件又在低于脆性转变温度下工作，则焊接残余应力将使静载强度降低。在循环应力作用下，如果在应力集中处存在着残余拉应力，则焊接残余拉应力将使焊件的疲劳强度降低。

2) 对刚度的影响：焊接残余应力与外载引起的应力相叠加，可能使焊件局部提前屈服产生塑性变形。焊件的刚度会因此而降低。

3) 对受压焊件稳定性的影响：焊接杆件受压时，焊接残余应力与外载所引起的应力相叠加，可能使杆件局部屈服或使杆件局部失稳，杆件的整体稳定性将因此而降低。残余应力对稳定性的影响取决于杆件的几何形状和内应力分布。残余应力对非封闭截面（如工字形截面）杆件的影响比封闭截面（如箱形截面）的影响大。

4) 对加工精度的影响：焊接残余应力的存在对焊件的加工精度有不同程度的影响。焊件的刚度越小，加工量越大，对精度的影响也越大。

5) 对尺寸稳定性的影响：焊接残余应力随时间发生一定的变化，焊件的尺寸也随之变化。焊件的尺寸稳定性又受到残余应力稳定性的影响。

6）对耐腐蚀性的影响：焊接残余应力和载荷应力一样也能导致应力腐蚀开裂。

（3）焊接残余应力的消除和调整。为了消除和减小焊接残余应力，可以从设计、工艺和焊后三个方面采取措施：

1）合理的结构设计。应避免焊缝密集交叉，焊缝截面和长度要尽可能小，以减小焊接局部加热，从而减小焊接应力。

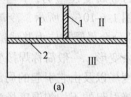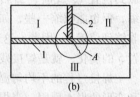

图 1-6-13　焊接顺序对焊接应力的影响
(a) 焊接应力小；(b) 焊接应力大

2）合理的焊接顺序和方向。应采取合理的焊接顺序，先焊接收缩量大的焊缝和工作时受力较大的焊缝，如图 1-6-13 所示。

3）合理的焊接工艺。采用小线能量焊接时，残余应力较小。

4）预热或局部加热。焊接时适当降低焊件的刚度，并在焊件的适当部位局部加热，或者整体预热，使焊缝能比较自由地收缩，以减小残余应力。

5）锤击或随焊碾压。在焊接的同时，对焊道进行锤击或碾压，使焊缝金属延伸，可以大大减小焊接应力。

6）加载法。焊接残余应力也可采用机械拉伸法（过载法），使受到拉应力作用的焊缝产生拉伸塑性变形，来消除或调整，例如对压力容器可以采用水压试验；也可以在焊缝两侧局部加热到200℃（温差拉伸法，又称低温消除应力法），使焊缝区得到拉伸，以减小残余应力。

7）焊后消除应力退火。这是消除焊接残余应力最常用、最有效的方法。这是利用材料在高温时屈服强度下降和蠕变现象而达到松弛焊接应力的目的。通常把焊件缓慢加热到 550 ～ 650℃左右，保温一定时间，整体消除应力的热处理效果一般比局部热处理好。

6.2.6.4　焊接变形

焊接过程中引起的焊件变形直接影响焊件的性能和使用，因此需要采用不同的焊接工艺来控制和预防焊件的变形，并对产生焊接变形的构件进行矫正。

（1）变形的种类。焊接变形主要有 5 种形式，如图 1-6-14 所示。

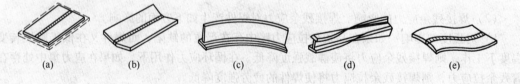

图 1-6-14　焊接变形
(a) 收缩变形；(b) 角变形；(c) 弯曲变形；(d) 扭曲变形；(e) 波浪变形

1）收缩变形：沿焊缝长度方向和垂直于焊缝方向的收缩。

2）角变形：绕焊缝轴线的角位移。

3）弯曲变形：构件中性轴上下不对称的收缩引起的弯曲变形。

4）扭曲变形：由于装配不良、施焊程序不合理而使焊缝的纵向、横向收缩没有规律所引起的变形。

5）波浪变形：薄壁结构在焊接残余压应力的作用下，局部失稳而产生波浪形；

（2）焊接变形的预防和控制。为了消除和减小焊接残余应力，可以从设计、工艺和焊后三个方面采取措施：

1）合理的结构设计。设计上合理地确定焊缝的数量、长度、坡口的形状和尺寸，并恰当地安排焊缝的位置，使焊缝尽可能对称，或使焊缝尽可能接近中性轴。

2）反变形。如图 1-6-15 所示，事先估计焊接变形量的大小和方向，在装配时预先给一个相反方向的变形，以抵消焊接变形。

3）刚性固定法。如图 1-6-16 所示，将工件完全固定，可以很好的防止角变形和波浪变形。

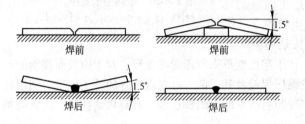

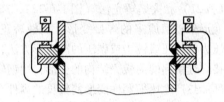

图 1-6-15　反变形示意图　　　　　　　　图 1-6-16　刚性固定法示意图

4）合理的选择焊接方法和规范。选用线能量低的焊接方法，可以有效地防止焊接变形。如采用 CO_2 半自动焊来代替焊条电弧焊，不仅效率高，而且减小薄板结构的变形。采用小线能量也可以减小焊接变形。

5）合理的装配焊接顺序。采用合理的焊接顺序可以有效地减小焊接变形。先焊接收缩量大的焊缝（图 1-6-17）和工作时受力较大的焊缝（图 1-6-18），对于长焊缝，采用分段反向焊接（图 1-6-19），对于厚板焊接，采用多层多道焊等，都能减小残余变形。

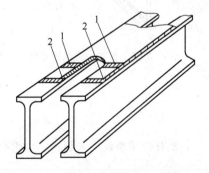

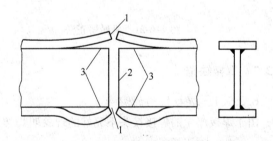

图 1-6-17　按收缩量大小确定焊接顺序　　　图 1-6-18　按受力大小确定焊接顺序
1—焊道 1；2—焊道 2　　　　　　　　　　1—焊道 1；2—焊道 2；3—焊道 3

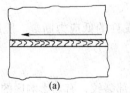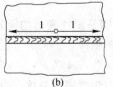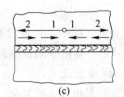

图 1-6-19　长焊缝的焊接顺序
（a）变形最大；（b）变形较小；（c）变形最小
1—焊道 1；2—焊道 2

6）锤击或随焊碾压。在焊接的同时，对焊道进行锤击或碾压，使焊缝金属延伸，可以大大减小焊接变形。

7）散热法。如图1-6-20所示，通过喷水、干冰、液氮或浸入水中冷却，或用（水冷）铜块等方法，及时吸收工件的热量，使焊缝附近的温度大大降低，从而减小焊接变形。

8）焊后矫正。采用机械矫正法（图1-6-21）和火焰矫正法（图1-6-22），产生新的变形来抵消原来的焊接变形。机械矫正法是用

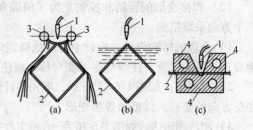

图 1-6-20　散热法示意图

（a）喷水冷却；（b）浸入水中冷却；（c）水冷铜块冷却

1—焊枪；2—工件；3—喷水管；4—水冷铜块

压力机加压或锤击或碾压的冷变形方法，产生塑性变形来校正焊接变形；对于由长而规则的对接焊缝引起的薄板壳结构的变形，用钢轮碾压焊缝及其两侧，可获得良好的矫正效果。利用局部加热产生压缩塑性变形使较长的焊件在冷却后收缩的火焰矫正法，具有机动性强、设备简单的优点，得到广泛采用。

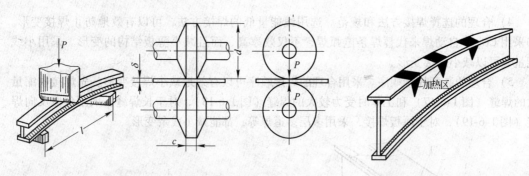

图 1-6-21　机械矫正法　　　　　　　　　　　图 1-6-22　火焰矫正法

6.2.7　焊接缺陷

6.2.7.1　焊接缺陷的影响

由于焊接产生的焊接接头不完好的现象叫焊接缺陷，主要有焊接裂纹、未焊透、未熔合、夹渣、气孔、咬边和焊瘤等。

焊接缺陷不仅减少焊缝截面，降低承载能力，还造成下列危害：

（1）产生应力集中，增大结构在工作时的应力，更大地降低承载能力。

（2）引起裂纹。焊接缺陷在低周疲劳载荷作用下，容易引起裂纹和促使裂纹扩展，发生破断。

（3）造成脆断。脆断是一种没有明显塑性变形的突发性的低应力断裂。脆断总是从焊接接头中的缺陷开始，焊接缺陷是脆断的根源。

6.2.7.2　焊接裂纹

焊接裂纹的形态和分布很复杂，有焊缝表面裂纹、内部裂纹，有热影响区的横向、纵向裂纹，有弧坑出现的火口裂纹等。根据产生裂纹的本质，焊接裂纹主要有在固相线附近的高温产生的热裂纹和在马氏体开始转变温度以下产生的冷裂纹。

A　热裂纹

a 热裂纹的特征

热裂纹经常发生在焊缝区，在焊缝结晶过程中产生的，叫结晶裂纹。也有发生在热影响区的，在加热到过热温度时，晶间低熔点杂质发生熔化，产生裂纹，叫液化裂纹。

热裂纹的微观特征是沿晶界开裂，所以又称晶间裂纹。当然裂纹在高温形成时扩展到焊件表面接触空气后，热裂纹断口表面有氧化色彩。

b 热裂纹产生原因

一般认为，产生热裂纹的原因有两个，一是晶间存在低熔点共晶液态薄膜，如图 1-6-23 所示，是铝-锂合金钨极氩弧焊时热裂纹断口的扫描电镜照片，显示的就是裂纹断开时晶界上存在的液态薄膜的形态；二是存在焊接拉应力，将晶界液态间层拉裂。

c 热裂纹防止措施

热裂纹是由于冶金因素和力的因素引起的。因此，防止热裂纹也从这两方面考虑，主要采取以下措施：

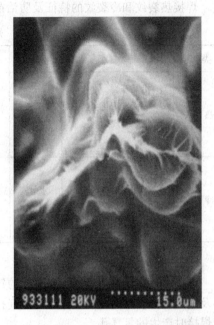

图 1-6-23 热裂纹断口表面液态共晶薄膜

限制母材和焊条、焊剂的低熔点杂质，如硫和磷含量。Fe 和 FeS 要形成低熔点共晶，其熔点为 988℃，很容易产生热裂纹。控制焊接规范，适当提高焊缝成形系数。一般认为焊缝成形系数为 1.3~2 较合适。调整焊缝化学成分，避免低熔点共晶，缩小结晶温度范围，改善焊缝组织，细化焊缝晶粒，提高塑性，减少偏析。一般认为，含碳量控制在 0.1% 以下，热裂纹敏感性大大降低。合理的工艺措施。如采用小线能量和合理的焊接顺序，收弧时填满弧坑等。

B 冷裂纹

a 冷裂纹的形态和特征

焊缝区和热影响区都可能产生冷裂纹，常见冷裂纹形态有三种。

（1）焊道下裂纹。在焊道下的热影响区内形成的焊接冷裂纹，常平行于熔合线发展。

（2）焊趾裂纹。沿应力集中的焊趾处形成的焊接冷裂纹，在热影响区扩展。

（3）焊根裂纹。沿应力集中的焊缝根部所形成的焊接冷裂纹，向焊缝或热影响区发展。

冷裂纹的特征是无分支，通常为穿晶型。表面冷裂纹无氧化色彩。最主要、最常见的冷裂纹是延迟裂纹，即在焊后延迟一段时间才发生的裂纹。

b 冷裂纹的产生原因

一般认为，形成冷裂纹有三个基本因素，一是焊接接头存在淬硬组织，接头性能脆化；扩散氢的含量较多，使接头性能脆化，并聚集在焊接缺陷处形成大量氢分子，造成非常大的局部压力；存在较大的焊接拉伸应力。

c 防止冷裂纹的措施

延迟裂纹是由上述三个基本因素的作用造成的，因此，防止延迟裂纹就从这冶金和工艺两方面考虑。在冶金方面，选用低氢焊接材料和低氢焊接方法；如采用碱性焊条和 CO_2 焊接，可以减少焊缝金属中氢的含量，提高焊缝金属塑性；烘干焊接材料、清理工件坡口附近和焊接材料表面。在工艺方面，采用降低应力的焊接工艺、焊前预热、焊后后热，避免产生淬硬组织，减小焊接残余应力。

焊接热裂纹和冷裂纹的特征及防治措施等如表 1-6-3 所示。

表 1-6-3　焊接裂纹的特征及防止措施

类 型	特 征	分布	产 生 条 件	防 止 措 施
热裂纹	1. 沿晶开裂 2. 表面有氧化色 3. 形状不规则	焊缝 熔合区	1. 晶间液态薄膜的存在 2. 拉应力的作用	1. 控制母材和焊材的成分 2. 合理的焊接规范 3. 调整焊缝化学成分 4. 减小焊接应力
冷裂纹	1. 穿晶开裂 2. 表面无氧化色 3. 形状规则	焊缝 HAZ	1. 淬硬组织的存在 2. 氢的作用 3. 约束应力的作用	1. 选用低氢焊材和严格控制氢的来源 2. 焊前预热、焊后缓冷，焊后热处理 3. 消氢处理，250℃ + (5～6)h 4. 减小焊接应力

6.2.7.3　气孔

焊接时，高温熔池液体金属溶解的气体或冶金反应时产生的气体，因冷却结晶速度过快来不及逸出熔池表面而造成气孔。焊接气孔分为氢、氮气孔和 CO 气孔。图 1-6-24 所示的是铝合金焊接时产生的氢气孔。

防止焊接气孔的主要措施有：烘干焊接材料，清理工件坡口附近和焊接材料表面，采用短弧焊和加强焊接时对熔池和熔滴金属的保护，控制焊接速度使熔池中气体逸出等。

6.2.8　焊接检验

焊接检验包括质量检验和缺陷检验。质量检验贯穿在产品从设计到成品的整个过程中，必须确保质量检验过程中所用检验方法的合理性、检验仪器的可靠性和检验人员的技术水平。焊后的产品要运用各种检验方法检查接头的致密性、物理性能、力学性能、金相组织、化学成分、抗腐蚀性能、外表尺寸和焊接缺陷。焊接缺陷可分为外部缺陷和内部缺陷。外部缺陷包括：余高尺寸不合要求、焊瘤、咬边、弧坑、电弧烧伤、表面气孔、表面裂纹、焊接变形和翘曲等。内部缺陷包括：裂纹、未焊透、未熔合、夹渣和气孔等。焊接缺陷中危害性最大的是裂纹，其次是未焊透、未熔合和夹渣、气孔和组织缺陷等。个别的缺陷是允许存在的。允许存在的缺陷数量、性质依产品的使用条件和质量评定标准确定。如焊缝余高过高，对受静载的产品是允许的，但对受频率较高的循环疲劳载荷的产品则是不允许的，就连正常的余高也要消除。焊接缺陷的出现与坡口加工和装配精度、执行焊接工艺的严格程度以及焊工的技术等因素有关。

焊接缺陷的检验方法分破坏性检验和非破坏性检验（也称无损检验）两大类。非破坏性检验方法有外观检查、致密性检验、受压容器整体强度试验、渗透性检验、射线检验、磁力探伤、超声波探伤、全息探伤、中子探伤、液晶探伤、声发射探伤和物理性能测定等。破坏性检验方法有机械性能试验、化学分析和金相试验等。正

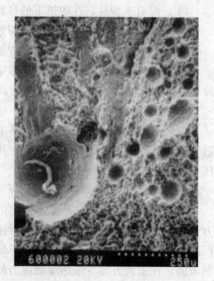

图 1-6-24　焊接气孔

确选用检验方法，并与生产工序有机地结合起来进行检验，不但能彻底查清缺陷的性质、大小和位置，而且可以找出缺陷的产生原因，从而避免缺陷的再度出现。

6.3 焊接方法简介

6.3.1 焊条电弧焊

焊条电弧焊（SAW-Shielded Arc Welding）是应用最早、最广泛的一种电弧焊方法。

6.3.1.1 原理和工艺过程

用手工操纵焊条、用电弧作为热源的焊接方法，又称手弧焊（见图1-6-25）。焊条与工件各为一个电极，电弧在焊条与工件之间燃烧。焊芯与工件的熔化金属形成焊缝金属，焊条药皮产生的气体和熔渣起保护熔池、稳定电弧和渗入合金的作用。

6.3.1.2 特点和应用

焊条电弧焊的特点是：设备简单廉价,方便、灵活、实用,可全位置焊接,对环境的要求低,可在室外有风的环境下焊接,但效率低,不适合自动化焊接,焊工的水平对焊接质量的影响较大。

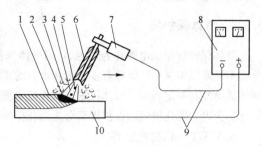

图 1-6-25 焊条电弧焊示意图
1—焊缝；2—熔池；3—气体、烟层；4—电弧；
5—熔滴；6—焊条；7—焊钳；8—电焊机；
9—焊接电缆；10—工件

使用不同的焊条可以焊接各类碳钢、低合金钢、不锈钢、铸铁、镍和镍合金、铜和铜合金、铝和铝合金等材料。用于多品种、小批量的焊接件最为经济，在许多安装焊接和修补焊接中还不能为其他焊接方法所取代。

6.3.2 埋弧自动焊

埋弧自动焊（SAW-Submerged Arc Welding）是应用最早、最广泛的自动焊。

6.3.2.1 原理和工艺过程

利用分别与电源两端相连的焊丝和工件之间产生的在焊剂下燃烧的电弧局部加热焊条和母材（Base metal）形成焊接熔池，熔池金属冷却凝固后得到焊接接头。在焊接过程中，焊剂熔化产生的液态熔渣覆盖电弧和熔化金属，起保护、净化熔池、稳定电弧和渗入合金元素的作用。埋弧焊分为自动埋弧焊和半自动埋弧焊两种。

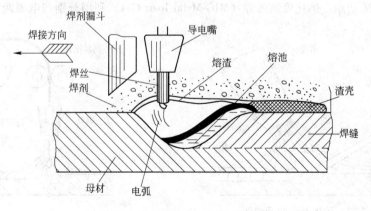

图 1-6-26 埋弧焊工艺过程示意图

6.3.2.2　特点和应用

埋弧焊的焊接电流大，可达 600 ~ 2000A，焊接效率很高，20mm 的钢板不开坡口一次焊透，工效比手工焊提高 5 ~ 10 倍，自动化程度高，焊接质量好且稳定，劳动卫生条件好，对焊工的要求低。但埋弧焊焊前准备复杂，对接头加工与装配要求较高，只适于批量生产中厚板（6 ~ 60mm）的长直焊缝及直径大于 250mm 环缝的平焊，应用灵活性也较差。埋弧焊通常用于碳钢、低合金结构钢、不锈钢和耐热钢，也可用来焊接特殊性能钢，镍基合金、有色金属等。在压力容器、造船、车辆、桥梁等工业生产中得到广泛应用。

6.3.3　气体保护焊

气体保护焊是以电弧作为热源、利用气体保护熔池的焊接方法。气体的作用主要是保护熔化金属不受空气中氧、氮、氢等有害元素和水分的影响，但它同时对电弧的稳定性、熔滴过渡形式和熔池的活动性有一定影响。气体保护电弧焊按电极类型可分为钨极惰性气体保护焊（TIG）和熔化极气体保护焊。熔化极气体保护焊又分为熔化极惰性气体保护焊（MIG）和 CO_2 气体保护焊。

6.3.3.1　钨极氩弧焊

A　原理和工艺过程

钨极惰性气体保护焊又称钨极氩弧焊（TIG-Tungstin Inert Gas），俗称氩弧焊。利用分别与电源两端相连的钨极和工件之间产生的电弧局部加热焊丝和母材形成焊接熔池，熔池金属冷却凝固后得到焊接接头。钨极的作用是导电并产生电弧，在焊接过程中不熔化，因此又称非熔化极；利用氩气等局部排开空气保护熔池金属不被氧化。可以不填充焊丝，也可以填充，填充焊丝用来填满焊缝。

钨极氩弧焊按电源极性分为（脉冲）交流、直流和交直流钨极氩弧焊，交流钨极焊用来焊接铝和铝合金、镁及镁合金等。采用脉冲电源，可以焊接薄板。如果将填充焊丝预热称为热丝钨极氩弧焊，可以使生产效率提高 5 ~ 6 倍。

B　特点和应用

钨极氩弧焊电弧可控，焊接质量好，无飞溅，小变形。适于薄壁（厚度小于 1mm）工件和贵重、难溶、易氧化的金属的焊接，如不锈钢、镍及镍合金、钛及钛合金、铝及铝合金、镁及镁合金等，但所使用的保护气体和钨极昂贵，成本高，手工焊时效率低。

6.3.3.2　熔化极氩弧焊

A　原理和工艺过程

如图 1-6-28 所示，熔化极氩弧焊（MIG-Metal Inert Gas）利用分别与电源两端相连的可溶

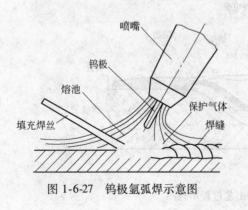

图 1-6-27　钨极氩弧焊示意图

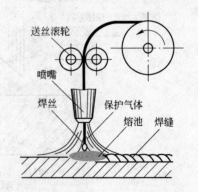

图 1-6-28　熔化极氩弧焊示意图

化的焊丝和被焊工件之间的电弧作为热源,局部加热焊丝和母材金属形成焊接熔池,并向焊接区输送氩气等保护气体,使电弧、熔化的焊丝、熔池及附近的母材金属面不受空气的有害作用,连续送进的焊丝金属不断熔化并过渡到焊接熔池,与熔化的母材金属融合形成熔池金属,熔池金属冷却凝固后得到焊接接头。

B 特点和应用

熔化极氩弧焊适于全位置焊接(平、横、立、仰),对焊工的要求较低,焊后清理简单;易于实现机械化和自动化,在长焊缝焊接时,效率高,工件变形小。但所使用的设备复杂、昂贵,焊接成本高,不适宜室外焊接。由于熔化极氩弧焊的灵活性和可控性比埋弧焊高,而且惰性保护气体不参与熔池的冶金反应,因此,实际焊接生产中,熔化极氩弧焊在有色金属(铝、铜、钛和镍及其合金等)和不锈钢的焊接方面,替代埋弧焊和焊条电弧焊,应用越来越广。

6.3.3.3 CO_2 气体保护焊

A 原理和工艺过程

CO_2 气体保护焊与熔化极氩弧焊的工艺过程相似,所不同的是采用 CO_2 作为保护气体,二氧化碳在高温下会分解出氧而进入熔池,因此必须在焊丝中加入适量的锰、硅等脱氧剂。如果采用 CO_2 与氩气的混合气体,焊缝的成形较好,质量更高,飞溅更小。

B 特点和应用

与熔化极氩弧焊一样,CO_2 气体保护焊适于全位置焊接(平、横、立、仰),对焊工的要求较低,焊后清理简单;易于实现机械化和自动化,在长焊缝焊接时,效率高,工件变形小;而且,所使用的设备比熔化极氩弧焊的价格低廉,焊接成本低。适合碳钢和低合金钢的焊接。

6.3.4 电渣焊

6.3.4.1 原理和工艺过程

电渣焊(ESW-Electric Slag Welding)是利用电流通过液体熔渣产生的电阻热作为热源,将工件和填充金属熔合成焊缝的垂直位置的焊接方法(图1-6-29)。渣池保护金属熔池不被空气污染,水冷成型滑块与工件端面构成空腔挡住熔池和渣池,保证熔池金属凝固成形。电渣焊过程可分为引弧造渣、正常焊接和引出三个阶段。在开始电渣焊时,在电极和起焊槽之间引出电弧,将不断加入的固体焊剂熔化,在起焊槽,水冷成形滑块之间形成液体渣池,当渣池达到一定深度后,即使电弧熄灭,转入电渣过程。在引弧造渣阶段,电渣过程不够稳定,渣池温度不高,焊缝金属和母材熔合不好,因此焊后应将起焊部分割除。当电渣过程稳定后,焊接电流通过渣池产生的能量使渣池温度达到 $1600 \sim 2000℃$,渣池将电极和被焊工件熔化,形成的钢水汇集在渣池下部,成为金属熔池。随着电极不断向渣池送进,金属熔池和其上的渣池逐渐上升,金属熔池的下部远离热源的液体金属逐渐凝固形成焊缝。在焊接快要结束时,将渣池和在停止焊接时往往易于产生缩孔和裂纹的那部分焊缝金属引出工件到引出板上。

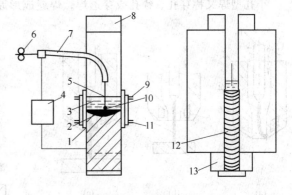

图 1-6-29 电渣焊示意图

1—水冷成型滑块;2—金属熔池;3—渣池;4—焊接电源;
5—焊丝;6—送丝轮;7—导电杆;8—引出板;9—出水管;
10—金属熔滴;11—进水管;12—焊缝;13—起焊槽

6.3.4.2　特点和应用

与其他熔化焊方法相比，电渣焊适合在垂直位置或倾斜焊缝的（与地面垂直线的夹角小于30°）20mm以上厚大截面工件的焊接。由于渣池对被焊工件有较好的预热作用，焊接碳当量较高的金属不易出现淬硬组织，冷裂倾向较小。焊接中碳钢、低合金钢时均可不预热。焊缝和热影响区晶粒粗大，焊接接头冲击韧性较低，一般焊后应进行正火和回火热处理。

电渣焊生产效率高，焊缝金属缺陷少，劳动卫生条件好，是重型机械制造中重要的焊接方法之一。主要用于焊接厚壁压力容器、大型铸-焊结构、锻-焊结构或厚板拼焊，还可用于堆焊轧辊、高炉料钟等大型工件。电渣焊可焊接低碳钢、低合金钢、中碳钢、某些不锈钢和纯铝等。

6.3.5　等离子弧焊

6.3.5.1　等离子弧

等离子弧是一种压缩电弧。由于水冷喷嘴的机械压缩、水冷喷嘴与等离子气形成的冷气膜的热收缩和弧柱电流的磁收缩的作用，弧柱断面被压缩得较小，因而能量集中（能量密度可达 $10^5 \sim 10^6 \text{W/cm}^2$，而自由状态钨极氩弧能量密度在 10^5W/cm^2 以下），温度高（弧柱中心温度 18000~24000K），焰流速度快（可达 300m/s 以上）。这些特性使得等离子弧不仅被广泛用于焊接，喷涂，堆焊，而且可用于金属和非金属的切割。

根据电源连接方式，等离子弧分为非转移型、转移型和联合型三种形式（图1-6-30）。非转移型等离子弧是钨极接电源负端，喷嘴接电源正端，等离子弧产生在钨极与喷嘴之间，在离子气流压送下，弧焰从喷嘴中喷出，形成等离子焰，见图1-6-30(a)。转移型等离子弧是钨极接电源负端，工件接电源正端，等离子弧产生于钨极与工件之间，见图1-6-30(b)。转移弧难以直接形成，必须先引燃非转移弧，然后才能过渡到转移弧。金属焊接，切割几乎都是采用转移型弧，因为转移弧能把更多的热量传递给工件。工作时假如非转移弧和转移弧同时并存，则称之谓联合型等离子弧。主要用于微束等离子弧焊和粉末堆焊等方面。

6.3.5.2　等离子弧焊

按焊缝成形原理，等离子弧焊（PAW-Plasma Arc Welding）有三种基本方法：小孔型等离子弧焊、熔透型等离子弧焊和微束等离子弧焊。

A　小孔型等离子弧焊

小孔型焊又称穿孔、锁孔或穿透焊，焊缝成形原理如图1-6-31所示。利用等离子弧能量

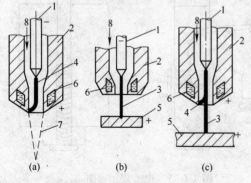

图 1-6-30　等离子弧示意图

（a）非转移弧；（b）转移弧；（c）联合弧
1—钨极；2—喷嘴；3—转移弧；4—非转移弧；
5—工件；6—冷却水；7—弧焰；8—离子气

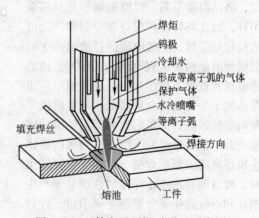

图 1-6-31　等离子弧焊-小孔法示意图

密度大和等离子流力大的特点，将工件完全熔透并产生一个贯穿工件的小孔。被熔化的金属在电弧吹力、液体金属重力与表面张力相互作用下保持平衡。焊枪前进时，小孔在电弧后方锁闭，形成完全熔透的焊缝。

穿孔效应只有在足够的能量密度条件下才能形成。板厚增加所需能量密度也增加。由于等离子弧能量密度的提高有一定限制，因此小孔型等离子弧焊只能在有限板厚（8mm）内进行。

B　熔透型等离子弧焊

这是一种只熔化工件而不产生小孔效应的一种焊接技术。当等离子气流比小孔法焊接时小，弧柱压缩程度较弱时，这种等离子弧在焊接过程中只熔化工件而不产生小孔，其焊接过程就和TIG焊接相似，焊件靠熔池的热传导实现熔透。此法多用于薄板焊接、卷边接头焊接或厚板多层焊的第二层及以后各层的焊接。

C　微束等离子弧焊

当焊接电流小于30A以下时，成为微束等离子弧焊。一般用于超薄金属零件的焊接，如波纹管的焊接等。

6.3.5.3　特点和应用

小孔效应使得等离子弧焊可以高速、使之得到单面焊双面成形焊缝，热影响区小，接头脆化小，而且大大降低成本。微束等离子弧焊可以焊接厚度为0.1mm以下的不锈钢片。由于等离子弧焊设备昂贵，对工件装配精度较高，因此，重要应用于航空航天等要求极高的行业。

6.3.6　电子束焊接

6.3.6.1　原理和工艺过程

利用电子束作为热源的焊接方法。如图1-6-32所示，热阴极（或灯丝）发射的电子，在真空中被高压静电场加速，经磁透镜产生的电磁场聚集成功率密度高达$10^{6} \sim 10^{9} \mathrm{W/cm^{2}}$的电子束（束径为$0.25 \sim 1\mathrm{mm}$），轰击到工件表面上，释放的动能转变为热能，熔化金属，形成焊接接头。电子束的焊接工作室一般处于高真空状态，压力为$10^{-1} \sim 100\mathrm{Pa}$，称为高真空电子束焊。处于低真空状态时压力为$100 \sim 10000\mathrm{Pa}$，称为低真空电子束焊。在大气中焊接的称为非真空电子束焊。真空工作室为焊接创造高纯洁的环境，因而不需要保护气体就能获得无氧化、无气孔和无夹渣的优质焊接接头。随着工作室气压的增加，电子束散焦程度增大，焊缝的深∶宽比减小。电子束焊机有两类：低压电子束焊机的加速电压为$30 \sim 60\mathrm{kV}$；高压电子束焊机的加速电压可达175kV。

6.3.6.2　特点和应用

焊出既深又窄的焊缝（深∶宽比可达$10∶1 \sim 30∶1$）。焊接速度可达$125 \sim 200\mathrm{m/h}$，工件的热影响区和变形量都很小。电子束焊可焊接所有的金属材料和某些异种金属接头，可焊接普通钢材、不锈钢、合金钢及铜、铝等金属、难溶金属（如钽、铌、钼）和一些化学性质活泼的金属（如钛、锆、铀等）。钢板可焊厚度达100mm，铝板达150mm，铜板可达25mm。

电子束焊机成本高。工件装配、接缝与电子束对正，都要求有较高的精度。但电子束焊的多能性和高精度，往往能补偿其高成本，因此在汽车、原子能、

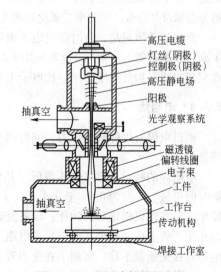

图1-6-32　电子束焊接示意图

航空，航天等许多工业中已成为重要的焊接方法之一。

6.3.7　激光焊接

6.3.7.1　原理和工艺过程

用激光束作为热源的焊接方法称为激光焊接（LW-Laser Welding）。如图 1-6-33 所示，焊接时，将激光器发射的高功率密度（$10^8 \sim 10^{12}\,W/cm^2$）的激光束聚缩成聚焦光束，用以轰击工件表面，产生热能，熔化工件。激光束是具有单一频率的相干光束，在发射中不产生发散，可用透镜聚缩为一定大小的焦点（直径为 0.076 ~ 0.8mm）。小焦点激光束可用于焊接、切割和打孔；大焦点激光束可用于材料表面热处理。激光束可利用反射镜任意变换方向，因而能焊接一般焊接方法无法接近的工件部位。如采用光导纤维引导激光束，则更能增加焊接的灵活性。激光器分固体激光器和气体激光器。固体激光器所用材料为红宝石、钕玻璃等，输出功率小；气体激光器所用材料为二氧化碳或氩离子气等，功率大（15 ~ 25000W），可产生连续激光，能进行连续焊接。激光焊可分为脉冲激光焊和连续激光焊，脉冲激光焊可焊接微型件，如几微米厚的薄膜和直径在 0.02 ~ 0.2mm 的金属丝等，连续激光焊可焊接厚度在 50mm 以下的结构件。可焊 0.12 ~ 12mm 厚的低合金钢、不锈钢、镍、钛、铝等金属及其合金。小功率二氧化碳激光器还可焊接石英、陶瓷、玻璃和塑料等非金属材料。

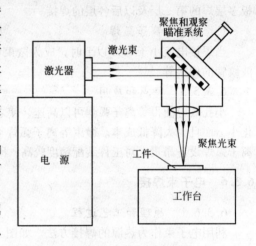

图 1-6-33　激光焊示意图

6.3.7.2　特点和应用

固体激光器输出能量小，约为 1 ~ 50J，产生脉冲激光，其加热脉冲持续时间极短（小于 10ms），因而焊点可小到几十至几百微米，焊接精度高，适于 0.5mm 以下厚度的金属箔片的点焊、连续点焊或直径 0.6mm 以下的金属丝的对接焊，固体激光器广泛用于焊接微型、精密、排列密集、对受热敏感的电子元件和仪器部件。可焊 0.12 ~ 12mm 厚的低合金钢、不锈钢、镍、钛、铝等金属及其合金。小功率二氧化碳激光器还可焊接石英、陶瓷、玻璃和塑料等非金属材料。

激光焊件质量高，有时超过电子束焊焊件的质量。激光焊机，特别是大功率激光焊机，成本高，效率甚低，一般只达 5% ~ 10%，最佳为 20%，穿透能力也不及电子束。但用激光束可在空气中或保护气体中焊接，比电子束焊方便。

6.3.8　电阻焊

通过电极对焊件施加压力，同时利用电流通过接触点产生的电阻热进行焊接的方法，又称接触焊。

电阻焊的特点是焊接电压很低（几伏至十几伏），焊接电流较大（几千至几万安培），焊接时间极短，一般为 0.01 至几十秒，生产率高，焊接变形小；不需用填充金属和焊剂，操作简单、易实现机械化和自动化；设备复杂，价格昂贵。所以电阻焊适用于成批大量生产，在自动化生产线上应用较多。由于影响电阻大小和引起电流波动的因素均导致电阻热的改变，因此电阻焊接头质量不稳，限制了在受力较大的构件上的应用。

电阻焊根据接头形式特点可分为点焊、缝焊和对焊三种。

6.3.8.1　点焊

点焊是用圆柱状电极压紧工件，然后通电、保压获得焊点的电阻焊方法，如图 1-6-34 所示。

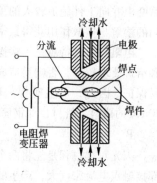

图 1-6-34　点焊示意图

A　点焊过程

点焊前先将表面清理好的两工件紧密搭接在上、下两个电极之间并压紧接触（预压夹紧），然后接通电流。两工件相互接触处则因电阻热温度迅速升高，金属熔化形成液态熔核，断电后，继续保持或加大压力，使熔核在压力下凝固结晶，形成组织致密的焊点。焊点形成后，移动焊件，依次形成其他焊点。由于电极与工件接触处所产生的电阻热较少而且被铜或铜合金电极与冷却水带走，温度升高有限，电极不会熔化，电极与工件也不会焊接在一起。

点焊第二个焊点时，有一部分电流会流经已焊好的焊点，称为分流现象。分流现象导致焊接处电流减少，影响焊接质量。工件厚度越大、导电性越好、相邻焊点间距越小，分流现象越严重。因此，两焊点之间应有一定距离，其距离与焊件材料和厚度有关。

B　点焊的应用

点焊是高速、经济的焊接方法，主要适用于厚度为小于 6mm 的冲压件、轧制薄板的大批量生产，如金属网、蒙皮、汽车驾驶室、车厢、电器、仪表、飞机的制造。可焊接低碳钢、合金钢、铜合金、铝镁合金等。

6.3.8.2　缝焊

又称滚焊，缝焊实际上是连续的点焊，缝焊时将工件装配成搭接接头，置于两个圆盘形电极之间，圆盘形电极能加压、通电并带动工件前进，形成一连串的焊点，得到一条连续的焊缝，如图 1-6-35 所示。焊缝要求密封时，焊点间相互重叠约 50% 以上。缝焊主要用于厚度为 0.1~2mm 薄板结构的直线、环状或圆形焊缝的焊接，广泛应用制造有密封要求的低压容器，如油箱、气瓶、喷气发动机的火焰筒，以及壳体和安装边等；可焊接低碳钢、不锈钢、耐热钢、铝合金等。由于铜及铜合金电阻小，不适于缝焊。

6.3.8.3　对焊

对焊即对接电阻焊，焊件按设计要求装配成对接接头，利用电阻热加热至塑性状态，然后迅速施加顶锻力完成焊接。按焊接工艺过程不同，对焊分为电阻对焊和闪光对焊，如图 1-6-36 所示。

A　电阻对焊

电阻对焊过程是先将两个工件压紧后通电，使对接表面及其邻近区域加热至塑性状态，随

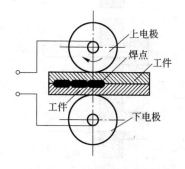

图 1-6-35　缝焊示意图

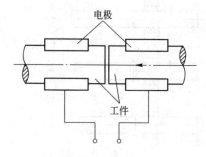

图 1-6-36　对焊示意图

后断电并向工件施加较大的顶锻压力，使对接表面及其邻近区域产生塑性变形，通过金属原子间的溶解与扩散作用获得致密的金属组织。

电阻对焊的特点是焊接操作简便，生产率高，接头较光滑，但焊前对被焊工件的端面加工和清理要求较高，否则易造成加热不均，结合面易受空气侵袭，发生氧化、夹杂，焊接质量不易保证。因此，电阻对焊一般用于焊接接头强度和质量要求不太高，断面简单，直径小于20mm 的棒料、管材，如钢筋、门窗等。可焊接碳钢、不锈钢、铜和铝等。

　　B　闪光对焊

闪光对焊过程是先将两个工件接上电源并使两焊件的端面逐渐靠近达到局部接触，由于局部接触点电流密度大，产生的电阻热使金属迅速加热熔化、爆破，并以火花形式从接触处射出，形成闪光。经过多次闪光后，端面均匀达到预定温度时，断电并迅速施加顶锻力，使端面处液态金属飞出，纯净的高温端面在顶锻力下完成焊接。

闪光对焊可将熔化的金属、渣和氧化物从接口中挤出。因此，工件不需要焊前清理。闪光对焊在工业中应用较广，可用于焊接汽车和自行车轮圈等。

闪光对焊的特点是接头质量好，强度高，对端面加工要求较低。常用于焊接重要零件和结构，如棒材、板材、管子、钢轨、链条和刀具，以及汽车和自行车轮圈等，可焊接碳钢、合金钢、不锈钢、有色金属、镍合金、钛合金等，也可用于异种金属（如铜-钢，铝-钢，铝-铜等）的焊接，被焊工件可以是直径小到 0.01mm 的金属丝，也可以是断面大到数万平方毫米的棒料和型材。

闪光对焊的主要不足是耗电量大，金属损耗多，接头处焊后有毛刺需要加工清理。

6.3.9　摩擦焊

摩擦焊（FW-Friction Welding）是使焊件在一定压力下相互接触并相对运动，利用摩擦所产生的热量使端面达到塑性状态，然后迅速施加顶锻力，在压力作用下完成焊接的方法。车削工件时切屑往往牢牢地粘在刀头上，轴与轴瓦之间润滑不良时也会产生局部焊合，摩擦焊就是从这些现象出发而发明的。摩擦焊可分为连续驱动摩擦焊和惯性摩擦焊两种（图 1-6-37 和图1-6-38）。

（1）连续驱动摩擦焊：由电动机带动一个工件旋转，同时把另一工件压向旋转工件，使

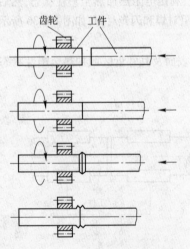

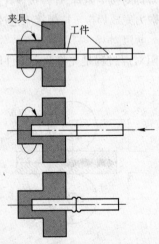

图 1-6-37　连续驱动摩擦焊示意图　　　　　　　　图 1-6-38　惯性摩擦焊示意图

其接触面相互摩擦产生热量和一定塑性变形，然后停止旋转，同时施加顶锻压力完成焊接（图1-6-37连续驱动摩擦焊）。焊接质量与转速、摩擦时间、摩擦压力、顶锻压力和工件顶锻变形量有关。

（2）惯性摩擦焊：由电动机驱动飞轮达到要求的转速，然后把一个工件压向夹持在飞轮轴上的转动工件，工件间的摩擦阻力使飞轮减速，并将飞轮的动能转换成焊接所需的热能（图1-6-38惯性摩擦焊）。焊接质量与飞轮惯性矩、转速和顶锻力有关。摩擦焊所用的摩擦焊机包括驱动系统（惯性摩擦焊机还包括飞轮）和加压装置。

摩擦焊适合于焊接杆件和管件，工艺简单、质量好，劳动条件好，生产率高，耗电量少，易于机械化和自动化。摩擦焊在工厂生产线上广泛用于发动机燃烧室、排气阀、轴、轴套、杆件、管子与法兰、石油钻杆和钻芯的连接和变截面杆件的连接。接头焊后不会产生金属间化合物。摩擦焊也常用于异种金属焊接，如铝与铜、钢、镍、镁合金；铜与钢、银等。摩擦焊在铝-铜导线过渡接头的焊接方面应用尤广。惯性摩擦焊也可焊接直径为100mm的棒材或截面积为60cm^{2}的管件。

1990年，英国焊接研究所发明了一种新型的摩擦焊，称之为摩擦搅拌焊（FSW-Friction Stirred Welding）。如图1-6-39所示，摩擦搅拌焊是利用一个摩擦头（图1-6-40）缓缓进入焊缝，当其与工件表面接触时摩擦生热，使得该点金属软化，在顶锻压力的作用下，摩擦头插入工件内部，轴肩端面包拢摩擦区域，同时搅拌头沿焊接方向移动形成焊缝。

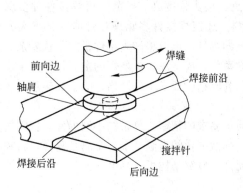

图1-6-39 摩擦搅拌焊示意图

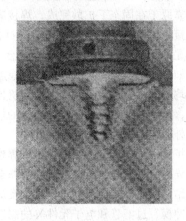

图1-6-40 摩擦搅拌焊示意图

摩擦搅拌焊得到的焊接接头组织晶粒细化，没有焊接裂纹，焊接应力和变形也很小，接头性能优异。摩擦搅拌焊可应用于有色金属如铝、镁和铜的焊接，在航空航天等领域得到广泛应用。

6.3.10 扩散焊

扩散焊是在真空或保护气氛中，在一定温度和压力下保持一段较长时间，使焊件接触面之间的原子相互扩散而形成接头的焊接方法。

6.3.10.1 扩散焊焊接过程

将两工件装配好后，放入真空室内。真空室抽真空后，利用高频感应加热焊件，在一定温度、压力下，保持较长时间，接触表面首先产生微小的塑性变形，工件表面之间紧密接触，因接触表面的原子处于高度激活状态，很快通过扩散形成金属键，并经过回复和再结晶使结合界面推移，最后经长时间保温，原子进一步扩散，界面消失，实现固态焊接（图1-6-41）。

影响扩散焊过程和接头质量的主要因素是温度、压力、扩散时间和表面粗糙度。焊接温度越高，原子扩散越快。焊接温度一般为材料熔点的 0.5～0.8 倍。根据材料类型和对接头质量的要求，扩散焊可在真空、保护气体或溶剂下进行，其中以真空扩散焊应用最广。为了加速焊接过程、降低对焊接表面粗糙度的要求或防止接头中出现有害的组织，常在焊接表面间添加特定成分的中间夹层材料，其厚度在 0.01mm 左右。扩散焊接压力较小，工件不产生宏观塑性变形，适合焊后不再加工的精密零件。扩散焊可与其他热加工工艺联合形成组合工艺，如热耗-扩散焊、粉末烧结-扩散焊和超塑性成形-扩散焊等。这些组合工艺不但能大大提高生产率，而且能解决单个工艺所不能解决的问题。如超音速飞机上各种钛合金构件就是应用超塑性成形-扩散焊制成的。

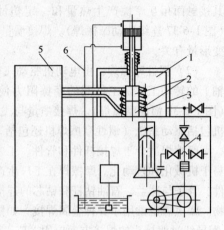

图 1-6-41　真空扩散焊示意图

1—真空室；2—工件；3—高频加热线圈；
4—抽气系统；5—高频电源；6—加力系统

6.3.10.2　扩散焊的特点及应用

扩散焊的接头质量好，变形小。扩散焊加热温度低（约为母材熔点的0.4～0.8倍），焊接过程靠原子在固态下扩散完成，焊接应力及变形小；接头基本上无热影响区，母材性质也未改变，接头化学成分、组织性能与母材相同或接近，接头强度高。扩散焊可焊接各种金属及合金，尤其是难熔的金属，如高温合金、复合材料。还能焊接许多物理化性能差异很大异种材料，如金属与陶瓷。扩散焊可焊接厚度差别很大的焊件，也可将许多小件拼成形状复杂、力学性能均匀的大件以代替整体锻造和机械加工。效率低，成本高。扩散焊的主要是单件生产，周期长，效率较低，焊前对焊件表面的加工清理和装配精度要求十分严格，除了加热系统、加压系统外，还要有抽真空系统。

扩散焊主要用于焊接熔焊、钎焊难以满足质量要求的精密、复杂的小型焊件。特别适合于焊接异种金属材料、石墨和陶瓷等非金属材料、弥散强化的高温合金、金属基复合材料和多孔性烧结材料等。扩散焊已广泛用于反应堆燃料元件、蜂窝结构板、静电加速管、各种叶片、叶轮、冲模、过滤管和电子元件等的制造。

6.3.11　高频焊

6.3.11.1　高频焊的原理和工艺过程

高频焊是利用流经工件连接表面的高频电流所产生的电阻热加热，并施加压力形成接头的焊接方法（图1-6-42）。

高频焊的原理是利用高频电流集中沿导体表面（集肤效应）和沿感抗最小（邻近效应）的通路流过的原理，使电流集中加热工件的待焊表面，在达到热塑性状态或局部熔化状态时，对工件加压挤出熔化金属和金属氧化物，便形成焊接接头。高频焊常用频率范围为 60～500kHz。高频焊分高频电阻焊（图1-6-42（a））和高频感应焊（图1-6-42（b））两种。高频电阻焊是用滚轮或接触子作为电极将高频电流导入工件，适用于管子的连续纵缝对焊和螺旋搭接缝焊、锅炉鳍片管和换热器螺旋翅片的焊接，可焊管子外径为 1200mm，壁厚为 16mm，工字钢的腹板厚度可焊 9.5mm，生产率很高。高频感应焊是用感应线圈加热工件，可焊接外径为 9mm 的小直径管和壁厚为 1mm 的薄壁管。常用于中小直径钢管和黄铜管的纵缝焊接，也可用

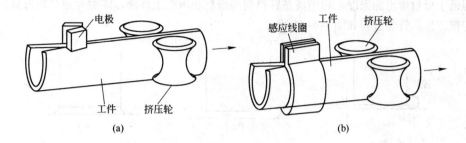

图 1-6-42　高频焊示意图
（a）高频电阻焊；（b）高频感应焊

于环缝焊接，但功率损耗比高频电阻焊大。影响高频焊接质量的主要参数是高频电源的频率、功率、工件成形角度、挤压力、电极（或感应圈）与挤压辊之间的距离和焊接速度。

6.3.11.2　高频焊的特点与应用

高频焊质量稳定，生产率高，成本较低。适用于高效率自动生产线，是生产有缝管的先进方法。广泛应用于各种材料（如钢、铝、铜等）的管、型材和散热片等的焊接生产。

6.3.12　超声波焊

6.3.12.1　超声波焊的原理

超声波焊是利用超声波频率的机械振动能量，使焊件局部接触处加热和变形，然后施加一定压力实现焊接的压力焊方法。

如图 1-6-43 所示，超声波发生器产生超声波后，通过换能器转化为上、下声极的高频振动，通过聚能器可使振动增强。焊件局部接触处在一定压力下，高频、高速相对运动，产生强烈的摩擦、升温和变形，使接触面杂质被清理，纯净的金属原子充分靠近并扩散形成焊接接头。在焊接过程中，焊件没有受到外加热源和电流的作用。

6.3.12.2　超声波焊特点和应用

超声波焊的焊接温度低，焊接过程对焊点附近的金属组织性能影响极小，焊接应力与变形也很小。可焊接厚度差异很大和多层箔片（$2\mu m$）结构。特别适合高热导率和高导电铝材料的焊接。如焊接金、银、铜、铝等高导电性、高导热性材料，也可焊接铜-铝、铜-钨、铜-镍等物理性能相差很大

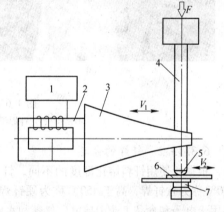

图 1-6-43　超声波焊原理示意图
1—发生器；2—换能器；3—聚能器；4—耦合杆；
5—上声极；6—工件；7—下声极

的异种金属，以及如云母、塑料等非金属材料。超声波焊可以代替电阻焊和钎焊，用于丝、箔、片等薄件的焊接。

6.3.13　钎焊

6.3.13.1　原理和工艺过程

钎焊是用比母材熔点低的金属材料作为钎料，将焊件（母材）与钎料加热到高于钎料熔

点，但低于母材熔点的温度，利用液态钎料润湿母材和填充工件接口间隙并使其与母材相互扩散的焊接方法。钎焊过程如图 1-6-44 所示。

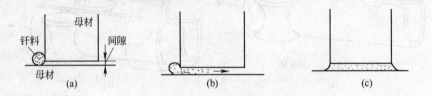

图 1-6-44　钎焊过程示意图
（a）放置钎料，加热；（b）钎料熔化，填缝开始；
（c）填缝结束，凝固形成钎焊接头

图 1-6-45 是不锈钢管-管、不锈钢板-碳钢板炉中钎焊的接头组织。图中所示中间是钎缝，两端是母材，母材与钎缝存在明显的界面，母材没有熔化的痕迹。

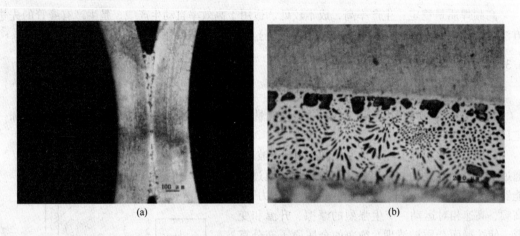

图 1-6-45　钎焊接头组织
（a）不锈钢管-管钎焊组织；（b）不锈钢板-碳钢板钎焊组织

6.3.13.2　钎焊的分类

根据所使用钎料熔化温度的不同，钎焊可分为软钎焊和硬钎焊两类。钎料熔化温度低于 450℃ 称为软钎焊，高于 450℃ 称为硬钎焊。软钎焊又以锡铅合金作为钎料的锡焊最为常用，多用于电子和食品工业中导电、气密和水密器件的焊接。硬钎焊的钎料种类繁多，如铝、银、铜、锰和镍为基的钎料等，其中以银、铜钎料应用最广，采用银、铜为钎料的方法又称为银焊和铜焊。

根据所采用的热源的不同，钎焊又分为火焰钎焊、浸沾钎焊、电阻钎焊、感应钎焊、炉中钎焊等。

（1）烙铁钎焊：用于细小简单或很薄零件的软钎焊。

（2）波峰钎焊：用于大批量印刷电路板和电子元件的组装焊接。施焊时，250℃ 左右的熔融焊锡在泵的压力下通过窄缝形成波峰，工件经过波峰实现焊接。这种方法生产率高，可在流水线上实现自动化生产。

（3）火焰钎焊：用可燃气体与氧气或压缩空气混合燃烧的火焰作为热源进行焊接。火焰钎焊设备简单、操作方便，根据工件形状可用多火焰同时加热焊接。这种方法适用于自行车架、铝水壶嘴等中、小件的焊接。

（4）浸沾钎焊：将工件部分或整体浸入覆盖有钎剂的钎料浴槽或只有熔盐的盐浴槽中加热焊接。这种方法加热均匀、迅速、温度控制较为准确，适合于大批量生产和大型构件的焊接。盐浴槽中的盐多由钎剂组成。焊后工件上常残存大量的钎剂，清洗工作量大。

（5）感应钎焊：利用高频、中频或工频感应电流作为热源的焊接方法。高频加热适合于焊接薄壁管件。采用同轴电缆和分合式感应圈可在远离电源的现场进行钎焊，特别适用于某些大型构件，如火箭上需要拆卸的管道接头的焊接。

（6）炉中钎焊：将装配好钎料的工件放在炉中进行加热焊接，常需要加钎剂，也可用还原性气体或惰性气体保护，加热比较均匀。大批量生产时可采用连续式炉。

真空钎焊工件加热在真空室内进行，主要用于要求质量高的产品和易氧化材料的焊接。

6.3.13.3 钎焊的特点和应用

钎焊接头平整光滑，外形美观，变形小。钎焊温度低，对母材的组织和性能的影响较小，生产率高。可以实现一种金属和合金、金属与非金属的连接。但钎焊对工件表面的质量和装配间隙要求较高。

复习思考题

1. 液态金属充型过程有哪些水力学特点?
2. 分析影响液态金属黏性的主要因素是什么?
3. 液态金属充型过程水力学计算重要性和主要依据是什么?
4. 什么是液态金属充型能力, 它与液态金属的流动性有什么区别与联系?
5. 以纯金属或窄结晶温度范围合金为例, 说明液态金属充型过程停止流动机理是什么?
6. 金属凝固动态曲线意义是什么?
7. 金属凝固方式有哪几种, 影响金属凝固动态曲线的因素是什么?
8. 砂型铸造时, 铸件铸型界面存在哪些作用?
9. 湿砂型在浇注金属时会发生何种现象, 这些现象对砂型有何影响, 对铸件质量有何影响?
10. 说明夹砂结疤产生的机理及主要防止措施。
11. 侵入气孔形成条件是什么, 防止侵入气孔产生的措施有哪些?
12. 什么叫机械粘砂、化学粘砂, 形成机理和影响因素是什么?
13. 利用砂型表面的合金元素对铸件进行合金化有何优点, 常用哪些方法进行合金化?
14. 湿砂型的型砂要求具备哪些工艺性能, 这些性能对铸件质量有什么影响?
15. 什么叫型砂的最适宜水分, 用紧实率判断型砂干湿程度有何优点, 如何测定紧实率?
16. 铸造用硅砂的性能有哪些, 这些性能对铸件质量有何影响, 角形因数的大小说明什么问题?
17. 膨润土和普通黏土的晶体结构有何不同, 它们的性能有何不同, 黏土对型砂性能有哪些影响?
18. 湿砂型的型砂含有哪些成分, 回用砂中为什么要加入新砂、黏土和煤粉?
19. 高密度湿砂型有何特点, 目前存在哪些问题?
20. 酸催化树脂自硬砂有何特点, 使用何种树脂和催化剂, 如何控制自硬砂的硬化速度和硬化强度?
21. 连铸机的主要形式有哪几种?
22. 连铸机生产铸坯的断面有哪几种, 铸坯的断面形式是由什么决定的?
23. 连铸坯的主要缺陷有哪几种类型?
24. 影响连铸坯表面质量的因素是什么?
25. 影响连铸坯中心偏析、中心裂纹、中心缩松的主要因素是什么?
26. 连铸-连轧工艺对连铸工艺的主要要求是什么?
27. 电磁搅拌、电磁制动技术对连铸坯质量有什么主要影响?
28. 金属型铸造有何优越性, 为什么金属型铸造未能广泛取代砂型铸造?
29. 为什么用金属型生产铸铁件时常出现白口组织, 该如何预防和消除已经产生的白口?
30. 说明负压实型铸造的特点和基本原理。
31. 负压实型铸造有哪些主要工艺装置?
32. 涂料在负压实型铸造中有何作用, 涂料由哪些材料构成?
33. 说明快速成形技术的基本原理。快速成形技术融合了哪些现代技术和学科?
34. 在铸造生产中应用快速成形技术的意义何在, 使用何种方法才能实现单件小批复杂铸件的直接制作和成批大量生产铸件的模具制作?
35. 半固态金属的主要含义是什么?
36. 半固态金属浆料制备的主要工艺有哪几种, 各有什么特点?
37. 半固态金属加工工艺有哪几种主要形式, 它们各有什么特点?

38. 半固态金属的凝固及组织特点是什么？

39. 什么是焊接，焊接的本质是什么？

40. 简述焊接方法的特点与应用？

41. 简述焊接温度场及其影响？

42. 焊缝中的氢、氧和氮的来源、影响与控制？

43. 焊接接头包括几个部分，影响焊接接头组织与性能的因素有哪些，如何影响？

44. 什么叫焊接热影响区，低碳钢焊接热影响区分为几个区，各区的组织与性能特点如何？

45. 焊接接头中机械性能差的薄弱区域在哪里，为什么？

46. 焊接应力和变形有哪些不利影响，焊接应力是怎样产生的？

47. 焊接变形有几种，防止焊接变形有哪些措施，矫正焊接变形有哪些方法？

48. 减少焊接应力有哪些措施，消除焊接残余应力有什么方法？

49. 常见焊接缺陷主要有哪些，焊接缺陷有什么危害？

50. 焊接热裂纹是怎样产生的，如何防止，焊接冷裂纹是怎样产生的？如何防止？

51. 埋弧自动焊和手工电弧焊相比有何特点，为什么？

52. 气体保护焊和埋弧自动焊比较有何特点？

53. 电渣焊和埋弧焊的焊接过程有什么不同？它有何特点？

54. 电阻焊与电弧焊有什么不同？

55. 钎焊与熔焊比有何根本区别？钎剂的作用是什么？

参 考 文 献

1　李庆春. 铸件成形理论基础. 北京：机械工业出版社，1982

2　安阁英. 铸件成形理论. 北京：机械工业出版社，1990

3　王寿彭. 铸件成形理论及工艺基础. 西安：西北工业大学出版社，1994

4　M. C. Flemings. Solidification Processing. New York：McGraw—Hill，1974

5　汤酞则，周增文，吴安如. 材料成形工艺基础. 长沙：中南大学出版社，2003

6　翟封祥，尹志华，曲宝章，黄光烨. 材料成形工艺基础. 哈尔滨：哈尔滨工业大学出版社，2003

7　童幸生，徐翔，胡建华. 材料成形及机械制造工艺基础. 武汉：华中科技大学出版社，2002

8　陈平昌，朱六妹，李赞. 材料成形原理. 北京：机械工业出版社，2001

9　［美］M. C. Flenmings. 凝固过程. 关玉龙，屠宝洪，许诚信译. 北京：冶金工业出版社，1981

10　Flemings M. C. Fluidity of metals-techniques for producing ultra-htin section castings，The British Foundry-man，Vol. LV11，Part7，1964

11　王文清，李魁盛编. 铸造工艺学. 北京：机械工业出版社，1998

12　魏华胜主编. 铸造工程基础. 北京：机械工业出版社，2002

13　刘全坤主编. 材料成形基本原理. 北京：机械工业出版社，2005

14　陈平昌等主编. 材料成形原理. 北京：机械工业出版社，2003

15　昆明工学院主编. 造型材料. 昆明：云南人民出版社，1978

16　何培之主编. 铸造材料化学. 北京：机械工业出版社，1981

17　陈金德，邢建东主编. 材料成型技术基础. 北京：机械工业出版社，2000

18　胡城立，朱敏主编. 材料成型技术基础. 武汉：武汉理工大学出版社，2001

19　中国机械工程学会铸造分会编. 铸造手册——造型材料. 北京：机械工业出版社，2002

20　蔡开科. 连续铸钢. 北京：科学出版社，1990

21　姜永林. 连铸生产概论. 沈阳：东北工学院出版社，1992

22　日本铁钢协会. 21 世纪に向けて铁钢技术 10 年の轨迹. 铁と钢，1995（81）

23　E. Hoffken. 连铸技术的现状. 第四届国际连铸会议论文集. 北京：中国技术学会连续铸钢学会编译，1990

24　史宸兴. 实用连铸冶金技术. 北京：冶金工业出版社，1991

25　熊毅刚. 板坯连铸. 北京：冶金工业出版社，1994

26　田乃媛. 薄板坯连铸连轧. 北京：冶金工业出版社，1998

27　蔡开科，程士富. 连续铸钢原理与工艺. 北京：冶金工业出版社，1994

28　G. LESOULT. 传热、两相区力学特性及电磁搅拌对连铸方坯偏析的影响. 连铸技术的现状. 第四届国际连铸会议论文集. 北京：中国技术学会连续铸钢学会编译，1990

29　韩至成. 电磁冶金学. 北京：冶金工业出版社，2001

30　贾光霖，庞维成. 电磁冶金原理与工艺. 沈阳：东北大学出版社，2003

31　马幼平等编著. 负压实型铸造及铸件质量. 北京：冶金工业出版社，2002

32　朱林泉等著. 快速成型与快速制造技术. 北京：国防工业出版社，2003

33　郭戈等著. 快速成型技术. 北京：化学工业出版社，2005

34　中国机械工程学会铸造分会编. 铸造手册——特种铸造. 北京：机械工业出版社，2003

35　中国机械工程学会铸造分会编. 铸造手册——铸造工艺. 北京：机械工业出版社，2003

36　D. B，Spencer，R. Mebrabian，M. C. Flenmings. Metall. Trans. 1972，Vol. 3（6）：1925

37　M. C. Flenmings. Semi-Solid Processing. Proceedings of the Third International Conference on Processing of Semi-solid Alloys and Composites. Toky：M. KIUCHI，1994. 22

38　谢水生，黄声宏. 半固态金属加工技术及其应用. 北京：冶金工业出版社，1999

39 毛卫民．半固态金属成形技术．北京：机械工业出版社，2004

40 宫克强．特种铸造．北京：机械工业出版社，1982

41 "高技术新材料要览"编委会．高技术新材料要览．北京：中国科学技术出版社 1993

42 张文钺．焊接冶金学．北京：机械工业出版社．1995

43 周振丰，张文钺．焊接冶金与金属焊接性．北京：机械工业出版社，1988

44 陈伯蠡．焊接冶金原理．北京：清华大学出版社，1991

45 吴林．焊接手册：第 1 卷　焊接方法及设备．北京：机械工业出版社，2001

46 中国机械工程学会焊接学会．焊接手册：第 2 卷　材料的焊接．北京：机械工业出版社，2001

47 陈炳森．焊接手册：第 3 卷　焊接结构．北京：机械工业出版社，2001

48 邓文英．金属工艺学：上册．北京：高等教育出版社，2000

49 张万昌．热加工工艺基础．北京：高等教育出版社，1991

50 John A. Schey, Introduction to Manufacturing Processes. Boston, McGraw-Hill, 2000

第二篇 金属挤压、拉拔与锻压原理及工艺

1 金属挤压概述

1.1 基本方法

挤压是对放在容器（挤压筒）内的坯料施加外力，使之从模孔流出，获得所需断面形状和尺寸的一种塑性加工方法。采用挤压方法可以生产金属管材、棒材、型材和线坯半成品。由于挤压制品的精度高、表面质量好、生产的品种多、且利于较低塑性材料的生产，挤压在金属塑性加工，尤其在有色金属塑性加工中得到广泛的应用。

挤压加工按其工艺特点可分为传统挤压方法、静液挤压方法和连续挤压方法。

传统的挤压方法是指挤压轴直接把挤压力传递给锭坯的挤压方法。这种挤压方法主要有正向挤压法、反向挤压法和侧向挤压法。正向挤压法的主要特征是金属流出的方向与挤压轴前进的方向一致，如图 2-1-1（a）所示。正向挤压是最基本的挤压方法，以其技术成熟、工艺操作简单、具有较大的生产灵活性等特点，成为铝及铝合金、铜及铜合金、钛及钛合金、钢铁材料加工中最广泛采用的方法之一。正向挤压的基本特征是坯料与挤压筒之间产生相对滑动，存在严重的外摩擦。因此，在挤压时，金属流动不均匀，导致挤压制品的组织性能沿长度方向和断面方向不均匀。

金属挤压时，金属流出的方向与挤压轴前进的方向相反，称为反向挤压。图 2-1-1（b）

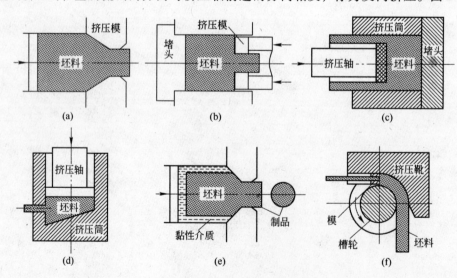

图 2-1-1 常用挤压方法
（a）普通正挤压；（b）实心材反挤压；（c）空心材反挤压；
（d）侧向挤压；（e）静液挤压；（f）连续挤压

和（c）分别为实心材和空心材反向挤压的示意图。在反向挤压时，挤压筒与锭坯之间无相对运动，金属流动主要集中在模孔附近。因此，挤压制品的组织性能沿长度方向是均匀的。同时，挤压时的能耗较低。在同等能力的设备上，用反向挤压方法可获得更大的变形程度或挤压变形抗力更高的材料。但迄今为止，反向挤压技术还不够完善，主要体现在挤压操作较为复杂、间隙时间较长、挤压制品的稳定性不如正向挤压等。

当金属的流出方向与挤压轴的前进方向相垂直时，这种挤压方法称为侧向挤压法，也称横向挤压法，如图2-1-1（d）所示。侧向挤压时，金属流动方式将使制品纵向力学性能的差异达到最小，变形程度较大，可使制品获得较高的强度。侧向挤压主要应用于电线电缆行业、各种复合导线的成形以及一些特殊包覆材料的成形。

静液挤压是利用封闭在挤压筒内锭坯周围的高压液体使锭坯产生塑性变形并从模孔流出的挤压方法，如图2-1-1（e）所示。在静液挤压时，坯料与挤压筒之间几乎不存在摩擦，金属流动均匀。同时，由于静水压力的存在，有利于提高材料的变形能力。因此，静液挤压可用于难加工材料和各种包覆材料的成形。但是，在静液挤压中需要进行高压介质的充填与排放，对设备的要求提高，同时还降低了挤压生产的效率，这使静液挤压的应用受到了限制。

常规挤压的一个共同特点是挤压生产过程不连续，在两个坯料的挤压之间需要进行坯料填充及分离压余等一系列辅助操作，影响了挤压生产的效率，也无法进行连续化生产。直到英国的 D. Green 于 1971 年发明了连续挤压方法，挤压过程的连续化才真正成为可能。连续挤压是在连续挤压机上使金属坯料在压力和摩擦力的作用下连续不断地进入挤压模而实现挤压的（图2-1-1（f））。在这种方法中，旋转槽轮上的断面槽和固定模座所组成的环形通道起到常规挤压方法中挤压筒的作用。用这种方法理论上可获得无限长制品。

1.2　挤压法的优缺点

与其他塑性加工方法如型材轧制和斜轧穿孔相比较，挤压法有以下优点：

（1）金属在挤压变形区中处于强烈的三向压应力状态，因此挤压加工有利于发挥金属的塑性，使其获得大的变形量。用挤压法可以加工采用轧制或锻造加工有困难的低塑性难变形材料。甚至对于一些脆性材料，用挤压法也可加工，如铸铁、灰口铁等。

（2）产品范围广。挤压加工不仅可以生产管、棒、线材，而且还可以生产断面形状非常复杂的实心和空心型材、制品断面沿长度方向阶段变化和逐渐变化的变断面型材，其中许多制品用其他塑性加工方法是无法成形的。挤压制品的尺寸范围也很宽，可生产超大型管材和型材，断面外接圆可达到 500 ~ 1000mm；同时也可生产超小型微型材，如壁厚为 0.3 ~ 0.5mm，尺寸精度达 ±（0.05 ~ 0.1）mm 的超小型高精度精密空心型材。

（3）生产灵活性大，只需更换模具即可在同一台设备上生产不同品种和规格的产品。挤压操作方便、简单。因此，挤压法非常适用于生产小批量、多品种和多规格的产品。

（4）制品综合质量高。挤压变形可改善材料的微观组织，提高材料的力学性能。热挤压制品的表面质量介于热轧与冷轧和冷拉之间。

虽然挤压方法有上述优点，它也存在一些缺点：

（1）材料的废料损失较大。在挤压末期要留压余以保证产品质量，除连续挤压以外，压余量一般占锭坯重量的 10% ~ 15%。在挤压管材时还有料头的损失。

（2）生产效率较低。除近年来发展的连续挤压方法外，常规的各种挤压方法均不能实现连续生产。在挤压生产中，制品的流出速度远低于轧制速度。此外，在一个挤压周期中，有许多的辅助工序，占用生产时间长，这使得挤压的生产率较低。

（3）制品组织性能不均匀。由于挤压时材料的流动不均匀，致使挤压制品存在表层与中心、头部与尾部的组织不均匀，从而造成了性能的不均匀。

（4）工模具消耗大。挤压时坯料基本上处于封闭状态，工作应力很高，因此，工模具受到很大的压力。同时，热挤压时工模具还要受到高温的作用，并处于常摩擦的状态，工模具所处的工作条件恶劣，使得挤压工模具的寿命比轧辊低得多。

1.3　挤压制品的种类及用途

几乎所有的金属材料都可采用挤压方法进行加工。但由于挤压对设备的要求较高，能耗和工模具消耗都很大，挤压加工主要用于铝、镁、铜、镍、钛等有色金属及合金以及脆性材料和特殊的钢铁材料。同时，在新材料如金属间化合物、复合材料及陶瓷的开发中也经常采用挤压方法。

金属及合金挤压制品的应用举例见表 2-1-1。

表 2-1-1　挤压制品的应用举例

材　料	用　途	材　料	用　途
铅及铅合金	煤气管、水管、包覆电缆	镍及镍合金	耐蚀、耐热管材、蜗轮叶片
铝及铝合金	建筑、车辆、飞机、船舶用型材、体育用品、热交换器	钛及钛合金	发动机部件、热交换器
镁及镁合金	车辆、飞机、船舶、火箭用型材、防腐蚀电极	钢	热交换器管、轴承座圈用管坯及建筑用型材
铜及铜合金	热交换器、冷凝管、乐器、通讯器材用管材、机械、电子工业零部件	难熔金属	锆、铍、铌、铪原子反应堆结构件

用挤压方法成形的部分铝型材如图 2-1-2 所示。

1.4　挤压技术的发展与现状

与其他金属塑性加工方法（轧制、锻压）相比，挤压法出现较晚。约在 1797 年，英国人布拉曼（S. Braman）首先发明了一种挤压铅管的装置，后来此原理被用于电缆包铅。1820 年英国人托马斯（B. Thomas）设计出第一台真正用于铅挤压的液压挤压机，这台挤压机包括现代挤压机的基本组成部分：挤压筒、挤压模、挤压轴和挤压垫片。在很长的一段时间内，只能用挤压法生产低熔点的制品，直到 1894 年，德国人设计并制造了第一台可用于挤压熔点和强度较高的黄铜的挤压机，其操作原理与现代挤压机基本相同。1910 年，出现了铝材挤压机。1930 年，欧洲出现了钢的热挤压，但由于使用的润滑剂如油脂、石墨等不能满足要求，钢的挤压未能得到发展。直到 1942 年发现了玻璃润滑剂，钢的挤压才得到了真正的应用。

图 2-1-2　挤制铝型材

二次世界大战后，由于航空航天、汽车、船舶、铁路运输、桥梁、输电以及建筑业的发展，促进了挤压加工的迅猛发展。主要体现在以下几个方面：

（1）断面尺寸范围进一步扩大，包括小断面超精密型与大型或超大型型材（如大型整体壁板）挤压技术的发展。

（2）产品品种、规格不断扩大，如铝合金型材的品种已达上万种。

（3）新的挤压技术不断出现。在铝合金挤压方面，为了控制流出速度，防止在制品表面出现周期性裂纹，出现了等温挤压技术；对于易于氧化的紫铜和黄铜，采用水封挤压、惰性气体保护挤压和真空挤压；对于钨、钼、铍等脆性材料则采用带反压力的挤压和静液挤压技术；为了提高生产效率和成材率，出现了锭接锭挤压和连续挤压等。

（4）在新材料的开发应用中日益重要。从以粉末、颗粒料为原料的直接挤压成形发展到金属间化合物、超导材料等难加工材料的挤压，现代挤压技术都得到了极为广泛的应用。

2　挤压时金属的流动

　　研究金属在挤压过程中的流动行为是非常重要的。挤压制品的组织性能、表面质量、尺寸和形状的精度、生产效率、挤压模具的设计及寿命均与挤压时的流动密切相关。因此，必须深入了解挤压时金属流动的规律和影响金属流动均匀性的因素。

　　研究挤压时金属流动的方法有坐标网格法、光塑性法、云纹法、视塑性法及低倍和高倍组织观察法。坐标网格法是研究挤压时金属流动中常用的方法。低倍和高倍组织分析是在生产中常采用的方法。在低倍组织分析中，取挤压制品和压余的纵、横断面进行抛光腐蚀，观察低倍组织变化和流线来研究金属的流动情况。或取挤压制品的不同部位，在显微镜下观察挤压制品的组织变化，从而研究金属的流动。

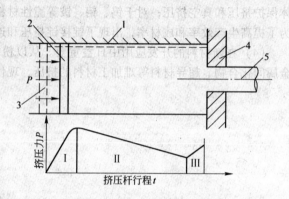

图 2-2-1　挤压时金属流动三个阶段挤压力变化
1—挤压筒；2—挤压垫片；3—填充挤压前垫片的
原始位置；4—挤压模；5—制品
Ⅰ—填充挤压阶段；Ⅱ—基本挤压阶段；Ⅲ—紊流挤压阶段

　　根据挤压时金属的流动特点，一般可将挤压过程分成三个阶段：填充挤压阶段、基本挤压阶段和终了挤压阶段（也称紊流阶段）。这三个阶段分别对应于挤压力行程曲线上的三个区域，如图 2-2-1 所示。

2.1　正向挤压圆棒材时金属的流动

2.1.1　填充挤压阶段金属的流动行为

　　挤压时，为了便于将锭坯放入挤压筒，坯料直径应比挤压筒的内径小。一般根据挤压筒内径大小的不同确定间隙量，挤压筒内径越大，间隙越大。因此，在挤压初期，要进行填充挤压，使金属充满挤压筒。

　　填充变形量用填充系数表示：

$$K_t = \frac{F_t}{F_D} \tag{2-2-1}$$

式中　F_t——挤压筒内孔横断面积；

　　　F_D——锭坯横断面积。

　　锭坯和挤压筒之间的间隙越大，填充系数越大，填充过程中流出模孔的料头越长，挤压管材时的穿孔料头也越长。这部分材料基本上保留了铸造组织，力学性能较低，故必须切除。

　　一般情况下，填充时坯料在挤压筒中首先会形成单鼓形，金属向挤压筒壁之间的空隙流动，同时一小部分金属流入模孔（图 2-2-2(a)）。但如锭坯的长度与直径的比值过大（大于 3~4），与圆柱体镦粗类似，填充时会出现双鼓形变形，如图 2-2-2(b)所示。这样会在挤压筒的中部形成封闭的空间。随着填充过程的进行，此空间的体积减少，气体压力增加，进而会进入到锭坯的微裂纹中。在金属通过模子成形时，这些裂纹焊合从而在制品表面形成气泡，或未能焊合形成起皮。

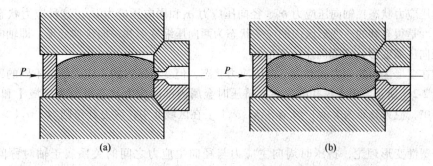

图 2-2-2 在卧式挤压机上挤压时形成的鼓形与封闭空间

(a) 锭坯较短；(b) 锭坯较长

即使坯料的长径比小于 3~4，在填充时产生单鼓形，也可能会在模子与筒壁交接部位形成密封空间，使挤压制品出现气泡和起皮等缺陷。且坯料和挤压筒的间隙越大，即填充系数越大，产生缺陷的可能性越大，所形成的缺陷越严重。因此，一般情况下希望填充系数尽可能小，坯料能顺利装入挤压筒即可。

解决上述问题的一种方法是采用"梯温加热"，亦即使锭坯沿纵向或横向有一定温差的加热方式。如图 2-2-3 所示，温度高的一端靠近模子，低的一端与垫片接触，使靠近模子的一端先变形，从而使挤压筒的气体通过垫片与挤压筒之间的间隙逐渐排除。合理的梯温加热制度可以使挤压时的金属变形均匀，从而获得组织和力学性能比较均匀的挤压制品。在确定梯温加热制度时应考虑被挤压金属和工具金属的导热性能、金属允许的加热温度、锭坯长度与直径之比以及锭坯在空气中的冷却时间等因素的影响。

另外还有一种沿横向的梯温加热。沿横向的梯温加热分锭坯内部温度高和锭坯外部温度高两种情况。前者适用于由于锭坯表面与挤压筒筒壁剧烈摩擦而产生的热量使金属温度升高的情况。可先将锭坯均匀加热，然后放入水中冷却其表面层。后者适用于挤压锭坯温度与挤压筒温度相差较大的情况。在这种情况下，锭坯表面层温度稍高，被工具吸收部分热量后温度趋于均匀。

2.1.2 基本挤压阶段金属的流动行为

基本挤压阶段是金属从模孔开始流出到正常挤压阶段即将结束为止。在此阶段，当挤压工艺参数及边界条件，如坯料的温度、挤压速度、坯料与挤压筒壁的摩擦条件等不发生变化时，随着挤压过程的进行，正向挤压时的挤压力逐渐减少，如图 2-2-1 所示。这是由于坯料长度减少，与挤压筒壁间的摩擦面积逐渐减少的缘故。

挤压时金属所受的外力有：挤压轴的正压力 P，挤压筒壁和模孔壁的反压力 N，金属与挤压筒、挤压垫片及模孔接触面上的摩擦力 T（图 2-2-4）。这些外力决定了挤压时的基本应力状

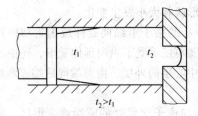

图 2-2-3 梯度加热与变形示意图

t_1—低温；t_2—高温

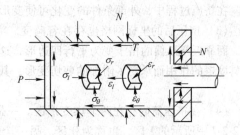

图 2-2-4 挤压时的受力与变形状态

态为三向压应力状态：轴向压应力 σ_l、径向压应力 σ_r 和周向压应力 σ_θ，这种应力状态对发挥金属的塑性是很有利的。变形区内的应变状态为两向压缩变形和一向延伸变形，即轴向延伸变形 ε_l，径向压缩变形 ε_r 和周向压缩变形 ε_θ。

　　虽然在变形区内的应力状态为三向压应力状态，但变形区内的主应力值是不同的，其分布规律如图 2-2-5 所示。由于模孔的存在，挤压时金属内部的应力状态可分为区域 Ⅰ 和区域 Ⅱ。在区域 Ⅰ 中，应力分布为 $|\sigma_l| < |\sigma_r| = |\sigma_\theta|$。在区域 Ⅱ 中，应力分布则为 $|\sigma_l| > |\sigma_r| = |\sigma_\theta|$。

　　根据塑性变形理论，挤压时周向主应力与径向主应力之间的关系属于轴对称问题，即 $\sigma_r = \sigma_\theta$，但实际上两者之间仍存在着差异。此差值由挤压中心线（对称轴）向接触界面逐渐增大，且总是 $|\sigma_r| > |\sigma_\theta|$。

　　挤压时金属的流动是不均匀的，这是由于摩擦作用力的分布沿横断面不均匀。同时，由于加热方式、变形过程中的生成热以及热传导等因素的综合作用使锭坯在横断面上的温度分布不均匀，因此沿径向上金属的变形抗力分布不同，变形抗力低的部分易于流动。在挤压型材时，模孔几何形状和模孔的布置使实际的应力分布更为复杂，也容易造成金属的流动不均。

　　正向挤压圆棒材基本挤压阶段坐标网格的变化示意图见图 2-2-6。下面以正向挤压圆棒材为例说明金属流动的规律。

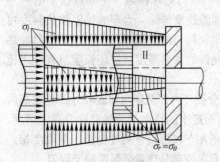 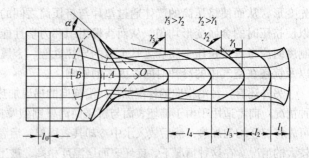

图 2-2-5　应力分布示意图　　　　图 2-2-6　正向挤压圆棒材基本挤压阶段坐标网格的变化

　　（1）大部分坐标网格线都发生较严重的弯曲，说明挤压时金属的变形是很不均匀的。横向坐标线的弯曲程度更为严重，这是由于挤压筒与金属表面之间存在着摩擦力，使外层金属变形滞后于中心部分的变形。横向坐标线的弯曲程度由棒材的前端向后端逐渐增加，线的间距也逐渐增大，即 $l_1 < l_2 < l_3 \cdots\cdots < l_n$，到一定位置后趋于稳定不变。

　　（2）纵向坐标线在进出模孔时发生方向相反的两次弯曲，弯曲的角度由中心层向外层逐渐增加，挤压中心线上的纵向线不发生弯曲，这表明在径向上金属的变形是不均匀的。分别连接进口和出口纵向线的折点可构成 A、B 两个曲面，由这两个曲面包围的体积一般称为变形区。在挤压过程中，外部条件的变化可使变形区压缩锥的形状和大小发生变化。

　　（3）挤压后的坐标网格也存在着畸变。沿径向上，中心的格子沿纵向延伸成为近似的矩形，而靠近挤压筒的格子变为平行四边形，这说明外层金属不仅承受了纵向延伸变形，还由于工具摩擦的作用而承受了附加的剪切变形，其切变角 γ 由中心层向外层、由前端向后端逐渐增加。

　　（4）在挤压筒内存在两个难变形区。一是位于挤压筒与模子交界处的前端难变形区，如图 2-2-7 中所示的 1 区，也称为死区。另一个位于与挤压垫片接触的部分（图中 2 区），称为后端难变形区。

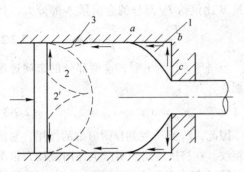

图 2-2-7　挤压筒内锭坯在变形过程中
的两个难变形区
1—前端难变形区；2—后端难变形区；3—细颈区

锭坯在前端受到模端面摩擦力的作用，流动受到阻碍，且这部分金属受到挤压筒和模具的冷却，强度升高。因此，在前端易于形成难变形区，即死区。影响死区大小的因素有模角、模孔的位置、挤压比、摩擦力及金属强度等。一般来说，死区的存在对提高制品表面质量是有利的。

后端难变形区也是由于挤压垫片与金属间的摩擦力的作用和冷却而形成的。在挤压后期，即稳定挤压末期，后端难变形区由 2 区缩小至 2′区。

（5）在死区和塑性流动区交界处存在剧烈滑移区，这可由挤压过程中的锭坯纵向断面的低倍组织观察到。在此区域内由于强烈的金属内摩擦作用，金属承受了剧烈的剪切变形，可观察到明显的金属流线和晶粒破碎。

2.1.3　紊流挤压阶段

在挤压过程中，当挤压筒中锭坯的长度接近于变形锥的高度时，金属除发生纵向流动外，还发生径向流动，这个阶段称为紊流挤压阶段，也称为终了挤压阶段。在此阶段，挤压力升高（图 2-2-1）。这是因为在挤压后期金属径向流动增加，另外挤压筒内的金属量减少，冷却较快，变形抗力增加。同时，死区金属也参加流动。所有这些因素均造成挤压力的增加。

在紊流挤压阶段，由于金属流动的不均匀会造成挤压缩尾等缺陷，这将在本篇第 3 章中介绍。

2.2　实心型材正向挤压时金属流动的特点

实心型材正向挤压时，金属的流动除具有圆棒挤压时的基本特性之外，还有其本身的特点：

（1）型材和坯料之间缺乏相似性，金属的流动失去了圆棒挤压时的完全对称性。

（2）型材各部分的金属流动受型材比周长的影响。所谓比周长是指把型材断面假想分为若干部分，每部分面积上的外周长 L 与该部分面积 F 的比值 $\dfrac{L}{F}$。如图 2-2-8 所示，可将型材分为两个部分，两部分的比周长为 $\dfrac{L_1}{F_1}$ 和 $\dfrac{L_2}{F_2}$。

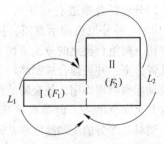

图 2-2-8　确定型材各部分的比周长

由于上述两个原因，型材各部分所得到的金属的供给量不同，同时型材各部分受模子工作带的摩擦阻力也不同，因而会造成挤压时金属流动的不均匀。型材出模孔后往往发生弯曲、扭拧等变形缺陷。

下面以一种型材为例。

挤压如图 2-2-9 所示的型材，采用平模，设型材模孔的工作带长度相同。由于型材 F_2 部分的比周长小于 F_1 的比周长，金属易从这一部分流出。又由于圆锭坯料供给 F_2 部分的金

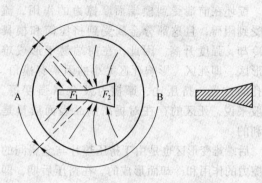

图 2-2-9　挤压坯料横断面上金属流线示意图

属量 B 比供给 F_1 部分的金属量 A 部分大，且

$$\frac{F_B}{F_2} = \lambda_2 > \frac{F_A}{F_1} = \lambda_1 \qquad (2\text{-}2\text{-}2)$$

当挤压速度为 v_j 时，这两部分的金属速度分别为

$$v_{F_2} = \lambda_2 v_j > v_{F_1} = \lambda_1 v_j \qquad (2\text{-}2\text{-}3)$$

因此，F_1 部分受到拉附应力的作用，易出现裂纹。在挤压后期金属产生径向流动，情况与上述的基本挤压阶段不同。此时，断面 F_2 部分需要的秒供应量要比 F_1 部分的多。因此，在挤压后期对 F_2 部分的金属供应不足要比 F_1 部分严重，型材薄壁部分易出现波浪。为了减少型材不均匀变形而产生的弯曲，应尽量避免型材各部分金属流出模孔速度不等的现象。目前，常采用的方法是合理设计挤压模具，如采用不等长工作带、适当控制挤压速度或使型材出模后进入挤压导路等。

　　以上是对用单孔模挤压实心型材时金属流动特点的分析。在采用多孔模时，金属从各个模孔中流出的速度不同。影响金属流动速度的主要因素有：每个型材断面的形状和尺寸及在模面中的相对位置、工作带长度、挤压速度等。在使用多孔模挤压型材时，当合理地设计模具时，可得到比单孔模更为均匀的流动。

2.3　管材和空心型材挤压

　　在管材挤压时，可用穿孔针将铸锭穿孔，或用其他方法制成空心锭进行穿孔挤压，也可以用组合模挤压生产空心制品。在空心材的挤压中，金属流动的特点与棒材的不同。在用带穿孔针的挤压机挤压实心或空心坯料时，金属不仅受到挤压筒壁和模端面的摩擦阻力，而且也受到穿孔针的摩擦阻力，从而使金属的流动趋于均匀。

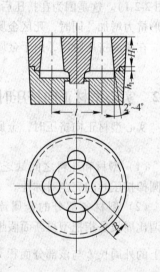

图 2-2-10　孔道式组合模示意图

　　用分流组合模进行挤压时，金属的流动更为复杂。图 2-2-10 为一种分流模的示意图。挤压时，锭坯在挤压轴的压力作用下被组合模上的分流桥切开，以两股或多股金属流入模孔焊合室，并被焊合成制品。分流桥对锭坯中心部分的金属流动起到阻碍作用，使金属的流动比较均匀，缩尾量大为减少甚至完全消失。但是在挤压断面较为复杂的空心型材时，型材各部分的流动速度非常不均匀，从而引起型材的翘曲、扭拧甚至破裂。因此，在挤压空心型材时需采取有效的措施以减少不均匀变形。

2.4　反向挤压时金属的流动

　　如前所述，在反向挤压时，在锭坯金属和挤压筒壁之间不存在相对滑动。因此，反挤压的特点是锭坯表面与挤压筒壁间不存在摩擦，塑性变形区很小且集中在模孔附近。

　　反向挤压时，金属流动状态与正向挤压时有很大的不同。图 2-2-11 示出了正向挤压和反向挤压的坐标网格变化。由图可见，在相同的工艺条件下，反向挤压时塑性变形区中的网格线直到进入塑性变形区才发生剧烈的弯曲，这说明反向挤压时金属的流动比正向挤压时要均匀得多。在反向挤压末期不会出现金属的紊流现象。

由于反向挤压时金属的流动较为均匀，其变形区也小，用反向挤压生产的挤压制品沿横断面和长度方向上的组织和性能比较均匀，因此，反向挤压时的成品率可大幅度提高。此外，反向挤压时的挤压力也比正向挤压要小。由于所需最大挤压力与坯料长度无关，可采用长坯料挤压长制品。反向挤压时模孔附近的温升小，可采用较高的速度进行挤压。

反向挤压时的死区形状与正向挤压时的不同，体积也小。这使得反向挤压时死区难以对锭坯表面的杂质和缺陷起到阻碍作用，使其易于流出，从而使表面质量恶化，这是反挤压方法的缺点之一。除此之外，反向挤压时生产的制品，其外接圆直径要受到空心挤压轴的限制，装卸工模具也比较麻烦，生产辅助时间长。

图 2-2-12 示出了反向挤压管材时金属的流动，由图可见挤压时变形区也很小。

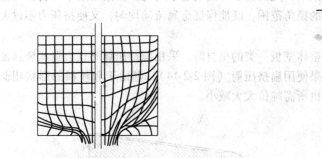
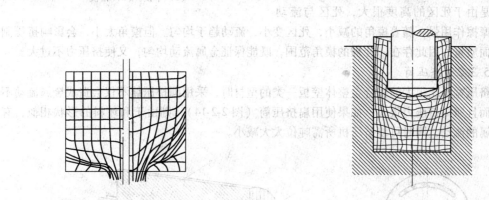

图 2-2-11   反向挤压（左）与正向挤压（右）
　　　　　网格变形特征的比较

图 2-2-12   反向挤压管材金属流动

2.5 影响挤压时金属流动的因素

挤压时的金属流动受许多因素影响如挤压方法、材料的种类、制品的尺寸形状、挤压工艺参数、工模具的形状尺寸、润滑条件等。应该说，挤压时的均匀流动是相对的，而不均匀流动则是绝对的。当内部或外部条件发生变化时，就会引起流动特性的变化，从而影响产品的质量。因而，研究影响挤压时金属流动的因素是非常重要的。

2.5.1 挤压方法

挤压方法对金属流动均匀性的影响，主要体现在对外摩擦的影响上。如在所有挤压方法中，静液挤压时金属流动是最均匀的；与热挤压相比，冷挤压时金属的流动比较均匀；反挤压时金属的流动比正挤压时均匀。这些都是由于挤压筒内坯料表面所受摩擦大小的不同所致。另一方面，金属流动的方式也有很大的影响，如正确设计模具时多孔模比单孔模挤压均匀等。

2.5.2 金属与合金种类的影响

材料种类对挤压时金属流动的影响主要体现在强度的影响上。强度高的材料挤压时比强度低的材料挤压时要均匀。在挤压过程中，强度较高的金属产生的变形热效应和摩擦效应较为强烈，这使沿锭坯断面的温度分布更为均匀，从而使流动均匀。此外，挤压强度高的材料，金属与挤压工具之间的摩擦系数较小，外摩擦对金属流动的影响较小，也使金属流动较为均匀。

在热挤压条件下，不同金属坯料的表面状态不同，金属流动的均匀性也不相同。例如，纯铜表面的氧化皮具有较好的润滑作用，因此挤压纯铜时金属的流动均匀性比其他铜合金要好。

2.5.3　工模具结构和形状的影响

2.5.3.1　挤压模

挤压模的结构、形状、尺寸及质量对挤压时金属的流动有着至关重要的影响。一般生产上主要使用平模和锥模（图 2-2-13）。使用平模即模角为 90°时，金属的流动最为不均匀。这是由于死区的高度很大，死区与流动

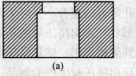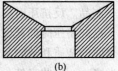

图 2-2-13　平模和锥模示意图
（a）平模；（b）锥模

金属的摩擦作用强。随着模角的减小，死区变小，流动趋于均匀。但模角太小，会影响挤压制品的表面质量，因此存在一合理的模角范围，既能保证金属流动均匀，又使挤压力不过大。

2.5.3.2　挤压筒

在挤压宽厚比很大的铝合金整体壁板一类的型材时，采用圆挤压筒不仅会造成金属流动不均匀，而且所需挤压力很大。如果使用扁挤压筒（图 2-2-14），则由于和坯料的形状相似，有利于金属的流动，同时可使挤压机所需吨位大大减小。

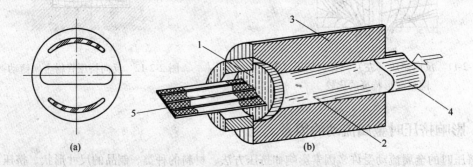

图 2-2-14　挤压铝合金壁板的扁挤压筒
（a）扁挤压筒；（b）用扁挤压筒挤压示意图
1—模子；2—锭坯；3—挤压筒；4—挤压轴；5—壁板

2.5.4　挤压温度的影响

挤压温度主要通过以下几个方面对金属流动产生影响：（1）摩擦条件。对大多数金属来说，温度升高，摩擦系数增大，从而使金属流动的不均匀性增加；（2）坯料内部温度的分布。当金属坯料温度比挤压筒高很多时，容易造成坯料沿横断面的温度分布不均，加剧流动的不均匀性；（3）相的变化。对于某些合金，当挤压温度改变时，合金会发生相变，使金属挤压时的流动受到影响。如 HPb59-1 铅黄铜在 720℃ 以上为 β 组织，在此温度下挤压，金属流动较为均匀；而在 720℃ 以下为 α + β 组织，在此温度下挤压时，金属的流动不均匀。

2.5.5　变形程度的影响

当其他条件相同时，减小模孔的尺寸或增加铸锭的断面积可使变形程度增加。随着变形程度的增加，外层金属向模孔流动的阻力增大，从而使锭坯中心与外层的金属流动速度差增加。

但是当变形不均匀性增加至一定程度后，剪切变形深入到内部而开始向均匀变形方面转化。研究表明，当挤压变形程度达到85%以上时，挤压时金属流动均匀，制品内外层的力学性能也趋于均匀。因此，为了获得性能均匀的挤压制品，生产中要求挤压变形程度大于80%~85%。

2.5.6　挤压速度的影响

通常将挤压速度的影响与挤压温度统一考虑。当挤压温度较高时，就需要控制挤压速度；而当挤压温度较低时，可适当提高挤压速度。

2.6　挤压时的典型流动类型

在挤压过程中，随着被挤压金属的性质和挤压条件的不同，金属的流动是不同的。根据挤压时金属流动的特点，可将它们归纳为四种基本类型（图2-2-15）：

（1）流动类型Ⅰ。这种类型在反挤压和静液挤压时出现。此时，锭坯与挤压筒之间绝大部分没有摩擦力，只有靠近模子附近的筒壁上才存在摩擦力。变形区和死区都很小，只集中在模孔附近，金属流动均匀，不产生中心缩尾和环型缩尾。应当注意的是，此时死区形状与正挤压时的不同。

（2）流动类型Ⅱ。在正挤压时，如果挤压筒壁与锭坯间的摩擦极小，则会产生这种类型的流动。它的变形区和死区比第一种流动类型稍大些，金属流动仍较均匀，不产生中心缩尾和环型缩尾。在带润滑挤压或冷挤压时可得到Ⅱ型流动。

（3）流动类型Ⅲ。如果挤压筒壁和模子之间的摩擦较大，会出现这种流动类型。塑性变形区几乎扩展到整个锭坯，但在基本挤压阶段尚未发生外层金属向中心流动的情况。在挤压后期出现较短的缩尾。

（4）流动类型Ⅳ。如果挤压筒壁和模子之间的摩擦很大且锭坯内外温差较为明显时，会出现流动类型Ⅳ。金属流动很不均匀，挤压后期易出现缩尾。

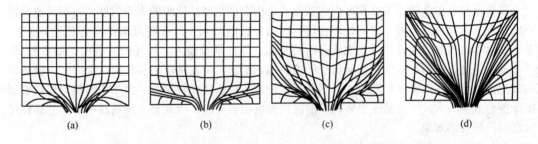

图 2-2-15　挤压各种材料时金属在挤压筒中的流动类型

（a）流动类型Ⅰ；（b）流动类型Ⅱ；（c）流动类型Ⅲ；（d）流动类型Ⅳ

3　挤压制品的组织性能及质量控制

挤压法具有许多其他塑性加工方法所不具备的优点，被广泛用于生产有色金属和钢铁制品。但在通常使用的正向挤压过程中，金属的流动是不均匀的，从而使挤压制品的组织和性能出现不均匀性，甚至会使制品出现缺陷。因此，研究产生挤压制品组织性能不均匀性的原因和影响因素，对于挤压制品的质量控制是十分必要的。

3.1　挤压制品的组织

3.1.1　挤压制品组织的不均匀性

与其他热加工方法相比较，挤压制品组织的特点是在其断面与长度方向上晶粒的尺寸都不均匀。一般来说，沿制品长度上前端晶粒粗大而后端晶粒细小，沿断面径向上中心晶粒粗大而外层晶粒细小。而在制品的头部基本上未产生塑性变形，仍然保留着铸造组织。

产生挤压制品组织不均匀性的主要原因包括以下影响因素。

3.1.1.1　摩擦的影响

挤压制品在长度和断面上的不均匀性主要是由于不均匀变形造成的。在制品断面上，由于受工具的约束和摩擦阻力的作用，挤压过程中外层金属在进入变形区之前就已承受挤压筒壁的剧烈摩擦作用，产生了附加剪切变形。进入塑性变形区后，外层金属进入剧烈滑移区，与中心金属的变形程度不同。因此，一般情况下金属的实际变形程度由外层向中心逐渐减小，外层金属的晶粒破碎程度比中心更为剧烈，晶粒得到细化。同时，挤压制品的晶粒破碎程度由头部向尾部逐渐加剧，制品后端的晶粒更为细小。

3.1.1.2　挤压温度和挤压速度的影响

在挤压过程中，挤压温度和速度的变化也会引起挤压制品组织的不均匀性。在挤压速度很慢的情况下，如挤压锡磷青铜，锭坯在挤压筒内停留的时间长，锭坯前端在较高温度下变形，金属在变形区内和出模孔后可发生充分的再结晶，因此晶粒较大。锭坯的后端由于温度较低，再结晶不完全，故晶粒较细，甚至出现纤维状加工组织。而在挤压铝和软铝合金时，一般坯料的加热温度与挤压筒温度相差不大，当挤压比较大或挤压速度较快时，由于变形热与坯料表面的摩擦热效应较大，可使挤压中后期变形区内温度明显升高，因此会出现制品中后段的晶粒尺寸比前段粗大的现象。

3.1.1.3　合金相变的影响

在挤压两相或多相合金时，如果在两相区或多相区进行挤压，或者由于温度的变化使合金在变形过程中发生了相变，也会造成变形的不均匀性。例如，在 720℃ 以上挤压铅黄铜时，由于高于相变温度，在挤压时不析出 α 相。挤压完毕，温度降至相变温度时，会在 β 相中析出 α 相。但如果在挤压时温度即降至相变温度 720℃ 以下，α 相在变形过程中析出。由于两相的性质不同，在变形中会造成变形的不均匀。同时，α 相被拉长成条状组织。这种条状组织在以后的正常热处理温度（低于相变温度）下一般是不能消除的。由于在常温下 β 相塑性低，α 相塑性高，所以具有连续条状分布的 α + β 合金在后续的冷加工中易产生裂纹。

3.1.2　粗晶环

挤压制品组织的不均匀性还体现在某些金属或合金在挤压中或随后的热处理过程中，在其

外层出现粗大晶粒组织，通常称之为粗晶
环，如图 2-3-1 所示。

3.1.2.1 粗晶环的分类及形成机理

粗晶环可分为两类。第一类是在挤压
过程中即出现粗晶环。这类金属及合金的
典型例子为纯铝和 MB15 镁合金。这些金属
和合金的再结晶温度一般较低，在挤压温
度下可发生完全再结晶。由于挤压时金属
的变形不均匀，外层金属受到更为严重的
剪切变形，晶格发生严重的畸变，从而使
外层的再结晶温度降低，容易发生再结晶

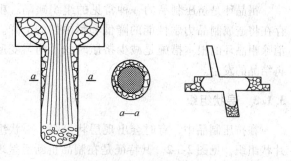

图 2-3-1　硬铝合金挤压棒材和挤压型材
淬火后的粗晶环组织

及晶粒长大。由于挤压时的不均匀变形由制品的头部至尾部逐渐加剧，粗晶环的深度也是由头
部至尾部越来越大。

第二类粗晶环在挤压后的热处理时形成，主要出现在含 Mn、Cr 等元素的热处理可强化铝
合金中。在这些合金中，Mn、Cr 等元素固溶时可提高合金的再结晶温度，以 $MnAl_6$、$CrAl_7$、
Mg_2Si、$CuAl_2$ 等化合物析出时可阻止再结晶晶粒的长大。在挤压时，由于外层的金属流动较
慢，受到拉附应力，促进了 Mn、Cr 的析出，使合金的再结晶温度降低，从而合金可发生再结
晶。但由于析出的第二相弥散分布，对晶粒长大起到阻碍作用，因此，挤压制品的外层为细晶
组织。在淬火加热时，由于温度较高，析出的第二相质点重新溶解，已发生再结晶的晶粒由于
没有障碍而发生长大，形成粗晶组织。在挤压制品中部，变形比较均匀，同时由于流动较快，
受压附应力，不利于 Mn、Cr 的析出，中心部位再结晶温度较高，在挤压变形时不易发生再结
晶，因而在淬火加热时也不会出现粗晶。

3.1.2.2 影响粗晶环的因素

（1）合金元素的影响　合金中合金元素的含量与分布状态对粗晶环有明显的影响。由于
Mn、Cr、Ti、Zr 等元素的扩散系数低，溶入铝后也将降低铝的扩散系数，增加扩散激活能，
导致再结晶温度的提高。例如当 2A12 合金中的 Mn 含量为 0.2% ~0.6% 时，粗晶环比较严重；
而当 Mn 含量增加至 0.8% ~0.9% 时，可以消除粗晶环。

（2）均匀化的影响　均匀化对不同的铝合金影响不同。铝合金的均匀化温度一般在 470 ~
510℃之间，在此温度范围内，某些 Al-Mg-Si 合金中的 Mg_2Si 相将大量溶入基体金属，可以提
高合金的再结晶温度；而对 2A12 一类的合金，在此温度下进行均匀化却会促使 $MnAl_6$ 从基体
中大量析出。这是由于在铸造过程中，冷却速度较快，$MnAl_6$ 来不及析出，因此在均匀化时可
析出。在长时间的高温作用下，$MnAl_6$ 弥散质点会聚集长大，从而使再结晶温度降低以及阻止
晶粒长大的能力降低，导致粗晶环的深度增加。

（3）挤压温度的影响　粗晶环的深度随着挤压温度的升高而增加，这是因为挤压温度升
高使金属的变形抗力下降，从而使挤压时的不均匀变形加剧，材料外层受到的畸变更加严重，
使再结晶容易进行。同时，高温挤压有利于第二相的析出与聚集，使其阻碍再结晶的作用有所
减弱。

（4）挤压筒温度　当挤压筒温度比锭坯温度低很多时，锭坯沿横断面的温度分布差异会
使金属的流动不均匀性加剧。因此，适当提高挤压筒温度可减小粗晶环的深度。

（5）热处理温度的影响　淬火温度越高，第二相弥散质点溶解的越充分，且它们容易聚
集长大，从而对再结晶和晶粒长大的阻碍作用越小，使粗晶环深度增加。

粗晶环是挤压制品的一种常见的组织缺陷。粗晶环的存在将造成制品力学性能的降低和耐蚀性的下降。减少或消除粗晶环的根本措施是减少挤压时的不均匀变形及控制再结晶的发生。

图 2-3-2　出现层状组织的
铝青铜挤压管材

3.1.3　层状组织

在挤压制品中，有时会出现层状组织。层状组织也称片状组织，见图 2-3-2。其特征是在制品折断后呈现出与木质相似的断口，分层的断口凸凹不平，分层的方向与挤压轴线平行，继续进行塑性加工和热处理无法消除这种组织。层状组织对纵向力学性能影响不大，但可使横向性能有所降低。产生层状组织的基本原因是由于在坯料组织中存在大量的微小气孔、缩孔，或者在晶界上分布着未被溶解的第二相及杂质，它们在挤压时被拉长。层状组织一般出现在挤压制品的前端，挤压后期由于变形程度大且出现紊流，层状组织不明显。

在铜合金中，最易出现层状组织的是含铝的青铜（QAl10-3-15、QAl10-4-4）和含铅的黄铜（HPb59-1）等。在铝合金中容易出现层状组织的是某些锻铝合金（6A02），而在 TA04、2A11 和 2A12 等硬铝和超硬铝中层状组织一般较少。

为防止层状组织的出现，应改善铸锭的组织，如减少柱状晶区、扩大等轴晶区，并使晶界上杂质分散或减少。对于不同的合金，可采用不同的措施。如在铸造时，采用高度不超过 200mm 的短结晶器来消除铝青铜的层状组织。对于铝合金，减少合金中的氧化膜和金属间化合物在晶内的偏析可减轻甚至消除层状组织。

3.2　挤压制品的力学性能

3.2.1　力学性能的不均匀性

挤压时流动的不均匀性和组织的不均匀性必然会引起制品力学性能的不均匀。一般地说，未经热处理实心制品的心部和前端的强度低，伸长率高；而外层和后端的强度高，伸长率低。图 2-3-3 示出了挤压棒材沿纵向和横断面的不均匀性。

挤压制品性能的均匀性受挤压变形程度的影响。当挤压比较小时，随着变形程度的增加，制品中心和表面层的力学性能差异增加。而当挤压比达到一定程度时，变形的不均匀性减小，

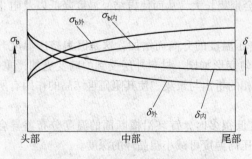

图 2-3-3　挤压棒材纵向和横向上的
力学性能不均匀

最后可达到均匀的变形。图 2-3-4 示出了用镁合金（Mg-10% Al）进行挤压试验获得的变形程度对力学性能的影响。由图可见，当 $\varepsilon \leqslant 20\%$ 时，制品内外层性能的差异不大；当 $\varepsilon > 20\%$ 后，随着变形程度的增加，制品内外层性能差逐渐增大。在 $\varepsilon > 60\%$ 后，性能的差异又呈减小的趋势。当 $\varepsilon \geqslant 80\%$ 时，制品内外的力学性能差异已近消失。在其他合金的试验中也得到了与镁合金类似的结果。

挤压制品性能的不均匀性还体现在制品纵

向和横向性能的差异上。挤压时的主变形图为两向压缩一向延伸，使得晶粒沿纵向延伸。一般认为，挤压时制品的纵向性能高于横向性能是由于挤压时形成了织构。同时，在挤压时晶粒被拉长，存在于晶间界面上的金属化合物、杂质及缺陷也沿挤压方向排列，也是造成挤压制品纵向性能高于横向性能的原因。

3.2.2 挤压效应

某些铝合金挤压制品与其他塑性加工制品（如锻造和拉拔）经相同的热处理之后，前者的强度比后者高，但塑性比后者差，这种特征称为挤压效应。表 2-3-1 为几种铝合金加工制品经相同的淬火时效后的强度值。

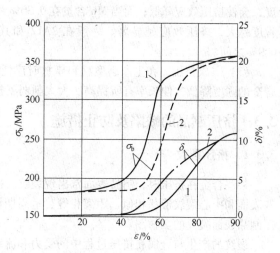

图 2-3-4 镁合金棒材力学性能与变形程度的关系
1—外层；2—内层

表 2-3-1 几种铝合金加工制品经相同的淬火时效后的强度 σ_b （MPa）

制品 \ 合金	6A02	2A14	2A11	2A12	7A04
轧制板材	312	540	433.0	463	497
锻件	367	612	509.0		470
挤压棒材	452	664	536.0	574	519

一般认为，挤压效应的原因有以下两个方面：

（1）挤压时，金属处于强烈的三向压应力状态和两向压缩一向延伸的变形状态，在制品内部形成了较强的［111］织构，即制品内的大多数晶粒的［111］晶向与挤压方向一致。对面心立方的铝合金来说，［111］是强度最高的方向，因此，挤压制品纵向的强度很高。

（2）研究表明，凡是含 Mn、Ti、Cr 或 Zr 等元素的热处理可强化的铝合金都会产生挤压效应。这是由于 Mn、Cr 等元素可抑制铝合金的动态再结晶，使挤压制品在热处理后保持挤压时的加工织构，从而保持了较高的强度。应当指出，上述合金的周边层可能出现粗晶环使力学性能降低，从而削弱甚至抵消了挤压效应。

在大多数情况下，铝合金的挤压效应是有益的，它可以保证构件具有较高的强度，节省材料的消耗，减轻构件的重量。但对要求各个方向力学性能均匀的构件，则不希望存在挤压效应。

影响挤压效应的因素主要有以下几点：

（1）挤压温度　挤压温度对挤压效应的影响取决于合金中 Mn 的含量，因为 Mn 含量对淬火前的加热过程中是否发生再结晶和再结晶的程度有着显著的影响。

对于不含 Mn 或含少量 Mn 的硬铝和 6A02 合金，挤压后经淬火加热能发生充分的再结晶，这类合金的性能与挤压温度高低关系不大。对于中等 Mn 含量（0.3%～0.6%）的硬铝合金，挤压温度对合金的挤压效应有非常明显的影响。随着挤压温度的升高，制品的抗拉强度显著增加，挤压效应增强。这是因为在 0.3%～0.6% 的 Mn 含量范围内，硬铝合金中 Mn 的含量越高，则发生再结晶的程度越小，因此挤压效应越明显。

（2）变形程度　对于不含 Mn 或含少量 Mn（～0.1%）的 2A12 铝合金来说，增大变形程度，会使挤压效应降低；而当 Mn 含量在 0.36% ~ 1.0% 的范围内，随着 Mn 含量的提高，变形程度越大，挤压效应越显著。一般在 2A12 和其他硬铝合金中含 Mn 量大致限制在 0.3% ~ 0.9% 之间。

（3）二次挤压　在生产小型材和棒材时广泛采用二次挤压。二次挤压使所有硬铝和锻铝合金的强度降低，伸长率有所提高，大大削弱了挤压效应。

3.3　挤压制品的缺陷及防止措施

3.3.1　挤压裂纹

某些合金在挤压时，制品表面常出现裂纹。挤压制品裂纹分表面裂纹和中心裂纹两种。这些表面和中心裂纹形状相似、距离相等、呈周期性分布，常称之为周期性裂纹。图 2-3-5 为挤压制品表面裂纹的实物图。

裂纹的产生与金属在挤压过程中的受力和流动情况有关。以表面裂纹为例，由于接触摩擦的作用使锭坯表面的流动受到了阻碍，使锭坯中心的流速大于外层的流速，从而使外层金属受到拉附应力的作用，中心受压附应力的作用，如图 2-3-6 所示。附加应力的产生改变了变形区内工作应力的状态。在表面层，基本应力与附加应力叠加后，表面层的轴向工作应力有可能成为拉应力。当这种拉应力达到金属的断裂强度时，在表面就会产生向内扩展的裂纹，其形状和深度与合金种类、金属内部的应力状态、挤压温度及挤压速度有关。

图 2-3-5　挤压制品的表面周期裂纹

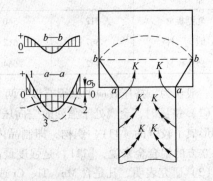

图 2-3-6　附加应力分布与裂纹的形成
1—附加应力；2—基本应力；3—工作应力

裂纹的产生使局部拉附应力降低，当裂纹扩展到位置 K 时，裂纹顶点处的工作应力降低到断裂强度以下，第一个裂纹不再向内部扩展。随着金属变形的不断进行，拉附应力的增长又会使金属表面层的工作应力超过金属的断裂强度，造成出现第二个裂纹。如此周而复始，在制品表面就会形成周期性的裂纹。

在生产中易于出现表面周期性裂纹的合金有硬铝、锡磷青铜、铍青铜、硅青铜、锡黄铜等。这些合金在高温下的塑性温度范围很窄（~100℃），当挤压速度较快时，变形热来不及逸散使变形区中的温度显著升高，从而很容易超出其塑性温度范围。晶界处的低熔点粒子会熔化，在拉应力作用下很容易出现裂纹。

在实际生产中，当铸锭加热不透，或者挤压比太小，变形不深入，可能会使锭坯的中心流速低于表面流速，从而在中心形成了附加拉应力。当附加拉应力使中心工作应力成为拉应力且达到金属的断裂强度时，就会产生中心裂纹。

防止和消除裂纹的产生主要有以下几种措施：

（1）在表面质量允许的情况下采用润滑挤压和用锥模挤压，减少不均匀变形。

（2）采取合理的温度-速度规程，使金属在变形区中有较高的塑性。一般来说，挤压温度较高时，应适当降低挤压速度；挤压温度较低时，则可加大挤压速度。

（3）增加变形区的基本压应力值，如加长模子工作带的长度，增大挤压比，降低锭坯的加热温度以及采用带反压力的挤压等等。

总之，一切有利于改善金属流动均匀性的措施均可有效地防止裂纹的产生。

3.3.2 挤压缩尾

挤压缩尾是终了挤压阶段的一种特有缺陷，是坯料表面的氧化物、油污脏物及其他表面缺陷（如沙眼、气孔等）进入制品内部而形成的。根据挤压缩尾的位置，可将缩尾分为中心缩尾、环形缩尾、皮下缩尾三种。

（1）中心缩尾。在挤压阶段的后期即紊流阶段，挤压筒中剩余的坯料高度逐渐减小，金属径向流动速度不断增加，以用来补充坯料中心部分金属的短缺，从而使坯料后端的氧化物、油污等易集聚到坯料的中心部位，进入制品内部。随着挤压过程的进一步进行，径向流动的金属无法满足中心部分的短缺，于是在制品中心出现了漏斗状的空缺，即中心缩尾，如图2-3-7（a）所示。

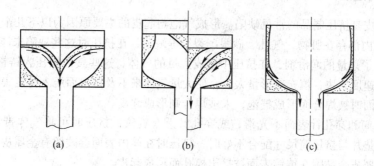

图 2-3-7　各种类型缩尾形成过程示意图
（a）中心缩尾；（b）环形缩尾；（c）皮下缩尾

在正向挤压时，制品中易于出现中心缩尾。反向挤压时，虽然金属流动比较均匀，但当压余厚度较薄时，也会出现中心缩尾，但中心缩尾的长度比正向挤压要短得多。

（2）环形缩尾。在无润滑挤压过程中，若坯料外层金属的温度显著降低，使金属变形抗力显著升高，再加上坯料与挤压筒接触表面的摩擦力大，在坯料与挤压筒的接触面不易变形。同时，在挤压垫片处存在难变形区。因此，坯料表面的氧化物和脏物就沿难变形区的周围界面进入金属内部，形成环形缩尾，如图2-3-7（b）所示。此类缩尾在制品横断面的中间层部位出现，其形状有时是一个完整的圆环，但在大多数情况下是不连续环形。在采用多孔模挤压棒材时，缩尾在靠近挤压轴线一侧出现，呈月牙状、带状或点状。

（3）皮下缩尾。在终了挤压阶段，当因剧烈的滑移使死区与塑性流动区界面之间的金属发生断裂时，坯料表面的氧化层、润滑剂和脏物等会沿着断裂面流出。与此同时，死区金属也参与流动而包覆在制品的外面，形成分层和起皮，如图2-3-7（c）所示。

减少挤压缩尾的措施主要有以下几种：

（1）留压余。根据不同合金及坯料直径大小、具体生产条件，在挤压末期留一部分坯料

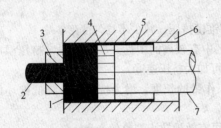

图 2-3-8　脱皮挤压

1—坯料；2—制品；3—挤压模；4—挤压垫片；
5—锭的表皮；6—挤压筒；7—挤压轴

在筒内而不完全挤出，即在挤压缩尾形成之前终止挤压过程，把留在挤压筒中的金属称为压余。压余的厚度一般为坯料直径的 10% ~ 30%。

（2）脱皮挤压。在挤压过程中，使用一种比挤压筒直径小约 2 ~ 4mm 的挤压垫。挤压时切入锭坯挤出洁净的内部金属，将带杂质的外壳留在挤压筒内（图 2-3-8），然后取下挤压垫，换用清理垫将外壳推出挤压筒。在生产中应尽量使挤压垫对中以在挤压筒中留下完整的外壳，每次脱皮挤压后的清理操作要彻底。同时，为防止金属向后流，应控制挤压垫的尺寸不要太小。使用脱皮挤压后，可得到表面光洁的制品，比普通挤压的残料损失减少了 10% 左右。

（3）机械加工锭坯表面。用车削加工去除锭坯表面的杂质和氧化皮，可使径向流动时流入制品的金属较为洁净，从而防止缩尾的产生。

（4）控制工艺条件。减少金属与工具间的温差，降低挤压末期的挤压速度均可使挤压缩尾减少。另外，采用反挤压也可减少挤压缩尾。

3.3.3　气泡与起皮

气泡与起皮是挤压制品的常见缺陷。形成气泡与起皮的主要原因为以下几个方面：

（1）铸锭内部存在脏物、气孔、砂眼、裂纹等缺陷，在挤压时这些缺陷未能焊合。

（2）使用了过量的润滑剂，在挤压中形成大量的气体，这些气体被压入铸锭表面裂纹内；或当填充挤压速度太快，填充变形量太大，使大量气体来不及排出而压入铸锭表面。这些气体在通过模子表面时被焊合而形成气泡，未被焊合则形成起皮。

（3）挤压筒和穿孔针表面不光滑，或穿孔针上有裂纹，挤压时可将气体带入而形成气泡或起皮。挤压垫片与挤压筒尺寸配合不好时，挤压时在筒内表面会残留有金属皮。在下一次挤压时，这些金属皮会粘附在铸锭表面被挤出模孔而形成起皮。

3.3.4　扭拧、弯曲和波浪

在挤压型材时，由于模孔排列、模子工作带设计不当、润滑不均匀等原因，常造成制品断面上各处金属流动不均匀，从而产生扭拧、弯曲与波浪等缺陷，如图 2-3-9 所示。当这些缺陷不很严重时，可通过随后的矫直工艺得到合格的制品；但当扭拧、弯曲与波浪较严重时，即使进行矫直也难以使制品平直，造成出现废品。

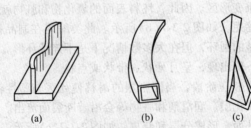

(a)　　　　　　　　(b)　　　　　　　　(c)

图 2-3-9　挤压型材的扭拧、弯曲、波浪缺陷

(a) 波浪；(b) 弯曲；(c) 扭拧

4 挤 压 力

挤压力是挤压轴通过垫片作用在被挤压锭坯上迫使金属从模孔流出来的压力。单位断面上的挤压力称为单位挤压力，也称挤压应力。实践证明：挤压力是随挤压轴的行程而变化的，所要计算的挤压力是指最大挤压力，它是确定挤压机吨位和校核挤压机部件强度的依据。本章首先研究影响挤压力的因素，然后介绍计算挤压力的方法。

4.1 影响挤压力的因素

4.1.1 挤压温度的影响

因为所有金属和合金的变形抗力都是随温度升高而下降，所以挤压力也随着温度的升高而降低，如图 2-4-1 所示。

4.1.2 坯料长度的影响

在正向挤压时，由于在稳定挤压阶段，金属坯料与挤压筒接触表面之间有很大的摩擦力存在，所以坯料的长度对挤压力有很大的影响。坯料的长度越长，挤压力就越高，如图 2-4-2 所示。

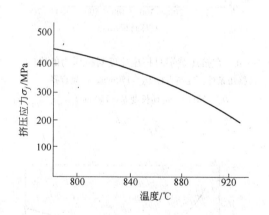

图 2-4-1 挤压温度对挤压应力的影响
（材料:QAl10-4-4;实验条件:挤压比 λ =4.0,
工厂条件下测定）

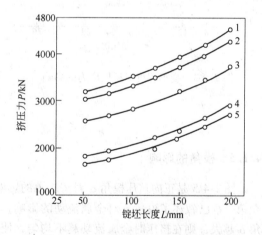

图 2-4-2 锭坯长度对挤压力的影响
1—QSn4-0.3;2—B30;3—H96;4—T2～T4;5—H62
（挤压条件:正向挤压,挤压筒 ϕ80mm,$v_{流}$ =480mm/s,
模角 α =60°,工作带长 l =8mm,石墨润滑）

在反向挤压时，由于变形只集中在模口附近，其余部分的金属并不参加变形，因此，坯料的长度对挤压力没有影响。

4.1.3 变形程度的影响

当变形程度增加时，金属通过模孔所需要的挤压力增加，如图 2-4-3 所示。

4.1.4　挤压速度的影响

在实验室里冷态的挤压试验中，挤压速度对所需的挤压力的影响较小，而在加热状态的挤压时，挤压速度对挤压力的影响较大。图 2-4-4 为 H68 黄铜坯料在加热到 650℃和 700℃时，用不同的速度挤压所得到的挤压力变化曲线。用同一速度挤压时，锭坯的加热温度越高，材料的变形抗力越低，挤压力也要降低。由图 2-4-4 中看到，在挤压过程开始时，挤压速度越高，挤压力越大；在挤压后期，由于锭坯在挤压筒中的冷却，挤压到后一部分时，若挤压速度越慢，则需要压力就越高。在稳定挤压阶段，在某一挤压速度以上时，挤压力随着坯料长度的减少而降低，这主要是因为变形和摩擦热使坯料的温度升高，另一方面也因为挤压筒与坯料接触面摩擦力减小之故。但当挤压速度较慢时，随着坯料长度的减少，挤压力不断的升高。这主要由于速度慢，挤压时间长，材料冷却而使变形抗力升高之故。

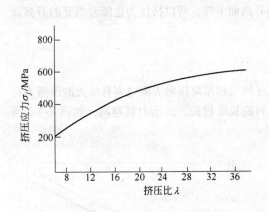

图 2-4-3　变形程度对挤压应力的影响

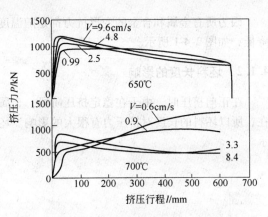

图 2-4-4　在挤压黄铜时挤压速度对挤压力的影响

（挤压条件：锭坯直径 $D_0 = 170mm$，制品直径

$D_K = 50mm$，锭坯长度 $l_0 = 750mm$）

4.1.5　模角的影响

图 2-4-5 是正向挤压模角 α 对挤压力的影响。在第二章已叙述了模角 α 对金属流动的影响，模角 α 越大，则在挤压时金属流动越不均匀，使金属变形功增大，挤压力增高，而模角 α 越小，则金属流动越均匀，金属变形功虽小了，但是由于金属与工具的摩擦面积增加，使摩擦功大大的增加，因此挤压力也要增大。因此，存在一个合理模角范围，在此范围内挤压力最低。

4.1.6　摩擦的影响

图 2-4-6 示出了不同摩擦条件下挤压力的变化。可见，挤压时坯料与挤压工具接触面摩擦力越小，则金属的变形越均匀，同时使摩擦功减

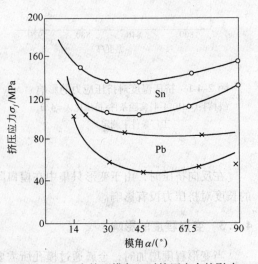

图 2-4-5　正向挤压模角 α 对挤压应力的影响

少，因此挤压力降低。

另外，不同金属与合金的挤压力也各不相同，而且采用不同挤压方法，对挤压力的影响也很大，例如正向挤压与反向挤压时，挤压力的变化不同，如图 2-4-7 所示。

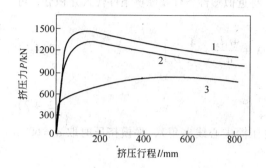

图 2-4-6　正向挤压润滑对挤压力的影响
1—粗面；2—光滑面无润滑；3—光滑面有润滑

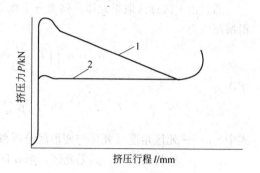

图 2-4-7　正向挤压与反向挤压时挤压力
的变化曲线
1—正向挤压；2—反向挤压

总之，影响挤压力的因素综合起来有：被挤压坯料的变形抗力；坯料与工具的几何因素；外摩擦等。

4.2　挤压力计算

挤压力的理论计算法有理论解析法和数值计算法两类。

（1）理论解析方法形式较为简单，通用性强，应用广泛。该方法在简单挤压条件下的计算比较准确，对于复杂的挤压过程，计算精度不如数值计算方法精度高。

（2）数值计算方法。这种方法包括上限法和各类塑性有限元法。用这种方法可获得数值解，已广泛用于研究和分析各种复杂的挤压过程，如型材挤压、多孔模挤压和复合材料挤压等。

4.2.1　棒材单孔挤压力

挤压棒材时，按坯料受力情况，可将其分成四个区域，如图 2-4-8 所示。

第 1 区为定径区，坯料在该区域内不再发生塑性变形，除受到挤压模工作带表面给予的压力和摩擦力作用外，在与 2 区的分界面上还将受到来自 2 区的压力 σ_{x1} 的作用。坯料在此区内处于三向压应力状态。

第 2 区为变形区，坯料在此区将受到来自 1 区的压应力 σ_{x1}，来自 3 区的压应力 σ_{x2} 以及来自 4 区的压应力 σ_n 和摩擦应力 τ_s 的作用。因此，此区坯料是三向压应力状态。

第 3 区为未变形区，它在 2 区的压应力 σ_{x2}、垫片的压应力 σ_{x3}、挤压筒壁的压应力 σ_n 和摩擦力 τ_k 的作用下产生强烈的三向压应力状态。在垫片附近几乎是三向等值压应力状态。在此区坯料不发生塑性变形。

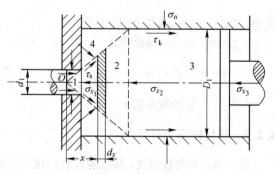

图 2-4-8　棒材挤压时受力状态
1—定径区；2—塑性变形区；3—未变形区；
4—难变形区（死区）

第 4 区为难变形区（死区），其应力状态与镦粗时接触表面附近中心部分的难变形区相似，也是近乎等值三向压应力状态。坯料处于弹性变形状态。在挤压后期，死区不断缩小范围，转入塑性变形区。用锥模挤压时，如模角和润滑的条件好，也可以出现无死区的情况。

通过由 1 区逐区取单元体，列微分平衡方程，将近似塑性条件及摩擦条件代入并积分，可得挤压应力

$$\sigma_{j} = \sigma_{s}\left[\left(1 + \frac{1}{\sqrt{3}}\cot\alpha\right)\ln\lambda + \frac{4f_1l_1}{d_1} + \frac{4}{\sqrt{3}}\frac{l_3}{D_t}\right] \tag{2-4-1}$$

挤压力

$$P = \sigma_{j} \cdot \frac{\pi}{4}D_t^2 \tag{2-4-2}$$

式中　α——死区角度（死区与变形区分界线和挤压筒中心线夹角），平模挤压时取 α = 60°，
　　　　锥模挤压时，如无死区，则 α 即为模角；

　　　λ——挤压系数（挤压比）；

　　　D_t——挤压筒内径；

　　　d_1——模孔直径；

　　　f_1——坯料与挤压模工作带之间的摩擦系数；

　　　l_1——挤压模工作带长度；

　　　l_3——未变形区部分锭坯的长度；

　　　σ_s——挤压坯料的变形抗力，其值取决于坯料的性质、挤压温度、变形速度和变形程度，参见 4.3 节确定；

　　　σ_j——挤压应力；

　　　P——挤压力。

4.2.2　型材挤压力计算

对于型材的单孔、多孔挤压，其挤压力可在棒材单孔挤压力计算公式的基础上加以修正。

$$\sigma_{j} = \sigma_{s}\left[\left(1 + \frac{\sqrt[3]{a}}{\sqrt{3}}\cot\alpha\right)\ln\lambda + \frac{\Sigma Zf_1l_1}{\Sigma F} + \frac{4}{\sqrt{3}}\frac{l_3}{D_t}\right]$$

$$P = \sigma_{j} \cdot \frac{\pi}{4}D_t^2 \tag{2-4-3}$$

式中　ΣZ——制品的周边长度总和；

　　　ΣF——制品的断面积总和；

　　　a——经验系数，$a = \dfrac{\Sigma Z}{1.13\pi\sqrt{\Sigma F}}$，主要考虑制品断面的复杂性及模孔数的多少来确定经验系数 a。

4.2.3　管材挤压力计算

管材挤压有两种形式：固定穿孔针挤压与随动穿孔针挤压。管材挤压与棒材挤压相比，增加了穿孔针的摩擦力作用，从而使挤压力增加。

4.2.3.1　固定穿孔针挤压管材的挤压力计算

采用的穿针孔有瓶式针（图 2-4-9）和圆柱形针，挤压力计算公式为

$$\sigma_{\mathrm{j}} = \sigma_{\mathrm{s}}\left[\left(1 + \frac{1}{\sqrt{3}}\cot\alpha \cdot \frac{\overline{D} + d}{\overline{D}}\right)\ln\lambda + \frac{4f_1 l_1}{d_1 - d} + \frac{4}{\sqrt{3}}\frac{l_3}{D_{\mathrm{t}} - d'}\right] \tag{2-4-4}$$

$$P = \sigma_{\mathrm{j}} \cdot \frac{\pi}{4}(D_{\mathrm{t}}^2 - d'^2)$$

式中 $\overline{D}$——塑性变形区坯料平均直径，$\overline{D} = \frac{1}{2}(D_{\mathrm{t}} + d_1)$；

d——制品内径；

d_1——制品外径；

d'——穿孔针针体直径，当穿孔针为圆柱体
时 d' 变为 d。

其他的符号同前。

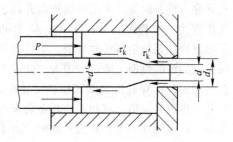

图 2-4-9　固定瓶式针挤压管材

4.2.3.2　随动穿孔针挤压管材的挤压力

挤压时，穿孔针随挤压杆一起移动，未变形部
分与穿孔针间无相对运动，无摩擦力。挤压力计算
公式为

$$\sigma_{\mathrm{j}} = \sigma_{\mathrm{s}}\left[\left(1 + \frac{1}{\sqrt{3}}\cot\alpha \cdot \frac{\overline{D} + d}{\overline{D}}\right)\ln\lambda + \frac{4f_1 l_1}{d_1 - d} + \frac{4}{\sqrt{3}}\frac{l_3 D_{\mathrm{t}}}{D_{\mathrm{t}}^2 - d^2}\right] \tag{2-4-5}$$

$$P = \sigma_{\mathrm{j}} \cdot \frac{\pi}{4}(D_{\mathrm{t}}^2 - d_1^2)$$

4.2.4　反向挤压力计算

棒材反向挤压时，由于坯料与挤压筒之间没有摩擦力，所以把式（2-4-1）中的 $\sigma_{\mathrm{s}}\frac{4}{\sqrt{3}}\frac{l_3}{D_{\mathrm{t}}}$
项去掉，即为棒材反向挤压力计算公式

$$\sigma_{\mathrm{j}} = \sigma_{\mathrm{s}}\left[\left(1 + \frac{1}{\sqrt{3}}\cot\alpha\right)\ln\lambda + \frac{4f_1 l_1}{d_1}\right] \tag{2-4-6}$$

$$P = \sigma_{\mathrm{j}}\frac{\pi D_{\mathrm{t}}^2}{4}$$

管材反向挤压力的计算公式为

$$\sigma_{\mathrm{j}} = \sigma_{\mathrm{s}}\left[\left(1 + \frac{1}{\sqrt{3}}\cot\alpha \cdot \frac{\overline{D} + d}{\overline{D}}\right)\ln\lambda + \frac{4f_1 l_1}{d_1 - d}\right] \tag{2-4-7}$$

$$P = \sigma_{\mathrm{j}}\frac{\pi(D_{\mathrm{t}}^2 - d_1^2)}{4}$$

4.2.5　穿孔力计算

穿孔力 P 由穿孔针端面上的压力 p' 和穿孔针侧面的摩擦力 T 组成，即 $p = p' + T$。

穿孔时，穿孔针前端的 A 区坯料受三向压应力作用，满足塑性条件（将符号代入后）$\sigma_l - \sigma_r = K$，其变形状态为一向压缩两向延伸（图2-4-10）。穿孔针头部的压应力分布规律与镦粗时接触表面的压力分布规律类似，只是边缘上的 σ_{la} 不再等于 K，而是 $\sigma_{la} = \sigma_{ra} + K$。

σ_{ra} 的数值取决于变形区 B 区的应力状态，是三向压应力，并满足塑性条件 $\sigma_r - \sigma_l = K$。B 区的 σ_l 是由于 C 区金属与穿孔针反向流动时，受到挤压筒壁及穿孔针表面的摩擦力 τ_k 的阻碍而产生的。而 σ_{rb} 同 τ_k 数值及挤压筒、穿孔针的接触面积有关。因此穿孔力 P 将随穿孔针穿入坯料的深度 h 值的增加而升高，当穿孔深度达一定程度（$h = d$）时，正面的阻力很快就增加到稳定过程的数值，然后由于在金属接触的针的侧面上摩擦力增大，此阻力继续缓慢增加，在穿孔针前端离模面一定距离时，穿孔力出现最大值，有利于切断金属未被穿透部分，形成脱开的穿孔料头，此时，由于剪切表面减小，使穿孔针的运动阻力开始下降（见图 2-4-10），最后金属断裂，实心头被顶出。

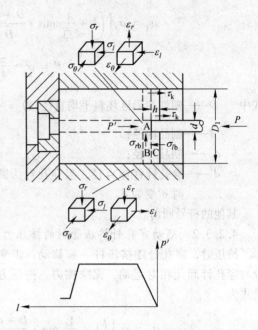

由以上分析可知，考虑到热穿孔时摩擦系数较大，故可取 $\tau_k = \frac{1}{2}K$，因此在 C 区和 B 区的分界面上 σ_{lb} 为

图 2-4-10　穿孔过程作用力分析及穿孔力的变化

$$\sigma_{lb} = \frac{\frac{1}{2}K\pi(D_t + d)h}{\frac{\pi}{4}(D_t^2 - d^2)}$$

$$\sigma_{lb} = 2K\frac{h}{D_t - d} \tag{2-4-8}$$

在 B 区内

$$\sigma_{rb} - \sigma_{lb} = K$$

$$\sigma_{rb} = K\left(1 + \frac{2h}{D_t - d}\right) \tag{2-4-9}$$

在 A 区与 B 区的分界面上　　　$\sigma_{rb} = \sigma_{ra}$

$$\sigma_{ra} = K\left(1 + \frac{2h}{D_t - d}\right) \tag{2-4-10}$$

在 A 区内　　　　　　　　$\sigma_l - \sigma_r = K \tag{2-4-11}$

在边缘 a 点　　　　　　　$\sigma_{la} = K + \sigma_{ra}$

$$\sigma_{la} = 2K\left(1 + \frac{2h}{D_t - d}\right) \tag{2-4-12}$$

当 $h = d$ 时，穿孔针端面上所受的阻力 P'，并且随 h 的增加 p' 值变化不大，即

$$P' = \sigma_{la} \cdot F = \frac{\pi d^2}{2}K\left(1 + \frac{d}{D_t - d}\right) \tag{2-4-13}$$

作用在穿孔针侧表面的摩擦力

$$T = \tau_k\pi dh = \tau_k\pi d^2 + \frac{\sqrt{3}}{2}Kf_c(l_D - d - l_s) \tag{2-4-14}$$

最大穿孔力 $P_{max} = P' + T$。

$$P_{max} = K\pi d^2 + \frac{K\pi d}{2}\left[\frac{d}{D-d} + \sqrt{3}f_c(l_D - d - l_s)\right] \quad (2\text{-}4\text{-}15)$$

式中　d——穿孔针直径；

　　f_c——坯料与穿孔针之间的摩擦系数；

　　l_D——锭坯填充后的长度；

　　l_s——穿孔时剪切段实心头的长度，$l_s = \dfrac{10-0.025d}{2b}\cdot\dfrac{d}{\frac{d_1}{d}+1}$；

　　b——系数，由表 2-4-1 决定。

另外，也可采用近似公式计算穿孔力

$$P = P' + T = \frac{\pi}{2}d^2\left(2 + \frac{d}{D'-d}\right)K \quad (2\text{-}4\text{-}16)$$

当用瓶式穿孔针时，式（2-4-16）中的 d 应该是穿孔针大圆柱段的直径，而不是小圆柱段的直径。

表 2-4-1　计算穿孔力系数 b 值

材　料	管　壁　厚 s/mm										
	2.0	2.5	3.0	4.0	5.0	7.0	10.0	15.0	20.0	25.0	45.0
紫铜	1.2	1.1	1.0	1.0	0.9	0.8	0.7	0.6	0.5	0.5	0.5
H63	1.6	1.5	1.4	1.3	1.1	0.9	0.78	0.65	0.55	0.5	
HPb59-1			1.8	1.6	1.4	1.2	1.0	0.71	0.70		
BFe5-1		3.0	1.5	0.95	0.87	0.75	0.7	0.7	0.7	0.65	0.5
QAl10-4-4								0.5		0.4	

4.2.6　分流组合模挤压力计算

分流组合模是挤压铝及铝合金管材和空心型材常用的模具。挤压时金属首先从挤压筒流入分流孔，挤压力迅速升高，然后金属从分流孔流入成形。当金属从模孔流出时挤压力升到最大值，可根据 Ф. В. Журавлев 分流组合模挤压力算式进行计算。分流孔式组合模如图 2-4-11 所示。挤压力由两部分组成：一是锭坯由挤压筒进入模分流孔的变形力 P_1；二是金属由焊合室进入模孔的形变力 P_2。在计算总挤压力时，P_2 要乘以 λ_k，这是由于挤压垫片上的压力传递给焊合室内的金属，必须经过分流孔才能实现，所以总的挤压力为：

$$P = P_1 + \lambda_k P_2 \quad (2\text{-}4\text{-}17)$$

式中　λ_k——由挤压筒进入分流孔的延伸系数，$\lambda_k = \dfrac{F_t}{nF_k}$；

　　F_t——填充挤压后锭坯断面积，亦即挤压筒内孔断面积；

　　F_k——一个分流孔的断面积；

　　n——分流孔数。

金属充满焊合室阶段所需的挤压力 P_1 为

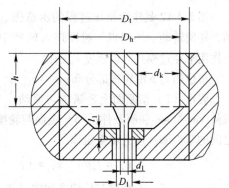
图 2-4-11　分流孔式组合模

$$P_1 = R_s + T_y + T_t + T_f \tag{2-4-18}$$

式中　R_s——实现金属进入分流孔道的纯塑性变形所需要的力；

　　　T_y——克服挤压筒中塑性变形区压缩锥面上的摩擦所需的力；

　　　T_t——克服挤压筒壁上的摩擦所需的力；

　　　T_f——克服分流孔道中的摩擦所需的力。

对圆柱形分流孔道来说

$$P_1 = 4.83F_t\,\overline{\tau}\ln\lambda_k + 4.7D_t(L_0 - 0.9D_t)\,\tau_1 + 0.5\lambda_k F_k\,\tau_2 \tag{2-4-19}$$

式中　$\overline{\tau}$——塑性变形区压缩锥内金属的平均剪切抗力；

　　　τ_1——塑性变形区入口处金属的剪切变形抗力；

　　　τ_2——塑性变形区压缩口锥处出金属剪切变形抗力。

金属由焊合室进入模孔的挤压力 P_2 为

$$P_2 = 3F_h\left(\ln\frac{F_{k1}}{F_1} + \ln\frac{Z_z}{Z_u}\right)\overline{\tau} + \lambda F_f\,\tau_2 + 1.8(D_h^2 - d_1^2)\ln\frac{D_h - d_1}{D_1 - d_1}\,\overline{\tau} + 0.5\lambda(Z_n + Z_w)l_1\,\tau_2$$

$$\tag{2-4-20}$$

式中　F_h，D_h——焊合室的断面积和直径；

　　　　F_{k1}——焊合室一端分流孔的总断面积；

　　　　F_f——分流孔道的总侧面积；

　　　Z_z，Z_u——制品断面周长及等断面圆周长；

　　　Z_n，Z_w——制品断面内、外周长；

　　　　l_1——工作带长度；

　　F_1，D，d_1——制品断面积、外径及内径；

　　　　λ——总的挤压比。

因此：

$$p = 4.83F_t\,\overline{\tau}\ln\lambda_k + 4.7D_t(l_0 - 0.9D_t)\,\tau_1 + 0.5\lambda_k F_k\,\tau_2 + \lambda_k\left[3F_h\left(\ln\frac{F_{k1}}{F_1} + \ln\frac{Z_t}{Z_n}\right)\overline{\tau}\right.$$

$$\left. + \lambda F_f\,\tau_2 + 1.8(D_h^2 - d_1^2)\ln\frac{D_h - d_1}{D_1 - d_1}\,\overline{\tau} + 0.5\lambda(Z_n + Z_w)l_1\,\tau_2\right]$$

4.2.7　连续挤压（Conform）力计算

　　图 2-4-12 是连续挤压过程的示意图。模子与靴座不动，轮槽转动。坯料以 v_i 速度进入轮槽中，在槽轮摩擦力作用下穿过模孔，以速度 v_0 挤出。

　　单位压力 p 沿轮槽的分布：

　　假设（1）横断面上金属均匀流动；（2）被挤金属服从 Von-Mises 屈服条件；（3）金属与轮槽、金属与靴座之间的摩擦服从库仑摩擦定律

$$\tau_w = f_w p; \quad \tau_s = f_s p \tag{2-4-21}$$

式中　τ_w、f_w——金属与轮槽之间的摩擦力和摩擦系数；

　　　τ_s、f_s——金属与靴座之间的摩擦力和摩擦系数。

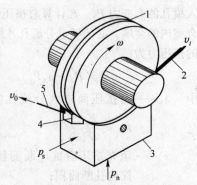

图 2-4-12　Conform 挤压过程示意图

1—轮槽；2—坯料；3—挤压靴；

4—模子；5—制品

考虑到金属变形的净驱动力是轮槽摩擦力减去靴座摩擦力而得到，故定义引起净驱动力的有效摩擦系数 f 为

$$f = (1 - s)f_w - sf_s \qquad (2\text{-}4\text{-}22)$$

式中　s——坯料与靴座的接触长度占坯料周长的分数。

如图 2-4-13 所示，选用 $\theta - r - z$ 柱坐标系，并切取微元体做受力分析。

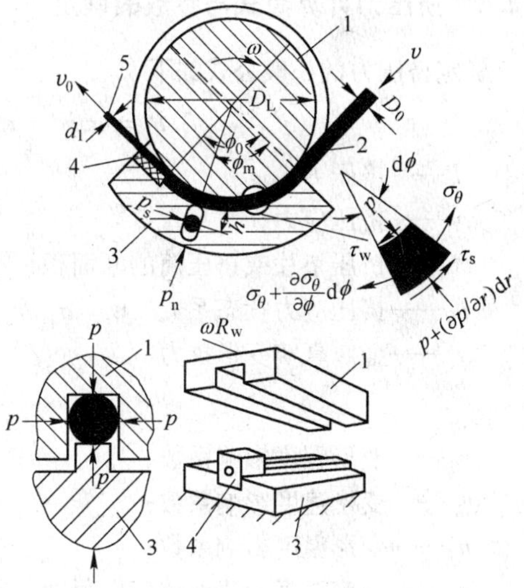

由于金属侧向变形较小，可以认为是平面变形，所以由几何方程得

$$\dot{\varepsilon}_z = 0 \qquad (2\text{-}4\text{-}23)$$

由塑性流动法则和式（2-4-23）得

$$\sigma_z = \frac{1}{2}(\sigma_r + \sigma_\theta) \qquad (2\text{-}4\text{-}24)$$

代入 Von-Mises 屈服条件中得

$$\sigma_r - \sigma_\theta = \pm \frac{2\sigma_s}{\sqrt{3}} \qquad (2\text{-}4\text{-}25)$$

图 2-4-13　Conform 挤压微元体受力分析
1—挤压轮；2—坯料；3—挤压靴；
4—挤压模；5—制品

式中　σ_s——单向拉伸时的屈服应力。

对微元体受力列平衡方程得

$$\frac{\mathrm{d}\sigma_\theta}{\mathrm{d}\phi} = 2fp\left(\frac{D_t}{D_0}\right) \qquad (2\text{-}4\text{-}26)$$

式中　D_t、D_0——挤压轮和坯料的直径。

设 $\sigma_r = -p$，考虑到式（2-4-24），式（2-4-25），对式（2-4-26）积分得

$$p = p(0)\exp\left(2f\left(\frac{D_t}{D_0}\right)\phi\right) \qquad (2\text{-}4\text{-}27)$$

积分常数 $p(0)$ 据模子入口的应力状态确定。

当 $\phi = \phi_0$（模入口角度）时，$\qquad \sigma_\theta(\phi)\big|_{\phi=\phi_0} = \sigma_j \qquad (2\text{-}4\text{-}28)$

挤压应力 σ_j 由下式确定

$$\frac{\sigma_j}{\sigma_s} = 2\ln\left(\frac{D_0}{d_1}\right) + \frac{2}{\sqrt{3}}\left(\frac{\alpha}{\sin^2\alpha} - \cot\alpha\right) + \frac{2}{\sqrt{3}}\ln\left(\frac{D_0}{d_1}\right)\cot\alpha + \left(\frac{\rho v^2}{\sigma_s}\right)\left(\frac{1 - \cos^4\alpha}{4\sin^2\alpha}\right)\left[\left(\frac{D_0}{d_1}\right)^4 - 1\right]$$

$$(2\text{-}4\text{-}29)$$

式中　d_1——挤压后金属的直径；

$\qquad \alpha$——模子半锥角；

$\qquad v$——坯料进入轮槽的速度；

$\qquad \sigma_s$——金属屈服应力。

联立式（2-4-28）、式（2-4-27）、式（2-4-24）、式（2-4-25）得到压力分布

$$\frac{p(\phi)}{\sigma_s} = \left(\frac{1}{\sqrt{3}} + \frac{\sigma_j}{\sigma_s}\right)\exp\left[-2f\left(\frac{D_t}{D_0}\right)(\phi_0 - \phi)\right] \qquad (2\text{-}4\text{-}30)$$

可见轮槽与靴座作用于金属上的压力呈指数规律变化。

4.2.8　挤压力计算简式与参数的确定

确定挤压力的一般公式如下

$$P = \sigma_j F = n_s \sigma_s F = n_s n_\varepsilon n_{\dot{\varepsilon}} n_T \sigma_{so} F \qquad (2\text{-}4\text{-}31)$$

式中　P——挤压力；

σ_j——挤压应力；

F——挤压垫片或挤压筒的断面积；

n_s——挤压应力状态系数，$n_s = \sigma_j / \sigma_s$；

σ_s——金属真实变形抗力，

$$\sigma_s = n_\varepsilon n_{\dot{\varepsilon}} n_T \sigma_{so} \qquad (2\text{-}4\text{-}32)$$

n_ε——变形程度影响系数；

$n_{\dot{\varepsilon}}$——变形速度影响系数；

n_T——变形温度影响系数；

σ_{so}——一定温度、速度和变形程度范围内测得的屈服极限。

表 2-4-2　挤压应力状态系数 n_s 的确定

挤压情况	λ	d_R	α	n_{td}[①]	n_z	n_d
单孔模挤圆棒	$\dfrac{D_t^2}{d_1^2}$	d_1	1	$\dfrac{4}{\sqrt{3}}\dfrac{l_3}{D_t}$	$\left(1 + \dfrac{1}{\sqrt{3}}\cot\alpha\right)\ln\lambda$	$\dfrac{4 f_1 l_1}{d_1}$
多孔模挤圆棒	$\dfrac{D_t^2}{m d_1^2}$	$d_1\sqrt{m}$	$\sqrt{m}$	$\dfrac{4}{\sqrt{3}}\dfrac{l_3}{D_t}$	$\left(1 + \dfrac{\sqrt[6]{m}}{\sqrt{3}}\cot\alpha\right)\ln\lambda$	$\dfrac{4 f_1 l_1}{d_1\sqrt{m}}$
单孔模挤实心型材	$\dfrac{\pi D_t^2}{4F}$	$1.13\sqrt{F}$	$\dfrac{Z}{\pi d_R}$	$\dfrac{4}{\sqrt{3}}\dfrac{l_3}{D_t}$	$\left(1 + \dfrac{\sqrt[3]{\alpha}}{\sqrt{3}}\cot\alpha\right)\ln\lambda$	$\dfrac{f_1 l_1 Z}{F}$
多孔模挤实心型材	$\dfrac{\pi D_t^2}{4\Sigma F}$	$1.13\sqrt{\Sigma F}$	$\dfrac{\Sigma Z}{\pi d_R}$	$\dfrac{4}{\sqrt{3}}\dfrac{l_3}{D_t}$	$\left(1 + \dfrac{\sqrt[3]{\alpha}}{\sqrt{3}}\cot\alpha\right)\ln\lambda$	$\dfrac{f_1 l_1 \Sigma Z}{\Sigma F}$
用矩形挤压筒挤压[②]	$\dfrac{BH}{\Sigma F}$	$1.13\sqrt{\Sigma F}$	$\dfrac{\Sigma Z}{\pi d_R}$	$\dfrac{4}{\sqrt{3}}\dfrac{(B+H)l_3}{BH}$	$\left(1 + \dfrac{\sqrt[3]{\alpha}}{\sqrt{3}}\cot\alpha\right)\ln\lambda$	$\dfrac{f_1 l_1 \Sigma Z}{\Sigma F}$
挤压圆管材（固定针）	$\dfrac{D_t^2 - d^2}{d_1^2 - d^2}$	$\sqrt{d_1^2 - d^2}$	$\dfrac{Z}{\pi d_R}$	$\dfrac{4}{\sqrt{3}}\dfrac{l_3}{D_t - d'}$	$\left(1 + \dfrac{1}{\sqrt{3}}\cot\alpha\dfrac{\overline{D}+d}{\overline{D}}\right)\ln\lambda$	$\dfrac{4 f_1 l_1}{d_1 - d}$
挤压圆管材（随动针）	$\dfrac{D^2 - d^2}{d_1^2 - d^2}$	$\sqrt{d_1^2 - d^2}$	$\dfrac{Z}{\pi d_R}$	$\dfrac{4}{\sqrt{3}}\dfrac{l_3 D_t}{D_t^2 - d^2}$	$\left(1 + \dfrac{1}{\sqrt{3}}\cot\alpha\dfrac{\overline{D}+d}{\overline{D}}\right)\ln\lambda$	$\dfrac{4 f_1 l_1}{d_1 - d}$

①对反向挤压 $n_{td} = 0$；②对扁挤压筒既可推出相应的公式，也可等效成圆挤压筒、圆制品、圆坯料求解压力。

对热挤压过程的挤压力，各个参数的选择如下：

A　应力状态系数 n_s

它是坯料和工具几何因素、外摩擦的函数。对国内外大量文献的分析表明：由于推导挤压应力公式过程中均是对挤压筒——锭坯、变形区压缩锥、工作带分别进行的，所以众多的挤压应力公式的应力状态系数 n_s 可以用相应的三个参数来表达，即

$$n_s = n_{td} + n_z + n_d \qquad (2\text{-}4\text{-}33)$$

式中　n_{td}——挤压筒-锭坯区域的应力状态系数；

n_z——变形区压缩锥的应力状态系数；

n_d——定径区的应力状态系数。

换句话说，各种挤压应力公式均统一于式（2-4-33）中。各种挤压情况下 n_s 的确定如表2-4-2所示，其中：

D_t——挤压筒直径；

d'——穿孔针体直径，当穿孔针为圆柱针时 d' 变为 d；

d_1——管材外径或棒材直径；

d——管材内径；

$\overline{D}$——平均直径，$\overline{D} = \frac{1}{2}(D_t + d_1)$；

l_3——挤压筒中未变形部分锭坯的长度（反挤压时为0）；

l_1——模子工作带长度（若一个模孔内，工作带长度不相等时，需分段计算，然后相加）；

Z——单根制品端面周长；

F——单根制品面积；

λ——挤压比；

d_R——等效直径，用来将非断面的制品转化成圆断面的制品；

α——经验系数；

f_1——摩擦系数由表2-4-3确定。

表 2-4-3　挤压公式用摩擦系数 f_1

	合金品种	挤压温度/℃	摩擦系数		合金品种	挤压温度/℃	摩擦系数
重金属	紫　铜	900 ~ 950	0. 10 ~ 0. 12	轻金属	铝及铝合金	450 ~ 500	0. 25 ~ 0. 30
		800 ~ 900	0. 12 ~ 0. 18			300 ~ 450	0. 30 ~ 0. 35
		700 ~ 800	0. 18 ~ 0. 25				
	HPb59-1	>700	0. 27		镁及镁合金	340 ~ 450	0. 25
	HFe59-1-1	700	0. 20 ~ 0. 22			250 ~ 350	0. 28 ~ 0. 30
	H68	700 ~ 850	0. 18				
	铝青铜	700 ~ 850	0. 25 ~ 0. 30	稀有金属	钛及钛合金	1000	0. 30 ~ 0. 35
	锡磷青铜	700 ~ 800	0. 25 ~ 0. 27			900	0. 40
	镍及镍合金	950 ~ 1150	0. 30			800	0. 50
		850 ~ 950	0. 35				
		800 ~ 850	0. 40 ~ 0. 45				

B　变形程度影响系数 n_ε

由于热挤压过程软化比较充分，变形程度对变形抗力的影响可以忽略不计，故 $n_\varepsilon \approx 1$。

C　变形速度影响系数 $n_{\dot{\varepsilon}}$

热挤压时变形速度对变形抗力的影响很大，$n_{\dot{\varepsilon}}$ 的确定有两种方法。

第一种方法是据挤压比 λ 和金属在塑性变形区压缩锥中持续的时间 t_s 查表2-4-4得到金属硬化系数 C_v，根据 $n_{\dot{\varepsilon}} = \frac{1 + C_v}{2}$ 或 $n_{\dot{\varepsilon}} = \sqrt{C_v}$ 来确定 $n_{\dot{\varepsilon}}$。

表 2-4-4　金属硬化系数 C_v

挤压比 λ		2	3	4	15	1000
金属在变形区中持续时间 t_s/s	≤0.001	3.35	4.15	4.50	4.75	5.00
	0.01	2.85	3.50	4.00	4.40	4.80
	0.1	2.00	2.90	3.20	3.40	3.60
	1.0	1.95	2.25	2.45	2.60	2.80
	≥10	1.00	1.00	1.00	1.00	1.00

t_s 随挤压制品的不同而不同。

用圆锭挤压实心断面制品时

$$t_s = \frac{1 - \cos\alpha}{3\lambda V_j \sin^3\alpha}(\lambda D_t - d_1) \qquad (2\text{-}4\text{-}34)$$

模角 $\alpha = 60°$ 时，式（2-4-34）变为

$$t_s = \frac{0.2566}{\lambda V_j}(\lambda D_t - d_1) \qquad (2\text{-}4\text{-}35)$$

挤压非圆断面型材时，d_1 值可用等断面积时的等效直径 d_R 代入

$$d_R = 2\sqrt{\frac{\Sigma F}{\pi}} \qquad (2\text{-}4\text{-}36)$$

用圆锭挤压管材时

$$t_s = \frac{0.4\left[(D_t^2 - 0.75d^2)^{\frac{3}{2}} - 0.5(D_t^3 - 0.75d^3)\right]}{F_0 V_j} \qquad (2\text{-}4\text{-}37)$$

式中　V_j——金属挤压速度；

　　　F_0——断面积，$F_0 = \frac{\pi}{4}D_t^2$。

其他情况下 t_s 的计算可参考有关文献。

第二种方法是根据变形速度 $\dot{\varepsilon}$ 和挤压温度 T，直接查变形速度影响系数的曲线，如图 2-4-14 所示。

D　变形温度影响系数 n_T

通常热挤压过程不单独确定 n_T，而是直接反映到变形抗力中

$$\sigma_{ST} = n_T \bar{\sigma}_{so} \qquad (2\text{-}4\text{-}38)$$

式中　σ_{ST}——挤压温度 T 下的金属屈服抗力。

由于有些材料的 σ_s 难以精确测定，经常用抗拉强度 σ_b 取代 σ_s，从而得到挤压温度 T 下的变形抗力

$$\sigma_{bT} = n_T \sigma_{so} \qquad (2\text{-}4\text{-}39)$$

综上所述，热挤压力的计算公式由式（2-4-31）转化为

$$P = n_s \cdot n_\varepsilon \cdot n_{\dot{\varepsilon}} \cdot \sigma_{bT} \cdot F \qquad (2\text{-}4\text{-}40)$$

对冷挤压过程的挤压力，此时变形温度、变形速度对 σ_s 的影响较小，则 $n_T \approx 1, n_{\dot{\varepsilon}} \approx 1,$

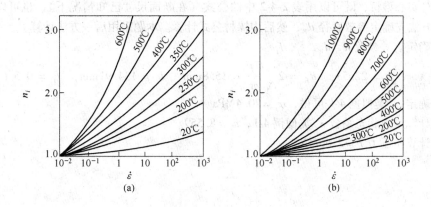

图 2-4-14 速度系数曲线

（a）铝和铝合金；（b）铜和铜合金

式（2-4-40）变为

$$P = n_s \cdot n_\varepsilon \cdot \sigma_{so} \cdot F \tag{2-4-41}$$

4.3 挤压力公式计算例题

例 4-1 在 15MN 挤压机上将 $\phi 150\text{mm} \times 200\text{mm}$ 锭坯挤成 $\phi 19\text{mm} \times 2\text{mm}$ 的紫铜管。挤压筒直径 $\phi 155\text{mm}$，锥模模角 65°，工作带长度 10mm，采用圆柱式穿孔针穿孔，穿孔针温度 300℃，挤压温度 900℃，挤压速度 80mm/s，试求挤压力和穿孔力（$\sigma_{bT} = 18\text{MPa}$）。

解

（1）确定有关参数 λ，l，f_1，$\overline{D}$

挤压比 $\lambda = F_0/F_1 = 175$，$l_3 = 179.57\text{mm}$，$f_1 = 0.5$，$\overline{D} = \dfrac{1}{2}(D_t + d_1) = 87\text{mm}$

（2）确定变形抗力 σ_s

由式（2-4-37）$t_s = 0.488\text{s}$；

查表 2-4-4 得 $C_v = 3.03$，从而 $n_\varepsilon = \dfrac{1}{2}(1 + C_v) = 2.015$；

所以 $\sigma_s = n_\varepsilon \sigma_{bT} = 36.27\text{MPa}$。

（3）计算应力状态系数 n_s

根据表 2-4-2，

$$n_s = n_{td} + n_z + n_d = \frac{4}{\sqrt{3}} \frac{l_3}{D_t - d} + \left(1 + \frac{1}{\sqrt{3}}\cot\alpha \frac{\overline{D} + d}{\overline{D}}\right)\ln\lambda + \frac{4f_1 l_1}{d_1 - d} = 14.756$$

（4）计算挤压力

$$P = n_s \cdot \sigma_s \cdot \frac{\pi}{4}(D_t^2 - d^2) = 9.999 \text{ MN}$$

（5）计算穿孔力由式（2-4-16）

$$P = 0.027\text{MN}$$

例 4-2 双孔模挤压 6A02 型材，铸锭尺寸 $\phi 70\text{mm} \times 175\text{mm}$，每根挤制品的断面积 $F = 98\text{mm}^2$，挤压筒直径 $\phi 75\text{mm}$，挤压模工作带长度 2mm，挤压温度 360℃，挤压速度 200mm/s，试确定挤压力。

解　对实心型材，既可以用表 2-4-2 中的公式（在断面尺寸已知情况下），也可以采用等效面积的方法先确定等效直径 d_R，然后用棒材公式计算。本题采用后一方法计算。

（1）确定有关参数 λ，d_R，l_3，f_1

$$\lambda = \frac{F_0}{F_1} = 22.53, \quad d_R = 2\sqrt{\frac{2F}{\pi}} = 15.8\,\text{mm}, \quad l_3 = 134.91\,\text{mm}, \quad f_1 = 0.5$$

（2）确定 σ_s 类似例 4-1 可得，$\sigma_s = 70.4\,\text{MPa}$。

（3）计算应力状态系数 n_s 类似例 4-1，$n_s = 8.559$。

（4）计算挤压力 $P = 2.66\,\text{MN}$。

5 挤 压 工 艺

5.1 挤压工艺参数的确定

在整个挤压生产过程中，工艺参数的选择对制品的质量有着重要的影响。为了获得高质量的产品，必须正确选择挤压时的工艺参数，如挤压温度、挤压速度、润滑条件及锭坯尺寸。

5.1.1 挤压温度的选择

确定挤压温度的原则是应保证在所选择的温度范围内金属具有较好的塑性及较低的变形抗力，同时要保证制品获得均匀良好的组织性能。在确定挤压温度时，首先可根据"三图定温"的原则，即根据合金的相图、金属或合金的塑性图及变形抗力图和第二类再结晶图。

(1) 合金相图　由合金的相图可初步定出挤压时的加热温度范围。挤压温度的上限应低于固相线的温度 T_0。为了防止铸锭加热时过热和过烧，通常热加工温度上限取 $(0.85 \sim 0.90)$ T_0，下限对单相合金可取 $(0.65 \sim 0.70) T_0$。当变形在两相区进行时，由于两相一般具有不同的性质，在挤压时将产生变形不均匀性，从而会产生附加应力，对制品的流动和组织性能产生不良的影响。因此，热加工通常在单相区进行，且挤压温度应高于相变温度 $50 \sim 70℃$ （图 2-5-1），以防在挤压过程中发生相变。

(2) 金属或合金的塑性图及变形抗力图　塑性图是金属或合金的塑性在高温下随变形状态及加载方式而变化的综合曲线图。塑性的表示形式有延伸率、断面收缩率、冲击韧性、扭转角及镦粗时出现第一个裂纹时的压缩率等。由金属或合金的塑性图可选择热加工温度范围。除了要考虑材料的高温塑性，还应使材料在挤压温度下变形抗力不过高。

(3) 第二类再结晶图　挤压制品出模的温度对制品的组织性能有着重要的影响。在对挤压制品的性能有要求时，必须控制挤压制品的晶粒度。此时，可参照第二类再结晶图，即热加工温度、变形程度和晶粒度之间的关系图。图 2-5-2 为铜的第二类再结晶图。

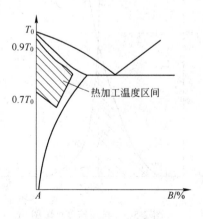

图 2-5-1　合金状态图

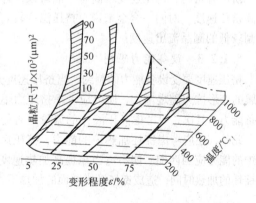

图 2-5-2　铜的第二类再结晶图

总之，上述"三图"是确定热加工温度的主要依据，但在确定挤压温度时还要考虑挤压加工的特点，如挤压的金属或合金的特点、挤压方法及变形热效应等。

当挤压高温下易氧化的金属与合金（铜及铜合金、镍及镍合金和钛及钛合金）以及在高温时易于和工具产生粘结的金属与合金（铝合金、铝青铜）时，应降低挤压温度，一般取下限温度。

由于挤压时变形程度很大，在挤压过程中会产生大量的变形热及摩擦热使变形区的温度升高，有时会使温度升高50℃甚至100℃，即挤压的变形热效应很大，因此挤压温度要比热轧温度低些。在确定挤压温度时，应在一般热加工温度的基础上适当降低。

5.1.2　挤压速度的选择

挤压速度可用三种方法表示：挤压速度 v_j 为挤压机主柱塞、挤压杆与挤压垫的移动速度；金属流出速度 v_1 为金属流出模孔的速度；金属变形速度 $\dot{\varepsilon}$ 为单位时间内变形量的变化 $\dot{\varepsilon} = \dfrac{\partial \varepsilon}{\partial t}$，其平均变形速度为 $\overline{\dot{\varepsilon}} = \dfrac{\varepsilon}{t}$。

在生产中一般常用金属流出速度，不同的金属与合金有一定的数值范围，这些数值取决于金属或合金的塑性，应用起来比较方便。金属流出速度和挤压速度之间的关系为：$v_1 = \lambda v_j$。在理论研究时则常使用变形速度。在确定金属的挤压速度时，应当考虑以下几个因素的综合作用。

5.1.2.1　金属或合金的可挤压性

与合金比较，在挤压纯金属时，可采用比较高的挤压速度；对于高温塑性范围窄的或存在低熔点成分的合金，应控制较低的挤压速度；当实测的挤压出口温度高于规定值时，应适当降低金属流出速度；当热挤压高温高强合金如钛合金或钢时，为避免工具对金属的冷却作用和钢质模具受高热变形，一般采用高速挤压。

5.1.2.2　制品形状及质量要求

挤压速度或变形区内金属的流动速度越快，金属流动的不均匀性越大。因此，在挤压型材特别是壁厚不均匀和断面形状复杂的型材时，应使金属的流动速度低于挤压棒材时的流动速度，以免造成挤压制品产生纵向上的扭拧、弯曲和波浪。挤压管材时，挤压速度可高些。润滑条件好时，可提高挤压速度。对同一合金来说，挤压温度较高时，应控制较低的制品流出速度。

5.1.2.3　设备能力限制

挤压速度要受设备能力的制约。当挤压速度升高时，金属的变形抗力随之增加，所以应考虑挤压力不能超过设备能力。其次，要考虑高压液体的流量是否能得到保证。此外，还应考虑锭坯加热炉的能力，挤压速度与加热炉的能力应当匹配。如不适当地提高加热速度，会缩短锭坯的加热时间，造成锭坯沿横断面的加热不均。

5.1.3　挤压过程优化

挤压过程优化主要是指挤压温度与挤压速度工艺参数的优化，即确定最大挤压速度和相应的最佳出模温度。最大挤压速度和出模温度之间的关系如图 2-5-3 所示。图

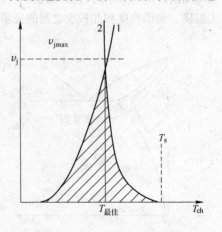

图 2-5-3　挤压速度极限图
1—挤压力极限曲线；2—合金极限曲线
T_{ch}—出模温度；T_s—固相线温度；
$T_{最佳}$—最佳出模温度；v_j—挤压速度；
v_{jmax}—最大挤压速度

中示出两条极限曲线:一条表示设备能力的挤压力极限曲线,超过此条曲线范围不能实现挤压过程;另一条表示合金制品表面开始出现裂纹的冶金学极限。两条曲线之间的阴影区提供了该合金挤压所允许的工艺参数范围,而两线的交点给出了理论上的最大挤压速度和相应的最佳出口温度。应当指出的是,这个最佳值只是从挤压速度出发,并不一定能满足制品的组织性能要求。

图 2-5-4 示出了两类合金的热加工范围。图 2-5-4(a)的合金是易挤压合金的挤压速度极限图,可见这类合金有很宽的加工范围。典型合金为 6063,T2 和 H62。图 2-5-4(b)适用于难变形合金,在挤压机最大速度下有较窄的加工范围。

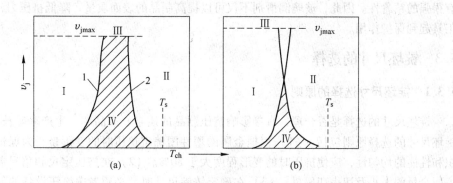

图 2-5-4　v-T_s 图上的挤压加工范围

(a) 易挤压合金; (b) 难挤压合金

1—挤压机能力 (挤压力极限曲线); 2—合金极限曲线

Ⅰ区—超过挤压机能力; Ⅱ区—表面粗糙与撕裂; Ⅲ区—泵流量不足; Ⅳ区—允许加工范围

若用数学式来描述两条极限曲线的形状,则其交点即为最大挤压速度,从而可使挤压工艺参数的优化程序简化。

5.2　挤压时的润滑

为使挤压时流动均匀,提高制品表面质量,延长挤压工具的使用寿命和降低挤压力,减少能量消耗,在挤压时应对挤压筒、挤压模和穿孔针进行润滑。但是,为了防止在挤压过程中锭坯中杂质和脏物流入制品从而形成挤压缩尾,不能对垫片进行润滑。

挤压时锭坯处于高温高压状态,金属很容易粘结工具。要求润滑剂具有足够的黏度和活性,能在润滑面形成一层致密的润滑薄膜;具有较高的闪点和较少的灰分;同时,还要求润滑剂有一定的化学稳定性,对人体无害,对环境无污染,且对金属和工具无腐蚀作用。

根据挤压金属的不同,润滑剂也不相同。

5.2.1　铝及铝合金

对铝及铝合金,多采用在黏性矿物油中添加各种固态添料的悬浮状润滑剂。比较典型的有:(1)70%~80%汽缸油+20%~30%粉状石墨;(2)60%~70%250 号苯甲基硅油+30%~40%粉状石墨;(3)65%汽缸油+15%硬脂酸铅+10%石墨+10%滑石粉;(4)65%汽缸油+10%硬脂酸铅+10%石墨+15%二硫化钼。

5.2.2　铜及铜合金

挤压大多数铜及铜合金棒材时,可采用 45 号机油和 20%~30%鳞片状石墨调制成的润滑剂；在挤压青铜和白铜时，可将鳞片状石墨的分量加至 30% ~ 40%。在冬季为增加润滑剂的流动性，应加入 5% ~ 9% 的煤油加以稀释；在夏季，可适当加入松香使石墨呈悬浮状态。

5.2.3　高温高强合金

在挤压高温高强合金如镍合金、钛合金和钢时，一般采用玻璃润滑剂。由于挤压这些合金时，挤压温度一般较高，挤压力也很大，用固体润滑剂和液态润滑剂均不能满足要求。玻璃润滑剂在挤压时可起到润滑和绝热作用，同时，玻璃润滑剂在高温和高压条件下呈熔融状态，具有很强的粘着性。因此，玻璃润滑剂不仅可以提高制品的表面质量，降低挤压力，还可对挤压工具起到保护作用。

5.3　锭坯尺寸的选择

5.3.1　锭坯尺寸选择的原则

锭坯尺寸的选择是否合理，直接影响挤压制品的质量、成品率、生产率等技术经济指标。锭坯尺寸的选择原则包括：（1）根据金属的塑性图确定挤压时的变形量，为保证挤压制品组织和性能的均匀性，应使挤压时的变形程度大于 80%；（2）在挤压定尺和倍尺制品时，应考虑压余量的大小及切头切尾量；（3）在确定铸锭尺寸时，必须考虑挤压设备的能力和挤压工具的强度；（4）为保证挤压过程的顺利进行，在挤压筒与锭坯之间、空心锭坯与穿孔针之间必须留有一定的间隙。

5.3.2　挤压比的选择

在选择挤压比时应考虑合金塑性、产品性能、挤压工具的强度及挤压机允许的最大压力。为了获得均匀和较高的力学性能，应尽量选用大的挤压比进行挤压。一般要求：

一次挤压的棒、型材，$\lambda > 8 \sim 10$；

锻造、拉拔用毛坯，$\lambda > 5$；

二次挤压用毛坯，λ 可不限。

在挤压比确定之后，即可初步确定锭坯的断面积或锭坯的直径。

挤压棒材时的锭坯直径　　　　　　　　$D_0 = d\sqrt{\lambda}$

挤压管材的锭坯直径为　　　　　$D_0 = \sqrt{\lambda(d^2 - d_1^2) + d_1^2}$

式中　d——挤压制品的直径；

　　　d_1——穿孔针直径。

5.3.3　锭坯长度的确定

按挤压制品所要求的长度来确定锭坯的长度时，锭坯长度 L_p 可按下式计算：

$$L_p = \left[\frac{(L_1 + l_1) + l_2}{\lambda} + h_y \right] \lambda_c \qquad (2\text{-}5\text{-}1)$$

式中　L_1——要求供给下工序的毛坯长度（未中断）；

　　　λ、λ_c——挤压比和填充系数；

　　　l_1、l_2——L_1 的长度裕量和切头尾长度；

　　　h_y——压余厚度。

在实际生产中，不论挤压制品的形状为何，坯料一般是圆柱形的。坯料长度为锭坯直径的2.5~3.5倍。对于不定尺的产品，常采用已规格化的几种锭坯长度，以便于管理。

5.4 轻金属挤压

在轻金属挤压中，正向挤压应用最为广泛。在挤压硬铝或超硬铝时，为使挤压过程顺利进行和使制品获得良好的性能，可采用等温挤压。连续挤压法用于生产小断面的型材、管材和线材。

5.4.1 铝合金挤压

铝及铝合金挤压制品广泛用于建筑、交通运输、电子及航空航天工业等部门。近年来，由于对汽车空调设备小型化、轻量化的要求，热交换器用管材及空心型材中铝挤压制品的比例迅速增加，从而可部分替代铜制品。

铝合金的挤压比范围为8~60，纯金属及软合金挤压时取上限值，而硬合金取下限值。

铝合金的挤压温度主要视合金的性质、对制品性能的要求以及生产工艺来确定。挤压温度越高，材料的变形抗力越低，有利于降低挤压力，减少能源消耗。但过高的挤压温度会降低挤压制品的表面质量，且容易出现粗大组织。

在实际生产中通常用金属流出模孔的速度表示挤压速度，一般应按所要求的金属出口温度与金属流出速度控制挤压温度与挤压速度，以保证挤压制品的表面质量，提高生产率。当用组合模挤压时，为保证焊合条件，应采用较高的挤压温度和较低的挤压速度。部分铝合金挤压时的工艺参数列于表2-5-1和表2-5-2。

表 2-5-1 铝合金的挤压温度

合金牌号	纯 铝	防锈铝	锻 铝	硬 铝	超硬铝
挤压温度/℃	320~480	320~480	370~520	380~450	380~450

表 2-5-2 铝合金挤压时金属流出模孔的速度

合金牌号	纯 铝	防锈铝	锻 铝	硬 铝	超硬铝
金属流出模孔速度 /m·min^{-1}	40~250	25~100	3~90	1~3.5	1~2

5.4.1.1 铝管材挤压

采用常规的穿孔针挤压法可挤压管材的最大外径小于300mm，最小内径25~35mm，最小壁厚2~5mm。其中，软铝合金可取最小内径和最小壁厚范围的下限，硬铝合金则取上限。当管材尺寸大于300mm时，可采用反向挤压。

与穿孔挤压方法相比，采用分流组合模挤压可以获得壁厚均匀、偏心程度小的管材。但由于用分流模挤压存在焊缝，一般在相同挤压设备上所能挤压的最大管材外径比用穿孔针要小。

5.4.1.2 建筑铝型材挤压

民用建筑用铝型材绝大多数采用 Al-Mg-Si 系铝合金（牌号6061、6063），这是因为Al-Mg-Si系铝合金质量轻、成型性好，并具有良好的淬火性能和表面处理性能。可以用它生产出质轻、美观且耐用的优质建筑型材。

建筑铝型材制品一般壁厚较薄（0.6~2mm），形状复杂且断面变化较大，对尺寸精度要求高。在建筑铝型材中，空心制品的比例很大，且内孔大多为异形孔，有的还是多孔、异形管材。因此，对建筑用铝型材模具的设计要求很高。

在挤压实心铝型材时，一般使用整体模中的平模。由于铝型材一般是一次成型，使用平模可使制品获得良好的表面质量。

由于型材形状越来越复杂，要求精度越来越高，用穿孔针生产空心型材已不能满足要求。因此，分流组合模发展非常迅速。在使用分流组合模时，金属在挤压过程中发生二次变形，金属流动阻力大。用分流组合模可生产形状非常复杂的空心型材，且制品尺寸精度高，表面质量好。但在挤压完毕时清理残料和修模较为困难。

5.4.1.3　大型铝型材挤压

大型型材被广泛用于飞机、车辆和船舶工业。近年来，由于高速列车的发展以及磁悬浮列车的开发，大断面铝型材生产得到了相应的促进。

挤压大型型材对挤压设备、工具及辅助设备都提出了更高的要求。大型材的挤压比普通型材挤压难度要大很多。这主要是因为：（1）对设备能力的要求较高。挤压大型材需要大直径的挤压筒，而挤压筒的最大直径取决于挤压机的吨位；（2）由于挤压筒尺寸大，靠近挤压筒内壁部分的金属与模孔中心的金属流动差异很大；（3）壁厚薄、断面形状对称性差的大型型材挤压尤其困难，因为这时金属流动的均匀性更难得到保证。因此，在挤压大型材时，必须采取一定的措施，如设置导流孔、不等长工作带来平衡金属的流动。同时要保证挤压锭坯加热的均匀性等。

5.4.1.4　超精密型材挤压

超精密型材广泛用于电子仪器、通讯设备、国防精密机械、仪表及船舶、汽车工业等方面。超精密型材包括两大类：一类是外形尺寸只有数毫米的小的型材，称为微小型材。由于这种型材尺寸很小，因此一般对制品的公差要求较严。此外，对制品的平直度、扭转度的要求也很高。另一类超精密型材的外形尺寸并不小，但对尺寸公差的要求十分严格；或虽然断面尺寸很大，断面形状复杂而且壁厚很薄的型材。在挤压这类型材时，不仅需要先进的模具设计，而且需要对从坯料至成品的整个生产流程进行严格控制。

在挤压微小型材时，可采用常规挤压方法，也可以采用连续挤压法。

5.4.1.5　等温挤压

等温挤压是通过控制金属流出速度来控制制品流出模孔时的温度。采用等温挤压可使整个挤压制品头尾的几何尺寸、表面质量、内部组织及性能达到理想的效果，大大提高生产率。等温挤压常用于挤压硬铝合金制品，有时也在挤压钛及钛合金中使用。

等温挤压的基本原理是：通过安装在模孔附近的非接触测温装置测定制品出模孔的温度，制品温度的变化转换成不同的电讯号输入到电子控制系统中，并按事先拟定的温度-速度关系，自动调节挤压速度使温度保持恒定。

由于在模孔处直接测量金属的变形温度再通过反馈调节挤压速度装置较为复杂，一般常采用模拟等温挤压法，即模拟各种合金制品等温挤压过程。如有的以实验或生产为基础建立数学模型，用电子数控系统自动控制挤压过程；有的用逐段降低挤压速度的分段挤压法达到此目的；还有的采用如前所述的锭坯梯温加热法。

5.4.2　镁合金挤压

镁及镁合金是所有金属结构材料中最轻的，其密度范围为 $1.3 \sim 1.9 \mathrm{g/cm}^3$，约为铝的2/3，钢的1/4。与其他金属材料及工程塑料相比，镁合金具有很高的比强度和比刚度。此外，镁合金具有优良的阻尼减震性能、高的热导率、优良的电磁屏蔽性能和优良的机械加工性能。由于镁合金具有诸多的优良性能，近年来对镁合金的研究日益增加，在汽车、航空航天和电子工业领域获得了迅速的发展，并有着广阔的应用前景。镁合金目前正愈来愈广泛地应用于轿车、体育用品及携带式修理工具等。如在汽车内应用薄壁镁合金管件，由于其截面积很小，可以显著减重。用镁合金制造的运输工具及零部件除重量特别轻之外，还具有刚度高，吸收冲击载荷和振动载荷能力强的优势。

镁具有六方晶格，塑性较差，成型性能远不如其他金属及合金。由于挤压时金属处于强烈的三向压应力状态，有利于提高金属的塑性，可对镁合金进行挤压成形。研究表明，Mg-Al-Zn系的 AZ31 和 AZ91 合金经挤压后，材料的塑性可得到明显的提高。

镁合金在室温下塑性很低，只有 4% ~ 5%，难以进行塑性加工。在 200℃ 以上塑性明显提高，225℃ 以上塑性提高的幅度很大，因此镁合金宜在 200℃ 以上成形。但挤压温度过高时很容易产生腐蚀和氧化，因此镁合金的热加工范围较窄，一般在 300 ~ 450℃ 之间。当镁合金与模具接触时，若坯料的温度降低过多，制品还容易出现裂纹。所以，必须对挤压模进行预热。在挤压镁合金时，为了减轻坯料与挤压筒及模具的摩擦，防止黏模，必须使用润滑剂。润滑剂一般采用石墨或动物油。

5.5 重金属挤压

重金属铜、镍、锌及其合金具有较好的加工性能，可通过挤压法生产管、棒、型和线材。对于易产生挤压缩尾的某些黄铜和青铜，一般采用正向脱皮挤压。为防止挤压制品表面氧化，提高表面质量，减少金属损失，在挤压铜合金时可采用水封挤压，即在普通挤压机的模出口处设置一个较大的水封槽，制品出模后直接进入水封槽中。水封挤压主要适用于易氧化的紫铜和黄铜合金。近年来，在变形铝合金管、棒、型材的生产中有时也采用，其目的是在挤压后水封淬火，从而提高挤压制品的强度。

A 挤压比

重金属的挤压比范围一般在 4 ~ 90 之间，可根据金属的特性、挤制品规格范围、组织性能要求及挤压设备能力选取。

B 挤压温度

应根据重金属的熔点、导热性能、合金相图、高温塑性图及变形抗力图、表面氧化与黏性、变形热效应等诸因素综合确定重金属的挤压温度。几种常用的重金属及合金的挤压温度控制范围列于表 2-5-3。

表 2-5-3 重金属及合金的挤压温度控制范围

金属与合金	紫 铜	黄 铜	青 铜	白 铜	镍及其合金
挤压温度/℃	750 ~ 875	620 ~ 800	720 ~ 900	900 ~ 960	950 ~ 1100

C 挤压速度

对熔点高、塑性好的金属，为了防止锭坯与挤压工具间的传热导致金属温度不均和模具过热，可采用高速挤压。如铜、镍及其合金熔点高，要求快速挤压，以防止锭坯表面受工具的冷却作用而使变形抗力升高。锌及其合金的变形热效应较大，应控制挤压速度以防止过热。对组织中存在低熔点相或表面黏度大的合金，则宜采用低速挤压。重金属及合金挤压流出速度的控制值见表 2-5-4。

表 2-5-4　重金属及合金的挤压流出速度控制范围

金属与合金	紫铜	黄铜	青铜	白铜	镍及其合金
金属流出速度/m·min^{-1}	18 ~ 300	12 ~ 60	1.8 ~ 9	18 ~ 72	18 ~ 60

5.6　稀有金属挤压

　　稀有金属一般导热性较差，变形热效应大，且由于稀有金属一般熔点较高，因此挤压时的特点是挤压温度高，要求使用的润滑剂同时具有润滑和隔热的作用。在挤压稀有金属时，要严格控制挤压比、挤压温度和挤压速度等工艺参数，以保证挤压制品的质量。

　　在稀有金属中，对导热性能差且变形热效应大的金属如钛、锆、铪等，宜采用中等挤压速度（$v_j = 50 \sim 120$mm/s）。过高的挤压速度会带来模孔处的金属过热，表面质量和性能下降。对熔点更高的金属如钨、钼、钽等，则应防止因金属与工模具间的接触热传导引起的金属不均匀冷却和模具过热，一般常用快速挤压，挤压速度 $v_j = 150 \sim 300$mm/s。

　　稀有金属的挤压温度应根据金属熔点、导热性能、合金相图、高温塑性图和高温变形抗力图以及金属出口温度的限制等综合确定。稀有金属挤压温度的控制范围列于表 2-5-5。

表 2-5-5　稀有金属挤压温度的控制范围

金属	钛	锆	铪	钨	钼	铌	钽
挤压温度/℃	730 ~ 850	500 ~ 830	890 ~ 1050	1500 ~ 1650	1200 ~ 1650	1000 ~ 1550	1000 ~ 1150

　　根据稀有金属特性、加工性能、制品规格范围和性能要求以及挤压机能力等，稀有金属的挤压比一般取 $\lambda = 3 \sim 40$。

　　在挤压稀有金属时常采用包套如图 2-5-5 所示。包套是防止金属氧化和粘结工模具的措施。对包套材料的要求是：在挤压温度下包套材料与基体金属的力学性能接近，两者结合面上不产生合金化；不粘结工模具；易于去除等。常用的包套材料有紫铜、软钢和钼。

　　挤压时应进行适当的润滑，以减小金属与工模具间的接触摩擦，防止金属粘结和工模具过热。挤压钨、钼、钽、铌、铪及其合金多采用玻璃润滑剂；钛及其合金采用玻璃润滑剂或包铜套后采用普通润滑剂；锆及其合金一般是在包铜套后采用普通润滑剂。

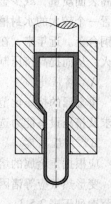

图 2-5-5　包套挤压法

5.7　钢挤压

　　用挤压方法可使难以加工的低塑性高合金钢成形，可以生产比热轧制品管壁更薄和断面形状更为复杂的实心或空心型材。早期由于未找到合适的润滑剂，无法满足钢挤压的要求。在1941 年发明了玻璃润滑剂。用玻璃做钢挤压的润滑剂，在高温下有很好的绝热性能和润滑作用，此后钢铁材料的挤压发展迅速。目前，用热挤压方法可生产碳钢和各种合金钢、不锈钢、高强度钢及镍基高温合金实心材和空心材。这种方法的优点是：（1）可以挤压难以加工的低塑性高合金钢；（2）可以得到管壁更薄的管材以及复杂形状的实心或空心异型材，而且表面质量好；（3）可以生产多品种、小批量而用轧制法又无法生产的产品。

　　与铝及铝合金、铜及铜合金等有色金属挤压相比较，钢材挤压有以下特点：

　　（1）挤压温度高，通常在 1000 ~ 1250℃；

（2）挤压力高，工模具所处的工作条件恶劣；

（3）挤压时采用玻璃润滑剂进行润滑，在挤压后需要去除制品表面的玻璃膜。

钢铁材料热挤压时坯料温度一般为：碳钢、低合金钢1100~1200℃，铁素体不锈钢1000~1100℃，奥氏体不锈钢1150~1250℃，镍含量高的耐热合金1000~1200℃。

由于钢铁材料挤压时，挤压温度很高，而挤压筒的温度只有300~450℃，为了防止坯料进入挤压筒后温度急剧下降和挤压筒温度显著升高，一般采用高速挤压。挤压轴的速度一般为50~400mm/s。钢铁材料热挤压的挤压比一般在3~60的范围内。

在钢挤压生产工艺中，钢管挤压的生产工艺具有典型性。首先对钢坯进行表面车削加工，用感应炉加热，在热的钢坯表面上涂敷玻璃粉末，在立式穿孔挤压机上穿孔。然后将空心钢坯用感应炉再加热，在空心钢坯内外表面涂敷玻璃粉，在挤压机上挤制管材。型钢的生产工艺流程比钢管的要短，省去了穿孔工序。

钢管挤压生产工艺流程如图2-5-6所示，主要包括钢坯加热、穿孔以及钢管挤压。

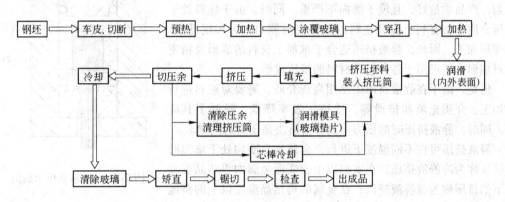

图 2-5-6　钢管挤压生产工艺流程

挤压钢时使用的玻璃润滑剂是天然硅酸盐或人造硅酸盐。

在穿孔挤压时，钢坯在撒有玻璃粉末的工作台上滚动，使外表面得到润滑。钢坯在同挤压筒接触时表面温度有所降低，但玻璃仍然具有所要求的黏度（100Pa·s）。润滑剂在钢坯上一定要均匀分布，否则容易在钢坯穿孔时出现壁厚不均。

在钻孔的钢坯扩孔时，为了使钢坯内表面润滑，需在钻孔处涂敷玻璃粉，防止扩孔冲头同钢坯热焊。另外，为了防止底座垫圈（下支撑环）同钢坯的热焊，靠底座垫圈上面放置玻璃片进行润滑。

挤压时外表面润滑的方法和作用同穿孔时相同，润滑内表面时通常把玻璃粉撒在管坯的内表面。模子用玻璃粉制成的玻璃垫润滑，玻璃润滑剂连续软化熔融，并随金属不断地带出挤压筒外。

成品上的玻璃润滑剂可采用喷丸、酸洗、盐浴等方法进行清理。

6　挤压新方法

6.1　静液挤压

在挤压筒中利用高压介质给坯料施加外力而实现挤压的方法称为静液挤压，如图 2-6-1 所示。

与正挤压和反挤压等挤压方法不同，静液挤压时金属坯料不直接与挤压筒接触。作用于坯料表面上的摩擦力为高压介质的黏性摩擦阻力；在变形区内，金属与模子之间处于流体润滑状态。因此，在静液挤压时，金属在长度和断面上的流动较为均匀，产品质量好，且模子磨损不严重。同时，由于坯料处于高压介质中，有利于提高坯料的塑性变形能力，可实现低温、大变形加工。因此，静液挤压适合于难加工材料的成形及精密型材成形，还可用于各种包覆材料的挤压成形。

但是，由于在静液挤压中使用高压介质，需要对坯料进行预加工、介质充填和排泄等，使挤压效率降低，限制了其应用。同时，静液挤压时的压力很高，需解决高压密封问题。

静液挤压可在不同温度下进行。金属和介质均处于室温时的挤压称为冷静液挤压；在室温以上，变形金属的再结晶温度以下的挤压称为温静液挤压；在金属的再结晶温度以上的挤压

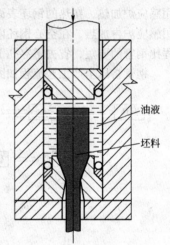

图 2-6-1　静液挤压示意图

称为热静液挤压。在挤压温度较低时，静液挤压使用的高压介质一般为黏性液体如蓖麻油、矿物油等；在挤压较高熔点的金属时，可使用黏塑性体如耐热脂、玻璃-石墨混合物等。

为了在挤压初期能够顺利地在挤压筒内建立起工作压力，一般需要将坯料头部车削成与挤压模模腔相一致的形状，即圆锥形。为了保证挤压制品的质量，还应对坯料进行车皮处理。

6.2　连续挤压

与轧制、拉拔等塑性加工方法相比较，常规挤压方法的缺点是生产不连续，在一个挤压周期中需要较多的间隙时间，从而使挤压过程的效率和生产率降低。同时，挤压生产的废料所占的比例也较大，包括切头切尾、挤压残料及穿孔料头。因此，在挤压加工领域，人们一直致力于开发连续挤压方法。

真正意义上的连续挤压是从 20 世纪 70 年代开始的。采用连续挤压机，在压力和摩擦力的作用下，使金属坯料连续不断地送入挤压模，可获得无限长挤压制品。

连续挤压主要有连续挤压和连续铸挤。

6.2.1　Conform 连续挤压

Conform 连续挤压机的结构如图 2-6-2 所示。杆料或颗粒料进入旋转的挤压轮与槽块构成的型腔，坯料与型腔壁产生摩擦力。在此摩擦力的作用下，挡料块处产生足够大的压力，使金属产生塑性变形，挤出模孔。图 2-6-2（a）采用径向出料方式，主要用于挤压铝及铝合金、铜及铜合金的线材、管材和型材。图 2-6-2（b）采用切向出料方式，常用于挤压包覆材，如

铝包钢线材。

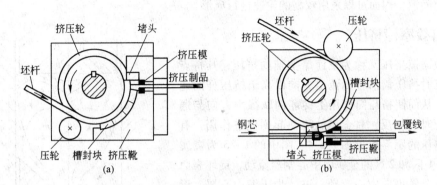

图 2-6-2 卧式单轮单槽连续挤压机的基本结构形式

与常规挤压相比较，Conform 连续挤压有以下优点：

(1) 可实现连续加工，缩短非生产时间，理论上可生产无限长的制品；

(2) 可省略坯料的加热工序，节省加热设备投资，降低能耗；

(3) 大幅度减少挤压压余、切头尾等几何废料，可将挤压制品的成品率提高到90%以上；

(4) 制品质量好，沿长度方向组织、性能均匀；

(5) 设备紧凑，占地面积小。

综上所述，Conform 连续挤压法尤为适合热挤压温度较低、小断面尺寸制品的连续成形。然而，连续挤压法也存在一些缺点。尽管采用扩展模挤压等方法使连续挤压可生产断面尺寸较大、形状较为复杂的实心或空心型材，但由于坯料尺寸和挤压速度的限制，生产大断面型材时连续挤压机的单台设备产量远远低于常规挤压方法。

6.2.2 Castex 连续铸挤

连续铸挤是将连续铸造与连续挤压结合为一体的新型连续成型方法。Castex 连续铸挤机的结构如图 2-6-3 所示。在铸挤时，液态金属被导入铸挤轮的凹槽与槽封块构成的挤压型腔中，在铸挤轮槽与坯料之间摩擦力的作用下使坯料充满型腔。靴块分为凝固靴和挤压靴。在凝固靴工作段内基本是动态结晶过程，在挤压靴工作段内基本是挤压变形过程。在凝固靴工作段出口和挤压靴工作段的入口附近为半熔融挤压过程。因此，可将连续铸挤过程分为动态结晶-半熔融挤压-挤压塑性变形三个阶段。

与连续挤压方法相比，连续铸挤有以下的优点：

(1) 直接由液态金属成形，缩短非生产时间，节能效果显著；

(2) 金属从凝固开始至结束的过程中，始终处于变形状态下，相当于在凝固过程中施加了一个搅拌力，有利于细化晶粒，减少气孔和偏析等缺陷；

(3) 工艺流程简单，设备结构紧凑，投资费用低。

用连续铸挤方法可生产管、棒、型及线材，

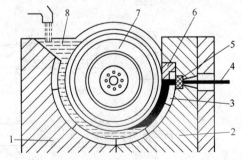

图 2-6-3 连续铸挤机主机结构示意图
1—凝固靴；2—挤压靴；3—槽封块；4—制品；5—挤压模；
6—挡料块；7—挤压轮轴；8—液态金属

也可以生产包覆材。与连铸时的情形相似，纯金属的液固双相区间较窄，导热性较好，所需结晶凝固时间短，因而可以采用较高的轮速进行成形。

6.3　有效摩擦挤压

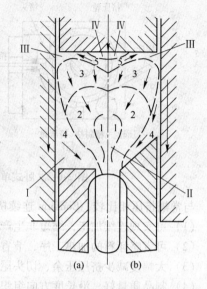

有效摩擦挤压又称为快速摩擦辅助挤压，其特点是在挤压时挤压筒沿金属流出方向以高于挤压杆的速度运动，从而使挤压筒作用给锭坯的摩擦力方向与通常正挤压时的相反，对金属的流动起到促进作用。有效摩擦挤压的示意图见图 2-6-4。图中的 1~5 为金属流动区，1 区和 2 区的金属向中心剧烈流动，锭坯表面层 4 区的金属也向中心流动，进一步压缩中心层，形成细颈区 Ⅱ。Ⅰ 和 Ⅳ 为难变形区，Ⅲ 为无金属充满区。

实现有效摩擦挤压的条件是挤压筒与锭坯之间不能有润滑剂，以便建立起高的摩擦应力。表征有效摩擦挤压的重要参数是挤压筒速度与挤压杆速度之比 K，即 $K = \dfrac{v_{t}}{v_{j}}$。有效摩擦的速比 K 必须大于 1，最佳值为 1.4~1.6。

图 2-6-4　有效摩擦挤压金属流动示意图
（a）平模；（b）锥模
1、2、3、4、5—金属流动区

有效摩擦挤压的主要优点是金属的变形均匀，无缩尾缺陷。在变形区内，锭坯的表面层不产生大的拉附加应力，从而可提高挤压速度。其难点是设备结构较为复杂，对模具的强度要求高。

6.4　无压余挤压

无压余挤压也称无残料挤压或锭接锭挤压。在无压余挤压中，当前一个锭坯挤出 2/3 长度时，装入下一个铸锭进行连续挤压，因此这种方法具有半连续挤压的性质，如图 2-6-5 所示。无压余挤压可采用无润滑或带润滑挤压。

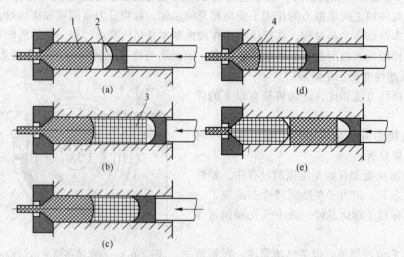

图 2-6-5　采用润滑和凹形曲面挤压垫的无压余挤压法
1—前一个坯料；2—挤压垫；3—下一个坯料；4—坯料端面形状

无润滑无压余挤压主要用于生产长的制品，因此要求金属或合金在挤压温度下具有良好的焊合性能，且只限于对焊合面的质量与焊合强度要求不太高的制品，不适合于挤压容易产生缩尾的棒材和大断面实心型材。

另一种无压余挤压方法的目的是消除挤压残料、提高成品率和缩短非挤压间隙时间。这时，一般采用润滑挤压和具有凹形曲面的挤压垫，如图 2-6-5 所示。采用凹形曲面挤压垫的目的是为了补偿挤压时中心部位金属流动快，防止产生缩尾，使前后两个坯料的断面所形成的界面在流入模孔时近似成为平面，从而减少制品的切头切尾。由于挤压无残料，可使成品率提高 10% ~ 15%。

6.5 复合材料挤压

复合材料被视为 21 世纪的先进材料，在汽车、电子、建筑、宇航等工业中占有一定的位置。目前，采用挤压方法生产的复合材料主要有两种：

（1）弥散型复合材料 在基体金属中有分散的颗粒、晶须、纤维等强化相的复合材料为弥散型复合材料，如图 2-6-6 所示。这种复合材料通常采用粉末冶金、铸造或半固态成形方法制坯，然后进行挤压成形。通过挤压成形可提高材料的致密度和性能。

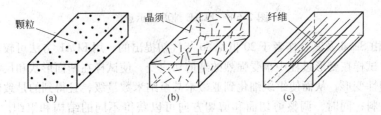

图 2-6-6 弥散型复合材料

（2）层状复合材料 采用挤压方法可生产层状复合材料，主要有双金属管、包覆材及复合板材等，如图 2-6-7 所示。不同的金属在挤压力的作用下产生塑性变形，使新鲜的金属表面紧密接触而形成扩散结合。增加挤压力、提高挤压温度有利于降低临界挤压变形量。

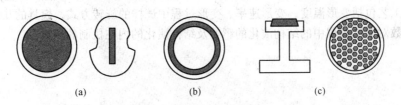

图 2-6-7 层状复合材料实例
（a）铝包钢线；（b）双金属管；（c）特殊层状复合材料

层状复合材料的界面有机械结合与冶金结合两种。机械结合主要靠高的压力实现，结合强度较低；冶金结合是通过高的温度和大的变形量，金属结合界面产生互扩散，结合强度较高。

另外，对金属与非金属在固液相共存的状态下挤压也可生产复合材料。在半熔融的状态下，复合界面处的组分受压变形、扩散和凝固而复合。利用半熔融加工复合可对固相复合有困难的材料进行复合。对于没有固液共存温度范围的纯金属或此温度区间较窄的材料，由于半熔融状态难以控制，复合效果不够稳定。

在半熔融加工复合中，由于复合和加工成形可同时进行，可使工艺流程缩短。通过控制温度和变形量控制复合程度，同时还可实现母材与粉末或纤维的复合。

6.6　等通道角挤压

近年来，利用侧向挤压可引入强烈剪切变形的特点，开发了一种等通道侧向挤压方法，称为等通道角挤压（equal channel angular extrusion，ECAE），或称为等径弯曲通道变形（equal channel angular pressing，ECAP），如图 2-6-8 所示。在这种方法中，坯料的尺寸在挤压时不发生变化，材料通过发生剧烈的剪切变形而达到晶粒细化的目的，从而获得高性能的制品。

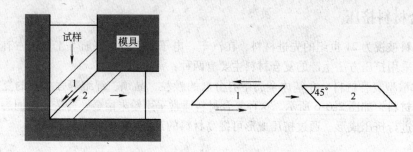

图 2-6-8　ECAE 纯剪切示意图

ECAE 是由 Segal 及其合作者于 20 世纪 80 年代初提出的。用 ECAE 方法可较容易地实现多次重复变形，试样在变形过程中承受强烈的纯剪切应变，使试样在断面形状和尺寸不改变的情况下获得大塑性变形，从而使组织细化到亚微米甚至纳米数量级，且得到的是致密、无污染的块体超细晶材料；同时，调整剪切面和剪切方向可以获得不同的结构和组织。因而近年来，ECAE 技术作为通过强烈塑性变形而获得大尺寸亚微米或纳米级块体材料的最有效的方法之一日益受到材料科学界的重视。

已经进行 ECAE 研究的材料有 Al、Cu、Ti、Ni 等纯金属，合金材料有钢、Al 合金、Mg 合金、Cu 合金、Ti 合金、金属间化合物 TiAl 以及金属基复合材料等，目前研究范围仍然在扩大。有的研究已涉及到材料经 ECAE 加工后各种性能（主要包括力学性能、物理性能等）的变化；变形工艺包括变形温度、变形速率、变形过程中试样的旋转方式、模具的几何形状、挤压道次等参数对变形过程中的结构演化的影响及结构演化的内在机制的探索等。

7　拉　拔　概　述

7.1　拉拔的一般概念

在外加拉力的作用下，使金属坯料通过模孔，从而获得相应形状和尺寸制品的塑性加工方法称之为拉拔，如图 2-7-1 所示。拉拔是金属管材、棒材、型材及线材的主要加工方法之一。

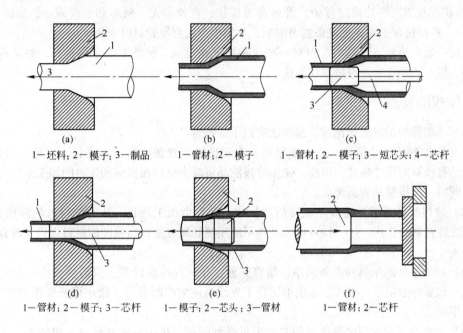

(a)	(b)	(c)
1—坯料；2—模子；3—制品	1—管材；2—模子	1—管材；2—模子；3—短芯头；4—芯杆
(d)	(e)	(f)
1—管材；2—模子；3—芯杆	1—模子；2—芯头；3—管材	1—管材；2—芯杆

图 2-7-1　棒材和管材拉拔
(a) 棒材拉拔；(b) 管材空拉；(c) 长芯杆拉拔；
(d) 固定芯头拉拔；(e) 游动芯头拉拔；(f) 扩径拉拔

7.2　拉拔的分类

按拉拔制品的断面形状，可将拉拔分为实心材拉拔和空心材拉拔。

(1) 实心材拉拔　实心材拉拔主要包括棒材、型材及线材的拉拔，如图 2-7-1(a) 所示。

(2) 空心材拉拔　空心材拉拔主要包括圆管和异型管材的拉拔。空心材拉拔主要有以下几种方法：

1) 空拉　拉拔时管坯内部不放芯头，即无芯头拉拔，主要目的是为了减小管坯的外径，如图 2-7-1(b) 所示。在空拉过程中，管壁会发生微小的变化。经多次空拉的管材，内表面比较粗糙。空拉适用于小直径管材、异型管材、盘管拉拔以及减径量很小的减径与整径拉拔。

2) 长芯杆拉拔　将管坯自由地套在表面抛光的芯杆上，使芯杆与管坯一起拉过模孔。在此过程中可实现减径减壁。长芯杆拉拔如图 2-7-1(c) 所示。长芯杆拉拔的特点是道次加工率较大，适合于拉拔薄壁管以及塑性差的钨、钼管材的生产。但由于在每道次拉拔时必须增加脱管工序，因此目前在生产中较少使用。

3）固定芯头拉拔　将带有芯头的芯杆固定，拉拔时实现减径和减壁，如图 2-7-1（d）所示。固定芯头拉拔比较方便，内表面质量好，在生产中应用广泛。但固定芯头拉拔不能用于拉拔长管和直径较小的管材。

4）游动芯头拉拔　在拉拔过程中，芯头靠自身的形状与管内壁建立起一定的力平衡关系，从而稳定在模孔中，称为游动芯头拉拔，如图 2-7-1（e）所示。游动芯头拉拔适合于拉拔长管和盘管生产，可提高拉拔生产率、成品率和管材内表面质量，是一种较为先进的拉拔方法。与固定芯头拉拔相比，游动芯头拉拔时对工艺条件要求较高，配模有一定限制，故不能完全取代固定芯头拉拔。

5）扩径拉拔　在拉拔过程中，管坯通过扩径，直径增大，壁厚和长度减小，如图 2-7-1（f）所示。扩径拉拔主要在受设备能力限制，不能生产大直径管材时采用。

拉拔一般在冷状态下进行，但对一些在常温下强度高、塑性差的金属材料，如某些合金钢、钼、铍、钨和镁合金等可采用温拔。

7.3　拉拔的特点

与其他塑性加工方法相比较，拉拔法有以下的特点：

（1）拉拔制品尺寸精确，表面质量高。由于拉拔一般在冷状态下进行，与热轧材相比，拉拔制品有较高的尺寸精度。因此，使用冷拔制品可减少材料在机械加工时的加工余量，节约材料。同时，冷拔制品表面光洁。

（2）拉拔制品力学性能高。在拉拔过程中，会产生加工硬化，从而使材料的强度提高，可充分发挥材料的作用。这一特点也为某些不能用热处理方法提高强度的材料提供了改善性能的途径。

（3）拉拔生产的工具和设备简单，维修方便。在一台拉拔设备上只需更换模具即可生产多种规格和品种的制品。拉拔方法也很适合于连续高速生产断面尺寸很小而长度很长的制品，生产效率高。

（4）道次变形量和两次退火间的总变形量受到限制。拉拔时的变形量一般较小，这使得拉拔道次一般较多。

7.4　拉拔历史与发展趋势

拉拔具有悠久的历史。早在公元前 20 ~ 30 世纪，就有了金丝的拉拔。当时是先将金块锤锻，然后通过小孔用手工将其拉制成丝。公元前 15 ~ 17 世纪，在两河流域的亚述（Assyria）、巴比伦（Babylon）和腓尼基等地进行了贵金属的拉线。到公元 8 ~ 9 世纪，已能制各种金属线材。

公元 13 世纪中叶，在德国首先制造了水力拉线机，并在全世界逐渐推广。到 17 世纪出现了单卷筒拉拔机。1871 年出现了连续拉线机。

中国明代宋应星《天工开物》中"锤锻"篇记载的抽线琢针反映了在我国古代人们就已掌握拉丝和渗碳热处理技术。

20 世纪 20 年代韦森西贝尔（Weissenberg Siebel）首次使用带反张力的拉拔法。由于反张力的存在，使拉模的磨损大幅度减少，同时还使制品的力学性能得到改善。在此时期，拉拔模由铁模发展到合金钢模，1925 年克鲁伯（Krupp）公司研制成功硬质合金模。随着新的研究方法（上界法、有限元法）的出现以及计算机的发展，拉拔理论研究已经进入了一个新的阶段。

1955 年柯利托佛松（Chtistopherson）成功研究出强制润滑拉拔法，可使摩擦力大大减小，从而可用于拉拔难加工材料，同时使拉拔模寿命明显延长。同年，布莱哈（Blaha）和拉格勒克尔（Lagencker）发展了在拉拔时施加超声波，使拉拔力显著减小。

辊模拉拔法由五弓等人于1956年研制成功。用辊模拉拔可使拉拔坯料表面的摩擦阻力大大减小，拉拔道次加工率明显增加。

在过去的几十年中，拉拔设备的发展也非常迅速，出现了许多高速及连续拉拔设备如多模高速连续拉线机、多线链式拉拔机、圆盘拉拔机和联合拉拔矫直系列。高速拉线机的速度最高可达80m/s；圆盘拉拔机可生产直径为40～50mm以下的管材，最大圆盘直径为3m，拉拔速度可达25m/s，最大管长超过6000m。

目前，拉拔制品的产量逐年增加，品种和规格不断扩大。拉拔制品广泛应用于国民经济的各个领域。

7.5 拉拔技术的发展方向

拉拔技术的发展方向主要有以下几个方面：

（1）扩大拉拔制品的品种、规格，增加盘重；

（2）提高拉拔模具的寿命；

（3）使拉拔设备向自动化、连续化和高速化的方向发展，将拉拔生产的全部或部分工序衔接起来组成连续生产线；

（4）研究新的润滑剂和润滑技术，提高拉拔制品的质量；

（5）研究新的拉拔理论及新的拉拔方法；

（6）优化拉拔过程。

8　拉拔理论基础

8.1　拉拔时的变形指数

拉拔时坯料发生塑性变形，其形状和尺寸发生改变。以 F_q 和 L_q 表示拉拔前金属坯料的断面积及长度，F_h 和 L_h 表示拉拔后金属制品的断面积和长度，根据体积不变的条件可得到以下的变形指数和它们之间的关系式。

（1）延伸系数 λ　表示拉拔一道次后金属材料长度增加的倍数或拉拔前后横断面的面积之比，即：

$$\lambda = \frac{L_h}{L_q} = \frac{F_q}{F_h}$$

（2-8-1）

（2）断面减缩率 ψ　表示拉拔一道次后金属材料断面积的减小值与原始值之比，即：

$$\psi = \frac{F_q - F_h}{F_q}$$

（2-8-2）

式中，ψ 通常以百分数表示。

（3）延伸率 μ　表示拉拔一道次后金属材料长度增量与原始长度之比，即：

$$\mu = \frac{L_h - L_q}{L_q}$$

（2-8-3）

式中，μ 通常也用百分数表示。

（4）对数延伸系数 i　这一指数等于拉拔一道次前后金属材料横断面积之比的自然对数，即：

$$i = \ln\left(\frac{F_q}{F_h}\right) = \ln\lambda$$

（2-8-4）

各变形指数之间的关系如表 2-8-1 所示。

表 2-8-1　变形指数之间的关系

指数名称	指数符号	用断面积表示	用长度表示	用 λ 表示	用 ψ 表示	用 μ 表示
延伸系数	λ	$\dfrac{F_q}{F_h}$	$\dfrac{L_h}{L_q}$	λ	$\dfrac{1}{1-\psi}$	$1+\mu$
断面减缩率	ψ	$\dfrac{F_q - F_h}{F_q}$	$\dfrac{L_h - L_q}{L_h}$	$\dfrac{\lambda - 1}{\lambda}$	ψ	$\dfrac{\mu}{1+\mu}$
延伸率	μ	$\dfrac{F_q - F_h}{F_h}$	$\dfrac{L_h - L_q}{L_q}$	$\lambda - 1$	$\dfrac{\psi}{1-\psi}$	μ

8.2　实现拉拔过程的基本条件

与其他塑性成型方法如挤压、轧制、锻造不同，拉拔过程是借助于在被加工的坯料前端施以拉力实现的。如果此拉拔力过大，超过材料出模口的屈服强度，则可引起制品出现细颈，其至拉断，因此必须满足：

$$\sigma_L = \frac{P_L}{F_L} < \sigma_s \qquad (2\text{-}8\text{-}5)$$

式中　σ_L——作用在被拉金属出模口横断面上的拉拔应力；

P_L——拉拔力；

F_L——被拉金属出模口横断面积；

σ_s——金属出模口后的变形抗力。

在拉拔过程中，因为变形抗力随变形的大小发生变化，确定起来比较困难。由于金属拉拔时产生加工硬化，变形抗力与抗拉强度 σ_b 相近，故式（2-8-5）也可以表示为：$\sigma_L < \sigma_b$。被拉金属出模口的抗拉强度与拉拔应力之比称为安全系数，即 $K = \dfrac{\sigma_b}{\sigma_L}$。

因此，实现拉拔过程的必要条件是安全系数 $K > 1$。拉拔时的安全系数与被拉拔金属的直径、状态（退火或硬化）以及变形条件（温度、速度、反拉力等）有关。K 值一般在 1.4 ~ 2.0 之间。如果 $K < 1.4$，则可能由于加工率过大而出现断头或拉断；而 $K > 2.0$ 时，则说明加工率不够大，未能发挥金属的塑性。制品直径越小，壁厚越薄，安全系数 K 应越大些。这是因为随着制品的直径变小，壁厚变薄，被拉金属对表面微裂纹和其他缺陷以及设备的振动、速度的突变等因素的敏感性增加，因此应增大安全系数。

有色金属拉拔时的安全系数见表 2-8-2。对钢材来说，主要考虑断头问题，根据实际经验可取安全系数 $K > 1.1 ~ 1.25$。

表 2-8-2　有色金属拉拔时的安全系数

拉拔制品的品种与规格 安全系数	厚壁管材、型材及棒材	薄壁管材和型材	不同直径的线材/mm				
			>1.0	1.0 ~ 0.4	0.4 ~ 0.1	0.10 ~ 0.05	0.050 ~ 0.015
K	1.35 ~ 1.4	1.6	≥1.4	≥1.5	≥1.6	≥1.8	≥2.0

8.3　拉拔后金属的组织性能

8.3.1　金属拉拔后的组织变化

金属在拔制过程中外形和尺寸发生了变化，其内部的晶粒尺寸也相应地发生了变化，即晶粒在拉拔方向上拉长。在变形量较大的情况下，可出现明显的纤维状组织，如图 2-8-1 所示，使得制品呈现各向异性，形成变形织构。在拉拔时形成的变形织构叫做"丝织构"，如图 2-8-2 所示，其特征是各个晶粒的某一晶向与拉拔力方向平行或接近平行。冷拔变形

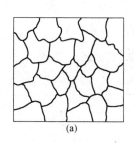
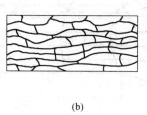

图 2-8-1　钢材冷拔后纤维组织示意图
（a）拔制变形前的组织；（b）拔制变形后的纤维组织

图 2-8-2　丝织构示意图

还使材料内部产生大量的缺陷，使原子在晶格中偏离其平衡位置，即晶格发生畸变。

8.3.2　金属拉拔后的性能变化

A　加工硬化

加工硬化是材料在冷变形过程中，随着变形程度的增加，变形阻力增大，强度和硬度增高，而塑性、韧性下降的现象。在冷拔过程中，加工硬化是很显著的。在生产中可利用加工硬化来提高材料的强度从而改善其力学性能，但加工硬化会给冷拔带来困难。为能进一步进行冷拔变形，需要进行中间退火。

B　其他性能的改变

经冷拔后，材料的物理与物理化学性质如导电性、导热性、磁性、密度、耐腐蚀性都会发生改变。如钢材在拉拔后，导电性、导热性及透磁率降低；电阻、矫顽力、化学活性、弹性模量略有增加等。

8.4　圆棒拉拔时的应力与变形

8.4.1　应力与变形状态

在拉拔时，变形区金属所受的外力有拉拔力 P，模壁给予金属的正压力 N 和摩擦力 T，如图 2-8-3 所示。

金属在拉拔力、正压力和摩擦力的作用下，变形区的金属处于两向压和一向拉的应力状态。由于被拉金属是实心圆棒，应力呈轴对称应力状态，即 $\sigma_r \approx \sigma_\theta$。变形区中金属的变形状态为两向压缩和一向延伸。

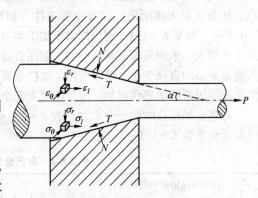

图 2-8-3　拉拔时的受力与变形状态

8.4.2　金属在变形区内的流动特点

通常用网格法研究金属在模孔内的变形与流动规律，如图 2-8-4 所示。通过分析坐标网格在拉拔前后的变化，可得出以下规律。

8.4.2.1　纵向上的网格变化

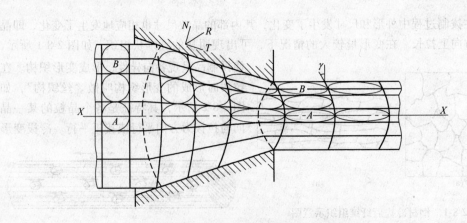

图 2-8-4　拉拔圆棒时断面坐标网格的变化

在轴线上，拉拔前形状为正方形格子 A 经拉拔后变成矩形，内切圆变成正椭圆，其长轴和拉拔方向一致。因此，金属在轴线上的变形是沿轴向延伸，在径向和周向上被压缩。

在周边层，拉拔前形状为正方形格子的 B 变成平行四边形，其内切圆变成斜椭圆，它的长轴线与拉拔轴线相交成 β 角，这个角度由入口端向出口端逐渐减小。由此可见，在周边上的格子除了受到轴向拉长，径向和周向上被压缩之外，还发生了剪切变形 γ。这是由于金属在变形区中受到正压力 N 与摩擦 T 的作用，而在其合力的方向上产生剪切变形。

8.4.2.2 横向上的网格变化

拉拔前为直线的横线进入变形区后开始变成向拉拔方向凸出的弧形线。图 2-8-4 示出这些弧形线的曲率由入口端到出口端逐渐增大，到出口端后不再变化。这说明在拉拔过程中周边层的金属流动速度小于中间层。随着模角和摩擦系数的增大，这种不均匀性更加明显。拉拔时往往在制品后断面出现凹坑，其原因就是拉拔时金属流动速度的差别所致。由网格还可以看出，在同一横断面上的 β 角由中心向周边层逐渐增大。

可以证明拉拔后中心线上延伸变形最小，表层延伸变形最大，其他部分的延伸变形介于两者之间；而拉拔后中心线上的压缩变形最小，表层的压缩变形最大，其他部分的压缩变形介于两者之间。

8.4.3 变形区的形状

根据棒材拉拔时的滑移线理论可知，假定模子是刚性体，通常按速度场把棒材的变形分为三个区：Ⅰ区和Ⅲ区为弹性变形区，Ⅱ区为塑性变形区，如图 2-8-5 所示。一般情况下，Ⅰ区与Ⅱ区的分界面 F_1 和Ⅱ区与Ⅲ区的分界面 F_2 是两个同心球面，其半径分别为 r_1 和 r_2，原点为模子锥角的顶点 O。塑性变形区的形状为模子锥面（锥角为 2α）和两个球面 F_1、F_2 所围成的部分。

由网格法也可证明，拉拔前的纵向直线在进、出模孔时会发生两次弯曲，把各折点连接起来，就会形成两个同心球面。一般认为两个球面与模锥面围成的部分为塑性变形区。

有研究者用赛璐珞板进行了拉拔，并做了光弹性实验。测得的变形区内的应力分布如图 2-8-6所示。

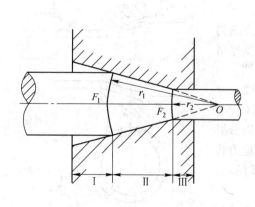

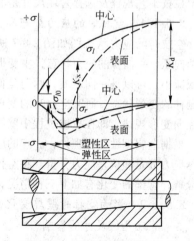

图 2-8-5　棒材拉拔时变形区的形状

图 2-8-6　变形区内的应力分布

8.4.3.1 应力沿轴向的分布规律

轴向应力由变形区入口端向出口端逐渐增大，即 $\sigma_{lr} < \sigma_{lch}$，周向应力和径向应力则从变形区入口端向出口端逐渐减小，即 $|\sigma_{\theta r}| > |\sigma_{\theta ch}|$，$|\sigma_{rr}| > |\sigma_{rch}|$。

轴向应力 σ_l 的分布规律可以做以下解释。在稳定拉拔过程中，变形区内的任一断面在向出口端移动时面积逐渐减小，而此断面与变形区入口端球面间的变形体积不断增大。为了实现塑性变形，通过此断面作用于变形体的轴向应力也必须逐渐增大。

根据塑性方程，可得

$$\sigma_l - (-\sigma_r) = K_{zh} \tag{2-8-6}$$

$$\sigma_l + \sigma_r = K_{zh} \tag{2-8-7}$$

当整个变形区内变形程度不大时，金属变形抗力可以认为是常数，因此，由上式可以得出，随着轴向应力向出口端增大，径向应力 σ_r 和周向应力 σ_θ 必然逐渐减小。

在实际生产中，观察模子的磨损情况可以发现，模子的入口处一般磨损比较快，常常过早地出现槽沟，这也证明入口处的径向应力值较大。

8.4.3.2 应力沿径向的分布规律

径向应力与周向应力由表面向中心逐渐减小，即 $|\sigma_{rw}| > |\sigma_{rn}|$ 和 $|\sigma_{\theta w}| > |\sigma_{\theta n}|$。而轴向应力的分布情况则相反，中心处的轴向应力大，表面的轴向应力小，即 $\sigma_{ln} > \sigma_{lw}$。这可做如下解释：在变形区，金属的每个环形的外表层上作用着径向应力，而径向应力总是力图减小其外表面。距中心愈远，表面积愈大，所需的力就愈大。轴向应力在横断面上的分布规律同样可由前述的塑性方程式得到解释。

8.5 管材拉拔时的应力与变形

拉拔管材与拉拔棒材的主要区别是前者已失去轴对称变形的条件，这使它的应力与变形状态同拉拔实心圆棒的不同。

8.5.1 空拉

空拉时，管内虽然未放置芯头，但其壁厚在变形区内实际上常常是变化的。由于不同因素的影响，管子的壁厚最终可以变薄、变厚或保持不变。了解空拉时管子壁厚的变化规律对正确制定拉拔工艺规程及选择管坯尺寸是非常必要的。

8.5.1.1 空拉时的应力分布和变形特点

空拉时的应力状态图如图 2-8-7 所示。主应力图仍为两向压、一向拉的应力状态，主变形图则根据壁厚增加或减小，可以是一向压缩、两向延伸或两向压缩、一向延伸的变形状态。研究空拉时的变形特点，主要是分析径向变形规律，即在拉拔过程中壁厚的变化规律。

根据金属塑性加工理论，一点的应力状态可以分解为球应力分量和偏差应力分量。将空拉管材时的应力状态分解，管壁的变化有如下三种情况，如图 2-8-8 所示。

8.5.1.2 影响空拉时壁厚变化的因素

A　管坯几何尺寸的影响

过去人们一直认为：当 $S_0/D_0 = 0.17 \sim 0.2$ 时（S_0 为

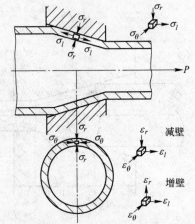

图 2-8-7　空拉管材时的应力与变形图

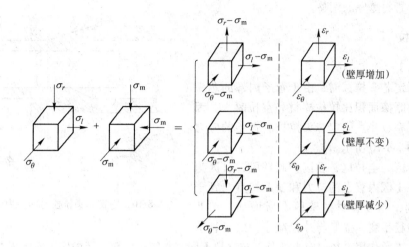

图 2-8-8 空拉管材时应力状态分解

管坯壁厚，D_0 为管坯直径），采用空拉方法拉拔时管坯的壁厚不变化，此值称为临界值；当 $S_0/D_0 \geqslant 0.17 \sim 0.2$ 时，管壁减薄；当 $S_0/D_0 \leqslant 0.17 \sim 0.2$ 时，管壁增厚。近年来，研究者们对影响空拉管壁厚变化的因素进行了大量的研究。研究结果表明：影响空拉壁厚变化的因素应是管坯的径厚比以及相对拉拔应力，考虑两者的综合影响所得到的临界系数 $D_0/S_0 = 3.6 \sim 7.6$，

比以前沿用的 $D_0/S_0 = 5 \sim 6$（即 $S_0/D_0 = 0.17 \sim 0.2$）的范围宽。一般情况下，当 $D_0/S_0 \geqslant 7.6$ 时，只出现增壁；$D_0/S_0 \leqslant 3.6$ 时只出现减壁。$D_0/S_0 = 3.6 \sim 7.6$ 时，壁厚不变，如图 2-8-9 所示。

　　B　材质与状态的影响

　　材质与材料的状态决定变形抗力、坯料与工具间的摩擦系数以及金属变形时的硬化速率。实验结果表明，金属硬度越高，增壁趋势越弱。

　　C　道次加工率与加工道次的影响

　　道次加工率增大时，相对拉拔应力值增加，这使增壁空拉过程的增壁幅度减小，减壁空拉过程的减壁幅度增大。此外，当 $\varepsilon \geqslant 40\%$ 时，尽管 $D_0/S_0 \geqslant$

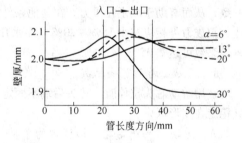

图 2-8-9　空拉 LD2 管材时变形区
的壁厚变化情况

试验条件：管坯外径 20.0mm；壁厚 2.0mm；
拉后外径 15.0mm

7.6，也有可能出现减壁现象，这是由于相对拉拔应力增大之故。

　　D　润滑条件、模子几何参数及拉拔速度的影响

　　润滑条件的恶化，模角不在合理范围内，定径带长度以及拉速增大均会使相对拉拔应力增加，从而导致增壁空拉过程的增壁量减小，而使减壁过程的减壁幅度加大。

8.5.1.3　空拉对纠正管子偏心的作用

　　挤压或斜轧穿孔法生产的管坯壁厚一般是不均匀的，若偏心很严重时会导致最终产品管壁厚超差而报废。在此种情况下，适当地安排若干道次空拉可以纠正偏心，且空拉道次越多，纠正偏心的效果越显著。空拉可以纠正管材偏心的原因在于周向应力的分布不同，壁厚处的周向应力小于壁薄处的周向应力。因周向应力是引起壁厚增加的应力，周向应力越大，壁厚增加得越大。所以壁薄部分在周向应力的作用下逐渐增厚，使整个断面上的管壁厚趋于一致。有芯头拉拔时纠正管材偏心的效果没有空拉时显著，这是由于此时径向压力 N 使径向压应力增大，

从而妨碍了管材壁厚的调整。

8.5.2　衬拉

8.5.2.1　固定芯头拉拔

在用固定芯头拉拔时，由于管子内部的芯头不动，接触摩擦面积比拉拔棒材和空拉时大，因而道次加工率较小。固定芯头拉拔时管子的应力与变形如图 2-8-10 所示。

图中 I 区为空拉区，II 区为减壁段，III 区为定径段。在 I 区内管子的应力和变形特点与管子空拉时相同，一般管材的壁厚有所增加。在 II 区，管子内径不变，壁厚与外径减小。由于管子

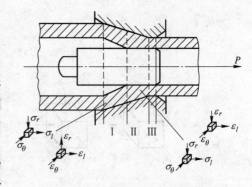

图 2-8-10　固定芯头拉拔时的应力与变形图

内部有芯头支承作用，径向应力的分布与空拉不同，在管子内部，径向应力不等于零。由于减径区的存在，对减壁区 II 而言存在着反拉力。减壁区的应力和应变状态与拉拔棒材时相同。在定径区，一般只发生弹性变形。

8.5.2.2　长芯杆拉拔

长芯杆拉拔管材时管子的应力和应变状态与固定芯头拉拔时的基本相同，如图 2-8-11 所示。变形区由空拉段、减壁段和定径段组成。与其他管材拉拔方法相比，长芯杆拉拔的特点是：在管材拉拔时芯杆有向前滑动的趋势，因此芯杆作用于管内表面的摩擦力方向与拉拔方向一致，从而有助于减小拉拔力。在其他条件相同的情况下，拉拔力下降。与固定短芯头拉拔相比，拉拔力可相应减小 15% ~ 20%。在采用长芯杆拉拔时，允许采用较大的延伸系数，最大延伸系数可达 2.95。

8.5.2.3　游动芯头拉拔

在用游动芯头拉伸时，芯头后端不固定，靠自身的几何形状与管子接触面之间力的平衡使其稳定在变形区中。

A　游动芯头稳定在变形区内的条件

游动芯头的形状和在变形区中的受力状态示于图 2-8-12 中。游动芯头一般由三部分组成：小圆柱部分 1，其直径等于拉拔后管子的内径；圆锥部分 2，其锥角略小于模角；大圆柱部分 3，其直径略小于管坯的内径。

游动芯头在变形区内的稳定位置取决于芯头上作用力的轴向平衡。以拉拔方向为正方向，

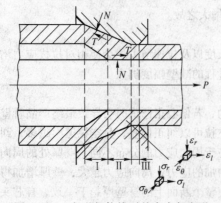

图 2-8-11　长芯杆拉拔时的应力与变形

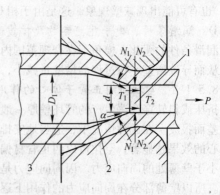

图 2-8-12　游动芯头拉拔时在变形区内的受力

当芯头处于稳定位置时，力的平衡方程为：

$$\Sigma N_1 \sin\alpha_1 - \Sigma T_1 \cos\alpha_1 - \Sigma T_2 = 0 \tag{2-8-8}$$

$$\Sigma N_1 (\sin\alpha_1 - f\cos\alpha_1) = \Sigma T_2$$

其中，ΣN 和 ΣT 分别代表正压力和摩擦力的合力。

由于 $\Sigma N_1 > 0$，$\Sigma T_2 > 0$

因此
$$\sin\alpha_1 - f\cos\alpha_1 > 0$$

$$\tan\alpha_1 > \tan\beta \tag{2-8-9}$$

得
$$\alpha_1 > \beta$$

式中　α_1——芯头轴线与芯头圆锥部分锥面母线的夹角，即芯头的锥角；

　　　f——芯头与管坯间的摩擦系数；

　　　β——芯头与管坯间的摩擦角。

式（2-8-9）表明，游动芯头锥面与轴线间的夹角必须大于芯头与管坯间的摩擦角。这是芯头稳定在变形区内的条件之一。若不符合此条件，芯头会被深深地拉入模孔，造成断管或芯头被拉出模孔。

为实现游动芯头拉拔，还应满足 $\alpha_1 \leqslant \alpha$（如图 2-8-13 所示，$\alpha$ 为模孔壁的倾角），否则在开始拉拔时芯头上尚未建立起与 T 方向相反的推力情况下，使芯头向模子出口方向移动，造成断管；或者由于轴向力的变化，芯头在变形区内往复移动使管子内表面出现明暗交替的环纹。

　　B　游动芯头拉拔时管子的变形过程

游动芯头拉拔时，管坯在变形区内的变形过程与一般的衬拉不同，变形区可分为 5 部分，如图 2-8-13 所示。

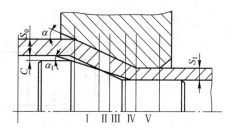

图 2-8-13　游动芯头拉拔时的变形区

Ⅰ——空拉区。在此区管子不与芯头接触。在管子与芯头的间隙为 C 及其他条件相同的条件下，游动芯头拉拔时的空拉区长度比固定芯头的要长，故管坯增厚量也较大。空拉区的长度可近似用下式确定：

$$L = \frac{C}{\tan\alpha - \tan\alpha_1} \tag{2-8-10}$$

Ⅱ——减径区。管坯在此区进行较大的减径，同时也减壁，减壁量大致等于空拉区的壁厚增量。因此可认为在该区终了断面处壁厚与原始管坯壁厚相同。

Ⅲ——第二段空拉区。管子由于拉应力的改变而离开芯头表面，从而出现空隙。

Ⅳ——减壁区。在此区主要实现壁厚减薄变形。

Ⅴ——定径区。管子在定径区只发生弹性变形。

在拉拔过程中，当外界条件发生变化时，芯头的位置及变形区各部分的长度和位置也将改变，有时其中的个别区会消失。

例如，芯头在后极限位置时，Ⅳ区增长，Ⅱ、Ⅲ区消失，如图 2-8-14（a）所示。芯头在前极限位置时，Ⅱ区增长，Ⅳ区消失，如图 2-8-14(b)所示。芯头向前移动超出前极限位置，其圆锥段可能切断管材，如图 2-8-14(c)所示；芯头后退超出后极限位置不能实现游动芯头拉拔。

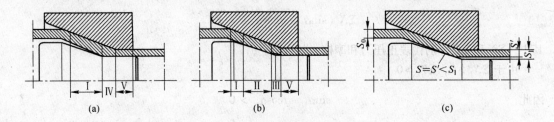

图 2-8-14　芯头在变形区内的位置

(a)芯头在后极限位置；(b)芯头在前极限位置；(c)芯头超出前极限位置

8.5.3　扩径拉拔

扩径拉拔是一种用小直径管坯拉拔成大直径管材的拉拔方法。扩径拉拔有两种类型，压入扩径和拉伸扩径，如图 2-8-15 所示。

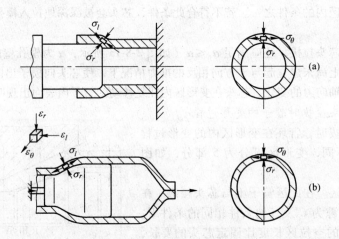

图 2-8-15　扩径的方法及变形力学图

(a)压入扩径；(b)拉拔扩径

压入扩径法适合于大而短的管坯。压入扩径法的管坯长度和直径之比不能太大，以免在扩径时失稳，一般比值不大于 10。压入扩径一般在液压拉拔机上进行。

压入扩径时的应力状态为两向压应力和一向拉应力；变形状态为两向压缩变形和一向延伸变形，即扩径时管坯的长度缩短，壁厚变薄，直径增大。

拉拔扩径法适合于小断面的薄壁长管生产，可在普通链式拉拔机上进行。拉拔扩径的应力和变形状态除轴向应力 σ_l 变为拉应力外，其他均与压入扩径相同。

8.6　拉拔制品中的残余应力

在拉拔过程中，由于存在不均匀变形而形成附加应力，在拉拔后部分附加应力残留在制品中，形成残余应力。残余应力对制品的力学性能有不利的影响，还会造成尺寸形状的不稳定。

8.6.1　拉拔棒材中的残余应力分布

图 2-8-16 示出了拉拔棒材中残余应力分布的示意图。在拉拔过程中，由于受摩擦影响，外层金属的流动较慢，因此在拉拔过程中，外层金属受附加拉应力，中心层则出现与之平衡的附加压应力。拉拔结束后附加应力残存在制品中形成残余应力。

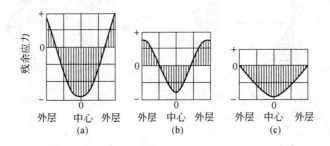

图 2-8-16　棒材整个断面发生塑性变形时的残余应力分布
（a）轴向残余应力；（b）周向残余应力；（c）径向残余应力

在径向上由于弹性后效的作用，棒材断面上所有的同心环形薄层皆欲增大直径，但由于相邻层的阻碍作用而不能自由胀大，从而在径向上产生附加压应力。中心处的圆环所受到的阻力最大，而最外层的圆环不受任何阻力，因此中心处产生的残余应力最大，而外层为零。

由于棒材中心部分在轴向上和径向上受到残余压应力，此部分在周向上有胀大变形的趋势。但是外层的金属会阻碍其自由胀大，从而使中心部分产生周向残余压应力。棒材外层则产生与之平衡的周向残余拉应力。

图 2-8-16 示出的是棒材全断面都发生变形的情形。但当拉拔时变形程度很小，仅在棒材表面发生变形，拉拔后制品中残余应力的分布与上述情况不同。在轴向上棒材表面层为残余压应力，中心层为残余拉应力，在周向上残余应力的分布与轴向上基本相同，在径向上为残余压应力。

当材料很硬，拉拔时材料的心部难于产生塑性变形时，拉拔制品中的残余应力介于前两者的中间状态。在轴向上的残余应力如图 2-8-17 所示，在周向上的残余应力与轴向上的基本相同，在径向上为残余压应力。

8.6.2　拉拔管材中的残余应力

8.6.2.1　空拉管材

在空拉管材时，管的外表面受到来自模壁的压力和摩擦力，而在内表面由于没有工具，流动比外表面要容易。因此，在轴向上，外表面受拉附应力，内表面受压附应力。同时，由于外层金属力图减小厚度，缩小直径；内层金属力图增大厚度，增大直径；因此在轴向外层产生附加拉应力，内层产生附加压应力，而在径向外层和内层都产生附加压应力（图 2-8-18）。

8.6.2.2　衬拉管材

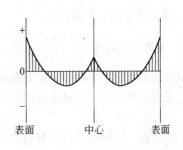

图 2-8-17　材料心部难于发生塑性变形时
的残余应力分布

衬拉管材时，由于管材内外表面受到工具的影响，金属流速比较一致；中心层受工具影响较小，流速比内、外表面快。因此，这种不均匀变形的存在导致在管材内部产生附加应力。这种附加应力在拉拔后残余在制品中，形成的残余应力如图 2-8-19 所示。

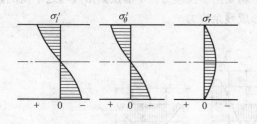 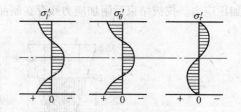

图 2-8-18　空拉时管壁残余应力　　　　　　图 2-8-19　衬拉时管壁残余应力
　　　　　　　分布示意图　　　　　　　　　　　　　　　分布示意图

8.6.3　残余应力的危害及消除

拉拔制品中的残余应力，特别是其中的拉应力是极其有害的，它是一些合金产生应力腐蚀的根源。在生产中，拉拔后的黄铜若未能及时退火，在含有氨或 SO_2 等气氛的作用下会产生裂纹而报废。有残余应力的拉拔制品的力学性能如疲劳性能会降低。另外，在放置或使用过程中，制品的尺寸和形状有可能会发生改变。

减少或消除残余应力的方法主要有以下几种：

（1）减少不均匀变形　由于残余应力是由不均匀变形造成的，所以减少拉拔过程中的不均匀变形是最根本的措施。在拉拔过程中适时地对金属进行退火，控制各道次的拉拔变形量、减少金属与拉拔模的接触摩擦、采用合理模角等措施均可以减少不均匀变形。在拉拔管材时，应尽量采用衬拉，减少空拉量。

（2）矫直加工　常采用辊式矫直来去除拉拔制品的残余应力。在此情况下，制品的表面产生一定的塑性变形。这种塑性变形将使制品表面层在轴向上延伸，但是受到制品内层金属的阻碍作用，从而使表面层的金属只能在径向上流动使制品的直径增大，并在制品表面形成一封闭的压应力层。矫直后制品直径的增加值随着制品直径的增大而增加。因而在拉拔大直径制品时，在选用成品模时应考虑此因素，以免矫直后超差。用张力矫直也可以减小拉拔制品的残余应力。例如，对黄铜棒给予 1% 的变形可使拉拔制品表面层的轴向拉应力减少 60%。

（3）低温退火　在生产中，常采用大大低于金属的再结晶温度的低温退火来消除或减少拉拔制品中的残余应力，这种退火也称为去应力退火。

8.7　拉拔制品主要缺陷

8.7.1　实心材的缺陷

拉拔实心材的主要缺陷有中心裂纹、表面裂纹、起皮、起刺、麻坑、内外层力学性能不均等。在此主要介绍棒、线材生产中比较常见的中心裂纹和表面裂纹。

8.7.1.1　中心裂纹

一般来说，无论是锻造坯料还是挤压、轧制的坯料，内层的强度都低于外层。而由拉拔时的应力分布规律可知，在塑性变形区内中心层的轴向主拉应力大于周边层，因此在拉拔过程中常常是中心的拉应力首先超过强度极限，从而在中心出现裂纹，如图 2-8-20 所示。

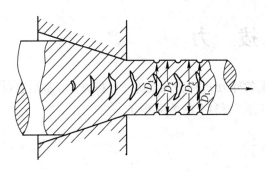

图 2-8-20 中心裂纹

D_1—裂纹处的直径；D_2—无裂纹处的直径

当拉拔时的中心裂纹很小时，它们很难被发现。当裂纹很大时，才在外部出现细颈。为保证制品质量，必须进行内部探伤检查。在工厂使用超声波探伤或涡流探伤方法。

为了防止中心裂纹的产生，可采取以下措施：

（1）提高锭坯的质量，减少中心杂质和气孔，并使坯料内外层的力学性能尽量均匀。

（2）对坯料进行适当的热处理，细化晶粒。

（3）在拉拔过程中进行中间退火。

（4）选择合理的拉拔道次和道次加工率。

8.7.1.2 表面裂纹

在拉拔棒材、线材时，有时会在表面出现三角口状的裂纹，如图 2-8-21 所示。表面裂纹是由拉拔过程中产生的不均匀变形所造成的。拉拔制品在定径区受到的应力示于图 2-8-22。由于摩擦的作用，金属在轴向上所受的基本应力为周边层上大于中心部位，而因为中心的金属流动快，受压附应力；周边层的金属流动快，受拉附应力。因此，周边层所受的实际工作应力为拉应力，且比中心层大很多。当此拉应力大于金属的断裂极限时，就会产生表面裂纹。变形越不均匀，产生裂纹的倾向越严重。

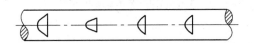

图 2-8-21 拉拔棒材表面裂纹

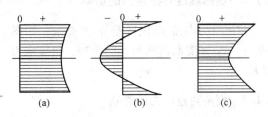

图 2-8-22 定径区中沿轴向工作应力分布示意图

（a）基本应力；（b）附加应力；（c）工作应力

8.7.2 管材制品的主要缺陷

拉拔管材制品的主要缺陷有表面划伤、裂纹、异物压入、偏心和皱折等，以偏心和皱折最为常见。

8.7.2.1 偏心

在实际生产中，拉拔管坯的壁厚往往是不均匀的，在卧式挤压机上对铜合金进行脱皮挤压时偏心尤为严重。当用空拉方法对壁厚不均的管坯进行拉拔时，能起到纠正偏心的作用，但有些管坯偏心过于严重，则难以完全得到纠正，从而使制品拉拔后仍存在偏心。

8.7.2.2 皱折

当管坯存在偏心，且 $\dfrac{D_0}{S_0}$ 值较大，如采用过大的道次加工率或退火不均匀时，管材在拉拔过程中会因失稳而出现凹陷或皱折。

9　拉　拔　力

为实现拉拔过程，作用在模出口加工材料上的外力 P_L 称为拉拔力。拉拔力与拉拔后材料的断面积之比称之为拉拔应力，即作用在模出口加工材料上的单位外力。

$$\sigma_L = \frac{P_L}{F_L} \tag{2-9-1}$$

9.1　各种因素对拉拔力的影响

9.1.1　被加工金属的性质对拉拔力的影响

图 2-9-1 示出了以 34% 的断面减缩率拉拔不同金属圆线时拉拔应力与材料抗拉强度的关系。可见拉拔力与被拉拔金属的抗拉强度成线性关系，抗拉强度愈高，拉拔力愈大。

9.1.2　变形程度对拉拔力的影响

拉拔应力与变形程度呈正比关系，如图 2-9-2所示。随着断面减缩率的增加，拉拔应力增大。

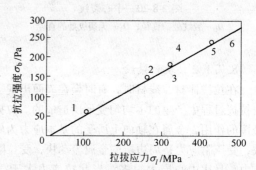

图 2-9-1　金属抗拉强度与拉拔应力之间的关系
1—铝；2—铜；3—青铜；4—H70；
5—含 97% 铜 3% 镍 的合金；6—B20

9.1.3　模角对拉拔力的影响

拉拔模的模角 α 对拉拔力的影响如图 2-9-3 所示。由图可见，随着模角 α 增大，拉拔应力发生变化，并且存在一个最小值，其相应的模角称为最佳模角。由图还可以看出，随着变形程度增加，最佳模角 α 值逐渐增大。

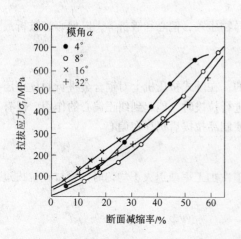

图 2-9-2　拉拔黄铜线时拉拔应力
与断面减缩率的关系

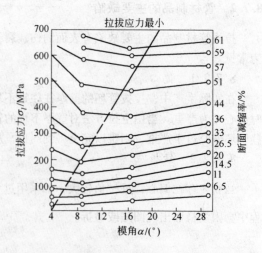

图 2-9-3　拉拔应力与模角 α 之间的关系

9.1.4 拉拔速度对拉拔力的影响

在低速（5m/min 以下）拉拔时，拉拔应力随拉拔速度的增加而有所增加。当拉拔速度增加到 6~50m/min 时，拉拔速度增加，拉拔应力下降，继续增加拉拔速度而拉拔应力变化不大。另外，开动拉拔设备的瞬间，由于产生冲击现象而使拉拔力显著增大。

9.1.5 摩擦与润滑对拉拔力的影响

在拉拔过程中，润滑剂的性质、润滑方式、模具材料、模具和被拉拔材料的表面状态对摩擦力的大小皆有影响，从而对拉拔力的大小产生影响。在其他条件相同的情况下，使用钻石模的拉拔力最小，硬质合金模次之，钢模最大。这是因为模具材料越硬，抛光得越良好，金属越不容易粘结工具，摩擦力就越小。

一般润滑方法所形成的润滑膜较薄，未脱离边界润滑的范围，摩擦力仍较大。近年来，在拉拔时采用了流体动力润滑方法，可使材料和模子表面间的润滑膜增厚，实现流体润滑。流体动力润滑的方法如图 2-9-4 所示。在单模流体动力润滑中（图 2-9-4(a)），管子与坯料之间具有狭窄的间隙，借助于运动的坯料和润滑剂的黏性，使模子入口处的润滑剂压力增高，从而达到增加润滑膜厚度的目的。在拉管时，将两个模子靠在一起实现所谓的倍模拉拔，在管内壁与芯头间形成 0.25~0.50mm 的间隙，也可以建立起流体动力润滑的条件，如图 2-9-4(b)所示。

生产实践已经证明，用游动芯头拉拔时的拉拔力较固定短芯头的要小。其原因是，在变形区内芯头的锥形表面与管子内壁间形成狭窄的锥形缝隙可以建立起流体动力润滑条件（润滑楔效应），从而降低了芯头与管子间的摩擦系数。流体动压力越大，则润滑效果越好。流体动压力的大小与润滑楔的角度、润滑剂性能、黏度以及拉拔速度有关。润滑楔的角度越小、润滑剂黏度越大和拉拔速度越高，则润滑楔效应越显著。

图 2-9-5 示出了一种流体静力润滑技术。在这种润滑技术中，将润滑剂以很高的压力送入拉拔模孔中。为了使润滑剂密封，还用一个密封模，故也称双模强制润滑。

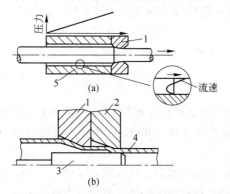

图 2-9-4 流体动力润滑

(a)单模流体动力润滑；(b)倍模流体动力润滑

1—减径模；2—减壁模；3—芯头；4—管子；5—增压管

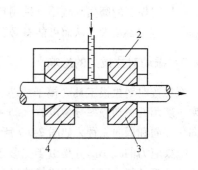

图 2-9-5 双模流体静力润滑

1—高压油；2—模箱；3—拉拔模；4—密封模

9.1.6 反拉力对拉拔力的影响

反拉力对拉拔力的影响如图 2-9-6 所示。随着反拉力 Q 值的增加，模子所受到的压力 N 近似直线下降，拉拔力 P_L 逐渐增加。但是，在反拉力达到临界反拉力 Q_e 值之前，对拉拔力并无明显影响。临界反拉力或临界反拉应力 σ_{qe} 值的大小主要与被拉拔材料的弹性极限和拉拔前的预先变形程度有关，而与该道次的加工率无关。弹性极限和预先变形程度越大，则临界反拉应力也越大。利用这一点，将反拉应力值控制在临界反拉应力值范围以内，可以在不增大拉拔应力和不减小道次加工率的情况下减小模子入口处金属对模壁的压力磨损，从而延长了模子的使用寿命。

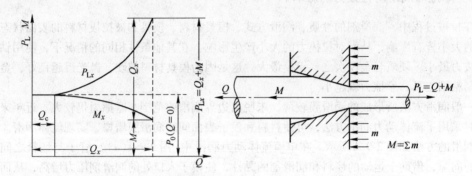

图 2-9-6　反拉力对拉拔力与模子压力的影响

在临界反拉应力范围内，增加反拉应力对拉拔应力无影响的原因可作如下解释。

随着反拉应力的增加，模子入口处的接触弹性变形区逐渐减小。与此同时，金属作用于模孔壁上的压力减小，继而使摩擦力也相应减小。摩擦力的减小值与此时反拉力值相当。当反拉力 Q 比较小时，反拉力消耗于实现被拉拔材料的弹性变形。

当反拉应力 σ_q 达到临界反拉应力 σ_{qe} 值后，如果继续增大反拉力，将改变塑性变形区的应力 σ_r、σ_l 的分布，使拉拔应力增大。此时拉拔力不仅消耗于实现塑性变形，而且还用于克服过剩的反拉力。

因此，采用反拉力 Q 小于或等于临界反拉力值进行拉拔是有利的，因为这时拉拔力不增大，但同时模孔的磨损却减小。采用反拉力 Q 大于临界反拉力值是不合适的，因为此时拉拔力和拉拔应力都增大，从而可能有必要减小道次延伸系数，并且相应地增多变形次数。

9.1.7　振动对拉拔力的影响

在拉拔时对拉拔工具（模子或芯头）施以振动可以显著地降低拉拔力，继而提高道次加工率。所用的振动频率分为声波（25～500Hz）与超声波（16～80kHz）两种。振动的方式有轴向、径向和周向三种，如图 2-9-7 所示。

拉拔应力的减小部分是由于变形区的变形抗力降低所引起的，其机理可解释为在晶格缺陷区吸收了振动能，继而使位错势能提高和为了使这些位错移动所必须的剪切应力减小所致。同时，振动模接触表面对金属的频繁打击作用可能也是一个减少拉拔应力的附加原因。

另外，在轴向振动下，拉拔应力的减小还由于模子和金属接触表面周期的脱开而使摩擦力减小。但这只有在模子振动速度大于拉拔速度时才有可能。随着拉拔速度增大，此效应减小，并在一定条件下（拉拔与模子振动速度相等），由于模子与金属未脱离接触而消失。

9.2　拉拔力的理论计算

拉拔力是拉拔变形的基本参数，确定拉拔力的目的在于提供设计拉拔机与校核拉拔机部件

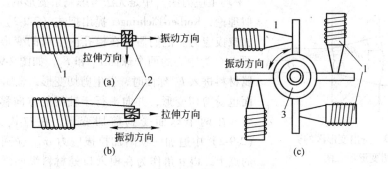

图 2-9-7 拉拔时的振动方式

（a）径向振动；（b）轴向振动；（c）周向振动

1—振子；2—模子；3—带外套的模子

强度、选择与校核拉拔机电动机容量，以及制订合理的拉拔工艺规程所必需的原始数据。同时，确定拉拔力是研究拉拔过程所必不可少的参数。

拉拔力的理论计算方法较多，如平均主应力法、滑移线法、上界法以及有限元法等。而目前应用较广泛的为平均主应力法，下面主要介绍平均主应力法。

9.2.1 棒线材拉拔力计算

图 2-9-8 为棒线材拉拔中应力分析示意图。在变形区内沿 x 方向上取一厚度为 dx 的单元体，根据单元体上作用的 x 轴向应力分量，建立微分平衡方程式，利用近似塑性条件和边界条件并进行积分，可得

$$\sigma_{\text{L}} = \sigma_{l1} = \sigma_s \left(\frac{1 + B}{B} \right) \left[1 - \left(\frac{D_1}{D_0} \right)^{2B} \right] \tag{2-9-2}$$

式中　σ_{L}——拉拔应力，即模出口处棒材断面上的轴向应力 σ_{l1}；

　　　σ_s——金属材料的平均变形抗力，取拉拔前后材料的变形抗力平均值；

　　　B——参数，$B = \dfrac{f}{\tan\alpha}$；

　　　D_0——拉拔坯料的原始直径；

　　　D_1——拉拔棒、线材出口直径。

下面对式（2-9-2）进行讨论。

（1）公式考虑了模面摩擦的影响，但是没有考虑由于附加剪切变形引起的剩余变形，在

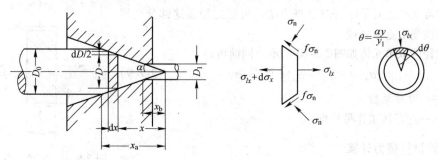

图 2-9-8 棒线材拉拔中的应力分析

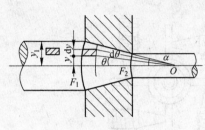

图 2-9-9　进出变形区的剪
切变形示意图

"平均主应力法"中是无法考虑剩余变形的。根据能量近似理论，Korber-Eichringer 提出把式（2-9-2）补充一项附加拉拔应力。他们假定在模孔内金属的变形区是以模锥顶点 O 为中心的两个球面 F_1 和 F_2，如图 2-9-9 所示。金属材料进入 F_1 球面时，发生剪切变形，金属材料出 F_2 球面也受剪切变形，并向平行于轴线的方向移动。考虑到金属在两个球面受到剪切变形，在拉拔力计算公式（2-9-2）中追加一项附加拉拔应力 σ'_L。在距中心轴为 γ 的点上，以 θ 角作为在模入口处材料纵向纤维的方向变化，那么纯剪切变形 $\theta = \alpha y / y_1$，也可以近似地认为 $\tan\theta =$ （$y\tan\alpha$）$/y_1$，剪切屈服强度为 τ_s，微元体 $\pi y_1^2 \cdot dl$ 所受到的剪切功 W 为

$$W = \int_0^{y_1} 2\pi y dy \cdot \tau_s \tan\theta dl = \frac{2}{3}\tau_s \tan\alpha \pi y_1^2 dl \qquad (2\text{-}9\text{-}3)$$

由于这个功等于轴向拉拔应力 σ_L 所作的功

$$W = \sigma_L \cdot \pi y_1^2 dl \qquad (2\text{-}9\text{-}4)$$

因此，由式（2-9-3），式（2-9-4）可得

$$\sigma_L = \frac{2}{3}\tau_s \tan\alpha \qquad (2\text{-}9\text{-}5)$$

金属在模的出口 F_2 处又转变为原来的方向，同时考虑到 $\tau_s = \dfrac{\sigma_s}{\sqrt{3}}$，结果拉拔应力适当加上剪切变形而产生的附加修正值

$$\sigma'_L = \frac{4\sigma_s}{3\sqrt{3}}\tan\alpha \qquad (2\text{-}9\text{-}6)$$

所以

$$\sigma_L = \sigma_s \left\{ \left(1 + \frac{1}{B}\right)\left[1 - \left(\frac{D_1}{D_0}\right)^{2B}\right] + \frac{4}{3\sqrt{3}}\tan\alpha \right\} \qquad (2\text{-}9\text{-}7)$$

（2）若考虑反拉力的影响，则拉拔应力的公式（2-9-2）也要变化。假设加的反拉应力为 σ_q（$<\sigma_s$），利用边界条件，当 $D = D_0$ 时，$\sigma_{lx} = \sigma_q$，则

$$\sigma_L = \sigma_s \left(1 + \frac{1}{B}\right)\left[1 - \left(\frac{D_1}{D_0}\right)^{2B}\right] + \sigma_q\left(\frac{D_1}{D_0}\right)^{2B} \qquad (2\text{-}9\text{-}8)$$

（3）在拉拔力计算公式（2-9-2）中，σ_{ll} 只是塑性变形区出口断面的应力，而实际拉拔模有定径区，为克服定径区外摩擦，所需的拉拔应力要比 σ_{ll} 大。计算定径区这部分摩擦力较为复杂，但在实际工程计算中，由于工作带长度很短，摩擦系数也较小，故常忽略或者采用近似处理方法，可把定径区这部分金属按发生塑性变形近似处理。

在定径区取单元体如图 2-9-10 所示，同前可得

$$\sigma_L = (\sigma_{ll} - \sigma_s)e^{-\frac{4f}{D_1}l_d} + \sigma_s \qquad (2\text{-}9\text{-}9)$$

式中　f——摩擦系数；

l_d——定径区工作带长度。

9.2.2　管材拉拔力计算

管材拉拔力计算公式的推导方法与棒、线材拉拔力公式推导

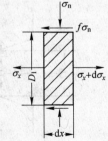

图 2-9-10　定径区微小单元
体的应力状态

基本相同。为了使计算公式简化，有三个假定条件：拉拔管材壁厚不变；在一定范围内应力分布是均匀的；管材衬拉时的减壁段，其管坯内外表面所受的法向压应力 σ_n 相等，摩擦系数 f 相同。推导过程仍然是首先对塑性变形区微小单元体建立微分平衡方程式，然后采用近似塑性条件，利用边界条件推导出拉拔力计算公式，下面仅对不同类型的拉拔力计算公式做简要介绍。

A 空拉管材

管材空拉时，其外作用力情况与棒、线材拉拔类似，见图 2-9-11。在塑性变形区取微小单元体，其受力状态如图 2-9-12 所示。

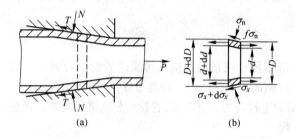

图 2-9-11 管材空拉时的受力情况

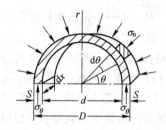

图 2-9-12 σ_θ 与 σ_n 的关系

对微小单元体在轴向上建立微分平衡方程

$$(\sigma_x + d\sigma_x)\frac{\pi}{4}[(D+dD)^2 - (d+dd)^2] - \frac{\pi}{4}\sigma_x(D^2 - d^2) + \frac{1}{2}\sigma_n\pi DdD + \frac{f\sigma_n\pi D}{2\tan\alpha}dD = 0$$

展开简化并略去高阶微量，得

$$(D^2 - d^2)d\sigma_x + 2(D - d)\sigma_x dD + 2\sigma_n DdD + 2\sigma_n D\frac{f}{\tan\alpha}dD = 0 \tag{2-9-10}$$

引入塑性条件

$$\sigma_x + \sigma_\theta = \sigma_s \tag{2-9-11}$$

由图 2-9-12 可见，沿 r 方向建立平衡方程

$$2\sigma_\theta Sdx = \int_0^\pi \frac{D}{2}\sigma_n d\theta dx\sin\theta$$

简化为

$$\sigma_\theta = \frac{D}{D - d}\sigma_n \tag{2-9-12}$$

将式 (2-9-10)，式 (2-9-11)，式 (2-9-12) 引入 $B = f/\tan\alpha$，利用边界条件求解

$$\frac{\sigma_{x1}}{\sigma_s} = \frac{1+B}{B}\left(1 - \frac{1}{\lambda^B}\right) \tag{2-9-13}$$

式中 λ——管材的延伸系数。

考虑定径区的摩擦力作用，可以导出

$$\frac{\sigma_L}{\sigma_s} = 1 - \frac{1 - \frac{\sigma_{x1}}{\sigma_s}}{e^{c_1}} \tag{2-9-14}$$

式中　　$c_1 = \dfrac{2fl_d}{D_1 - S}$；

　　　f——模定径区摩擦系数；

　　　l_d——模定径区工作带长度；

　　　D_1——模定径区工作带直径；

　　　S——管材壁厚。

　　故拉拔力为

$$p = \sigma_L \cdot \frac{\pi}{4}(D_1^2 - d_1^2) \tag{2-9-15}$$

式中　D_1、d_1——该道次拉拔后管材外、内径。

　　B　衬拉管材

　　衬拉管材时，塑性变形区可分减径段和减壁段。减径段拉应力可采用管材空拉时的公式 (2-9-13) 计算。对减壁段来说，减径段终了时断面上的拉应力，相当于反拉力的作用。

　　（1）固定芯头拉拔　图 2-9-13(a) 中 b 断面上拉应力 σ_{x2} 按空拉管材的公式进行计算，而公式中的延伸系数 λ 在此是指空拉段的延伸系数

$$\lambda_{ab} = \frac{F_0}{F_2} = \frac{D_0 - S_0}{D_2 - S_2}$$

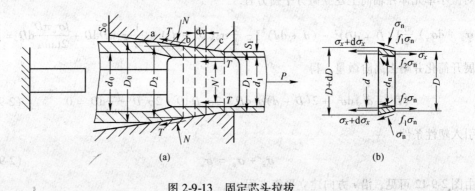

图 2-9-13　固定芯头拉拔

　　在减壁段即图 2-9-13(a) 中 b-c 段，坯料变形的特点是内径保持不变，外径逐渐减小，因此管坯壁厚也减小。为了简化，设管坯内、外表面所受的法向压应力 σ_n 相等，即 $\sigma_n = \sigma_n'$，摩擦系数也相同，即 $f_1 = f_2 = f$，按图 2-9-13(b) 中所示的微小单元体建立微分平衡方程

$$(\sigma_x + d\sigma_x)\frac{\pi}{4}\left[(D + dD)^2 - d_1^2\right] - \sigma_x\frac{\pi}{4}(D^2 - d_1^2) + \frac{\pi}{2}D\sigma_n dD + \frac{f}{2\tan\alpha}\pi D\sigma_n dD + \frac{f}{2\tan\alpha}\pi d_1\sigma_n dD = 0$$

　　整理后

$$2\sigma_x D dD + (D^2 - d_1^2)d\sigma_x + 2\sigma_n D dD + \frac{2f}{\tan\alpha}\sigma_n(D + d_1)dD = 0 \tag{2-9-16}$$

　　代入塑性条件 $\sigma_x + \sigma_n = \sigma_s$，整理后得

$$(D^2 - d_1^2)d\sigma_x + 2D\left\{\sigma_s\left[1 + \left(1 + \frac{d_1}{D}\right)\frac{f}{\tan\alpha}\right] - \sigma_x \times \left(1 + \frac{d_1}{D}\right)\frac{f}{\tan\alpha}\right\}dD = 0 \tag{2-9-17}$$

以 $\dfrac{d_1}{D}$ 代替 $\dfrac{d_1}{D}$，$\overline{D} = \dfrac{1}{2}\,(D_2 + D_1)$，并引入符号 $B = \dfrac{f}{\tan\alpha}$，将式（2-9-17）积分并代入边界条件得

$$\frac{\sigma_{x1}}{\sigma_s} = \frac{1 + \left(1 + \dfrac{d_1}{D}\right)B}{\left(1 + \dfrac{d_1}{\overline{D}}\right)B}\left[1 - \left(\frac{D_1^2 - d_1^2}{D_2^2 - d_2^2}\right)^{\left(1 + \frac{d_1}{\overline{D}}B\right)}\right] + \frac{\sigma_{x2}}{\sigma_s} \times \left(\frac{D_1^2 - d_1^2}{D_2^2 - d_2^2}\right)^{\left(1 + \frac{d_1}{\overline{D}}B\right)} \tag{2-9-18}$$

式中，$\dfrac{D_1^2 - d_1^2}{D_2^2 - d_2^2}$ 为减壁段的延伸系数的倒数，以 $\dfrac{1}{\lambda_{bc}}$ 表示，并设

$$A = \left(1 + \frac{d}{\overline{D}}\right)B$$

代入式（2-9-18）得

$$\frac{\sigma_{x1}}{\sigma_s} = \frac{1 + A}{A}\left[1 - \left(\frac{1}{\lambda_{bc}}\right)^A\right] + \frac{\sigma_{x2}}{\sigma_s}\left(\frac{1}{\lambda_{bc}}\right)^A \tag{2-9-19}$$

固定短芯头拉拔时定径区摩擦力对 σ_L 的影响与空拉不同，还有内表面的摩擦应力。用与棒材拉拔时同样的方法，可得到

$$\frac{\sigma_L}{\sigma_s} = 1 - \frac{1 - \sigma_{x1}/\sigma_s}{e^{c_2}} \tag{2-9-20}$$

式中　$c_2 = \dfrac{4fl_d}{D_1 - d_1} = \dfrac{4fl_d}{S_1}$；

　　D_1——该道次拉拔模定径区直径；

　　d_1——该道次拉拔芯头直径；

　　S_1——该道次拉拔后制品壁厚。

（2）游动芯头拉拔　游动芯头拉拔时，其受力情况如图 2-9-14 所示，它与固定芯头拉拔的主要区别在于减壁段（b-c）的外表面的法向压力 N_1 与内表面的法向压力 N_2 的水平分力的方向相反。同时，在拉拔过程中，芯头将在一定范围内移动。

用与固定芯头类似的计算方法，并设模具和芯头对管材的正压应力及摩擦系数相等，即 $\sigma_{n1} = \sigma_{n2} = \sigma_n$；$f_1 = f_2 = f$；也可以得到游动芯头的拉拔应力计算公式。

减壁区终了断面上的拉拔应力计算式

$$\frac{\sigma_{x1}}{\sigma_s} = \frac{1 + A - C}{A}\left[1 - \left(\frac{1}{\lambda_{cd}}\right)^A\right] + \frac{\sigma_{x2}}{\sigma_s}\left(\frac{1}{\lambda_{cd}}\right)^A \tag{2-9-21}$$

式中　$A = \left(1 + \dfrac{\overline{d}}{\overline{D}}\right)B$；　$B = \dfrac{f}{\tan\alpha}$；　$C = \dfrac{\overline{d}}{\overline{D}} \cdot \dfrac{\tan\alpha_1}{\tan\alpha}$

　　σ_{x2}——减径区 c 点的轴向应力。

考虑定径区摩擦力的影响

$$\frac{\sigma_L}{\sigma_s} = 1 - \frac{1 - \sigma_{x1}/\sigma_s}{e^{c_2}} \tag{2-9-22}$$

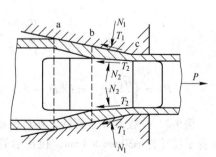

图 2-9-14　游动芯头拉拔

9.2.3　拉拔机电机功率计算

（1）单模拉拔时电机功率 W 计算：

$$W = \frac{Pv}{1000\eta} \quad (\text{kW})$$

式中　P——拉拔力，N；

　　　v——拉拔速度，m/s；

　　　η——拉拔机的效率，0.8~0.9。

（2）多模拉拔时电机功率 W 的计算：

$$W = \frac{P_1v_1 + P_2v_2 + P_3v_3 + \cdots + P_nv_n}{1000\eta_1\eta_2}$$

式中　η_1——拉拔机卷筒的机械效率，0.9~0.95；

　　　η_2——拉拔机机械传动效率，0.85~0.92。

9.3　拉拔力计算例题

例9-1　用空拉方法生产5A02铝管，退火后拉第一道次，拉拔前管子尺寸 $\phi30\text{mm} \times 4\text{mm}$，拉拔后管子尺寸 $\phi25\text{mm} \times 4\text{mm}$，模角 $\alpha = 12°$，定径带长度3mm，摩擦系数0.1，试求 P_L。

解

（1）确定参数：

$$B = \frac{f}{\tan\alpha} = \frac{0.1}{\tan12°} = 0.472$$

$$\lambda = \frac{D_0 - S_0}{D_1 - S_1} = \frac{30 - 4}{25 - 4} = 1.24$$

$$c_1 = \frac{4fl_d}{D_1 - S_1} = \frac{4 \times 0.1 \times 3}{35 - 4} = 0.0286$$

（2）求变形抗力 σ_s：

$$\bar{\varepsilon} = 0.5 \times (\varepsilon_1 + \varepsilon_0) = 0.5 \times \left[\frac{(30-4) \times 4 - (25-4) \times 4}{(30-4) \times 4} + 0 \right] = 9.65\%$$

查加工硬化曲线，得 $\sigma_s = 230\text{MPa}$；

（3）求 $\dfrac{\sigma_{x1}}{\sigma_s}$，$\dfrac{\sigma_L}{\sigma_s}$，$P_L$：

$$\frac{\sigma_{x1}}{\sigma_s} = \frac{1+B}{B}\left(1 - \frac{1}{\lambda^B}\right) = \frac{1+0.472}{0.472}\left(1 - \frac{1}{1.24^{0.472}}\right) = 0.301$$

$$\frac{\sigma_L}{\sigma_s} = 1 - \frac{1 - \dfrac{\sigma_{x1}}{\sigma_s}}{e^{c1}} = 1 - \frac{1 - 0.301}{e^{0.0286}} = 0.320$$

$$P_L = \left(\frac{\sigma_L}{\sigma_s}\right)\sigma_s \cdot \pi S_1(D_1 - S_1) = 0.32 \times 230 \times 3.14 \times 4(25 - 4) = 19.4 \quad \text{kN}$$

例9-2　拉拔H80黄铜管，坯料在 $\phi40\text{mm} \times 5\text{mm}$ 时退火，其后道次用游动芯头拉拔，拉拔前管子尺寸为 $\phi30\text{mm} \times 4\text{mm}$，拉拔后管子尺寸 $\phi25\text{mm} \times 3.5\text{mm}$，模角 $\alpha = 12°$，芯头锥角 $\alpha_1 = 9°$，定径带长度为3mm，摩擦系数为0.09，试求 P_L。

解

（1）确定拉拔后各断面尺寸及各参数：

$$d_2 = d_1 + 2\Delta S \frac{\cos\alpha}{\sin(\alpha - \alpha_1)} \sin\alpha_1 = 18 + 2(4 - 3.5) \frac{\cos 12°}{\sin(12° - 9°)} \sin 9° = 20.92$$

$$D_2 = d_2 + 2S_2 = 20.92 + 2 \times 4 = 28.92\text{mm}$$

$$B = \frac{f}{\tan\alpha} = \frac{0.09}{\tan 12°} = 0.42$$

$$\bar{d} = \frac{1}{2}(d_2 + d_1) = \frac{1}{2}(20.92 + 18) = 19.46\text{mm}$$

$$\bar{D} = \frac{1}{2}(D_2 + D_1) = \frac{1}{2}(28.92 + 25) = 26.96\text{mm}$$

$$A = \left(1 + \frac{\bar{d}}{\bar{D}}\right)B = \left(1 + \frac{19.46}{26.96}\right) \times 0.42 = 0.72$$

$$c_2 = \frac{2fl_d}{S_1} = \frac{2 \times 0.09 \times 4}{3.5} = 0.21$$

$$c = \frac{\bar{d}}{\bar{D}} \cdot \frac{\tan\alpha_1}{\tan\alpha} = \frac{19.46}{26.96} \times \frac{\tan 9°}{\tan 12°} = 0.54$$

$$\lambda_{ab} = \frac{D_0 - S_0}{D_2 - S_2} = \frac{30 - 4}{28.92 - 4} = 1.04$$

$$\lambda_{bc} = \frac{(D_2 - S_2)S_2}{(D_1 - S_1)S_1} = \frac{(28.92 - 4) \times 4}{(25 - 3.5) \times 3.5} = 1.32$$

（2）求 $\dfrac{\sigma_{x2}}{\sigma_s}$，$\dfrac{\sigma_{x1}}{\sigma_s}$，$\dfrac{\sigma_L}{\sigma_s}$：

$$\frac{\sigma_{x2}}{\sigma_s} = \left(\frac{1 + B}{B}\right)\left(1 - \frac{1}{\lambda_{ab}^B}\right) = \left(\frac{1 + 0.42}{0.42}\right)\left(1 - \frac{1}{1.04^{0.42}}\right) = 0.055$$

$$\frac{\sigma_{x1}}{\sigma_s} = \frac{1 + A - C}{A}\left(1 - \frac{1}{\lambda_{bc}^A}\right) + \frac{\sigma_{x2}}{\sigma_s} \cdot \frac{1}{\lambda_{bc}^A}$$

$$= \frac{1 + 0.72 - 0.54}{0.72}\left(1 - \frac{1}{1.32^{0.72}}\right) + 0.55 \times \frac{1}{1.32^{0.72}} = 0.34$$

$$\frac{\sigma_L}{\sigma_s} = 1 - \frac{1 - \dfrac{\sigma_{x1}}{\sigma_s}}{e^{c_2}} = 1 - \frac{1 - 0.34}{e^{0.21}} = 0.465$$

（3）求变形抗力 σ_s：

$$\bar{\varepsilon} = 0.5 \times (\varepsilon_0 + \varepsilon_1)$$

$$= 0.5 \times \left[\frac{(40 - 5) \times 5 - (30 - 4) \times 4}{(40 - 5) \times 5} + \frac{(40 - 5) \times 5 - (25 - 3.5) \times 3.5}{(40 - 5) \times 5}\right]$$

$$= 48.7\%$$

查加工硬化曲线，得 $\sigma_s = 600\text{MPa}$。

（4）求拉拔力 P_L：

$$P_L = \left(\frac{\sigma_L}{\sigma_s}\right)\sigma_s \cdot \pi(D_1 - S_1)S_1 = 0.465 \times 600 \times 3.14(25 - 3.5) \times 3.5 = 65.92 \quad \text{kN}$$

10　拉　拔　工　艺

10.1　拉拔配模

为了使拉拔制品获得合格的尺寸、形状、力学性能及表面质量，一般要对拉拔坯料进行几次拉拔。拉拔配模即根据制品的要求（有时还要考虑坯料）来确定拉拔道次和各道次模孔的尺寸形状及中间退火次数。

10.1.1　拉拔配模的分类

拉拔配模分为单模拉拔配模和多模拉拔配模。

10.1.1.1　单模拉拔配模

在拉拔机上，坯料每次只通过一个模子，在配模时确定每道次拉拔所需的拉模尺寸和形状称为单模拉拔配模。单模拉拔配模时，主要考虑产品质量和拉拔安全系数的要求，在满足此要求的条件下，应尽量采用大加工率，以提高生产效率。单模拉拔配模主要用于管、棒、型材生产。

10.1.1.2　多模连续拉拔配模

在一台拉拔机上，坯料每次同时连续通过分布在牵引绞盘之间的数个或几十个模子，确定所需拉模尺寸和形状称之为多模拉拔配模。在多模拉拔配模时，应考虑各模孔秒体积及绞盘与坯料滑动特性的要求。

多模连续拉拔配模分为滑动式多模连续拉拔配模和非滑动式多模连续拉拔配模。多模连续拉拔配模主要用于线材的拉拔。

10.1.2　拉拔配模的原则

拉拔配模的原则主要有以下几点：

（1）应能充分发挥金属的塑性，提高生产率，降低能耗。在保证拉拔过程稳定的前提下，尽可能增大每道次的延伸系数。

（2）减少不均匀变形，使拉拔制品获得最佳的表面质量、精确的尺寸和合格的性能。

（3）要与现有的设备参数（模数、速度）和设备能力（拉拔力、拉制范围）等相适应。

10.1.3　道次数和中间退火次数的确定

10.1.3.1　拉拔道次及道次延伸系数的分配

可根据总延伸系数 λ_Σ 和道次平均系数 $\bar{\lambda}$ 确定拉拔道次 n，即

$$n = \frac{\ln\lambda_\Sigma}{\ln\bar{\lambda}}\qquad\qquad(2\text{-}10\text{-}1)$$

也可以由道次最大延伸系数 λ_{max} 计算拉拔次数 n'，即

$$n' = \frac{\ln\lambda_\Sigma}{\ln\lambda_{max}}\qquad\qquad(2\text{-}10\text{-}2)$$

在分配道次延伸系数时，应考虑金属的性质、坯料的表面状态和对拉拔制品尺寸公差、精度及表面质量的要求。道次延伸系数的分配一般有两种情况：对于铜、铝、镍和白铜等塑性

好、冷硬速率慢的材料，第一道次采用较小的延伸系数，中间道次可采用较大的延伸系数，充分利用金属的塑性。最后一道次也采用较小的延伸系数，以便精确地控制制品的尺寸公差。对于黄铜一类冷硬速率快的合金，应在退火后的第一道次尽可能采用较大的延伸系数，随后延伸系数逐渐减小，且在拉拔2~3道次后需要进行退火。这是因为这类材料经冷变形后强度会急剧增加，使进一步的加工难以进行。

10.1.3.2　中间退火次数的确定

在拉拔过程中，金属或合金会产生加工硬化，因而使塑性降低，会出现断头及拉断现象，此时需进行中间退火以使材料的塑性得到恢复。中间退火次数可由下式确定：

$$N = \frac{\ln\lambda_{\Sigma}}{\ln\overline{\lambda}'} - 1 \tag{2-10-3}$$

式中　N——中间退火次数；

　　　λ_{Σ}——由坯料至成品的总延伸系数；

　　　$\overline{\lambda}'$——两次退火间的平均总延伸系数。

要合理确定中间退火次数，主要取决于 $\overline{\lambda}'$ 的选取。$\overline{\lambda}'$ 过大或过小都会影响拉拔的生产效率。若 $\overline{\lambda}'$ 太小，则未能充分利用金属的塑性，增加中间退火次数。$\overline{\lambda}'$ 过大，虽然中间退火次数减少了，但有可能造成拉拔时出现断头或拉断现象；或造成拉拔制品出现裂纹。表2-10-1~表2-10-3列出了一些金属的 $\overline{\lambda}$、$\overline{\lambda}_s$ 和 $\overline{\lambda}'$ 的值。

表 2-10-1　铜合金棒平均道次延伸系数

合　金	平均道次延伸系数 $\overline{\lambda}$	合　金	平均道次延伸系数 $\overline{\lambda}$
紫　铜	1.15~1.40	黄　铜	1.10~1.20

表 2-10-2　铝合金管平均道次壁厚减缩系数

合　金	平均道次壁厚减缩系数 $\overline{\lambda}_s$		合　金	平均道次壁厚减缩系数 $\overline{\lambda}_s$	
	挤压或退火后第一道次	第二道次		挤压或退火后第一道次	第二道次
3A21　6A02	~1.5	~1.4	2A12	~1.25	~1.1
2A11　5A02	~1.3	~1.1	5A03	~1.25	~1.1

表 2-10-3　$\overline{\lambda}'$ 的经验值

	合　金	两次退火间平均总延伸系数 $\overline{\lambda}'$		合　金	两次退火间平均总延伸系数 $\overline{\lambda}'$
铝合金管材	1070A~8A06,3A21,6A02	1.42~1.50	铜合金棒材	紫　铜	不　限
	2A11	1.33~1.54		H62,HPb59-1	1.2~1.4
	2A12	1.25~1.43		H68,HSn70-1	1.5~2.2
	2A02	1.25~1.54			

10.1.4　拉拔配模设计

10.1.4.1　单模拉拔配模设计

A　圆棒拉拔配模

一般地说，圆棒拉拔配模有三种情况：

（1）给定坯料与制品尺寸，要求确定道次数和计算各道次的模孔尺寸；

（2）给定制品尺寸，并对拉拔制品的力学性能提出要求；

（3）只要求制品尺寸。

对第 3 种情况，在保证拉拔制品表面质量的情况下，可使坯料的尺寸尽量接近制品尺寸，以减少拉拔道次。

B　型材拉拔配模

用拉拔方法可生产各种形状的型材，在进行型材拉拔配模时，应尽可能减少拉拔时变形的不均匀性，正确确定原始坯料的形状、尺寸和各道次的模孔形状和尺寸。实心型材的坯料大多采用简单的形状，如圆形、矩形和方形等。

在设计型材模孔时一般应考虑下列原则：

（1）要求成品型材的外形必须包括在坯料外形之中。因为拉拔时的变形状态一般为一向延伸，两向压缩，因此坯料在径向上的尺寸难于增加。例如，不可能用一个直径小于成品椭圆长轴的圆形坯料拉拔出此椭圆断面型材，如图 2-10-1 所示。

（2）为使变形均匀，坯料各部分应尽可能受到相等的变形。例如，在拉拔 T 型材时，图 2-10-2（a）的形状不能使各个面受到相等的压缩，图2-10-2（b）的坯料形状较为合理。此时，应保证以下的关系：

$$\frac{ABCD}{abcd} = \frac{EFGH}{efgh} \tag{2-10-4}$$

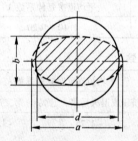

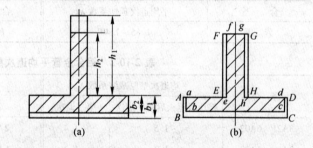

图 2-10-1　用圆形坯料拉拔椭圆　　　　　　　图 2-10-2　T 型材选择坯料
　　　　制品时不正确的配模设计

因为型材的品种、规格很多，在生产中满足此关系往往有一定困难。而为了生产方便，坯料则力求规格统一，尽量减少坯料的规格种类。在生产某些扁而宽的制品时，如矩形、梯形型材，通常只对其中的某一对平面的精度和表面质量要求较高。在这种情况下，一般两个方向上的延伸系数不相等，在要求精度和表面质量高的面给予大的变形。

（3）拉拔时要求坯料与模孔各部分同时接触，否则会由于未与模孔接触部分的强迫延伸引起成品形状、尺寸的不精确。例如在用圆坯料拉制六角型材时，由于模孔棱角部分较平面后接触，造成角部的材料强迫延伸，其结果是导致成品棱角变圆。为了使坯料进模孔时能同时变形，各部分的模角应该是不一样的。但是为了减小不均匀变形和坯料可能产生的偏斜，模角一般不超过 15°。

（4）对带有锐角的型材，只能在拉拔过程中逐渐减小到所要求的角度。这是因为拉拔型材特别是拉拔复杂断面的型材时，通常是拉拔道次多而延伸系数不大。在这种情况下，金属塑性降低，在棱角处会因应力集中产生裂纹。

在实际生产中，常采用"图解设计法"进行型材配模设计。"图解设计法"的步骤如下（图2-10-3）：

（1）选择与成品形状相近且简单的坯料，坯料的断面尺寸应满足制品的力学性能和表面质量的要求。

（2）参考与制品品种相同、断面积相等的圆断面制品的配模设计，初步确定拉拔道次、道次延伸系数以及各道次的断面积 F_1，F_2，F_3……。

（3）将坯料和成品断面的形状放大 10~20 倍，然后将成品的图形置于坯料的断面外形轮廓之中，使它们的重心尽可能重合，并力求坯料与型材轮廓之间的最短距离在各处相差不多，以保证变形的均匀性。

（4）根据型材断面的复杂程度，在坯料外形轮廓上分 30~60 个等距离的点。通过这些点做垂直于坯料与型材外形轮廓且长度最短的曲线。可将这些曲线近似看作是金属变形时的流线。在画金属流线时应注意到这样的特点：金属质点在向型材外形轮廓凸起部分流动时彼此逐渐靠近；而在其凹陷部分流动时彼此逐渐散开（见图2-10-3中的 m 与 n 处）。

（5）按照 $\sqrt{F_0} - \sqrt{F_1}$，$\sqrt{F_1} - \sqrt{F_2}$，……$\sqrt{F_{k-1}} - \sqrt{F_k}$ 值比例将各金属流线分段。然后将相同的段用曲线圆滑地连接起来，这样就得到了各模子定径区的断面形状。为了获得均匀变形，在金属流线较疏的部分可做补助的金属流线。

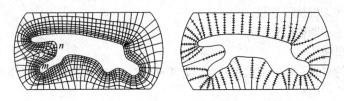

图 2-10-3　用图解法进行型线配模

C　圆管拉拔配模

a　空拉管材配模设计

对于直径小于 6~10mm 的管子，由于放芯头较困难，为了操作方便提高生产率，常采用空拉方法拉拔管材。但对于内表面质量要求高的毛细管、散热管，在其直径小于 6~10mm 时也采用衬拉。

在确定空拉的道次形变量时，除了要考虑金属出模口的强度以防拉断外，还应考虑管子在变形时的稳定性问题。特别是对薄壁管来说，决定道次加工率的因素已不是强度，而是管材的稳定性。也就是说，当变形量过大时，管子会产生凹陷。为防止凹陷，一般在 $\alpha = 10° ~ 15°$ 时，空拉道次减径量的值不超过壁厚的 6 倍，即 $D_0 - D_1 < 6S_0$。

最大道次变形量还和模角以及 S_0/D_0 此值有关，图2-10-4 示出了最大道次变形量与模角及 S_0/D_0 的关系。由图可知，当模角 $\alpha = 12°$ 时最为有利，即在管坯的 S_0/D_0 值一定时，可以采用较大的变形量。

b　固定芯头拉管配模设计

采用固定芯头拉拔管时，由于金属与芯头接触摩擦面积比空拉时的大，因此应选取

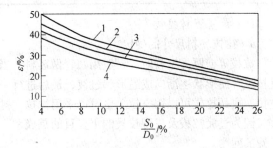

图 2-10-4　最大道次变形量与模角及 S_0/D_0 的关系

1—$\alpha = 12°$；2—$\alpha = 20°$；3—$\alpha = 8°$；4—$\alpha = 3°$

较小的延伸系数。

对塑性良好的金属，如紫铜、铝等，道次延伸系数最大可达 1.7 左右，两次退火间的总延伸系数可达 10。一般来说，可以一直拉到成品而无需中间退火。大直径管材拉拔的道次延伸系数和两次退火间的总延伸系数要受到拉拔设备能力的限制，通常拉拔 2~5 道次后要退一次火。

对于钢及冷硬速率快的有色金属，如 H62、H68、HSn70-1、硬铝等管材，一般在拉拔 1~3 道次后即需退火。

c　游动芯头拉管配模设计

与固定短芯头相比，游动芯头拉管具有许多优点，如可以改善产品的质量，大大提高拉拔速度，道次加工率大等。

在游动芯头拉拔配模时除应满足拉拔配模的一般原则外，还应注意减壁量必须与减径量相配合，否则将导致管内壁在拉拔时与芯头大圆柱段接触，破坏了力的平衡，使拉拔过程不能正常进行。

当模角 $\alpha = 12°$，芯头锥角 $\alpha_1 = 9°$ 时，减径量与减壁量应满足一定的关系，一般以芯头大圆柱段直径与小圆柱段直径之差表示：

$$D_1 - d \geqslant 6\Delta S \qquad (2\text{-}10\text{-}5)$$

式中　D_1——芯头大圆柱段直径；

　　　d——芯头小圆柱段直径；

　　　ΔS——减壁量。

但这也不是绝对的，在正常拉拔时由于芯头并不处于前极限的位置，当润滑条件较好时，也可取

$$D_1 - d \geqslant (3 \sim 4)\Delta S \qquad (2\text{-}10\text{-}6)$$

采用游动芯头拉拔部分合金的延伸系数列于表 2-10-4。

表 2-10-4　铜及铜合金游动芯头直线拉拔的延伸系数

合　　金	道次最大延伸系数		平均道次延伸系数	两次退火间延伸系数
	第一道	第二道		
紫铜	1.72	1.90	1.65 ~ 1.75	不限
HAl77-2	1.92	1.58	1.70	3
H68、HSn70-1	1.80	1.50	1.65	2.5
H62	1.65	1.40	1.50	2.2

D　异型管材拉拔

a　拉拔坯料尺寸的确定

拉拔等壁厚异型管时，一般用圆管做坯料，当管材拉拔到一定程度之后，进行 1~2 道过渡拉拔，使形状逐渐向成品形状过渡，最后进行一道成型拉拔而获得成品。过渡拉拔一般采用空拉，成品拉拔可以用空拉，也可以采用衬拉。衬拉时多用固定短芯头拉拔。

因为过渡拉拔及成型拉拔的主要目的是成型，所以一般加工率都很小，主要考虑的是成型正确的问题。

在确定异型管材所用的坯料尺寸时，为了使圆形管坯在异型拉模内能充满，应使管坯的外形尺寸等于或稍大于异型管材的外形尺寸。

b 异型管成形时的变形过程

在拉拔异型管时，拉拔模口形状应保证管坯由圆形到异形是逐渐过渡的。圆管坯进入异型模口时圆周上各点并非同时与模壁接触，如图 2-10-5 示出了方管的变形过程。圆管坯外部轮廓的 a、b、c、d 四点首先与模口壁接触。当管坯逐渐进入变形区时，圆管将经过以下的变形阶段过渡到方管。

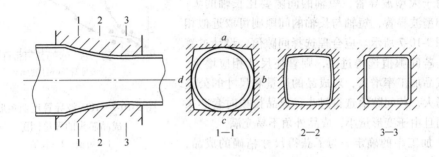

图 2-10-5 方管变形过程

1—1—变形开始平面；2—2—周向压缩开始平面；3—3—定型（定径）开始平面

（1）压扁阶段。圆管在模壁压力作用下首先失稳，管壁产生塑性弯曲变形，圆管被压扁。此阶段的变形特点是管坯仅改变断面形状，而无周边压缩变形和轴向延伸，壁厚基本不变。

（2）延伸阶段。随着管坯压扁变形增加，管壁与模壁的接触面积增大，模壁对管壁的支撑作用增加，压扁变形随之变得困难，切向压缩应力相应增加。伴随着压扁变形，管坯周边出现压缩变形，产生轴向延伸。

（3）定型阶段。此阶段的主要作用是稳定异形断面，即图 2-10-5 中的 3—3 断面至出口部分，相当于圆管拉拔时的定径带。

c 异型管拉拔配模

在异型管拉拔配模时应注意以下几点：

（1）防止在过渡拉拔时出现管壁内凹。因为过渡拉拔一般为空拉，周向压应力较大时易使管壁出现内凹，在异型管的长边，这个问题尤为突出。在生产矩形波导管时，过渡拉拔时的形状不应设计成规整的矩形，而应设计成带凸度的近似矩形，如图 2-10-6 所示。此时长边所受的周向应力 σ_θ 可分解成水平分力与垂直分力，垂直分力可抵消一部分径向应力 σ_r 的作用，同时使水平分力比不带凸度的小，所以可减轻管壁的失稳现象，从而防止管壁向内凹陷。

（2）保证成型拉拔时的良好成型。异型管有时形状带有尖角，要保证在尖角处能很好地充满，需使这些地方有足够大的延伸系数。

一般对带有锐角的异型管材，所选用的过渡圆周长应比成品的管周长增加3% ~ 12%，必要时可增加15%。

（3）对于内表面粗糙度及内部尺寸精度要求很高的异型管材，如矩形波导管，过渡圆管坯的外圆周长及壁厚必须大于成品的外周长及壁厚，以便在成型拉拔时使金属获得足够量的变形。同时最后一道次拉拔时一定要采用芯头，以保证

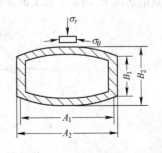

图 2-10-6 过渡近似矩形示意图

内表面的质量。

（4）要保证成型拉拔时能顺利地将芯头放入管内，并应留适当的间隙。间隙值视拉拔时金属流动的具体条件而定。如波导管的过渡矩形与拉拔成品时所套芯头间隙，一般选用 0.2～11mm，规格越小间隙也越小。对于大型波导管，短轴的间隙要比长轴的大；而对中小型波导管，短轴与长轴的间隙则可取近似相等，如图 2-10-7 所示。应合理选择间隙值，设计过渡模尺寸。若间隙值选得过大，则管坯尺寸相应增大，从而使成品加工率增大，对成品的质量和尺寸的公差的影响增大；若间隙值选得过小，成品拉拔时套芯头困难，而且由于变形量小，成品外角不易充满。

（5）加工率的确定。为了获得尺寸精确的成品，拉拔异型管时加工率一般不宜过大。加工率大时拉拔力增大，金属不易充满模口，同时也会增加残余应力，甚至在制品出模口后，还会发生变形。如在拉拔矩形波导管时，加工率一般在 15%～20%，其中长宽比大的取下限，小的取上限。

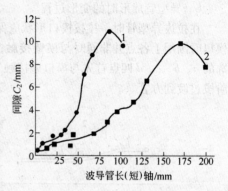

图 2-10-7　H96 波导管近似矩形与
成品芯头的理论间隙
1—短轴；2—长轴

10.1.4.2　多模连续拉拔配模

A　带滑动多模连续拉拔

带滑动多模连续拉拔过程如图 2-10-8 所示。由放线盘放出的线首先穿过第一个模子，然后在模子后的绞盘上绕 2～4 圈，再进入第二个模子。依此类推，最后线材通过成品模缠到收线盘上。

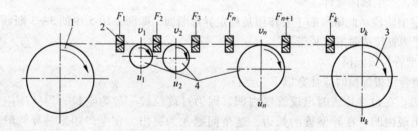

图 2-10-8　带滑动多模连续拉拔过程示意图
1—放线盘；2—模子；3—收线盘；4—绞盘

（1）建立拉拔力的条件　拉拔时除收线绞盘的速度 u_k 与金属丝的速度 v_k 相等之外，其余绞盘的速度 u_n 均大于其上的金属丝的运动速度 v_n。现任取一个绞盘进行分析如图 2-10-9 所示，

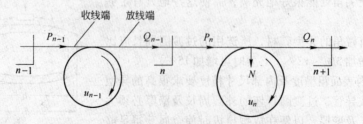

图 2-10-9　带滑动多模连续拉拔时受力分析示意图

在第 n 个绞盘的出线端有拉力 Q_n，此拉力使线压紧在绞盘上，产生正压力 N。当绞盘转动时，由于 $v_n < u_n$，绞盘给予金属丝的摩擦力与绞盘运动方向相同，建立第 n 模的拉拔力 P_n。Q_n 作用在进入第 $n+1$ 模的金属丝上，也是该模的反拉力。

根据柔性物体绕圆柱体表面的摩擦原理，P_n 与 Q_n 之间的关系为

$$Q_n = \frac{P_n}{e^{2\pi mf}} \tag{2-10-7}$$

式中 m——绕线圈数，一般为 2~4 圈；

f——线与绞盘之间的摩擦系数，取 $f = 0.1$。

这样，$e^{2\pi mf} = 3.5 ~ 6.6$，$Q_n = 30\% ~ 15\% P_n$。由公式（2-10-7）可知，m、f 值越大，Q_n 值则越小。当绕圈数过多，或摩擦系数过大，Q_n 值可能会趋近于零。

（2）实现带滑动拉拔的基本条件   绞盘圆周线速度 u_n 与绕在绞盘上线的运动速度 v_n 之间的关系可能有以下三种情况：

1）$u_n < v_n$ 时，摩擦力的作用方向与线的运动方向相反，绞盘起制动作用，绞盘上线的放线端由松边变为紧边，从而使反拉力 Q_n 急剧增大，这必将引起 $n+1$ 绞盘上的拉拔力增加，继而拉拔力 P_{n+1} 增大而发生断线；

2）$u_n = v_n$ 时，线与绞盘之间无滑动，但这种情况一般不能持久；

3）$u_n > v_n$ 时，拉拔过程能够进行，且相对稳定，是实现滑动式拉拔过程的基本条件。

由于每台滑动式拉线机各绞盘的速度在设计时已经确定，在拉拔时只能考虑 v_n 来满足上述要求。

在稳定拉拔过程中，每个绞盘上绕线圈数不变，线材通过各模子的秒体积相等，即

$$v_0 F_0 = v_1 F_1 = v_2 F_2 = \cdots = v_n F_n = \cdots = v_k F_k \tag{2-10-8}$$

F 为相应拉拔道次后金属线材的断面积。由于收线盘上的线圈与绞盘间无相对滑动，所以 $v_k = u_k$。随着拉拔过程的进行，收线盘上的线层增厚，直径增大，从而使 v_k 有所增加，拉线机的收线盘上设有调速装置，可以保证 v_k 基本不变化。

由式（2-10-8）可得

$$v_n = \frac{v_k F_k}{F_n} \tag{2-10-9}$$

上式说明，在金属线材的稳定拉拔过程中，任一绞盘上的线速 v_n 只与该绞盘上线的面积 F_n、成品线断面积 F_k 以及收线盘上的收线速度 v_k 有关，而与其他中间绞盘的速度和其上金属线的断面积无关。当 $v_k = 0$，则 $v_n = 0$，即当收线盘不工作时，尽管中间绞盘转动也不可能实现拉拔。

为保证滑动式拉拔的进行，必须保证 $v_n < u_n$，即：

$$v_n = \frac{v_k F_k}{F_n} < u_n \tag{2-10-10}$$

变换后，得：

$$\frac{F_k}{F_n} < \frac{u_n}{v_k} \quad 或 \quad \frac{F_n}{F_k} > \frac{v_k}{u_n} \tag{2-10-11}$$

因 $v_k = u_k$，故：

$$\frac{F_n}{F_k} > \frac{u_k}{u_n} \quad \text{或} \quad \lambda_{n \to k} > \gamma_{k \to n} \tag{2-10-12}$$

上式表明，为了保证滑动式拉拔过程的正常进行，必须保证第 n 道次拉拔到最后一道次拉拔间金属线材的总延伸系数大于收线盘与第 n 个绞盘的圆周线速度之比。

为了保证线材与绞盘之间的滑动，还需考虑下述情况。在拉拔过程中，由于润滑剂较黏稠，金属线材或绞盘上有局部缺陷等原因，可能使线材与某个绞盘发生短时的粘结。在这种情况下，线材的速度接近该绞盘的圆周线速度，导致金属线材与绞盘间的滑动减少或消失，从而破坏拉拔过程。因此，为了在任一绞盘上发生金属线材与绞盘产生粘结时仍能保证 $v_n < u_n$，还需满足相应的条件。

假定在 n 绞盘上金属线材与绞盘产生粘结，即 $v_n = u_n$，由于通过各模的金属线材的秒体积流量相等，这必然引起第 $n-1$ 绞盘上的金属线材的速度 v_{n-1} 增加。为了保证金属线材不被拉断，要求金属线材的速度 v_{n-1} 仍应小于该绞盘的圆周速度 u_{n-1}，即：

$$v_{n-1} = \frac{F_n}{F_{n-1}} u_n < u_{n-1} \tag{2-10-13}$$

变换后，得

$$\frac{F_{n-1}}{F_n} > \frac{u_n}{u_{n-1}} \quad \text{或} \quad \lambda_n > \gamma_n \tag{2-10-14}$$

上式表明，为了保证拉拔过程所需的必要滑动，要求在拉拔配模时必须使滑动式拉拔的任一道次的延伸系数 λ_n 大于其相邻的两绞盘的速比 γ_n。

滑动式连续拉线机的绞盘速比可以设计成递减的，也可以设计成等值的，目前趋向于等值的。由上可见，γ_n 越小，拉拔道次延伸系数 λ_n 可在较大范围内选择。这样，塑性好与塑性差的材料皆可在同一设备上拉拔。此外，绞盘速比小，可采用小延伸系数配模，减小绞盘磨损和断线率，为实现高速拉拔创造条件。在滑动式连续拉线机上，中间绞盘的速比一般为 1.15 ~ 1.35，最后两个绞盘的速比 γ_k / γ_{k-1} 为 1.05 ~ 1.15，以便能采用较小的延伸系数，精确地控制线材尺寸。

（3）滑动系数、滑动率的确定及分配：

将 $\lambda_n > \gamma_n$ 改写为：

$$\tau_n = \frac{\lambda_n}{\gamma_n} > 1 \tag{2-10-15}$$

式中，τ_n 称为滑动系数。τ_n 值过大时，滑动过大，摩擦能耗增加，绞盘容易磨损，拉拔强度低的金属时则易划伤其表面，滑动系数一般在 1.015 ~ 1.05 之间。

由于：

$$\frac{v_n}{u_n} < 1$$

$$R = \frac{u_n - v_n}{u_n} > 0 \tag{2-10-16}$$

式中，R 称为滑动系数。

在收线盘上，$v_k = u_k$，$R = 0$。因此，在遵守 $\lambda_n > \gamma_n$ 的条件下，配模应使线与绞盘的滑动率变化由第一绞盘向最后一个绞盘逐渐减少。

B　储线式拉拔

在这种拉拔过程中，依靠在中间绞盘上积蓄一定的线圈数，通过线圈数在一定的范围内的增多或减少使连续拉拔得以进行，如图 2-10-10 所示。被拉拔的金属线材穿过 $n-1$ 模后在 $n-1$

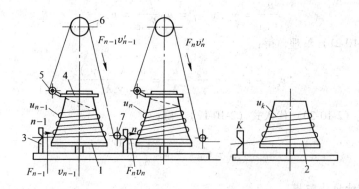

图 2-10-10 储线式无滑动连续拉拔过程示意图
1—中间绞盘；2—收线绞盘；3—模子；4—滑动圆盘；5、6、7—导轮

绞盘上绕足够多的圈数，然后经导轮进入 n 模，一直进行到穿过 K 模后金属线材绕在最后的收线盘上。为了使金属线材在绞盘上不产生滑动，建立必要的拉拔力，要求每个绞盘上绕足够的圈数，一般为 $7 \sim 12$ 圈。在此情况下，$n-1$ 绞盘线速度 u_{n-1} 与该绞盘的进线速度 v_{n-1} 相等，而 v_{n-1} 可以不等于该绞盘的出线速度 v'_{n-1}，即进线体积不等于出线体积。这表明在储线式拉拔过程中，通过 $n-1$ 和 n 两个相邻模子的金属线材的秒体积流量可以不等，在 $n-1$ 中间绞盘上积蓄的线圈数可以增多也可以减少。

绞盘绕线与放线速度的关系有以下三种：

（1）绕线速度大于放线速度（$v_{n-1} > v'_{n-1}$）。$n-1$ 绞盘的线圈数增加，起调节作用的滑动圆盘转动方向与绞盘转动方向相同，离开绞盘的金属线材发生扭转。

（2）绕线速度小于放线速度（$v_{n-1} < v'_{n-1}$）。情况与（a）相反，$n-1$ 绞盘上的金属线圈数逐渐减少，离开绞盘的金属线材也发生扭转。

（3）绕线速度等于放线速度（$v_{n-1} = v'_{n-1}$）。在此条件下，$n-1$ 绞盘上的进线秒体积流量等于出线秒体积流量，绞盘上的金属线圈数不变，离开绞盘的金属线材不发生扭转，但这种情形是不稳定的。例如在拉拔过程中随着 n 模孔的磨损，金属线断面积增大。根据 $v'_{n-1} F_{n-1} = v_n F_n$，由于 $u_n = v_n$ 是不变的，v'_{n-1} 也必然增大，结果使 $v_{n-1} \neq v'_{n-1}$，即破坏了上述 $v_{n-1} = v'_{n-1}$ 的情况。为了使储线式拉拔连续进行，应保证 $v_{n-1} > v'_{n-1}$，即进线秒体积流量大于出线秒体积流量。

$$\text{由于} \qquad\qquad v'_{n-1} F_{n-1} = v_n F_n \qquad\qquad (2\text{-}10\text{-}17)$$

$$\text{所以} \qquad\qquad v_{n-1} F_{n-1} > v_n F_n \qquad\qquad (2\text{-}10\text{-}18)$$

$$\text{又} \qquad\qquad v_{n-1} = u_{n-1}, \quad u_n = v_n$$

$$\text{故} \qquad\qquad \frac{F_{n-1}}{F_n} > \frac{u_n}{u_{n-1}} \quad \text{或} \quad \lambda_n > \gamma_n \qquad\qquad (2\text{-}10\text{-}19)$$

也可以将它用下式表示：

$$\tau_n = \frac{\lambda_n}{\gamma_n} \qquad\qquad (2\text{-}10\text{-}20)$$

式中，τ_n 为储线系数，一般取 $1.02 \sim 1.05$，即保证在金属线材的拉拔过程中，各绞盘上金属线材有一定的积蓄，但并不积蓄过多。

绞盘的储线速度为：

$$v_{n-1} - v'_{n-1} = u_{n-1} - v'_{n-1} \qquad\qquad (2\text{-}10\text{-}21)$$

又　　　　　　　　　　　$$\frac{u_n}{u_{n-1}} = \gamma_n, \quad v'_{n-1} = u_n \frac{F_n}{F_{n-1}} = u_n \frac{1}{\lambda_n}$$

代入式（2-10-21）整理，得：

$$v_{n-1} - v'_{n-1} = \frac{u_n}{\gamma_n} - \frac{u_n}{\lambda_n} = \frac{u_n(\lambda_n - \gamma_n)}{\gamma_n \lambda_n} \qquad (2\text{-}10\text{-}22)$$

最后，将式（2-10-20）代入式（2-10-12），得：

$$v_{n-1} - v'_{n-1} = u_n \frac{\tau_n - 1}{\lambda_n \tau_n} \qquad (2\text{-}10\text{-}23)$$

C　多模连续拉拔配模

与一般单模拉拔配模不同，多模连续拉拔配模时延伸系数分配与拉线机原始设计的绞盘速比有关。对储线式无滑动拉线机，由于各绞盘上的线圈储存量可以调节拉拔过程，对配模的要求不严格。对滑动式拉线机，则应根据 $\lambda_n > \gamma_n$ 的条件，按一定的滑动系数确定各拉模的模孔尺寸。延伸系数的分配有等值的和递减的两种。目前在大拉机上对铜多采用递减的延伸系数，对铝则用等值的延伸系数；在中、小、细与微拉机上也采用等值延伸系数。

线材连续拉拔配模的具体步骤为：

（1）根据所拉拔的线材和线坯直径选择拉线机。

（2）计算由线坯到成品总的延伸系数，道次及延伸系数的分配。

（3）根据选择的拉线机说明书查得各道次绞盘速比，并计算总的速比

$$\gamma_\Sigma = \frac{v_k}{v_1} = \gamma_2 \gamma_3 \gamma_4 \cdots \gamma_k \qquad (2\text{-}10\text{-}24)$$

（4）根据总的延伸系数 λ_Σ 和总的速比 γ_Σ，计算总的相对滑动系数 τ_Σ

$$\tau_\Sigma = \frac{\dfrac{\lambda_\Sigma}{\lambda_1}}{\gamma_\Sigma} \qquad (2\text{-}10\text{-}25)$$

（5）确定平均相对滑动系数 $\bar{\tau}$

$$\bar{\tau} = \sqrt[k-1]{\tau_\Sigma} \qquad (2\text{-}10\text{-}26)$$

（6）根据 $\bar{\tau}$ 值的大小，按照各道次延伸系数分配原则分配 τ_1、τ_2、τ_3、$\cdots$、τ_k，并计算 λ_1、λ_2、λ_3、$\cdots$、λ_k。

10.1.5　拉拔配模计算例题

例 10-1　双沟电车线的配模。现欲拉制 $85 \pm 3.5\text{mm}^2$ 的双沟电车线，材料为紫铜，截面形状与尺寸见图 2-10-11 和表2-10-5。已查得为满足强度要求（最小抗拉强度为 348MPa），冷变形的加工率需大于55%，试进行配模设计。

表 2-10-5　铜接触钢导线的形状和尺寸

截面积/mm²		尺　寸/mm						
标　称	计　算	A	B	C	D	E	F	R
150	150.70	14.40	14.40	6.85	7.27	9.75	3.20	0.38

截面积/mm²		尺 寸/mm						
标 称	计 算	A	B	C	D	E	F	R
110	111.10	12.34	12.34	6.85	7.27	9.75	1.70	0.38
85	87.09	11.00	11.00	5.70	6.12	8.50	1.50	0.38
70	70.29	10.00	9.90	5.00	5.42	8.10	0.80	0.38

解 可按下列程序进行配模:

（1）确定线杆尺寸

因双沟电车线的宽厚比近似于 1，故采用圆线杆。冷变形加工率为 55% 以上，相当于延伸系数 $\lambda = 2.22$，则线杆的截面积为:

$$F_0 \geqslant 2.22 \times (85 + 3.5) = 196.47 \text{mm}^2$$

$$D_0 \geqslant \sqrt{\frac{4F_0}{\pi}} = 15.82 \text{mm}$$

现按线杆的尺寸系列，采用 $D_0 = 17.0 \text{mm}$。

（2）确定拉制道次

由于要拉出沟槽，变形不均，周边长，拉力较大，因此暂定道次变形量为 20%，相当于 $\bar{\lambda} = 1.25$。

最大的总延伸系数为: $\lambda_{\Sigma} = \dfrac{\dfrac{\pi}{4} \times 17^2}{85 - 35} = 2.78$;

则拉拔道次为: $n = \dfrac{\ln \lambda_{\Sigma}}{\ln \bar{\lambda}} = \dfrac{\ln 2.78}{\ln 1.25} = 4.58$，选用 $n = 5$。

（3）道次变形量分配

现平均延伸系数为: $\bar{\lambda} = \sqrt[5]{\lambda_{\Sigma}} = \sqrt[5]{2.78} = 1.23$;

因为: $\ln \lambda_{\Sigma} = \ln \lambda_1 + \ln \lambda_2 + \ln \lambda_3 + \ln \lambda_4 + \ln \lambda_5$;

所以: $\lambda_{\Sigma} = \lambda_1 \cdot \lambda_2 \cdot \lambda_3 \cdot \lambda_4 \cdot \lambda_5$。

按表 2-10-6 分配变形，同时算出各道次的截面积和"当量圆"直径。

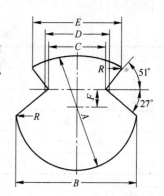

图 2-10-11 电车线的断面

表 2-10-6 85mm² 电车线当量圆计算表

道 次	0	1	2	3	4	5
$\ln \lambda$	—	0.22	0.23	0.23	0.18	0.16
λ	—	1.25	1.26	1.26	1.20	1.17
F/mm²	227.6	181.6	144.1	114.4	95.3	81.5
当量圆 D/mm	17.0	15.2	13.5	12.1	11.0	10.2

（4）按各道次当量圆直径绘同心圆，并算出各道次减径量和各道次的减径量占总减径量的比例，备用。

（5）画出成品截面图，并将其置于线杆截面图内，二者重心重合（本图可按适当比例放大）。

（6）画出变形时金属质点在截面上的流动路线，按各道次的减径比例来划分各条质点流线，然后将各流线上相应点相连，即为各道次拉制后工件的截面轮廓。

（7）将各道次截面沿轮廓线剪下称重，各道次的截面积相当于各道次图形的重量。与表所列截面积对照，若差异甚小，则各道次模孔形状尺寸为各轮廓线的形状尺寸；若差异较大，说明所画质点流动路线不够正确，需重新调整。

（8）同心圆和流线-道次轮廓图示于图 2-10-12 和图 2-10-13。各道次轮廓尺寸示于表 2-10-7。

表 2-10-7　85mm² 电车线各道次的断面参数

道　次	A	B	C	D	E	R_1	R	γ/β
1	15. 6	15. 6	2. 5	12. 1	2. 5	7. 25	7. 8	78/53
2	14. 0	13. 9	2. 5	9. 6	2. 3	7. 15	7. 0	68/48
3	12. 8	12. 6	2. 5	7. 8	2. 0	6. 65	6. 4	62/43
4	12. 0	11. 5	2. 5	6. 8	1. 8	6. 28	6. 0	57/41
5	11. 3	10. 8	2. 5	5. 7	1. 5	6. 00	5. 7	50/35

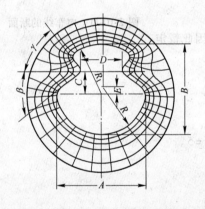

图 2-10-12　流线-道次断面轮廓图

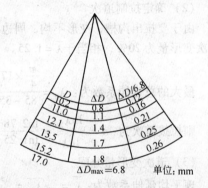

图 2-10-13　同心圆图

例 10-2　拉拔 HAl 77-2 冷凝管，成品尺寸为 $\phi 30\text{mm} \times 1.2\text{mm}$，制品长度为 14m，试进行配模设计。

解

（1）选择坯料

根据工厂生产条件及成品管材尺寸和长度的要求，选择冷轧管作为拉拔坯料，规格为 $\phi 45 \times 3\text{mm}$，该坯料是由 $\phi 195 \times 300\text{mm}$ 的铸锭经挤压至 $\phi 65 \times 7.5\text{mm}$，再冷轧至 $\phi 45 \times 3\text{mm}$ 后退火而成。

（2）确定拉拔道次及中间退火次数

由表 2-10-4 可得黄铜的平均道次延伸系数 $\bar{\lambda} = 1.7$，两次退火间的平均延伸系数 $\bar{\lambda}' = 3$，可确定拉拔道次 n 及中间退火次数 N。

$$\lambda_{\Sigma} = \frac{(D_0 - S)S}{(D_1 - S_1)S_1} = \frac{(45 - 3) \times 3}{(30 - 1.2) \times 1.2} = 3.65$$

$$n = \frac{\ln\lambda_\Sigma}{\ln\lambda} = \frac{\ln 3.65}{\ln 1.7} = 2.44 \qquad 取 \ n = 3$$

$$N = \frac{\ln\lambda_\Sigma}{\ln\lambda'} - 1 = \frac{\ln 3.65}{\ln 3} - 1 = 0.18$$

取中间退火次数 $N = 1$，安排在第一道次拉拔之后。

（3）确定各道次拉拔管子的尺寸及芯头各部分尺寸

1）将各道次的减壁量依次分配为：

$$0.9mm \rightarrow 退火 \rightarrow 0.6mm \rightarrow 0.3mm$$

2）选取拉模模角 $\alpha = 12°$，游动芯头锥角 $\alpha_1 = 9°$，按芯头规格统一化要求确定芯头小圆柱段直径 d_1 和大圆柱段直径 D_1。由此可计算各道次拉拔后管子的尺寸，见表 2-10-8。

表 2-10-8　游动芯头拉拔时各道次的参数计算

工序名称	拉拔后管子尺寸/mm			减壁量 ΔS /mm	间隙 a /mm	游动芯头直径/mm			延伸系数 λ	拉拔后管子长度/m
	D	d	S			D_1	d	$D_1 - d$		
坯　料	45	39	3							4.30
第一道拉拔	38.4	34.2	2.1	0.9	0.8	38.2	34.2	4	1.65	6.90
退　火										
第二道拉拔	33.2	30.2	1.5	0.6	1.0	33.2	30.2	3	1.615	10.70
第三道拉拔	30	27.6	1.2	0.3	0.6	29.6	27.6	2	1.38	14.80

3）检验。

按式（2-10-6）对 $D_1 - d$ 进行检验，$D_1 - d$ 均满足各道次拉拔时减壁量的要求。

芯头大圆柱段应与管坯内壁有一定间隙，由表 2-10-8 可见也可满足要求。

计算各道次延伸系数，检验它们是否在允许范围内及分配的合理性。根据表 2-10-4 及黄铜的加工特点，可见延伸系数及其分配基本合理。

例 10-3　生产 H96 黄铜的矩形波导管，制品的尺寸为 $110mm \times 41mm \times 2.5mm$（图 2-10-14）。试进行配模设计。

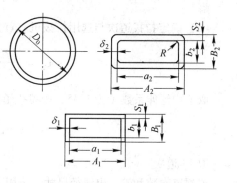

图 2-10-14　波导管配模设计图

解

（1）确定过渡模尺寸：

取成品壁厚加工率 $\varepsilon = 18\%$

$$S_2 = S_1 + \varepsilon S_1 = 2.5 + 18\% \times 2.5 = 2.95mm$$

短轴尺寸　　　　　$B_2 = b_2 + 2S_2 = b_1 + 2C_1 + 2S_2$

式中　b_1——成品内部短轴方向尺寸；

C_1——过渡模近似矩形短轴方向与成品拉拔芯头的理论间隙，由图 2-10-7 可得 $C_1 = 3mm$

$$B_2 = 41 + 2 \times 3 + 2 \times 2.95 = 52.9mm$$

长轴尺寸　　　　　$A_2 = a_2 + 2\delta_2 = a_1 + 2C_2 + 2\delta_2$

式中　a_2——成品内部长轴尺寸；

　　　C_2——过渡模近似矩形长轴方向与成品拉拔芯头的理论间隙。

$$A_2 = 110 + 2 \times 4.5 + 2 \times 2.95 = 124.9\text{mm}$$

同样，由图 2-10-7 可得 $C_2 = 4.5\text{mm}$；

因此，可取过渡模尺寸为 $125 \times 53\text{mm}$。

（2）确定过渡圆坯尺寸：

由于过渡拉拔为空拉，取　　　　　　$S = S_2 = 2.95\text{mm}$

过渡圆外径　　　$d_0 = \dfrac{2(A_2 + B_2)}{\pi} = \dfrac{2 \times (125 + 53)}{\pi} = 113.37\text{mm}$

取　$d_0 = 114\text{mm}$，圆管坯直径为 $\phi114\text{mm} \times 2.95\text{mm}$。

（3）过渡模孔的尺寸与过渡圆管坯周长关系的验算：

$$n = \frac{\text{过渡圆管坯的周长 } l_0}{\text{过渡模模孔的周长 } l_2} = \frac{114\pi}{2 \times (125 + 53)} > 1$$

说明设计合理。为保证能够正确成型，应使过渡模带有一定的凸度，长边可取 5mm，短边为 4.5mm。

因此，为生产 H96110mm × 41mm × 2.5mm 波导管，最后三道次拉拔工艺流程为 $\phi114\text{mm} \times 2.95\text{mm}$ 过渡圆拉拔，$125\text{mm} \times 53\text{mm}$ 的过渡成型以及 $110\text{mm} \times 41\text{mm} \times 2.5\text{mm}$ 的成品定径拉拔。

例 10-4　用 $\phi7.2 \pm 0.05\text{mm}$ 铜线杆拉拔 $\phi1.2 \pm 0.02\text{mm}$ 线材，试进行拉拔配模设计。

解

（1）确定拉拔道次与选用拉拔机。首先计算总延伸系数 λ_Σ：

$$\lambda_\Sigma = \frac{(7.2 + 0.05)^2}{(1.20 - 0.02)^2} = 42.6$$

取平均延伸系数 $\bar{\lambda}$ 为 1.35，则拉拔道次为：

$$n = \frac{\ln 42.6}{\ln 1.35} = 12.5$$

取 13 道次。

根据道次数和进、出线径尺寸，选用 13 模大拉机。拉线机的各绞盘线速度和绞盘数比见表 2-10-9。

表 2-10-9　紫铜线 $\phi7.2 \pm 0.05\text{mm}$ 拉到 $\phi1.2 \pm 0.02\text{mm}$ 配模计算表

项　目	0	1	2	3	4	5	6	7	8	9	10	11	12	13
绞盘线速度 $u/(\text{m} \cdot \text{s}^{-1})$		0.92	1.15	1.44	1.80	2.24	2.81	3.51	4.39	5.48	6.85	8.56	10.70	12.0
绞盘速比 γ			1.25	1.25	1.25	1.25	1.25	1.25	1.25	1.25	1.25	1.25	1.25	1.12
滑动系数 τ		1.076	1.076	1.076	1.076	1.076	1.076	1.076	1.076	1.076	1.076	1.076	1.070	0
各道次延伸系数 λ		1.346	1.346	1.346	1.346	1.346	1.346	1.346	1.346	1.346	1.346	1.346	1.346	1.20
线断面积 F/mm^2	46.57	34.30	25.50	18.94	14.06	10.46	7.78	5.78	4.30	3.20	2.375	1.765	1.31	1.094
线径 d/mm	7.70	6.60	5.70	4.91	4.23	3.65	3.15	2.71	2.34	2.02	1.74	1.50	1.30	1.18
线速 $v/(\text{m} \cdot \text{s}^{-1})$	0.281	0.382	0.514	0.69	0.93	1.25	1.685	2.27	3.05	4.10	5.52	7.44	10.0	12.0

项 目	0	1	2	3	4	5	6	7	8	9	10	11	12	13
绝对滑动值 $u-v$ /(m·s^{-1})		0.44	0.64	0.75	0.87	0.99	1.12	1.24	1.34	1.38	1.33	1.12	0.70	0
相对滑动率 R/%		47.8	55.6	52.0	48.3	44.2	39.8	35.3	30.5	25.2	19.7	13.1	6.5	0

（2）确定各道次延伸系数、线断面积及直径。取绞盘 12 上的滑动系数 $\tau_{12}=1.07$，则第 13 道次的延伸系数为 λ_{13}：

$$\lambda_{13} = \tau_{12}\gamma_{12-13} = 1.07 \times 1.12 = 1.20$$

第 12 道的线断面积 F_{12} 为：

$$F_{12} = \lambda_{13}F_{13} = 1.20 \times 1.09 = 1.31\,\text{mm}^2$$

计算 1～12 道的总延伸系数：

$$\lambda_{\Sigma1-12} = \frac{46.57}{1.31} = 35.6$$

则 1～12 道的平均延伸系数为：

$$\overline{\lambda}_{\Sigma1-12} = \sqrt[12]{\lambda_{\Sigma1-12}} = \sqrt[12]{35.6} = 1.346$$

各滑动系数等于：

$$\tau_n = \frac{\lambda_n}{\gamma_n} = \frac{1.346}{1.25} = 1.076$$

根据 $F_n = \lambda_n F_{n-1}$ 逐一求出 11～1 道线的断面积及线直径。

（3）计算各道次线速、绝对滑动率。根据 $v_{n-1} = \dfrac{v_n}{\lambda_n}$ 计算各道次的线速，继而求出绝对滑动值与滑动率。

所有计算结果列于表 2-10-9。拉拔力计算及安全系数校核从略。

10.2 拉拔润滑

拉拔润滑在拉拔加工中占有很重要的地位，对拉拔的发展起了很重要的作用。随着拉拔生产的高速化、连续化、产品品种的增加及对拉拔制品的质量和性能要求的不断提高，润滑剂的种类也在增加。

拉拔时的润滑状态除与润滑剂的活性和黏度有关外，还与拉拔速度、模孔形状以及变形区的温度有关。当润滑膜厚度相当于 n 个分子层时为边界润滑，其摩擦系数为 0.1～1.0。液体润滑时的摩擦系数在 0.0001～0.01 范围内。拉拔时的润滑状态一般属于边界润滑与液体润滑之间的混合润滑。

对拉拔润滑剂的主要要求有以下几点：

（1）对工具与变形金属表面有较强的粘附能力和耐压性能，在高压下能形成稳定的润滑膜。

（2）具有适当的黏度，保证润滑层有一定的厚度，且有较小的流动剪切应力。

（3）受温度的影响较小，且能有效地冷却模具和金属。

（4）不与模具或金属发生化学反应，对人体无害，对环境污染不严重。

此外，拉拔润滑剂还应具有较低的成本，使用和清理较为方便等。

拉拔润滑剂包括在拉拔时直接使用的润滑剂，也包括为了形成润滑膜在拉拔前在金属表面形成的润滑涂层和镀层。主要根据拉拔方式、拉拔材料、拉拔规格以及产品用途来选择润滑剂。

10.2.1　钢材拉拔的润滑

棒线材的拉拔润滑方法一般有化学涂层法、树脂膜法以及油润滑法，各种润滑方法的特点如表 2-10-10 所示。

表 2-10-10　各种拉拔润滑方法的特点

润滑方法	润滑膜的种类	钢种（润滑对象）	特　点
化学处理方法	磷酸盐 + 硬质酸盐	碳素钢、低合金钢	抗粘接性好；润滑性好；工序繁多；
	草酸盐 + 硬质酸盐	不锈钢、高温合金钢	废液需处理
树脂膜法	氧化树脂 + 高压润滑油	高温合金钢	抗粘接性好；工序多；费用高
油润滑法	高压润滑油	所有钢种	抗粘接性差；工序简单

管材拉拔润滑与棒线材基本相同。钢管拉拔润滑方法及润滑工艺如图 2-10-15 所示。

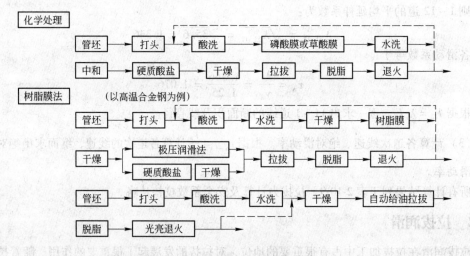

图 2-10-15　拉拔管材时的润滑工艺比较

10.2.2　有色金属拉拔的润滑

在有色金属拉拔时使用矿物油并加入一定量的表面活性物质，由变压器油、油酸、三乙醇胺及水配制的乳化液可用于铜及其合金、铝及其合金等管棒线材的拉拔润滑。在有色金属管棒材的低速拉拔时也可使用润滑脂。

在拉拔镍及其合金时可在金属表面涂层，然后用 75% 的干皂粉和 20% 硫磺粉以及 5% 石墨混合做润滑剂。

拉拔钨、钼线材时，通常采用石墨和二硫化钼等干式润滑剂。

10.3　其他拉拔方法

10.3.1　无模拉拔

无模拉拔是不使用常规拉拔中的模具的一种拉拔方法，如图 2-10-16 所示。在拉拔过程中，坯料的一端被固定，用感应线圈在夹头附近对坯料边局部加热边拉拔，直到该处出现局部细颈为止。当细颈达到所要求的减缩尺寸时，将热源与拉拔夹头做相反方向移动，坯料的减缩率取决于两者的相对速度。

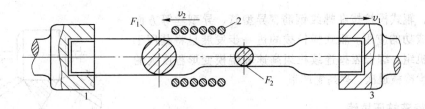

图 2-10-16　无模拉拔示意图

1—固定夹头；2—加热线圈；3—可动拉拔夹头；F_1、F_2—棒料变形前、后的断面积

若棒材变形前后的断面积分别为 F_1 和 F_2，棒料的原始断面 F_1 以 v_1 进入变形区，拉拔后的 F_2 断面以 $v_1 + v_2$ 的速度离开变形区。根据体积不变定律，则 $F_1 v_2 = F_2 (v_1 + v_2)$。断面减缩率 $\varphi = 1 - \dfrac{F_2}{F_1}$，因此 $\varphi = \dfrac{v_1}{v_1 + v_2}$。

无模拉拔的特点是拉拔时材料的变形抗力较低，一次加工可获得大的断面减缩率。同时，由于不存在金属和模具间的摩擦，尤为适合低温下强度高塑性低或高温下摩擦系数高的材料的拉拔。用无模拉拔方法可以生产管棒型材和变断面型材，可用多夹头和多加热线圈同时拉拔数根制品，还可以利用不同形状的感应线圈将材料的不同部位加热到不同温度，并控制移动速度，再利用通-断方式的控制拉制出零件。

无模拉拔特别适合于具有超塑性的材料。可将超塑材料加热到超塑变形温度进行拉拔，使其获得相当大的变形。如钛合金在无模拉拔时的断面减缩率可达到 80% 。

这项加工技术不仅设备简单，而且可以成形出常规塑性加工技术难以成形的零件。如果将计算机程序控制应用于此方面，会使无模拉拔更有发展的潜力。

10.3.2　辊式模拉拔

一般拉拔时用的模具是固定模，拉拔时摩擦力很大，从而带来一系列问题，如低的加工率、高的拉拔力、不均匀变形及较严重的模具磨损等。采用辊式模拉拔可克服这些缺点。

二连式辊式拉模的示意图如图 2-10-17 所示。辊式拉模的两组辊子上都有相应的辊形，且均是被动的。在拉拔时辊子随坯料的拔制而转动。用辊模拉拔时，其应力应变状态与用固定模拉拔基本一致，区别在于辊式模拉拔时金属材料与辊子间是相对滚动的，表面摩擦力小。因此，三向应力中拉应力下降，压应力上升，使应力状态向提高金属塑性的方向转化。用辊式模拉拔时，外部摩擦影响较小，可减小拉拔

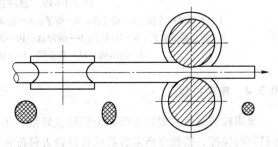

图 2-10-17　辊式模拉拔示意图

力，增加道次加工率，减少中间退火次数，实现高速拉拔。同时，可在拉拔过程中调节压下，拉拔锥形材，这是用孔模拉拔所不能做到的。辊式模拉拔的不足之处是产品的尺寸精度达不到

固定模拉拔的水平。

还有一种辊式模,其模孔工作表面由若干个自由旋转的表面所构成,几个辊子构成一个辊型。图 2-10-18 为 3 个辊子构成的辊型,也有 4 个或 5 个辊子构成的辊型。这种辊型主要用来拉拔型材。

目前,辊式模拉拔在螺纹钢筋、异型管、异型丝等方面均获得了成功的应用。辊式模拉拔的进一步发展是将其用于连续拉拔机组,综合发挥连续机组高速和辊模变形程度大的优势,减少冷拔道次,提高生产率。

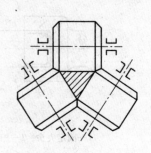

图 2-10-18　用于生产型材的
辊式模示意图

10.3.3　静液挤压拉线

为了获得大的道次加工率,发展了静液挤压拉线的方法,如图 2-10-19 所示。将绕成螺管状的线坯放在高压容器中,并施以比纯挤压时的压力低一些的压力,在线材出模端加一拉拔力进行静液挤压拉线。用此种方法可生产的线径最小为20μm。由于金属和模子之间为流体润滑状态,这种方法适合于易粘模的材料和铅、金、银、铝、铜等较软的材料。

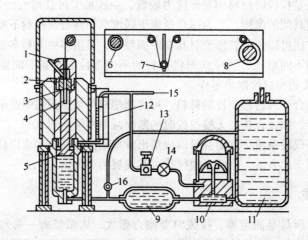

图 2-10-19　静液挤压拉线机

1—末端螺栓连接;2—模支撑;3—模子;4—卷成螺旋状的线坯;5—增压活塞;6—绞盘;
7—张力调节装置;8—收线盘;9—缓冲盘;10—风动液压泵;11—液罐;12—行程指示板;
13—调压阀;14—截止阀;15—进气口;16—液体排出阀

10.3.4　集束拉拔

集束拉拔是将两根以上断面为圆形或异型的坯料包在圆管里进行拉拔。在此过程中,多根坯料同时拉拔,待拉至所需的芯丝直径剥去包覆管,把芯丝分离开来。用这种方法可生产细丝或异型材,生产效率高,成本低。以直径为 12μm 的不锈钢丝为例,其价格仅为单线拉拔法的1/30 ~ 1/50。

将不锈钢线坯放入低碳钢管中进行反复拉拔,可得到双金属线。然后将数十根这种线集束拉拔之后,将包覆的金属层溶解掉,则可得到直径为 0.5μm 的超细不锈钢丝。图 2-10-20 为集束拉拔法生产不锈钢超细丝的示意图。

用集束拉拔法制备超细丝的缺点是加工过程中的不均匀变形导致细丝呈不规则圆形。在拉拔过程中，有时需进行中间热处理。在此过程中可能会发生第二相的析出而引起材料性能的变化。

10.3.5 玻璃膜金属液抽丝

液态玻璃具有黏度高、易于制成纤维的特点，由熔融状态的金属可制得超细丝（图2-10-21）。将一定量的金属块或粉末放入玻璃管内，其下端设置一个高频感应线圈，原料逐渐被加热熔化。然后利用玻璃的可抽丝性，从下方将它引出，冷却并绕在卷取机上，从而得到表面覆有玻璃膜的超细金属丝。通过调整和控制工艺参数，可获得直径为 $\phi 1 \sim 150 \mu m$，玻璃膜厚为 $2 \sim 20 \mu m$ 的制品。由于激冷而得到超细晶粒，同时由于拉拔而获得了一定的变形，这种细丝的强度很高。例如 $2\mu m$ 的 IN865 不锈钢细丝的抗拉强度可达到 14500MPa。用这种方法已制得金、银、镍、钴、铁、钛、钒、铂、铱、铜、铝等细丝。

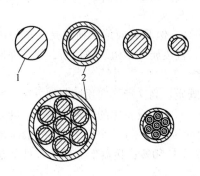

图 2-10-20 超细丝集束拉拔法
1—线坯；2—包套

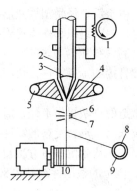

图 2-10-21 玻璃膜金属液抽丝工作原理
1—送料机构；2—玻璃管；3—金属坯料；
4—高频感应加热；5—冷却水；6—水冷；
7—干冰；8—玻璃层；9—金属丝；10—卷取机

玻璃膜超细金属丝常用于现代精密仪表和微型电子器件。在不需要玻璃膜时，可在抽丝后用化学或机械方法将它除掉。

11　锻 造 概 论

锻造生产广泛应用于机械制造、冶金、造船、航空、航天、兵器以及其他许多工业部门，在国民经济中占有极为重要的地位，其主要任务是解决金属件的成形及其内部组织性能的控制，以获得所需的几何形状、尺寸和质量的锻件。锻造生产能力及其工艺水平，对一个国家的工业、农业、国防和科学技术所能达到的水平具有很大的影响。

11.1　锻造生产的特点及在国民经济中的作用

一般机器或机械上的金属零件其传统生产过程是：冶炼-制坯-切削加工-热处理。制坯是为切削加工零件提供毛坯，通常采用铸造、轧制和锻造方法生产。铸造方法可以提供接近零件形状、尺寸的毛坯，但是由于其组织、性能较差，通常只用于性能要求低的零、部件。后两种方法制坯，由于锭料经受塑性变形和再结晶，粗大的树枝状结晶组织被破碎，疏松和孔隙被压实、焊合，内部组织和性能得到了较大改善。

用轧制（挤压）方法生产棒材或型材时，生产率高，但其界面形状通常是简单的圆形或方形。如直接加工成零件，切削量较大，材料损耗多，且金属纤维组织被切断，使零件使用性能降低。

用锻造的方法提供毛坯，对很多零件来说是一种既质量高又经济实用的制坯方法。特别是对性能要求高、形状复杂的零件，其优越性更加突出。如发电设备中的主轴、转子、叶轮、护环等重要零件均是由锻造方法得到的。又如飞机上的锻压件重量占85%；坦克的锻压件重量占70%；汽车的锻压件重量占80%；机车的锻压件重量占60%；兵器上大部分零件都是经锻压制成的。

但是应当看到，当前每个加工行业都在努力提高和完善。例如，长期以来各类曲轴生产属锻造业的垄断领域，但由于铸造技术的飞速发展，目前一些发达国家的曲轴铸件已取代了部分曲轴锻件。又如，涡轮叶片自问世以来一直由锻造生产，但现在美国越来越采用铸造生产涡轮叶片。

这种取代现象反映了社会发展和科学技术的进步。在这个过程中，锻造业的地位和作用不仅没有降低，反而朝着更高的水平迈进。近几十年来出现了冷镦、冷挤、冷精压、精锻、温挤、等温成形、精密辗压、错距旋压等少切削、无切削锻造新工艺，其中一些新工艺的加工精度和表面粗糙度已达到车削加工、铣削加工甚至磨削的水平。如原来切削加工的螺钉、螺母及销钉等标准件，现在很多已由锻造加工代替，一台自动冷镦搓丝机的产量为 120 件/min，相当于 8 ～ 10 台多轴自动车床的生产效率，不仅节约了大量原材料，而且零件性能得到了较大提高。

随着锻造方法和设备的不断完善和提高及新技术的出现，锻造业对国民经济的贡献将更为重大，其领域将更加广阔。

11.2　锻造方法的分类及工艺流程

目前锻造生产设备主要有：自由锻锤、模锻锤、螺旋压力机、水压机、热模锻压力机、平锻机、无砧座锤、高速锤、扩孔机、冷镦机、热镦机、精锻机等。

按所用的工具不同，锻造可分为自由锻和模锻两大类。

只用简单的通用性工具，或在锻压设备的上、下砧间直接使坯料成形而获得所需锻件的方法称为自由锻。根据锻造设备的类型及作用力的性质，自由锻可分为手工锻造、锤上锻造及水压机上自由锻造。

利用模具使坯料变形而获得锻件的锻造方法称为模锻。按变形的特点，模锻分为开式模锻和闭式模锻。按所用设备不同，模锻可分为锤上模锻、热模锻压力机模锻、螺旋压力机模锻、平锻机模锻、水压机模锻和高速锤模锻等。按生产锻件的精度等级差别，模锻可分为普通模锻和精密模锻。

锻造工艺流程是指生产一个锻件所经过的锻造生产过程。以模锻为例，其工艺流程为：备料→加热→模锻（可能在一台设备上或依次在几台设备上完成）→切边、冲孔→热处理→酸洗、清理→校正。

一种锻件选用何种锻造方法生产与其形状、尺寸、技术要求和批量大小等很多因素有关。通常单件、小批生产采用自由锻方法，而批量大时则采用模锻生产。但有些航空等重要产品的锻件，虽然批量不大，但由于流线和性能等方面的要求，以及要求工艺的一致性，通常也采用模锻方法生产。

大型锻件，由于受设备吨位限制等原因，通常采用自由锻方法生产。

不同类型的锻件，锻造工艺过程是不一样的。同一锻件，采用不同的设备模锻时，由于各种设备的特点不同，模锻工艺方案也往往是不同的。

11.3　我国锻造发展的历史、现状和发展趋势

我国早在 2500 年前的春秋时期就已用锻造技术来生产工具和各种兵器，并达到了较高的技术水平，如在秦兵马俑坑出土的文物中有三把合金钢锻制的宝剑，其中一把至今仍光艳夺目，锋利如昔。在 20 世纪 50 年代之前，我国的机械制造工业比较落后，当时的锻造生产基本上采用手工锻造，仅少数工厂采用小吨位的自由锻锤，生产一些形状简单的自由锻件，工人的劳动条件极其恶劣。

目前在我国很多大、中型企业已建立了较现代化的锻压车间，开发和研制出大量的先进设备，并建造了与锻造设备相配套的加热设备，多数锻造车间都采用了燃气和燃油加热炉，近年来电加热炉也得到了越来越多的应用。此外，为减轻工人的劳动强度，一些锻造车间还安装了操作机和装、出料装置等。

目前，我国工业、农业、国防产品中所需的各种锻件基本上可以自给，其中最大的自由锻件重量达到了 260t。精密锻造工艺有了一定的发展，计算机辅助设计在锻造生产中得到了一定的应用。我国的锻造行业已形成了具有自己特点的工业体系，为发展我国的国民经济和巩固国防奠定了坚实的基础。

但是，我国的锻造生产与工业发达国家的水平还有一定的距离，主要表现在：

（1）在锻造生产中模锻件所占的比重较低。全国目前尚有相当数量的自由锻锤，而工业先进国家生产中自由锻锤所占比例很小，大部分中、小锻件用模锻生产，而模锻设备中，热模锻压力机又占大部分。

（2）我国锻件专业化生产线的数量和规模少于工业发达国家，而且机械化、自动化的水平也较低。

（3）我国的精锻技术水平和大锻件的生产技术水平与一些工业发达国家相比较低，一些航空产品上的锻件和重要的大型自由锻件还常常需从国外进口。

（4）在计算机辅助设计和制造方面，一些发达国家已进入实用阶段。在研制新产品时，

通过计算机数值模拟，获得一些重要的优化参数，然后进行工装设计和试验，而我国还有相当差距。

当代锻造生产的发展趋势：

（1）锻造生产发展的总趋势是使锻件的形状、尺寸精度和表面质量最大限度地与产品零件相接近，以达到少、无切削加工的目的，为此应逐步发展和完善精密成形新技术，发展高效精密的锻压设备。

（2）为适应大批量生产的需要，应发展专业化的连续生产线，建立地区性的专门化锻造中心，如轴承锻造中心、标准件锻造中心等，以利于采用最先进的设计和工艺，提高劳动生产率和材料利用率，减轻劳动强度和降低生产成本。

（3）为适应新产品开发，缩短研制周期，应大力发展柔性加工技术中心和 CAD/CAM 技术。

（4）锻造工艺除了自由锻和模锻等基本方法外，一些特殊的成形方法，如电镦、旋转锻造、辊锻等近十余年来发展较快。除此之外，一些特殊的锻造新工艺如摆动辗压、多锤头精锻、磁力锻造、超塑性成形、静液压成形、悬浮式锻造和超声波润滑成形等仍处于探索阶段，对其以后的发展应予以重视。

11.4　计算机辅助设计与制造（CAD/CAM）

CAD/CAM 技术的应用对锻造技术的发展起到了巨大的推动作用。如美国、英国、德国、日本、前苏联、捷克等国家对计算机辅助设计与制造锻件和锻模给予了足够的重视，取得了明显的经济效益。

锻模的 CAD/CAM 具有下列优点：

（1）提供了科学依据。计算机系统存贮有综合化的各种有关的专业技术知识，为锻模设计和制造提供了科学依据，可以体现人机联系，充分发挥有利因素，使设计和制造得以最优化。

（2）缩短了生产准备周期。设计和制造过程的自动化，可以在短时间内生产出产品。

（3）节省了大量人力和时间，并能进行多方案的最优化设计，有利于降低模具和产品成本。

（4）充分发挥人的创造能力。使设计人员从繁琐的设计工作中解脱出来，有利于更好地从事创造性劳动。

锻件生产的首项任务是设计锻件图，包括：1）选择锻件分模面；2）规定锻件表面机械加工余量和尺寸公差；3）选择模锻斜度；4）选定圆角半径；5）确定连皮尺寸；6）规定必要的技术条件。

锻件质量在很大程度上与设计内容完成的正确程度有关。因此应将这些设计内容的指导原则、数据化的资料输入到计算机系统，作为最优化设计的依据。锻件设计后，需把锻件转化为终锻模膛，飞边槽的设计规则和数据资料，也应输入到计算机程序中，以便制定最合适的飞边槽结构和尺寸。终锻模膛的形状确定后，将其加入到标准化的模块或镶块上，只是内部型槽尺寸和顶杆随锻件而变化。且标准模块有利于计算机辅助设计的程序编制。

在设计锻件图时，把所要设计的零件按其基本几何体进行描述并输入计算机，然后调用设计规范和材料变形等资料，进行分析计算，得出锻件的几何数据，直到满足设计要求为止。当锻件图的各典型横截面数据输入后，则可输入预锻工步或制坯工步的设计规则、材料变形条件等数据，调用相应程序设计出制坯或预锻模型槽各横截面的几何形状和尺寸数据，并以点坐标表示。终锻模型槽和其他型槽的几何数据可用于确定模具铣削加工的刀具轨迹，转换成数控加工信息，便得到了锻模制造的计算机数控程序，

综上所述，CAD/CAM 技术在锻模设计和制造中将会占有日益突出的地位，发挥越来越大的作用。

12　锻造辅助工序

12.1　下料

锻造材料在锻造前需按锻件大小和锻造工艺将原材分割成具有一定尺寸的单个坯料。用钢锭锻造时，一般用自由锻开坯并切成单个坯料；但用轧材、挤材和锻坯时，一般在锻工车间下料工段完成下料。常用的方法有剪切法、锯切法、砂轮切割法、冷折法、气割法、车削法和剁断法等，可视材料性质、尺寸大小、批量和质量要求进行选择。

12.1.1　剪切法

剪切法效率高、操作简单，断口无金属损耗、模具费用低等。通常在专用剪床上进行，也可在一般曲柄压力机、液压机和锻锤上进行。缺点是坯料局部被压扁，端面不平整，剪断面常有毛刺和裂缝。

剪切下料过程分为三个阶段：第一阶段（如图 2-12-1 所示），刀刃压进棒料，塑性变形区不大，由于变形硬化在刃口处出现裂纹。第二阶段，裂纹随刀刃的深入而扩展。第三阶段，在刀刃压力作用下，上下裂纹间的金属被拉断，造成 S 形断面。剪床上的剪切装置如图 2-12-2 所示，棒料 5 送进剪床后，用压板 3 固定，下料长度 L_0 可由调整螺栓 4 定位，在上刀片 1 和下刀片 2 的剪切下将坯料 6 剪断。

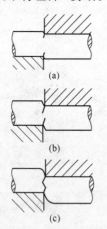

图 2-12-1　剪切下料过程
(a)出现裂纹；(b)裂纹扩展；(c)断裂

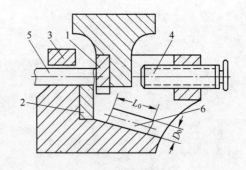

图 2-12-2　剪床下料
1—上刀片；2—下刀片；3—压板；4—定位螺栓；
5—棒料；6—剪坯

剪切端面质量与刀刃锐利程度、刃口间隙大小、支承情况及剪切速度等因素有关。为避免坯料在剪切过程中发生弯转，生产中常采用带支承的剪切下料，但仍有断口倾斜和拉裂现象。

12.1.2　锯切法

锯切下料极为普遍，虽然生产率低，锯口损耗大，但下料长度准确，端面平整，特别在精锻工艺中，是一种主要下料方法。各种钢、有色合金和高温合金均可常温下锯切。

常用的下料锯床有圆盘锯、带锯、弓形锯等。圆盘锯使用圆状锯片，其圆周速度为 0.5 ~

1.0m/s，可见，切削速度慢，生产率低，金属损耗大。切削的材料直径视锯床规格而定，可达750mm。带锯分为立式、卧式、可倾式等，生产率是圆盘锯的 1.5～2 倍，主要锯切直径350mm 以内的棒料。弓形锯是一种往复锯床，用于锯切直径 100mm 以内棒料。

12.1.3 折断法

折断法的原理是先在待折处开一小口，在压力作用下，在缺口处产生应力集中使坯料折断。生产率高，工具简单，无需专用设备，尤其适于高强度钢，一般在折断前应预热至 300～400℃。

12.1.4 气割法

当上述下料方法受到设备功率或断面尺寸限制时，可采用气割法下料。它是利用气割器或普通焊枪，将坯料局部加热至熔化温度，逐步使之分离。气割设备简单，可切割各种断面材料，尤其对厚板进行曲线切割。但切割面不平整，精度差，金属损耗大，生产率低。

对含碳量低于 0.7% 的碳素钢，可直接切割；含碳量 1%～1.2% 的碳素钢或低合金钢需进行预热至 700～850℃，高合金钢及有色金属不宜气割下料。

12.1.5 其他下料方法

其他下料方法还有砂轮片切割法、摩擦锯切割法、电机械切割法、阳极机械切割法、电火花切割法等。近年来，将激光技术用于板料切割，精度高，切损小，甚至可以直接得到零件。

12.2 加热

12.2.1 锻前加热

金属锻前加热是锻件生产过程的重要工序之一。其目的是提高金属的塑性，降低变形抗力，使其易于流动成形并获得良好的锻后组织。根据加热时所用热源不同，锻前加热方法有火焰加热和电加热两种。

（1）火焰加热是利用燃料（煤、油、煤气等）燃烧时产生的热量，通过对流、辐射把热量传递给坯料表面。该方法燃料来源方便，费用低，适应性强，应用广泛。但劳动条件差，加热质量差，热效率低。

（2）电加热是用电能转换为热能来加热坯料。按其传热方式分为电阻加热和感应加热。

电阻加热根据发热元件的不同，又有电阻炉加热、接触加热和盐浴炉加热之分。电阻炉加热是利用电流通过炉内电热体产生的热量加热坯料。接触电加热是以低压大电流直接通入金属坯料，由坯料自身的电阻产生的热量使坯料加热；盐浴炉加热是电流通过炉内电极产生的热量把导电介质熔融，通过高温介质的对流与传导将埋入其中的坯料加热。而感应加热是将坯料放入通过交变电流的螺旋线圈，通过趋肤效应在坯料表面形成强大涡流，使坯料内部电能直接转变为热能来加热坯料。

加热方法要根据锻造条件要求和能源、投资、环境保护等因素确定。对大锻件应以火焰加热为主；对中小型锻件可选择火焰加热或电加热。但对精密锻造应选感应加热或其他无氧化加热方法。

加热时，由于坯料外层组织化学状态的变化可能引起缺陷，如氧化和脱碳；由内部组织结构的异常变化引起过热和过烧等缺陷；另外，由于温度在坯料内部分布不均匀引起的内应力

（如温度应力、组织应力）过大产生的坯料开裂等，这些缺陷在加热过程中须采取必要的措施尽量避免。

12.2.2　锻造温度范围的确定

钢的锻造温度范围是指开始锻造温度（始锻温度）和结束锻造温度（终锻温度）之间的温度区间。确定锻造温度范围的基本原则是：在锻造温度范围内金属应具有良好的塑性和较低的变形抗力；能锻出优质锻件；锻造温度范围尽可能宽，以减少加热火次，提高锻造生产率。

锻造温度范围确定的基本方法是：以合金平衡相图为基础，参考塑性图、变形抗力图和再结晶图，综合分析定出始锻温度和终锻温度。一般来说，碳钢的锻造温度范围根据铁-碳平衡相图可直接定出。对多数合金钢可参照相同含碳量的碳钢来考虑。而对低塑性高合金钢及不发生相变的钢种（如奥氏体钢、铁素体钢），需经试验才能定出合理的锻造温度范围。

制定始锻温度首先要保证无过热、过烧现象，同时还应考虑坯料组织、锻造方式和变形工艺等因素。如采用高速锤精锻时，因高速变形产生很大的热效应将使坯料温度升高以致引起过烧，其始锻温度应比通常温度低100℃左右；对大型锻件，最后一火的始锻温度应根据剩余锻比确定，以免锻后晶粒粗大，这对不能通过热处理细化晶粒的钢种尤为重要。

钢的终锻温度与其组织、锻造工序和后续工序也有关。由于无相变钢只能靠锻造来控制晶粒度，为此其终锻温度一般偏低；当锻后立即进行锻件余热热处理时，终锻温度应满足余热处理要求；一般精整工序的终锻温度允许比规定值低50~80℃。各类钢的锻造温度范围如表2-12-1所示。

表 2-12-1　各类钢的锻造温度范围

钢　种	始锻温度/℃	终锻温度/℃	锻造温度范围/℃
普通碳素钢	1280	700	580
优质碳素钢	1200	800	400
碳素工具钢	1100	770	330
合金结构钢	1150~1200	800~850	350
合金工具钢	1050~1150	800~850	250~300
高速工具钢	1100~1150	900	200~250
耐热钢	1100~1150	850	250~300
弹簧钢	1100~1150	800~850	300
轴承钢	1080	800	280

12.3　切边与冲孔

12.3.1　切边和冲孔的基本方式及模具类型

切边和冲孔通常在曲柄压力机上进行。图2-12-3为切边和冲孔示意图。切边时锻件放在凹模孔口上，在凸模推压下，锻件飞边被凹模刃口剪切与锻件分离，并伴随有锻件弯曲和拉伸现象。在特殊情况下，凸模和凹模同时起剪切作用。冲孔时，凹模起支承锻件作用，而凸模起剪切作用。

切边和冲孔分为热切（冲）和冷切（冲）两种方式。热切和热冲一般与模锻在同一火次完成，即模锻后立即进行切边和冲孔，所需压力小，锻件塑性好，不易开裂，但锻件易变形走

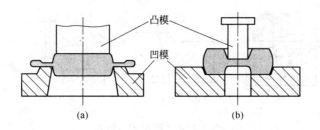

图 2-12-3 切边和冲孔示意图

(a) 切边；(b) 冲孔

样。冷切和冷冲则是在模锻后将锻件集中起来在室温下进行，劳动条件好，生产率高，冲切时锻件走样小，模具调整方便，但所需设备吨位大，锻件易产生裂纹。

模锻件冲切方法应根据锻件材料性质、形状尺寸及工序间配合等因素确定。对大中型锻件、高碳钢、高合金钢、镁合金锻件及切边后尚需热校正、热弯曲的锻件，应采用热切和热冲。含碳量低于 0.45% 的碳钢及低合金钢小锻件和非铁合金锻件，可用冷冲切。

切边和冲孔模分为简单模、连续模和复合模三种。简单模用来完成切边或冲孔的单一操作（图 2-12-3）；连续模是在压力机的一次行程中同时进行一个锻件的切边和另一锻件的冲孔（图 2-12-4）；复合模是在压力机的一次行程中，先后完成同一锻件的切边和冲孔（图2-12-5）。

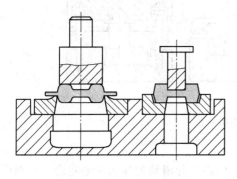

图 2-12-4 切边-冲孔连续模

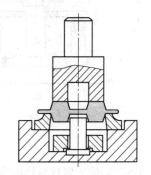

图 2-12-5 切边-冲孔复合模

12.3.2 切边模和冲孔模

切边模由切边凹模、切边凸模、模座和卸飞边装置等零部件组成。切边凹模有整体式和组合式两种。

整体式凹模适于中小锻件，特别是形状简单、对称的锻件。组合式凹模由两个以上模块组成，制造简单，调整方便，多用于大型或复杂锻件。凹模刃口一般有三种形式：直刃口一般用于整体凹模；斜刃口主要用于组合式凹模；对咬刃口用于低塑性镁合金锻件及特薄边锻件的切边（图 2-12-6）。

切边凹模刃口应制成锐角以剪切锻件飞边，刃口轮廓线根据锻件图上的轮廓线制造。热切时，根据热锻件图设计，并用铅件或铸盐件配制；冷切时则按冷锻件图配制，并严格设计凹模刃口与锻件之间的间隙。

切边凹模多用楔铁或螺钉紧固于凹模底座上。带导柱导套的切边模，凹模均采用螺钉固

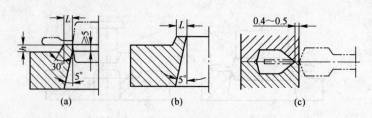

图 2-12-6　凹模刃口形式

定，以调整凸凹模之间的间隙。

切边凸模起传递压力的作用，要求与锻件有一定的接触面积，且形状应基本吻合。但不需与锻件所用表面接触，一般选择形状简单的一面作为承压面。切边时凸模一般进入凹模中，凸凹模之间应有适当的间隙 δ。当凹模起切刃作用时，δ 可适当放大；凸凹模同时起切刃作用时 δ 较小。

凸模紧固可用楔铁、压力机上的紧固装置或压板、螺栓等将凸模燕尾直接紧固在滑块上。

切边模的闭合高度应与切边压力机的封闭高度相适应，并有一定的调节余量。

当凸凹模之间间隙较小，切边时凸模进入凹模时，在切边模上应设置卸飞边装置。中小型锻件的冷、热切可采用刚性卸飞边装置，而大型锻件一般用弹性卸飞边装置，如图 2-12-7。

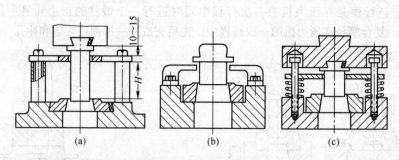

图 2-12-7　卸飞边装置
（a）、（b）刚性卸飞边装置；（c）弹性卸飞边装置

切边时应使金属抗剪切的合力点（即切边压力中心）与滑块的压力中心重合，否则模具易错位，导致间隙不均匀、刃口钝化、导向机构磨损，甚至模具破坏。生产中常用型槽中心作为压力中心，但更准确的方法是用解析法按剪切周长关系求解。

单独冲出锻件内孔连皮时，可将锻件放在凹模中，靠冲孔凸模端面的刃口将连皮冲掉，凸模刃口尺寸按锻件孔形尺寸确定，而凸凹模间隙靠扩大凹模孔尺寸保证。有时，为提高生产效率，将切边和冲孔在一个工步内完成，采用切边冲孔复合模。

12.3.3　切边力和冲孔力计算

切边力和冲孔力可按下式计算：

$$F = \lambda \tau \cdot A$$

式中　F——切边力和冲孔力，N；

　　　τ——材料剪切强度，通常 $\tau = 0.8\sigma_b$，σ_b 为冲切温度下强度极限，MPa；

　　　A——剪切面积，mm^2；

　　　λ——考虑到切边或冲孔时锻件发生弯曲、拉伸、刃口变钝等现象，实际切边或冲孔力增大的系数，一般 $\lambda = 1.5 \sim 2.0$。

12.4　校正与精压

12.4.1　校正

有些锻件如细长轴、薄法兰盘和落差较大的锻件等，在模锻、切边、冲孔、热处理等生产工序及其传递过程中，由于冷却不均、局部受力和碰撞等原因常会产生弯曲、扭转等变形。如果锻件的变形超过锻件图技术条件的允许范围，就要进行校正，使锻件的形状和尺寸符合图纸要求。

　　A　校正的分类及其特点

校正分为热校正和冷校正两种。热校正通常与模锻同一火次，在切边和冲孔之后进行。它可利用模锻锤的终锻模膛进行重复打击；也可在校正设备（如摩擦压力机等）上的校正模中进行。热校正一般用于大型锻件、高合金锻件和容易在切边、冲孔时易变形的复杂锻件。冷校正作为模锻生产的最后工序，一般安排在热处理和清理工序之后进行。冷校正主要在夹板锤、摩擦压力机和曲柄压力机等设备的校正模中进行，一般用于结构钢的中小型锻件和容易在冷切边、冷冲孔、热处理和滚筒清理过程中变形的锻件。在某些情况下，为提高塑性，防止产生裂纹，锻件在冷校正前需进行退火或正火处理。

　　B　校正模模膛设计特点

热校正模膛根据热锻件图设计，冷校正模膛根据冷锻件图设计。无论热校正模膛还是冷校正模膛，都应力求模膛形状简单、定位可靠、操作方便、制造简单。

校正模膛的设计有以下几个特点：

（1）模膛水平方向的尺寸适当放大：由于锻件在切边后留有毛刺，以及锻件在高度方向有欠压时，校正后其水平尺寸有所增加。

（2）模膛垂直方向尺寸应等于或小于锻件高度尺寸：通常小型锻件欠压量小，校正模膛高度可等于锻件高度，而大中型锻件欠压量较大，校正模膛高度应比锻件小些，其差值可取锻件高度尺寸负偏差。

（3）校正模模膛间距与壁厚按校正部分形状确定：校正部分为平面时，锻件四周与模膛之间留有空隙，其壁厚与模膛间距按图 2-12-8 确定。校正部分为斜面时模膛侧壁与锻件接触，其壁厚与模膛间距按图 2-12-9 确定。锁扣部分与模膛的距离 s 一般取为 25～30mm（图2-12-10）。

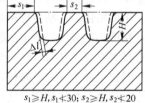

$s_1 \geqslant H, s_1 < 30; s_2 \geqslant H, s_2 < 20$

图 2-12-8　平面校正时模膛间距与壁厚

（4）校正模模膛边缘应做成圆角（$R = 3 \sim 5$mm），模膛表面粗糙度 $R_a = 0.8\mu$m。

（5）校正模应留有足够的支承面：用摩擦压力机校正时，校正模上支承面按 $1 \sim 1.3$cm^2／10kN 确定。

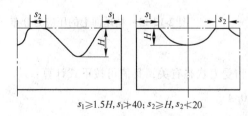

$s_1 \geqslant 1.5H, s_1 > 40; s_2 \geqslant H, s_2 < 20$

图 2-12-9　具有斜面的锻件校正时模膛间距与壁厚

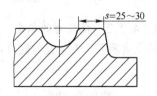

$s = 25 \sim 30$

图 2-12-10　锁扣与模膛侧壁

12.4.2　精压

精压是提高锻件精度和降低表面粗糙度的一种工艺方法。其特点如下：

（1）一般模锻件所能达到的合理尺寸精度公差范围为 ±0.5mm。通过精压可提高锻件尺寸精度并降低表面粗糙度，尺寸公差可达到 ±0.25mm。

（2）精压可全部或部分代替机械加工，可节省机械加工工时，提高生产率，还可节约原材料，降低成本。

（3）由于精压使锻件表层变形而产生硬化，可提高零件的表面强度和耐腐蚀性能。

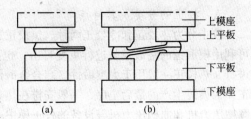

图 2-12-11　平面精压
（a）精压一对平面；（b）精压两对平面

12.4.2.1　精压的分类及变形特点

根据金属的流动情况，可将精压分为平面精压和体积精压两大类。

（1）平面精压如图 2-12-11 所示，在两精压平板之间，对锻件的一对或数对平行平面加压，使变形部分尺寸精度提高、表面粗糙度降低的工序，称为平面精压。实质上，平面精压是平板间的自由镦粗。

（2）体积精压。将锻件放入尺寸精度高、表面粗糙度小的模膛内（尺寸公差在 ±0.1mm 以下，表面粗糙度 $R_a < 0.2\mu m$）进行锻压，使其整个表面都受到压挤产生少量变形，这一过程称为体积精压。经体积精压后，锻件的全部尺寸都得到了提高，同时可提高锻件的重量精度。由于体积精压的变形抗力较大，模具寿命成为突出问题，需要较大吨位的设备。一般只适于小型锻件，特别是有色金属锻件。

平面精压后，精压件中心有凸起现象（图 2-12-12）。凸起值可达 0.3～0.5mm，对精压件尺寸精度影响较大。产生凸起的主要原因是压板的局部弹性变形，这与压板上正应力分布不均有直接关系（图 2-12-13），为此可采取加强润滑及提高压板刚度等措施。中间有孔的精压件，精压时接触面上应力分布较均匀，精压后平面凸起较少。另外，为减少精压平面上的凸起，可在冷精压之前先热精压一次。

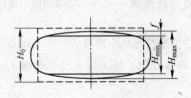

图 2-12-12　平面精压时工件的变形

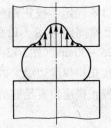

图 2-12-13　精压面上的压应力分布

12.4.2.2　精压力的确定

精压时所需压力主要与材料种类、精压温度和受力状态有关，其值可按下式计算：

$$F = 10pA$$

式中　　F——精压力，kN；

p——平均单位压力，MPa，p 按表 2-12-2 确定；

A——锻件精压时的投影面积，cm^2。

12.4.2.3 精压工序安排

钢锻件精压时应在热锻件正火或退火之后进行。当铝合金锻件变形程度较小时，由于冷作硬化不明显，可在淬火时效后精压。若变形程度较大，应于热处理前精压，或热处理前预精压一次，热处理后作最后冷精压，以减少精压变形量。

表 2-12-2 不同材料精压时的平均单位压力

材　　料	单位压力 p/MPa	
	平面精压	体积精压
LY11、LD5 及类似铝合金	1000 ~ 1200	1400 ~ 1700
10、15CrA、13Ni2A 及类似钢	1300 ~ 1600	1800 ~ 2200
25、12CrNi3A、12Cr2Ni4A、21Ni5A、13CrNiWA、18CrNiWA	1800 ~ 2200	2500 ~ 3000
35、45、30CrMnSiA、20CrNi3A、37CrNi3A、38CrMoAlA	2500 ~ 3000	3000 ~ 4000
铜、金和银		1400 ~ 2000

注：热精压时，可取表中数值的 50% ~ 30%，曲面精压时，可取平面精压与体积精压的平均值。

12.4.2.4 精压件图和精压坯料图

精压件图根据零件图绘制，并作为制造精压模具和检验精压件的依据。精压坯料图即模压件图，作为检验精压件坯料和制造锻模的依据，是根据精压件图并考虑到精压时的精压余量和精压后水平方向的尺寸变化等因素而绘制的。如果平面精压只在模锻件的局部进行，大部分仍保持着锻件的外形尺寸和公差，则可在模锻件图上注明精压尺寸和要求，如图 2-12-14 所示，不必另绘精压件图。

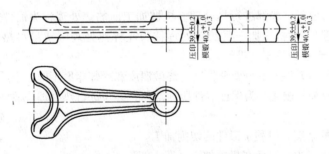

图 2-12-14　精压尺寸和标注的要求

12.5　冷却与热处理

12.5.1　锻后冷却

锻后冷却是指结束锻造后从终锻温度冷却到室温的过程，是锻造生产的重要环节。对于一般钢材小锻件锻后可直接放于地上空冷，而合金钢锻件或大锻件，应考虑合金元素含量和断面尺寸来确定合适的冷却规范，否则易产生由于温度应力、组织应力及残余应力引起的裂纹、某些合金钢中易出现白点、合金钢锻件中网状碳化物的析出等缺陷。根据锻后冷却速度不同，冷却有三种方式：在空气中冷却、在坑（箱）中冷却、在炉中冷却。

（1）在空气中冷却。冷却速度快，锻后锻件单个或成堆放在车间地面上冷却，但不能置于潮湿地方或金属地板上，也不能放在通风的地方，以免锻件因局部急冷而开裂。

（2）在坑（箱）中冷却。将锻件放在地坑或铁箱中封砂冷却，或埋入砂中或石灰中冷却。一般锻件入砂温度不低于 500℃，周围积砂层不得少于 80mm。其冷却速度可通过不同绝缘材料和保温介质来调节。

（3）在炉中冷却。锻后锻件直接装炉并按一定的冷却规范缓慢冷却。通过控制炉温实现规定的冷却速度，因此适于高合金钢、特殊钢锻件及各类大锻件的锻后冷却。一般锻件的装炉温度不低于 600～650℃，炉温应与锻件温度相当。常用的冷却规范有等温冷却和起伏等温冷却。

锻件的冷却规范关键是选择合适的冷却速度，且应根据材料的化学成分、组织状态、原料状态和断面尺寸等因素来确定。一般来讲，坯料化学成分越单纯，锻后冷却速度越快；反之则慢。对中小型碳钢与低合金锻件，锻后均采用空冷。而中高合金钢锻件则采用坑冷或炉冷。对高碳工具钢、合金工具钢及轴承钢等，为防止网状碳化物析出，锻后先用空冷、鼓风或喷雾快冷至 700℃，再放入坑或炉中缓冷。

对无相变钢（如奥氏体、铁素体钢等）可采取快速冷却。此外，为获得单相组织以及对存在 475℃ 脆性的铁素体钢，锻后也要求快速冷却，这类钢锻件通常采用空冷。对空冷自淬钢（如高速钢、马氏体不锈钢、高合金工具钢等），因其在空气中发生马氏体相变，引起较大组织应力，易产生冷却开裂，故这类钢锻后必须缓慢冷却。对于白点敏感的钢种（如铬镍钢 34CrNiMo～34CrNi4Mo 等），为防止在冷却时出现白点，应按一定的冷却曲线进行炉冷。

采用钢材锻成的锻件比用钢锭锻成锻件的锻后冷却速度快。一般断面尺寸大的锻件，因冷却时温度应力大，锻后应缓慢冷却；而小断面的锻件，锻后可快速冷却。

12.5.2　锻件热处理

锻件在机械加工前后一般都进行热处理。机械加工前的热处理称为锻件热处理（或毛坯热处理、第一热处理），而机械加工后的热处理称为零件热处理（或最终热处理、第二热处理）。通常锻件热处理在锻造车间进行。

由于在锻造过程中锻件各部分变形程度、终锻温度和冷却速度不同，锻后必然导致锻件组织不均、残余应力及加工硬化，为保证锻件质地均匀，必须进行热处理。锻件热处理的目的包括：

（1）调整锻件的硬度，以利于锻件的切削加工。

（2）消除锻件内应力，以免在机械加工时产生变形。

（3）改善锻件内部组织，细化晶粒，为最终热处理做好组织准备。

（4）对不再进行最终热处理的锻件，应保证达到要求的力学性能。

锻件实际采用的热处理方法有退火、正火、淬火、回火、调质、高温回火和等温退火等。对于大锻件由于其断面尺寸大，生产过程复杂，热处理时除了要消除应力、降低硬度外，主要是防止锻件出现白点；其次是使锻件化学成分均匀，调整和细化锻件组织。

12.6　表面清理

模锻件在生产中形成的氧化铁皮需要去除，以提高锻件的表面质量、改善锻件的后续切削加工条件；同时也便于检查锻件表面质量。而冷精压和精密模锻也需要良好表面质量的坯料。

模锻前清理热坯料氧化皮的方法有：用钢丝刷、刮板、刮轮等工具清除，或用高压水清理。在锤上模锻时采用制坯工步也可去除部分热坯料的氧化皮。

对于锻件模锻后或热处理后的氧化皮，生产中广泛采用的清理方法有滚筒清理、喷砂（丸）清理、抛丸清理和酸洗清理 4 种：

（1）滚筒清理是将锻件（或混加一定比例的磨料和添加料）装在旋转的滚筒内，靠互相的撞击和研磨，清除锻件表面的氧化皮及毛刺。该方法设备简单，适于能承受一定撞击而不易变形的中小锻件。

（2）喷砂（丸）清理即以压缩空气为动力，将石英砂或钢丸通过喷嘴喷射到锻件表面，以打掉氧化皮。这种方法对任何结构形状和重量的锻件都适应。

（3）抛丸清理是靠高速转动的叶轮离心力，将钢丸抛射到锻件表面以去除氧化皮。抛丸清理生产率比喷丸清理高 1~3 倍，清理质量也更好。由于抛丸清理在打落氧化皮的同时，使锻件表面产生加工硬化，但表面裂纹可能被掩盖，因此对重要锻件应采用磁性探伤或荧光探伤等方法检验锻件的表面缺陷。

（4）酸洗清理是将锻件置于酸洗槽中，靠酸与铁的化学反应去除氧化皮。酸洗清理后锻件表面缺陷暴露清晰，便于检查。对锻件上难清理部分，如深孔、凹槽等效果明显，且锻件不会产生变形。因此酸洗广泛用于结构复杂、扁薄细长等易变形和重要的锻件。

碳素钢和低合金钢锻件的酸洗液是碳酸或盐酸。高合金钢和有色金属使用多种酸的混合液，有时还需使用碱-酸复合酸洗。

13　自　由　锻　造

　　自由锻造（简称自由锻）是利用锻压设备上下砧和简单工具使坯料在压力下产生变形的加工方法。

　　自由锻分为手工锻造和机器锻造。随着机器制造业的迅速发展，现在生产中主要采用机器锻造。根据锻造设备的不同，机器锻造又分为锤锻和压力机锻两种。前者以中小锻件为主，后者主要锻制大锻件。

　　自由锻所用工具简单，通用性强，灵活性大，适于单件小批量生产，而大批量生产应采用模锻。大型锻件大多在水压机上锻造。

　　自由锻依据锻工的操作来控制锻件的形状和尺寸，故锻件精度差，劳动强度大，生产率低。近年来在提高自由锻件精度和实现机械化方面，正在得到不断完善和发展。

　　自由锻工艺的研究包括锻件的成形规律和提高锻件质量两方面。对碳钢和低合金钢的中小锻件，原料多是经轧制而质量较好的钢材，锻造时主要是成形问题。要求掌握金属的流动规律，灵活运用各种工序，以便获得所需形状和尺寸的锻件。而大型锻件和合金钢锻件，一般以内部组织较差的钢锭为原料，在锻造时关键是质量问题。为保证锻件内部质量，除提高冶炼质量外，还应从锻造工艺上采取措施。

13.1　自由锻基本工序与分类

　　锻件的成形过程是由一系列变形工序组成。根据工序的性质和变形量不同，自由锻工序可分为基本工序、辅助工序和修整工序。

　　基本工序是改变坯料的形状和尺寸以获得锻件的工序，如镦粗、冲孔、芯轴扩孔及拔长、弯曲、切断、错移、扭转及锻接等。辅助工序是为完成基本工序而使坯料预先产生一定的变形，如钢锭倒棱、预压钳把、分段压痕等。修整工序用来精整锻件的外形尺寸、消除锻件的表面不平、歪扭等，包括鼓形滚圆、端面平整、弯曲矫直等。修整工序的变形量一般很小。

　　自由锻是通用性很强的工艺方法，可锻出多种锻件。按锻造工艺特点，自由锻件可分为饼类、空心类、轴杆类、曲轴类、弯曲类和复杂形状锻件六大类。

　　（1）饼类锻件包括各种圆盘、叶轮、齿轮、模块和锤头等，此类锻件的特点是横向尺寸大于高向尺寸，或两者相近。基本工序是镦粗，有孔的锻件需冲孔。

　　（2）空心类锻件包括各种圆环、齿圈、轴承环和各种圆筒、缸体和空心轴等。基本工序有镦粗、冲孔、芯轴扩孔和芯轴拔长。

　　（3）轴杆类锻件包括各种圆截面实心轴，如传动轴、车轴、轧辊、拉杆等，及矩形、工字形截面杆件如连杆、摇杆等。基本工序是拔长，而对截面尺寸差大的锻件，采用镦粗-拔长工序以满足锻比要求。

　　（4）曲轴类锻件包括各种曲轴。目前锻造曲轴的工序有自由锻、模锻和全纤维镦锻。自由锻造曲轴的基本工序有拔长、错移和扭转等。

　　（5）弯曲类锻件包括各种具有弯曲轴线的锻件，如吊钩、弯杆、曲柄、轴盖瓦等。基本工序是弯曲，弯曲前的制坯一般采用拔长。

　　（6）复杂形状锻件，如叉杆、十字轴等。它们的锻造难度大，应根据锻件形状特点采取适当工序组合锻造。

13.1.1 镦粗

镦粗是使坯料高度减小而横截面增大的锻造工序。若使坯料局部截面增大则称为局部镦粗（图 2-13-1）。镦粗的作用包括由横截面较小的坯料得到横截面较大而高度较小的锻件；冲孔前增大坯料横截面和平整端面；提高下一步拔长时的锻造比；提高锻件的横向力学性能和减少各向异性；反复镦粗和拔长以打碎合金工具钢中的碳化物，使其分布均匀。

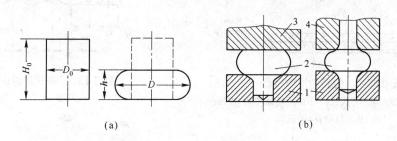

图 2-13-1 镦粗
(a) 平砧自由镦粗；(b) 漏盘局部镦粗
1、4—漏盘；2—坯料；3—上砧铁

镦粗的规则是，坯料的高径比不应超过 2.5 ~ 3，否则易产生弯曲；镦粗前坯料端面平整并与轴线垂直；镦粗前加热均匀，镦粗时将坯料绕其轴线不断转动，发现弯曲立即校正（图2-13-2）；每次压缩量应小于材料塑性允许值；锭料在镦粗前应先倒棱，消除锥度，压合皮下气泡，防止开裂；镦粗时坯料高度应与设备空间尺寸相适应；大锻件镦粗时应用球形凹面压板，防止镦粗后拔长时产生燕尾端面（图 2-13-3）。

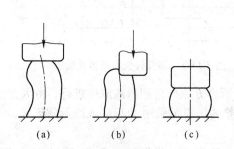

图 2-13-2 镦粗弯曲校正方法
(a) 弯曲；(b) 压局部；(c) 校正后

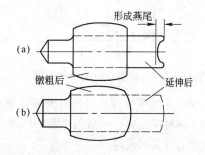

图 2-13-3 镦粗压板对端面形状的影响
(a) 平板压板形成的燕尾；(b) 凹面压板良好端面

13.1.2 拔长

使坯料横截面减小而长度增加的成形工序为拔长。常用于长轴类和杆类锻件成形。拔长采用如下规则：

（1）坯料的送进与翻转有三种方法（图 2-13-4），一是沿螺旋线翻转 90°拔长，适于台阶轴锻造；二是反复翻转 90°拔长，常用于手工锻造操作；三是沿整个坯料长度拔长一遍后再翻转 90°拔长，多用于锻造大型锻件，该操作易使坯料端面弯曲，须先翻转 180°将料平直，再翻转 90°依次拔长。翻转前后的送进位置应互相错开使送进沿轴线方向变形趋于均匀,见图2-13-5所示。另外短料拔长时,可从一端拔至另一端,长料和钢锭拔长时,从坯料中间向两端拔。

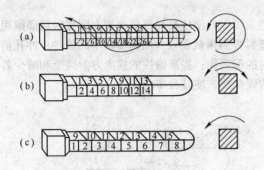

图 2-13-4　拔长的操作过程
(a) 沿螺旋线翻转90°拔长;(b) 反复翻转90°拔长;
(c) 拔长后翻转90°拔长

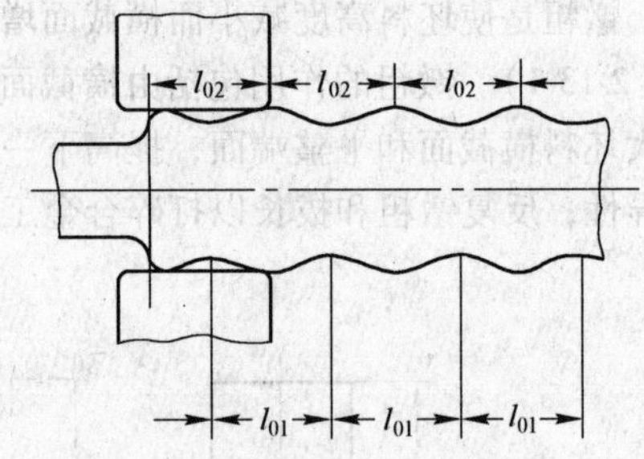

图 2-13-5　拔长送进位置

(2) 台阶轴拔长时,为锻出台阶和凹挡,先用三角压肩和圆棍压痕,切出所需长度后再分段拔长,如图 2-13-6 所示,以使过渡面平齐,减少相邻区的拉缩。通常当 $H < 20mm$ 时用压痕即可,$H > 20mm$ 时先压痕后压肩,压肩深度 $h = (1/2 \sim 2/3) H$。且锻件压肩部位的直径留有适当修正量 Δ,以便进行精整。

(3) 端部拔长时为防止产生凹心和夹层,端部最小切料长度 A 应满足:对圆截面坯料,$A > \frac{1}{3}D$;对矩形坯料,当 $B/H > 1.5$ 时,$A > 0.4B$;当 $B/H < 1.5$ 时,$A > 0.5B$。如图2-13-7。

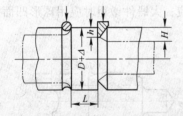

图 2-13-6　分段拔长时压痕和压肩

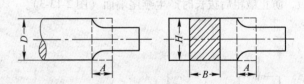

图 2-13-7　端部拔长时坯料长度

(4) 采用平砧拔长时,由大圆坯锻小圆材应按圆、方、八角到圆的顺序进行,由大方坯锻成小圆材按正方、八角到小圆的顺序锻造。塑性差的坯料可采用 V 形砧或圆形砧拔长,以减少中心开裂的危险。

(5) 送进量和压下量对拔长效率和锻件质量有重要影响,根据坯料塑性、形砧相对宽度等因素综合确定。

13.1.3　冲孔

采用冲子将坯料冲出透孔或不透孔的锻造工序称为冲孔。锻造各种空心锻件均需冲孔,常用的冲孔方法有实心冲子冲孔、空心冲子冲孔和垫环上冲孔三种。

(1) 实心冲子冲孔　冲子从坯料一面冲入,当深到坯料高度70% ~ 80%时,将坯料翻转180°,再从另一面将孔冲透,故又称双面冲孔,如图2-13-8 所示。

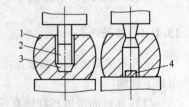

图 2-13-8　实心冲子冲孔
1—坯料;2—冲垫;3—冲子;4—芯料

冲孔时冲头下面为圆柱区，冲头外围为圆环区。冲孔过程圆柱区相当处于圆环包围下的镦粗。由于坯料的整体性，被压缩的圆柱区金属必将拉着圆环区金属同时下移，使坯料产生拉缩现象，即上端面下凹而高度减小。同时圆柱区金属被镦粗挤向四周，使圆环区在内压下胀形，引起坯料直径增大，并在圆环切向产生拉应力。因此对塑性较差的钢材应在高温下冲孔，以防止表面纵向裂纹。

该方法操作简单，芯料损失小，连皮厚度 $h = 0.25H$，广泛用于孔径小于 500mm 的锻件。

（2）空心冲子冲孔　冲孔过程如图 2-13-9 所示。冲孔时坯料形状变化较小，芯料损失较大。但锻造大型锻件时，可将钢锭中心质量较差的部分冲掉，为此在冲孔时应将钢锭冒口端向下。这种方法主要用于孔径在 400mm 以上的大锻件。

（3）垫环上冲孔　冲孔过程如图 2-13-10 所示。冲孔时坯料形状变化较小，但芯料损失较大，连皮厚度 $h = (0.7 \sim 0.75)H$。该方法只适于高径比 $H/D < 0.125$ 的薄环锻件。

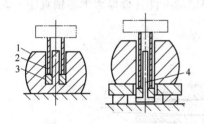

图 2-13-9　空心冲子冲孔

1—坯料；2—冲垫；3—冲子；4—芯料

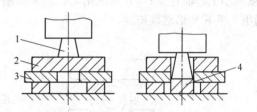

图 2-13-10　垫环上冲孔

1—冲子；2—坯料；3—垫环；4—芯料

13.1.4　扩孔

扩孔是减少空心坯料壁厚而增加其内外径的锻造工序，用以锻造各种环形锻件。

（1）冲子扩孔　冲子扩孔是用直径较大并带有锥度的冲子进行胀孔，如图 2-13-11 所示。扩孔时由于坯料沿径向胀孔，使坯料切向有拉应力，易胀裂，为此要求每次扩孔变形量不易过大，且避免低温扩孔，即每火扩孔次数不易多。冲子扩孔适于 $D/d > 1.7$ 和 $H > 0.125D$ 的锻件。

（2）芯轴扩孔　变形相当于坯料沿圆周方向拔长，如图 2-13-12 所示。坯料与工具接触弧长是变形区长度，而高度 H 是变形区的宽度，金属主要沿坯料切向流动，在高度方向流动很少。

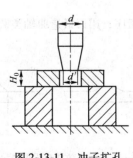

图 2-13-11　冲子扩孔

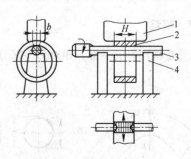

图 2-13-12　芯轴扩孔

1—扩孔砧；2—锻件；3—芯轴；4—支架

　　因此，用芯轴扩孔时，随着壁厚变薄，内、外径同时扩大，高度稍有增加。芯轴直径 d 的选择应保证其强度和锻件质量。如芯轴过细，不但在锻造时易折断，还会使锻件内壁形成梅花压痕。为获得内壁光滑的锻件，芯轴直径应随孔径扩大而增加，最多可更换三次芯轴。若坯料孔径大于芯轴直径，可直接套在芯轴上扩孔；否则先用冲子扩孔，再进行芯轴扩孔。该方法适于锻造扩孔量大的薄壁环形件。

13.1.5　芯轴拔长

　　芯轴拔长是减少空心坯料外径（壁厚）而增加其长度的锻造工序，如图 2-13-13 所示，用以锻造各种长筒锻件，是拔长的一种变化工序。芯轴拔长的主要质量问题是壁厚不均匀，内壁易出现裂纹，尤其在两端。为使锻件壁厚均匀，除要求坯料加热均匀外，拔长时每次转动角度和压下量也要均匀。为避免锻件两端出现裂纹，应先锻两端，再拔长中间部分。为改善芯轴拔长时的应力状态，应采用型砧拔长。对不同尺寸的锻件，可采用不同的型砧。薄壁筒形件（壁厚小于芯轴直径 1/2）应采用上、下 V 形砧拔长；厚壁筒形件（壁厚大于芯轴直径 1/2），则用上平下 V 形砧拔长。

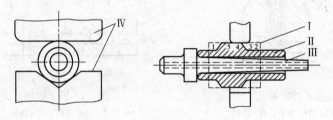

图 2-13-13　芯轴拔长

Ⅰ—坯料；Ⅱ—锻件；Ⅲ—芯轴；Ⅳ—砧子

13.1.6　弯曲

　　弯曲是将坯料弯成所要求形状的锻造工序，可用于锻造各种弯曲类锻件，如起重吊钩、弯曲轴杆等，弯曲过程如图 2-13-14 所示。弯曲区金属内侧受压缩易产生折叠；外侧受拉易引起裂纹。弯曲半径越小，弯曲角越大，上述现象越严重。

　　由于上述变形特点，在确定坯料形状和尺寸时，应考虑到弯曲断面缩小。一般坯料断面应比锻件断面稍大（约大 10% ~15%），先拔长不弯曲部分，然后再进行弯曲成形。也可取与锻件断面相同的坯料，但要在弯曲段聚料，然后再弯曲成形（图 2-13-15）。当锻件有数处弯曲时，一般是先弯端部及弯曲部分与直线相连接的部分，然后再弯曲其余部分。

13.1.7　错移

　　错移是将坯料的一部分相对另一部分平行错移开的锻造工序，用以锻造曲轴类锻件。错移

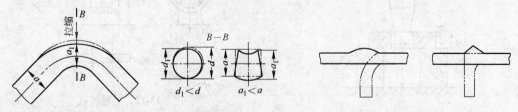

图 2-13-14　弯曲时坯料形状的变化情况　　　　　图 2-13-15　防止弯曲拉缩的方法

有两种方法，在一个平面内错移和在两个平面内错移（见图 2-13-16）。

错移前坯料压肩尺寸的确定：

$$h = \frac{H_0 - 1.5d}{2}, \qquad b = \frac{0.9V}{H_0 B_0}$$

式中　H_0——坯料高度；

　　　B_0——坯料宽度；

　　　d——锻件轴径直径；

　　　V——锻件轴径体积。

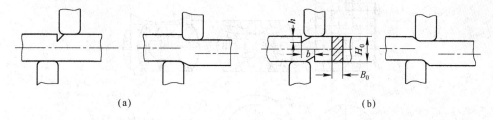

(a)   (b)

图 2-13-16　错移

（a）在一个平面内的错移；（b）在两个平面内的错移

13.1.8　扭转

扭转是将坯料的一部分相对另一部分绕其轴线扭转一定角度的锻造工序，如图 2-13-17 所示，用以锻造曲轴、麻花钻、地脚螺栓等锻件。扭转时坯料被扭区长度略微缩短，直径略增大，但内层长度缩短少，外层长度增加多，因此内层产生轴向压应力，而外层产生轴向拉应力。当扭转角度过大或在扭转低塑性金属时，可能在坯料表面产生裂纹。为此，有如下要求：

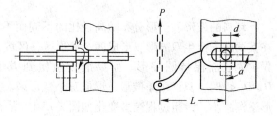

图 2-13-17　扭转

（1）受扭部分金属必须细致锻造，沿全长断面应均匀一致，表面光滑无缺陷。必要时，经粗加工后再扭转；

（2）受扭部位金属应均匀加热到允许的最高温度；

（3）锻件扭转后要缓冷，最好退火以消除扭转应力。

扭转力 P 可按下式计算：
$$P = \frac{M}{L} \quad (N)$$

式中　L——力臂，cm；

　　　M——扭矩，$N \cdot cm$，$M = \frac{\pi d^3}{24}\sigma_s$；

　　　d——扭转部分直径，cm；

　　　σ_s——扭转温度下变形抗力，MPa。

13.2　自由锻时的坯料变形规律与力能参数

13.2.1　镦粗过程变形特点和力能参数

镦粗是自由锻最基本工序。不仅饼类件和空心件必需镦粗成形，其他工序如冲孔和拔长中也都包含镦粗工序，因此了解镦粗过程变形规律，对掌握锻造工艺具有重要意义。

13.2.1.1　镦粗的变形特点

用平砧镦粗圆柱坯料时，随着高度的减少，金属不断向四周流动。由于坯料和工具之间的摩擦，镦粗后坯料外观呈鼓形，同时造成内部不均匀流动。沿坯料的对称面可分为三个区（图 2-13-18）。区域 Ⅰ 受摩擦的影响，变形程度最小，为难变形区；区域 Ⅱ 受摩擦较小，应力状态有利于流动，变形程度最大，为大变形区；区域 Ⅲ 变形程度居中，为小变形区。因表面存在切向拉应力，易引起纵向裂纹。

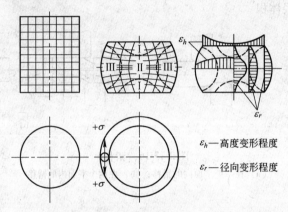

图 2-13-18　圆柱坯料镦粗时变形分布
Ⅰ—难变形区；Ⅱ—大变形区；Ⅲ—小变形区

坯料的鼓形和变形分布随高径比的不同而不同。镦粗高径比 $H_0/D_0 = 2.5 \sim 1.5$ 的坯料时，在其两端先产生双鼓形，形成四个变形区，区域 Ⅰ、Ⅱ 和 Ⅲ 如前所述，坯料中部为均匀变形区 Ⅳ，侧表面保持圆柱形。如果继续镦粗到 $H/D = 1$，则由双鼓形变为单鼓形。当高径比 $H_0/D_0 < 1$ 时，只产生单鼓形，形成三个变形区。当 $H_0/D_0 < 0.5$ 时，Ⅰ 区也产生一定变形，鼓形逐渐减小。镦粗过程鼓形变化如图 2-13-19 所示。

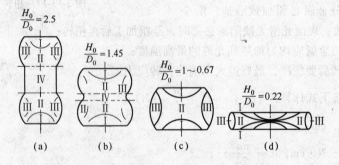

图 2-13-19　不同高径比坯料镦粗过程鼓形体积变化
Ⅰ—难变形区；Ⅱ—大变形区；Ⅲ—小变形区；Ⅳ—均匀变形区

镦粗时金属的上述流动对锻造工艺和锻件质量很不利。坯料侧面出现鼓形不但增加修整工序，而且易引起表面裂纹，对低塑性材料尤为敏感。此外，由于内部变形不均匀，必将导致锻件组织和性能不均匀，这对晶粒度要求严格的合金钢锻件影响较大。为尽量减少鼓形，提高变形均匀性，常采取以下措施：

（1）使用润滑剂和预热工具。镦粗低塑性坯料常用玻璃粉和石墨等作润滑剂；为防止坯料过快的冷却，工具应预热至 200～300℃。

（2）采用凹形坯料。锻造低塑性大锻件时，镦前将坯料表面压成凹形，如图 2-13-20 所示，镦粗时再将内凹部分镦出，以减少鼓形，使变形更均匀。

（3）采用软金属垫。将坯料放在软金属垫之间镦粗（图 2-13-21），促使坯料端部金属向四周流动，可减少坯料镦粗时的鼓形，变形较均匀。

（4）使用叠镦和套环内镦粗。叠镦主要用于扁平圆盘锻件，将两件叠起镦粗（图 2-13-22），然后反向放置继续镦粗消除鼓形，使变形均匀；套环内镦粗是在坯料外圈加一碳钢外套，以减少由变形不均引起的附加拉应力，用于低塑性合金钢镦粗。

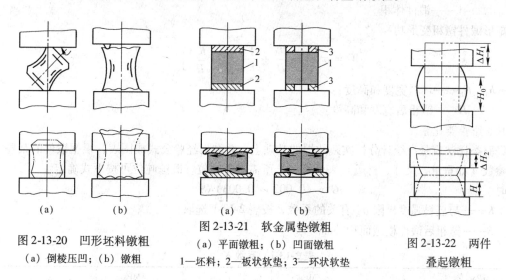

图 2-13-20　凹形坯料镦粗

（a）倒棱压凹；（b）镦粗

图 2-13-21　软金属垫镦粗

（a）平面镦粗；（b）凹面镦粗

1—坯料；2—板状软垫；3—环状软垫

图 2-13-22　两件叠起镦粗

（5）采用反复镦粗拔长工艺。其特点是使镦粗时困难变形区在拔长时受到变形，使整个坯料各处变形均匀。该工艺在锻造高速工具钢、Cr12 模具钢、铝合金及钛合金时广泛应用。

13.2.1.2　镦粗过程力能参数计算

生产中一般以镦粗力（功）来选择设备，其方法包括理论分析法和经验类比法两种。

A　理论分析法

理论分析法是根据塑性成形理论计算锻件成形所需最大变形力（功），作为设备吨位选择的依据。水压机锻造时锻件所需最大变形力按下式计算：

$$F = p \cdot A$$

式中　A——锻件与工具接触面在水平方向投影面积；

　　　p——锻件单位流动应力（平均单位压力），p 可由下式计算：

圆形锻件镦粗的计算：

当 $\dfrac{H}{D} \geqslant 0.5$ 时　　　　　　　　$p = \sigma_s \left(1 + \dfrac{\mu}{3} \dfrac{D}{H} \right)$

当 $\dfrac{H}{D} < 0.5$ 时　　　　　　　　$p = \sigma_s \left(1 + \dfrac{\mu}{4} \dfrac{D}{H} \right)$

式中　D、H——锻造终了锻件的直径和高度；

　　　σ_s——锻件在相应温度、速度下的真实应力；

　　　μ——摩擦系数，热锻时为 0.3～0.5，如无润滑，一般为 0.5。

方形锻件镦粗的计算：锻件长、宽、高分别为 L、B、H，则单位流动应力为：

$$p = 1.15\sigma_s\left[1 + \frac{3L - B}{6L}\mu\frac{B}{H}\right]$$

用锻锤锻造，因其打击力不定，应根据锻件成形所需变形功来选择设备打击能量。

圆柱锻件镦粗变形功为：

$$W = \sigma_s V\left[\ln\frac{H_0}{H} + \frac{1}{9}\left(\frac{D}{H} - \frac{D_0}{H}\right)\right]$$

式中　D_0、H_0——坯料直径和高度；

　　　　D、H——锻件直径和高度；

　　　　　V——锻件体积。

矩形锻件镦粗变形功：

$$W = \sigma_s V\left[\ln\frac{H_0}{H} + \frac{1}{8}\left(\frac{b}{H} - \frac{b_0}{H}\right)\right]$$

式中　b_0、H_0——坯料宽度和高度；

　　　　b、H——镦粗后宽度和高度。

B　经验类比法

经验类比法就是在统计分析实践数据的基础上，总结出经验公式或图表，根据锻件的某些主要参数（如重量、尺寸、材质）来估算锻造所需设备吨位。锻锤吨位可按下式确定：

镦粗时　　　　　　　　　　　$G = (0.002 \sim 0.003)KS$

式中　K——与坯料强度极限 σ_b 有关的系数，按表 2-13-1 选取；

　　　　S——镦粗后锻件横截面积，cm^2。

表 2-13-1　系数 K

σ_b/MPa	K	σ_b/MPa	K	σ_b/MPa	K
400	3 ~ 5	600	5 ~ 8	800	8 ~ 13

13.2.2　拔长的变形特点和力能参数

拔长是通过逐次送进和反复转动坯料进行压缩变形，它是锻造生产中耗时最多的一种锻造工序。拔长工序除影响锻件质量外，也是影响生产效率的重要因素。

13.2.2.1　拔长过程变形特点

拔长时沿横向流动的金属量少于沿轴向的流动量，这是由于两端未变形金属对变形区金属横向变形和流动的阻碍作用造成的。工具形状对拔长变形状况和应力分布有较大影响，如图 2-13-23 所示。

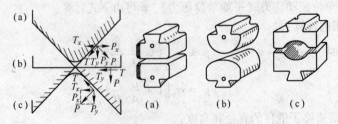

图 2-13-23　拔长的工具形状

(a) 平砧；(b) 凸型砧；(c) 凹形砧

　　在平砧上拔长时，由于外端的影响，使变形更趋复杂，问题在于如何使变形深入到坯料中心和防止变形不均匀（图 2-13-24），这对采用钢锭锻造大锻件至关重要。为锻合钢锭内部非金属夹杂、缩孔、疏松等缺陷，必须有足够的变形量或局部锻比，使缺陷周围为静水压应力状态、高的锻造温度和一定保温时间，为此一般进行多次反复镦粗和拔长，以提高锻件内部质量，表面降温法（或中心压实法）是效果显著的方法之一。其实质是钢加热后，通过多种方法强制冷却表面，使钢锭表面和中心轴间有较大的温度梯度，利用内外层间变形抗力的差别，以窄砧施以强压达到锻合中心部位空洞、疏松的目的。

　　有时采用凸型砧拔长，以改变坯料的应力状态及提高拔长效率。如拔长高塑性钢材和铜合金时采用凸型砧，由于产生了水平方向的分力，抵消了一部分摩擦力的影响，有利于接触面附近金属的轴线流动，改善了应力状态，降低了变形不均匀和开裂的危险性（图 2-13-25）。

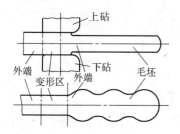

图 2-13-24　拔长时外端的影响

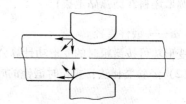

图 2-13-25　凸型砧拔长

　　凹形砧拔长时，从受力状态看，坯料受三向压应力状态，对提高金属的塑性有利。由于它限制了金属的自由宽展，增加了金属的变形阻力，需要较大吨位的设备，否则难以锻透。为此工厂中大多采用混合砧型，如上平下凹的型砧，既加强了压应力状态，又不使变形阻力增加过大。

13.2.2.2　拔长方案的选择

　　拔长方案与坯料材质有很大关系。对于一般碳素钢和低合金结构钢，为提高拔长效率，可采用平砧甚至凸型砧拔长，采用方-方系统或方-圆系统及方-圆-方系统均可。对低塑性材料应采用凹形砧，且应在限制宽展的弧形砧中拔长。达到一定变形程度后，再用平砧按方-八角-方（圆）的方案锻造。

　　对一些高合金钢，为打碎铸态组织和碳化物，采用大锻比使变形深入，以保证锻件质量。但当送进量较大，并在同一部位反复重击时，常由于对角线方向在切应力作用下产生过热甚至局部熔化而导致开裂（图 2-13-26）；而送进量小时，变形集中在上下两部分，中心锻不透且受拉应力作用，易产生横向裂纹（图 2-13-27）。常先在 V 形砧上锻造，再用方-扁-方方案进行拔长，以获得组织性能均匀的锻件。

　　塑性极低金属及合金如耐热合金锭一般不能直接锤锻，可先经过锥形容器挤压变形后再进行锤锻。

13.2.2.3　拔长过程力能参数计算

　　（1）理论计算方法。同镦粗时变形力和变形功计算相似，单位流动应力的计算可按下式：

　　矩形坯料平砧间拔长

$$p = 1.15\sigma_s\left(1 + \frac{\mu}{3}\frac{l}{h}\right)$$

式中　l——送进量；

　　　h——锻件高度。

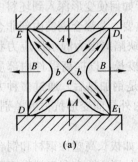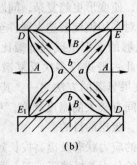

图 2-13-26　拔长时坯料横断面上金属的流动

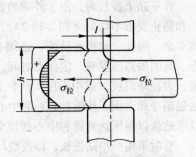

图 2-13-27　小送进量拔长时
的变形和流动

圆形坯料在圆弧砧上拔长　　　　$p = \sigma_s \left(1 + \dfrac{2}{3} \mu \dfrac{l}{d} \right)$

式中　　d——锻件直径。

变形功可按镦粗时的变形功计算公式进行计算。

（2）经验类比法：拔长时锻锤的吨位（t）可按下式计算：

$$G = 2.5S$$

式中　S——坯料横截面面积，cm^2。

13.3　自由锻工艺规程的制定

自由锻工艺规程包括如下内容：

（1）根据零件图绘制锻件图；

（2）确定坯料的重量和尺寸；

（3）制定变形工艺和锻比；

（4）选择锻压设备；

（5）确定锻造温度范围、加热和冷却规范；

（6）确定热处理规范；

（7）提出锻件的技术条件和检验要求；

（8）填写锻造工艺卡片。

13.3.1　制定锻件图

锻件图是编制锻造工艺、设计工具、指导生产和验收锻件的主要依据。它是根据零件图考虑加工余量、锻造公差、锻造余块、检验试样及工艺卡片等绘制而成。

一般锻件尺寸精度和表面光洁度不能达到零件图要求，锻后需进行机械加工，为此锻件表面留有供机械加工的金属层，称为机械加工余量。其大小取决于零件形状和尺寸，精度和光洁度要求，同时还要考虑生产条件等。余量越小材料利用率越高，但锻造难度也越大。零件的公称尺寸加上机械加工余量称为锻件公称尺寸。对于不加工的黑皮部分，则不需机械加工余量。

锻造过程中，锻件的实际尺寸不可能达到锻件的公称尺寸，允许有一定限度的误差，称为锻造公差。锻件实际尺寸大于公称尺寸的部分称为正公差；小于公称尺寸的为负公差。锻件不论机械加工或不需机械加工的黑皮部分，都应注明锻造公差。通常锻造公差约为加工余量的 $1/4 \sim 1/3$。具体数据可查阅国家标准并结合实际情况选择。

为简化锻件外形或根据锻造工艺需要，在零件某些地方添加一部分大于余量的金属，这部分附加金属称为锻造余块。是否添加余块应根据锻造困难程度、机械加工工时、材料消耗、生产批量和工具制造等综合考虑确定。

对某些重要锻件，为检验锻件内部组织和性能，需在锻件适当部位留出试样余块，试块的位置和尺寸应能反映锻件的组织和性能。对需进行垂直热处理的大锻件，要求锻件留有吊挂工件的热处理夹头。有的零件还要求留有机械加工夹头。

坯料尺寸的确定与所有的工艺有关，镦粗时要求高径比不超过 2.5；拔长时应按最大截面积，并考虑锻比、修整量等选取坯料尺寸。

13.3.2 确定变形工艺和锻比

变形工艺包括确保锻件成形必需的工序、决定工序顺序、设计工艺尺寸等。变形工序及工序尺寸应根据锻件形状、尺寸和技术要求，并考虑具体生产条件确定。工序尺寸设计应保证其符合工艺特点；必须保持各部分有足够的体积；多火次锻造大件时注意中间各火次加热的可能性；有些长轴类锻件的轴向尺寸要求精确，且沿轴向又不能镦粗，必须预计到轴向修整时会略有伸长。

锻比是衡量锻件质量的重要标志，其计算方法是按拔长或镦粗前后锻件的截面比或高度比计算。锻比大小反映锻造对锻件组织和力学性能的影响，一般随锻比的增大，由于内部孔隙焊合，铸态树枝晶被打碎，锻件的纵向和横向性能得到明显提高。当锻比超过一定值后，由于形成显微组织，横向力学性能急剧下降，导致锻件各向异性，因此应合理选择锻比。

除制定上述工艺参数外，还要根据变形面积、锻件材质、变形温度等因素确定锻造设备的吨位，并将该工艺填写在工艺卡上，作为生产的依据。

13.4 胎模锻工艺

胎模锻是利用简单的模具在自由锻锤上锻造的一种工艺。尽管不如一般模锻，但与自由锻相比，锻件形状复杂，尺寸精度高，变形均匀、节约材料，生产率高，使用非固定的简单模具，适于小批量生产。

胎模的种类很多，如图 2-13-28 所示。用于制坯的有摔模、扣模和弯曲模；用于成形的有套模、垫模和合模；用于修整的有校正模、切边模和压印模等。弯曲模可分为制坯弯曲和成形弯曲。套模分为带垫和无垫两种，主要用于法兰件、齿轮和杯形件成形，若生产双面法兰，则应用拼分套模。

合模和单模膛锻模相似，在结构上有带导

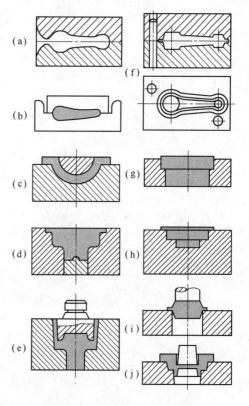

图 2-13-28 胎模类型图

(a) 摔模；(b) 扣模；(c) 弯曲模；(d) 套模；
(e) 闭式套模；(f) 合模；(g) 垫模；
(h) 跳模；(i) 切边模；(j) 冲孔模

销、带导锁、导销-导锁及导框等结构，由于合模用于最终成形，所需变形力或锻锤吨位最大。

各种胎模在用途上具有多重性，如摔模可用于压痕的称为卡摔；用于制坯的为型摔；用于整径的为光摔；用于校正整形的为校正摔。摔模的共同特征是都用于圆形件合模终锻前的制坯、整形或摔光（图 2-13-29）。

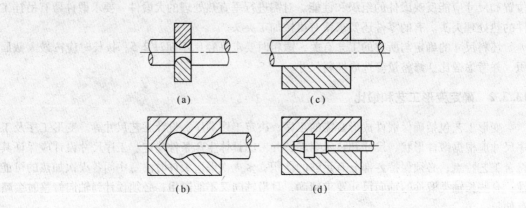

图 2-13-29　摔模
(a) 卡摔；(b) 型摔；(c) 光摔；(d) 校正摔

14 模 锻 工 艺

14.1 概述

随着现代工业的迅速发展，很多零件需要大批量生产，而自由锻无论就锻件数量、尺寸精度、端面形状和生产效益等方面都远不能满足大生产的要求。因此，模锻成为锻造工业发展的方向。

模锻与自由锻相比有以下特点：（1）生产效率高，比自由锻高 3~4 倍乃至几十倍；（2）锻件形状较复杂，尺寸精度和表面光洁度较高；锻造公差只有自由锻的 1/3~1/4，冷精压后，可使锻造公差降到 ±0.05~0.1mm；（3）锻件的机械加工余量小，材料利用率较高，精密模锻能取代切削加工；（4）可使流线分布更为完整合理，从而进一步提高零件的使用寿命；（5）生产过程操作简便，劳动强度比自由锻小；（6）锻件成本较低。

但是，目前尚有下列问题限制了模锻的广泛应用：（1）模锻对锻压设备精确度要求高，给设备的制造和加工带来困难；（2）锻模的加工成本高，不适合于单件小批生产；（3）模锻件的重量受限，通常在 150kg 以下，模锻大件有困难；（4）工艺灵活性不如自由锻。

模锻按使用设备的不同，可分为锤上模锻、热模锻压力机模锻、平锻机上模锻、摩擦压力机上模锻、精锻机上模锻和水压机上模锻等。坯料经过一系列加工工序制成模锻件的整个过程称为模锻工艺过程。

制定模锻工艺过程的主要内容和步骤如下：

（1）根据锻件的形状、尺寸及具体生产条件选择较先进的工艺方案；

（2）根据锻件的形状、尺寸、技术条件及选用方案设计锻件图；

（3）确定模锻所需工步，进行工步设计和模膛设计；

（4）计算并选用坯料，确定设备的吨位；

（5）模具的总体设计和结构设计，确定模具材料、技术条件，并绘制模具图；

（6）确定切边、冲孔工艺及设计模具；

（7）加热、冷却及热处理规范的制定；

（8）确定清理、校正工艺及设备。

模锻工序是工艺过程中最关键的组成部分，关系到采用何种工步锻制锻件。模锻工序包括三类工步：

（1）模锻工步：包括预锻和终锻；

（2）制坯工步：包括镦粗、拔长、滚压、卡压、弯曲和成形等；

（3）切断工步。

各工步的变形是靠模膛来实现的。各模膛的名称和工步的名称是一致的。各类锻件都使用终锻模膛，而预锻模膛则不一定使用，视具体情况而定。各类锻件所需的制坯模膛也是不一样的。不同形状的锻件，其工艺方案不同；同一锻件用不同设备生产，模锻工艺方案也有较大差别。因此，在制定具体模锻工艺时应根据使用设备的工作特性和工艺特点来进行，设备的工作特性包括载荷性质、结构特点和工作速度等；工艺特点是指与设备结构有关的金属变形工艺的问题，如变形金属的流动情况、模膛填充能力、制坯情况等。

14.2　锤上模锻

锤上模锻所使用的设备有蒸汽-空气模锻锤、无砧座锤和高速锤等。一般工厂主要采用蒸汽模锻锤，其构造和操纵系统如图 2-14-1 所示。模锻锤的最大特点是通用性强，生产效率高。但模锻锤生产的锻件尺寸精度低，工作时震动、噪声大，对车间设备和厂房带来较大危害，劳动条件差，需要较大的砧座。模锻锤的吨位一般为 1 ~ 16t，锻件的重量为 0.5 ~ 150kg。16t 以上模锻锤已逐步被其他锻压设备所取代。各类模锻锤所能锻制模锻件的重量和尺寸如表 2-14-1 所示。锤上模锻用锻模由上下两半模组成，其装配如图 2-14-2 所示，模块借助燕尾、楔铁和键块紧固在锤头和下模座的燕尾槽中。

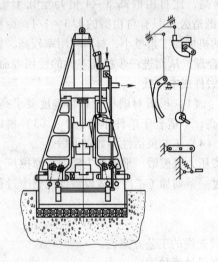

图 2-14-1　蒸汽-空气模锻锤

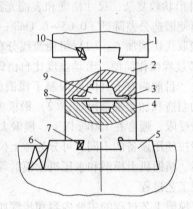

图 2-14-2　锤上模锻
1—锤头；2—上模；3—毛边槽；4—下模；5—模垫；
6、7、10—紧固楔铁；8—分模面；9—模腔

锤上模锻的工艺特点：金属在各模腔的变形是在锤头的多次打击下逐步完成的，锤头的打击速度虽然较快，但每次打击中金属的变形量较小；由于靠冲击力使金属变形，因此利用金属的流动惯性来充填模腔；在锤上可实现多种模锻工步，特别是长轴类锻件的拔长和滚压等制坯；由于导向精度较差、锤头行程不固定，模锻件精度较差，且无顶出装置，但生产率高。

模锻生产过程包括制定锻件图、坯料计算、确定工步、设计模腔、选择设备、加热坯料、模锻、锻件的修整（切边、冲孔、校正）和热处理等工序。

表 2-14-1　模锻锤吨位选择的概略数据

模锻锤吨位/t	1	2	3	5	10	16
锻件重量/kg	2.5	6	17	40	80	120
锻件在分模面处投影面积/cm^2	13	380	1080	1260	1960	2830
能锻齿轮的最大的直径/mm	130	220	370	400	500	600

14.2.1　锻件图的制定

锻件图是用作设计和制造锻模、计算坯料和验收锻件尺寸的依据，对模锻件的生产质量有很大关系。锻件图根据零件图设计，分为冷锻件图和热锻件图。冷锻件图用于最终锻件检验；

热锻件图用于锻模设计和加工制造。制定锻件图应考虑以下问题。

A 分模面的选择

分模面即上下模在锻件上的分界面，分模面的选择应按以下原则来考虑：

（1）应保证锻件便于从模膛中取出。一般情况下，分模面应选在锻件最大尺寸的截面上，如图 2-14-3 所示。

（2）必须使沿分模面上下模的模膛外形一致，便于在锻造中发现错移现象。

（3）分模面最好选择在使模膛深度最浅的部位，以便于金属快速充满模膛，最好使金属以镦粗方式充填，避免以压入方式充填模膛。

（4）应使零件上增加的敷料最少。

（5）分模面最好为一平面，如无可能时选折面，尽量避免曲面，以便于锻模和切边模的加工制造，并有利模膛的铣削加工。

但有时上述内容不一定都能面面俱到，此时，应考虑其中主要内容。

B 余量、公差和敷料

当锻件不能达到零件图纸的要求而需进行机械加工时，应在锻件表面增加一层金属，成为机械加工余量。余量的大小必须合适，太大会增加机械加工量，造成过多金属损耗；太小则增加锻造工作量。零件公称尺寸加上余量称为锻件的公称尺寸。模锻后锻件实际尺寸与锻造公差的关系如图 2-14-4 所示。

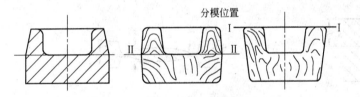

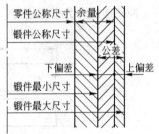

图 2-14-3 分模面选择示意图　　　　图 2-14-4 公差与余量的关系

模锻件余量和公差比自由锻件小得多，余量一般在 0.4～5mm 范围内，公差一般为 0.3～3mm。对于带孔的锻件要留冲孔连皮。当孔径为 30～80mm 时，冲孔连皮的厚度应取 4～8mm，当孔径小于 25mm 时，一般不锻出来。因为孔径越细和连皮越薄，冲头越易损坏。

C 模锻斜度

在锻件上与分模面相垂直的平面所附加的斜度或固有的斜度统称为模锻斜度，如图 2-14-5（a）所示，以便从模膛中取出锻件。型槽上的斜度是用指状标准铣刀加工而成，故侧

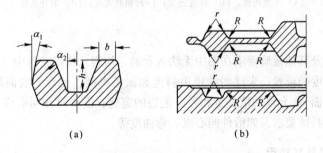

(a)　　　　　　　　(b)

图 2-14-5 模锻斜度和圆角半径

(a) 模锻斜度；(b) 圆角半径

壁斜度应选用3°、5°、7°、10°、12°等标准度数，以便与铣刀规格一致。同一锻件上内、外壁斜度不宜采用多种斜度。模锻斜度与模膛的深度与宽度之比有关，其值越大时，则斜度应取较大值。内壁斜度（当锻件冷却时与模膛夹紧的表面）一般比外壁斜度大2°~5°。

　　D　圆角半径

　　在零件上所有平面的交角均需作成圆角，模锻时便于金属充满模膛，如图2-14-5（b）所示。同时可增加锻模强度，避免在棱角处产生应力集中而造成锻模破裂。另外减少锻模的凸起及尖角处可减少金属流动阻力和锻模的过快磨损，从而提高模具的使用寿命。

　　圆角半径的大小与锻件的尺寸和外形、金属流动的性质（镦粗或压入）等有关，且内圆角半径 R 比外圆角半径 r 大2~3倍，模膛越深时圆角半径应取大值。

　　为方便选用标准刀具，圆角半径应按标准值选取。在同一锻件上选定的圆角半径不宜过多。

　　E　冲孔连皮

　　锤上模锻件不能直接锻出透孔，必须在孔内保留一层连皮，然后在切边压力机上冲除。连皮厚度过薄，锻件易发生锻不足和较大打击力，而导致模膛凸出部分严重磨损或打塌；若连皮过厚，易引起锻件走样，还浪费金属。一般情况下，当锻件内孔直径大于30mm时要考虑冲孔连皮。

　　冲孔连皮分为平底连皮、拱底连皮、斜底连皮、带仓连皮和压凹，如图2-14-6所示。

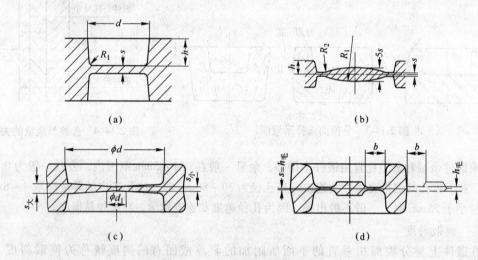

图2-14-6　冲孔连皮的几种形式

（a）平底连皮；（b）拱底连皮；（c）斜底连皮；（d）带仓连皮

　　F　技术条件

　　有关锻件质量及其他检验要求在图中无法表示的，均列入技术条件中。包括锻件热处理及硬度要求，测试硬度的位置；未注明的模锻斜度和圆角半径；允许的表面缺陷深度（包括加工表面和非加工表面）；允许的错移量和残余毛边的宽度；需要时注明锻件上的取样部位；表面处理方法和其他特殊要求，如锻件同心度、弯曲度等。

14.2.2　模膛类型及其功用

　　模锻时上下模块构成的模膛可分为模锻模膛和制坯模膛两大类。

A　模锻模膛

模锻模膛又分为终锻模膛和预锻模膛两种。

(1) 终锻模膛：是根据热锻件图设计的，其作用是使坯料最后变成锻件所要求的形状和尺寸。一般情况下，其型腔应和热锻件形状完全相同。但因锻件要冷缩，终锻模膛尺寸应比锻件尺寸大一个收缩量，钢件收缩量取 1.5%。另外沿模膛四周应有飞边槽，以增加金属向模膛外流的阻力，促使金属更好地充满模膛深处并容纳多余的金属成为飞边。

(2) 预锻模膛：其作用是使坯料预变形到接近锻件的外形尺寸，避免终锻时产生折叠和充不满等缺陷，以满足锻件的尺寸要求；同时还可以减少终锻模膛的磨损，延长锻模使用寿命。预锻与终锻模膛的主要区别是前者的圆角半径和斜度略大于后者，模膛周边无飞边槽。

并非所有可能产生上述缺陷的锻件都必须采用预锻，一些锻件可通过完善的制坯工步获得良好的质量。因此，预锻并不是在任何情况下都是必需的。

B　制坯模膛

制坯模膛如图 2-14-7 所示。

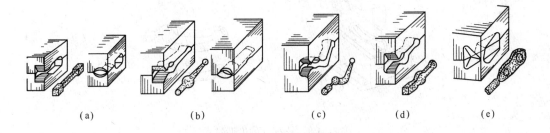

图 2-14-7　制坯模膛类型

(a) 拔长模膛；(b) 滚压模膛；(c) 弯曲模膛；(d) 成形模膛；(e) 切断模膛

(1) 拔长模膛。拔长模膛用来减少坯料部分横截面积以增加其长度。当锻件轴向截面相差较大时，则采用拔长模膛，如图 2-14-7(a) 所示。

(2) 滚压模膛。滚压模膛用来减少坯料局部横截面积，使金属按锻件的形状来分配，如图 2-14-7(b) 所示，以获得接近计算毛坯图的形状和尺寸。另外，也可起到清除氧化皮的作用。当锻件截面相差不很大时采用开式滚压模膛，当截面相差很大时，则采用闭式滚压模膛。

(3) 弯曲模膛。对于弯曲的杆类锻件，要采用弯曲模膛弯曲，使其符合终锻模膛在分模面上的形状，如图 2-14-7(c) 所示。坯料可直接或经其他制坯工步后，放入弯曲模膛。弯曲的坯料翻转 90° 后放入模锻模膛。

(4) 切断模膛。切断模膛由上下模角部的凸刃组成，如图 2-14-7(e) 所示，用以切断金属坯件。单件锻造时，用它来切下锻件或从锻件上切下钳柄。多件锻造时，用它来分割成单件。

除以上几种之外，尚有成形、镦粗台和压扁台等制坯模膛。

根据锻件复杂程度不同，模锻又可分为单模膛模锻和多模膛模锻两种。单模膛锻模是只加工出终锻模膛的一副锻模。如齿轮坯既是将棒料镦粗后直接放入模膛中成形；而多模膛模锻是在一副模上根据需要加工出多种模膛的锻模。

以弯曲连杆的模锻为例，如图 2-14-8 所示，模块上共有 5 个模膛。坯料经过拔长、滚压、弯曲三个制坯模膛的变形工步后，已初步接近锻件的形状，然后再经预锻和终锻模膛锻成为带有毛边的锻件。最后还需要在切边模上切除飞边才获得所需形状的锻件。

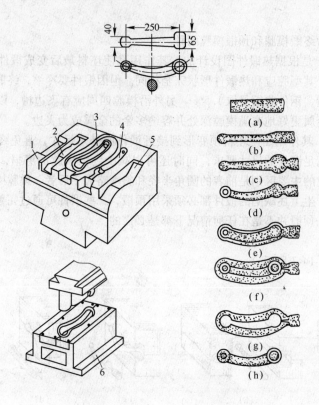

图 2-14-8　连杆件的模锻过程
（a）原始坯料；（b）拔长；（c）滚压；（d）弯曲；
（e）预锻；（f）终锻；（g）飞边；（h）锻件
1—拔长模膛；2—滚压模膛；3—终锻模膛；4—预锻模膛；5—弯曲模膛；6—切边模

14. 2. 3　模锻件工艺性分析

设计锻件时，应根据模锻特点和工艺要求，使锻件的结构符合下列要求，以利于生产和降低成本。

（1）锻件必须具有一个合理的分模面，以保证取件和制模的顺利。

（2）只在零件上有与其他工件配合的表面上留有加工余量，其他非配合面一律不留机械加工余量。

（3）设计零件的外形力求简单。最好是平直与对称，截面相差不宜过于悬殊。应避免薄壁、高筋、凸起等不利于成形的结构。

（4）在允许的条件下，尽量避免带有深孔或多孔结构，孔径小于 30mm 或大于直径 2 倍者，均难以锻出。

（5）对于形状复杂的大型零件，应尽量采用锻焊联合结构，以减少敷料，简化模锻工艺。

14. 3　在其他锻压设备上的模锻

锤上模锻虽然应用广泛，但由于结构和工艺性存在不少缺点，限制了其发展。近年来不论在国内外，对于成批和大量生产的中小型模锻件，越来越多地应用压力机进行模锻。

模锻压力机可分为：曲柄压力机、摩擦压力机、平锻机、精锻机和大吨位模锻水平压机等。

14.3.1 曲柄压力机上模锻

曲柄压力机是一种先进的模锻设备，其吨位用滑块运行到接近下死点时所产生的最大压力表示，一般为 2～120MN（200～12000t）。国产热模锻曲柄压力机的吨位及能锻制锻件的最大重量和尺寸如表 2-14-2 所示。

表 2-14-2　热模锻压力机的吨位和锻件重量

设备吨位/MN	10	16	20	31.5	40	80
锻件最大重量/kg	2.5	4.0	7.0	18	30	80
在分模面上的投影面积/cm²	150	240	310	570	800	1810
能锻齿轮直径/mm	130	175	200	270	320	480

曲柄压力机的结构特点是：作用到锻件上的是静压力，变形力由机架本身承受，不传给地基，无震动，噪音小；曲柄压力机是机械传动，工作时滑块行程不变，行程取决于曲柄的尺寸；机身刚度大，承受偏差能力强，导轨与滑块的间隙小，装配精度高，能保证上下模准确对合在一起，不产生错动；在工作台及滑块中间均有顶杆装置，模锻结束时，可将锻件从模腔中顶出；滑块的最大速度为 0.1～0.5m/s。

曲柄压力机因结构上的特点给模锻的生产工艺带来了一系列的特点：

（1）锻件的公差、余量减小（平均为锻锤的 50%～70%），出模斜度小且尺寸精度高；

（2）锻模可以设计成镶块式的，用螺栓和压板固定，组合模的制作简单，更换方便；

（3）对杆类零件可进行局部模锻，制坯是在平锻机和电镦机上进行的；

（4）金属在模腔内都是一次成形，坯料表面上的氧化铁皮不便清除，影响锻件表面质量；

（5）由于是一次成形，金属充满终锻模腔的深度有困难。因此，在终锻前常须采用预成形工步，如镦粗、弯曲、卡压、顶锻等；同时不利于延伸和滚压工步的进行。也可采用周期断面轧坯和中频感应加热措施，以满足大批量生产的要求。图 2-14-9 是经预锻成形的齿轮坯模锻工步。

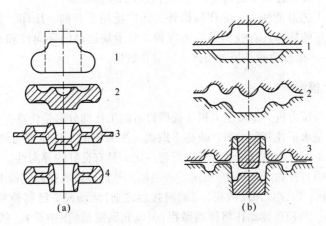

图 2-14-9　曲柄压力机上齿轮模锻坯工步

(a) 坯料变形过程；(b) 模腔

1—预成形；2—预锻；3—终锻；4—切除毛边和连皮后的锻件

综上所述，曲柄压力机上模锻与锤上模锻相比，具有以下优点：锻件尺寸精度高、模具寿命长和生产效率高，工人劳动条件好，节省原材料，便于实现机械化和自动化。

虽然曲柄压力机上模锻具有上述优点，但是由于设备构造复杂，制造费用高，目前我国仅在一些大工厂中采用，以适应大批量生产的需要。

14.3.2　螺旋压力机上模锻

锻造用螺旋压力机包括摩擦压力机和近年来发展起来的液压螺旋压力机（液压螺旋锤）。

螺旋压力机靠滑块上固定锻模的冲击力使坯料成形，其特点是无固定行程及超荷不敏感。它的打击速度低，行程次数少，进行锻模时，每分钟一般打击3~4次，在一般情况下螺旋压力机的吨位为0.8~3.5MN（80~350t），最大吨位可达12.5MN（1250t）。表2-14-3给出这方面的参数。

表 2-14-3　摩擦压力机的吨位和锻件重量

设备吨位/MN	1.6	3	4	5	6.3	8	10	12.5
锻件重量/kg	1	2	3	—	12	—	17	—
分模面处投影面积/cm²	50	95	250	—	490	—	960	—
能锻齿轮直径/mm	80	170	180	—	250	—	350	—

摩擦压力机具有如下特点：金属靠压力机的冲击作用产生变形；通过螺旋副传递能量，金属变形时滑块与工作台之间的受力由压力机的封闭框架承受；压力机滑块行程不固定，本身导向能力比锻锤好，设有下顶出机构；摩擦压力机的螺杆和往复运动的滑块是非刚性连接，其承受偏载的能力较差；摩擦压力机的滑块速度为3~4m/s。

摩擦压力机一般用于单模膛模锻，加预锻模膛时，两模膛的中心距不应超过螺杆节圆半径。复杂零件需用拔长、滚压、弯曲、预锻等工步，可用空气锤或辊锻机等设备制坯。摩擦压力机带有上下顶出装置，可以将轴类锻件立起镦锻。使用拼分式模具，进行无飞边模锻，配备无氧化加热炉时，可进行精密模锻。由于锻件重复加热，氧化皮难以清除，锻件表面质量较差。

摩擦压力机结构简单，重量轻，便于制造；维护方便，节约劳动力，使用费用低廉；对基础和厂房建筑要求不高；在中小批量生产中，有较好的经济效果。

摩擦压力机的工艺万能性大，除作模锻外，还广泛用于弯曲、压印、热压、精压和校正等。以后发展的液压螺旋锤具有较高的打击次数，且滑块运动的导向性和承受偏载的能力较好，因此可用于3~4个模膛的多模膛模锻，但设备较贵。

14.3.3　平锻机上模锻

模锻锤、热模锻压力机、螺旋压力机等模锻设备的工作部分都是作垂直往复运动的。而水平锻机的工作部分是水平往复运动的，故称平锻机。平锻机的工作原理与热模锻压力机相似，工作压力是静压力，而且由机身承受，滑块行程一定，具有良好的导向性。

平锻机上的模锻过程如图2-14-10所示。将一端加热的棒料放在固定模1内，棒料前端由挡料板4来定位（图中Ⅰ）。在凸模（冲头）与棒料接触之前，活动模2已将棒料夹紧，而挡料板4自动退出（图中Ⅱ）。凸模连续动作将棒端镦粗，金属充满模膛（图中Ⅲ）。然后滑块反向运动，凸模（冲头）从模膛中退出，活动模松开，挡料板又回到原位置上，锻件即可取出（图中Ⅳ）。

上述过程是在曲轴回转一周时间内完成的。由此可见平锻机上模锻是由固定模、活动夹紧模和凸模（或冲头）3部分组成的，因此平锻模有两个分模面。图2-14-11给出坯料经过几个模膛逐渐成形锻件的过程。因此主滑块从上到下要装有几个不同形状的凸模。分别为聚料模、预成形模4、成形及冲孔凸模6。相应的固定模1和活动夹紧模也组成凹模,凹模的夹紧模槽为2。工作时坯料逐一经过所有模膛完成各自工步,如镦粗、预成形、成形、冲孔及穿孔(同时切断)。

平锻机上活动凹模对固定凹模在卡紧时能产生很大的压力,因此常采用镶块Ⅱ来卡细或切断坯料。图2-14-11中镶块3、5、7、8等就是用来卡细坯料的,使锻件在穿孔时与棒料分离,镶块9用来切除穿孔余料10。

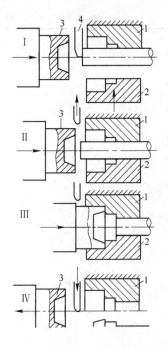

图2-14-10 平锻机上模锻过程
Ⅰ—挡板定值;Ⅱ—挡板退出;
Ⅲ—镦粗;Ⅳ—取出锻件
1—固定模;2—活动模;3—冲头;4—挡板

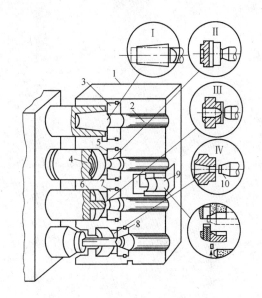

图2-14-11 平锻机锻模结构及模膛分布
Ⅰ~Ⅳ—第1工序~第4工序

平锻机适用于需要多次聚料成形的锻件,镦粗部分可以在棒料的端部或中部,特别适合于棒端镦粗锻件、穿孔件、长管端镦锻加厚件以及具有复杂内腔和外廓的筒形件,如汽车半轴。

综上所述,平锻机上模锻有以下特点:

(1)扩大了模锻的适应范围,能锻出在锤上或压力机上难于锻成的锻件;

(2)生产效率高,每小时可以生产400~900件;

(3)锻件尺寸精确,表面光洁;

(4)节省材料,锻件毛边很小,甚至无飞边;无冲孔连皮,无外壁斜度,材料利用率可达85%~95%;

(5)易于实现机械化操作,国产水平分模的平锻机带有棒料自动送进装置;

(6)平锻机本身的造价高,只适用于成批、大量生产。对于非回转体及中心不对称的零件锻造有困难。另外,平锻机靠凹模夹紧棒料进行锻造,一般要用高精度热轧钢材或冷拔整径钢材,否则夹不紧或在凹模间产生较大的纵向飞刺;锻前需特殊装置清除坯料上的氧化皮,否则锻件表面光洁度比锤上模锻件差。

平锻机的吨位以凸模的最大压力表示，一般为 0.5～1.5MN（50～150t）。可加工直径为 25～230mm 的棒料。我国制造平锻机吨位如表 2-14-4 所示。

表 2-14-4　平锻机吨位及锻件尺寸

设备吨位/MN	5	8	12.5	20
能锻最大锻件直径/mm	110	140	190	245
能锻最大棒料直径/mm	75	100	150	175
锻件平均重量/kg	2	4	10	20

15 冲 压 概 论

15.1 概述

冲压是塑性加工的基本方法之一,它是用压力机通过模具对板料进行加工,使其产生塑性变形,从而获得一定形状、尺寸和性能的制品。冲压不仅加工金属板料,也可加工非金属材料。

冲压生产靠模具与设备完成加工过程,生产率高。一般冲压加工每分钟可生产几件到几十件,而高速冲床已达到每分钟数百件甚至上千件;冲压操作简便,宜于实现机械化和自动化;产品尺寸精度高,互换性好,不需机械加工即可直接使用;同切削加工相比节约金属材料,在冲压过程中不破坏材料表面。

冲压在汽车、拖拉机、电机、电器、仪表以及日常生活用品的生产中占据十分重要的地位,也是国防工业生产的一种重要方法。如在交通运输方面,冲压件约占汽车零件数量的60% ~80%;飞机制造中,冲压件占零件总数的70% ~80%;导弹和卫星壳体中的结构件也采用冲压加工而成。电机、电器方面,电机的转子、锭子和整流元件、工业电器开关、继电器和仪表等零部件多为冲压件。

由于冲压制品应用的广泛性,可以说冲压生产的能力和技术水平在某种意义上代表了一个国家的工业化水平。

15.2 冲压的分类及发展方向

15.2.1 冲压加工的分类

由于冲压加工的零件形状、尺寸和精度要求不同,批量和原材料性能不同,在生产中采用的冲压方法也是多种多样的。但概括起来分为分离工序和成形工序两大类。

分离工序的目的是在冲压过程中使冲压件与板料沿一定轮廓线互相分离,且冲压件分离断面质量满足一定的要求。又可分为剪切、冲裁(包括落料和冲孔)及整修等。

成形工序的目的是使毛坯在不破坏的条件下发生塑性变形,并转化成所需要的成品形状,同时也满足尺寸精度要求。可分为弯曲、拉深、成形(包括翻边、缩口、胀形、扩口、校形等)及特种成形工艺。

15.2.2 冲压加工的发展方向

科学技术的迅速发展带动冲压技术不断向更高的方向迈进。主要表现在:

(1)工艺分析计算方法的现代化。近年来已广泛采用弹塑性有限元法对覆盖件成形过程进行应力应变分析与模拟,预测某一工艺对零件成形的可能性和将出现的问题,供设计人员进行修改和选择。这样不仅节省了模具实验费用,缩短试验周期,而且建立一套结合实际生产的先进设计方法,使冲压成形理论逐步达到对生产实际的指导作用。

(2)模具设计制造技术现代化。为加快机电产品的更新换代,缩短设计和制造周期,普遍都在开展计算机辅助设计和制造(CAD/CAM)的研究,提高了模具设计质量,大大减轻设计人员的重复劳动。

(3)冲压生产的机械化和自动化。冲压设备已由单工位低速压力机发展到多工位高速自动压力机。一般中小型冲压件即可在多工位压力机上生产，也可在高速压力机上采用多工位级进模加工。大型冲压件可在多工位压力机上自动送料、取件，进行机械化生产。

（4）为满足产品的更新换代和生产小批量的发展趋势，开发一些新的成形工艺、简易模具、通用组合模具、数控冲压设备和冲压柔性制造系统等。

（5）不断改进板料性能，以提高成形性和使用效果，如研制高强度钢板生产汽车覆盖件，减轻零件重量和提高其结构强度。

15.3　各种冲压成形方法的力学特点

在冲压成形过程中，外力都是通过模具作用于板坯上使之产生塑性变形，板坯内部同时产生内力。在一定外力的作用下也对应着产生不同的应力和变形。因此，为研究板坯内各点的应力和变形过程，必须研究各受力点的应力状态和应变状态及其相互关系。

各种冲压成形工艺中毛坯变形区的应力状态和变形特点是制定工艺、设计模具和确定极限变形参数的主要依据。冲压成形时，可将毛坯分成变形区和不变形区，不变形区可能是已经历变形的已变形区或未参与变形的待变形区，也可能是在整个过程都不参与变形的不变形区；当不变形区受力时，称为传力区。

从本质上看各种冲压成形过程就是毛坯变形区在外力作用下产生变形的过程，因此毛坯变形区的受力情况和变形特点是决定各种冲压变形根本性质的主要依据。

绝大多数冲压变形时金属都处于平面应力状态。可将冲压变形方式按毛坯变形区的受力情况和变形特点从力学上分为变形区受两向拉应力作用；变形区受两向压应力作用；毛坯变形区受异号应力作用，且拉应力绝对值大于压应力绝对值；毛坯变形区受异号应力作用，且压应力绝对值大于拉应力绝对值四种情况。

综合上述受力状态，可把全部冲压变形概况分为伸长类变形和压缩类变形。当作用于毛坯变形区内拉应力绝对值最大时，在这个方向上的变形一定是伸长变形，称为伸长类变形，包括冲压变形图中的 *MON*、*NOA*、*AOB*、*BOC* 及 *COD* 等五个区。当作用于毛坯变形区内的压应力绝对值最大时，在这个方向上的变形一定是压缩变形，称为压缩类变形，包括冲压变形图中的 *MOL*、*LOH*、*HOG*、*GOE* 及 *EOD* 等五个区。*MOD* 是伸长类与压缩类变形在冲压变形图上的分界线（图 2-15-1）；在冲压应力图上 *FOB* 是其分界线（图 2-15-2）。

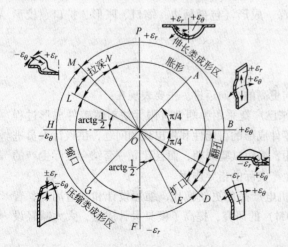

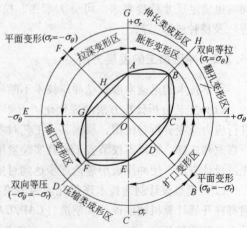

图 2-15-1　冲压变形图　　　　　　　　　图 2-15-2　冲压应力图

由于两类方法在变形力学上的本质区别，其关于极限变形系数的确定、影响因素和提高措施都是不同的。伸长类变形的极限变形参数主要取决于材料的塑性，可以板材的塑性指标表示。常采用提高材料塑性、减少变形不均匀性、消除变形区内易于引起应力集中而导致破坏的各种因素等方法提高极限变形参数。压缩类变形极限变形系数通常受毛坯传力区承载能力的限制，有时则受变形区或传力区的失稳起皱的限制。常采用提高传力区承载能力和降低变形区的变形抗力、采取措施防止毛坯变形区失稳起皱及以降低变形区变形抗力为目的的退火等方法提高压缩类变形的极限变形参数。

15.4 冲压变形的趋向性与控制

冲压过程中，坯料各部分在同一模具作用下，可发生不同形式的变形，即有不同的趋向性。一般情况下，可以把坯料分为变形区和传力区。冲压设备给的变形力作用于冲头和凹模，通过传力区施加于坯料的变形区，使坯料发生塑性变形。如图 2-15-3(a)缩口变形中的坯料 A 部分是变形区，B 部分是传力区。可是在变形过程中，变形区和传力区不是固定不变的。缩口开始时，随着凹模的下降变形区不断扩大，传力区不断减小，金属由传力区转移到变形区。而拉深过程中变形区不断地减小，传力区不断增加逐步形成制件的侧壁。当缩口发展到图 2-15-3(b)所示的阶段，变形区尺寸

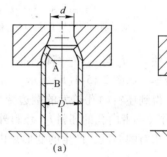
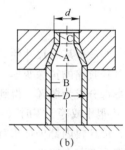

图 2-15-3 缩口变形坯料各部分的划分
A—变形区；B—传力区；C—已变形区

不再发生变化，由传力区进入变形区的金属体积和由变形区转移出去的金属体积相等，为稳定变形过程。在此阶段传力区 B 不断减小，已变形区 C 不断增大，变形区尺寸大小和变形区内应力数值与分布规律都不变，每一瞬间都代表全过程。

变形区发生塑性变形所需的力，是由模具通过传力区得到的，同一坯料的变形区和传力区都是相连的，在其分界面上作用的内力性质与大小完全相同。因此，在同一内力作用下，变形区和传力区都可能发生塑性变形。但是，由于它们可能产生塑性变形的方式不同，变形区和传力区之间的尺寸关系不同，一般情况下，总有一个区需要比较小的塑性变形力，先进入塑性状态，产生塑性变形。因此，可以认为这个区是相对的弱区。为了保证冲压过程的顺利进行，必须保证在该道工序中应该使变形部分成为弱区，并且把塑性变形限制在变形区，同时排除传力区产生塑性变形的可能。由此我们可以得出"冲压过程中，变形区为弱区，弱区必先变形"的结论。这一结论对于冲压生产具有很重要的实际意义。

当一个工件的变形区或传力区有两个以上的变形方式时，变形条件除保证变形区为相对弱区外，还要保证所需的变形力最小。例如图 2-15-3 的缩口变形时，变形区 A 可能产生的塑性变形是切向收缩的缩口和变形区受切向压应力作用下发生失稳起皱；传力区 B 可能产生的塑性变形是直壁部分的镦粗和弯曲。为使缩口变形顺利进行，要求在传力区不产生任何塑性变形，同时变形区不发生起皱现象，而是产生切向收缩的缩口变形。

在冲压生产过程中，对坯料趋向性的控制是保证冲压工艺顺利进行并得到高质量冲压零件的根本保证。因为在冲压生产过程中坯料的传力区和变形区不是固定不变的，而是在一定的条件下可以相互转变。在实际生产中控制坯料变形趋向性的措施有如下几个方面：

（1）变形坯料各部分的相对尺寸关系，是决定变形趋向性最重要的因素。图 2-15-4 中具有中心孔直径为 d_0 的坯料，由于尺寸 D 与 d 相对关系不同，具有三种可能的变形趋向性：拉深、翻边与胀形。

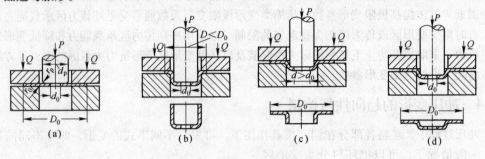

图 2-15-4　圆形板坯的变形趋向

（a）变形前的圆坯与工具；（b）拉深；（c）翻边；（d）胀形

当改变坯料尺寸使 D_0/d_p 与 d_0/d_p 都较小时，宽度为 D_0-d_p 的环形部分成为弱区，得到坯料外径收缩的拉深变形，如图 2-15-4（b）所示。当 D_0/d_p 与 d_0/d_p 都较大时，宽度为 d_p-d_0 的环形部分成为弱区，得到坯料内孔扩大的翻边变形，如图 2-15-3（c）所示。当 D_0/d_p 很大，而 d_0/d_p 很小或等于零时（不带内孔的坯料），坯料外环的拉深变形和内部的翻边变形阻力都增大了，但坯料内部仍是相对的弱区，产生的变形是内部胀形，如图 2-15-4（d）所示，成形仅靠坯料厚度变薄来实现。

（2）改变模具工作部分的几何形状和尺寸。例如增加凸模圆角半径 r_p 和减小凹模圆角半径 r_d 如图 2-15-4（a），可以使拉深变形阻力增大，使翻边阻力减小，有利于翻边变形。相反，增大凹模的圆角半径 r_d 和减小凸模的圆角半径 r_p，则有利于拉深变形的实现，不利于翻边变形。

（3）改变坯料与模具表面之间的摩擦阻力。例如加大图 2-15-4 所示的压边力 Q，使坯料和压边圈给凹模端面之间的摩擦阻力加大，不利于拉深而有利于翻边成形；相反则有利于拉深而不利于翻边成形。在生产中对变形坯料的润滑以及对润滑部位的选择，对坯料变形趋向性的控制起相对重要的作用。

（4）采用局部加热或局部冷却坯料的方法改变变形区的变形抗力，也能达到控制变形趋向性的目的，可使一次成形的极限变形程度增大，提高生产效率。

15.5　冲压工艺性的试验方法

板料冲压工艺性是指板料冲压成实际零件形状的能力，也就是能否用简便的工艺方法，高效率地生产出优质冲压件。板料的冲压工艺性能必须通过试验来鉴定。试验方法除拉伸、硬度和金相试验以外，还有工艺性试验，如反复弯曲试验、拉深性能试验和杯突试验等，它们分别用来鉴定板料的弯曲、拉深和胀性等性能。为了更准确地确定材料的工艺性能，必须在模拟各种变形性质的基础上进行特定的工艺性能试验。以下简要介绍五种较为重要的试验方法。前三种是弯曲试验、拉深性能试验和胀形试验，后两种是拉深—胀形试验和扩孔成形性能试验。

15.5.1　弯曲试验

弯曲试验方法如图 2-15-5 所示。在逐渐减小凸模直径规格的条件下，测定试样外层材料不产生裂纹时的最小弯曲半径，并计算出最小相对弯曲半径作为弯曲成形性能指标。最小相对弯曲半径越小，弯曲成形性能越好。

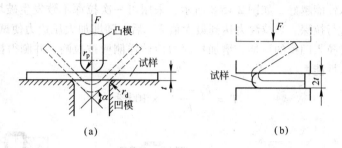

图 2-15-5 金属弯曲试验

（a）压弯法；（b）折弯法

用压弯法试验时，如果最小规格的凸模不能使试样外层材料产生肉眼可见的裂纹，则先用压弯法弯曲到170°左右，再对试样进行折叠弯曲，确定其弯曲半径。

15.5.2 胀形试验（杯突试验，Erichsen 试验）

杯突试验是用70mm×70mm的板料试样压紧在凹模和压边圈之间，如图 2-15-6 所示，使受压部分金属无法向周边流动，而后用直径为20mm的球形凸模将板料压入凹模，直至试样出现裂纹为止。胀形时的成形性能可用试样发生裂纹时冲头（凸模）的压入深度 IE 来鉴定。杯突试验结果受试样表面润滑影响较大，因此对润滑剂和润滑方法有一定要求。

15.5.3 拉深成形试验

A 圆柱平底凸模冲杯试验

该试验确定最大拉深程度，如图 2-15-7 所示。用不同直径的圆形毛坯（直径相差 1.25mm），在模具中进行拉深试验，取在侧壁不致破坏条件下可能拉深的最大毛坯直径 D_{max} 与冲头直径 d_p（常用 50mm）之比来计算极限拉深比 LDR，以 LDR 作为拉深成形性能指标：

$$LDR = \frac{D_{max}}{d_p}$$

B TZP 试验（拉深力对比试验）

采用在一定拉深变形程度（通常取拉深试样毛坯直径 D_0 与冲头直径 d_p 之比为52/30）下

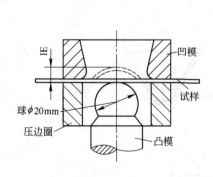

图 2-15-6 胀形试验

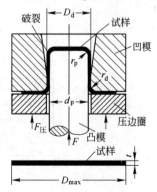

图 2-15-7 冲杯试验

的最大拉深力与在试验中已成形的试样侧壁拉断力之间的关系作为判断依据。两个力之间差别越大，板材的拉深性能越好，如图 2-15-8 所示，采用可一次拉深不致发生破坏的拉深试样直径，按一般方法进行拉深。当拉深力达到最大值 F_{max} 后，随即加大压边力使试样法兰边固定，消除继续变形时被拉入凹模的可能，增加拉深力使试样侧壁被拉断，并测得拉断力 F_f。用下式表示板材的冲压性能：

$$T = \frac{F_f - F_{max}}{F_f} \times 100\%$$

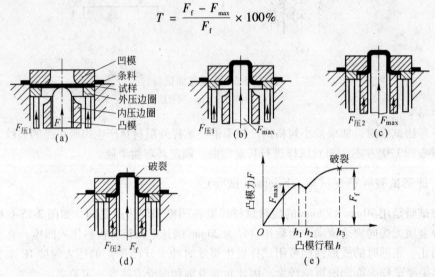

图 2-15-8　TZP 试验

（a）放料；（b）压边；（c）拉深；（d）破裂；（e）原理图

15.5.4　拉深-胀形成形性能试验（福井试验）

对于空心件的成形来说，凸缘部分的拉深变形与传力区坯料变薄的胀形都是同时进行的。根据这种成形特点模拟了如下试验，其试验装置如图 2-15-9 所示。利用球形凸模和 60° 角的锥形凹模在不用压边的条件下，对圆坯料进行拉深试验，使坯料成形为无凸缘的球底锥形件（一般取凸模直径 d_p 与试样毛坯直径 D 之比为 0.35）。试验测量底部刚刚开裂时杯口的最大直径 D_{cmax} 和最小直径 D_{cmin}，从而得到锥形杯值（Conical cup value），$CCV = \frac{1}{2}(D_{cmax} + D_{cmin})$，综合反映了同时拉深和胀形的能力。$CCV$ 值愈小，板料成形性能愈好。

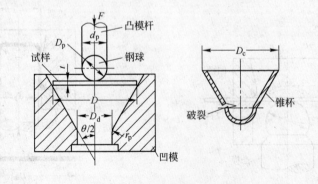

图 2-15-9　球底锥形拉深试验

15.5.5　扩孔成形性能试验

　　圆柱形平底凸模扩孔试验是坯料中间加工出直径为 d_0 的圆孔作为试样（图 2-15-10），用直径为 d_p 的凸模压入，当孔边开始拉裂时测量出的数据为孔的最大直径 d_{max} 和最小直径 d_{min} 的平均值 d_f 值，用以下公式作为判断材料扩孔性能指标：

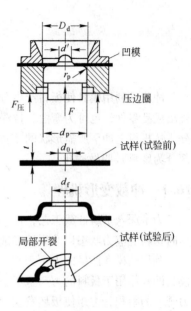

$$\lambda = \frac{d_f - d_0}{d_0} \times 100\%$$

　　孔的扩大量愈大，凸模压入的深度愈深，$d_{max} - d_{min}$ 愈小，则 λ 值愈大，板料综合性能愈好。这种综合试验反映了弯曲、翻边、拉深和胀形多种工序的变形特点，是鉴定板料综合性能较好的试验方法。

　　以上几种鉴定材料成形性能的方法，都是在比较单一或比较典型的条件下进行的。在实际生产中经常遇到的条件都是比较复杂的，变形方式与试验条件相差很大。对于复杂形状零件的成形，变形方式就更加复杂，仅根据以上试验方法

图 2-15-10　扩孔试验

所取得的结果，很难做出正确的判断。因此，在生产中还要利用网格法进行直接的工艺试验，然后检查零件在成形过程中的变形程度，再根据成形极限曲线来分析成形时可能或者已经发生的问题，借以作为改进工艺和模具设计的依据，或用来检验为解决成形问题所采取措施的效果。

16　冲　　裁

冲裁是利用模具使板料产生分离的冲压工序，包括冲孔、落料、切边和切口等。冲裁可直接出成品零件，也可为弯曲、拉深和翻边等工序准备坯料。冲裁后板料分为落料部分和冲孔部分。从板料上冲下所需形状的零件（或坯料）叫落料；在工件上冲出所需形状的孔（冲去的部分为废料）叫做冲孔。

16.1　冲裁变形机理

为了深入了解冲裁工艺，控制冲裁件的尺寸精度和断面质量，必须研究冲裁变形过程、变形时材料的应力状态以及裂纹形成的机理等。

利用凸模和凹模的上下刃口对板料进行冲裁，当凸模下降使材料变形时，板料就受到凸模、凹模作用于板料的力产生了一个力矩 M，其值等于凸模、凹模作用的合力与稍大于间隙的力臂 a 的乘积，力矩使板坯发生弯曲。因此，模具与坯料仅在刃口附近狭小区域内保持接触，使模具作用于坯料的力呈不均匀分布并随着模具刃口的靠近而急剧增加。图 2-16-1 是无压紧装置冲裁时材料的受力情况。

冲裁时，剪切变形区的应力状态是复杂的。对于无压紧装置冲裁时的应力状态图如图 2-16-2所示。

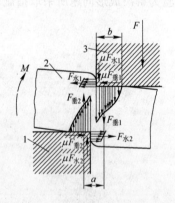

图 2-16-1　冲裁时作用于材料上的力

1—凹模；2—坯料；3—凸模

$F_{垂1}$、$F_{垂2}$—凸模、凹模对坯料的垂直作用力；

$F_{水1}$、$F_{水2}$—凸模、凹模对坯料的侧压力；

$F_{垂1}$、$\mu F_{垂2}$—凸模、凹模端面对坯料的摩擦力；

$\mu F_{水1}$、$\mu F_{水2}$—凸模、凹模侧面对坯料的摩擦力

以下是图 2-16-2 中各点应力状态的说明：

点 A——凸模下压引起周向压应力 σ_3，板料弯曲与凸模侧压力引起的径向压应力 σ_1 与侧压力引起的拉应力的合成应力为切向应力 σ_2；

点 B——凸模下压及板料弯曲引起的三向压应力；

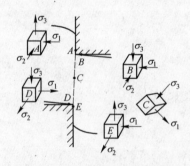

图 2-16-2　冲裁时应力状态图

点 C——沿纤维方向为拉力 σ_1，垂直于纤维方向为压应力 σ_3；

点 D——凹模挤压板料产生轴向压应力 σ_3，板料弯曲引起径向拉应力 σ_1 和切向拉应力 σ_2；

点 E——凸模下压引起轴向拉应力 σ_3，板料弯曲引起拉应力与凹模侧压力引起压应力合力产生的应力 σ_1 与 σ_2，该合成应力可能是拉应力，也可能是压应力，与间隙大小有关。

工件受力时从弹性、塑性变形开始以断裂告终。从金属断层腐蚀照片看出，凸模、凹模刃

口附近材料发生的塑性变形从刃口开始，随着切刃的深入，变形区向板料深度方向扩展，直到板料整个厚度方向上产生塑性变形，当变形达到一定值时，刃口附近坯料就产生裂纹。裂纹先从凹模刃口侧面处的材料开始，继而才在凸模刃口侧面处产生裂纹，上、下裂纹会合后工件最后分离，并在冲裁件上留有毛刺。

经过上述分析，可将冲裁变形过程分为三个阶段，如图 2-16-3 所示。

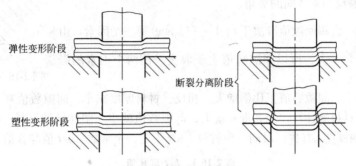

图 2-16-3　冲裁变形过程

第一阶段：弹性变形阶段。凸模接触材料，使材料受压产生弹性压缩、拉伸和弯曲变形。

第二阶段：塑性变形阶段。当凸模继续压入，材料内的应力状态满足塑性变形条件时产生塑性变形。在塑性剪切变形的同时，还有弯曲和拉伸变形，冲裁弯形力不断增大，直到刃口附近的材料由于拉应力的作用出现微裂纹时，冲裁变形力达到最大值。

第三阶段：断裂分离阶段。当凸模不断地继续压入，凸模刃口附近应力达到破坏应力时，先后在凹模、凸模刃口侧面产生裂纹，然后沿最大剪应力方向向材料内层发展，使材料最后分离。

冲裁变形不仅使冲出的工件带有毛刺，而且使其断面具有三个特征区，如图 2-16-4 的圆角带、光亮带与断裂带。圆角是冲裁过程中由于纤维的弯曲与拉伸而形成的，软材料比硬材料的圆角大。光亮带是塑性剪变形时，凸模、凹模侧压力将坯料压平而形成的光亮垂直的断面，通常光亮带占全断面的 1/2 ~ 1/3。断裂带是由刃口处的微裂纹在拉应力的作用下不断扩展而形成的撕裂面，使冲裁件断面粗糙不光亮，且有斜度。圆角带、光亮带、断裂带和毛刺四个部分在冲裁件

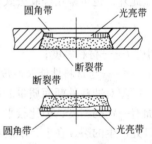

图 2-16-4　冲裁零件的断面

整个断面上所占的比例不是固定不变的，而是随材料力学性能、凸模凹模间隙和模具结构不同而变化。

16.2　凸模、凹模刃口尺寸的确定

16.2.1　合理间隙的确定

冲裁模间隙对冲裁件质量、冲裁力大小、模具寿命等的影响很大。合理的冲裁间隙是指冲裁时材料上、下两个剪裂纹重合，正好相交如图 2-16-5 的连线上。根据图上的几何关系可得到如下的计算公式：

$$C = (t - b)\tan\beta = t \cdot \left(1 - \frac{b}{t}\right)\tan\beta \qquad (2\text{-}16\text{-}1)$$

式中 C——单边间隙；

　　　　t——材料厚度；

　　　　b——光亮带宽度，或产生裂纹时凸模挤入的深度；

　　　　$\dfrac{b}{t}$——产生裂纹时凸模挤入材料的相对深度；

　　　　β——剪裂纹与垂线间的夹角。

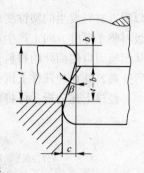

图 2-16-5   冲裁模间隙

由上式看出，合理间隙值取决于 t、$1-\dfrac{b}{t}$、$\tan\beta$ 等三个因素。由于角度 β 值的变化不大，所以间隙数值主要取决于前两个因素的影响。

材料厚度增大，间隙数值正比例增大。相反，材料厚度减小，间隙数值减小。比值 b/t 和材料性能有关，材料塑性好，光亮带 b 就大，间隙数值就小。塑性低的材料，间隙值要大些。b/t 值还与材料的厚度 t 有关；对同一种材料，b/t 不是一个常数。b/t 值与 β 值见表2-16-1。

表 2-16-1 b/t 与 β 值

材　　料	$b/t \times 100\%$				β
	$t < 1\mathrm{mm}$	$t = 1 \sim 2\mathrm{mm}$	$t = 2 \sim 4\mathrm{mm}$	$t > 4\mathrm{mm}$	
软　钢	75 ~ 70	70 ~ 65	65 ~ 55	50 ~ 40	5° ~ 6°
中硬钢	65 ~ 60	60 ~ 55	55 ~ 48	45 ~ 35	4° ~ 5°
硬　钢	50 ~ 47	47 ~ 45	44 ~ 38	35 ~ 25	4°

此外，也可采用经验公式计算间隙值

$$C = mt \qquad\qquad (2\text{-}16\text{-}2)$$

式中 t——材料厚度；

　　　　m——与材料性能及厚度有关的系数。

间隙对冲裁件断面质量的影响也很大。在合理间隙下冲裁时，裂纹将相互重合，此时工件断面有一定的斜度，但比较平直、光洁，毛刺很小，如图2-16-6所示。当间隙过小时，凹模刃口处产生的裂纹在上、下裂纹中间部分将产生二次剪切，被凸模挤入凹模腔中，断面中部留下撕裂面，两头呈光亮带，端面出现挤长的毛刺，但易去除，如图2-16-6(a)。间隙过大时，

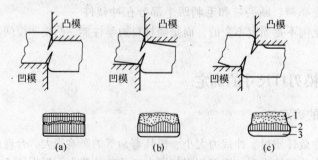

图 2-16-6   间隙大小对制件断面质量的影响

（a）间隙过小；（b）间隙合适；（c）间隙放大

1—断裂带；2—光亮带；3—圆角带

材料弯曲和拉伸变形增大，拉应力增大使裂纹在离开刃口稍远的侧面上产生，使光亮带减小，圆角与断裂斜度都增大，毛刺大而厚，难以去掉，如图2-16-6(c)所示。从图2-16-6(b)看出，间隙在一定范围内变化时，毛刺高度小而变化不大，这称为毛刺稳定区。

经验证明，间隙是影响模具寿命诸因素中最重要的因素。在冲裁过程中，凸模与被冲孔之间、凹模与落料件之间均有摩擦存在，间隙越小，摩擦越严重。实际生产中由于制造误差和装配精度的限制，凸模不可能绝对与凹模平面垂直，间隙也不可能均匀分布，所以过小的间隙对模具的寿命很不利。间隙较大使凸、凹模侧面及材料间摩擦减小，并减缓间隙分布不均匀的影响，从而提高模具使用寿命。

间隙对冲裁力的大小有一定的影响。但当单边间隙介于板料厚度的5%~20%范围内时，冲裁力降低并不显著（不超过10%），因此间隙对冲裁力的影响不甚显著，如图2-16-7所示。但对卸料力、推件力的影响比较显著。

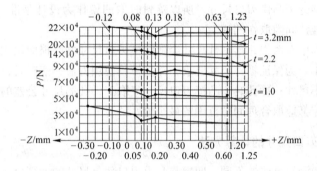

图 2-16-7　间隙区（双边）对冲裁力 P 的影响
材料：钢，凹模直径60mm

间隙对冲裁件尺寸精度的影响见图2-16-8。间隙对于冲孔和落料精度的影响规律是不同的，在很大程度上与材料本身的纤维方向有关。

由上述可知，冲裁间隙对断面质量、模具寿命、冲裁力以及尺寸精度的影响规律是不同的。同时保证冲裁件断面质量最佳、尺寸精度最高、冲裁力最小和冲模寿命最长是不可能的。在生产中，选用间隙主要考虑冲裁件断面质量和模具寿命两个主要因素。当冲裁件断面质量要

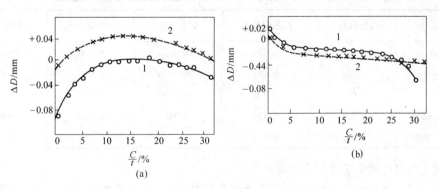

图 2-16-8　间隙 C 对冲裁件尺寸精度的影响
材料：带钢；冲裁直径：$\phi10mm$；料厚：1.6mm
（a）冲孔，ΔD = 冲孔径-凸模外径；（b）落料，ΔD = 落料件外径-凹模直径
1—纤维方向；2—垂直于纤维方向

求高时，应选取较小的间隙值，而对冲裁件的断面质量要求不高时，则应尽量加大间隙值，以利提高模具的使用寿命。考虑到模具制造中的偏差及使用中的磨损，实际生产中通常选择一个适当的范围作为合理间隙，就可以冲出良好的制件。这个范围的最小值叫做最小合理间隙 Z_{min}，最大值叫做最大合理间隙 Z_{max}。

冲裁件尺寸和冲裁间隙都决定凸、凹模刃口的尺寸。因而正确确定冲裁模刃口尺寸及其公差是冲模设计中一个重要问题。

16.2.2　凸、凹模刃口尺寸的计算原则

模具刃口尺寸精度是影响冲裁件尺寸精度的首要因素，模具的合理间隙值也要靠模具刃口尺寸及其公差来保证。从生产实践中可知：

冲裁时，冲孔直径和落料件外形尺寸取决于光亮带尺寸，即落料件的尺寸接近于凹模刃口尺寸，冲孔的尺寸接近于凸模刃口尺寸。所以落料时取凹模作为设计基准，间隙取在凸模上；冲孔时取凸模为基准，间隙取在凹模上。

冲模在使用过程中有磨损，落料件尺寸会随凹模刃口尺寸的磨损而增大，而冲孔的尺寸则随凸模的磨损而减小。为保证零件尺寸要求，提高模具使用寿命，落料时，凹模刃口尺寸应取工件尺寸公差的较小尺寸；冲孔时，凸模刃口尺寸应取工件孔的尺寸公差的较大尺寸。无论落料和冲孔，冲模间隙都应取合理间隙范围的最小值。

16.2.3　凸、凹模刃口尺寸的计算方法

由于模具加工和测量方法的不同，凹模与凸模刃口部分尺寸的计算公式与制造公差和标准也不同，它可以分为两类。

16.2.3.1　凸模与凹模分开加工

对圆形或简单形状工件，为保证间隙值，须满足下列条件：

$$\delta_p + \delta_d \leqslant Z_{max} - Z_{min} \tag{2-16-3}$$

式中　δ_p、δ_d——凸模、凹模的制造公差（见表 2-16-2）；

表 2-16-2　规则形状（圆形、方形）件冲裁时凸模、凹模的制造公差　　　　　（mm）

基本尺寸	凸模偏差 δ_p	凹模偏差 δ_d	基本尺寸	凸模偏差 δ_p	凹模偏差 δ_d
≥18	0.020	0.020	>180~260	0.030	0.045
>18~30	0.020	0.025	>260~360	0.035	0.050
>30~80	0.020	0.030	>360~500	0.040	0.060
>80~120	0.025	0.035	>500	0.050	0.070
>120~180	0.030	0.040			

冲模刃口尺寸的关系是：

冲孔：设工件孔的尺寸为 $d_0^{+\Delta}$。首先确定凸模刃口尺寸，使凸模基本尺寸接近或等于工件孔的最大极限尺寸，再增大凹模尺寸，以保证最小合理间隙 Z_{min}。凸模制造取负偏差，凹模取正偏差。各部分的尺寸见图 2-16-9a。冲孔时凸、凹模刃口尺寸为：

$$d_p = (d + x\Delta) - \delta_p \tag{2-16-4}$$

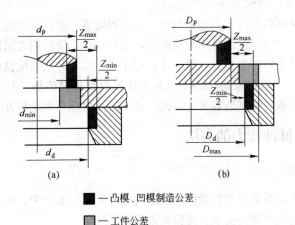

—凸模、凹模制造公差

—工件公差

图 2-16-9　冲模刃口尺寸的确定

（a）冲孔；（b）落料

$$d_d = (d_p + Z_{min})^{+\delta_d} = (d + x\Delta + Z_{min})^{+\delta_d} \qquad (2\text{-}16\text{-}5)$$

落料：设计工件尺寸为 $D_{-\Delta}$，首先确定凹模尺寸，使凹模名义尺寸接近或等于工件轮廓的最小极限尺寸，再减小凸模尺寸以保证最小合理间隙值 Z_{min}，各部分尺寸见图 2-16-9（b）。其计算方法为：

$$D_d = (D - x\Delta)^{+\delta_d} \qquad (2\text{-}16\text{-}6)$$

$$D_p = (D_d - Z_{min})_{-\delta_p} = (D - x\Delta - Z_{min})_{-\delta_p} \qquad (2\text{-}16\text{-}7)$$

式中　d_p、d_d——冲孔凸、凹模名义尺寸；

$\quad\quad D_d$、D_p——落料凹、凸模名义尺寸；

$\quad\quad d_{min}$——冲孔工件的最小极限尺寸；

$\quad\quad D_{max}$——落料工件外径的最大极限尺寸；

$\quad\quad \Delta$——工件制造公差；

$\quad\quad Z_{min}$——最小双面合理间隙；

$\quad\quad x\Delta$——磨损量，系数 x 是为使冲裁件的实际尺寸尽量接近冲裁件公差的中间尺寸。

$\quad\quad x$ 值在 0.1～1 之间，与工件制造精度有关，可查表 2-16-3，或按下列关系取：

工件精度 IT10 以上，$x = 1$；

工件精度 IT11～13，$x = 0.75$；

工件精度 IT14，$x = 0.5$。

表 2-16-3　系数 x 的选取

系数 x	非圆形			圆 形	
	1	0.75	0.5	0.75	0.5
材料厚度 t/mm	工件公差 Δ/mm				
1	<0.16	0.17～0.35	≥0.36	<0.16	≥0.16
1～2	<0.20	0.21～0.41	≥0.42	<0.20	≥0.20
2～4	<0.24	0.25～0.49	≥0.50	<0.24	≥0.24
>4	<0.30	0.31～0.59	≥0.60	<0.30	≥0.30

16.2.3.2　凸模与凹模配合加工

对于形状复杂或薄坯料工件，为保证凸模、凹模间隙值，必须采用配合加工。即先做好其中的一件作为基准件，然后以此基准件为标准来加工另一件，使它们之间保持一定的间隙。因此只在基准件上标注尺寸和制造公差，另一件只标注基本尺寸并注明配做所留间隙值。这样 δ_p 与 δ_d 不再受间隙限制。一般可取 $\delta = \Delta/4$。这种方法不仅容易保证凸、凹模间隙很小，而且还可放大基准件的制造公差，使制造容易，因此一般工厂目前都采用此种方法。

16.3　冲裁力及降低冲裁力的方法

16.3.1　冲裁力的计算

冲裁力是选择冲压设备吨位和检验模具强度的重要依据。生产中，冲床的能力必须大于所计算的冲裁力，才能适应冲裁的要求，避免设备超载而破坏。

平刃模具冲裁时，冲裁力 P 可以按下式计算：

$$P = kLt\tau \tag{2-16-8}$$

式中　t——材料厚度；

　　　τ——材料的抗剪强度；

　　　L——冲裁件的周长；

　　　k——系数。

系数 k 是考虑到实际生产中各种因素而给出的一个修正系数，如模具间隙波动和不均匀、刃口钝化、板材性能及厚度波动等。一般可取 $k = 1.3$。

材料抗剪强度 τ 不仅与材料性质有关，还与材料硬化程度、材料相对厚度、凸模和凹模相对间隙（Z/t）以及冲裁速度有关，可用下式计算：

$$\tau = \left(\frac{mt}{d} + 0.6\right)\sigma_b \tag{2-16-9}$$

式中　m——与相对间隙有关的系数；

　　　σ_b——材料抗拉强度。

16.3.2　降低冲裁力的方法

冲裁高强度材料和厚度大、周边长的工件时，若所需冲裁力超过现有设备负荷时，就必须采取措施降低冲裁力，方法有如下几种：

（1）热冲：热冲可以降低抗剪强度，从而降低冲裁力。因为一般钢材加热后产生氧化铁皮，故此种方法只适用厚板或者工件表面及精度要求不高的制件。

（2）斜刃口模具冲裁：一般冲模冲裁时，因刃口是平的，在冲裁大型或厚板工件时，冲裁力很大。可将凸模或凹模刃口平面作成与其轴线倾斜一个角度，如图 2-16-10，冲裁时刃口

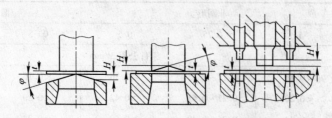

图 2-16-10　斜刃口冲裁模与阶梯形凸模

就不同时切入制件，从而减少了剪切面积，降低冲裁力。为了制取平整的制件，落料时凸模应作成平刃，凹模做成斜刃；冲孔时应将凸模做成斜刃，凹模做成平刃。设计斜刃时，应将斜刃对称布置，以避免冲裁时凹模承受单向侧压力而发生偏移，啃坏刃口。斜刃角度不宜过大，可按表 2-16-4 来选取。

（3）阶梯形凸模：在多模冲裁时，将凸模制成不同高度，如图 2-16-10 所示，使各凸模冲裁力的最大值不同时出现，就可以降低总的冲裁力。

斜刃冲模的冲裁力可用斜刃剪切公式近似计算，即

$$P_{斜} = K \frac{0.5t^2 \tau}{\tan\varphi} \approx \frac{0.5t^2 \sigma_b}{\tan\varphi} \tag{2-16-10}$$

式中　K——系数，一般取 1.3；

　　　τ——材料抗剪强度；

　　　φ——刃口斜角，一般小于 12°。

表 2-16-4　一般采用的斜刃数值

材料厚度 t/mm	斜刃高度 H/mm	斜刃角 φ	材料厚度 t/mm	斜刃高度 H/mm	斜刃角 φ
<3	$2t$	<5°	3~10	t	<8°

16.4　冲裁件的整修

一般冲裁方法所冲出的零件断面粗糙且带有斜度，精度较差。对尺寸精度要求高、表面与剪切断面垂直的零件，一般冲裁方法难以达到要求。整修就是使一般冲裁方法冲制的零件达到尺寸精度和表面光洁平整的目的。

整修工艺如图 2-16-11 所示。整修是利用整修模沿冲裁件外缘或内孔刮去一层薄薄的切屑，以除去一般冲裁在断面上留下的塌角、毛刺和剪裂带等，从而提高冲裁件的加工精度和表面质量。整修可分为外缘整修和内孔整修。整修机理和冲裁完全不同，与机械切削加工相似。

16.4.1　外缘的整修

外缘整修如图 2-16-11(a)所示。将留有整修余量的制件放在整修凹模上，由凸模将坯料压入凹模，余量被凹模切掉成为废屑。整修余量不能太多，一般希望整修次数越少越好，可能时尽量采用一次整修。但一次整修量不能太大，否则会出现类似冲裁的剪裂情况。一次可能切除的单边整修量，一般小于材料厚度的 10%。对于厚度小于 3mm 且外形简单的工件，一般只需要一次整修。厚度大于 3mm 或工件有尖角时，需进行多次整修。

16.4.2　内孔的整修

内孔整修如图 2-16-11(b)所示。整修过程与外缘相似，不同的是利用凸模切除余量。整修的目的是校正孔的坐标位置，降低粗糙度和提高孔的尺寸精度。整修内孔需要合理的余量，过大的余量不仅降低凸模寿命，而且切断面将被拉裂，影响表面粗糙度和精度；余量过小则不能达到整修的目的。

整修余量用以下公式计算（见图2-16-12）：

$$\Delta D = 2s + c = 2\sqrt{\Delta x^2 + \Delta y^2} + c \approx 2.8x + c \tag{2-16-11}$$

式中　ΔD——双边整修余量；

　　　s——整修前孔的最大偏心距；

x——整修前孔中心坐标对于名义尺寸位置的最大错位，可查表 2-16-5；

c——补偿定位误差，可查表 2-16-6；

Δx、Δy——整修前孔可能具有的最高坐标误差。

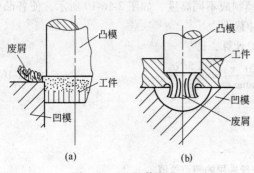

图 2-16-11　整修工艺　　　　　　　图 2-16-12　整修孔的尺寸关系

表 2-16-5　x 值的确定

材料厚度 t/mm	x 值/mm	
	预先用模具冲孔	预先按中心钻孔
0.5 ~ 1.5	0.02	0.04
1.5 ~ 2.0	0.03	0.05
2.0 ~ 3.5	0.04	0.06

表 2-16-6　补偿定位误差 c 值

作为定位基准的孔和整修孔中心的距离或整修孔中心与作为定位基准的外形轮廓的距离/mm	c 值/mm	
	以孔为基准	以外形为基准
10	0.02	0.04
10 ~ 12	0.03	0.06
20 ~ 40	0.04	0.08
40 ~ 100	0.06	0.12

除上述介绍的提高冲裁件质量的方法外，还采用精密冲裁、半精密冲裁等技术。精密冲裁是使材料在冲裁过程中处于三向压应力状态，增强变形区的静水压力，抑制材料的断裂，使其在不出现剪裂纹的条件下以塑性变形方式实现材料的分离。精冲条件的形成主要是依靠 V 形压边环、极小的冲裁间隙、凹模（凸模）刃口略带小圆角和反压力顶杆等。

常见的半精密冲裁包括小间隙圆角刃口冲裁、负间隙冲裁、上下冲裁、对向凹模冲裁等。小间隙圆角刃口冲裁的凹模刃口为圆角，采用极小间隙，提高了冲裁区静水压力，抑制了裂纹的产生。

负间隙冲裁时，凸模尺寸比凹模尺寸大（0.05 ~ 0.3）t，冲裁过程中出现的裂纹方向与普通冲裁相反，形成一个倒锥形毛坯。开始时是在凸模与凹模刃口附近产生裂纹，然后，落料件从带小圆角的凹模孔中挤出。因此，负间隙冲裁是落料和整修的复合工序，其冲裁力比普通冲裁大得多，应采用良好的润滑防止材料粘膜，延长模具的寿命。该方法只适于冲裁塑性好的软材料。

　　上、下冲裁是先向某一方向冲裁，当凸模挤入深度达（0.15～0.3）t 时中止，再从另一相反方向冲裁而得到零件。由于经过上下两次冲裁，可以得到上下两个光亮带，从而增大了光亮带在断面上的比例，并消除毛刺，使断面质量大为提高。

　　对向凹模冲裁是采用一个平凹模和一个带小凸台的凹模进行冲裁。带小凸台的凹模除凸台外刃与下面平凹模刃口之间起剪切作用外，还起到向下挤压落料件的作用，冲裁后工件为双面塌角，但无毛刺。凹模上小凸台的宽度可取材料厚度的30%～40%。

　　冲裁工艺除了上述方法上的改进外，近年来在模具材料上取得了较大进展，主要有聚氨酯冲裁、锌基合金模冲裁和硬质合金模冲裁等。聚氨酯冲裁是用聚氨酯橡胶代替钢质冲模中的凸模、凹模或凸凹模。锌基合金模冲裁是以锌为主体的锌、铝、铜合金作模具材料，落料时用其做凹模，用钢质做凸模；冲孔时则反之，在冲裁时只有合金模具磨损。硬质合金模冲裁是以硬质合金做模具材料，极大提高模具的使用寿命。

17　弯　曲

　　将平板、型钢或管材等弯成具有一定角度、曲率和形状的工序叫做弯曲。弯曲成形应用广泛，是冲压基本工序之一。如汽车纵梁、自行车把、支架、电器仪表外壳和门窗铰链等零件，都是用弯曲方法制成的。尽管弯曲方法各有不同，但弯曲过程及特点具有其共同的规律。

17.1　弯曲变形过程分析

　　坯料在 V 形模内的弯曲变形过程如图 2-17-1 所示。可以看出，在弯曲过程中，板料的弯曲半径与支点距离随凸模下行逐渐减小，而在弯曲终了时，板料与凸模、凹模弯曲贴合。当凸模上行卸载时，应该得到 V 形角的弯曲半径 r 和弯曲角 α 与模具形状完全一致，但是，由于弯曲变形过程的复杂性，使其发生了变化。

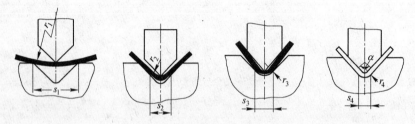

图 2-17-1　V 形件底弯曲变形过程

17.1.1　弯曲件的弹复

　　板料在常温下弯曲时，塑性弯曲的同时总是伴有弹性变形，在变形载荷去掉之后，塑性变形保留下来，弹性变形则立即恢复，其形状和尺寸都发生与加载方向相反的变化，这种现象叫做弹复（回弹）。弹复是弯曲成形时的普遍现象，其结果是弯曲半径和弯曲角与模具产生差别，直接影响弯曲件的质量。

　　板料弯曲过程中的应力分布情况如图 2-17-2 所示。开始时相对弯曲半径 r/t（t 为板厚）较大，板料内部仅产生弹性弯曲。由于外层纤维受拉，内层纤维受压，弯曲区内、外层切向应力最大，在板料的中层，应力和应变为零，如图 2-17-2(a) 所示。凸模继续下压，r/t 值不断减小，弯曲区变形程度逐步增大，表层切向应力首先达到屈服点，并逐步向板料中心扩展，这时板料内部处于弹塑性状态，如图 2-17-2(b) 所示。凸模再下压，r/t 值继续减小，变形程度继续增大，板料内层、外层和中心的切向应力全部超过屈服极限进入塑性弯曲，如图 2-17-2(c) 所示。可见，弯曲后的弹复现象总是存在的。如何减小和控制板料弯曲弹复

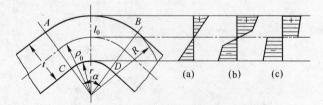

图 2-17-2　板料弯曲时内部底应力状态
(a) 弹性弯曲；(b) 弹-塑性弯曲；(c) 纯塑性弯曲

值是制定弯曲工艺的主要内容。

17.1.2 中性层位置的内移

板料弯曲时，在外层拉伸与内层压缩之间存在着一个既不伸长，也不缩短的纤维层，称之为应变中性层，曲率半径用 ρ_ε 表示。坯料断面上的应力，在外层拉应力过渡到内层压应力时，必定有一层金属切向应力为零，称为应力中性层，曲率半径用 ρ_σ 表示。应变中性层用于弯曲件毛坯长度计算，应力中性层用来计算弯曲应力和应力分析。弹性弯曲时，应变中性层与应力中性层相重合，位于板料中央，其曲率半径用 ρ 表示，即

$$\rho = \rho_\varepsilon = \rho_\sigma = r + \frac{t}{2} \tag{2-17-1}$$

式中　r——弯曲半径。

当变形程度较大时，应力中性层和应变中性层都从板厚中央向内层移动，而且应力中性层的位移大于应变中性层的位移，即 $\rho_\varepsilon > \rho_\sigma$。

17.1.3 弯曲变形区板料厚度变化

板料弯曲时，以中性层为界，外层纤维受拉使厚度减薄，内层纤维受压使板坯增厚。因此塑性弯曲时，中性层位置向内移动，使外层拉伸变薄区范围逐步扩大，内层压缩增厚区不断缩小，外层减薄量会大于内层增厚量，从而使弯曲坯料厚度变薄。弯曲时的厚度变薄会影响弯曲件质量，因而在拟订弯曲工艺和模具数据时，必须采取适当的措施。

17.1.4 板料长度的变化

弯曲件宽度方向的尺寸一般情况下要比厚度方向的尺寸大得多，所以弯曲前后板料宽度 b 可以近似地认为是不变的。但是，由于板料弯曲时中性层位置的内移，出现了板厚减薄的现象。根据体积不变条件，减薄的结果使板料长度 L 必然增长。相对弯曲半径 r/t 愈小，减薄量愈大，板料长度的增加也愈大。因此，对于 r/t 值较小的弯曲件，计算坯料长度时必须考虑弯曲后的板坯增长问题，并且要经过多次试验，才能得出合适的坯料展开尺寸。

17.1.5 板料横断面的变形

相对宽度较小（$b/t \leqslant 3$）的板料弯曲时，外层受拉，引起板料宽度和厚度的收缩；内层受压，使板宽和厚度增加，所以弯曲变形后板料横断面变成梯形，同时内外层发生微小的翘曲。

相对宽度较大（$b/t > 3$）的板料弯曲时，宽度方向伸长和压缩受到限制，材料不易流动。因此横断面变化不大，仍为矩形，仅能在端部出现翘曲和不平。此外，塑性弯曲时，外缘表层的切向拉应力最大，当外层拉应力 σ 超过板料抗拉强度 σ_b 时，就会沿板料折弯线方向拉裂。相对弯曲半径 r/t 愈小，变形程度愈大，外层纤维切向拉裂可能性也愈大。

17.2 弯曲时的应力和应变状态

弯曲时变形区的应力与应变状态与板料的相对宽度 b/t 有关，它直接影响沿着宽度的应变，进而影响应力，如图 2-17-3 所示。

17.2.1 应变状态

切向的应变状态为，外区拉伸应变，内区压缩应变。

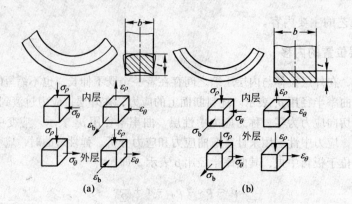

图 2-17-3　自由弯曲时的应力与应变状态

（a）内区；（b）外区

厚向的应变状态为，弯曲时，切向应变 ε_θ 为绝对值最大的主应变 ε_{max}。根据体积不变条件，沿板料宽度和厚度方向，必然产生与 ε_θ 符号相反的应变。在板料的外区，切向主应变 ε_θ 为拉伸应变，所以厚度方向的应变 ε_r 为拉应变。

宽向的应变状态为，对于 $b/t \leqslant 3$ 的窄板，材料在宽度方向可以自由变形，所以在外区的应变 ε_w 为压应变，内区为伸长应变；对于宽板 $b/t > 3$，由于材料在宽度方向流动受阻，几乎不变形，所以无论内区和外区在宽度方向的应变 $\varepsilon_w = 0$。

综上可知，窄板弯曲的应变状态是立体的，宽板弯曲的应变状态是平面的。

17.2.2　应力状态

切向的应力状态为：外区受拉，内区受压。

厚向的应力状态为，外区材料在板厚方向产生压缩变形 ε_r，因此材料有向中心移动的倾向。愈靠近外表层，其切向拉应变愈大，故材料移向曲率中心的倾向愈大。这种不同步的转移，在板厚方向的拉伸变形 ε_r 受到外区材料向曲率中心移近的阻碍，产生了压缩应力 σ_r。

宽向的应力状态和应变状态一样相似，对于 $b/t \leqslant 3$ 的窄板，由于材料宽向应变不受阻碍，所以无论是内区还是外区，其应力均为零。而对于 $b/t > 3$ 的宽板，由于外区材料在宽向的收缩受阻而产生拉应力 σ_w；因内区材料在宽向的伸长受阻而产生压应力 σ_w。

17.3　应变中性层位置与最小弯曲半径的确定

17.3.1　应变中性层位置

如前所述，在弯曲程度不大（$r > 5t$）时，应变中性层位置在板厚的中央，即

$$\rho = r + \frac{t}{2}$$

在小圆角半径弯曲（$r < 5t$）时，应变中性层向板料内缘移动。其位置可根据弯曲前后体积不变确定。

弯曲前变形区的体积　　　　　$V_0 = Lbt$　　　　　　　　　　　　　　（2-17-2）

弯曲后变形区的体积　　　　　$V = \pi(R^2 - r^2)\dfrac{\alpha}{2\pi}b$　　　　　　　　（2-17-3）

故　　　　　　　　　　　　　$Lt = (R^2 - r^2)\dfrac{\alpha}{2}$　　　　　　　　　　（2-17-4）

式中　L——材料弯曲部分长度；

　　　r——弯曲件的内半径，即弯曲半径；

　　　t——材料厚度；

　　　R——弯曲件外半径；

　　　α——弯曲件中心角。

因应变中性层变形前后的长度不变，则：$L = \alpha\rho_\varepsilon$

代入式（2-17-4）得　　　　　　　　　$\rho_\varepsilon = \dfrac{R^2 - r^2}{2t}$

以 $R = r + \eta t$ 代入上式得　　　　$\rho_\varepsilon = \left(\dfrac{r}{t} + \dfrac{\eta}{2}\right)\eta t$ 　　　　　（2-17-5）

式中　η——材料变薄系数，其值决定弯曲半径，可由表 2-17-1 查得。

板料弯曲时应变中性层至内表面的距离 Kt 由下式决定：

$$Kt = \rho_\varepsilon - r = \frac{\eta^2 - t}{2} - r(1 - \eta) \qquad (2\text{-}17\text{-}6)$$

表 2-17-1　弯曲角为 90°时系数 η 和 K 值（10~20 钢）

r/t	0.1	0.25	0.5	1.0	2.0	3.0	4.0	>4.0
η	0.82	0.87	0.92	0.96	0.985	0.992	0.995	1.0
K	0.32	0.35	0.38	0.42	0.455	0.47	0.475	0.5

17.3.2　最小弯曲半径

弯曲半径愈小，板料外表面层的变形程度愈大，如果相对弯曲半径太小，则弯曲后外表层纤维的拉伸变形超过材料最大许可变形而出现裂纹或折断。在保证坯料外表层不发生破坏的情况下，工件能够弯成的内表面最小圆角半径，叫做最小弯曲半径，用 r_{min} 表示。

最小弯曲半径可用理论公式求得。弯曲时外表层的延伸率

$$\delta = \frac{(R + \eta t)\alpha - \rho_\varepsilon\alpha}{\rho_\varepsilon\alpha} \qquad (2\text{-}17\text{-}7)$$

$$\psi = \frac{\delta}{1 + \delta} = \frac{r + \eta t - \rho_\varepsilon}{r + \eta t} \qquad (2\text{-}17\text{-}8)$$

将式（2-17-5）代入上式得

$$\psi = \frac{r + \eta t - \left[\left(\dfrac{r}{t} + \dfrac{\eta}{2}\right)\eta t\right]}{r + \eta t} \qquad (2\text{-}17\text{-}9)$$

经整理后得

$$r = \frac{2 - 2\psi - \eta}{2(\eta + \psi - 1)}\eta t \qquad (2\text{-}17\text{-}10)$$

或

$$\frac{r}{t} = \frac{2 - 2\psi - \eta}{2(\eta + \psi - 1)}\eta \qquad (2\text{-}17\text{-}11)$$

如果 r/t 减小到最大断面收缩率 φ_{max}，则 r/t 即为最小相对弯曲半径，用 r_{min}/t 表示：

$$r_{min} = \frac{2 - 2\psi_{max} - \eta}{2(\eta + \psi_{max} - 1)}\eta t \qquad (2\text{-}17\text{-}12)$$

或

$$\frac{r_{min}}{t} = \frac{2 - 2\psi_{max} - \eta}{2(\eta + \psi_{max} - 1)}\eta \qquad (2\text{-}17\text{-}13)$$

由上式可以看出，影响最小相对弯曲半径的因素包括：

（1）材料的力学性能及状态。材料塑性愈好，塑性变形的稳定性愈强，可采用较小的弯曲半径。对于加工硬化材料可采取先软化退火再弯曲的办法，提高材料的弯曲性能。

（2）弯曲线的方向。轧制板材具有各向异性，顺着纤维方向塑性指标高于垂直方向。所以弯曲时切向变形方向与板材纵向相重合时（即弯曲线与板材纤维方向垂直时）可用最小弯曲半径。当弯曲件有两个互相垂直的弯曲线，且弯曲半径较小时，为避免弯曲线与纤维方向重合，应在排样时使两个弯曲线都处于与板材纤维方向成45°角的位置。

（3）板材边缘的状况和板材表面质量。板材表面质量和侧面（剪切断面）的质量差时，容易造成应力集中而降低塑性变形稳定性，使材料过早地破坏，在这种情况下应采用较大的弯曲半径。冲压生产中经常采用清除毛刺，把有毛刺的表面朝向凸模、切掉剪切表面硬化层等方法以提高弯曲变形成形性能。

（4）弯曲角 α 的大小。理论上弯曲变形区局限于圆角部分，而直壁部分完全不参与变形，变形长度只与 r/t 有关，而和弯曲角无关。实际上由于纤维的互相制约，接近圆角的直边也参与了变形，分散了集中在圆角部分的弯曲应变，对圆角外表面受拉状态有缓解作用，有利于降低最小弯曲半径。弯曲角对最小弯曲半径的影响见图 2-17-4。当 $\alpha < 70°$ 时，弯曲角的影响比较显著，当 $\alpha > 70°$ 时，其影响减弱。

（5）弯曲件的宽度。弯曲件宽度和厚度的比值 b/t 不同，变形区的应力状态也不同，在相对弯曲半径相同的条件下，相对宽度 b/t 大时，其应变强度也大于 b/t 较小的情况。当相对宽度较小时，影响比较明显，但当 $b/t \geqslant 10$ 时，其影响变小。

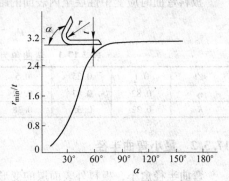

图 2-17-4　弯曲角对最小弯曲半径的影响

17.4　弯曲力的计算

弯曲力是设计工艺过程和选择设备的重要依据之一。弯曲力受材料性能、零件形状、弯曲方法、模具结构等多种因素的影响，理论计算复杂，且不准确。生产中常用表 2-17-2 的经验公式进行概略计算。

表 2-17-2　求弯曲力的经验公式

弯曲方向	弯曲简图	计算公式	备　　注
V 形自由弯曲		$P = P_1 = \dfrac{Bt^2\sigma_b}{r+t}$	式中　P——总弯曲力，N； P_1——弯曲力，N；
V 形校正弯曲		$P = P_2 = F \cdot q$	P_2——校正力，N； Q——最大顶出力，N； B——弯曲件宽度，mm； t——弯曲件厚度，mm；
顶出器 U 形自由弯曲		$P = P_1 + Q = \dfrac{Bt^2\sigma_b}{r+t} + 0.8P_1$	r——内弯曲半径，mm； F——校正投影面积，mm²； σ_b——材料抗拉强度极限，MPa；
顶出器 U 形校正弯曲		$P = P_2 = F \cdot q$	q——弯曲时单位压力，MPa，见表 2-17-3。

表 2-17-3　校正弯曲时单位压力 q 值　　　　　　　　　（MPa）

材　料	料厚 t/mm		材　料	料厚 t/mm	
	~3	3~10		~3	3~10
铝	30~40	50~60	20~30 号钢	100~120	120~150
黄铜	60~80	80~100	钛合金（BT1）	160~180	180~210
10~20 号钢	80~100	100~120	钛合金（BT3）	160~200	200~260

17.5　弯曲件弹复的计算与减少弹复的措施

17.5.1　弹复的计算

弯曲时弹复表现为弯曲半径由弹复前的 R 变为弹复后的 R_0；弯曲角由弹复前工件弯曲角 φ（凸模角度）变为弹复后工件实际角度 φ_0。角度的弹复值为 $\Delta\varphi = \varphi_0 - \varphi$。

由于弹复直接影响弯曲工件的尺寸、角度与形状误差，因此在模具设计和制造时，必须考虑弹复的影响来修正模具工作部分的尺寸和形状。确定弹复值有理论计算法和经验法两种：

A　理论计算法

当弯曲半径 $R \leq 10t$ 的自由弯曲时，在外力的作用下，弯曲角的外层纤维增长了 δ_0，内表面的纤维被压缩了 δ_c，根据弹复前后工件的尺寸关系，求弹复值主要是求外层纤维的残余变形，即

$$\delta_{残} = \delta_0 - \delta_{弹} \tag{2-17-14}$$

式中　δ_0——弹复前工件外层纤维的总变形；

$\delta_{弹}$——弹复过程中外层纤维的弹性变形。

外层纤维的总变形量为　　　　　$\delta_0 = \dfrac{t}{2\rho}$

弹性变形量为　　　　　$\delta_{弹} = \dfrac{\sigma_{拉}}{E}$ 及 $\sigma_{拉} = \dfrac{M_{弹}}{W}$

式中　$\sigma_{拉}$——弹性弯矩与外层纤维的拉伸应力；

$M_{弹} = mW\sigma_s$，即 $M_{弹}$ 等于塑性弯矩；

W——弯曲工件的断面系数；

E——材料的弹性模量。

因此　　　　　$\sigma_{拉} = \dfrac{mW\sigma_s}{W} = m\sigma_s$　　　$\sigma_{弹} = \dfrac{m\sigma_s}{E}$

弹复后工件外表层的残余变形与总变形的方法相同。同理可得

$$\delta_{残} = \dfrac{t}{2\rho_0}$$

式中　ρ_0——弹复后中性层的曲率半径。

将上述有关数值代入式中，经整理可得曲率半径

$$\rho = \dfrac{\rho_0}{1 + 2m\dfrac{\sigma_s}{E}\dfrac{\rho_0}{t}} \tag{2-17-15}$$

为使用方便，可令 $\rho = R$，$\rho_0 = R_0$，$m = 1.5$。则上式可写成：

$$R = \frac{R_0}{1 + 3\dfrac{\sigma_s}{E}\dfrac{R_0}{t}} = \frac{1}{\dfrac{1}{R_0} + 3\dfrac{\sigma_s}{Et}} \tag{2-17-16}$$

因弹复前后，中性层长度不变的条件，弹复角

$$\Delta\psi = (180° - \varphi_0)\left(\frac{R_0}{R} - 1\right) \tag{2-17-17}$$

为了减少计算的麻烦，也可将上述两式分别制成图表，由图上直接查出所需弹复值。

B　经验法

各种弯曲方法与弯曲角度的弹复值经验数值可从有关冲压手册中查到。

17.5.2　影响弹复的因素

影响弹复的因素有以下几项。

（1）材料的力学性能：弹复角的大小，与材料屈服极限 σ_s 成正比，与弹性模量 E 成反比。材料的屈服极限与硬化模量愈大，则材料在一定变形程度（r/t）时断面内的应力也愈大，弹复角 $\Delta\varphi$ 也愈大。

（2）相对弯曲半径 r/t：r/t 愈大，则变形程度愈小，板材中性层两侧的纯弹性变形区以及塑性变形区的总变形中，弹性变形的比重增大，弹复角 $\Delta\varphi$ 就愈大。

（3）弯曲角 α：弯曲角 α 愈大，则变形区长度愈大，弹复值积累也愈大，弹复角 $\Delta\varphi$ 愈大。

（4）弯曲方式：在无底凹模内作自由弯曲时，弹复最大。在校正弯曲时，校正力愈大，弹复愈小；校正弯曲的弹复角小于自由弯曲的弹复角。

（5）工件的形状：U 形件弯曲时弹复角小于 V 形弯曲的弹复角。形状复杂的弯曲件，由于各部分互相制约，弹复困难，故弹复角减小。

17.5.3　减少弹复的措施

由于塑性变形的同时伴随弹性变形，实际生产中又有材质及板厚的差别，所以消除弹复是不可能的。生产中只能采取某些措施减少或补偿由于弹复所产生的误差，提高弯曲件的精度。

（1）改进弯曲件的局部结构和选用合适材料。在弯曲区压制加强筋条，使弯曲件弹复困难（图 2-17-5），并可提高弯曲件的刚度；在选用板材时，可采用弹性模量大而屈服极限较低的材料进行弯曲，可以减少回弹。对一些硬材料，弯曲前可进行退火处理减少弹复。

（2）补偿法。根据弯曲件的弹复趋势和弹复量的大小，修正凸模或凹模工作部分的形状和尺寸，使工件的弹复得到补偿。这种方法简单易行，应用广泛。单角弯曲时，根据可能产生的弹复量，将凸模圆角半径和顶角 α 预先做小些，用来调试修磨、补偿弹复；对于有压料板的单角弯曲，弹复角做在凹模上（图 2-17-6），并设凸、凹模间隙为最小料厚。

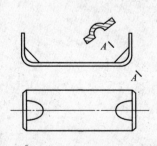

图 2-17-5　在弯曲区压制加强筋减少弹复

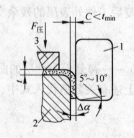

图 2-17-6　带压料板的单角弯曲

1—凸模；2—凹模；3—压料板

双角弯曲时，可在凸模两侧分别做出弹复角，如图 2-17-7（a）所示，或将模具底部做成圆弧形，如图 2-17-7（b）、（c）所示，利用底部向下的弹复作用，来补偿弯曲件侧壁的回弹。

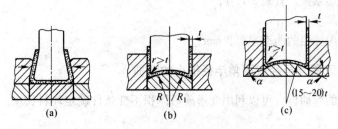

图 2-17-7 用补偿法修正模具

（a）凸模两侧都做弹复角；（b）、（c）模具底部做成圆弧形

（3）校正法。在弯曲变形终了时，对板料再施加一定的校正压力，迫使弯曲变形区内层的金属产生切向拉伸应变，经校正后，内外层纤维都被拉长，卸载后都要缩短，内、外层的弹复趋向相反，弹复量将会减小。一般弯曲变形区金属的校正压缩量为料厚的 2%～3% 时，可得到较理想的效果。

（4）拉弯法。板料在拉力下弯曲，改变内部的应力状态，使中性层内侧的压应力转为拉应力状态，板料剖面都处于拉应力作用下，卸料后内、外层纤维的弹复趋向互相抵消，可以减少弹复，如图 2-17-8 所示。

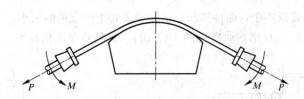

图 2-17-8 用拉弯法减少弹复

17.6　弯曲毛坯长度的确定

对于形状简单，尺寸精确度要求不高的弯曲件，可采用下述方法计算坯料长度。对形状复杂，尺寸精度要求高的弯曲件，在初步确定坯料长度之后，要反复试验，不断修正，才能最后确定合适坯料尺寸。

17.6.1　$r > 0.5t$ 有圆角半径的弯曲

宽板弯曲时，可以认为弯曲前后宽度和厚度保持不变，因此，弯曲坯料尺寸是指长度展开尺寸。弯曲件展开长度等于各直边部分和弯曲部分中性层长度之和，即

$$L_{总} = \sum L_{直} + \sum L_{弯} \tag{2-17-18}$$

各弯曲部分中性层长度 $L_{弯}$ 为：

$$L_{弯} = \frac{\pi\alpha}{180°}\rho_\varepsilon = \frac{\pi\alpha}{180°}(r + Kt) \approx 0.17\alpha(r + Kt) \tag{2-17-19}$$

当 $\alpha = 90°$ 时　　　　$L_{弯} = \frac{\pi}{2}(r + Kt) = 1.57(r + Kt) \tag{2-17-20}$

式中　α——弯曲角，（°）；

　　　　r——弯曲件内表面圆角半径，mm；

　　　　K——中性层系数，查表 2-17-1；

　　　　t——材料厚度，mm；

　　　　ρ_ε——应变中性层的曲率半径，mm。

17.6.2　$r < 0.5t$ 无圆角半径或圆角半径很小的弯曲

对于 $r < 0.5t$ 的弯曲件，可以利用变形前后体积不变条件确定坯料长度。各种毛坯的展开长度为

$$L = l_1 + l_2 + \frac{\pi}{4} \cdot t$$

由于弯曲时，不仅在毛坯圆角区产生变薄，与其相邻的直边部分（非变形区）也变薄，上式求得结果往往偏大，必须进行修正：

$$L = l_1 + l_2 + x' \cdot t$$

式中　x'——系数，一般取 0.4 ~ 0.6；

　　　l_1、l_2——标注在内侧的弯曲角两侧直边部分的长度。

17.7　弯曲模工作部分尺寸的确定

弯曲模的结构形式取决于弯曲件形状、精度要求和生产批量的大小。最典型的弯曲模是 V 形弯曲模（图 2-17-9）和 U 形弯曲模（图 2-17-10），其特点是结构简单、通用性好。

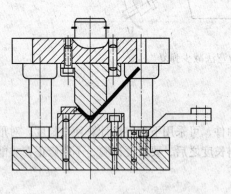

图 2-17-9　V 形弯曲模

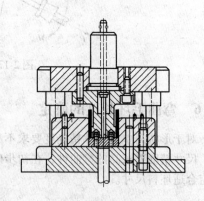

图 2-17-10　U 形弯曲模

17.7.1　凸、凹模圆角半径

当弯曲件的圆角半径大于最小弯曲半径，即 r/t 较小时，凸模圆角半径就等于弯曲零件的弯曲半径。当弯曲件的圆角半径较大，即 $r/t > 10$ 时，应考虑弹复的影响，将凸模圆角半径加以修正。

凹模圆角半径在生产中不能选得过小，以免材料擦伤表面，甚至出现压痕。凹模两边的圆角半径应一致，防止弯曲时坯料移动，在生产中凹模圆角半径通常根据材料厚度选取：当 $t \leqslant 2mm$ 时，$r_d = (3 \sim 6)t$；当 $t = 2 \sim 4mm$ 时 $r_d = (2 \sim 3)t$；当 $t > 4mm$ 时 $r_d = 2t$。

V 形模弯曲时，凹模底部要开退刀槽或取圆角半径 $r_{底} = (0.6 \sim 0.8)(r_d + t)$。

17.7.2 凹模深度

凹模深度 L_0 要适当（图 2-17-11）。若过小，则工件两端的自由部分长，零件弹复大，不平直；过大则模具消耗大，且要求较大行程的压力机。对 V 形弯曲件，凹模尺寸可参考表 2-17-4。弯曲 U 形件时，若弯边高度不大或要求两边平直，则凹模深度应大于零件高度，如图 2-17-11(b)所示。图中 m 值见表 2-17-4。如果弯曲零件边长较大，而对平直部分要求不高时，可采用图 2-17-11(c)所示的凹模型式，凹模深度 L_0 的值查表 2-17-4 选取。

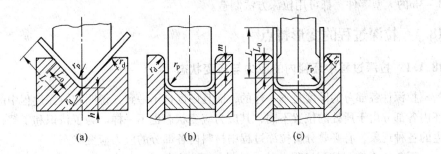

图 2-17-11　弯曲模的结构尺寸

（a）V 形弯曲件；（b）短边 U 形弯曲件；（c）长边 U 形弯曲件

表 2-17-4　弯曲模工作零件设计尺寸

制造尺寸/mm	弯曲件边长	材料厚度 t/mm								
		<1	1~2	2~3	3~4	4~5	5~6	6~7	7~8	8~10
r_d		3	5	7	9	10	11	12	13	15
L_0		4	7	11	15	18	22	25	28	32~36
m		3	4	5	6	8	10	15	20	25
间隙系数 C/mm	<25	0.10	0.08	0.08	0.07	0.07	0.06	0.06	0.05	0.05
	25~100	0.15	0.10	0.10	0.08	0.08	0.07	0.07	0.06	0.06
	50~100	0.18	0.15	0.15	0.10	0.10	0.09	0.09	0.08	0.08
	>100	0.20	0.18	0.18	0.12	0.12	0.10	0.10	0.10	0.10

17.7.3 凸、凹模间隙

V 形件弯曲时，凸、凹模间隙靠调节压机的闭合高度来实现，不需在设计与制造模具时确定。弯曲 U 形件时，则必须选择适当的间隙。间隙的大小对零件质量和弯曲力有很大影响，间隙小时弯曲力大，间隙过小会使零件边部变薄，降低凹模寿命；间隙过大时弹复大，降低零件的精度。凸模、凹模单边间隙 Z 一般可按下式计算：

$$Z = t_{max} + Ct = t + \Delta_{max} + Ct \qquad (2\text{-}17\text{-}21)$$

式中　t——材料名义厚度；

Δ_{max}——材料厚度的正偏差；

C——间隙系数，按表 2-17-4 查找。

当工件角度要求较高时，间隙应适当缩小到 $Z = t$。

18 拉　深

拉深（拉延）是利用冲裁后得到的平板坯料通过模具变形成为开口空心零件的冲压工艺方法。用拉深工艺可以制成筒形、阶梯形、锥形、球形、盒形和其他不规则的薄壁零件，如果与其他冲压成形工艺配合，还可制造形状极为复杂的零件。拉深工艺广泛应用于汽车、航空航天、电机电器、仪表、电子和日用五金器皿等工业部门，从几毫米小零件直到轮廓尺寸达到 2 ~ 3m 的大型零件，都可用拉深方法制造。

18.1　拉深过程的变形特点

18.1.1　拉深过程中坯料内的应力与应变状态

拉深件各部分的厚度是不一样的，而且硬度也不一致，说明在拉深过程中的不同时刻，板坯内各部分由于所处的位置不同，其应力应变状态也不一样。为了认识和了解拉深过程中所发生的各种现象，有必要分析拉深过程中材料内各部分的应力应变状态。

图 2-18-1 表示拉深过程中某一时刻各区应力与应变状态。

根据坯料各部分的应力与应变状态，将拉深后的工件分为五个区域：

Ⅰ区：凹模口的凸缘部分，是拉深主要变形区。该部分板料在径向拉应力 σ_1 和切向压应力 σ_3 的作用下，发生塑性变形而逐渐进入凹模。在厚度方向由于压边圈的作用，产生压应力 σ_2。一般 σ_1 和 σ_3 的绝对值比 σ_2 大得多，使该区主要向径向延伸，同时也使厚度加厚，这时厚度方向应变 ε_2 为正值。由于愈到外缘需要转移的材料愈多，因而愈到外缘材料变得愈厚，硬化也愈严重。

如果不用压边圈，则 $\sigma_2 = 0$，这时 ε_2 比有压边圈时大。当该区面积较大，板料又较薄时，则板坯凸缘部分，特别是外缘部分，在切向压应力 σ_3 的作用下会失去稳定而拱起，即发生起皱现象，如图 2-18-2(a) 所示。

Ⅱ区：凹模圆角部分。此过渡区的材料变形比较复杂，除有与Ⅰ区相同的特点（径向受拉应力 σ_1 和切向受压应力 σ_3 的作用）外，还由于承受凹模圆角的压力和弯曲作用而产生压应力 σ_2，材料经过凹模变形时，受

图 2-18-1　拉深时各区的应力应变状态
σ_1、ε_1—板坯的径向应力与应变；σ_2、ε_2—板坯厚度方向的应力与应变；σ_3、ε_3—板坯切向的应力与应变

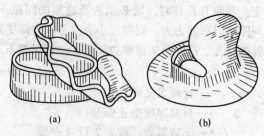

(a)　　　　　　　　(b)

图 2-18-2　拉深过程的起皱和开裂
(a) 凸缘起皱；(b) 底部开裂

到弯曲和拉直的作用而被拉长和变薄，切向也有少量的压缩。

Ⅲ区：筒壁部分。该区材料已经形成筒形，材料不再发生大的变形，在继续拉深时，凹模的拉深力要经由筒壁传递到凸缘部分。它承受单向拉应力 σ_1 的作用，发生少量的纵向伸长和变薄。

Ⅳ区：凸模圆角部分。此处也是过渡区，它承受径向和切向拉应力 σ_1、σ_3 的作用，同时在厚度方向由于凸模的压力和弯曲作用而受到压应力 σ_2 的作用。

在此区的筒壁与底部转角稍上的地方，拉深开始时，它处于凸、凹模间，需要转移的材料较少，受变形程度小，冷作硬化程度低，而又不受凸模圆角处有益的摩擦作用，需要传递拉深力的面积较小，因此产生的拉应力 σ_1 较大；当超过材料的强度极限时，拉深件将在此处断裂，如图2-18-2（b）所示。即使未被拉裂，但由于应力过大，坯料在该处变薄过于严重，以至超差而使工件报废。

Ⅴ区：筒底部分。此处材料在拉深前后都是平的，不产生大的变形，但由于凸模拉深力的作用，材料承受两向拉应力，厚度也略有变薄。

18.1.2 拉深过程的力学分析

18.1.2.1 凸模变形区的应力分布

在拉深过程中坯料内各部分之间的受力关系，如图2-18-3所示。在凸模作用力 P 引起的坯料侧壁内的拉应力 p 沿圆周均匀分布，其数值大小应是能引起坯料凸缘部分产生变形。拉应力 p 除应克服变形区的径向拉应力 σ_1 和变形区上下两个接触面上的摩擦力 μQ 引起的摩擦阻力 σ_m 之外，还必须考虑坯料在凹模圆角表面上滑动所形成的摩擦损失和弯曲变形所形成附加阻力 σ_w。为克服上述各种阻力所必需的单位拉应力 p 的数值为：

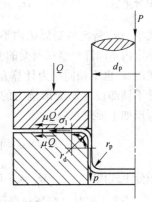

图2-18-3 拉深坯料内
各部分的受力关系

$$p = \frac{P}{\pi d_p t} = (\sigma_1 + \sigma_m) e^{\frac{\mu\pi}{2}} + \sigma_w \qquad (2\text{-}18\text{-}1)$$

式中 σ_1——径向拉应力；

σ_m——坯料与压边圈和凹模表面的摩擦阻力，其值为 $\sigma_m = \dfrac{2\mu Q}{\pi d_p t}$；

σ_w——坯料沿凹模圆角运动引起的弯曲阻力，其值可近似地取

$$\sigma_w = \frac{\sigma_b}{2\dfrac{R_d}{t} + 1};$$

$e^{\frac{\mu\pi}{2}}$——坯料沿凹模圆角滑动时产生的摩擦阻力系数；

μ——摩擦系数。

因为 $e^{\frac{\mu\pi}{2}} \approx 1 + \dfrac{\mu\pi}{2} \approx 1 + 1.6\mu$，所以式（2-18-1）可以写成如下形式：

$$p = (\sigma_1 + \sigma_m)(1 + 1.6\mu) + \sigma_w \qquad (2\text{-}18\text{-}2)$$

在变形区取宽度为 dR、角度为 φ 的弧形条状微分体，其金属平衡条件（图2-18-4）

$$dR\varphi t + d(\sigma_1 R\varphi t) - \sigma_1 \varphi R t + 2\sigma_3 t \sin\frac{\varphi}{2} dR = 0$$

因为所取 φ 角很小，所以　　　　$\sin\dfrac{\varphi}{2} \approx \dfrac{\varphi}{2}$

带入上式整理可得　　　$R\mathrm{d}\sigma_1 + (\sigma_1 + \sigma_3)\mathrm{d}R = 0$　　　(2-18-3)

依据塑性条件有　　　$\sigma_1 + \sigma_3 = \beta\sigma_s$　　　(2-18-4)

考虑中间主应力影响的系数 β 值近似可取 $\beta = 1.1$。将 (2-18-4) 改写成

$$\sigma_1 + \sigma_3 = 1.1\sigma_s$$

将此值代入式 (2-18-3) 得　　　$R\mathrm{d}\sigma_1 + 1.1\sigma_s\mathrm{d}R = 0$　　　(2-18-5)

及　　　　　　　　　$\mathrm{d}\sigma_1 = -1.1\sigma_s\dfrac{\mathrm{d}R}{R}$　　　(2-18-6)

积分上式　　　　　$\sigma_1 = -1.1\displaystyle\int\sigma_s\dfrac{\mathrm{d}R}{R}$　　　(2-18-7)

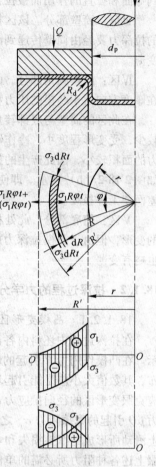

式中，σ_s 是坯料变形区内不同部位金属的变形抗力，由于变形区内不同部位金属所受的变形程度不同，使变形区各点上金属的 σ_s 也不相同。为计算方便，近似取 $\sigma_s = \sigma_{sm}$ 为常量。σ_{sm} 是不同部位金属变形抗力的平均值。因此，可把式 (2-18-7) 写成如下形式：

$$\sigma_1 = -1.1\sigma_{sm}\int\dfrac{\mathrm{d}R}{R}$$　　　(2-18-8)

积分上式得　　　　$\sigma_1 = -1.1\sigma_{sm}\ln R + C$　　　(2-18-9)

当 $R = R'$ 时，在坯料变形区外边缘自由表面上径向拉应力的数值为零，即 $\sigma_1 = 0$，代入式 (2-18-9) 得出积分常数 C 值：

$$C = 1.1\sigma_{sm}\ln R'$$　　　(2-18-10)

再将 C 值代入式 (2-18-9)，得出径向拉应力 σ_1 的值：

$$\sigma_1 = 1.1\sigma_{sm}\ln\dfrac{R'}{R}$$　　　(2-18-11)

图 2-18-4　圆筒形件拉深时的应力分布

利用式 (2-18-4) 和 (2-18-11) 并认为 $\sigma_s = \sigma_{sm}$，可以得出切向压应力

$$\sigma_3 = 1.1\sigma_{sm}\left(1 - \ln\dfrac{R'}{R}\right)$$　　　(2-18-12)

从式 (2-18-11) 及 (2-18-12) 可以得出圆筒形零件拉深时，坯料变形区内径向拉应力 σ_1 与切向压应力 σ_3 的分布。由此可知，在变形区内几乎在全部宽度上切向压应力的绝对值都大于径向拉应力，所以筒形件的拉深为压缩变形。在变形区外边缘上切向压应力 σ_3 为最大，而在变形区内边缘上径向拉应力 σ_1 最大，其值为

$$\sigma_{1r} = 1.1\sigma_{sm}\ln\dfrac{R'}{r}$$　　　(2-18-13)

利用式 (2-18-13) 可以求出拉深过程中任意瞬间（不同的外径 R'）作用在变形区内边缘上的径向拉应力 σ_{1r} 的数值，在拉深开始时为：

$$\sigma_{1r0} = 1.1\sigma_{sm}\ln\dfrac{D_0}{d_p}$$　　　(2-18-14)

式中 D_0——变形前坯料的初始直径；

  d_p——凸模直径。

一般称上式中的 $d_p/D_0 = m$ ，为拉深系数。

18.1.2.2 拉深时的拉深力

将 σ_1、σ_m、σ_w 之值代入式（2-18-2），可得出拉深时所必须的拉应力 p 值：

$$p = \left(1.1\sigma_{sm}\ln\frac{R'}{r} + \frac{2\mu Q}{\pi d_p t}\right)(1 + 1.6\mu) + \frac{\sigma_b}{2\frac{R_d}{t} + 1} \qquad (2\text{-}18\text{-}15)$$

拉深力 P 的公式为：$P = \pi d_p t p$ ， 即

$$P = \pi d_p t\left[\left(1.1\sigma_{sm}\ln\frac{R'}{r} + \frac{2\mu Q}{\pi d_p t}\right)(1 + 1.6\mu) + \frac{\sigma_b}{2\frac{R_d}{t} + 1}\right] \qquad (2\text{-}18\text{-}16)$$

上述计算力的公式为理论公式，实际应用不够方便，在生产中多用经验公式计算。

第一次拉深力 $P_1 = \pi d_1 t\sigma_b k_1$ $(2\text{-}18\text{-}17)$

第二次及以后各次拉深力 $P_2 = \pi d_2 t\sigma_b k_2$ $(2\text{-}18\text{-}18)$

式中 d_1、d_2——拉深前后零件直径；

  σ_b——材料的抗拉强度；

  k_1、k_2——系数，其值可从表 2-18-1 与表 2-18-2 中选取。

表 2-18-1   系数 k_1 之值

坯料相对厚度 $\frac{t}{D_0}$/%	拉深系数 m									
	0.45	0.48	0.50	0.52	0.55	0.60	0.65	0.70	0.75	0.80
5	0.95	0.85	0.75	0.65	0.60	0.50	0.43	0.35	0.28	0.20
2	1.1	1.0	0.90	0.80	0.75	0.60	0.50	0.42	0.35	0.25
1.2		1.1	1.0	0.90	0.80	0.68	0.56	0.47	0.37	0.30
0.8			1.1	1.0	0.90	0.75	0.60	0.50	0.40	0.33
0.5				1.1	1.0	0.82	0.67	0.55	0.45	0.36
0.2					1.1	0.90	0.75	0.60	0.50	0.40
0.1						1.1	0.90	0.75	0.60	0.50

表 2-18-2   系数 k_2 之值

坯料相对厚度 $\frac{t}{D_0}$/%	拉深系数 m									
	0.70	0.72	0.75	0.78	0.80	0.82	0.85	0.88	0.90	0.92
5	0.85	0.70	0.60	0.50	0.42	0.32	0.28	0.20	0.15	0.12
2	1.1	0.90	0.75	0.60	0.52	0.42	0.32	0.25	0.20	0.14
1.2		1.1	0.90	0.75	0.62	0.52	0.42	0.30	0.25	0.16
0.8			1.0	0.82	0.70	0.57	0.46	0.35	0.27	0.18
0.5			1.1	0.90	0.76	0.63	0.50	0.40	0.30	0.20
0.2				1.0	0.85	0.70	0.56	0.44	0.33	0.23
0.1				1.1	1.0	0.82	0.68	0.55	0.30	0.30

18.2　拉深件的起皱与防止措施

拉深过程中，如果板坯相对厚度较小，在圆筒形拉深件的凸缘部分由于切向压应力 σ_3 过大，很可能因失稳而发生起皱现象（图2-18-2）。板料严重起皱就不可能通过凸模与凹模间隙而被拉断形成废品；即使勉强拉过，也会在其侧壁上留下起皱痕迹，影响工件的表面质量。起皱不仅取决于应力 σ_3 的大小，而且和板料厚度等因素有关。在设计拉深工艺时，正确地确定拉深板料是否起皱是一项重要的工作。

在拉深过程中影响板料起皱的主要因素有：

（1）板料相对厚度 t/D_0。板料的相对厚度愈小，变形区抗失稳能力愈差，愈容易起皱。

（2）拉深系数 $m = d_p/D_0$。拉深系数 m 愈小，拉深变形程度愈大，切向压应力的数值也相应地增大；另外，拉深系数愈小，拉深变形区宽度愈大，抗失稳能力变小，其结果使板料的起皱趋向增大。反之，拉深系数较大时，拉深变形程度较小，材料硬化也不严重，切向应力也较小，凸缘边的宽度小，抗失稳能力增加，也就不易起皱。

（3）凹模工作部分几何形状。锥形凹模拉深时，允许用相对厚度较小的坯料而不起皱。

在设计拉深工艺时，必须首先判断某一零件在拉深过程中是否会发生起皱。如果拉深时不起皱，则应采用结构简单的不带压边圈的冲模，采用较小的拉深系数。准确判断拉深过程中是否起皱十分复杂，生产中可用下列公式大致估算。

用锥形凹模拉深时，坯料不起皱的条件是：

$$\frac{t}{D_0} \geqslant 0.03(1 - m) \tag{2-18-19}$$

用平端面凹模拉深时，坯料不起皱的条件是：

$$\frac{t}{D_0} \geqslant (0.09 \sim 0.17)(1 - m) \tag{2-18-20}$$

式中　t——板料厚度；

　　m——拉深系数，$m = d_p/D_0$；

　　d_p——拉深件的直径；

　　D_0——坯料直径。

如果拉深件尺寸和拉深系数的数值关系不符合上述条件时，则在拉深过程中必须用防皱压边圈。

防皱压边圈的种类很多，概括起来可以分为刚性和弹性两种。刚性压边装置是在双动压力机上利用外滑块压边，如图2-18-5所示。压边圈4装在外滑块2上。冲压开始时，外滑块带动压边圈下降压在板料上，接着内滑块带动凸模进行拉深。刚性压边圈压边力的大小，靠调整压边圈和凹模之间的间隙 c 来调整。因凸缘厚度会增大，应使 c 值略大于材料厚度。一般取 $c = (1.03 \sim 1.07)t$，如图2-18-6(a)所示。也可将压边圈做成锥面，$c = (0.2 \sim 0.5)t$，如图2-18-6(b)所示。

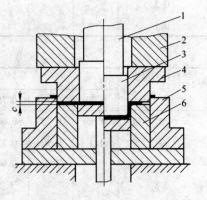

图2-18-5　刚性压边装置
1—内滑块；2—外滑块；3—拉深凸模；
4—压边圈；5—凹模；6—拉深凹模

弹性压边圈装置（图2-18-7）用于单动压力机。压边力由气垫、弹簧或橡胶产生。气垫压边力不随凸模行程变化，压边效果好。弹簧和橡胶的压边力随行程增大而上升，对拉深不利，适于拉深高度不大的零件，但其结构简单，制造容易，便于安装压边力限位器。

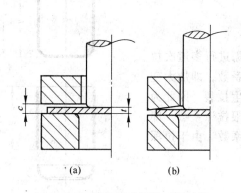

图 2-18-6　刚性压边圈的不同结构
（a）刚性压边圈；（b）锥形压边圈

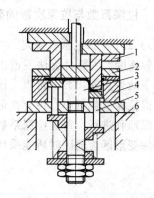

图 2-18-7　弹性压边装置
1—凹模；2—卸料板；3—拉深凸模；4—冲裁
凹模；5—顶出杆；6—弹簧或橡胶

18.3　圆筒形工件拉深工艺计算

18.3.1　板料尺寸的计算

旋转体拉深件板料尺寸的计算方法较多，最常用的是等面积法。此外还有等体积法（见本章18.5节变薄拉深）、等重量法、解析法和作图法等。旋转体零件的成形系采用圆形坯料，其直径常按与工件面积相等的原则计算。因拉深前后工件的平均厚度与坯料厚度相差不大，故厚度变化可以忽略不计。

由于板料的方向性和凸、凹模间隙不均等因素，拉深后的工件顶端一般都不平整，通常都要进行修边。因此在拉深件高度方向上加一段修边余量 Δh，其值从表2-18-3选取。

表 2-18-3　圆筒形拉深件的修边余量 Δh

零件高度/mm	修边余量 Δh/mm	零件高度/mm	修边余量 Δh/mm
10 ~ 50	1 ~ 4	100 ~ 200	3 ~ 10
50 ~ 100	2 ~ 6	200 ~ 300	5 ~ 12

计算坯料尺寸时，先将零件分成几个便于计算的简单几何体，分别求出其面积后相加，得出零件的总面积 ΣF。则坯料直径为：

$$D = \sqrt{\frac{4}{\pi}\Sigma F} \qquad (2\text{-}18\text{-}21)$$

例如，图2-18-8所示的简单筒形件，可以分为三部分，每部分面积分别为

$$F_1 = \pi d(h_1 - r) \text{ 及 } F_2 = \frac{\pi}{4}[2\pi r(d - 2r) + 8r^2]、F_3 = (d - 2r)\frac{\pi}{4}$$

把上式代入式（2-18-21）进行计算，得

$$D = \sqrt{(d-2r)^2 + 2\pi r(d-2r) + 8r^2 + 4d(h_1-r)}$$

$$(2\text{-}18\text{-}22)$$

18.3.2　拉深系数与拉深次数的确定

18.3.2.1　拉深系数确定

有些高度大的零件无法一道次拉深成功，需进行多道次拉深。为了减少拉深次数，希望采用较小的拉深系数，即加大变形量。但拉深系数过小，将会在危险断面处产生拉裂。因此为保证拉深顺利进行，每次拉深系数不能大于极限拉深系数，即保证拉深变形区为弱区时所能采用的最小拉深系数。由于拉深系数为

$$m = \frac{d}{D}$$

多次拉深时各道次拉深系数分别为：

第一次拉深时

$$m_1 = \frac{d_1}{D}$$

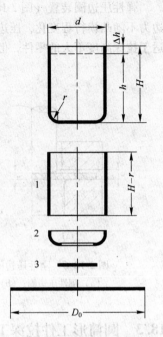

图 2-18-8　直壁圆筒件拉深毛坯尺寸的计算

以后各道次的拉深系数为

$$m_2 = \frac{d_2}{d_1}, \ m_3 = \frac{d_3}{d_2}, \ \cdots, \ m_n = \frac{d_n}{d_{n-1}}$$

式中　m_1，m_2，m_3，$\cdots$，m_n——各道的拉深系数；

　　　　D，d_1，d_2，$\cdots$，d_n——坯料及各道拉深件直径。

由公式 $m = \dfrac{d}{D}$ 可知，m 永远小于 1。

拉深系数是拉深中最重要的参数，工艺计算中只要知道各工序的拉深系数，就可计算出各道工序中工件的尺寸。极限拉深系数 m 取决于板料的成形性能、板料的相对厚度 t/D、凸凹模间隙、圆角半径、拉深速度和润滑等。m 和 t/D 的关系如表 2-18-4 所示。

表 2-18-4　极限拉深系数

拉深系数	毛坯的相对厚度 $\frac{t}{D}$/%					
	8~15	15~30	30~60	60~100	100~150	150~200
m_1	0.63	0.60	0.58	0.55	0.53	0.50
m_2	0.82	0.80	0.79	0.78	0.76	0.75
m_3	0.84	0.82	0.81	0.80	0.79	0.78
m_4	0.86	0.85	0.83	0.82	0.81	0.80
m_5	0.88	0.87	0.86	0.85	0.84	0.82

18.3.2.2　拉深次数

拉深次数通常先做概略计算，然后通过工艺计算最后确定。计算拉深次数的方法有：

（1）根据拉深件的相对高度（h/d）和材料的相对厚度（$t/D \times 100$）由相关表中直接查出。

（2）根据板料直径与工件直径用曲线图确定拉深次数和各次半成品直径。

（3）用公式计算：
$$d_n = md_{n-1} = m^{n-1}(m_1 D)$$

取对数：
$$\lg d_n = (n-1)\lg m + \lg(m_1 D)$$

求得：
$$n = 1 + \frac{\lg d_n - \lg(m_1 D)}{\lg m_n} \qquad (2\text{-}18\text{-}23)$$

式中　n——拉深次数；

d_n——工件直径；

m_1——第一次拉深系数；

m_n——第 n 道后各道的平均拉深系数。

计算所得的拉深次数 n，通常不会是整数，但次数不得将小数舍去，而应取大整数。

18.4　拉深模工作部分尺寸的确定

18.4.1　凸模、凹模圆角半径

凸模、凹模的圆角半径如图 2-18-9 所示。凸模、凹模圆角半径对拉深成形影响很大，尤其以凹模圆角半径 r_d 为最大。若凹模圆角半径过小，则板料在经过凹模圆角部位时的变形阻力以及在模具间隙里通过的阻力都要增大，使总拉深力增大，模具寿命降低，因此，必须采用较大的拉深系数。生产中应尽量采用较大的凹模圆角半径，但是加大凹模圆角半径将会引起拉深起皱，要给予适当的注意。

凸模圆角半径 r_p 对拉深过程的影响不像凹模圆角半径 r_d 那么明显。但过小的凸模圆角半径会使板料在该部位上受到过大的弯曲变形，降低了板料危险断面的强度，也使极限拉深系数提高。另外即使不会拉裂危险断面，也会使材料在该处严重减薄，局部变薄的痕迹在后续拉深过程中也很难去掉，以至影响工件的质量。凸模圆角半径过大，会使拉深初期板料不与模具表面接触造成起皱，应加以防止。

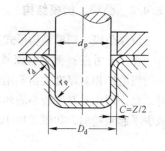

图 2-18-9　凸模、凹模圆角半径

凸模、凹模圆角半径的选取按如下方法进行：

（1）凹模圆角半径 r_d 的确定：
$$r_d = 0.8\sqrt{(D-d)t} \qquad (2\text{-}18\text{-}24)$$

式中　D——板坯直径；

d——凹模内径；

t——板坯厚度。

凹模圆角半径还可根据材料的种类和厚度来确定，按表 2-18-5 选取。

表 2-18-5　拉深凹模圆角半径 r_d 的值　　　　　　　（mm）

材　料	厚度 t	r_d	材　料	厚度 t	r_d
钢	<3	$(10\sim6)t$	铝、黄铜、紫铜	<3	$(5\sim8)t$
	$3\sim6$	$(6\sim4)t$		$3\sim6$	$(3\sim5)t$
	>6	$(4\sim2)t$		>6	$(1.5\sim3)t$

带材连续拉深时，由于拉深系数较大，凹模圆角半径可以取较小值，如表 2-18-6 所示。

表 2-18-6　连续拉深模的凹模圆角半径值　　　　　　　　（mm）

材料厚度	无切口的拉深	有切口的拉深	材料厚度	无切口的拉深	有切口的拉深
0.25	$(6 \sim 7)t$	$(5 \sim 6)t$	1.00	$(4 \sim 5)t$	$(3 \sim 4)t$
0.50	$(5 \sim 6)t$	$(4 \sim 5)t$	1.50	$(3 \sim 4)t$	$(2.5 \sim 3)t$

（2）凸模的圆角半径 r_p 确定：单道或多道拉深中的第一次：

$$r_p = (0.7 - 1.0)r_d \tag{2-18-25}$$

多道拉深时的以后各道：

$$r_{pn-1} = \frac{d_{n-1} - d_n - Zt}{2} \tag{2-18-26}$$

式中　　d_{n-1}、d_n——前后两道工序中板料的过渡直径。

最后一道拉深的凸模圆角半径等于零件的圆角半径，但不得小于 $(2 \sim 3)t$。否则凸模圆角半径仍应取 $r_p = (2 \sim 3)t$，用最后整型来达到零件要求的圆角半径。设计拉深模时，凸模、凹模圆角半径应采用小的允许值，以便在调整拉深模时再按需要加大。

18.4.2　凸模、凹模结构

拉深凸模、凹模结构形式对产品质量、拉深时的变形程度（拉深系数）有直接影响。

A　不用压边圈的拉深模

当毛坯相对厚度大而不用压边圈拉深时，可采用图 2-18-10 的凹模结构。用锥形凹模拉深时，允许用相对厚度较小的坯料，因为此时板料过渡形状呈曲面状，具有更大的抗失稳能力，减少了起皱趋向，如图 2-18-10(b) 所示。

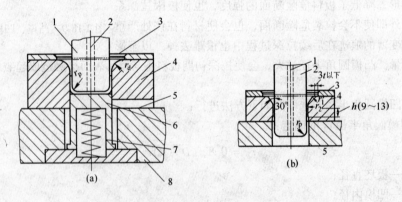

图 2-18-10　不用压边圈的拉深模结构

1、5—气孔；2—凸模；3—定位板；4—凹模；5—衬板；6—衬板；7—弹簧；8—底座

B　带压边圈的拉深模

当零件尺寸 $d \leqslant 100mm$ 时的多次拉深用图 2-18-11(a) 型结构的模具。当零件尺寸 $d > 100mm$ 时则用图 2-18-11(b) 型结构的模具。

图 2-18-11(b) 的斜角形状结构，除具有锥形凹模的特点外，还有减轻板料反复弯曲变形和提高冲压件侧壁质量的功能。压边圈与板料内表面接触部分是工作部分，其形状与尺寸应与前

道工序的凸模相应部分相同，凹模锥角的角度也与前道工序的凸模斜角相同。此外，为减轻拉深时板料的反复弯曲变形，提高制件的质量，应尽量使前道工序凸模锥顶的直径小于后续工序凹模的直径，即 $d_1' < d_2$（图2-18-11）；如果 $d_1' = d_2$，则在坯料 A 部可能产生不必要的反复弯曲（图2-18-11(a)）。但是，在最后一道拉深工序，为使制成的零件底部平整，应按图2-18-12的尺寸关系进行设计。

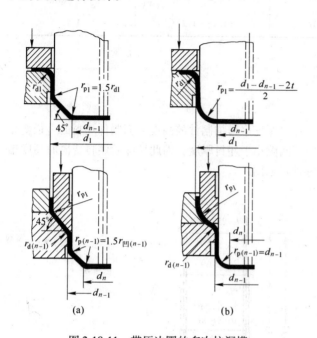

图 2-18-11　带压边圈的多次拉深模
（a）用于零件尺寸 $d \leqslant 100\text{mm}$；（b）用于零件尺寸 $d > 100\text{mm}$

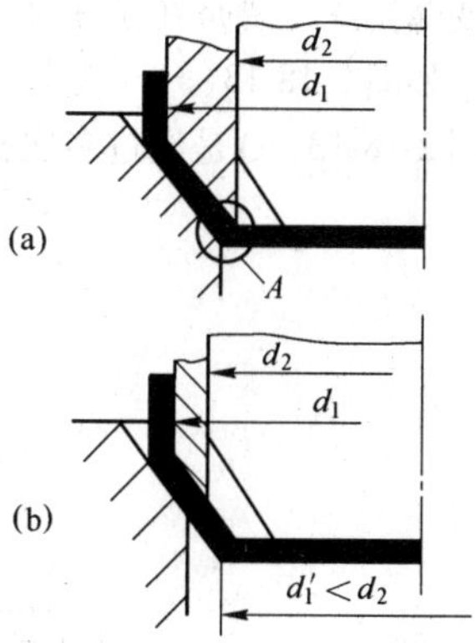

图 2-18-12　最后拉深时毛坯底部尺寸
（a）前道工序；（b）后续工序

18.4.3　拉深模间隙

拉深模的凸、凹模间隙 $\left(C = \dfrac{d_d - d_p}{2} \right)$ 是拉深模的重要参数，它将影响到以下几个方面：

（1）拉深力：间隙越小，拉深力越大。

（2）零件质量：间隙过大容易起皱，而且坯料口部的变厚得不到消除，也会使零件出现锥度；间隙过小，会使零件拉断或严重变薄。

（3）模具寿命：间隙小，则磨损加剧。

由于上述原因，确定间隙的原则是：既要考虑板材的厚度和公差，又要考虑坯料口部的增厚现象。所以，间隙 C 一般应比坯料厚度略大一些，其单边间隙值可按下式计算：

$$C = t_{\max} + St \tag{2-18-27}$$

式中　$t_{\max}$——材料的最大厚度，$t_{\max} = t + \Delta$；

Δ——材料的正偏差；

S——考虑增厚现象而增大的系数，可在冲压手册中查找。

在一般情况下的圆筒件拉深时，间隙可按表2-18-7选取。对于精度要求高的零件，可把表中的最后拉深工序的间隙取为 $1.05t$。

表 2-18-7　拉深模间隙

材　　料	间　隙/mm		
	第一次拉深	中间各道拉深	最后拉深
软　钢	$(1.3 \sim 1.5)t$	$(1.2 \sim 1.3)t$	1.1t
黄铜、铝	$(1.3 \sim 1.4)t$	$(1.15 \sim 1.2)t$	1.1t

18.5　变薄拉深

18.5.1　变薄拉深的变形特点

变薄拉深主要是在拉深过程中靠改变坯料厚度来增加制件的高度，而制件坯料的直径变化不大，如图 2-18-13(a)。变薄拉深的凸凹模间隙小于坯料厚度，因此拉深后坯料变薄而高度增加。图 2-18-13(b)是经过多次拉深后的零件示意图。

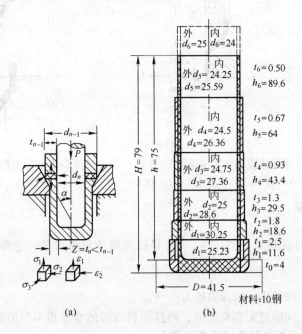

图 2-18-13　筒形件变薄拉深
(a) 变薄拉深示意图；(b) 经多次拉深后的零件

变薄拉深主要用来制造底厚而壁薄的空心件如枪、炮弹壳、软饮料罐等，所用坯料可以是平板或用拉深方法拉出的筒形坯料，坯料变形区应力与应变状态如图 2-18-13(a)所示。

从图中可看出，变薄拉深过程的主要问题是传力区材料的强度和变形区抗力之间的关系，解决的方法仍是尽量减小变形区的变形抗力和增加传力区的材料强度。

变薄拉深和普通拉深相比较具有以下特点：(1) 由于坯料的变形是处于较大的均匀压应力下，坯料产生很大的冷作硬化，金属晶粒变细，强度增加；(2) 拉深变形后形成的新表面，粗糙度可以达到 0.4 以上；(3) 由于变薄拉深过程中有严重的摩擦，故对模具材料的耐磨性和拉深时的润滑要求很高。

18.5.2 工艺计算

18.5.2.1 坯料计算

由于变薄拉深过程中厚度是变化的，因此坯料的计算只能按体积不变原则进行：

$$V = \alpha V_1 \tag{2-18-28}$$

式中　V_1——工件的体积；

　　　V——坯料的体积；

　　　α——考虑修边余量所加的系数，一般取 $\alpha = 1.15 \sim 1.2$。

坯料的直径为

$$D = 1.13 \sqrt{\frac{V}{t_0}} \tag{2-18-29}$$

式中　t_0——板坯厚度，即工件底厚。

18.5.2.2 变形程度计算

变形程度（变薄系数）按下式计算：

$$\varphi_n = \frac{t_n}{t_{n-1}} \tag{2-18-30}$$

式中　t_n、t_{n-1}——前后两道拉深的坯料厚度。

变薄系数 φ 的极限值由表 2-18-8 选取。

表 2-18-8　变薄系数 φ 的极限值

材　　料	首次变薄系数 φ_1	中间各道变薄系数 φ_m	末道变薄系数 φ_n
铜、黄铜（H62，H68）	0.45 ~ 0.55	0.58 ~ 0.65	0.65 ~ 0.73
铝	0.50 ~ 0.60	0.62 ~ 0.68	0.72 ~ 0.77
软　钢	0.53 ~ 0.63	0.63 ~ 0.72	0.75 ~ 0.77
中等硬度钢（$w(C) < 0.35\%$）	0.70 ~ 0.75	0.78 ~ 0.82	0.85 ~ 0.90
不锈钢	0.65 ~ 0.70	0.70 ~ 0.75	0.75 ~ 0.80

18.5.2.3 确定各道次工序坯料的高度

按照体积不变原则确定高度，即

$$h_n = \frac{t_0(D^2 - d_0^2)}{2t_n(d_0 - d_i)} \tag{2-18-31}$$

式中　D——坯料直径；

　　　d_0——该道工序的外径；

　　　d_i——该道工序的内径。

18.5.3 变薄拉深力计算

为选用变薄拉深用设备和计算模具强度，需要确定各道工序的拉深力，而计算各道工序的拉深力的经验公式为

$$P_n = \pi d_n(t_{n-1} - t_n)\sigma_b k \tag{2-18-32}$$

式中　k——考虑材料硬化影响的系数，对钢，$k = 1.8 \sim 2.5$，对黄铜，$k = 1.6 \sim 1.8$。

19　特种冲压工艺

19.1　软模成形

软模成形是指用液体、橡胶或气体的压力代替刚性的凸模或凹模对板料进行冲压加工的方法，它可以进行弯曲、拉深、翻边、平板毛坯的胀形、空间形状毛坯的胀形等，有时也用来进行剪切加工。

19.1.1　软凸模拉深和胀形

软凸模拉深成形如图 2-19-1 所示。在液体压力的作用下，平板毛坯的中间部分首先在两向拉应力作用下产生胀形。当压力继续增大，而且毛坯法兰内口的径向拉应力 σ_1 达到足以使毛坯外周产生拉深变形时，毛坯周边便开始逐渐地进入凹模，并形成零件的侧壁。周边产生拉深变形所需的液体压力

$$p = \frac{4t}{d}\sigma_1 \tag{2-19-1}$$

式中　p ——所需液体压力，N/mm^2；

　　　d ——零件的直径，mm；

　　　t ——板料厚度，mm；

　　　σ_1 ——为使毛坯周边产生拉深变形所需的径向拉应力，N/mm^2。

在拉深后期，如需成形得到零件底部较小的圆角半径时，必须的液体压力为：

$$p = \frac{t}{r}\sigma_s \tag{2-19-2}$$

式中　r ——零件底部的圆角半径；

　　　σ_s ——板料的屈服强度。

用软凸模拉深时，毛坯稳定性不好，易偏斜，且中间部分的胀形和变薄不可避免，其应用受到一定的限制。但由于模具简单，有时不用冲压设备也能成形，所以该方法常用于大尺寸或形状极复杂的零件。

图 2-19-2 是用软凸模对平板毛坯进行局部胀形。此时毛坯的外边缘不产生拉深变形，零件形状依靠板料面积增大和厚度变薄来实现。因此毛坯不会起皱，对于薄材料曲面零件加工十分有利。

用液体、橡胶或气体进行空间零件的胀形或校形，可以简化模具结构，加工形状极为复杂

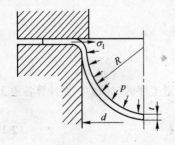

图 2-19-1　软凸模拉深

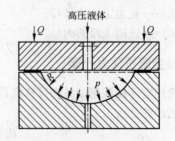

图 2-19-2　软凸模胀形

的零件，如波纹管、火箭发动机的各种零件等。低温成形时，多用液体或橡胶；高温成形时则用气体，如高压储气瓶的气胀成形（用20~30MPa 压缩空气）。近年来，也开始研究对超塑性板制零件的气体成形工艺。

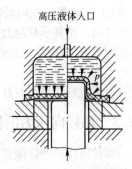

图 2-19-3　软凹模拉深

19.1.2　软凹模拉深

用液体或橡胶的压力代替刚体凹模的作用进行拉深工序（图2-19-3）。在进行拉伸变形时，高压液体毛坯紧紧压在凸模的侧表面上，增加毛坯的传力区-侧壁与凸模表面的摩擦力，也减轻了毛坯侧壁内的拉应力，使传力区的承载能力得到很大程度的提高。另一方面，在软凹模拉深时，也使毛坯与凹模的摩擦损失有相当程度的降低，因此，极限拉深系数比普通拉深时小很多，时常可达0.4~0.45。

软凹模拉深时，液体压力应该足以防止毛坯起皱和提供足够的表面摩擦力，其数值见表2-19-1。

表 2-19-1　液体凹模拉深所需压力（加工板厚 $t = 1\text{mm}$）　　　　　（MPa）

材　料	拉深系数 $m = d/D_0$					
	0.7	0.6	0.5	0.45	0.43	0.42
硬　铝	0~22.5	0~31.5	0~34.0	0~34.5	0~35.0	0~35.0
低碳钢	0~50.0	0~55.0	0~60.0	0~60.0	0~65.0	—
不锈钢	0~60.0	0~60.0	0~70.0	0~70.0	0~70.0	0~90.0

19.2　差温拉深法

圆筒拉深时，毛坯的最大变形受到传力区-侧壁强度的限制。若进一步减少拉深系数，可用差温拉深法。它是在拉深过程中使毛坯的变形区和传力区处于不同的温度，而其温度变化的影响恰好有利于提高拉深时的极限变形程度。差温拉深可以分为局部加热拉深和局部冷却拉深两种方法。

局部加热拉深法如图 2-19-4 所示。在拉深过程中使毛坯变形区加热到一定的温度，降低其变形抗力。同时在凹模圆角部分和凸模内通水冷却，保持毛坯传力区的强度。它可使极限拉深系数降低到0.3~0.35 左右，即用一道工序可以代替普通拉深的2~3 道工序，在各种高盒形件拉深时，效果更显著。由于加热温度受到模具钢耐热能力的限制，目前此法主要用于铝、镁、钛等轻合金零件的拉深。

局部冷却拉深法如图 2-19-5 所示。毛坯的传力区和处于低温的凸模接触，并且被冷却到

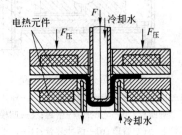

图 2-19-4　局部加热拉深

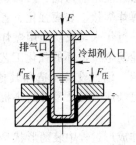

图 2-19-5　局部冷却拉深

$-160 \sim -170℃$。此时低碳钢的强度可能提高两倍。由于传力区的毛坯底部与侧壁的冷却和强度的提高，使其承载能力得到很大加强，极限拉深系数可以显著降低，达到 0.35 左右。常采用的深冷方法是在空心凸模内添加液态氮或液态氩气，其气化温度是 $-183 \sim -195℃$。目前该方法受到生产率和冷却方法的限制，在生产中的应用还很不普遍，主要用于不锈钢、耐热钢等特种金属或形状复杂而高度大的盒形零件。

19.3　加径向压力的拉深法

加径向压力的拉深方法如图 2-19-6 所示。在拉深时，由高压液体向毛坯变形区的四周施

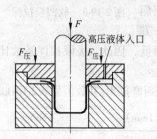

图 2-19-6　加径向压力的拉深

加径向压力，使变形区的应力状态发生变化，并使径向拉应力减小。在变形区的外边缘则是三向受压的应力状态，使其产生变形所需的径向拉应力下降，减轻了传力区的负担，提高了极限变形程度。另外，高压液体由毛坯与模具接触面之间的泄漏也形成了良好的强制润滑作用，有利于拉深过程的进行，其极限拉深系数可降到 0.35 以下。高压液体可以由高压容器供给或模具内由压力机的作用形成。

因模具和设备较复杂，这种方法的应用受到限制，但对于低强度和低塑性的材料（如某些非金属材料），由于所需径向压力较小，而三向压应力状态对塑性有利，该方法有可能进一步发展。

19.4　爆炸成形

爆炸成形是高速成形的一种形式。高速成形包括爆炸成形、电水成形和电磁成形等三种方法。为了解决各种尺寸的、形状复杂的、强度和精度都要求很高的板料零件的加工问题，近年来开始在生产中比较广泛地研究和采用高速成形工艺。

在爆炸成形时，爆炸物质的化学能在极短的时间内转化为周围介质（空气或水）中的高压冲击波，并以脉冲波的形式作用于毛坯，使它产生塑性变形。冲击波对毛坯作用的时间非常短促，仅数微秒到数十微秒，只占毛坯全部变形时间的一小部分。这种高速变形使某些难加工金属的塑性成形性能发生一些有利的变化，如图 2-19-7 所示。

爆炸成形属于软模成形的性质，是用空气或水代替刚性凸模对毛坯施加外力作用。模具结构简单，更适合于加工某些形状特殊、不易加工的空心零件，其尺寸精度比一般冲压方法高。

爆炸成形可以对板料进行剪切、拉深、冲孔、翻边、胀形、校形、弯曲、扩口、压花纹等加工。还可以进行爆炸焊接、表面强化、管件结构的装配、粉末压制等。近年来又成功地用爆炸方法实现了奥氏体钢大型汽轮发电机护环的强化工艺。它已在现代航空航天、造船、化工设备制造和其他一些工业部门应用，在形状复杂或大尺寸零件的小批生产当中占据很重要的地位。

爆炸成形过程中装药形状是保证爆炸成形是否成功的重要因素之一，应该根据零件变形过程所要求的

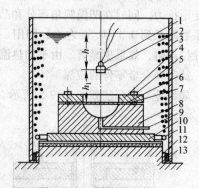

图 2-19-7　爆炸成形装置

1—电雷管；2—炸药；3—水筒；4—压边圈；
5—螺栓；6—毛坯；7—密封；8—凹模；
9—真空管道；10—缓冲装置；11—压缩
空气管路；12—垫环；13—密封

冲击波阵面形状来决定。炸药与毛坯之间的相对位置也是爆炸成形的重要参数之一，它与药形的正确配合，是获得所需冲击波阵面形状的保证。但目前爆炸成形所需装药量的理论计算方法还很不完善，通常都是根据经验对比法对药量作初步的估计，然后逐步加大药量进行试验最后决定合适的药量。

19.5 电水成形

电水成形可分为电极间放电成形与电爆成形。电水成形的基本原理如图 2-19-8 所示。把交流电压由升压变压器提高到 20 ~ 40kV，经整流后向电容器充电。当充电电压达到一定值时辅助间隙被击穿，高电压瞬时加到两放电电极所形成的主放电间隙上，并使主间隙击穿而产生高压放电。在放电回路中形成非常强大的冲击电流（可达 30000A），在电极周围的介质中形成冲击波及液流冲击使金属毛坯成形。

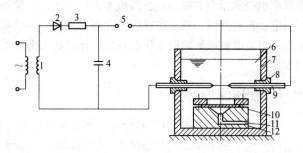

图 2-19-8 电水成形原理

1—升压变压器；2—整流器；3—充电电阻；4—电容器；5—辅助间隙；6—水；7—水箱；8—绝缘；9—电极；10—毛坯；11—抽气孔；12—凹模

电水成形时毛坯的变形特点与爆炸成形时相似，毛坯的最大位移速度也接近于爆炸成形，大致介于 30 ~ 100m/s 之间，其加工能力决定于电容器可能储存的最大能量 $E(J)$，其值决定于电容器的电容量 C 和充电电压 V，常用的充电电压为 20kV。目前在生产中使用的最大容量为 150kJ。

电水成形能量的调整与控制简单，成形过程稳定，操作方便，易于实现机械化与自动化，生产率高，组织生产也比较容易。但是电水成形的加工能力受到设备容量限制，目前还仅限于形状较简单的小型零件（ϕ400mm 以下）的中小批生产。电水成形法可以对板料及管子进行拉深、胀形、校形、冲孔等。

19.6 电磁成形

电磁成形原理如图 2-19-9 所示。由升压变压器及整流器组成的高压直流电源向电容器充电，当放电回路中开关 5 闭合时，电容器所储存的电荷在放电回路中形成很强的脉冲电流。由于放电回路的阻抗很低，该脉冲电流在极短的时间内（例如 10 ~ 20ms）迅速增长和衰减，并在周围空间形成一个强大的变化磁场。位于成形线圈内的毛坯，在此变化磁场作用下产生感应电流，所形成的磁场和成形线圈磁场相互作用，使其在磁力作用下产生塑性变形并以很大的速度运动贴模。毛坯的运动速度决定于充电能量及毛坯的尺寸、机械性能与电气性能，一般介于 50 ~ 200m/s 之间。

电磁成形可用于管子缩颈，也可用于管件之间的连接。如把成形线圈置于管子内部，可以完成胀形工艺；若用平面螺线的成形线圈，可以完成平板的拉深成形。电磁成形的加工能力决定于充电电压与电容器的电容量。常用的充电电压为 5 ~ 10kV，而充电能量

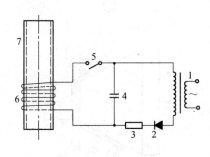

图 2-19-9 电磁成形原理

1—升压变压器；2—整流器；3—限流电阻；4—电容器；5—开关；6—线圈；7—毛坯

介于 5~20kJ 之间。

电磁成形中成形线圈的设计非常重要。在单件生产或为确定成形线圈的参数而做工艺试验时，可用一次使用的成形线圈。多次使用的永久性线圈必须考虑线圈在磁场力作用下的强度问题。

电磁成形方法主要加工具有良好导电性能的金属材料。在加工导电性能很差或不导电的毛坯时，应于其表面放置由薄铝板制成的驱动片，用以带动毛坯成形。

电磁成形也属于高速成形，它不需要传压介质，使操作过程和成形装置均得到很大简化，生产率也得到相当的提高，产品成本大幅度下降；设备调整简单，能准确地控制能量，成形过程稳定，再现性强；易于实现机械化和自动化，并且可以和普通的加工设备一起组成生产线。但是，当前电磁成形的设备比较昂贵，还只能用来加工厚度不大、普通冲压方法不易加工的小型零件。

19.7　旋压成形

旋压成形原理如图 2-19-10 所示。利用旋压机使毛坯和模具以一定的速度共同旋转，并在旋轮的作用下使毛坯在接触部位上产生局部的塑性变形。由于旋轮的进给运动和毛坯的旋转运动，使局部的塑性变形逐步地扩展到毛坯的全部表面，并完成零件的加工。旋压成形只能加工轴对称的旋转体零件。

旋压成形所用的模具十分简单，变形区尺寸小，所需的旋压力比一般冲压方法小很多，可以用功率和吨位都非常小的旋压机加工大型的零件。但其生产率较低，而且加工中要求操作人员有熟练的技术水平。随着科学技术的发展，旋压已由手工操作发展到自动旋压、计算机控制，不仅速度快，质量也很好。因此多用于生产批量较小、形状复杂，而且材料、尺寸多变化产品，在航空航天、导弹等方面应用较多。

除了上述普通旋压外（壁厚几乎不变），还有变薄旋压成形（图 2-19-11）。变薄旋压时毛坯的转速决定于材料的种类和尺寸。为了改善旋轮施力机构的受力条件，一般多采用两个或两个以上的旋轮。

变薄旋压多用于加工薄壁锥形件或薄壁长筒形件；筒形件旋压又分为正旋和反旋两种；按旋压的位置不同又分为内旋压和外旋压法；按零件形状的变化可分为扩口旋压和缩口旋压等。所得零件的尺寸精度和表面光洁度都比较好，在航空及航天工业、导弹工业等方面的应用较多。

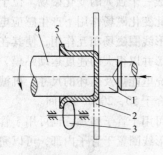

图 2-19-10　旋压原理

1—顶板；2—毛坯；3—旋轮；

4—模具；5—加工中的毛坯

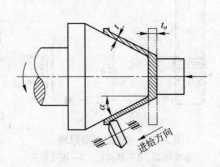

图 2-19-11　变薄旋压原理

复习思考题及习题

1. 与其他塑性加工方法相比，挤压方法有什么优、缺点？

2. 挤压方法分为几类？各有什么特点？举例说明挤压制品的用途，分析挤压技术的发展趋势。

3. 在挤压过程中，金属的流动可分为几个阶段，各阶段挤压力是如何变化的？

4. 什么是梯温加热，为什么要进行梯温加热，如何实现梯温加热？

5. 画图说明圆棒正向挤压时金属流动的特点。

6. 什么是挤压层状组织，其产生原因是什么，为什么层状组织通常只在制品前端出现？消除层状组织的措施是什么？

7. 什么是粗晶环，其产生原因和危害是什么，怎样消除粗晶环？

8. 什么是挤压效应，其产生的机理是什么？

9. 挤压缩尾有几种类型，产生的机理是什么，减少挤压缩尾的措施主要有哪些？

10. 比较下列各组中的两种挤压条件，哪种易产生环形缩尾？

   ①反挤压　　　正挤压　　　②无润滑挤压　　　润滑挤压
   ③管材挤压　　棒材挤压　　④整体模挤压　　　组合模挤压
   ⑤软合金挤压　硬合金挤压

11. 明确挤压力、挤压应力、最大挤压力及单位挤压力的概念。分析各种因素对挤压力的影响。

12. 在 20MN 卧式挤压机上，将 $\phi150mm \times 355mm$ 的锭坯挤压成 $\phi20mm$ 的 LY11 合金棒材，挤压筒 $D_t = 155mm$，金属流出速度 $v = 30mm/s$，模孔工作带长 $l_1 = 5mm$，采用双孔平模，压余 35mm，计算挤压力。

13. 在 15MN 挤压机上，用固定穿孔针控制 $\phi19mm \times 15mm$ 紫铜管，铸锭尺寸 $\phi150mm \times 200mm$，挤压温度为 900℃，挤压筒 $D_t = 155mm$，锥模角 $\alpha = 65°$，工作带 $l_1 = 10mm$，挤压速度 $v = 80mm/s$，计算挤压力。

14. 如何确定挤压温度与挤压速度？挤压温度与挤压速度过高或过低会出现什么问题？

15. 画出挤压速度极限图，分析挤压比、金属变形抗力及金属塑性等因素对挤压速度极限图的影响。

16. 画出静液挤压的示意图，说明静液挤压的特点和应用。

17. 连续铸挤（Castex）方法有何特点？分析连续铸挤过程中金属的状态和变形。

18. 与其他塑性加工方法比较，拉拔有什么优缺点，简述拉拔的发展趋势。

19. 管材拉拔方法有几种，各有什么特点？

20. 解释拉拔时的变形指数：延伸系数、相对延伸率和积分（对数）延伸系数。

21. 由网格法可看出拉拔变形有哪些特点，挤压和拉拔时金属的流动有哪些异同点？

22. 分析游动芯头在金属管材内部的受力情况，推导游动芯头拉拔时游动芯头在变形区内的稳定条件。

23. 空拉为什么能纠正管材的偏心，衬拉（有芯头或芯杆）能否纠正管材的偏心？

24. 说明圆棒拉拔时塑性变形区内的应力分布规律，并指出管材空拉时的应力分布与圆棒拉拔相比有何不同之处。

25. 分析影响拉拔力的因素；如何降低拉拔力，减少模子磨损，提高模具寿命？

26. 拉拔 LY11 棒材，拉拔前坯料为退火状态，某道次拉拔前直径为 38mm，拉拔后直径为 33mm，模角 $\alpha = 12°$，工作带长度 $L_d = 3mm$，摩擦系数 $f = 0.1$。试计算拉拔力。

27. 采用游动芯头拉拔 H68 管材，拉拔前是退火状态坯料，$\phi28.3mm \times 1.32mm$，拉拔后的规格为 $\phi25mm \times 1mm$，拉模角 $\alpha = 12°$，芯头锥角 $\alpha_1 = 9°$，拉模工作带长度 $L_d = 2mm$，芯头小圆柱段长度

为 10mm，摩擦系数为 0.09，求拉拔力。

28. 拉拔配模的基本条件是什么？解释安全系数的意义。

29. 如何确定中间退火次数和拉拔道次数？道次延伸系数应如何分配？

30. 试进行断面积为 100mm^2 的电车线配模设计，保证电车线的断面积允许公差为 ±2%，最低抗拉强度为 345MPa。

　　已知电车线的断面尺寸：$A = 12.82mm$，$H = 11.80mm$，$a = 5.7mm$，$c = 2.5mm$，$R = 6.5mm$，$R_1 = 6.0mm$，$\gamma = 50°$，$\beta = 35°$。

31. 用拉拔法生产 LY12 管材，制品尺寸为 $\phi8mm \times 1mm$，选用 $\phi34mm \times 2mm$ 的坯料，试计算所需的道次数和中间退火次数（采用固定芯头拉拔和空拉）。

32. 生产 110mm × 50mm × 3mm 的黄铜矩形管材，对表面质量要求较高。拟定最后三道次拉拔工艺流程为：$\phi110mm \times 3mm \rightarrow 120mm \times 60mm \rightarrow 110mm \times 50mm \times 3mm$。试问此工艺流程是否合理？

33. 推导滑动式和非滑动式多次拉拔的条件。

34. 选用 13 模拉线机拉拔 $\phi1.2mm$ 的紫铜线材，已知第 12、13 道次的绞盘线速度分别为 10.7m/s 和 12.0m/s，延伸系数分别为 1.35 和 1.20，试求出这两个道次的滑动系数和滑动率。

35. 锻造技术发展的概况及其所包括的范围是什么？

36. 锻造生产具有哪些主要的辅助工序？

37. 高合金钢锻件的锻后冷却工艺如何确定？

38. 自由锻有哪些主要工序，简要说明其操作要领和使用范围。

39. 制定锻件图时要考虑哪些因素？

40. 制定模锻工艺过程包括哪些内容？

41. 锤上模锻与曲柄压力机模锻有什么不同？

42. 锤上模锻如何选择锻件分模面，为什么带孔的锻件不能锻出通孔？

43. 试述模锻模腔的类型及其功用？

44. 冲压工艺过程设计的主要要求是什么？

45. 冲压成形的工艺性包括哪些主要内容？

46. 如何控制冲压变形的趋向性？

47. 冲压工艺性试验方法都有哪些？

48. 试述冲裁间隙对冲裁件质量、冲裁力及模具寿命的影响。

49. 试述减小弯曲件回弹的常用措施。

50. 拉深变形过程中的应力应变状态是什么样的？

51. 拉深过程中坯料的起皱原因及防止方法是什么？

52. 试分析拉深比的主要影响因素及提高拉深比的途径？

53. 如何确定拉深模的间隙？

54. 特种冲压方法有哪几种，各有什么优缺点？

参 考 文 献

1　温景林．金属挤压拉拔工艺学．沈阳：东北大学出版社，1996

2　马怀宪．金属塑性加工学——挤压、拉拔与管材冷轧．北京：冶金工业出版社，1991

3　谢建新，刘静安．金属挤压理论与技术．北京：冶金工业出版社，2001

4　吴诗惇．冷温挤压．西安：西北工业大学出版社，1991

5　吴诗惇．挤压原理．北京：国防工业出版社，1994

6　贾俐俐主编．挤压工艺及模具．北京：机械工业出版社，2004

7　夏巨谌主编．精密塑性成形工艺．北京：机械工业出版社，1999

8　罗守靖．复合材料液态挤压．北京：冶金工业出版社，2002

9　杨守山．有色金属塑性加工学．北京：冶金工业出版社，1983

10　温景林．科技综述百科——挤压工艺学的发展．北京：北京出版社，1995

11　温景林，孝云祯，丁桦等．中国冶金百科全书：塑性加工卷——挤压．北京：冶金工业出版社，1999

12　温景林．金属材料成形摩擦学．沈阳：东北大学出版社，2000

13　魏军著．有色金属挤压车间机械设备．北京：冶金工业出版社，1984

14　赵志业等．金属塑性变形与轧制理论．北京：冶金工业出版社，1994

15　赵德文主编．材料成型力学．沈阳：东北大学出版社，2002

16　［英］G. W. 罗著．工业金属塑性加工原理．张予公，陈金德，陈楚杰等译．北京：机械工业出版社，1977

17　林肇琦．有色金属材料学．沈阳：东北大学出版社，1986

18　K. LAUE, H. STENGER, Translators from the German version：A. F. Castle, B. Sc. EXTRUSION（Processes, Machinery, Tooling）. AMERICAN SOCITY FOR METALS, 1981

19　［苏］A. A 纳盖采夫等著．铜及铜合金管棒材的挤压．白淑文等译．北京：冶金工业出版社，1992

20　М. Э. 叶尔曼诺夫著．铝合金壁板挤压．李西铭．张绿泉译．北京：国防工业出版社，1991

21　［日］米谷茂著．金属的残余应力．朱荆璞，邵会孟译．北京：机械工业出版社，1983

22　娄燕雄，刘贵材．有色金属线材生产．长沙：中南工业大学出版社，1999

23　洛阳铜加工厂．游动芯头拉伸铜管．北京：冶金工业出版社，1976

24　李连诗．异型管制造方法．北京：冶金工业出版社，1994

25　娄尔康．现代电缆工程．沈阳：辽宁科学技术出版社，1989

26　王珂，王凤翔．冷拔钢材生产．北京：冶金工业出版社，1981

27　周良，朱振明，谢崇峻编译．钢丝的连续生产．北京：冶金工业出版社，1998

28　刘静安．金属挤压成形理论与技术发展的现状与趋势．铝加工，Vol. 23：2000（5）

29　Valiev R Z, Islamgaliev R K, Alexandron I V. Bulk nanostructured materials from severe plastic deformation. Progress in Materials Science, 2000, 45：103～189

30　Kamachi M, Furukawa M, Horita Z, Langdon T G. A model investigation of the shearing characteristics in equal-channel angular pressing. Mater. Sci. Eng. , 2002, A247：223～230

31　宋玉泉．连续局部塑性成形的发展前景．中国机械工程，Vol. 11：2000（1～2）

32　J W Pilarczyk, P Van Houtte, E Aernoudt , Effect of hydrodynamic and roller die drawing on the texture of high carbon steel wires, Materials Science Engineering, 1995, A 197：97～101

33　王祝堂，田荣璋．铝合金及其加工手册（第三版）．长沙：中南大学出版社，2005

34　王祝堂，田荣璋．铜合金及其加工手册．长沙：中南大学出版社，2002

35　稀有金属材料加工编写组．稀有金属材料加工手册．北京：冶金工业出版社，1984

36　吕炎．锻造工艺学．北京：机械工业出版社，1995

37　张志文．锻造工艺学．北京：机械工业出版社，1983

38　王云禧. 锻造与冲压工艺学. 北京：冶金工业出版社，1994

39　高锦张等. 塑性成形工艺与模具设计. 北京：机械工业出版社，2001

40　李硕本. 冲压工艺学. 北京：机械工业出版社，1981

41　吴诗惇. 冲压工艺学. 西安：西北工业大学出版社，1987.6

42　肖景容，姜奎华. 冲压工艺学. 北京：机械工业出版社，2004

43　卢险峰. 冲压工艺模具学. 北京：机械工业出版社，2000

44　王仲仁. 特种塑性成形. 北京：机械工业出版社，1994

45　中国机械工程学会锻压学会. 锻压手册（锻造）. 北京：机械工业出版社，2002

46　中国机械工程学会锻压学会. 锻压手册（冲压）. 北京：机械工业出版社，2002

47　吕炎等. 锻压成形理论与工艺. 北京：机械工业出版社，1991

48　王孝培主编. 冲压设计资料. 北京：机械工业出版社，1983

49　[美] T. Altan 等. 现代锻造. 陆索译. 北京：国防工业出版社，1982

50　胡世光. 板料冷压成形原理. 北京：国防工业出版社，1979

51　中川威雄等. 板料冲压加工. 郭青山等译. 天津：天津科学技术出版社，1982

52　[苏] M. B. 斯德洛日夫，E. A. 波波夫著. 金属压力加工原理. 刘玉文译. 北京：机械工业出版社，1983

53　王成和，刘克璋. 旋压技术. 北京：机械工业出版社，1986

54　王德拥. 简明锻工手册. 北京：机械工业出版社，1992

55　涂光祺. 精冲技术. 北京：机械工业出版社，1990

第三篇 轧制理论与工艺

绪 论

轧制方法是金属材料成型的主要方法，轧制成型的钢材是数量最大的金属材料制品。冶炼钢的90%以上要经过轧制工艺才能成为可用的钢材。轧制钢材与汽车、建筑、能源等国民经济支柱产业密切相关，因此它也是与人民的生活紧密相连的。由于钢材生产数量大、品种多，广泛应用于国民经济的各个部门，因此冶金工业是国民经济发展的基础产业之一。

20世纪的后半叶，特别是最后的20多年，在相关学科和技术发展的基础上，轧制技术发展迅速，面貌日新月异，逐渐形成了现代轧制工艺。当今现代轧制工艺技术的特点和发展趋势基本可以归纳为如下几个方面：

一、大力开发高精度轧制技术

提高轧制产品的精度，是用户的需要，也是轧制技术发展的永恒的目标。产品的精度主要指产品的外形尺寸精度，它是社会主义市场经济发展的需要，也是作为产品的最基本条件。

对于板带钢来说，外形尺寸包括厚度、宽度、板形、板凸度、平面形状等等。在所有的尺寸精度指标中，厚度精度指标是最基本、最重要的指标。通过对轧制过程控制计算机的高精度设定和基础自动化的 AGC 控制系统的改进，厚度精度已经达到了很高的水平。为了提高板带钢的板形质量，板形控制技术取得了长足的进步。除了一般的配辊、配辊型曲线、轧制负荷分配等手段之外，硬件水平的提高，特别是轧机本身的改进起到了重要的作用，CVC、PC、HCW、DSR 等新机型的出现使板带钢的板形质量发生了质的飞跃。平面形状控制，对提高中厚板成材率是一项关键的技术。在平面形状控制技术中，利用立辊轧机与 MAS 法配合，可以获得最好的控制效果，并能显著提高中厚板轧机的成材率。

型钢和棒线材轧机的尺寸精度除采用高刚度、短应力线轧机外最新进展是采用高精度精轧技术，即在型钢轧机的精轧机架的后面，装设高精度轧制机组，通过该机组对制品尺寸进一步规整，以实现产品尺寸的高精度成型。该项技术包括 HPR(High Precision Rolling) 技术, Tekisun 机组和 PSB(Precision Sizing Block) 机组。

随着用户对产品要求的不断提高，产品的表面质量问题也已经成为制约市场开拓的严重问题。除了高压水除鳞之外，冷却水系统的质量和保养以及水质的清洁度，冷、热轧工艺，润滑技术的改进，轧辊耐磨性的提高及在线磨辊技术，都可以大幅度提高钢材的表面质量。

二、以过程冶金理论为基础，以低合金钢为重点，提高产品的冶金质量，扩大品种

轧制过程是赋予金属一定的尺寸和形状的过程，同时也是赋予金属材料一定组织和性能的过程。轧材的最终组织性能取决于钢的化学成分、洁净度和均匀度，以及加工过程的热履历。以物理冶金理论为基础，通过材料化学成分的优化和工艺制度的改进，已经大幅度提高了现有

钢种的质量，并通过 Nb、V、Ti 微合金化开发出大批优良的新钢种。

对于热轧产品来讲，依据物理冶金理论，实现控制轧制和控制冷却，是提高产品质量和附加值、开发新品种、增加企业经济效益的关键。通过控制轧制和控制冷却，一些重要的钢种，例如管线钢、容器钢、工程机械用钢、桥梁板、造船板、贝氏体钢、双相钢、TRIP 钢等都已经开发出来，为经济发展和社会进步做出了巨大贡献。目前，利用新一代的控制轧制和控制冷却技术开发的超级钢材，性能可以达到现有常规轧制钢材的两倍，已经引起了各个方面的普遍重视，因此而投入了大量的人力、物力和财力来进行开发和研究。

退火工序是冷轧产品质量控制的重要工序。除了传统的罩式退火外，连续退火近年获得较大发展。连续式退火炉板形质量好，板材性能均匀，通过过时效处理，可以在很大的程度上控制钢板的冷却速度（最高可达 2000℃/s），是利用退火过程提高质量、开发新品种的关键设备。

三、提高连铸比，大力推广连铸—连轧工艺及短流程技术

采用连铸技术可以大幅度降低能耗，提高成材率，提高轧制产品的质量。近年我国的连铸比大幅度提高，促进了相关轧制技术的发展，特别是连铸和轧制衔接技术的发展，例如热装和直接轧制技术及板坯调宽技术等。

短流程是钢铁工业的发展方向，是目前国外竞相开发的热点。尽管目前还存在各种各样的问题，短流程这个大趋势是绝对不会逆转的。我国已经由包钢、邯钢、珠钢等钢铁企业引进了近十套薄板坯连铸连轧机组，这是热轧带钢发展的重要方向。此外，我国还引进了 H 型钢用异型坯连铸技术，圆管坯连铸技术等。与此相关的轧制技术也正在开发中。

半凝固态压力加工和薄带连续铸轧是近年各国竞相开发的热点技术，在下一世纪将会获得大的发展。

四、轧制过程连续化的新进展——无头轧制技术

轧制过程的连续化是轧制技术发展的重要方向。无头轧制是连续轧制的新发展。冷轧机组通过轧前焊接、轧后切断以及轧制中的动态改变规格，最早实现了无头轧制技术。20 世纪 80 年代又将冷连轧与酸洗机组连接起来，建立了酸洗—冷轧连续式机组（CDCM）的无头轧制技术。20 世纪 90 年代，又开发成功常规板坯连续化的热轧无头轧制技术和与薄板坯连铸连轧相对应的无头轧制技术。通过无头向热带精轧机组提供温度和轧材断面恒定的坯料，轧制出形状、尺寸、组织、性能几乎恒定不变的热轧带钢，大大简化了热轧的自动控制系统，提高了产品的质量和生产率。近年来型钢、棒线材轧机也都开始采用无头轧制技术，在提高产量和成材率等方面发挥了巨大的作用。

五、采用柔性化的轧制技术

在激烈的市场竞争中，为了适应用户多品种、小批量、短交货期的需要，迫切需要开发柔性化的轧制技术。

在热轧带钢生产过程中，要提高连铸坯热装比和直轧比，必须打破轧制规程的限制，实现自由程序轧制（SFR）。该技术实质上是集成了几乎全部现代轧制技术，取消了以往的轧制程序编制中对宽度、厚度、钢种、终轧温度、卷取温度等的跳跃幅度等施加的严格限制，极大地加强了热带轧制过程的柔性。

型钢和棒线材的自由程序轧制技术更多地依赖于设备和孔型设计。例如采用平辊轧制技

术，可以免受粗轧延伸孔型的限制。在 H 型钢的轧制过程中，为了能够利用同一套孔型轧制多种规格，国外已经开发了可以改变外宽尺寸和内部尺寸及改变 H 型钢高度的新的轧制方法和新型轧机。在棒钢、扁钢、角钢等的生产中，可以在延伸机组上采用无孔型平辊轧制技术来提高生产的柔性。在棒线材的轧制中，通过合理设计成品及成品前的孔型，可以用同一套孔型轧制相近的几种规格的产品，扩大了生产的自由度。

六、轧制过程的自动控制和智能控制

自动化是现代化轧钢厂提高生产效率和产品质量的最为重要的手段。现代化的轧钢厂采用了多级计算机系统和自动化系统进行产品的生产组织过程控制和质量监督。自动化技术与轧制技术的交叉和融合，将为轧钢厂提高产品质量、降低成本、增加效率提供最为有效的手段。另一方面，在目前基础自动化硬件的基础上，尽量采用人工智能技术，实现轧制过程的人工智能控制，是一个新的重要的方向。在这方面，利用 ANN（人工神经网络）、模糊逻辑（Fazzy）、专家系统、GA（遗传算法）进行对过程的诊断、优化、控制，进行信息处理，具有非常广阔的发展前景。

七、深加工

进行产品的深加工可以较小的投入带来较大的经济效益，把产品的最终效益留在钢厂，同时也加强了冶金厂与用户之间密不可分的关系。产品的深加工包括涂镀、裁剪、切分、焊接、冷弯、机械加工、复合等等，方式繁多，效益明显，是极有前景的发展领域。近年来，产品的深加工领域受到人们越来越多的重视。

本篇实际上就是通过对轧制理论的分析讨论以及对各种轧制产品的生产工艺过程、工艺布置、规程制定、数学模型、技术经济等方面的阐述，让读者掌握现代轧制技术的基本知识及其现状、特点、发展，使其具有制定合理轧制工艺、建立先进轧制工艺制度的能力，为轧制工艺技术的发展做出贡献。

1　轧制过程基本概念

轧制过程是靠旋转的轧辊与轧件之间形成的摩擦力将轧件拖进辊缝之间，并使之受到压缩产生塑性变形的过程。轧制过程除使轧件获得一定形状和尺寸外，还必须使组织和性能得到一定程度的改善。为了了解和控制轧制过程，就必须对轧制过程形成的变形区及变形区内的金属流动规律有一概括的了解。

1.1　变形区主要参数

通常在生产实践中所使用的轧机其结构形式多种多样，为了搞清楚其共同性的问题，轧制原理要先从简单轧制过程讲起。所谓简单轧制过程，就是指轧制过程上下轧辊直径相等，转速相同，且均为主动辊、轧制过程对两个轧辊完全对称、轧辊为刚性、轧件除受轧辊作用外，不受其他任何外力作用、轧件在入辊处和出辊处速度均匀、轧件的机械性质均匀。

理想的简单轧制过程在实际中是很难找到的，但有时为了讨论问题方便，常常把复杂的轧制过程简化成简单轧制过程。

1.1.1　轧制变形区及其主要参数

轧件承受轧辊作用发生变形的部分称为轧制变形区，即从轧件入辊的垂直平面到轧件出辊的垂直平面所围成的区域 AA_1B_1B （图 3-1-1），通常又把它称为几何变形区。轧制变形区主要参数有咬入角和接触弧长度。

1.1.1.1　咬入角(α)

如图 3-1-1 所示，轧件与轧辊相接触的圆弧所对应的圆心角称为咬入角。压下量与轧辊直径及咬入角之间存在如下的关系：

$$\Delta h = 2(R - R\cos\alpha)$$

因此得到

$$\Delta h = D(1 - \cos\alpha) \qquad (3\text{-}1\text{-}1)$$

又

$$\cos\alpha = 1 - \frac{\Delta h}{D}$$

得

$$\sin\frac{\alpha}{2} = \frac{1}{2}\sqrt{\frac{\Delta h}{R}} \qquad (3\text{-}1\text{-}2)$$

当 α 很小时（$\alpha < 10° \sim 15°$），取 $\sin\frac{\alpha}{2} \approx \frac{\alpha}{2}$，此时可得

$$\alpha = \sqrt{\frac{\Delta h}{R}} \qquad (3\text{-}1\text{-}3)$$

式中　D, R——轧辊的直径和半径；

　　　　Δh——压下量。

变形区内任一断面的高度 h_x，可按下式求得：

$$h_x = \Delta h_x + h = D(1 - \cos\alpha_x) + h \qquad (3\text{-}1\text{-}4)$$

或

$$h_x = H - (\Delta h - \Delta h_x)$$

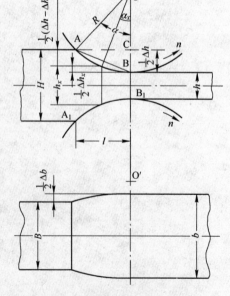

图 3-1-1　变形区的几何形状

$$= H - [D(1 - \cos\alpha) - D(1 - \cos\alpha_x)]$$

$$= H - D(\cos\alpha_x - \cos\alpha) \tag{3-1-5}$$

1.1.1.2　接触弧长度(l)

轧件与轧辊相接触的圆弧的水平投影长度称为接触弧长度，也叫咬入弧长度，即图 3-1-1 中的 AC 线段。通常又把 AC 称为变形区长度。

接触弧长度随轧制条件的不同而不同，一般有以下 3 种情况：

（1）两轧辊直径相等时的接触弧长度。从图 3-1-1 中的几何关系可知：

$$l^2 = R^2 - \left(R - \frac{\Delta h}{2}\right)^2 \tag{3-1-6}$$

所以

$$l = \sqrt{R\Delta h - \frac{\Delta h^2}{4}}$$

由于式（3-1-6）中根号里的第二项比第一项小得多，因此可以忽略不计，则接触弧长度公式就变为：

$$l = \sqrt{R\Delta h} \tag{3-1-7}$$

用式（3-1-7）求出的接触弧长度实际上是 AB 弦的长度，可用它近似代替 AC 长度。

（2）两轧辊直径不相等时接触弧长度。此时可按下式确定：

$$l = \sqrt{\frac{2R_1 R_2}{R_1 + R_2}\Delta h} \tag{3-1-8}$$

该式是假设两个轧辊的接触弧长度相等而导出的，即：

$$l = \sqrt{2R_1\Delta h_1} = \sqrt{2R_2\Delta h_2} \tag{3-1-9a}$$

式中　R_1，R_2——分别为上下两轧辊的半径；

　　　Δh_1，Δh_2——分别为上下轧辊对金属的压下量。

$$\Delta h = \Delta h_1 + \Delta h_2 \tag{3-1-9b}$$

由式(3-1-9a)及式(3-1-9b)便得式(3-1-8)。

（3）轧辊和轧件产生弹性压缩时接触弧的长度。由于轧件与轧辊间的压力作用，轧辊产生局部的弹性压缩变形，此变形可能很大，尤其在冷轧薄板时更为显著。轧辊的弹性压缩变形一般称为轧辊的弹性压扁，轧辊弹性压扁的结果使接触弧长度增加。另外，轧件在辊间产生塑性变形时，也伴随产生弹性压缩变形，此变形在轧件出辊后即开始恢复，这也会增大接触弧长度。因此，在热轧薄板和冷轧板过程中，必须考虑轧辊和轧件的弹性压缩变形对接触弧长度的影响见图 3-1-2。

如果用 Δ_1 和 Δ_2 分别表示轧辊与轧件的弹性压缩量，为使轧件轧制后获得 Δh 的压下量，那么必须把每个轧辊再压下 $\Delta_1 + \Delta_2$ 的压下量。此时轧件与轧辊的接触线为图 3-1-2 中的 $A_2 B_2 C$ 曲线，其接触弧长度为：

$$l' = x_1 + x_0 = \overline{A_2 D} + \overline{B_1 C}$$

$\overline{A_2 D}$ 和 $\overline{B_1 C}$ 可分别从图 3-1-2 的几何关系中找出：

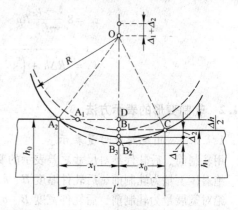

图 3-1-2　轧辊与轧件弹性压缩时接触弧长度

$$\overline{A_2D} = \sqrt{\overline{A_2O}^2 - (\overline{OB_3} - \overline{DB_3})^2} = \sqrt{R^2 - (R - \overline{DB_3})^2}$$

$$\overline{B_1C} = \sqrt{\overline{CO}^2 - (\overline{OB_3} - \overline{B_1B_3})^2} = \sqrt{R^2 - (R - \overline{B_1B_3})^2}$$

展开上两式中的括号，由于 $\overline{DB_3}$ 和 $\overline{B_1B_3}$ 的平方值与轧辊半径与它们乘积相比小得多，故可以忽略不计，得：

$$\overline{A_2D} = \sqrt{2R\,\overline{DB_3}}\ ; \qquad \overline{B_1C} = \sqrt{2R\,\overline{B_1B_3}}$$

因为

$$\overline{DB_3} = \frac{\Delta h}{2} + \Delta_1 + \Delta_2\ ; \qquad \overline{B_1B_3} = \Delta_1 + \Delta_2$$

所以

$$l' = x_1 + x_0 = \overline{A_2D} + \overline{B_1C}$$

$$= \sqrt{R\Delta h + 2R(\Delta_1 + \Delta_2)} + \sqrt{2R(\Delta_1 + \Delta_2)}$$

或者

$$l' = \sqrt{R\Delta h + x_0^2} + x_0 \tag{3-1-10}$$

这里

$$x_0 = \sqrt{2R(\Delta_1 + \Delta_2)} \tag{3-1-11}$$

　　轧辊和轧件的弹性压缩变形量 Δ_1 和 Δ_2 可以用弹性理论中的两圆柱体相互压缩时的计算公式求出：

$$\Delta_1 = 2q\frac{1 - \nu_1^2}{\pi E_1} \qquad \Delta_2 = 2q\frac{1 - \nu_2^2}{\pi E_2}$$

式中　　q——压缩圆柱体单位长度上的压力，$q = 2x_0\bar{p}$（$\bar{p}$ 为平均单位压力）；

ν_1，ν_2——轧辊和轧件的泊松系数；

E_1，E_2——轧辊和轧件的弹性模量。

　　将 Δ_1 和 Δ_2 的值代入式（3-1-11）得

$$x_0 = 8R\bar{p}\left(\frac{1 - \nu_1^2}{\pi E_1} + \frac{1 - \nu_2^2}{\pi E_2}\right) \tag{3-1-12}$$

　　把 x_0 的值代入式（3-1-10），即可计算出 l' 值。金属的弹性压缩变形很小时，可忽略不计，即 $\Delta_2 \approx 0$，则可得只考虑轧辊弹性压缩时接触弧长度的计算公式，即西齐柯克公式。

$$x_0 = 8\frac{1 - \nu_1^2}{\pi E_1}R\bar{p} \tag{3-1-13}$$

$$l' = \sqrt{R\Delta h + \left(8\frac{1 - \nu_1^2}{\pi E_1}R\bar{p}\right)^2} + 8\frac{1 - \nu_1^2}{\pi E_1}R\bar{p} \tag{3-1-14}$$

1.1.2　轧制变形的表示方法

1.1.2.1　用绝对变形量表示

用轧制前、后轧件绝对尺寸之差表示的变形量就称为绝对变形量。

绝对压下量为轧制前、后轧件厚度 H、h 之差，即 $\Delta h = H - h$。

绝对宽展量为轧制前、后轧件宽度 B、b 之差，即 $\Delta b = b - B$。

绝对延伸量为轧制前、后轧件长度 L、l 之差，即 $\Delta l = l - L$。

用绝对变形量不能正确地说明变形量的大小，但由于习惯，前两种变形量常被使用，而绝对延伸量一般情况下不使用。

1.1.2.2 用相对变形量表示

即用轧制前、后轧件尺寸的相对变化表示的变形量称为相对变形量。相对变形量有：

相对压下量：$\dfrac{H-h}{H}100\%$； $\dfrac{H-h}{h}100\%$； $\ln\dfrac{h}{H}$。

相对宽展量：$\dfrac{b-B}{B}100\%$； $\dfrac{b-B}{b}100\%$； $\ln\dfrac{b}{B}$。

相对延伸量：$\dfrac{l-L}{L}100\%$； $\dfrac{l-L}{l}100\%$； $\ln\dfrac{l}{L}$。

前两种表示方法只能近似地反映变形的大小，但较绝对变形表示法则已进了一步。后一种方法引自移动体积的概念，故能够正确地反映变形的大小，所以这种以对数表示的相对变形量也叫真变形。

1.1.2.3 用变形系数表示

用轧制前、后轧件尺寸的比值表示变形程度，此比值称为变形系数。变形系数包括：

压下系数： $\eta=\dfrac{H}{h}$

宽展系数： $\beta=\dfrac{b}{B}$

延伸系数： $\mu=\dfrac{l}{L}$

根据体积不变原理，三者之间存在如下关系，即 $\eta=\mu\cdot\beta$。变形系数能够简单而正确地反映变形的大小，因此在轧制变形方面得到了极为广泛的应用。

1.2 金属在变形区内的流动规律

1.2.1 沿轧件断面高向上变形的分布

关于轧制时变形的分布有两种不同理论，一种是均匀变形理论，另一种是不均匀变形理论。后者比较客观地反映了轧制时金属变形规律。均匀变形理论认为，沿轧件断面高度方向上的变形、应力和金属流动的分布都是均匀的，造成这种均匀性的主要原因是由于未发生塑性变形的前后外端的强制作用，因此又把这种理论称为刚端理论。而不均匀变形理论认为，沿轧件断面高度方向上的变形、应力和金属流动分布都是不均匀的，如图 3-1-3 所示。其主要内容为：

（1）沿轧件断面高度方向上的变形、应力和流动速度分布都是不均匀；

（2）在几何变形区内，在轧件与轧辊接触表面上，不但有相对滑动，而且还有黏着，所谓黏着系指轧件和轧辊间无相对滑动；

（3）变形不但发生在几何变形区内，而且也产生在几何变形区以外，其变形分布都是不均匀的。这样就把轧制变形区分成变形过渡区、前滑区、后滑区和黏着区，见图 3-1-3；

（4）在黏着区内有一个临界面，在这个面上金属的流动速度分布均匀，并且等于该处轧辊的水平速度。

大量实验证明，不均匀变形理论是比较正确的，其中以前苏联 И. Я. 塔尔诺夫斯基（Тарновский）的实验最有代表性。他研究沿轧件对称轴的纵断面上的坐标网格的变化，证明

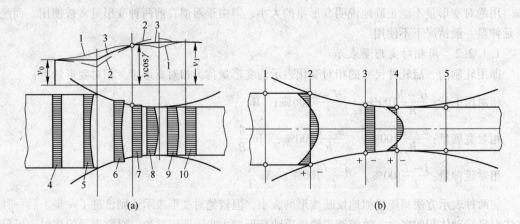

图 3-1-3　按不均匀变形理论金属流动速度和应力分布

（a）金属流动速度分布：1—表面层金属流动速度；2—中心层金属流动速度；3—平均流动速度；4—后
外端金属流动速度；5—后变形过渡区金属流动速度；6—后滑区金属流动速度；7—临界面金属流动
速度；8—前滑区金属流动速度；9—前变形过渡区金属流动速度；10—前外端金属流动速度

（b）应力分布：+—拉应力；-—压应力；1—后外端；2—入辊处；3—临界面；4—出辊处；5—前外端

了沿轧件断面高度方向上的变形分布是不均匀的，其实验研究结果如图 3-1-4 所示。图中曲线 1 表示轧件表面层各个单元体的变形沿接触弧长度 l 上的变化情况，曲线 2 表示轧件中心层各个单元体的变形沿接触弧长度 l 上的变化情况。图中的纵坐标是以自然对数表示的相对变形。

　　由图 3-1-4 可看出，在接触弧开始处靠近接触表面的单元体的变形，比轧件中心层的单元体的变形要大。这不仅说明沿轧件断面高度方向上的变形分布不均匀，而且还说明表面层的金属流动速度比中心层的要快。

　　显然图 3-1-4 中曲线 1 与曲线 2 的交点是临界面的位置，在这个面上金属变形和流动速度是均匀的。在临界面的右边，即出辊方向，出现了相反现象。轧件中心层单元体的变形比表面层的要大，中心层金属流动速度比表面层的要快。

　　在接触弧的中间部分，曲线上有一段很长的平行于横坐标的线段，这说明在轧件与轧辊相接触的表面上确实存在着黏着区。

　　另外，从图中还可以看出，在入辊前和出辊后轧件表面层和中心层都发生变形，这充分说明了在外端和几何变形区之间有变形过渡区，在这个区域内变形和流动速度也是不均匀的。

　　И. Я. 塔尔诺夫斯基根据实验研究把轧制变形区绘成图 3-1-5，用以描述轧制时整个变形的情况。

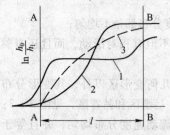

图 3-1-4　沿轧件断面高向上变形分布

1—表面层；2—中心层；3—均匀变形

A-A—入辊平面；B-B—出辊平面

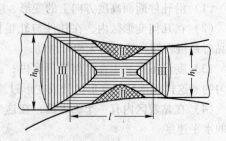

图 3-1-5　轧制变形区（$l/\bar{h} > 0.8$）

I—易变形区；II—难变形区；III—自由变形区

实验研究还指出，沿轧件断面高度方向上的变形不均匀分布与变形区形状系数有很大关系。当变形区形状系数 $l/\bar{h}>0.5\sim1.0$ 时，即轧件断面高度相对于接触弧长度不太大时，压缩变形完全深入到轧件内部，形成中心层变形比表面层变形要大的现象；当变形区形状系数 $l/\bar{h}<0.5\sim1.0$ 时，随着变形区形状系数的减小，外端对变形过程影响变得更为突出，压缩变形不能深入到轧件内部，只限于表面层附近的区域；此时表面层的变形较中心层要大，金属流动速度和应力分布都不均匀，如图 3-1-6 所示。

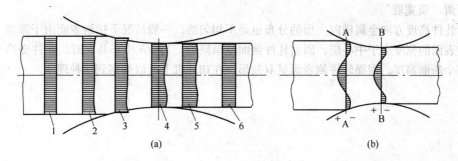

图 3-1-6　$l/\bar{h}<0.5\sim1.0$ 时金属流动速度与应力分布

（a）金属流动速度分布：1、6—外端；2、5—变形过渡区；3—后滑区；4—前滑区
（b）应力分布：A-A—入辊平面；B-B—出辊平面

A. И. 柯尔巴什尼柯夫也用实验证明，沿轧件断面高度方向上变形分布是不均匀的。他采用 LY12 铝合金扁锭分别以 2.8%、6.7%、12.2%、16.9%、20.4% 和 25.3% 的压下率进行热轧，用快速摄影对其侧表面坐标网格进行拍照，观察变形分布，其实验结果如图 3-1-7 所示。

该实验说明，在上述压下率范围内沿轧件断面高度方向上的变形分布都是不均匀的。当压下率 ε 在 2.8%～16.9% 的范围内，$l/\bar{h}$ 在 0.3～0.92 时，轧件中心层的变形比表面层的变形要小，而压下率等于 20.4% 和 25.3%，$l/\bar{h}$ 等于 1.0 和 1.25 时，轧件中心层的变形比表面层的变形要大。

1.2.2　沿轧件宽度方向上的流动规律

根据最小阻力定律，由于变形区受纵向和横向的摩擦阻力 σ_3 和 σ_2 的作用（见图 3-1-8），大致可把轧制变形区分成四个部分；即 ADB 及 CGE 和 ADGC 及 BDGE 四个部分。ADB 及 CGE 区域内的金属流沿横向流动增加宽展，而 ADGC 及 BDGE 区域内的金属流沿纵向流动增加延

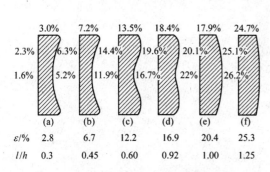

$\varepsilon/\%$	2.8	6.7	12.2	16.9	20.4	25.3
l/h	0.3	0.45	0.60	0.92	1.00	1.25

图 3-1-7　热轧 LY12 时沿断面高度上的变形分布

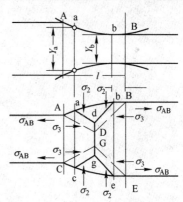

图 3-1-8　轧件在变形区的横向流动

伸。不仅上述四个部分是一个相互联系的整体，它们还与其前后两个外端相互联系着。外端对变形区金属流动的分布也产生一定的影响作用，前后外端对变形区产生张应力。另一方面由于变形区的长度 l 小于宽度 $\bar{b}$，故延伸大于宽展，在纵向延伸区中心部分的金属只有延伸而无宽展，因而使其延伸大于两侧，结果在两侧引起张应力。这两种张应力引起的应力以 σ_{AB} 表示，它与延伸阻力 σ_3 方向相反，削弱了延伸阻力，引起形成宽展的区域 ADB 及 CGE 收缩为 adb 和 cge。事实证明，张应力的存在引起宽展下降。当此应力很大时，甚至在宽度方向上发生收缩产生所谓"负宽展"。

　　沿轧件高度方向金属横向变形的分布也是不均匀的，一般情况下接触表面由于摩擦力的阻碍，使表面的宽度小于中心层，因而轧件侧面呈单鼓形。当 $l/\bar{h}$ 小于 0.5 时，轧件变形不能渗透到整个断面高度，因而轧件侧表面呈双鼓形，在初轧机上可以观察到这种现象。

2 实现轧制过程的条件

为了便于研究轧制过程的各种规律，讨论在简单轧制条件下实现轧制过程的咬入条件和稳定轧制条件是必要的。

2.1 咬入条件

依靠回转的轧辊与轧件之间的摩擦力，轧辊将轧件拖入轧辊之间的现象称为咬入。为使轧件进入轧辊之间实现塑性变形，轧辊对轧件必须有与轧制方向相同的水平作用力。因此，应该根据轧辊对轧件的作用力去分析咬入条件。

为易于确定轧辊对轧件的作用力，首先分析轧件对轧辊的作用力。

首先以 Q 力将轧件移至轧辊之前，使轧件与轧辊在 A，B 两点上切实接触（图 3-2-1），在此 Q 力作用下，轧辊在 A，B 两点上承受轧件的径向压力 P 的作用，在 P 力作用下产生与 P 力互相垂直的摩擦力 T_0，因为轧件是阻止轧辊转动的，故摩擦力 T_0 的方向与轧辊转动方向相反，并与轧辊表面相切（图 3-2-1(a)）。

轧辊对轧件的作用力：根据牛顿力学基本定律，轧辊对轧件将产生与 P 力大小相等，方向相反的径向反作用力 N，在后者作用下，产生与轧制方向相同的切线摩擦力 T，如图 3-2-1(b)所示，力图将轧件咬入轧辊的辊缝中进行轧制。

显然，与咬入条件直接有关的是轧辊对轧件的作用力，因上、下轧辊对轧件的作用方式相同，所以只取一个轧辊对轧件的作用力进行分析，如图 3-2-2 所示。

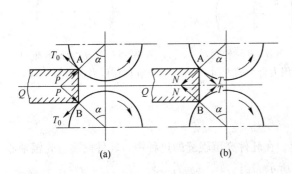

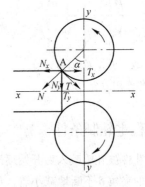

图 3-2-1　轧件与轧辊开始接触瞬间作用力图解　　　　图 3-2-2　上轧辊对轧件作用力分解图

将作用在 A 点的径向力 N 与切向力 T 分解成垂直分力 N_y 与 T_y 和水平分力 N_x 与 T_x，考虑两个轧辊的作用，垂直分力 N_y 与 T_y 对轧件起压缩作用，使轧件产生塑性变形，而对轧件在水平方向运动不起作用。

N_x 与 T_x 作用在水平方向上，N_x 与轧件运动方向相反，阻止轧件进入轧辊辊缝中，而 T_x 与轧件运动方向一致，力图将轧件咬入轧辊辊缝中，由此可见，在没有附加外力作用的条件下，为实现自然咬入，必须是咬入力 T_x 大于咬入阻力 N_x 才有可能。

咬入力 T_x 与咬入阻力 N_x 之间的关系有以下 3 种可能的情况：

$T_x < N_x$ 不能实现自然咬入；$T_x = N_x$ 平衡状态；$T_x > N_x$ 可以实现自然咬入由图 3-2-2 得知：

咬入阻力
$$N_x = N\sin\alpha$$

咬入力 $\qquad\qquad\qquad T_x = T\cos\alpha = Nf\cos\alpha$

将求得的值代入 N_x 和 T_x 可能的 3 种关系中整理后将得到：

当 $N_x > T_x$ 时 $\qquad\qquad\qquad \tan\beta > f$

因 $\tan\beta = f$，故 $\alpha > \beta$，此时不能自然咬入。如图 3-2-3 所示 N 与 T 的合力 F 的水平分力 F_x 逆轧制方向，因此不能自然咬入。

当 $N_x = T_x$ 时 $\qquad\qquad\qquad \tan\alpha = f$

也就是 $\alpha = \beta$ 属于平衡状态。此时轧辊对轧件的作用力之合力恰好是垂直方向，无水平分力。如图 3-2-4 所示，咬入力与咬入阻力处于平衡状态，是自然咬入 $\alpha < \beta$ 的极限条件，故常把 $\alpha = \beta$ 称为极限咬入条件。

当 $N_x < T_x$ 时 $\qquad\qquad\qquad \tan\alpha < f$

所以 $\qquad\qquad\qquad\qquad\qquad\qquad \alpha \leqslant \beta$ $\qquad\qquad\qquad\qquad$ (3-2-1)

此时可以实现自然咬入，即当摩擦角大于咬入角时才能开始自然咬入。如图 3-2-5 所示，当 $\alpha < \beta$ 时，轧辊对轧件的作用力 T 与 N 之合力 F 的水平分力 F_x 与轧制方向相同，则轧件可以被自然咬入，在这种条件下即 $\alpha < \beta$ 实现的咬入称为自然咬入。显然 F_x 愈大，即 β 愈大于 α，轧件愈易被咬入轧辊间的辊缝中。

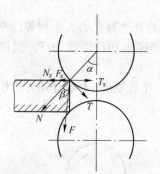

图 3-2-3　当 $\alpha > \beta$ 时轧辊对
轧件作用力合力的方向

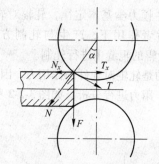

图 3-2-4　当 $\alpha = \beta$ 时轧辊对
轧件作用力合力的方向

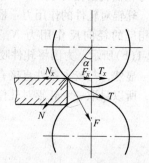

图 3-2-5　当 $\alpha < \beta$ 时轧辊对
轧件作用力合力的方向

2.2　稳定轧制条件

当轧件被轧辊咬入后开始逐渐充填辊缝，在轧件充填辊缝的过程中，轧件前端与轧辊轴心联线间的夹角 δ 不断地减小着，如图 3-2-6 所示。当轧件完全充满辊缝时，$\delta = 0$，即开始了稳定轧制阶段。

表示合力作用点的中心角 φ 在轧件充填辊缝的过程中也在不断地变化着，随着轧件逐渐充填辊缝，合力作用点内移，φ 角自 $\varphi = \alpha$ 开始逐渐减小，相应地，轧辊对轧件作用力的合力逐渐向轧制方向倾斜，向有利于咬入的方向发展。当轧件充填辊缝，即过渡到稳定轧制阶段时，合力作用点的位置即固定下来，而所对应的中心角 φ 也不再发生变化，并为最小值，即

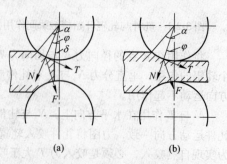

图 3-2-6　轧件充填辊缝过程
中作用力条件的变化图解
（a）充填辊缝过程；（b）稳定轧制阶段

$$\varphi = \frac{\alpha}{K_x}$$

式中　K_x——合力作用点系数。

根据图 3-2-6(b)分析稳定轧制条件轧辊对轧件的作用力，以寻找稳定轧制条件。

由于 $N_x < T_x$，$N_x = N\sin\varphi$，$T_x = T\cos\varphi = Nf_y\cos\varphi$，则得 $f_y > \tan\varphi$，将 $\varphi = \frac{\alpha_y}{K_x}$ 代入上式，则得到稳定轧制的条件

即

$$f_y > \tan\frac{\alpha_y}{K_x} \tag{3-2-2}$$

或者

$$\beta_y > \frac{\alpha_y}{K_x} \tag{3-2-3}$$

式中　f_y，β_y——稳定轧制阶段的摩擦系数和摩擦角；
　　　　α_y——稳定轧制阶段的咬入角。

一般来说达到稳定轧制阶段时，$\varphi = \frac{\alpha_y}{2}$，即 $K_x \approx 2$，故可近似写成 $\beta_y > \frac{\alpha_y}{2}$ 或 $2\beta_y > \alpha_y$。

由上述讨论可得到如下结论，假设由咬入阶段过渡到稳定轧制阶段的摩擦系数不变且其他条件均相同时，则稳定轧制阶段的允许的咬入角比咬入阶段的咬入角可大 K_x 倍或近似地认为大 2 倍。

与极限咬入条件同理，可以写出极限稳定轧制条件：

$$\beta_y = \frac{\alpha_y}{K_x}; \quad \alpha_y \leqslant K_x \cdot \beta_y$$

或者

$$f_y = \tan\frac{\alpha_y}{K_x}$$

2.3　咬入阶段与稳定轧制阶段咬入条件的比较

求得的稳定轧制阶段的咬入条件与咬入阶段的咬入条件不同，为说明向稳定轧制阶段过渡时咬入条件的变化，将以理论上允许的极限稳定轧制条件与极限咬入条件进行比较并分析之。

已知极限咬入条件　　　　　　　　　　$\alpha = \beta$

理论上允许的极限稳定轧制条件　　　$\alpha_y = K_x\beta_y$

由此得二者之比值为

$$K = \frac{\alpha_y}{\alpha} = K_x\frac{\beta_y}{\beta} \tag{3-2-4}$$

或

$$\alpha_y = K_x\frac{\beta_y}{\beta}\alpha \tag{3-2-5}$$

由上式看出，极限咬入条件与极限稳定轧制条件的差异取决于 K_x 与 $\frac{\beta_y}{\beta}$ 两个因素，即取决于合力作用点位置与摩擦系数的变化。下面将分别讨论其各因素的影响。

2.3.1　合力作用点位置或系数 K_x 的影响

如图 3-2-6 所示，轧件被咬入后，随轧件前端在辊缝中前进，轧件与轧辊的接触面积增大，合力作用点向出口方向移动，由于合力作用点一定在咬入弧上，所以 K_x 恒大于 1，在轧

过程产生的宽展愈大，则变形区的宽度向出口逐渐扩张，合力作用点愈向出口移动，即 φ 角愈小，则 K_x 值就愈高。根据式（3-2-5），在其他条件不变的前提下，K_x 愈高，则 α_y 愈高，即在稳定轧制阶段允许实现较大的咬入角。

2.3.2　摩擦系数变化的影响

冷轧及热轧时摩擦系数变化不同，一般在冷轧时由于温度和氧化铁皮的影响甚小，可近似地取 $\dfrac{\beta_y}{\beta} \approx 1$，即从咬入过渡到稳定轧制阶段，摩擦系数近似不变。而在热轧条件下，根据实验资料可知，此时的 $\dfrac{\beta_y}{\beta} < 1$，即从咬入过渡到稳定轧制阶段摩擦系数在降低，产生此现象的原因为：

（1）轧件端部温度较其他部分低，由于轧件端部与轧辊接触，并受冷却水作用，加之端部的散热面也比较大，所以轧件端部温度较其他部分为低，因而使咬入时的摩擦系数大于稳定轧制阶段的摩擦系数。

（2）氧化铁皮的影响，由于咬入时轧件与轧辊接触和冲击，易使轧件端部的氧化铁皮脱落，露出金属表面，所以摩擦系数提高，而轧件其他部分的氧化铁皮不易脱落，因而保持较低的摩擦系数。

影响摩擦系数降低最主要的因素是轧件表面上的氧化铁皮。在实际生产中，往往因此造成在自然咬入后过渡到稳定轧制阶段发生打滑现象。

由以上分析可见，K 值变化是较复杂的，随轧制条件不同而异。在冷轧时，可近似地认为摩擦系数无变化。而由于 K_x 值较高，所以使冷轧时 K 值也较高，说明咬入条件与稳定轧制条件间的差异较大，一般是：

$$K \approx K_x \approx 2 \sim 2.4$$

所以　　　　　　　　　　　　　　　$$\alpha_y \approx (2 \sim 2.4)\alpha$$

在热轧时，由于温度和氧化铁皮的影响，使摩擦系数显著的降低，所以 K 值较冷轧时为小。一般是：

$$K \approx 1.5 \sim 1.7$$

所以　　　　　　　　　　　　　　　$$\alpha_y \approx (1.5 \sim 1.7)\alpha$$

以上关系说明，在稳定轧制阶段的最大允许咬入角比开始咬入时的最大允许咬入角要大，相应地，二者允许的压下量亦不同，稳定轧制阶段的最大允许的压下量比咬入时的最大允许压下量大一个倍数。在生产实践中有时采用"带钢压下"的技术措施，也就是利用稳定轧制阶段咬入角的潜力。

2.4　改善咬入条件的途径

改善咬入条件是进行顺利操作、增加压下量、提高生产效率的有力措施，也是轧制生产中经常碰到的实际问题。

根据咬入条件 $\alpha \leqslant \beta$，便可以得出：凡是能提高 β 角的一切因素和降低 α 角的一切因素都有利于咬入。下面对以上两种途径分别进行讨论：

2.4.1 降低 α 角

由 $\alpha = \arccos\left(1 - \dfrac{\Delta h}{D}\right)$ 可知，若降低 α 角必须：

（1）增加轧辊直径 D，当 Δh 等于常数时，轧辊直径 D 增加，α 可降低。

（2）减小压下量。

由 $\Delta h = H - h$ 可知，可通过降低轧件开始高度 H 或提高轧后的高度 h，来降低 α，以改善咬入条件。

在实际生产中常见的降低 α 的方法有：

（1）用钢锭的小头先送入轧辊或采用带有楔形端的钢坯进行轧制，在咬入开始时首先将钢锭的小头或楔形前端与轧辊接触，此时所对应的咬入角较小。在摩擦系数一定的条件下，易于实现自然咬入（图3-2-7）。此后随轧件充填辊缝和咬入条件改善的同时，压下量逐渐增大，最后压下量稳定在某一最大值，从而咬入角也相应地增加到最大值，此时已过渡到稳定轧制阶段。

这种方法可以保证顺利地自然咬入和进行稳定轧制，并对产品质量亦无不良影响，所以在实际生产中应用较为广泛。

（2）强迫咬入，即用外力将轧件强制推入轧辊中，由于外力作用使轧件的前端被压扁。相当于减小了前端接触角 α，故改善了咬入条件。

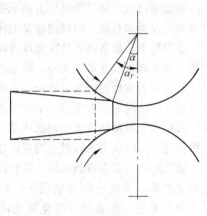

图 3-2-7 钢锭小头进钢

2.4.2 提高 β 的方法

提高摩擦系数或摩擦角是较复杂的，因为在轧制条件下，摩擦系数决定于许多因素。兹从以下三个方面来谈改善咬入条件。

（1）改变轧件或轧辊的表面状态，以提高摩擦角。在轧制高合金钢时，由于表面质量要求高，不允许从改变轧辊表面着手，而是从轧件着手。

（2）清除炉生氧化铁皮。实验研究表明，钢坯表面的炉生氧化铁皮，使摩擦系数降低。由于炉生氧化铁皮的影响，使自然咬入困难，或者以极限咬入条件咬入后在稳定轧制阶段发生打滑现象。由此可见，清除炉生氧化铁皮对保证顺利地自然咬入及进行稳定轧制是十分必要的。

（3）合理地调节轧制速度。实践表明，随轧制速度的提高，摩擦系数是降低的。据此，可以低速实现自然咬入，然后随着轧件充填辊缝，合力作用点前移，使咬入条件好转，逐渐增加轧制速度，使之过渡到稳定轧制阶段时达到最大，但必须保证 $\alpha_y < K_y\beta_y$ 的条件。这种方法简单可靠，易于实现，所以在实际生产中是被采用的。

列举上述几种改善咬入条件的具体方法有助于理解与具体运用改善咬入条件所依据的基本原则。在实际生产中不限于以上几种方法，而且往往是根据不同条件几种方法同时并用。

3　轧制过程中的横变形——宽展

3.1　宽展及其分类

3.1.1　宽展及其实际意义

在轧制过程中轧件的高度方向承受轧辊压缩作用，压缩下来的体积，将按照最小阻力法则沿着纵向及横向移动。沿横向移动的体积所引起的轧件宽度的变化称为宽展。

在习惯上，通常将轧件在宽度方向线尺寸的变化，即绝对宽展直接称为宽展。虽然用绝对宽展不能正确反映变形的大小，但是由于它简单、明确，在生产实践中得到极为广泛的应用。

轧制中的宽展可能是希望的，也可能是不希望的，视轧制产品的断面特点而定。当从窄的坯轧成宽成品时希望有宽展，如用宽度较小的钢坯轧成宽度较大的成品，则必须设法增大宽展。若是从大断面坯轧成小断面成品时，则不希望有宽展，因消耗于横变形的功是多余的，在这种情况下，应该力求以最小的宽展轧制。

纵轧的目的是为得到延伸，除特殊情况外，应该尽量减小宽展，降低轧制功能消耗，提高轧机生产率。不论在哪种情况下，希望或不希望有宽展，都必须掌握宽展变化规律以及正确计算它，在孔型中轧制则宽展计算更为重要。

正确估计轧制中的宽展是保证断面质量的重要一环，若计算宽展大于实际宽展，孔型充填不满，造成很大的椭圆度，如图3-3-1（a）所示。若计算宽展小于实际宽展，孔型充填过满，形成耳子如图3-3-1（b）所示，以上两种情况均造成轧件报废。

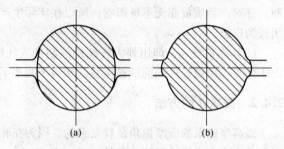

图 3-3-1　由于宽展估计不足产生的缺陷
(a) 未充满；(b) 过充满

因此，正确地估计宽展对提高产品质量，改善生产技术经济指标有着重要的作用。

3.1.2　宽展分类

在不同的轧制条件下，坯料在轧制过程中的宽展形式是不同的。根据金属沿横向流动的自由程度，宽展可分为：自由宽展、限制宽展和强迫宽展。

3.1.2.1　自由宽展

坯料在轧制过程中，被压下的金属体积其金属质点在横向移动时，具有沿垂直于轧制方向朝两侧自由移动的可能性，此时金属流动除受接触摩擦的影响外，不受其他任何的阻碍和限制，如孔型侧壁、立辊等，结果明确地表现出轧件宽度上线尺寸的增加，这种情况称为自由宽展，如图3-3-2所示。

自由宽展发生于变形比较均匀的条件下，如平辊上轧制矩形断面轧件，以及宽度有很大富裕的扁平孔型内轧制。自由宽展轧制是最简单的轧制情况。

3.1.2.2　限制宽展

坯料在轧制过程中，金属质点横向移动时，除受接触摩擦的影响外，还承受孔型侧壁的限

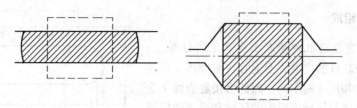

图 3-3-2　自由宽展轧制

制作用，因而破坏了自由流动条件，此时产生的宽展称为限制宽展。如在孔型侧壁起作用的凹型孔型中轧制时即属于此类宽展，如图 3-3-3 所示。由于孔型侧壁的限制作用，使横向移动体积减小，故所形成的宽展小于自由宽展。

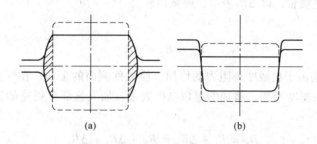

(a)　　　　　　　　　(b)

图 3-3-3　限制宽展
(a) 箱形孔内的宽展；(b) 闭口孔内的宽展

3.1.2.3　强迫宽展

坯料在轧制过程中，金属质点横向移动时，不仅不受任何阻碍，且受有强烈的推动作用，使轧件宽度产生附加的增长，此时产生的宽展称为强迫宽展。由于出现有利于金属质点横向流动的条件，所以强迫宽展大于自由宽展。

在凸型孔型中轧制及有强烈局部压缩的轧制条件是强迫宽展的典型例子，如图 3-3-4 所示。

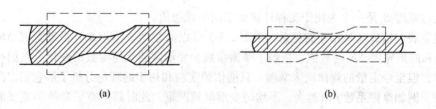

(a)　　　　　　　　　　　　(b)

图 3-3-4　强迫宽展轧制

如图 3-3-4(a) 所示，由于孔型凸出部分强烈的局部压缩，强迫金属横向流动。轧制宽扁钢时采用的切深孔型就是这个强制宽展的实例。而图 3-3-4(b) 所示的是由两侧部分的强烈压缩形成强迫宽展。

在孔型中轧制时，由于孔型侧壁的作用和轧件宽度上压缩的不均匀性，确定金属在孔型内轧制时的宽展是十分复杂的，尽管做过大量的研究工作，但在限制或强迫宽展孔型内金属流动的规律还是不十分清楚，一般要根据经验确定宽展系数。

3.1.3　宽展的组成

3.1.3.1　宽展沿轧件横断面高度上的分布

由于轧辊与轧件的接触表面上存在着摩擦，以及变形区几何形状和尺寸的不同，因此沿接触表面上金属质点的流动轨迹与接触面附近的区域和远离的区域是不同的。它一般由以下几个部分组成：滑动宽展 ΔB_1、翻平宽展 ΔB_2 和鼓形宽展 ΔB_3，如图 3-3-5 所示。

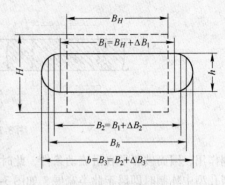

图 3-3-5　宽展沿轧件横断面高度分布

（1）滑动宽展是变形金属在与轧辊的接触面产生相对滑动所增加的宽展量，以 ΔB_1 表示，展宽后轧件由此而达到的宽度为：

$$B_1 = B_H + \Delta B_1$$

（2）翻平宽展是由于接触摩擦阻力的作用，使轧件侧面的金属，在变形过程中翻转到接触表面上，使轧件的宽度增加，增加的量以 ΔB_2 表示，加上这部分展宽的量之后轧件的宽度为：

$$B_2 = B_1 + \Delta B_2 = B_H + \Delta B_1 + \Delta B_2$$

（3）鼓形宽展是轧件侧面变成鼓形而造成的展宽量，用 ΔB_3 表示，此时轧件的最大宽度为：

$$b = B_3 = B_2 + \Delta B_3 = B_H + \Delta B_1 + \Delta B_2 + \Delta B_3$$

显然，轧件的总展宽量为：

$$\Delta B = \Delta B_1 + \Delta B_2 + \Delta B_3$$

通常理论上所说的宽展及计算的宽展是指将轧制后轧件的横断面化为同厚度的矩形之后，其宽度与轧制前轧坯宽度之差，即

$$\Delta B = B_h - B_H$$

因此，轧后宽度 B_h 是一个为便于工程计算而采用的理想值。

上述宽展的组成及其相互的关系，由图 3-3-5 可以清楚地表示出来。滑动宽展 ΔB_1、翻平宽展 ΔB_2 和鼓形宽展 ΔB_3 的数值，依赖于摩擦系数和变形区的几何参数的变化。它们有一定的变化规律，但至今定量的规律尚未掌握。只能依赖实验和初步的理论分析了解它们之间的一些定性关系。例如摩擦系数 f 值越大，不均匀变形就越严重，此时翻平宽展和鼓形宽展的值就越大，滑动宽展越小。各种宽展与变形区几何参数之间有如图 3-3-6 所示的关系，由图中曲线可见，当 $l/\bar{h}$ 越小时，则滑动宽展越小，而翻平和鼓形宽展占主导地位。这是因为 $l/\bar{h}$ 越小，黏着区越大，故宽展主要是由翻平和鼓形宽展组成。而不是由滑动宽展组成。

3.1.3.2　宽展沿轧件宽度上的分布

关于宽展沿轧件宽度分布的理论，基本上有两种假说：第一种假说认为宽展沿轧件宽度均匀分布。这种假说主要以均匀变形和外区作用作为理论的基础。因为变形区与前后外

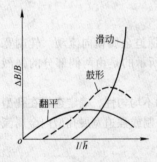

图 3-3-6　各种宽展与 $l/\bar{h}$ 的关系

区彼此是同一块金属，是紧密联结在一起的。因此对变形起着均匀的作用，使沿长度方向上各部分金属延伸相同，宽展沿宽度分布自然是均匀的，它可用图 3-3-7 来说明。第二种假说，认为变形区可分为四个区域，即在两边的区域为宽展区，中间分为前后两个延伸区，它可用图3-3-8来说明。

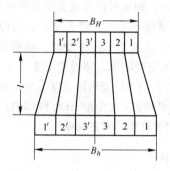

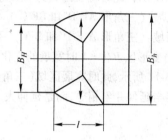

图 3-3-7　宽展沿宽度均匀分布的假说　　　　图 3-3-8　变形区分区图示

　　宽展沿宽度均匀分布的假说，对于轧制宽而薄的薄板，宽展很小甚至可以忽略时的变形可以认为是均匀的。但在其他情况下，均匀假说与许多实际情况是不相符合的，尤其是对于窄而厚的轧件更不适应。因此这种假说是有局限性的。

　　变形区分区假说，也不完全准确，许多实验证明变形区中金属表面质点流动的轨迹，并非严格地按所画的区间进行流动。但是它能定性地描述宽展发生时变形区内金属质点流动的总趋势，便于说明宽展现象的性质和作为计算宽展的根据。

　　总之，宽展是一个极其复杂的轧制现象，它受许多因素的影响。

3.2　影响宽展的因素

　　影响金属在变形区内沿纵向及横向流动的数量关系的因素很多。但这些因素都是建立在最小阻力定律及体积不变定律的基础上的。经过综合分析，影响宽展诸因素的实质可归纳为两方面：一为高向移动体积，二是变形区内轧件变形的纵横阻力比，即变形区内轧件应力状态中的 σ_3/σ_2 关系（σ_3 为纵向压缩主应力，σ_2 为横向压缩主应力）。根据分析，变形区内轧件的应力状态取决于多种因素。这些因素是通过变形区形状和轧辊形状反映变形区内轧件变形的纵横阻力比的，从而影响宽展。在具体分析各因素对轧件宽展的影响之前，首先对基本因素对轧件变形的影响作一定性的分析。

3.2.1　影响轧件变形的基本因素分析

3.2.1.1　有接触摩擦时金属的宽展与变形区水平投影的几何尺寸的关系

　　由于有接触摩擦力存在，轧制时在变形区内产生有与摩擦力相平衡的水平压应力和剪应力，阻碍金属的流动。变形区的水平投影的长度和宽度一般不相等，故金属在长度和宽度方向上受到的流动阻力不相等，使金属在宽度和长度方向上变形不一样。

　　为了说明问题，可近似地将变形区的宽度用均值表示，即 $\overline{B} = (B + b)/2$，这样变形区的水平投影形状近似为矩形。按照最小阻力定律分下述三种状态讨论宽展的规律：

　　（1）当 $\overline{B}/l < 1$ 时宽展的变化规律　当 $\overline{B}/l < 1$ 时，即变形区的宽度小于长度，根据最小阻力定律，在外摩擦条件相同时，变形区可分成宽展区域（梯形 AEFD、BEFC）和延伸区域

（三角形 ABE、CFD），如图 3-3-9 所示。当变形区长度不变，随着变形区宽度的增加，宽展区域增加（梯形增为 A′E′F′D′、BE′F′C），即随着宽度增加，宽展增加。当变形区宽度不变，随着变形区长度增加，宽展区域增加（梯形增为 AEF″D″、BEF″C′），即随着变形区长度增加，宽展增加。

（2）当变形区 $\bar{B}/l > 1$ 时宽展的变化规律　当 $\bar{B}/l > 1$ 时，即变形区宽度大于变形区长度，如图 3-3-10 所示，此时宽展区域为 AED 和 BFC，当变形区宽度不变时，随着变形区长度的增加，宽展区域（三角形 AE″D″和 BF′C′）增加，故宽展增加；当变形长度不变时，随着宽度增加，宽展区域（三角形 A′E′D′和 BFC）不变，即随着变形区宽度增加，宽展量不变。

（3）当变形区 $\bar{B}/l = 1$ 时宽展的变化规律　当变形区 $\bar{B}/l = 1$ 时，变形区宽度等于变形区长度，如图 3-3-11 所示，此时宽展区域(三角形 AED 和 BEC)与延伸区(三角形 AEB 和 CED)相等，但此时宽展与延伸并不相等，而是延伸大于宽展，其原因是由于轧辊形状的影响。

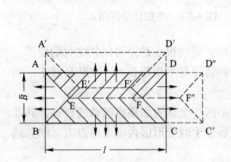

图 3-3-9　变形区 $\bar{B}/l < 1$ 时
Δb 的变化规律示意图

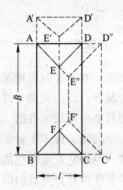

图 3-3-10　变形区 $\bar{B}/l > 1$ 时
Δb 的变化规律示意图

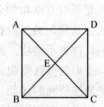

图 3-3-11　$\bar{B}/l = 1$ 时
变形区示意图

3.2.1.2　轧辊形状的影响

由于在变形区的纵断面上，轧辊表面是一圆弧，因此作用在金属表面上的径向压力 P 的水平分量不等于零。这一正压力的水平分量，将减小金属沿纵向流动的水平流动阻力。如图 3-3-12所示，在变形区第 I 个区域径向压力的水平投影，其方向与在此区域的摩擦力水平投影方向相反。因此，与在平行的平锤间锻造相比，纵向阻力减小，并且在轧制方向上的变形或延伸率增大，而宽展则相应地减小。

因而，轧辊的圆柱体形状严重地影响着轧制时横向和纵向变形间的关系。轧辊的圆柱体形状对于横向和纵向变形间对比关系的影响，可用工具形状系数来加以考虑，此系数 K_G 的表示如下：

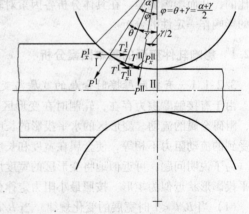

$$K_G = \frac{W_x}{W_y} \qquad (3-3-1)$$

式中　W_x——代表纵向延伸阻力；

　　　W_y——代表横向宽展阻力。

轧制时，在变形区内轧辊对轧件的作用力如图 3-3-12 所示，由于第 II 区（前滑区）很

图 3-3-12　在变形区每个区域内对延伸的阻力图示

小，一般予以忽略，只考虑第Ⅰ区（后滑区）内轧件的受力状态，纵向延伸阻力等于在变形区后滑区的径向压力和摩擦力水平投影的代数和。若设沿变形区后滑区域整个弧长上压力是均匀分布的，则径向压力的合力 P^{I} 将位于与轧辊中心线成 φ 角的地方，而：

$$\varphi = \alpha - \frac{\alpha - \gamma}{2} = \frac{\alpha + \gamma}{2}$$

这样，纵向延伸阻力为：

$$W_x = T_x^{\mathrm{I}} - P_x^{\mathrm{I}}$$

因为在横向上轧辊是平的，所以横向宽展阻力为：

$$W_y = T^{\mathrm{I}}$$

将此二式代入系数 K_G 的方程式中，对于变形区的后滑区得到：

$$K_G^{\mathrm{I}} = \frac{T_x^{\mathrm{I}} - P_x^{\mathrm{I}}}{T^{\mathrm{I}}} \tag{3-3-2}$$

还有：

$$P_x^{\mathrm{I}} = P^{\mathrm{I}} \sin\varphi = P^{\mathrm{I}} \sin\frac{\alpha + \gamma}{2};$$

$$T_x^{\mathrm{I}} = T^{\mathrm{I}} \cos\varphi = P^{\mathrm{I}} f \cos\frac{\alpha + \gamma}{2}$$

将上二式代入式（3-3-2）之后得：

$$K_G^{\mathrm{I}} = \frac{P^{\mathrm{I}} f \cos\dfrac{\alpha + \gamma}{2} - P^{\mathrm{I}} \sin\dfrac{\alpha + \gamma}{2}}{P^{\mathrm{I}} f}$$

或

$$K_G^{\mathrm{I}} = \cos\frac{\alpha + \gamma}{2} - \frac{1}{f}\sin\frac{\alpha + \gamma}{2} \tag{3-3-3}$$

由于

$$\alpha = \phi_1\left(\frac{\Delta h}{D}\right); \qquad \gamma = \phi_2\left(\frac{\Delta h}{D}, f\right)$$

则得

$$K_G^{\mathrm{I}} = \phi\left(\frac{\Delta h}{D}, f\right) \tag{3-3-4}$$

按式（3-3-3）和式（3-3-4）绘制相应的图3-3-13中的曲线。由图3-3-13可看出，K_G 变化于下列范围内：

$$1 > K_G^{\mathrm{I}} > 0$$

上式说明由于轧辊形状的影响，使纵向阻力一般小于横向阻力，而极限情况是二者相等，即 $K_G = 1$。此时轧辊直径 D 无限大，相当于平面状态。按照最小阻力定律可知，在轧制情况下，由于轧辊形状的影响，延伸变形一般是大于宽展，K_G 愈小，说明金属在变形区内纵向阻力愈小。延伸愈大，自然横向变形宽展愈小。当咬入角 α 愈大，轧辊形状影响系数 K_G 愈小，亦愈有利于延

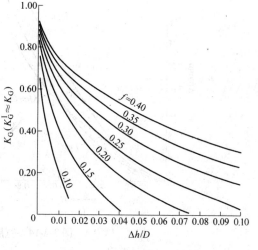

图3-3-13　变形区第一个区域
（后滑区）工具形状系数图

伸，宽展相应地愈小。因此，凡是能影响变形区形状和轧辊形状的各种因素都将影响变形区内金属流动的纵横阻力比，自然也都影响变形区内的纵向延伸和横向的宽展。下面讨论具体工艺因素对宽展的影响。

3.2.2　其他因素对轧件宽展的影响

3.2.2.1　相对压下量的影响

压下量是形成宽展的源泉，是形成宽展的主要因素之一，没有压下量宽展就无从谈起，因此，相对压下量愈大，宽展愈大。

很多实验表明，随着压下量的增加，宽展量也增加，如图 3-3-14（b）所示，这是因为压下量增加时，变形区长度增加，变形区水平投影形状 $\dfrac{l}{b}$ 增大，因而使纵向塑性流动阻力增加，纵向压缩主应力值加大。根据最小阻力定律，金属沿横向运动的趋势增大，因而使宽展加大。另一方面，$\dfrac{\Delta h}{H}$ 增加，高向压下来的金属体积也增加，所以使 Δb 也增加。

应当指出，宽展 Δb 随压下率的增加而增加的状况，由于 $\dfrac{\Delta h}{H}$ 的变换方法不同，使 Δb 的变化也有所不同，如图 3-3-14（a）所示，当 H = 常数或 h = 常数时，压下率 $\dfrac{\Delta h}{H}$ 增加，Δb 的增加速度快，而 Δh = 常数时，Δb 增加的速度次之。这是因为，当 H 或 h = 常数时，欲增加 $\dfrac{\Delta h}{H}$，需增加 Δh，这样就使变形区长度 l 增加，因而纵向阻力增加，延伸减小，宽展 Δb 增加。同时 Δh 增加，将使金属压下体积增加，也促使 Δb 增加，二者综合作用的结果，将使 Δb 增加得较快。而 Δh 等于常数时，增加 $\dfrac{\Delta h}{H}$ 是依靠减少 H 来达到的。这时变形区长度 l 不增加，所以 Δb 的增加较上一种情况慢些。

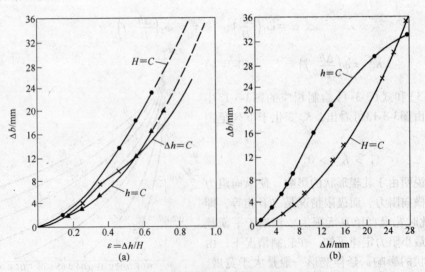

图 3-3-14　宽展与压下量的关系

（a）当 Δh、H、h 为常数，低碳钢，轧制温度为 900℃ 和轧制速度为 1.1m/s 时，Δb 与 $\dfrac{\Delta h}{H}$ 的关系；

（b）当 H、h 为常数时，低碳钢，轧制温度为 900℃，轧制速度 1.1m/s 时，Δb 与 Δh 的关系

图 3-3-15 所示为相对压下率 $\dfrac{\Delta h}{H}$ 与宽展指数

$\dfrac{\Delta b}{\Delta h}$ 之间关系的实验曲线，对上述道理可以完满

地加以解释。当 $\dfrac{\Delta h}{H}$ 增加时，Δb 增加，故 $\dfrac{\Delta b}{\Delta h}$ 会

直线增加；当 h 或 H 等于常数时，增加 $\dfrac{\Delta h}{H}$ 是靠

增加 Δh 来实现的，所以 $\dfrac{\Delta b}{\Delta h}$ 增加得缓慢，而且

到一定数值以后即 Δh 增加超过了 Δb 的增大时，

会出现 $\dfrac{\Delta h}{H}$ 下降的现象。

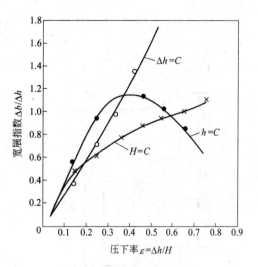

图 3-3-15　在 Δh、H 和 h 为常数
时宽展指数与压下率的关系

3.2.2.2　轧制道次的影响

实验证明，在总压下量一定的前提下，轧制道次愈多，宽展愈小，如表 3-3-1 所示的数据可完全说明上述结论，因为在其他条件及总压下量相同时，一道轧制时变形区形状 $\dfrac{l}{b}$ 比值较大，所以宽展较大；而当多道次轧制时，变形区形状 $\dfrac{l}{b}$ 值较小，所以宽展也较小。

表 3-3-1　轧制道次与宽展量的关系

序　号	轧制温度 t/℃	道次数	$\dfrac{\Delta h}{H}$/%	Δb/mm	序　号	轧制温度 t/℃	道次数	$\dfrac{\Delta h}{H}$/%	Δb/mm
1	1000	1	74.5	22.4	3	925	6	75.4	17.5
2	1085	6	73.6	15.6	4	920	1	75.1	33.2

因此，不能只是从原料和成品的厚度来决定宽展，而总是应该按各个道次来分别计算。

3.2.2.3　轧辊直径对宽展的影响

由实验得知，其他条件不变时，宽展 Δb 随轧辊直径 D 的增加而增加。这是因为当 D 增加时变形区长度加大，使纵向的阻力增加，根据最小阻力定律，金属更容易向宽度方向流动，如图 3-3-16 所示。

3.2.2.4　摩擦系数的影响

实验证明，当其他条件相同时，随着摩擦系数的增加，宽展也增加，如图 3-3-17 所示，因为随着摩擦系数的增加，轧辊的工具形状系数增加，因之使 σ_3/σ_2 比值增加，相应地使延伸减小，宽展增大。摩擦系数是轧制条件的复杂函数，可写成下面的函数关系：

$$f = \psi(t, v, K_1, K_3)$$

式中　t——轧制温度；

　　　v——轧制速度；

　　　K_1——轧辊材质及表面状态；

　　　K_3——轧件的化学成分。

凡是影响摩擦系数的因素，都将通过摩擦系数引起宽展的变化，这主要有：

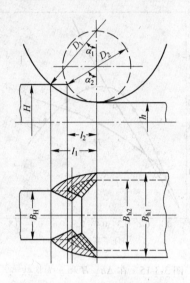

图 3-3-16　轧辊直径对宽展的影响

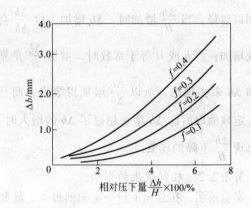

图 3-3-17　摩擦系数对宽展的影响

（1）轧制温度对宽展的影响　轧制温度对宽展影响的实验曲线如图 3-3-18 所示。分析此图上的曲线特征可知，轧制温度对宽展的影响与其对摩擦系数的影响规律基本上相同。在此热轧条件下，轧制温度主要是通过氧化铁皮的性质影响摩擦系数，从而间接地影响宽展。从图 3-3-18 看出，在低温阶段由于温度升高，氧化铁皮的生成，使摩擦系数升高，从而宽展亦增。而到高温阶段由于氧化铁皮开始熔化起润滑作用，使摩擦系数降低，从而宽展降低。

（2）轧制速度的影响　轧制速度对宽展的影响规律基本上与其对摩擦系数的影响规律相同，随轧制速度的升高，摩擦系数是降低的，从而宽展减小，见图 3-3-19 所示。

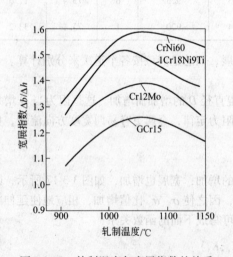

图 3-3-18　轧制温度与宽展指数的关系

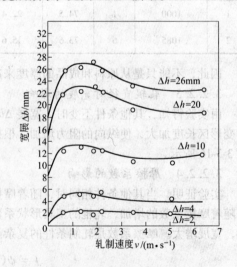

图 3-3-19　宽展与轧制速度的关系

（3）轧辊表面状态的影响　轧辊表面愈粗糙，摩擦系数愈大，将导致宽展愈大，实践也完全证实了这一点，譬如在磨损后的轧辊上轧制时产生的宽展较在新辊上轧制时的宽展为大。轧辊表面润滑使接触面上的摩擦系数降低，相应地使宽展减小。

（4）轧件的化学成分的影响　轧件的化学成分主要是通过外摩擦系数的变化来影响宽展

的。热轧金属及合金的摩擦系数所以不同，主要是由于其氧化铁皮的结构及物理机械性质不同，从而影响摩擦系数的变化和宽展的变化。但是，目前对各种金属及合金的摩擦系数研究较少，尚不能满足实际需要。有些学者进行了一些研究，下面介绍 Ю. М. 齐日柯夫在一定的实验条件下做的具有各种化学成分和各种组织的大量钢种的宽展试验。所得结果列入表 3-3-2中。从这个表中可以看出来，合金钢的宽展比碳素钢大些。

按一般公式计算出来的宽展，很少考虑合金元素的影响。为了确定合金钢的宽展，必须将按一般公式计算所得的宽展值乘上表 3-3-2 中的系数 m，也就是

$$\Delta b_合 = m \cdot \Delta b_计$$

式中　$\Delta b_合$——合金钢的宽展；

　　　$\Delta b_计$——按一般公式计算的宽展；

　　　m——考虑到化学成分影响的系数。

表 3-3-2　钢的成分对宽展的影响系数

组　别	钢　种	钢　号	影响系数 m	平均数
I	普碳钢	10 号钢	1.0	
II	珠光体—马氏体钢	T7A（碳钢）	1.24	1.25 ~ 1.32
		GCr15（轴承钢）	1.29	
		16Mn（结构钢）	1.29	
		4Cr13（不锈钢）	1.33	
		38CrMoAl（合金结构钢）	1.35	
		4Cr10Si2Mo（不锈耐热钢）	1.35	
III	奥氏体钢	4Cr14Ni14W2Mo	1.36	1.35 ~ 1.46
		2Cr13Ni4Mn9（不锈耐热钢）	1.42	
IV	带残余相的奥氏体（铁素体，莱氏体）钢	1Cr18Ni9Ti（不锈耐热钢）	1.44	1.4 ~ 1.5
		3Cr18Ni25Si2（不锈耐热钢）	1.44	
		1Cr23Ni13（不锈耐热钢）	1.53	
V	铁素体钢	1Cr17A15（不锈耐热钢）	1.55	
VI	带有碳化物的奥氏体钢	Cr15Ni60（不锈耐热合金）	1.62	

（5）轧辊的化学成分对宽展的影响　轧辊的化学成分影响摩擦系数，从而影响宽展，一般在钢轧辊上轧制时的宽展比在铸铁轧制时为大。

3.2.2.5　轧件宽度对宽展的影响

如前所述，可将接触表面金属流动分成四个区域：即前滑、后滑区和左、右宽展区，用它可以说明轧件宽度对宽展的影响。假如变形区长度 l 一定，当轧件宽度 B 逐渐增加时，由 $l_1 > B_1$ 到 $l_2 = B_2$ 如图 3-3-20 所示，宽展区是逐渐增加的，因而宽展也逐渐增加，当由 $l_2 = B_2$ 到 $l_3 < B_3$ 时，宽展区变化不大，而延伸区逐渐增加。因此，从绝对量上来说，宽展的变化也是先增加，后来趋于不变，这已为实验所证实见图 3-3-21 所示。

从相对量来说，则随着宽展区 F_B 和前滑、后滑区 F_l 的 F_B/F_l 比值不断减小，而 $\Delta b/B$ 逐渐减小。同样若 B 保持不变，而 l 增加时，则前滑、后滑区先增加，而后接近不变；而宽展区的绝对量和相对量均不断增加。

一般来说，当 $l/\overline{B}$ 增加时，宽展增加，亦即宽展与变形区长度 l 成正比，而与其宽度 $\overline{B}$ 成

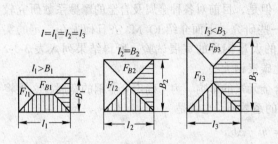

图 3-3-20　轧件宽度对变形区划分的影响

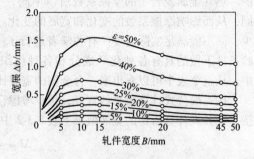

图 3-3-21　轧件宽度与宽展的关系

反比。轧制过程中变形区尺寸的比，可用下式表示

$$\frac{l}{B} = \frac{\sqrt{R \cdot \Delta h}}{\dfrac{B+b}{2}} \tag{3-3-5}$$

此比值越大，宽展亦越大。$l/\overline{B}$ 的变化，实际上反映了纵向阻力及横向阻力的变化，轧件宽度 $\overline{B}$ 增加，Δb 减小，当 B 值很大时，Δb 趋近于零，即 $b/B = 1$ 即出现平面变形状态。此时表示横向阻力的横向压缩主应力 $\sigma_2 = \dfrac{\sigma_1 + \sigma_3}{2}$。在轧制时，通常认为，在变形区的纵向长度为横向长度的 2 倍时（$l/\overline{B} = 2$），会出现纵横变形相等的条件。为什么不在二者相等（$l/\overline{B} = 1$）时出现呢？这是因为前面所说的工具形状的影响。此外，在变形区前后轧件都具有外端，外端将起着妨碍金属质量向横向移动的作用，因此，也使宽展减小。

3.3　宽展计算公式

　　计算宽展的公式很多，但影响宽展的因素也很多，只有在深入分析轧制过程的基础上，正确考虑主要因素对宽展的影响后，才能获得比较完善的公式。

　　下面介绍几个宽展公式，这些公式考虑的影响因素并不很多，而只是考虑了其中最主要的影响因素，并且其计算结果和实际出入并不太大。现在很多公式是按经验数据整理的，使用起来有很大局限性。目前在实际生产中很多情况是按经验估计宽展。

3.3.1　A. И. 采里柯夫公式

　　此公式尽管是理论推导，但其结果比较符合实际。

　　公式导出的理论依据是最小阻力定律和体积不变定律。根据最小阻力定律把变形区分成宽展区、前滑区和后滑区，宽展区的一半可看成如图 3-3-22 的三角形 ABC，根据体积不变定律，在轧制过程中宽展区中的高向移动体积全向横向移动形成宽展。距出口端面为 $x + dx$ 的 ac 断面移动一个 dx 距离，即到了 bd 的位置，这时在宽展区域内的压下体积都向横向流动形成宽展。

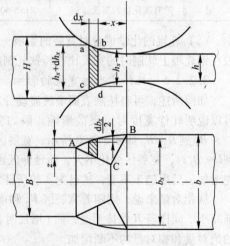

图 3-3-22　形成宽展的假定宽展区

根据体积不变定律其移动体积的平衡式为：

$$\frac{1}{2}h_x\mathrm{d}x\frac{\mathrm{d}b_x}{2} = -\frac{1}{2}z\mathrm{d}x2\frac{\mathrm{d}h_x}{h_x} \tag{3-3-6}$$

式中　$\mathrm{d}h_x$——为将断面 ac 移动一个 $\mathrm{d}x$ 后，轧件断面高度的减少量；

　　　$\mathrm{d}b_x$——当 ac 断面移动 $\mathrm{d}x$ 后，宽展方向增加量；

　　　z——在 bd 断面上轧件边缘到宽展区的边界上的距离。

平衡式左端为横向增加体积，右端为高向减少体积，右端负号表示 h_x 减少时 b_x 增加，二者方向相反。式（3-3-6）经过整理后得：

$$\mathrm{d}b_x = -2z\frac{\mathrm{d}h_x}{h_x}$$

积分之　　　　　　　　　　$$\int_B^b \mathrm{d}b_x = \int_H^h -2z\frac{\mathrm{d}h_x}{h_x}$$

要解此方程式需要求出 z 与 $\mathrm{d}h_x$ 间的关系式，采里柯夫提出解此方程式的方法：1）把宽展区分成两部分，即临界面前的宽展区和临界面后的宽展区，计算时分别进行；2）宽展区与前滑、后滑区分界面上无金属流动，平均横向应力等于平均纵向应力，即 $\sigma_z = \sigma_x$。经过一系列的数学力学处理得出采里柯夫宽展计算公式。因为此公式计算起来较复杂，不便于应用，若略去前滑区的宽展不计，当 $\frac{\Delta h}{H} < 0.9$ 时，得到简化公式如下：

$$\Delta b = C\Delta h\left(2\sqrt{\frac{R}{\Delta h}} - \frac{1}{f}\right)(0.138\varepsilon^2 + 0.328\varepsilon) \tag{3-3-7}$$

式中　ε——代表压下率 $\frac{\Delta h}{H}$；

　　　C——决定于轧件原始宽度与接触弧长的比值关系，按下式求出：

$$C = 1.34\left(\frac{B}{\sqrt{R\Delta h}} - 0.15\right)e^{0.15 - \frac{B}{\sqrt{R\cdot\Delta h}}} + 0.5$$

系数 C 也可由图 3-3-23 曲线查出。

3.3.2　B. П. 巴赫契诺夫公式

此公式的导出是根据移动体积与其消耗功成正比的关系，即

$$\frac{V_{\Delta b}}{V_{\Delta h}} = \frac{A_{\Delta b}}{A_{\Delta h}}$$

式中　$V_{\Delta b}$, $A_{\Delta b}$——向宽度方向移动的体积与其所消耗的功；

　　　$V_{\Delta h}$, $A_{\Delta h}$——高度方向移动体积与其所消耗的功。

从理论上导出宽展公式，忽略宽展的一些影响因素后得出实用的简化公式如下：

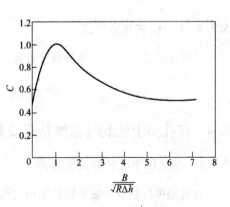

图 3-3-23　系数 C 与 $\frac{B}{\sqrt{R\Delta h}}$ 的关系

$$\Delta b = 1.15 \frac{\Delta h}{2H}\left(\sqrt{R\Delta h} - \frac{\Delta h}{2f}\right) \tag{3-3-8}$$

巴赫契诺夫公式考虑了摩擦系数，相对压下量，变形区长度及轧辊形状对宽展的影响，在公式推导过程中也考虑了轧件宽度及前滑的影响。实践证明，用巴赫契诺夫公式计算平辊轧制和箱形孔型中的自由宽展可以得到与实际相接近的结果，因此可以用于实际变形计算中。

3.3.3　S. 爱克伦得公式

爱克伦得公式导出的理论依据是：认为宽展决定于压下量及轧件与轧辊接触面上纵横阻力的大小。并假设在接触面范围内，横向及纵向的单位面积上的单位功是相同的，在延伸方向上，假设滑动区为接触弧长的 $\frac{2}{3}$，即粘着区为接触弧长的 $\frac{1}{3}$。按体积不变条件进行一系列的数学处理后得：

$$b^2 = 8m\sqrt{R\Delta h} + B^2 - 2 \times 2m(H+h)\sqrt{R\Delta h}\ \ln\frac{b}{B} \tag{3-3-9}$$

式中　$m = \dfrac{1.6f\sqrt{R\Delta h} - 1.2\Delta h}{H+h}$。

摩擦系数 f 可按下式计算：

$$f = k_1 k_2 k_3 (1.05 - 0.0005t) \tag{3-3-10}$$

式中　k_1——轧辊材质与表面状态的影响系数见表 3-3-3；

　　　k_2——轧制速度影响系数其值见图 3-3-24；

　　　k_3——轧件化学成分影响系数，见表 3-3-2（表中 m 即为 k_3）；

　　　t——轧制温度，℃。

用这个公式计算宽展的结果也是正确的。

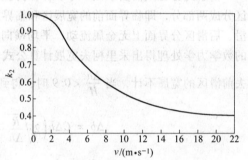

图 3-3-24　轧制速度影响系数

表 3-3-3　轧辊材质与表面状态影响系数 k_1

轧辊材质与表面状态	k_1	轧辊材质与表面状态	k_1
粗面钢轧辊	1.0	粗面铸铁轧辊	0.8

3.3.4　С. И. 古布金公式

此公式正确地反映了各种因素对宽展的影响，通过实验得出公式如下：

$$\Delta b = \left(1 + \frac{\Delta h}{H}\right)\left(f\sqrt{R\Delta h} - \frac{\Delta h}{2}\right)\frac{\Delta h}{H} \tag{3-3-11}$$

3.4　在孔型中轧制时宽展特点及其简化计算方法

3.4.1　在孔型中轧制时宽展特点

在孔型中轧制与一般平辊轧制相比具有下列主要特点。

3.4.1.1　沿轧件的宽度上压缩不均匀

如图 3-3-25，由于轧件各部分之间的内在相互联系及外端的均匀变形作用，使沿宽度上的

高向变形不均匀的轧件获得的是一个共同的平均延伸系数，即

$$\bar{\mu} = \frac{l}{L}$$

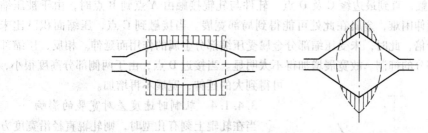

图 3-3-25　沿轧件宽度方向压缩不均匀情况

由于 $\bar{\mu}$ 对轧件的任何部分均相同，高向变形的不均匀性完全反映在横变形的复杂性上，在变形区中可能有以下 3 种变形条件同时存在：

（1）形成 $\bar{\eta} = \bar{\mu}$ 区域，轧件的压缩体积完全移向纵向形成延伸。而宽展消失，这是平面变形状态，主应力值间有以下关系成立：

$$\sigma_2 = \frac{\sigma_1 + \sigma_3}{2}$$

（2）形成 $\bar{\eta} > \bar{\mu}$ 区域，因此 $\beta > 1$。产生正值宽展，即形成强迫宽展。

（3）形成 $\bar{\eta} < \bar{\mu}$ 区域，则得 $\beta < 1$，产生负值宽展，呈现横向收缩现象。

3.4.1.2　孔型侧壁斜度的影响作用

孔型侧壁斜度主要是通过改变横向变形阻力影响宽展。在平辊上轧制时，横向变形阻力仅为轴向上的外摩擦力，而在孔型中轧制时由于有孔型侧壁，使横向变形阻力不只决定于外摩擦力且与孔型侧壁上的正压力有关，从而影响到轧件的纵横变形比。图 3-3-26（a）以凹形孔型为例说明孔型侧壁对宽展的影响作用。由图 3-3-26（a）看出在凹形孔型中的横向阻力为

$$W_z = N_z + T_z$$

比在平辊轧制时的横向阻力大，因此宽展减少，而延伸增加。

凸形孔型的影响如图 3-3-26（b）所示，如同凸形工具一样，在切入孔中，横向变形阻力为 N_x 与 T_x 二者水平分量之差，即

$$T_x - N_x = N(f \cdot \cos\psi - \sin\psi)$$

由此可见，在凸形孔型中轧制时，要产生强制宽展。

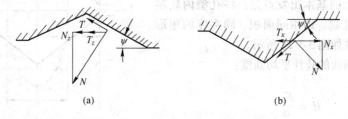

(a)　　　　　　　　　　　　(b)

图 3-3-26　孔型侧壁斜度的影响作用

(a) 凹形孔；(b) 切入孔

3.4.1.3　轧件与轧辊接触的非同时性使变形区长度沿轧件宽度是变化的，宽展也是变化的

图 3-3-27 清楚地表明了这一点。轧件与轧辊首先在 A 点局部接触，随着轧件继续进入变形区，B 点开始接触，直到最边缘 C 及 D 点。轧件与轧辊接触由 A 点到 B 点时，由于被压缩部分较小，纵向延伸困难，金属在此处可能得到局部宽展。当接触到 C 点，压缩面积已比未压缩面积大了若干倍，此时，未受压缩部分金属受压缩部分金属的作用而延伸。相反，压缩部分延伸受未压缩部分的抑制。故宽展增加得不太明显。当接近 D 点，由于两侧部分高度很小，可得到大的延伸，宽展不再增加。

3.4.1.4　轧制时速度差对宽展的影响

当在轧辊上刻有孔型时，则轧辊直径沿宽度方向不再相同，如图 3-3-28 所示，在圆形孔型中，孔型边部的直径为 D_1，孔型底部的辊径为 D_2，两者之差值为：

$$D_1 - D_2 = h - S$$

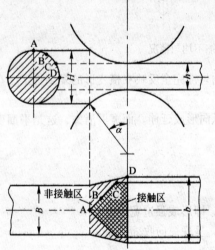

图 3-3-27　接触的非同时性

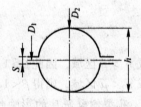

图 3-3-28　辊径不同的孔型形成速度差

在同一转数下，D_1 的线速度 v_1 要大于 D_2 的线速度 v_2。这样就形成速度差 $\Delta v = v_1 - v_2$。但由于轧件是一个整体，其出口速度相同，这就必然造成轧件中部和边部的相互拉扯，如果中部体积大于边部的，则边部金属拉不动中部的，就导致宽展的增加，同时这种速度差又引起孔型磨损的不均匀。

从上面分析可知，在孔型中轧制时的宽展不再是自由宽展，而大部分成为强制或限制宽展并产生局部宽展或拉缩。由此看出在孔型中轧制的宽展是极为复杂的，至今尚有很多问题未获解决。

3.4.2　在孔型中轧制时计算宽展的简化方法

在此仅介绍一种实用的简化方法，叫做平均高度法。平均高度法的基本出发点是：将孔型内轧制条件简化成平板轧制，即用同面积，同宽度的矩形代替曲线边的轧件如图 3-3-29 所示。

未入孔型轧制前的轧件平均高度：

$$\overline{H} = \frac{F_0}{B}$$

轧制后轧件的平均高度：

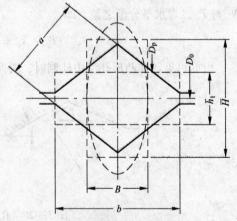

图 3-3-29　按平均高度法简化图解

$$\bar{h} = \frac{F}{b}$$

轧件的平均压下量：

$$\Delta \bar{h} = \bar{H} - \bar{h}$$

轧辊的工作直径：

$$\bar{D}_p = D_0 - \bar{h} = D_0 - \frac{F}{b}$$

然后纳入任意自由宽展公式计算，并认为此宽展就是孔型中的宽展。很显然，由于未考虑孔型中轧制特点的影响，求得的结果与实际相比必然有一定的出入。

4　轧制过程中的纵变形——前滑和后滑

4.1　轧制过程中的前滑和后滑现象

实践证明，在轧制过程中轧件在高度方向受到压缩的金属，一部分纵向流动，使轧件形成延伸，而另一部分金属横向流动，使轧件形成宽展。轧件的延伸是由于被压下金属向轧辊入口和出口两个方向流动的结果。在轧制过程中，轧件出口速度 v_h 大于轧辊在该处的线速度 v，即 $v_h > v$ 的现象称为前滑现象。而轧件进入轧辊的速度 v_H 小于轧辊在该处线速度 v 的水平分量 $v\cos\alpha$ 的现象称为后滑现象。在轧制理论中，通常将轧件出口速度 v_h 与对应点的轧辊圆周速度的线速度之差与轧辊圆周速度的线速度之比值称为前滑值，即

$$S_h = \frac{v_h - v}{v} \times 100\% \qquad\qquad (3\text{-}4\text{-}1)$$

式中　　S_h——前滑值；

　　　　v_h——在轧辊出口处轧件的速度；

　　　　v——轧辊的圆周速度。

同样，后滑值是指轧件入口断面轧件的速度与轧辊在该点处圆周速度的水平分量之差同轧辊圆周速度水平分量之比值来表示，即

$$S_H = \frac{v\cos\alpha - v_H}{v\cos\alpha} \times 100\% \qquad\qquad (3\text{-}4\text{-}2)$$

式中　　S_H——后滑值；

　　　　v_H——在轧辊入口处轧件的速度。

通过实验方法也可求出前滑值。将式（3-4-1）中的分子和分母分别各乘以轧制时间 t，则

$$S_h = \frac{v_h t - v t}{v t} = \frac{L_h - L_H}{L_H} \qquad\qquad (3\text{-}4\text{-}3)$$

事先在轧辊表面上刻出距离为 L_H 的两个小坑，如图 3-4-1 所示。轧制后，轧件的表面上出现距离为 L_h 的两个凸包。测出尺寸用式（3-4-3）则能计算出轧制时的前滑值。由于实测出轧件尺寸为冷尺寸，故热轧时必须用下面公式换算成热尺寸（L_h）：

$$L_h = L_h'[1 + \alpha(t_1 - t_2)] \qquad (3\text{-}4\text{-}4)$$

式中　　L_h'——轧件冷却后测得的尺寸；

　　　　t_1，t_2——轧件轧制时的温度和测量时的温度；

　　　　α——膨胀系数，如表 3-4-1 所示。

表 3-4-1　碳钢的热膨胀系数

温度/℃	膨胀系数 $\alpha/10^{-6}$
0 ~ 1200	15 ~ 20
0 ~ 1000	13.3 ~ 17.5
0 ~ 800	13.5 ~ 17.0

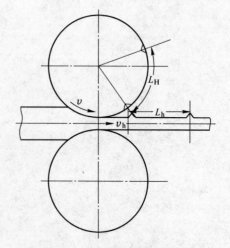

图 3-4-1　用刻痕法计算前滑

由式（3-4-3）可看出，前滑可用长度表示，所以在轧制原理中有人把前滑、后滑作为纵向变形来讨论。下面用总延伸表示前滑、后滑及有关工艺参数的关系。

按秒流量相等的条件，则：

$$F_H v_H = F_h v_h \text{ 或 } v_H = \frac{F_h}{F_H} v_h = \frac{v_h}{\mu}$$

将式（3-4-1）改写成

$$v_h = v(1 + S_h) \tag{3-4-5}$$

将式（3-4-5）代入 $v_H = \dfrac{v_h}{\mu}$ 中去，得

$$v_H = \frac{v}{\mu}(1 + S_h) \tag{3-4-6}$$

由式（3-4-2）可知　　$S_H = 1 - \dfrac{v_H}{v\cos\alpha} = 1 - \dfrac{\dfrac{v}{\mu}(1 + S_h)}{v\cos\alpha}$

或

$$\mu = \frac{(1 + S_h)}{(1 - S_H)\cos\alpha} \tag{3-4-7}$$

由式（3-4-5），式（3-4-6），式（3-4-7）可知，前滑和后滑是延伸的组成部分。当延伸系数 μ 和轧辊圆周速度 v 已知时，轧件进出辊的实际速度 v_H 和 v_h 决定于前滑值 S_h，或知道前滑值便可求出后滑值 S_H；此外，还可看出，当 μ 和咬入角 α 一定时前滑值增加，后滑值就必然减少。

前滑值与后滑值之间存在上述关系，所以搞清楚前滑问题，对后滑也就清楚了，因此本章只讨论前滑问题。在轧制过程中，轧件的出辊速度与轧辊的圆周速度不相一致，而且这个速度差在轧制过程中并非始终保持不变，它受许多因素的影响。在连轧机上轧制和周期断面钢材等的轧制中都要求确切知道轧件进出轧辊的实际速度。

4.2　轧件在变形区内各不同断面上的运动速度

当金属由轧前高度 H 轧到轧后高度 h 时，由于进入变形区高度逐渐减小，根据体积不变条件，变形区内金属质点运动速度不可能一样。金属各质点之间以及金属表面质点与工具表面质点之间就有可能产生相对运动。

设轧件无宽展，且沿每一高度断面上质点变形均匀，其运动的水平速度一样，见图 3-4-2。在这种情况下，根据体积不变条件，轧件在前滑区相对于轧辊来说，速度超前于轧辊，而且在出口处的速度 v_h 为最大；轧件后滑区速度落后于轧辊线速度的水平分速度，并在入口处的轧件速度 v_H 为最小，在中性面上轧件与轧辊的水平分速度相等，并用 v_γ 表示在中性面上的轧辊水平分速度。由此可得出

$$v_h > v_\gamma > v_H \tag{3-4-8}$$

而且轧件出口速度 v_h 大于轧辊圆周速度 v，即

$$v_h > v \tag{3-4-9}$$

轧件入口速度小于轧辊水平分速度，在入口处轧辊水平分速度为 $v\cos\alpha$，则

$$v_H < v\cos\alpha \tag{3-4-10}$$

中性面处轧件的水平速度与此处轧辊的水平速度相等，即

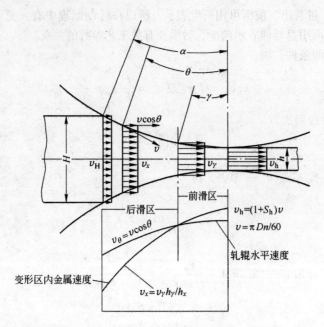

图 3-4-2　轧制过程速度图示

$$v_\gamma = v\cos\gamma \tag{3-4-11}$$

变形区任意一点轧件的水平速度可以用体积不变条件计算，也就是在单位时间内通过变形区内任一横断面上的金属体积应该为一个常数。也就是任一横断面上的金属秒流量相等。每秒通过入口断面、出口断面及变形区内任一横断面的金属流量可用下式表示：

$$F_H v_H = F_x v_x = F_h v_h = 常数 \tag{3-4-12}$$

式中　F_H，F_h 及 F_x——入口断面、出口断面及变形区内任一横断面的面积；

　　　v_H，v_h 及 v_x——表示在入口断面，出口断面及任一断面上的金属平均运动速度。

根据式（3-4-12）可求得：

$$\frac{v_H}{v_h} = \frac{F_h}{F_H} = \frac{1}{\mu} \tag{3-4-13}$$

式中　μ——轧件的延伸系数，$\mu = \dfrac{F_H}{F_h}$。

金属的入口速度与出口速度之比等于出口断面的面积与入口断面的面积之比，等于延伸系数的倒数。在已知延伸系数及出口速度时可求得入口速度，在已知延伸系数及入口速度时可求得出口速度。

如果忽略宽展，式（3-4-13）可写成

$$\frac{v_H}{v_h} = \frac{F_h}{F_H} = \frac{h_h b_h}{h_H b_H} = \frac{h_h}{h_H} \tag{3-4-14}$$

式中　h_H，b_H——入口断面轧件的高度和宽度；

　　　h_h，b_h——出口断面轧件的高度和宽度。

根据关系式（3-4-12）求得任意断面的速度与出口断面的速度有下列关系：

$$\frac{v_x}{v_h} = \frac{F_h}{F_x}$$

因此
$$v_x = v_h \frac{F_h}{F_x}; \quad v_\gamma = v_h \frac{F_h}{F_x} \tag{3-4-15}$$

忽略宽展时，则得
$$v_x = v_h \frac{F_h}{F_x} = v_h \frac{h_h}{h_x}; \quad v_\gamma = v_h \frac{h_h}{h_\gamma} \tag{3-4-16}$$

研究轧制过程中的轧件与轧辊的相对运动速度有很大的实际意义。如对连续式轧机欲保持两机架间张力不变，很重要的条件就是要维持前机架轧件的秒流量和后机架的秒流量相等，也就是必须遵守秒流量不变的条件。

4.3　中性角 γ 的确定

中性角 γ 是决定变形区内金属相对轧辊运动速度的一个参量。由图 3-4-2 可知，根据在变形区内轧件对轧辊的相对运动规律，中性面 nn' 所对应的角 γ 为中性角。在此面上轧件运动速度同轧辊线速度的水平分速度相等。而由此中性面 nn' 将变形区划分为两个部分，前滑区和后滑区。由于在前滑、后滑区内金属力图相对轧辊表面产生滑动的方向不同，摩擦力的方向不同。在前滑、后滑区内，作用在轧件表面上的摩擦力的方向都指向中性面。

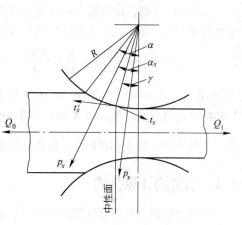

图 3-4-3　单位压力 p_x 及单位
摩擦力 t 的作用方向图示

下面根据轧件受力平衡条件确定中性面的位置及中性角 γ 的大小。如图 3-4-3 所示，用 p_x 表示轧辊作用在轧件表面上的单位压力值；用 t_x 表示作用在轧件表面上的单位摩擦力值。不计轧件的宽展，考虑作用在轧件单位宽度上的所有作用力在水平方向上的分力，根据力平衡条件，取此水平分力之和为零，即

$$\Sigma x = -\int_0^a p_x \sin\alpha_x R \mathrm{d}\alpha_x + \int_\gamma^a t_x \cos\alpha_x R \mathrm{d}\alpha - \int_0^\gamma t_x' \cos\alpha_x R \mathrm{d}\alpha_x + \frac{Q_1 - Q_0}{2\bar{b}} = 0 \tag{3-4-17}$$

式中　　p_x——单位压力；

　　　　t_x——后滑区单位摩擦力；

　　　　t_x'——前滑区单位摩擦力；

　　　　$\bar{b}$——轧件的平均宽度；

　　　　R——轧辊的半径；

　　Q_0，Q_1——作用在轧件上的后张力和前张力。

假如单位压力 p_x 沿接触弧均匀分布，即 $p_x = \bar{p}$，且令 $t_x = fp_x$ 时，式（3-4-17）经积分可导出带有前后张力时的中性角公式：

$$\sin\gamma = \frac{\sin\alpha}{2} - \frac{1-\cos\alpha}{2f} + \frac{Q_1 - Q_0}{4\bar{p}f\bar{b}R} \tag{3-4-18}$$

当 $Q_1 = Q_0$ 或者 $Q_1 = Q_0 = 0$ 时，则可由式（3-4-18）导出前后张力相等或无张力时的中性角公式：

$$\sin\gamma = \frac{\sin\alpha}{2} - \frac{1-\cos\alpha}{2f} \tag{3-4-19}$$

式中　f——摩擦系数。

　　式（3-4-19）还可以进一步化简。当 α 角很小时，$\sin\alpha \approx \alpha$，$\sin\gamma \approx \gamma$，$1 - \cos\alpha = 2\sin^2\dfrac{\alpha^2}{2}$，将这些关系式代入式（3-4-19）得中性角 γ 的简化公式：

$$\gamma = \frac{\alpha}{2}\left(1 - \frac{\alpha}{2f}\right) \tag{3-4-20}$$

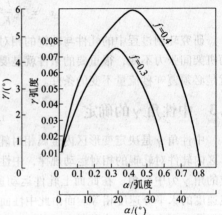

　　利用式（3-4-20）可以计算出中性角 γ 的最大值，即

$$\frac{\mathrm{d}\gamma}{\mathrm{d}\alpha} = \frac{1}{2} - \frac{\alpha}{2f} = 0 \tag{3-4-21}$$

　　当 $\alpha = f \approx \beta$ 时，即当咬入角 α 等于摩擦角 β 时，中性角 γ 有极大值。式（3-4-21）可写成：

$$\gamma_{\max} = \frac{\beta}{2}\left(1 - \frac{\beta}{2\beta}\right) = \frac{\beta}{4} \tag{3-4-22}$$

并可由式（3-4-20）作出 α 与 γ 关系曲线（图

图 3-4-4　中性角 γ 与咬入角 α 的关系

3-4-4）。由图可见，当 $f = 0.4$ 和 0.3 时，中性角最大只有 $4° \sim 6°$。而且当 $\alpha = \beta = f$ 时，$\gamma_{\max} = \dfrac{\alpha}{2}$，有极大值。当 $\alpha = 2\beta$ 时，γ 角又再变为零。

4.4　前滑的计算公式

　　欲确定轧制过程中前滑值的大小，必须找出轧制过程中轧制参数与前滑的关系式。此式的推导是以变形区各横断面秒流量体积不变的条件为出发点的。变形区内各横断面秒流量相等的条件，即 $F_x v_x = $ 常数，这里的水平速度 v_x 是沿轧件断面高度上的平均值。按秒流量不变条件，变形区出口断面金属的秒流量应等于中性面处金属的秒流量，由此得出：

$$v_h h = v_\gamma h_\gamma \quad \text{或} \quad v_h = v_\gamma \frac{h_\gamma}{h} \tag{3-4-23}$$

式中　v_h，v_γ——为轧件出口处和中性面的水平速度；

　　　　h，h_γ——为轧件出口处和中性面的高度。

　　因为　　　　　　　　$v_\gamma = v\cos\gamma$；　　$h_\gamma = h + D(1 - \cos\gamma)$

由式（3-4-23）得出：

$$\frac{v_h}{v} = \frac{h_\gamma \cos\gamma}{h} = \frac{\left[h + D(1 - \cos\gamma)\right]\cos\gamma}{h}$$

由前滑的定义得到：

$$S_h = \frac{v_h - v}{v} = \frac{v_h}{v} - 1$$

将前面式代入上式后得：

$$S_h = \frac{h\cos\gamma + D(1 - \cos\gamma)\cos\gamma}{h} - 1 = \frac{D(1 - \cos\gamma)\cos\gamma - h(1 - \cos\gamma)}{h}$$

$$= \frac{(D\cos\gamma - h)(1 - \cos\gamma)}{h} \tag{3-4-24}$$

此式即为 E. 芬克前滑公式。由式（3-4-24）可看出，影响前滑值的主要工艺参数为轧辊直径 D，轧件厚度 h 及中性角 γ。显然，在轧制过程中凡是影响 D，h 及 γ 的各种因素必将引起前滑值的变化。图 3-4-5 为前滑值 S_h 与轧辊直径 D，轧件厚度 h 和中性角 γ 的关系曲线。这些曲线是用芬克前滑公式在以下情况下计算出来的。

曲线 1　$S_h = f(h)$，$D = 300\text{mm}$，$\gamma = 5°$；

曲线 2　$S_h = f(D)$，$h = 20\text{mm}$，$\gamma = 5°$；

曲线 3　$S_h = f(\gamma)$，$h = 20\text{mm}$，$D = 300\text{mm}$。

由图可知，前滑与中性角呈抛物线的关系；前滑与辊径呈直线关系；前滑与轧件厚度呈双曲线的关系等。

当中性角 γ 很小时，可取 $1 - \cos\gamma = 2\sin^2\dfrac{\gamma}{2} = \dfrac{\gamma^2}{2}$，$\cos\gamma = 1$。

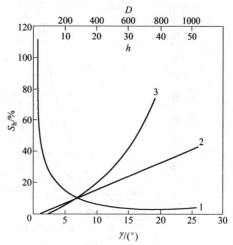

图 3-4-5　按芬克前滑公式计算的曲线

则式（3-4-24）可简化为

$$S_h = \frac{\gamma^2}{2}\left(\frac{D}{h} - 1\right) \tag{3-4-25}$$

此式即为爱克伦得前滑公式。因为 $\dfrac{D}{h} \gg 1$，故上式括号中的 1 可以忽略不计时，则该式又变为

$$S_h = \frac{\gamma^2}{2}\frac{D}{h} = \frac{\gamma^2}{h}R \tag{3-4-26}$$

此即 D. 得里斯顿公式。此式所反映的函数关系与式（3-4-24）是一致的。这些都是在不考虑宽展时求前滑的近似公式。当存在宽展时，实际所得的前滑值将小于上述公式所算得的结果。在一般生产条件下，前滑值在 2% ~ 10% 之间波动，但某些特殊情况也有超出此范围的。

4.5　影响前滑的因素

很多实验研究和生产实践表明，影响前滑的因素很多。但总的来说主要有以下几个因素：压下率，轧件厚度，摩擦系数，轧辊直径，前、后张力，孔型形状等等，凡是影响这些因素的参数都将影响前滑值的变化。下面分别加以论述。

4.5.1　压下率对前滑的影响

如图 3-4-6 曲线所示，前滑随压下率的增加而增加，其原因是由于高向压缩变形增加，纵向和横向变形都增加，因而前滑值 S_h 增加。

4.5.2　轧件厚度对前滑的影响

如图 3-4-7 曲线所示，轧后轧件厚度 h 减小，前滑增加。因为由式（3-4-26）可知，当轧辊半径 R 和中性角 γ 不变时，轧件厚度 h 越减小，则前滑值 S_h 愈增加。

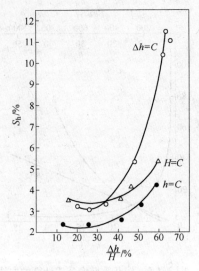

图 3-4-6   压下率与前滑的关系

普碳钢轧制温度为 1000℃，D 为 400mm 时

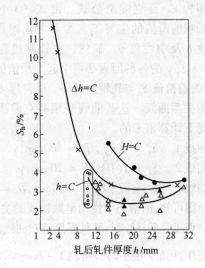

图 3-4-7   轧件轧后的厚度与前滑的关系

铅试样 $\Delta h = 1.2$mm；$D = 158.5$mm

4.5.3   轧件宽度对前滑的影响

如图 3-4-8 所示的实验曲线，在该实验条件下，轧件宽度小于 40mm 时，随宽度增加前滑亦增加；但轧件宽度大于 40mm 时，宽度再增加时，其前滑值则为一定值。这是因为轧件宽度小时，增加宽度其相应地横向阻力增加，所以宽展减小，相应地延伸增加，所以前滑也因之增加。当大于一定值时，达到平面变形条件，轧件宽度对宽展不起作用，故轧件宽度再增加，宽展为一定值，延伸也为定值，所以前滑值也不变。

4.5.4   轧辊直径对前滑的影响

从 E. 芬克的前滑公式可以看出，前滑值是随辊径增加而增加的，这是因为在其他条件相同的条件下，当辊径增加时，咬入角 α 就要降低，而摩擦角 β 保持常数，所以稳定轧制阶段的剩余摩擦力相应地就增加，由此将导致金属塑性流动速度的增加，也就是前滑的增加。由图3-4-9的实

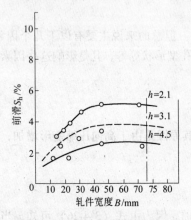

图 3-4-8   轧件宽度对前滑的影响

铅试样 $\Delta h = 1.2$mm；$D = 158.3$mm

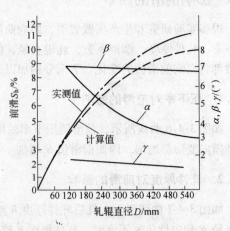

图 3-4-9   辊径 D 对前滑的影响

验曲线也说明了这个问题。但应指出，当辊径 $D < 400\text{mm}$ 时，前滑值随着辊径的增加而增加得较快；而当辊径 $D > 400\text{mm}$ 时，前滑增加得较慢，这是由于辊径增大时，伴随着轧辊线速度的增加，摩擦系数相应降低，所以剩余摩擦力的数值有所减小。另外，当辊径增大时，变形区长度增加，纵向阻力增大，延伸相应地也减少，这两个因素的共同作用，使前滑值增加得较为缓慢。

4.5.5 摩擦系数对前滑的影响

实验证明，在压下量及其他工艺参数相同的条件下，摩擦系数 f 越大，其前滑值越大。这是由于摩擦系数增大引起剩余摩擦力增加，从而前滑增大。利用前滑公式同样可以证明摩擦系数对前滑的影响，由该公式看出摩擦系数增加将导致中性角 γ 增加，因此前滑也增加。如图 3-4-10 所示。同时由实验已证明，凡是影响摩擦系数的因素：如轧辊材质，表面状态，轧件化学成分，轧制温度和轧制速度等，均能影响前滑的大小。如图 3-4-11 所示的曲线为轧制温度对前滑的影响曲线。

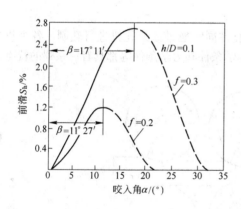

图 3-4-10 前滑与咬入角、摩擦系数 f 的关系

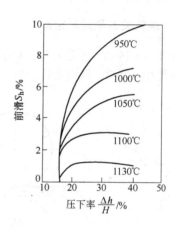

图 3-4-11 轧制温度、压下量对前滑的影响

4.5.6 张力对前滑的影响

如图 3-4-12 所示在 $\phi200$ 轧机上，轧制铅试样，将试样轧成不同厚度，有前张力存在时，前滑显著的增加。从图 3-4-13 可看出，前张力增加时，则使金属向前流动的阻力减少，从而

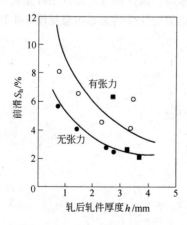

图 3-4-12 前张力对前滑的影响

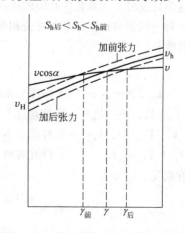

图 3-4-13 张力改变时速度曲线的变化

增加前滑区，使前滑增加。反之，后张力增加时，则后滑区增加，前滑减小。

除上述对前滑的诸影响因素外，轧制时所采用的孔型形状对前滑也有影响，因为通常沿孔型周边各点轧辊的线速度不同，但由于金属的整体性和外端的作用，轧件横断面上各点又必须以同一速度出辊。这就必然引起孔型周边各点的前滑值不一样。那么孔型轧制时如何确定轧件的出辊速度，目前尚未很好地解决。

在工程运算中为了粗略估计孔型轧制时轧件的出辊速度，目前很多人采用平均高度法，把孔型和来料化为矩形断面，然后按平辊轧矩形断面轧件的方法来确定轧辊的平均速度和平均前滑值。但这个方法是很不精确的，有待于进一步研究。

4.6　连续轧制中的前滑及有关工艺参数的确定

连续轧制在轧钢生产中所占的比重日益增大，在大力发展连轧生产的同时，对连轧的基本理论也应加以探讨，下面围绕工艺设计方面所必要的参数进行一定的探讨。

4.6.1　连轧关系和连轧常数

如图 3-4-14 所示，连轧机各机架顺序排列，轧件同时通过数架轧机进行轧制，各个机架通过轧件相互联系，从而使轧制的变形条件、运动学条件和力学条件等都具有一系列的特点。

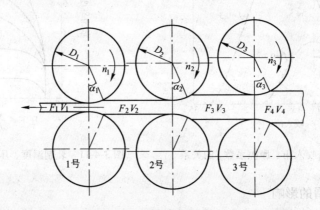

图 3-4-14　连续轧制时各机架与轧件的关系示意图

连续轧制时，随着轧件断面的压缩轧制其轧制速度递增，保持正常轧制的条件是轧件在轧制线上每一机架的秒流量必须保持相等。连续轧制时各机架与轧件的关系示意见图 3-4-14，其关系式为：

$$F_1 V_1 = F_2 V_2 = \cdots = F_n V_n \tag{3-4-27}$$

式中　　1，2，$\cdots$，n——下标序号是指逆轧制方向的轧机序号；

F_1，F_2，$\cdots$，F_n——轧件通过各机架时的轧件断面积；

V_1，V_2，$\cdots$，V_n——轧件通过各机架时的轧制速度；

$F_1 V_1$，$F_2 V_2$，$\cdots$，$F_n V_n$——轧件在各机架轧制时的秒流量。

为简化起见，已知

$$V_1 = \frac{\pi D_1 n_1}{60}, V_2 = \frac{\pi D_2 n_2}{60}, \cdots, V_n = \frac{\pi D_n n_n}{60} \tag{3-4-28}$$

将式（3-4-28）代入式（3-4-27）得：

$$F_1 D_1 n_1 = F_2 D_2 n_2 = \cdots = F_n D_n n_n \tag{3-4-29}$$

式中　D_1，D_2，$\cdots$，D_n——各机架的轧辊工作直径；

n_1，n_2，$\cdots$，n_n——各机架的轧辊转速。

为简化公式，以 C_1，C_2，$\cdots$，C_n 代表各机架轧件的秒流量，即

$$F_1 D_1 n_1 = C_1,\ F_2 D_2 n_2 = C_2,\ \cdots,\ F_n D_n n_n = C_n \tag{3-4-30}$$

将式（3-4-30）代入式（3-4-29）得：

$$C_1 = C_2 = \cdots = C_n \tag{3-4-31}$$

轧件在各机架轧制时的秒流量相等，即为一个常数，这个常数称为连轧常数。以 C 代表连轧常数时，则

$$C_1 = C_2 = \cdots = C_n = C \tag{3-4-32}$$

4.6.2　前滑系数和前滑值

前已述及，轧辊的线速度与轧件离开轧辊的速度，由于有前滑的存在实际上是有差异的，即轧件离开轧辊的速度大于轧辊的线速度。前滑的大小以前滑系数和前滑值来表示，其计算式为：

$$\bar{S}_1 = \frac{V_1'}{V_1},\ \bar{S}_2 = \frac{V_2'}{V_2},\ \cdots,\ \bar{S}_n = \frac{V_n'}{V_n} \tag{3-4-33}$$

$$S_{h1} = \frac{V_1' - V_1}{V_1} = \frac{V_1'}{V_1} - 1 = \bar{S}_1 - 1,\ S_{h2} = \bar{S}_2 - 1,\ \cdots,\ S_{hn} = \bar{S}_n - 1 \tag{3-4-34}$$

式中　$\bar{S}_1$，$\bar{S}_2$，$\cdots$，$\bar{S}_n$——轧件在各机架的前滑系数；

V_1'，V_2'，$\cdots$，V_n'——轧件实际从各机架离开轧辊的速度；

V_1，V_2，$\cdots$，V_n——各机架的轧辊线速度；

S_{h1}，S_{h2}，$\cdots$，S_{hn}——各机架的前滑值。

考虑到前滑的存在，则轧件在各机架轧制时的秒流量为：

$$F_1 V' = F_2 V' = \cdots = F_n V_n' \tag{3-4-35}$$

及

$$F_1 V_1 \bar{S}_1 = F_2 V_2 \bar{S}_2 = \cdots = F_n V_n \bar{S}_n \tag{3-4-36}$$

此时式（3-4-29）和式（3-4-32）也相应成为：

$$F_1 D_1 n_1 \bar{S}_1 = F_2 D_2 n_2 \bar{S}_2 = \cdots = F_n D_n n_n \bar{S}_n \tag{3-4-37}$$

$$C_1 \bar{S}_1 = C_2 \bar{S}_2 = \cdots = C_n \bar{S}_n = C' \tag{3-4-38}$$

式中　C'——考虑前滑后的连轧常数。

在孔型中轧制时，前滑值常取平均值，其计算式为：

$$\bar{\gamma} = \frac{\bar{\alpha}}{2}\left(1 - \frac{\bar{\alpha}}{2\bar{\beta}}\right) \tag{3-4-39}$$

$$\cos\bar{\alpha} = \frac{\bar{D} - (\bar{H} - \bar{h})}{\bar{D}} \tag{3-4-40}$$

$$\bar{S}_h = \frac{\cos\bar{\gamma}\left[\bar{D}(1 - \cos\bar{\gamma}) + \bar{h}\right]}{\bar{h}} - 1 \tag{3-4-41}$$

式中　$\bar{\gamma}$——变形区中性角的平均值；

$\overline{\alpha}$——咬入角的平均值；

β——摩擦角，一般为 $21° \sim 27°$；

$\overline{D}$——轧辊工作直径的平均值；

$\overline{H}$——轧件轧前高度的平均值；

$\overline{h}$——轧件轧后高度的平均值；

$\overline{S}_h$——轧件在任意机架的平均前滑值。

4.6.3　堆拉系数和堆拉率

在连续轧制时，实际上保持理论上的秒流量相等使连轧常数恒定是相当困难的，甚至是办不到的。为了使轧制过程能够顺利进行，常有意识地采用堆钢或拉钢的操作技术。一般对线材在连续轧机上机组与机组之间采用堆钢轧制，而机组内的机架与机架之间采用拉钢轧制。热带连轧机组，机架间亦采用微张力拉钢轧制。

拉钢轧制有利也有弊，利是不会出现因堆钢而产生的事故，弊是轧件头、中、尾尺寸不均匀，特别是精轧机组内机架间拉钢轧制不适当时，将直接影响到成品质量使轧材的头尾尺寸超出公差。一般头尾尺寸超出公差的长度，与最末几个机架间的距离有关。因此，为减少头尾尺寸超出公差的长度，除采用微量拉钢（也就是微张力轧制）外，还应当尽可能缩小机架间的距离。

4.6.3.1　堆拉系数

堆拉系数是堆钢或拉钢的一种表示方法。当以 K 代表堆拉系数时：

$$\frac{C_1\overline{S}_1}{C_2\overline{S}_2} = K_1,\quad \frac{C_2\overline{S}_2}{C_3\overline{S}_3} = K_2,\cdots\cdots,\frac{C_n\overline{S}_n}{C_{n+1}\overline{S}_{n+1}} = K_n \tag{3-4-42}$$

式中　$K_1,K_2,\cdots,K_n$——各机架连轧时的堆拉系数。

当 K 值小于1时，表示为堆钢轧制。连续轧制时对于线材机组与机组之间要根据活套大小通过调节直流电动机的转速，来控制适当的堆钢系数。

当 K 值大于1时，表示为拉钢轧制。对于线材连续轧制时粗轧和中轧机组的机架与机架之间的拉钢系数一般控制为 $1.02 \sim 1.04$；精轧机组随轧机结构形式的不同一般控制在 $1.005 \sim 1.02$。

将式（3-4-42）移项得：

$$C_1\overline{S}_1 = K_1C_2\overline{S}_2,\ C_2\overline{S}_2 = K_2C_3\overline{S}_3,\cdots,\ C_n\overline{S}_n = K_nC_{n+1}\overline{S}_{n+1} \tag{3-4-43}$$

由式（3-4-43）得出考虑堆钢或拉钢后的连轧关系式为：

$$C_1\overline{S}_1 = K_1C_2\overline{S}_2 = K_1K_2C_3\overline{S}_3 = \cdots = K_1K_2,\cdots,K_nC_{n+1}\overline{S}_{n+1} \tag{3-4-44}$$

4.6.3.2　堆拉率

堆拉率是堆钢或拉钢的另一表示方法，也是经常采用的方法。以 ε 代表堆拉率时

$$\frac{C_1\overline{S}_1 - C_2\overline{S}_2}{C_2\overline{S}_2} \times 100 = \varepsilon_1,\ \frac{C_2\overline{S}_2 - C_3\overline{S}_3}{C_3\overline{S}_3} \times 100 = \varepsilon_2,\cdots,\frac{C_n\overline{S}_n - C_{n+1}\overline{S}_{n+1}}{C_{n+1}\overline{S}_{n+1}} \times 100 = \varepsilon_n$$

$$\tag{3-4-45}$$

当 ε 为正值时表示拉钢轧制，当 ε 为负值时表示堆钢轧制。

将式（3-4-45）移项得：

$$(C_1\overline{S}_1 - C_2\overline{S}_2) \times 100 = C_2\overline{S}_2\varepsilon_1,(C_2\overline{S}_2 - C_3\overline{S}_3) \times 100 = C_3\overline{S}_3\varepsilon_2,\cdots,$$

$$(C_n \bar{S}_n - C_{n+1} \bar{S}_{n+1}) \times 100 = C_{n+1} \bar{S}_{n+1} \varepsilon_n \quad (3\text{-}4\text{-}46)$$

$$C_1 \bar{S}_1 = C_2 \bar{S}_2 \left(1 + \frac{\varepsilon_1}{100}\right), C_2 \bar{S}_2 = C_3 \bar{S}_3 \left(1 + \frac{\varepsilon_2}{100}\right), \cdots, C_n \bar{S}_n$$

$$= C_{n+1} \bar{S}_{n+1} \left(1 + \frac{\varepsilon_n}{100}\right) \quad (3\text{-}4\text{-}47)$$

由式(3-4-47)得出考虑堆钢或拉钢后的又一个连轧关系式为:

$$C_1 \bar{S}_1 = C_2 \bar{S}_2 \left(1 + \frac{\varepsilon_1}{100}\right) = C_3 \bar{S}_3 \left(1 + \frac{\varepsilon_1}{100}\right)\left(1 + \frac{\varepsilon_2}{100}\right) = \cdots$$

$$= C_n \bar{S}_n \left(1 + \frac{\varepsilon_1}{100}\right)\left(1 + \frac{\varepsilon_2}{100}\right) \cdots \left(1 + \frac{\varepsilon_{n-1}}{100}\right) \quad (3\text{-}4\text{-}48)$$

由式(3-4-43)和式(3-4-47)得出 K 与 ε 的关系式为:

$$(K_n - 1) \times 100 = \varepsilon_n \quad (3\text{-}4\text{-}49)$$

在讨论了各种情况之后,可以建立如下概念:从理论上讲连续轧制时各机架的秒流量相等,连轧常数是恒定的。在考虑前滑影响后这种关系仍然存在。但当考虑了堆钢和拉钢的操作条件后,实际上各机架的秒流量已不相等,原连轧常数已不存在,而是在建立了一种新的平衡关系下进行生产的,也就是说在一个新的连轧常数下进行生产。在实际生产中采用的张力轧制,就是这个道理。

5　轧制压力及力矩的计算

5.1　轧制压力的工程计算

5.1.1　总轧制压力计算公式的一般表达式

一般情况下，如果忽略轧件宽度方向的摩擦应力和单位压应力变化，其总轧制压力可用下式表示：

$$P = \bar{p}F \tag{3-5-1}$$

式中　$\bar{p}$——平均单位压力，由下式决定

$$\bar{p} = \frac{1}{F}\int_0^l p_x \mathrm{d}x = 1.15\sigma_\varphi n'_\sigma \tag{3-5-2}$$

式中　p_x——单位压力；

　　　σ_φ——轧件的平均变形抗力；

　　　n'_σ——外摩擦等因素对应力状态的影响系数；

　　　F——轧件与轧辊的接触面积，可以表示为

$$F = l\bar{b} \tag{3-5-3}$$

式中　l——接触弧长；

　　　$\bar{b}$——轧件平均宽度，它等于轧件入辊缝和出辊缝处的宽度平均值，即 $\bar{b} = \dfrac{B+b}{2}$。

5.1.2　平均单位压力公式简介

由式（3-5-2）可知，平均单位压力主要由变形抗力 σ_φ 和应力状态影响系数 n'_σ 决定，在 σ_φ 确定后主要决定于 n'_σ，根据不同的摩擦规律进行不同假设可以得出不同的平均单位压力计算公式。

5.1.2.1　采里柯夫公式

采里柯夫采用全滑动摩擦规律，得到平均单位压力公式如下：

$$\bar{p} = 1.15 n'_\sigma \sigma_\varphi$$

$$n'_\sigma = \frac{2h_r}{\Delta h(\delta-1)}\left[\left(\frac{h_r}{h}\right)^\delta - 1\right] \tag{3-5-4}$$

$$\frac{h_r}{h} = \left[\frac{1 + \sqrt{1 + (\delta^2-1)\left(\dfrac{H}{h}\right)^\delta}}{\delta+1}\right]^{\frac{1}{\delta}} \tag{3-5-5}$$

式中，$\delta = \dfrac{2fl}{\Delta h}$，$f$ 为摩擦系数。

此公式可用于冷轧。对于热轧，当 $l/\bar{h} < 1$ 时，采里柯夫给出经验公式

$$n'_\sigma = \left(\frac{l}{h}\right)^{0.4} \tag{3-5-6}$$

式中，$\bar{h}$ 为轧件的平均厚度，此公式适于热连轧机组的粗轧机组轧制力计算。

5.1.2.2 计算平均单位压力的斯通公式

斯通公式考虑了外摩擦、拉力和轧辊弹性压扁的影响，并假设：（1）由于轧辊的弹性压扁，轧件相当于在两个平板间压缩；（2）忽略宽展的影响；（3）接触表面摩擦规律按全滑动来考虑，即 $t_x = fp_x$，沿接触弧上 $\sigma_\varphi =$ 常数。

根据上述条件，得出斯通平均单位压力公式：

$$\bar{p} = n'_\delta K' = \frac{e^m - 1}{m}(K - \bar{q}) \tag{3-5-7}$$

式中 m——系数，$m = \dfrac{fl'}{h}$，$\bar{h} = \dfrac{H + h}{2}$，$l'$ 为考虑弹性压扁的变形区长度；

$\bar{q}$——前、后单位张力的平均值，$\bar{q} = \dfrac{q_0 + q_1}{2}$。

当无前、后张力时，式（3-5-7）可写成

$$\bar{p} = k\frac{e^m - 1}{m} \tag{3-5-8}$$

轧辊弹性压扁后的变形区长度 l' 根据式（3-1-14）为

$$l' = \sqrt{R\Delta h + (C\bar{p}R)^2} + C\bar{p}R$$

式中 $C = \dfrac{8(1 - v^2)}{\pi E}$。

对上式两边同乘 $\dfrac{f}{h}$，使其变成 m 和 $\bar{p}$ 的关系，并用 l^2 代替 $R \cdot \Delta h$，则

$$\frac{fl'}{h} = \sqrt{\left(\frac{fl'}{h}\right)^2 + \left(\frac{fCR}{h}\right)^2 \bar{p}^2} + \frac{fCR}{h}\bar{p}$$

整理后得：

$$\left(\frac{fl'}{h}\right)^2 - \left(\frac{fl}{h}\right)^2 = 2\left(\frac{fl'}{h}\right)\left(\frac{fCR}{h}\right)\bar{p} \tag{3-5-9}$$

将平均单位压力 $\bar{p}$ 代入式（3-5-9）得

$$\left(\frac{fl'}{h}\right)^2 - \left(\frac{fl}{h}\right)^2 = 2CR(e^{fl'/h} - 1)\frac{f}{h}K'$$

$$\left(\frac{fl'}{h}\right)^2 = 2CR(e^{fl'/h} - 1)\frac{f}{h}K' + \left(\frac{fl}{h}\right)^2 \tag{3-5-10}$$

或

设 $x = \dfrac{fl'}{h}$，$y = 2CR\dfrac{f}{h}K'$，$z = \dfrac{fl}{h}$，则上式可写成

$$x^2 = (e^x - 1)y + z^2$$

按上式可作出图 3-5-1 所示的图表。图 3-5-1 中左边标尺为 $z^2 = \left(\dfrac{fl}{h}\right)^2$，右边标尺为 $y = 2CR\dfrac{f}{h}K'$，图中曲线为 $x = \dfrac{fl'}{h}$，此曲线又称为 S 形曲线。

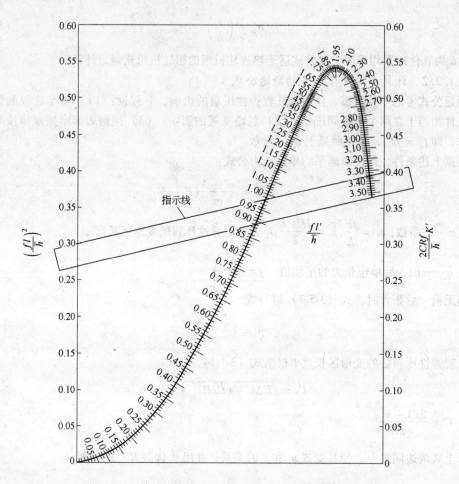

图 3-5-1　轧辊压扁时平均单位压力图解（斯通图解法）

应用图 3-5-1 所示曲线时，先根据具体轧制条件计算出 z 和 y 值，并在 z^2 尺和 y 尺上找出两点，连成一条直线，此直线称为指示线，指示线与 S 形曲线的交点即为所求之 $x = \dfrac{fl'}{h}$ 值。再根据 x 值可解出压扁弧 l' 之长度，然后将 x 值代入斯通平均单位压力公式解出平均单位压力 $\bar{p}$ 值。为了计算方便，表 3-5-1 给出了 $n_\sigma' = \dfrac{e^m - 1}{m}$ 之值，根据值便可从表中查出 n_σ' 值。

表 3-5-1　函数值 $n_\sigma' = \dfrac{e^m - 1}{m}$

m	0	1	2	3	4	5	6	7	8	9
0.0	1.000	1.005	1.010	1.015	1.020	1.025	1.030	1.035	1.040	1.046
0.1	1.051	1.057	1.062	1.068	1.073	1.078	1.084	1.089	1.095	1.100
0.2	1.106	1.112	1.118	1.125	1.131	1.137	1.143	1.149	1.155	1.160
0.3	1.166	1.172	1.178	1.184	1.190	1.196	1.202	1.209	1.215	1.222
0.4	1.229	1.236	1.243	1.250	1.256	1.263	1.270	1.277	1.284	1.290
0.5	1.297	1.304	1.311	1.318	1.326	1.333	1.340	1.347	1.355	1.362
0.6	1.370	1.378	1.386	1.493	1.401	1.409	1.417	1.425	1.433	1.442
0.7	1.450	1.458	1.467	1.475	1.483	1.491	1.499	1.508	1.517	1.525

m	0	1	2	3	4	5	6	7	8	9
0.8	1.533	1.541	1.550	1.558	1.567	1.577	1.586	1.595	1.604	1.613
0.9	1.623	1.632	1.642	1.651	1.660	1.670	1.681	1.690	1.700	1.710
1.0	1.719	1.729	1.739	1.749	1.760	1.770	1.780	1.790	1.800	1.810
1.1	1.820	1.832	1.843	1.854	1.865	1.876	1.887	1.899	1.910	1.921
1.2	1.933	1.945	1.957	1.968	1.978	1.990	2.001	2.013	2.025	2.037
1.3	2.049	2.062	2.075	2.088	2.100	2.113	2.126	2.140	2.152	2.165
1.4	2.181	2.195	2.209	2.223	2.237	2.250	2.264	2.278	2.291	2.305
1.5	2.320	2.335	2.350	2.365	2.380	2.395	2.410	2.425	2.440	2.455
1.6	2.470	2.486	2.503	2.520	2.536	2.553	2.570	2.586	2.603	2.620
1.7	2.635	2.652	2.667	2.686	2.703	2.719	2.735	2.752	2.769	2.790
1.8	2.808	2.826	2.845	2.863	2.880	2.900	2.918	2.936	2.955	2.974
1.9	2.995	3.014	3.032	3.053	3.072	3.092	3.112	3.131	3.150	3.170
2.0	3.195	3.216	3.238	3.260	3.282	3.302	3.322	3.346	3.368	3.390
2.1	3.412	3.435	3.458	3.480	3.503	3.530	3.553	3.575	3.599	3.623
2.2	3.648	3.672	3.697	3.722	3.747	3.772	3.798	3.824	3.849	3.876
2.3	3.902	3.928	3.955	3.982	4.009	4.037	4.064	4.092	4.119	4.146
2.4	4.176	4.205	4.234	4.262	4.291	4.322	4.352	4.381	4.412	4.442
2.5	4.473	4.504	4.535	4.567	4.599	4.630	4.662	4.695	4.727	4.761
2.6	4.791	4.827	4.861	4.895	4.929	5.964	4.998	5.034	5.069	5.104
2.7	5.141	5.176	5.213	5.250	5.287	5.324	5.362	5.400	5.438	5.477
2.8	5.516	5.555	5.595	5.634	5.674	5.715	5.756	5.797	5.838	5.880
2.9	5.922	5.964	6.007	6.050	6.093	6.137	6.181	6.226	6.271	6.316

5.1.2.3　计算平均单位压力的 R.B. 西姆斯公式

平均单位压力公式对接触表面摩擦规律按全粘着 $\left(t_x = \dfrac{K}{2}\right)$ 的条件确定外摩擦影响系数 n'_σ。于是得出西姆斯平均单位压力公式

$$\bar{p} = n'_\sigma K = \left(\frac{\pi}{2}\sqrt{\frac{1-\varepsilon}{\varepsilon}}\arctan\sqrt{\frac{\varepsilon}{1-\varepsilon}} - \frac{\pi}{4} - \sqrt{\frac{1-\varepsilon}{\varepsilon}}\sqrt{\frac{R}{h}}\ln\frac{h_r}{h} + \frac{1}{2}\sqrt{\frac{1-\varepsilon}{\varepsilon}}\sqrt{\frac{R}{h}}\ln\frac{\varepsilon}{1-\varepsilon} \right)K$$

$$(3\text{-}5\text{-}11)$$

或写成

$$n'_\sigma = \frac{\bar{p}}{K} = f\left(\frac{R}{h} \cdot \varepsilon \right) \tag{3-5-12}$$

为了计算方便，西姆斯把 n'_σ 与 ε 和 $\dfrac{R}{h}$ 的关系根据式（3-5-11）绘成曲线如图 3-5-2 所示。根据 ε 和 R/h 之值便可查出 n'_σ 值，进而就可以求出平均单位压力。从对接触表面摩擦规律的考虑来看，西姆斯公式适用于热轧的情况。

为方便工程计算，许多学者给出了西姆斯公式的简化公式。

（1）志田茂(日本)公式

$$n_\sigma = 0.8 + C\left(\sqrt{\frac{R}{H}} - 0.5 \right) \tag{3-5-13}$$

式中　$C = 0.45\varepsilon + 0.04$

（2）美坂佳助（日本）公式

$$n'_\sigma = \frac{\pi}{4} + 0.25\frac{l}{h} \qquad (3\text{-}5\text{-}14)$$

（3）克林特里（原苏联）公式

$$n'_\sigma = 0.75 + 0.27\frac{l}{h} \qquad (3\text{-}5\text{-}15)$$

5.1.2.4　计算平均单位压力的 S. 爱克伦得公式

爱克伦得公式是用于热轧时计算平均单位压力的半经验公式。其公式为：

$$\bar{p} = (1 + m)(K + \eta\bar{\dot{\varepsilon}}) \qquad (3\text{-}5\text{-}16)$$

式中　K——平面变形抗力，$1.15\sigma_\varphi$；

　　　m——外摩擦对单位压力影响的系数；

　　　η——黏性系数；

　　　$\bar{\dot{\varepsilon}}$——平均变形速度。

其中 $(1 + m)$ 是考虑外摩擦的影响，为了决定 m，作者给出以下公式：

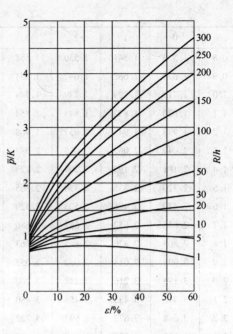

图 3-5-2　n'_σ 与 ε 和 $\dfrac{R}{h}$ 的关系（按西姆斯公式）

$$m = \frac{1.6f\sqrt{R \cdot \Delta h} - 1.2\Delta h}{H + h} \qquad (3\text{-}5\text{-}17)$$

式（3-5-16）中的第二个括号里的 $\eta\bar{\dot{\varepsilon}}$ 是考虑变形速度对变形抗力的影响。其中平均变形速度 $\bar{\dot{\varepsilon}}$ 用下式计算

$$\bar{\dot{\varepsilon}} = \frac{2v\sqrt{\dfrac{\Delta h}{R}}}{H + h}$$

把 m 值和 $\bar{\dot{\varepsilon}}$ 值代入式（3-5-16），则得出平均单位压力 $\bar{p}$ 值。

爱克伦得还给出计算 K 和 η 的经验式：

$$K = 9.8(14 - 0.01t)(1.4 + C + Mn) \quad \text{MPa}$$

$$\eta = 0.1(14 - 0.01t) \quad \text{MPa} \cdot \text{s}$$

式中　t——轧制温度；

　　　C——以%表示的碳含量；

　　Mn——以%表示的锰含量。

当温度 $t \geqslant 800\text{℃}$ 和锰含量 $\leqslant 1.0\%$ 时，这些公式是正确的。

f 用下式计算：

$$f = a(1.05 - 0.0005t)$$

对钢轧辊 $a = 1$，对铸铁轧辊 $a = 0.8$。

近来，有人对爱克伦得公式进行了修正，按下式计算黏性系数：

$$\eta = 0.1(14 - 0.01)C' \quad MPa \cdot s$$

式中 C'——决定于轧制速度的系数，可按如下选取：

轧制速度/m·s^{-1}	系数 C'
<6	1
6 ~ 10	0.8
10 ~ 15	0.65
15 ~ 20	0.60

计算 K 时，建议还要考虑含铬量的影响

$$K = 9.8(14 - 0.01t)(1.4 + C + Mn + 0.3Cr) \quad MPa$$

5.2 主电动机传动轧辊所需力矩及功率

5.2.1 传动力矩的组成

欲确定主电动机的功率，必须首先确定传动轧辊的力矩。轧制过程中，在主电动机轴上，传动轧辊所需力矩最多由下面四部分组成：

$$M = \frac{M_z}{i} + M_m + M_k + M_d \tag{3-5-18}$$

式中 M_z——轧制力矩，用于使轧件塑性变形所需之力矩；

M_m——克服轧制时发生在轧辊轴承，传动机构等的附加摩擦力矩；

M_k——空转力矩，即克服空转时的摩擦力矩；

M_d——动力矩，此力矩为克服轧辊不均速运动时产生的惯性力所必需的；

i——轧辊与主电动机间的传动比。

组成传动轧辊的力矩的前三项为静力矩，即

$$M_j = \frac{M_z}{i} + M_m + M_k \tag{3-5-19}$$

式 (3-5-19) 指轧辊做匀速转动时所需的力矩。这三项对任何轧机都是必不可缺少的。在一般情况下，以轧制力矩为最大。

在静力矩中，轧制力矩是有效部分，至于附加摩擦力矩和空转力矩是由于轧机传动部件中的摩擦引起的，是有害力矩。

这样换算到主电动机轴上的轧制力矩与静力矩之比的百分数称为轧机的效率：

$$\eta = \frac{\dfrac{M_z}{i}}{\dfrac{M_z}{i} + M_m + M_k}100\% \tag{3-5-20}$$

轧机效率随轧制方式和轧机结构不同（主要是轧辊的轴承构造）在相当大的范围内变化，即 $\eta = 0.8 \sim 0.95$。

动力矩只发生于用不均匀转动进行工作的几种轧机中，如可调速的可逆式轧机，当轧制速度变化时，便产生克服惯性力的动力矩，其数值可由下式确定：

$$M_\mathrm{d} = \frac{GD^2}{375} \cdot \frac{\mathrm{d}n}{\mathrm{d}t} \quad \mathrm{N \cdot m} \tag{3-5-21}$$

式中　G——转动部分的重量，N；

　　　D——转动部分的惯性直径，m；

　　　$\dfrac{\mathrm{d}n}{\mathrm{d}t}$——角加速度。

在转动轧辊所需的力矩中，轧制力矩是最主要的。确定轧制力矩有两种方法：按轧制力计算和利用能耗曲线计算。前者对板带材等矩形断面轧件计算较精确，后者用于计算各种非矩形断面的轧制力矩。

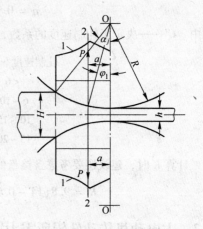

图 3-5-3　按轧制力计算轧制力矩
1—单位压力曲线；2—单位压力图形重心线

5.2.2　轧制力矩的确定

5.2.2.1　按金属对轧辊的作用力计算轧制力矩

该法是用金属对轧辊的垂直压力 P 乘以力臂 a，见图 3-5-3。即：

$$M_\mathrm{z1} = M_\mathrm{z2} = P \cdot a = \int_0^l x(p_x \pm t_x \tan\varphi)\,\mathrm{d}x \tag{3-5-22}$$

式中　M_z1，M_z2——上、下轧辊的轧制力矩。

因为摩擦力在垂直方向上的分力相比很小，可以忽略，所以：

$$a = \frac{\int_0^l xp_x\mathrm{d}x}{P} = \frac{\int_0^l xp_x\mathrm{d}x}{\int_0^l p_x\mathrm{d}x} \tag{3-5-23}$$

从上式可看出，力臂 a 实际上等于单位压力图形的重心到轧辊中心连线的距离。

为了消除几何因素对力臂 a 的影响，通常不直接确定出力臂 a，而是通过确定力臂系数 ψ 的方法来确定之，即

$$\psi = \frac{\varphi_1}{\alpha_\mathrm{j}} = \frac{a}{l_\mathrm{j}} \text{ 或 } a = \psi l_\mathrm{j}$$

式中　φ_1——合压力作用角，见图 3-5-3；

　　　α_j——接触角；

　　　l_j——接触弧长度。

因此，转动两个轧辊所需的轧制力矩为：

$$M_\mathrm{z} = 2Pa = 2P\psi l_\mathrm{j} \tag{3-5-24}$$

上式中的轧制力臂系数 ψ 根据大量实验数据统计，其范围为

热轧铸锭时　　　$\psi = 0.55 \sim 0.60$；

热轧板带时　　　$\psi = 0.42 \sim 0.50$；

冷轧板带时　　　$\psi = 0.33 \sim 0.42$。

5.2.2.2　按能量消耗曲线确定轧制力矩

在很多情况下，按轧制时能量消耗来决定轧制力矩是合理的，因为在这方面有些试验资料，如果轧制条件相同时，其计算结果也较可靠。

轧制所消耗的功 A 与轧制力矩之间的关系为：

$$M_z = \frac{A}{\theta} = \frac{A}{\omega \cdot t} = \frac{AR}{vt} \tag{3-5-25}$$

式中　θ——轧件通过轧辊期间轧辊的转角，$\theta = \omega \cdot t = \frac{v}{R} \cdot t$；

　　　ω——角速度；

　　　t——时间；

　　　R——轧辊半径；

　　　v——轧辊圆周速度。

利用能耗曲线确定轧制力矩，其单位能耗曲线对于型钢和钢坯轧制一般表示为每吨产品的能量消耗与总延伸系数间的关系，如图 3-5-4 所示。而对于板带材一般表示为每吨产品的能量消耗与板带厚度的关系如图 3-5-5 所示。如图所示，第 $n+1$ 道次的单位能耗为 $(a_{n+1} - a_n)$ kW·h/t，如轧件重量为 G 吨，在该道次之总能耗为：

$$A = (a_{n+1} - a_n)G \quad \text{kW·h} \tag{3-5-26}$$

因为轧制时的能量消耗一般是以电机负荷大小测量的，故在这种曲线中还包括有轧机传动机构中的附加摩擦消耗，但除去了轧机的空转消耗。所以，按能耗曲线确定的力矩为轧制力矩 M_z 和附加摩擦力矩 M_m 之总和。

根据式（3-5-25）和式（3-5-26）得

$$\frac{M_z + M_m}{i} = \frac{1000 \times 3600(a_{n+1} - a_n)G \cdot R}{t \cdot v} \quad \text{N·m} \tag{3-5-27}$$

如果将 $G = F_h L_h \rho$ 及 $t = \frac{L_h}{v_h} = \frac{L_h}{v(1 + S_h)}$ 代入式（3-5-27）整理后得：

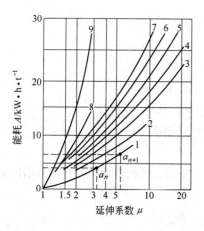

图 3-5-4　开坯、型钢和钢管轧机的典型能耗曲线

1—1150 开坯机；2—1150 初轧机；3—250 线材连轧机；

4—350 棋盘式中型轧机；5—700/500 钢坯连轧机；

6—750 轨梁轧机；7—500 大型轧机；

8—250 自动轧管机；9—250 穿孔机组

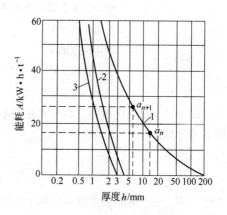

图 3-5-5　板带钢轧机的典型能耗曲线

1—1700 连轧机；2—三机架冷连轧低

碳钢；3—五机架冷连轧钢板

$$\frac{M_z + M_m}{i} = 18 \times 10^5 (a_{n+1} - a_n)\rho \cdot F_h \cdot D(1 + S_h) \quad \text{N} \cdot \text{m} \quad (3\text{-}5\text{-}28)$$

式中　　G——轧件重量，t；

　　　　ρ——轧件的密度，t/m^3；

　　　　D——轧辊工作直径，m；

　　　　F_h——该道次后轧件横断面积，m^2；

　　　　S_h——前滑；

　　　　i——传动比。

取钢的 $\rho = 7.8 \, t/m^3$，并忽略前滑影响，则

$$\frac{M_z + M_m}{i} = 140.4 \times 10^5 (a_{n+1} - a_n) F_h D \quad \text{N} \cdot \text{m} \quad (3\text{-}5\text{-}29)$$

5.2.3　附加摩擦力矩的确定

轧制过程中，轧件通过辊间时，在轴承内以及轧机传动机构中有摩擦力产生，所谓附加摩擦力矩，是指克服这些摩擦力所需力矩，而且在此附加摩擦力矩的数值中，并不包括空转时轧机转动所需的力矩。

组成附加摩擦力矩的基本数值有两大项，一为轧辊轴承中的摩擦力矩，另一项为传动机构中的摩擦力矩，下面分别论述。

5.2.3.1　轧辊轴承中的附加摩擦力矩

对上下两个轧辊（共四个轴承）而言，该力矩值为：

$$M_{m1} = \frac{P}{2}f_1\frac{d_1}{2}4 = P \cdot d_1 \cdot f_1$$

式中　　P——轧制力；

　　　　d_1——轧辊辊颈直径；

　　　　f_1——轧辊轴承摩擦系数，它取决于轴承构造和工作条件：

　　　　　　　滑动轴承金属衬热轧时　　　　　　$f_1 = 0.07 \sim 0.10$

　　　　　　　滑动轴承金属衬冷轧时　　　　　　$f_1 = 0.05 \sim 0.07$

　　　　　　　滑动轴承塑料衬　　　　　　　　　$f_1 = 0.01 \sim 0.03$

　　　　　　　液体摩擦轴承　　　　　　　　　　$f_1 = 0.003 \sim 0.004$

　　　　　　　滚动轴承　　　　　　　　　　　　$f_1 = 0.003$

5.2.3.2　传动机构中的摩擦力矩

该力矩是指减速机座，齿轮机座中的摩擦力矩，此传动系统的附加摩擦力矩根据传动效率按下式计算：

$$M_{m2} = \left(\frac{1}{\eta_1} - 1\right)\frac{M_z + M_{m1}}{i} \quad (3\text{-}5\text{-}30)$$

式中　　M_{m2}——换算到主电动机轴上的传动机构的摩擦力矩；

　　　　η_1——传动机构的效率，即从主电动机到轧机的传动效率；一级齿轮传动的效率一般取 $0.96 \sim 0.98$，皮带传动效率取 $0.85 \sim 0.90$。

换算到主电动机轴上的附加摩擦力矩应为：

$$M_{\mathrm{m}} = \frac{M_{\mathrm{m1}}}{i} + M_{\mathrm{m2}}$$

或

$$M_{\mathrm{m}} = \frac{M_{\mathrm{m1}}}{i\eta_1} + \left(\frac{1}{\eta} - 1\right)\frac{M_{\mathrm{z}}}{i} \tag{3-5-31}$$

5.2.4　空转力矩的确定

空转力矩是指空载转动轧机主机列所需的力矩。通常是根据转动部分自重在轴承中引起的摩擦力计算之。

在轧机主机列中有许多机构，如轧辊、联接轴、人字齿轮及飞轮等等，各有不同重量及不同的轴颈直径及摩擦系数。因此，必须分别计算。显然，空载转矩应等于所有转动机件空转力矩之和，当换算至主电动机轴上时，则转动每一个部件所需力矩之和为：

$$M_{\mathrm{k}} = \Sigma M_{\mathrm{kn}} \tag{3-5-32}$$

式中　M_{kn}——换算到主电动机轴上的转动每一个零件所需的力矩。

如果用零件在轴承中的摩擦圆半径与力来表示 M_{kn}，则

$$M_{\mathrm{kn}} = \frac{G_n \cdot f_n \cdot d_n}{2i_n} \tag{3-5-33}$$

式中　G_n——该机件在轴承上的重量；

$\quad\quad f_n$——在轴承上的摩擦系数；

$\quad\quad d_n$——轴颈直径；

$\quad\quad i_n$——电动机与该机件间的传动比。

将式(3-5-33)代入式(3-5-32)后得空转力矩为：

$$M_{\mathrm{k}} = \Sigma \frac{G_n \cdot f_n \cdot d_n}{2i_n} \tag{3-5-34}$$

按上式计算甚为复杂，通常可按下面的经验公式来确定：

$$M_{\mathrm{k}} = (0.03 \sim 0.06)M_{\mathrm{H}} \tag{3-5-35}$$

式中　M_{H}——电动机的额定转矩。

对新式轧机可取下限，对旧式轧机可取上限。

5.2.5　静负荷图

为了校核和选择主电动机，除知其负荷值外，尚需知轧机负荷随时间变化的关系图，力矩随时间变化的关系图称为静负荷图。绘制静负荷图之前，首先要决定出轧件在整个轧制过程中在主电机轴上的静负荷值，其次决定各道次的纯轧和间隙时间。

静负荷图中的静力矩可以用式（3-5-19）加以确定。每一道次的轧制时间 t_n 可由下式确定：

$$t_n = \frac{L_n}{\bar{v}_n} \tag{3-5-36}$$

式中　L_n——轧件轧后长度；

$\quad\quad \bar{v}_n$——轧件出辊平均速度，忽略前滑时，它等于轧辊圆周速度。

间隙时间按间隙动作所需时间确定或按现场数据选用。

已知上述各值后，根据轧制图表绘制出一个轧制周期内的电机负荷图。图 3-5-6 给出几类轧机的静负荷图。

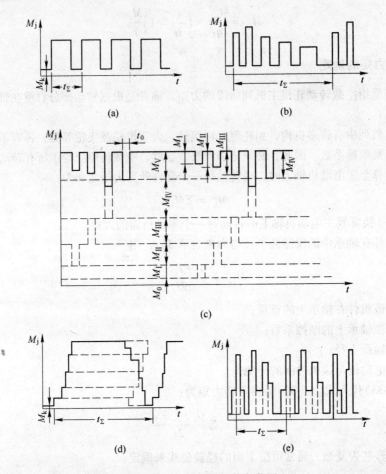

图 3-5-6　各种轧机的静负荷图

（a）单独传动的连轧机或一道中轧一根轧件者；（b）单机架轧机轧数道者；（c）同时轧数根轧件者；
（d）集体驱动的连轧机；（e）同（d），但两轧件的间隙时间大于轧件通过机组之间的时间

5.2.6　可逆式轧机的负荷图

在可逆式轧机中，轧制过程是轧辊首先在低速咬入轧件，然后提高轧制速度进行轧制，之后又降低轧制速度，实现低速抛出。因此轧件通过轧辊的时间由 3 部分组成：加速时间，稳定轧制时间，减速时间。

由于轧制速度在轧制过程中是变化的，所以负荷图必须考虑动力矩 M_d，此时负荷图是由静负荷与动负荷组合而成，见图 3-5-7。

如果主电动机在加速期的加速度用 a 表示，在减速期用 b 表示，则在各期间内的转动总力矩为：

加速轧制期

$$M_2 = M_j + M_d = \frac{M_z}{i} + M_m + M_k + \frac{GD^2}{375} \cdot a \tag{3-5-37}$$

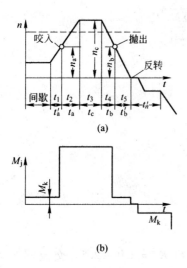
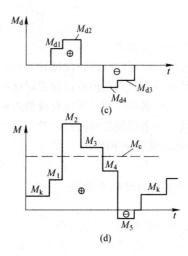

图 3-5-7 可逆式轧机的轧制速度与负荷图

（a）速度图；（b）静负荷图；（c）动负荷图；（d）合成负荷图

等速轧制期
$$M_3 = M_j = \frac{M_z}{i} + M_m + M_k \tag{3-5-38}$$

减速轧制期
$$M_4 = M_j - M_d = \frac{M_z}{i} + M_m + M_k - \frac{GD^2}{375} \cdot b \tag{3-5-39}$$

同样，可逆式轧机在空转时也分加速期，等速期和减速期。在空转时各期间的总力矩为：

空转加速期
$$M_1 = M_k + M_d = M_k + \frac{GD^2}{375} \cdot a \tag{3-5-40}$$

空转等速期
$$M'_3 = M_k$$

空转减速期
$$M_5 = M_k - M_d = M_k - \frac{GD^2}{375} \cdot b \tag{3-5-41}$$

加速度 a 和 b 的数值取决于主电动机的特性及其控制线路。

5.2.7　主电动机的功率计算

当主电动机的传动负荷图确定后，就可对电动机的功率进行计算。这项工作包括两部分：一是由负荷图计算出等效力矩不能超过电动机的额定力矩；二是负荷图中的最大力矩不能超过电动机的允许过载负荷和持续时间。

如果是新设计的轧机，则对电动机就不是校核，而是要根据等效力矩和所要求的电动机转速来选择电动机。

5.2.7.1　等效力矩计算及电动机的校核

轧机工作时电动机的负荷是间断式的不均匀负荷，而电动机的额定力矩是指电动机在此负荷下长期工作，其温升在允许的范围内的力矩。为此必须计算出负荷图中的等效力矩，其值按下式计算：

$$M_{jum} = \sqrt{\frac{\sum M_n^2 t_n + \sum M_k'^2 t_k'}{\sum t_n + \sum t_k'}} \tag{3-5-42}$$

式中　M_{jum}——等效力矩;

　　　$\sum t_n$——轧制时间内各段纯轧时间的总和;

　　　$\sum t_k'$——轧制周期内各段间隙时间的总和;

　　　M_n——各段轧制时间所对应的力矩;

　　　M_k'——各段间隙时间对应的空转力矩。

校核电动机温升条件为:

$$M_{jum} \leqslant M_H$$

校核电动机的过载条件为:

$$M_{max} \leqslant K_G \cdot M_H$$

式中　M_H——电动机的额定力矩;

　　　K_G——电动机的允许过载系数,直流电动机 $K_G = 2.0 \sim 2.5$;交流同步电动机,
　　　　　　 $K_G = 2.5 \sim 3.0$;

　　　M_{max}——轧制周期内最大的力矩。

电动机达到允许最大力矩 $K_G \cdot M_H$ 时,其允许持续时间在 15s 以内,否则电动机温升将超过允许范围。

5.2.7.2　电动机功率的计算

对于新设计的轧机,需要根据等效力矩计算电动机的功率,即:

$$N = \frac{0.105 M_{jum} \cdot n}{\eta} \quad kW \tag{3-5-43}$$

式中　n——电动机的转速,r/min;

　　　η——由电动机到轧机的传动效率。

5.2.7.3　超过电动机基本转速时电动机的校核

当实际转速超过电动机的基本转速时,应对超过基本转速部分对应的力矩加以修正,见图3-5-8,即乘以修正系数。

如果此时力矩图形为梯形,如图3-5-8所示,则等效力矩为:

$$M_{jum} = \sqrt{\frac{M_1^2 + M_1 \cdot M + M^2}{3}} \tag{3-5-44}$$

式中　M_1——转速未超过基本转速时的力矩;

　　　M——转速超过基本转速时乘以修正系数后的力矩。

即　　　　$M = M_1 \cdot \dfrac{n}{n_H}$

式中　n——超过基本转速时的转速;

　　　n_H——电动机的基本转速。

校核电动机过载条件为:

$$\frac{n}{n_H} \cdot M_{max} \leqslant K_G \cdot M_H \tag{3-5-45}$$

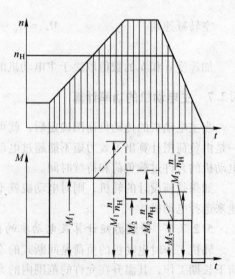

图 3-5-8　超过基本转速时的力矩修正图

6 轧材种类及其生产工艺流程

6.1 轧材的种类

国民经济各部门所需的各种金属轧材达数万种之多。这些金属轧材按金属与合金种类的不同，可分为各种钢材以及铜、铝、钛等有色金属与合金轧材；按轧材断面形状尺寸的不同，又可分为各种规格的板材、带材、型材、线材、管材及特殊品种轧材等。

各种轧材是应用最广泛的钢材，按钢种不同可分为普通碳素钢材、优质碳素钢材、低合金钢材及合金钢材等。普碳钢的钢号是以钢的屈服应力为标号，例如，Q235，表示该钢种的屈服应力为 235MPa。优质碳素钢或碳素结构钢即是通常所称的"号钢"，例如 45 钢即表示碳的质量分数约为 0.45% 的钢，其钢号的数字表示含碳质量的万分数。合金钢体系包括了合金结构钢、弹簧钢、易切削钢、滚动轴承钢、合金工具钢、高速钢、耐热钢和不锈钢等八大钢类共 303 个钢号。合金钢在元素符号之前的数字也是表示含碳质量的万分之几，而合金元素的含量则是在元素符号的后面以平均质量的百分之几表示之。例如 36Mn2Si 即表示 $w(C) \approx 0.36\%$，$w(Mn) \approx 2\%$，$w(Si) \approx 1\%$。但工具钢例外，它是以含碳量的千分之几表示之，如 9Mn2V 的 $w(C) \approx 0.85\% \sim 0.95\%$。含碳量超过 1% 时，则不必标出。滚动轴承钢也是例外，其含铬量以千分之几表示，并冠以"G"字，例如 GCr15 即表示 $w(Cr) \approx 1.5\%$ 的轴承钢。随着生产和科学技术的不断发展，新的钢种钢号不断出现，尤其是普通低合金钢及立足于我国资源的新的合金钢种更得到迅速发展。现在我国已初步建立了自己的普通低合金钢体系，产量已占钢总产量的 10% 以上。各国具体钢号及成分可由合金钢手册查得。

在有色金属及合金的轧材中，通常应用较广的主要是铝、铜、钛、镁等及其合金的轧材，其价格要比钢材贵得多。纯铝强度较低，要加入其他合金元素制成铝合金才能做结构材料使用。一般轧制铝合金可分为铝（L）、硬铝（LY）、超硬铝（LC）、防锈铝（LF）及特殊铝（LT）等数种；也可按热处理特点不同分为可热处理强化的铝合金和不可热处理强化的铝合金两大类，每类又各为很多不同的合金系。铝合金的比强度大，某些铝合金的比强度及比刚度可赶上甚至超过了钢。铜及其合金一般可分为紫铜、普通黄铜、特殊黄铜、青铜及白铜（铜镍合金）等。它们具有很好的导电、导热、耐蚀及可焊等性能，故和铝材一样广泛应用于各部门。钛及钛合金的机械性能和耐蚀性能高，比强度和比刚度都很大，因而是航空、航天、航海、石油化工等工业部门中极有发展前途的结构材料。

轧材按断面形状特征可分为板带材、型线材及管材等几大类。板带材是应用最广泛的轧材。板带钢占钢材的比例在各工业先进国家多达 50% ~ 60% 以上。有色金属与合金的轧材主要也是板带材。板带材按制造方法可分为热轧板带和冷轧板带；按产品厚度可分为厚板、中板、薄板和箔材。各种板带宽度及厚度的组合已超过 5000 种以上，宽度对厚度的比值达 10000 以上。异型断面板、变断面板等新型产品不断出现；铝合金变断面板材、带筋壁板等在航空工业中广为应用。板带钢不仅作为成品钢材使用，而且也是用以制造弯曲型钢、焊接型钢和焊接钢管等产品的原料。

钢的型材和线材主要是用轧制的方法生产，在工业先进国家中一般占总钢材的 30% ~ 35%。型钢的品种很多，按其用途可分为常用型钢（方钢、圆钢、扁钢、角钢、槽钢、工字钢等）及专用型钢（钢轨、钢桩、球扁钢、窗框钢等）。按其断面形状可分为简单断面型钢和复杂或异型断面型钢，前者的特点是过其横断面周边上任意点做切线一般不交于断面之中，如图 3-6-1（a）所示;后者品种更为繁多,如图3-6-1(b)所示。按生产方法又可分为轧制型钢、弯曲型钢、焊接型钢,如图3-6-1(c)所示。而用纵轧、横旋轧或楔横轧等特殊轧制方法生产的各种周期断面或特殊断面钢材,又分为螺纹钢、竹节钢、犁铧钢、车轴、变断面轴、钢球、齿轮、丝杠、车轮和轮箍等。

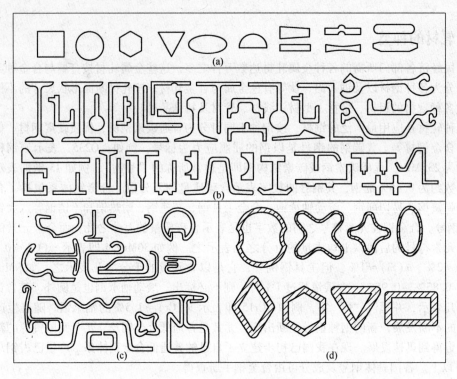

图 3-6-1　部分型材和管材示例
(a) 简单断面型材;(b) 复杂断面型材;(c) 弯曲型材;(d) 异型管材

由于有色金属及其合金一般熔点较低,变形抗力也较低,而尺寸和表面要求较严,故其型材、棒材及管材(坯)绝大多数采用挤压方法生产,仅在生产批量较大,尺寸及表面要求较低的中、小规格的棒材、线坯和简单断面的型材时,才采用轧制方法生产。

钢管一般多用轧制方法或焊接方法以及拉拔方法生产。钢管的用途也很广,一般约占总钢材的8%~10%。它的规格用外形尺寸(外径或边长)和内径及壁厚来表示。它的断面一般为圆形,但也有多种异型管材及变断面管,如图3-6-1(d)所示。钢管一般按用途可分为输送管、锅炉管、钻探用管、轴承钢管、注射针管等;按制造方法可分为无缝管、焊接管及冷轧与冷拔管等。各种管材按直径与壁厚组合也非常多,其外径最小达0.1mm,大至4m,壁厚薄的达0.01mm,厚至100mm。随着科学技术的不断发展,新的钢管品种也在不断增多。

轧制是生产钢材最主要的方法,其优点是生产效率高、质量好、金属消耗少、生产成本低,并最适合于大批量生产。随着科学技术的进步和社会对金属材料需求量的增加,轧材品种必将日益扩大。

6.2　轧材生产系统及生产工艺流程

6.2.1　钢材生产系统

以模铸钢锭为原料,用初轧机或开坯机将钢锭轧成各种规格的钢坯,然后再通过成品轧机轧成各种钢材。这种传统的生产方法曾在钢材生产中占主要地位,现在已较少运用并逐步淘汰。

近30年来连续铸钢技术得到迅猛发展。与模铸相比,连续铸钢将钢水直接铸成一定断面形状和规格的钢坯,省去了铸锭、均热和初轧等多道工序,大大简化了钢材生产工艺流程,提高金属收得率8%~15%,并节能40%~60%,而且便于自动化连续化大生产,显著降低生产成本。连铸坯的偏析也较小,外形更规整。由于连铸工艺的明显优点促使连铸生产技术得到了迅速发展。到2004年中国连铸比已达90%以上,进入世界先进水平。

一般在组织生产时,根据原料来源、产品种类以及生产规模的不同,将连铸机与各种成品轧机配套设置,组成各种轧钢生产系统。而每一生产系统的车间组成、轧机配置及生产工艺过程又是千差万别的。因此,在这里只能举几种较为典型的例子,大致说明一般钢材的生产过程及生产系统的特点。

6.2.1.1　板带钢生产系统

近代板带钢生产由于广泛采用了先进的连续轧制方法,生产规模很大。例如一套现代化的宽带钢热连轧机年产量达300万~600万t。采用连铸坯作为轧制带钢的原料是现代化发展的必然结果,很多厂连铸比已达100%。但特厚板的生产往往还采用将重型钢锭压成的坯作为原料。近十多年来得到迅速发展的薄板坯连铸连轧工艺生产规模多在50万~300万t之间,以年产80万~200万t者居多,可称为板、带生产的中、小型系统。

6.2.1.2　型钢生产系统

型钢生产系统的规模往往并不很大。就其本身规模而言又可分为大型、中型和小型三种生产系统。一般年产100万t以上的可称为大型的系统,年产30万~100万t的为中型的系统,而年产30万t以下的可称为小型的系统。

6.2.1.3　混合生产系统

在一个钢铁企业中可同时生产板带钢、型钢或钢管时,称为混合系统。无论在大型、中型或小型的企业中,混合系统都比较多,其优点是可以满足多品种的需要。但单一的生产系统却有利于产量和质量的提高和精品材的生产。

6.2.1.4　合金钢生产系统

由于合金钢的用途、钢种特性及生产工艺都比较特殊,材料也较为稀贵,产量不大而品种繁多,故常属中型或小型的型钢生产系统或混合生产系统。由于有些合金钢塑性较低,故开坯设备除轧机以外,有时还采用锻锤。

现代化的轧钢生产系统向着大型化、连续化、自动化的方向发展,生产规模日益增大。但应指出,近年来大型化的趋向已日见消退,而投资省、收效快、生产灵活且经济效益好的中、小型钢厂在很多国家(如美、日及很多发展中国家)中却有了较快的发展。

一般碳素钢和合金钢基本的典型生产工艺流程,如图3-6-2及图3-6-3所示。

6.2.2　碳素钢的生产工艺流程

碳素钢生产工艺流程一般可分4个基本类型:

(1)采用连铸坯的工艺过程,其特点是不需要大的开坯机,无论是钢板或型钢一般多是一次加热轧出成品,或不经加热直接轧出成品。显然这是先进的,也是当今最主流的生产工艺,现已得到广泛的应用。

(2)采用铸锭的大型生产系统的工艺过程,其特点是必须有强大的初轧机或板坯轧机,一般采用热锭装炉及二次甚至三次加热轧制方式。

(3)采用铸锭的中型生产系统的工艺过程,其特点是一般有 $\phi650\sim900$ 二辊或三辊开坯

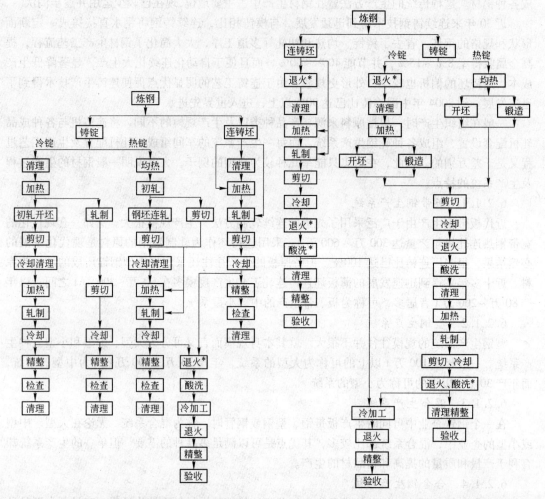

图 3-6-2　碳素钢和低合金钢的一般生产工艺过程
（带 * 号的工序有时可以略去）

图 3-6-3　合金钢的一般生产工艺过程
（带 * 号的工序有时可以略去）

机，通常采用冷锭作业（现在也有采用热装的）及二次（或一次）加热轧制方式，这种工艺流程不仅用来生产碳素钢材，也常用以生产合金钢材。

（4）采用铸锭的小型生产系统的工艺过程，其特点是通常在中、小型轧机上用冷的小钢锭经一次加热轧制成材。应该指出，所有采用铸锭的生产工艺都是落后的，现在已基本淘汰。

不管是哪一种类型，其基本工序都是：原料准备（清理）—加热—轧制—冷却精整处理。

6.2.3　合金钢的生产工艺流程

合金钢生产工艺流程可分为冷锭和热锭以及正在发展的连铸坯三种作业方式。由于对合金钢材的表面质量和物理机械性能等技术要求比普通碳素钢高，并且钢种特性也较复杂，故其生产工艺过程一般也比较复杂。除各工序的具体工艺规程会因钢种不同而不同以外，在工序上比碳素钢多出了原料准备中的退火、表面修磨、轧制后的热处理、酸洗等工序，以及在开坯中有时还要采用锻造来代替轧钢等。

6.2.4 钢材的冷加工生产工艺流程

钢材的冷加工生产工艺流程包括冷轧和冷拔，其特点是必须有加工前的酸洗和加工后的退火相配合，以组成冷加工生产线。

6.2.5 有色金属（铜、铝等）及其合金轧材生产系统及生产工艺流程

有色金属及其合金材料中主要属铜铝及其合金的轧材应用比较广泛，其生产系统规模却不大，一般是以重金属和轻金属分别自成系统进行生产的，在产品品种上多是板带材、型线材及管材等相混合，在加工方法上多是轧制、挤压、拉拔等相混合，以适应于批量小，品种多及灵活生产的特点和要求。但也有专业化生产的工厂，例如电缆厂、铝箔厂、板带材厂等。有色金属及合金的板带材以轧制方式生产，至于型材、管材乃至棒材则多用挤压及拉拔的方法生产。板带材轧制方法按轧制温度可分为热轧、温轧和冷轧；按生产方式可分为成块轧制和成卷轧制，这两种轧制方法特点的比较如表3-6-1所示。实际生产中应根据合金、品种、规格、批量、质量要求及设备条件选择生产方法及生产流程。重有色金属及合金板带材常用的生产流程如图3-6-4所示。铝合金板带材及箔材常用的生产流程如图3-6-5及图3-6-6所示。

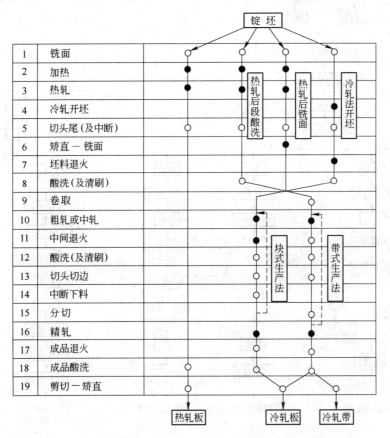

图 3-6-4　板带材常用的生产流程图（重有色金属及合金）

●—常采用的工序；○—可能采用的工序；----—可能重复的工序

表 3-6-1　有色金属及其合金块式与带式轧制方法特点的比较

生产方式	块 式 法	带 式 法
生产特点	(1) 生产的规格品种较多，安排生产的灵活性较大； (2) 设备简单，操作调整较容易； (3) 设备投资少，建设速度快； (4) 轧制速度低，劳动强度大； (5) 产品切头、切尾几何废料损失大，成品率较低； (6) 中间退火和剪切次数多，使生产工序增多	(1) 产品性能较均匀，质量较好； (2) 成品率高，轧制速度高，生产周期短，生产效率高，生产成本低； (3) 机械化自动化程度高，劳动强度小； (4) 可轧宽而薄的板带材，且断面尺寸较均匀； (5) 设备较大，较复杂； (6) 投资大，建设周期长
适用范围	(1) 适用于产量小，板宽在 1m 以下的工厂； (2) 铸锭主要采用铁模铸造，也可以采用半连续铸造，铸锭尺寸及重量较小	(1) 适用于产量较大，产品质量要求较高的工厂，板宽可在 1m 以上； (2) 采用半连续铸造锭坯

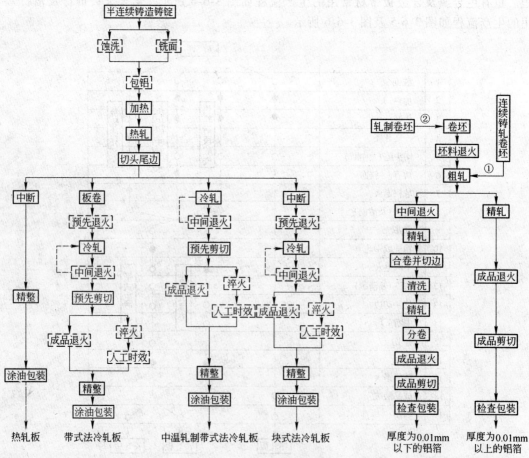

图 3-6-5　用半连铸锭坯轧制铝合金板、带材常用的生产流程图　　　图 3-6-6　铝箔一般常用
（实线为常采用的工序，虚线为可能采用的工序）　　　　　　　　的生产流程

7 轧制生产工艺过程及其制定

由锭或坯轧制成符合技术要求的轧材的一系列加工工序的组合称为轧制生产工艺过程。组织轧制生产工艺过程首先是为了获得合乎质量要求或技术要求的产品，同时也要考虑努力提高产量及降低成本。因此，如何能优质、高产、低成本地生产出合乎技术要求的轧材，乃是制订轧制生产工艺过程的总任务和总依据。

在深入了解轧材技术要求的同时，我们还必须充分掌握金属与合金的内在特性，尤其是加工工艺特性及组织性能变化特性，亦即固有的内在规律。然后，利用这些规律以采取有效的工艺设备手段，并正确制订生产工艺过程，从而达到生产出合乎技术要求的产品的目标。

7.1 轧材产品标准和技术要求

轧材的技术要求就是为了满足使用上的需要而对轧材提出的规格和技术性能，例如，形状、尺寸、表面状态、力学性能、工艺性能、物理化学性能、金属内部组织和化学成分等方面的要求。它是由使用单位按用途的要求提出，再根据当时实际生产技术水平的可能性和生产的经济性来制定的。它具体体现为产品的标准。轧材的技术要求有一定的范围，并且随着生产技术水平的提高，这种要求及其可能满足的程度也在不断提高。轧制工作者的任务就是不断提高生产技术水平来尽量满足使用上的更高要求。

轧材的产品标准一般包括有品种（规格）标准、技术条件、试验标准及交货标准等方面的内容。

品种标准主要规定轧材形状和尺寸精度方面的要求。形状要正确，不能有断面歪扭、长度上弯曲不直和表面不平等缺陷。尺寸精度是指可能达到的尺寸偏差的大小，它不仅会影响到使用性能，而且与节约金属材料也有很大关系。所谓负公差轧制，是在负偏差范围内的轧制，实质上就相当于对轧制精确度的要求提高了一倍，这样自然要节约大量金属，并且还能使金属结构的重量减轻。但应该指出，有些轧材（例如工具钢）在使用时还要经过加工处理工序，则常要按正偏差交货。

产品表面质量直接影响到轧材的使用性能和寿命。产品要求表面缺陷少、表面光整平坦而洁净。最常见的表面缺陷有表面裂纹、结疤、重皮和氧化铁皮等。造成表面缺陷的原因是多方面的，与铸锭（坯）、加热、轧制及冷却都有很大关系。因此要在整个生产过程中加以注意。

轧材性能的要求主要是对轧材的力学性能、工艺性能（弯曲、冲压、焊接性能等）及特殊物理化学性能（磁性、抗腐蚀性能等）的要求。其中最常见的是力学性能（强度性能、塑性和韧性等），有时还要求硬度及其他性能。这些性能可以由拉伸试验、冲击试验及硬度试验来确定。

抗拉强度 σ_b 代表材料在破断前强度的最大值，而屈服点或屈服强度（σ_s 或 $\sigma_{0.2}$）表示开始塑性变形的抗力。这是用来计算结构强度的基本参数。屈强比值（σ_s/σ_b）对于钢材的用途有很大意义。此比值愈小，则当应力超过 σ_s 时钢材的使用可靠性愈高，但太小则又使金属的有效利用率较低；若此比值很高，则说明钢材塑性差，不能作很大的变形。根据经验数据，随结构钢用途的不同，屈强比一般约在 0.65～0.75 之间。

轧材使用时还要求有足够的塑性和韧性，其中伸长率包括拉伸时均匀变形和局部变形两个阶段的变形率，其数值依试样长度而变化，而断面收缩率为拉伸时的局部最大变形程度，可理解为在构件不致破坏的条件下金属所能承受的局部变形能力，它与试样的长度及直径无关，因此，断面收缩率能更好地表明金属的真实塑性，故不少学者建议按断面收缩率来测定金属的塑性。在实际工作中由于测定伸长率较为简便，迄今伸长率仍然是最广泛使用的指标，有时也要求给出断面收缩率指标。材料的冲击韧性（a_K 值及脆性转变温度）以试样折断时所耗之功表示之，它是对金属内部组织变化最敏感的质量指标，反映了高应变率下抵抗脆性断裂的能力或抵抗裂纹扩展的能力。金属内部组织的微小改变，在静力试验中难以显出，而对冲击韧性却有很大影响。当变形速度极大时，要想测得应力—应变曲线非常困难，因而往往采用击断试样所需的能量来综合地表示高应变率下金属材料的强度和塑性。必须指出，促使强度提高的因素往往不利于塑性和韧性，欲使材料强度和韧性都得到提高，即提高其综合力学性能，就必须使材料具有细小晶粒的组织结构。

轧材性能主要取决于轧材的组织结构及化学成分，因此，在技术条件中规定了化学成分的范围，有时还提出金属组织结构方面的要求，例如，晶粒度、轧材内部缺陷（疏松、偏析、白点、带状组织等）、杂质形态及分布等。生产实践表明，钢的组织是影响钢材性能的决定因素，而钢的组织又主要取决于化学成分和轧制生产工艺过程，因此通过控制工艺过程和工艺制度来控制钢材组织结构状态，通过对组织结构状态的控制来获得所要求的使用性能，是我们轧制工作者的重要任务。

产品标准中还包括验收规则和需要进行的试验内容，包括做试验时的取样部位、试样形状和尺寸、试验条件和试验方法等。此外，还规定了轧材交货时的包装和标志方法以及质量证明书等内容。某些特殊的轧材在产品标准中还规定了特殊的性能和组织结构等附加要求以及特殊的成品试验要求等。

各种轧材根据用途的不同都有各自不同的产品标准或技术要求。由于各种轧材不同的技术要求，再加上不同的材料特性，便决定了它们不同的生产工艺过程和生产工艺特点。

7.2　金属与合金的加工特性

为了正确制定轧材的生产工艺过程和规程，必须深入了解轧材的加工特征，即其固有的内在规律。下面以钢为主分别叙述与生产工艺过程和规程有关的加工特性。

7.2.1　塑性

纯金属和固溶体有较高的塑性，单相组织比多相组织的塑性高，而杂质元素和合金元素愈多或相数愈多，尤其是有化合物存在时，一般都导致塑性降低（稀土元素等例外），尤其是硫、磷、铜及铅锑等易熔金属更为有害。因此，一般纯铁和低碳钢的塑性最好，含碳愈高，塑性愈差；低合金钢的塑性也较好，高合金钢一般塑性较差。钢的塑性一方面取决于金属本身，这主要是与组织结构中变形的均匀程度，即与组织中相的分布、晶界杂质的形态与分布等有关，同时也与钢的再结晶温度有关，再结晶开始温度高、再结晶速度慢，往往使钢的塑性变差。另一方面，塑性还与变形条件，即与变形温度、变形速度、变形程度及应力状态有关，其中变形温度的影响最大，故必须了解塑性与温度的变化规律，掌握适宜的热加工温度范围。此外，在较低的变形速度下轧制，或采用三向压应力较强的变形过程，如采用限制宽度和包套轧制等，都有利于金属塑性的改善。

7.2.2　变形抗力

一般地说，有色金属及合金的变形抗力比钢的要低，随着合金含量的增加，变形抗力将提高。由加工原理已知，凡能引起晶格畸变的因素都使变形抗力增大。合金元素尤其是碳、硅等元素的增加使铁素体强化。合金元素，尤其是形成稳定碳化物的元素，在钢中一般都能使奥氏体晶粒细化，使钢具有较高的强度。合金元素还通过影响钢的熔点和再结晶温度与速度，通过相的组成及化合物的形成，以及通过影响表面氧化铁皮的特性等来影响变形抗力。在这里还要指出，当高温时，由于合金钢一般熔点都较低，因而合金钢的高温变形抗力可能大为降低，例如，高碳钢、硅钢等在高温时甚至比低碳钢还要软。

7.2.3 导热系数

随着钢中合金元素和杂质含量的增多，导热系数几乎没有例外地都要降低。碳素钢的导热系数一般在摄氏零度时为 $\lambda_0 = 40.8 \sim 60.5 \mathrm{W/m \cdot K}$，合金钢 $\lambda_0 = 15.1 \sim 40.8 \mathrm{W/m \cdot K}$，高合金钢 $\lambda_0 < 23.3 \sim 25.6 \mathrm{W/m \cdot K}$。由此可见随合金元素增多使导热系数显著地降低。钢的导热系数还随温度而变化，一般是随温度升高而增大，但碳钢在大约 800℃ 以下是随温升高而降低的。铸造组织比轧制加工后的组织的导热系数要小。故在低温阶段，尤其是对钢锭铸造组织进行加热和冷却时，应该特别小心谨慎。此外，合金钢的导热系数愈低，则在铸锭凝固时冷却愈加缓慢，因而使枝晶愈加发达和粗大，甚至横穿整个钢锭，这种组织称为柱状晶或横晶。这种柱状晶组织可能本身并不十分有害，但由于偏析较重，当有非金属夹杂或脆性组织成分存在时，则塑性降低，轧时易开裂，故在制订工艺规程时应加注意。

7.2.4 摩擦系数

合金钢的热轧摩擦系数一般都比较大，因而宽展也较大。各种钢的摩擦系数的修正系数的试验数据列于表 3-7-1。由该表可见，很多合金钢的摩擦系数要比碳素钢大，因而其宽展也大。这可能主要是因为这些合金钢中大都含有铬、铝、硅等元素。含铬高的钢形成黏固性的氧化铁皮，使摩擦系数增加，宽展加大。同样含铝、硅的钢的氧化铁皮也较黏而且软，因而摩擦系数也较大。但与此相反，含铜、镍和高硫的钢则使摩擦系数降低。合金钢的摩擦系数和宽展的这种变化，在拟订生产工艺过程和制定压下规程时必须加以考虑。

表 3-7-1　各种合金钢摩擦系数的修正系数

钢　种	钢　号	对摩擦系数的修正系数
碳素钢	10	1.0
莱氏体钢	W18Cr4V	1.1
珠光体、马氏体钢	GCr15	1.24 ~ 1.35
奥氏体钢	Cr14Ni14W2MoTi	1.36 ~ 1.52
奥氏体钢（少量 α 铁）	1Cr18Ni9Ti	1.44 ~ 1.53
奥氏体钢（含碳化物）	1Cr17Al5	1.55
铁素体钢	Cr15Ni60	1.56 ~ 1.64

7.2.5 相图形态

合金元素在钢中影响相图的形态，影响奥氏体的形成与分解，因而影响到钢的组织结构和生产工艺过程。例如，铁素体钢和奥氏体钢都没有相变，因而不能用淬火的方法进行强化，也不能通过相变改变组织结构，而且在加热过程中晶粒往往容易粗大。碳素钢及普通低合金钢一般皆属于珠光体钢，不可能是马氏体、奥氏体或铁素体钢。其实碳素钢也可以说是一种合金钢，碳也有升高相图中 A_4 点和降低 A_3 点的作用，所以高碳钢的生产工艺特性一般相近于合金钢，而低合金钢则与碳素钢相接近。由此可见，了解一种相图变化规律和特点，是制订该钢种生产工艺过程及规程的基础。

7.2.6　淬硬性

合金钢往往较碳素钢易于淬硬或淬裂。除钴以外，合金元素一般皆使奥氏体转变曲线往右移，亦即延缓奥氏体向珠光体的转变，降低钢的临界淬火速度，甚至如马氏体钢在常化的冷却速度下也可得到马氏体组织。这样对于塑性较差的钢也就很容易产生冷却裂纹（冷裂或淬裂）。由于合金钢容易淬硬和淬裂，因而在生产过程中便时常采取缓冷、退火等工序，以消除应力及降低硬度，以便于清理表面或进一步加工。

7.2.7　对某些缺陷的敏感性

某些合金钢比较倾向于产生某些缺陷，如过烧、过热、脱碳、淬裂、白点、碳化物不均等。这些缺陷在中碳钢和高碳钢中也都可能产生，只不过是某些合金钢由于合金元素的加入对于某些缺陷更为敏感罢了。例如，不同成分及用不同方法冶炼的钢的过热敏感性也不相同。一般说来，钢中合金元素增多，可在不同程度上阻止晶粒长大，尤其是铝、钛、铌、锆等元素有强烈抑制晶粒长大的作用，故大多数合金钢比碳素钢的过热敏感性要小。但是，碳、锰、磷等由于能扩大奥氏体（γ）区，却往往有促使晶粒长大的趋势。又如含碳较高的钢，其脱碳倾向性也较大。钢中含少量的铬有利于阻止脱碳，但硅、铝、锰、钨却起着促进脱碳的作用。所以通常在硅钢片生产中能利用脱碳退火的方法来降低含碳量，而在生产弹簧钢 60Si2Mn 时则更要注意防止脱碳。白点是分布在钢材内部的一种特殊形式的微细裂纹。碳素钢只有在钢材断面较大（如重轨、轮箍等）且含锰、碳量较高时，才易形成白点。通常对白点敏感性大的钢种多为中合金钢，尤其是合金元素质量含量在 8% 左右的钢，由于氢的扩散聚集条件适中，钢的组织应力冷却后当时尚不能发现，要到存放一定时间后才出现。任何能促使钢中氢气析出扩散的工序，例如长期的加热、退火、缓冷等，都会减轻或防止白点形成。

以上只是列举几种值得注意的主要钢种特性。实际上各种钢的具体特性都不相同。故在制定其生产工艺时，必须对其钢种特性作详细调查或实验研究，求得必要的参数，作为制订生产规程的依据。

7.3　轧材生产各基本工序及其对产品质量的影响

虽然根据产品的主要技术要求和合金的特性所确定的各种轧材的生产工艺流程各不相同，但其最基本的工序都不外是原料的清理准备、加热、轧制、冷却与精整和质量检查等工序。

7.3.1　原料的选择及准备

一般轧制生产常用的原料有铸锭、轧坯及连铸坯三种，有时中、小型企业还采用压铸坯。采用连铸坯是发展的方向，现正被广泛使用；而以钢锭作为原料的老方法，除某些钢种以外，已处于淘汰之势。原料种类、尺寸和重量的选择，不仅要考虑其对产量和质量的影响（例如考虑压缩比及终轧温度对性能质量及尺寸精度的影响），而且要综合考虑生产技术经济指标的情况及生产的可能条件。为保证成品质量，原料应满足一定技术要求，尤其是表面质量的要求。因而原料一般要进行表面清理，并且对于合金钢锭往往在清理之前还要进行退火。

采用连铸坯也是近代无缝钢管生产技术的重要发展趋势。用连铸坯直接轧管可使钢管成本降低 15% 以上。生产实践和专门试验证实，连铸坯的内部质量是较好的，内部非金属夹杂、化学成分偏析和铸造组织缺陷比用普通钢锭轧成的管坯少。连铸坯直接轧管的主要技术问题是如何解决钢管外表面质量问题，目前主要是从提高冶炼和连铸技术，改进穿孔方法及加强管坯质量检查和表面清理等几方面着手。

原料表面存在的各种缺陷（结疤、裂纹、夹渣、折叠等）。如果不在轧前加以清理，轧制中必然会不断扩大，并引起更多的缺陷，甚至影响钢在轧制时的塑性与成型。因此，为了提高钢材表面质量和合格率，对于轧前的原料和轧后的成品，都应该进行仔细的表面清理，特别是对合金钢要求就更加严格。因而合金钢在铸锭以后一般是采取冷锭装炉作业，让钢锭完全冷却，以便仔细进行表面清理，在清理之前往往要进行退火处理以降低表面硬度。

原料表面清理的方法很多。对碳素钢一般常用风铲清理和火焰清理；对于合金钢，由于表面容易淬硬，一般常采用砂轮清理或机床刨削清理（剥皮）等。根据情况某些高碳钢和合金钢也可采用风铲或火焰清理，但在火焰清理前往往要对钢坯进行不同温度的预热。每种清理方法都有各自的操作规程。

近代由于炼钢技术与连铸技术的进步与提高，使生产的连铸坯表面质量也大为提高，因而在采用连铸坯热装及连铸-连轧工艺时，一般可以不必进行表面清理而直接加热与轧制。

7.3.2　连铸坯与轧制的衔接模式

前已述及，连铸坯已广泛在生产中应用，从热能利用着眼，钢材生产中连铸与轧制两个工序的衔接模式一般有如图 3-7-1 所示的五种类型。方式 1′ 为连续铸轧工艺，即铸坯在铸造的同时进行轧制。方式 1 称为连铸坯直接轧制工艺（CC-DR），高温铸坯不需进加热炉加热，只略经均温炉补偿加热即可直接轧制。方式 2 称为连铸坯直接热装轧制工艺（CC-DHCR 或 HDR），也可称为高温热装炉轧制工艺，铸坯温度仍保持在 A_3 线以上奥氏体状态装入加热炉，加热到轧制温度后进行轧制。方式 3、4 为铸坯冷至 A_3 甚至 A_1 线以下温度装炉，也可称为低温热装工

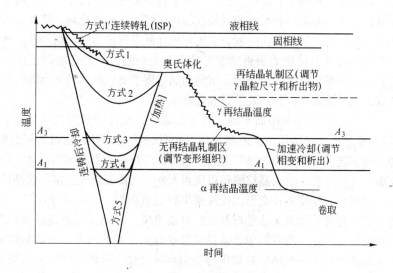

图 3-7-1　连铸与轧制的衔接模式

艺（CC-HCR）。方式 2、3、4 皆须入正式加热炉加热，故亦可统称为连铸坯热装（送）轧制工艺。方式 5 即为常规冷装炉轧制工艺。方式 1 和 2 其所面临的技术难点和问题大体相似：它们都要求从炼钢、连铸到轧钢实现有节奏的均衡连续化生产。故我国常统称方式 1(1′) 和 2 两类工艺为连铸-连轧工艺（CC-CR）。

连铸坯热送热装和直接轧制工艺的主要优点是：（1）利用连铸坯冶金热能，节约能源消耗。其节能量与热装或补偿加热入炉温度有关。例如，铸坯在 500℃ 热装时，可节能 $0.25 \times 10^6 kJ/t$，600℃ 热装时可节能 $0.34 \times 10^6 kJ/t$，800℃ 热装时可节能 $0.514 \times 10^6 kJ/t$。即入炉温度越高，则节能越多。而直接轧制可比常规冷装炉加热轧制工艺节能 80% ~ 85%。（2）提高成材率，节约金属消耗。由于加热时间缩短使铸坯烧损减少，例如高温直接热装（DHCR）或直接轧制，与冷装炉相比可使成材率提高 0.5% ~ 1.5%。（3）简化生产工艺流程，减少厂房面积和运输各项设备，节约基建投资和生产费用。（4）大大缩短生产周期，从投料炼钢到轧出成品仅需几个小时；直接轧制时从钢水浇注到轧出成品只需十几分钟，增强生产调度及流动资金周转的灵活性。（5）提高产品的质量。大量生产实践表明，由于加热时间短，氧化铁皮少，CC-DR 工艺生产的钢材表面质量要比常规工艺的产品好得多。CC-DR 工艺由于铸坯无加热炉滑道冷却痕迹，使产品厚度精度也得到提高。同时能利用连铸连轧工艺保持铸坯在碳氮化物等在完全固溶状态下开轧，将会更有利于微合金化及控制轧制、控制冷却技术作用的发挥，使钢材组织性能有更大的提高。

实现连铸-连轧，即 CC-DR 和 CC-DHCR 工艺的主要技术关键包括：（1）高温无缺陷铸坯生产技术。（2）铸坯温度保证与输送技术。（3）自由程序（灵活）轧制技术。（4）生产计划管理技术。（5）保证工艺与设备可靠性的技术等多项综合技术。

我国钢铁企业目前还很少采用 CC-DR 直接轧制工艺，多数还是热装及冷装炉，即采用加热工序，但新建的不少棒线轧机及所有中、薄板坯的板带轧机都采用 CC-DHCR 连铸连轧工艺。

7.3.3　原料的加热

在轧钢之前，要将原料进行加热，其目的在于提高钢的塑性，降低变形抗力及改善金属内部组织和性能，以便于轧制加工。这就是说，一般要将钢加热到奥氏体单相固溶体组织的温度范围内，并使其具有较高的温度和足够的时间以均化组织及溶解碳化物，从而得到塑性高、变形抗力低、加工性能好的金属组织。一般为了更好地降低变形抗力和提高塑性，加工温度应尽量高一些好。但是高温及不正确的加热制度可能引起钢的强烈氧化、脱碳、过热、过烧等缺陷，降低钢的质量，甚至导致废品。因此，钢的加热温度主要应根据各种钢的特性和压力加工工艺要求，从保证钢材质量和产量出发进行确定。

加热温度的选择应依钢种不同而不同。对于碳素钢，最高加热温度应低于固相线 100 ~ 150℃；加热温度偏高，时间偏长，会使奥氏体晶粒过分长大，引起晶粒之间的结合力减弱，钢的机械性能变坏，这种缺陷称为过热。过热的钢可以用热处理方法来消除其缺陷。加热温度过高，或在高温下时间过长，金属晶粒除长得很粗大外，还使偏析夹杂富集的晶粒边界发生氧化或熔化，在轧制时金属经受不住变形，往往发生碎裂或崩裂，有时甚至一受碰撞即行碎裂，这种缺陷称为过烧。过烧的金属无法进行补救，只能报废。过烧实质上是过热的进一步发展，因此防止过热即可防止过烧。随着钢中含碳量及某些合金元素的增多，过烧的倾向性亦增大。高合金钢由于其晶界物质和共晶体容易熔化而特别容易过烧。过热敏感性最大的是铬合金钢、镍合金钢以及含铬和镍的合金钢。某些钢的加热及过烧温度如表 3-7-2 所示。

表 3-7-2 某些钢的加热与过烧理论温度

钢 种	加热温度/℃	过烧温度/℃	钢 种	加热温度/℃	过烧温度/℃
碳素钢 $w(C)=1.5\%$	1050	1140	硅锰弹簧钢	1250	1350
碳素钢 $w(C)=1.1\%$	1080	1180	镍钢 $w(Ni)=3\%$	1250	1370
碳素钢 $w(C)=0.9\%$	1120	1220	$w(Ni,Cr)=8\%$ 镍铬钢	1250	1370
碳素钢 $w(C)=0.7\%$	1180	1280	铬钒钢	1250	1350
碳素钢 $w(C)=0.5\%$	1250	1350	高速钢	1280	1380
碳素钢 $w(C)=0.2\%$	1320	1470	奥氏体镍铬钢	1300	1420
碳素钢 $w(C)=0.1\%$	1350	1490			

　　此外，加热温度愈高（尤其是在900℃以上），时间愈长，炉内氧化性气氛愈强，则钢的氧化愈剧烈，生成氧化铁皮愈多。氧化铁皮的一般组成结构如图 3-7-2 所示。氧化铁皮除直接造成金属损耗（烧损）以外，还会引起钢材表面缺陷（如麻点、铁皮等），造成次品或废品。氧化严重时，还会使钢的皮下气孔暴露和氧化，经轧制后形成发裂。钢中含有铬、硅、镍、铝等成分会使形成的氧化铁皮致密，它起到保护金属及减少氧化的作用。加热时钢的表层含碳量被氧化而减少的现象称为脱碳。脱碳使钢材表面硬度降低和抗

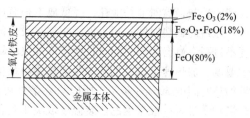

图 3-7-2 氧化铁皮组成

疲劳寿命下降，许多合金钢材及高碳钢不允许有脱碳发生。加热温度愈高，时间愈长，脱碳层愈厚；钢中含钨和硅等也促使脱碳的发生。

　　确定钢的加热速度时，必须考虑到钢的导热性。这一点对于合金钢和高碳钢坯（尤其是钢锭）更加显得重要。很多合金钢和高碳钢在 500～600℃ 以下塑性很差。如果突然将其装入高温炉中，或者加热速度过快，则由于表层和中心温度差过大而引起的巨大热应力，加上组织应力和铸造应力，往往会使钢锭中部产生"穿孔"开裂的缺陷（常伴有巨大响声，故常称为"响裂"或"炸裂"）。因此，加热导热性和塑性都较差的钢种，例如高速钢、高锰钢、轴承钢、高硅钢、高碳钢等，应该放慢加热速度，尤其是在 600～650℃ 以下要特别小心。加热到700℃ 以上的温度时，钢的塑性已经很好，就可以用尽可能快的速度加热。应该指出，大的加热速度不仅可提高生产能力，而且可防止或减轻某些缺陷，如氧化、脱碳及过热等。允许的最大加热速度，不仅取决于钢种的导热性和塑性，还取决于原料的尺寸和外部形状。显然，尺寸愈小，允许的加热速度愈大。此外，生产上的加热速度还常常受到炉子结构、供热能力及加热条件的限制。对于普碳钢之类的多数钢种，一般只要加热设备许可，就可以采用尽可能快的加热速度。但是，不管如何加热，一定要保证原料各处都能均匀加热到所需要的温度，并使组织成分较为均化，这也是加热的重要任务。如果加热不均匀，不仅影响产品质量，而且在生产中往往引起事故，损坏设备。因此，一般在加热过程中往往分为三个阶段，即预热阶段（低温阶段）、加热阶段（高温阶段）及均热阶段。在低温阶段（700～800℃ 以下）要放慢加热速度以防开裂；到 700～800℃ 以上的高温阶段，可进行快速加热。达到高温带以后，为了使钢的各处温度均化及组织成分均化，而需在高温带停留一定时间，这就是均热阶段。应该指出，并非所有的原料都必须经过这样三个阶段。这要看原料的断面尺寸、钢种特性及入炉前的温度而定。例如，加热塑性较好的低碳钢，即可由室温直接快速加热到高温；加热冷钢锭往往低温阶

段要长，而加热冷钢坯则可以用较短的低温阶段，甚至直接到高温阶段加热。若采用热装及连铸连轧工艺，则应直接在高温段快速加热。对热装温度较高的连铸坯，则可缩短加热和均热时间，因为此时铸坯芯部温度往往高于表面。

为了提高加热设备的生产能力及节省能源消耗，生产中应尽可能采用热装炉的操作方式。热锭及热坯装炉的主要优点是：（1）充分利用热能，提高加热设备的生产能力，并节省能耗，降低成本；根据实测，钢锭温度每提高50℃，即可提高均热炉生产能力约7%；（2）热装时由于减少了冷却和加热过程，钢锭中内应力较少。热锭装炉的主要缺点是钢锭表面缺陷难以清理，不利于合金钢材表面质量的提高。对于大钢锭、大钢坯以及碳素钢或低合金钢，应尽量采用热锭或热坯装炉；对于小钢锭（坯）及合金钢，一般采用冷锭或冷装炉。此外，当锭只经一次加热轧成成品（往往是小钢锭），不能进行钢坯的中间清理时，往往也采用冷锭装炉，以便清理钢锭的表面缺陷，提高钢材表面质量。近年，国外有的在大钢锭和连铸坯轧制生产中采用了"直接轧制"工艺，取消了初轧后和连铸后的再加热工序，并正在研究和采用液心加热或液心轧制，这对节约能耗，降低成本很有成效。

原料的加热时间长短不仅影响加热设备的生产能力，同时也影响钢材的质量，即使加热温度不过高，也会由于时间过长而造成加热缺陷。合理的加热时间取决于原料的钢种、尺寸、装炉温度、加热速度以及加热设备的性能与结构等。原料热装炉时的加热时间往往只占冷装时所需加热时间的30% ~40%，所以只要条件可能，应尽量实行热装炉，以减少加热时间，提高产量和质量。一般碳钢的热装温度取决于其含碳量，碳质量分数大于0.4%的钢，原料表面温度一般应高于750 ~ 800℃，若碳质量分数小于0.4 %，则表面温度可高于600℃。允许不经预热即可快速加热的热装温度则取决于钢的成分及钢种特性。一般含碳及合金元素量愈多，则要求热装温度愈高。关于加热时间的计算，用理论方法目前还很难满足生产实际的要求，现在主要还是依靠经验公式和实测资料进行估算。例如，在连续式炉内加热钢坯时，加热时间（t）可用下式估算：

$$t = CB \quad \text{h}$$

式中　B——钢料边长或厚度，cm；

　　　C——考虑钢种成分和其他因素影响的系数（表3-7-3）。

表 3-7-3　各种钢的系数 C 值

钢　种	C 值	钢　种	C 值
碳素钢	0.1 ~ 0.15	高合金结构钢	0.20 ~ 0.30
合金结构钢	0.15 ~ 0.20	高合金工具钢	0.30 ~ 0.40

加热设备除初轧及特厚板厂采用均热炉及室状炉以外，大多数钢板厂和型钢厂皆采用连续式炉，钢管厂多采用环形炉。近年兴建的连续式炉多为热滑轨式或步进式的多段式加热炉，其出料多由抽出机来执行，以代替过去利用斜坡滑架和缓冲器进行出料的方式，可减少板坯表面的损伤和对辊道的冲击事故。热滑轨式加热炉虽然和步进式炉一样能大大减少水冷黑印，提高加热的均匀性，但它仍属推钢式加热炉，其主要缺点是板坯表面易擦伤和易于翻炉，这样使板坯尺寸和炉子长度（炉子产量）受到限制，而且炉子排空困难，劳动条件差。采用步进式炉可避免这些缺点，步进式炉尤其适用于热装及连铸连轧工艺，但其投资较多，维修较难。因此，近年新建的连续式加热炉多为这两种形式，其加热能力可高达150 ~ 300t/h。

7.3.4　钢的轧制

轧钢工序的两大任务是精确成型及改善组织和性能，因此轧制是保证产品质量的一个中心环节。

在精确成型方面，要求产品形状正确、尺寸精确、表面完整光洁。对精确成型有决定性影响的因素是轧辊孔型设计（包括辊型设计及压下规程）和轧机调整。变形温度、速度规程（通过对变形抗力的影响）和轧辊工具的磨损等也对精确成型产生很重要的影响。为了提高产品尺寸的精确度，必须加强工艺控制，这就不仅要求孔型设计、压下规程比较合理，而且也要尽可能保持轧制变形条件稳定，主要是温度、速度及前后张力等条件的稳定。例如，在连续轧制小型线材和板带钢时，这些工艺因素的波动直接影响到变形抗力，从而影响到轧机弹跳和辊缝的大小，影响到厚度的精确。这就要求对轧制工艺过程进行高度的自动控制。只有这样，才可能保证钢材成型的高精确度。

对改善钢材性能方面有决定影响的因素是变形的热动力因素，这其中主要是变形温度、速度和变形程度。所谓变形程度主要体现在压下规程和孔型设计，因此，压下规程、孔型设计也同样对性能有重要影响。

7.3.4.1　变形程度与应力状态对产品组织性能的影响

一般说来，变形程度愈大，三向压应力状态愈强，对于热轧钢材的组织性能就愈有利，这是因为：（1）变形程度大、三向压应力状态强有利于破碎合金钢锭的枝晶偏析及碳化物，即有利于改变其铸态组织。在珠光体钢、铁素体钢及过共析碳素钢中，其枝晶偏析等还比较容易破坏；而某些马氏体、莱氏体及奥氏体等高合金钢钢锭，其柱状晶发达并有稳定碳化物及莱氏体晶壳，甚至在高温时平衡状态就有碳化物存在，这种组织只依靠退火是无法破坏的，就是采用一般轧制过程也难以完全击碎。因此，需要采用锻造和轧制，以较大的总变形程度（愈大愈好）进行加工，才能充分破碎铸造组织，使组织细密，碳化物分布均匀。（2）为改善机械性能，必须改造钢锭或铸坯的铸造组织，使钢材组织致密。因此对一般钢种也要保证一定的总变形程度，即保证一定的压缩比（对型、线、管以总延伸率表示，对板、带以厚度总压下率表示）。例如，重轨压缩比往往要达数十倍，钢板也要在 5 ~ 12 倍以上。（3）在总变形程度一定时，各道变形量的分配（变形分散度）对产品质量也有一定影响。从产量、质量观点出发，在塑性允许的条件下，应该尽量提高每道的压下量，并同时控制好适当的终轧压下量。在这里，主要的是考虑钢种再结晶的特性，如果是要求细致均匀的晶粒度，就必须避免落入使晶粒粗大的临界压下量范围内。

7.3.4.2　变形温度对产品组织性能的影响

轧制温度规程要根据有关塑性、变形抗力和钢种特性的资料来确定，以保证产品正确成型不出裂纹、组织性能合格及力能消耗少。轧制温度的确定主要包括开轧温度和终轧温度的确定。钢坯生产时，往往并不要求一定的终轧温度，因此开轧温度应在不影响质量的前提下尽量提高。钢材生产往往要求一定的组织性能，故要求一定的终轧温度。因而，开轧温度的确定必须以保证终轧温度为依据。一般来说，对于碳素钢加热最高温度常低于固相线 100 ~ 200℃（图 3-7-3）。

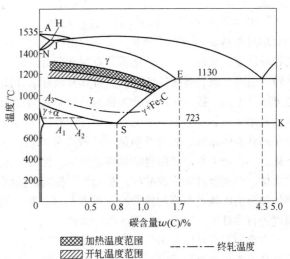

图 3-7-3　铁碳平衡图

开轧温度由于从加热炉到轧钢机的温度降，一般比加热温度还要低一些。确定加热最高温度时，必须充分考虑到过热、过烧、脱碳等加热缺陷产生的可能性。

轧制终了温度因钢种不同而不同，它主要取决于产品技术要求中规定的组织性能。如果该产品可能在热轧以后不经热处理就具有这种组织性能，那么终轧温度的选择便应以获得所需要的组织性能为目的。在轧制亚共析钢时，一般终轧温度应该高于 A_{r3} 线约 $50 \sim 100℃$ 左右，以便在终轧以后迅速冷却到相变温度，获得细致的晶粒组织。若终轧温度过高，则会得到粗晶组织和低的机械性能。反之，若终轧温度低于 A_{r3} 线，则有加工硬化产生，使强度提高而伸长率下降。究竟终轧温度应该比 A_{r3} 高出多少？这在其他条件相同的情况下主要取决于钢种特性和钢材品种。对于含 Nb、Ti、V 等合金元素的低合金钢，由于再结晶较难，一般终轧温度可以提高（例如 $>950℃$）；如果采用控制轧制或进行形变热处理，其终轧温度可以从大于 A_{r3} 到低于 A_{r3}，甚至低于 A_{r1}，这主要取决于钢种特性。

如果亚共析钢在热轧以后还要进行热处理，终轧温度可以低于 A_{r3}。例如，叠轧薄板生产即往往如此。但一般总是尽量避免在 A_{r3} 以下的温度进行轧制。

轧制过共析钢时热轧的温度范围较窄，即奥氏体温度范围较窄，其终轧温度应不高于 A_{rcm} 线（图 3-7-3 中 SE 线）。否则，在晶粒边界析出的网状碳化物就不能破碎，使钢材的机械性能恶化。若终轧温度过低，低于 SK 线，则易于析出石墨，呈现黑色断口。这因为渗碳体分解形成石墨需要两个条件：一是缓慢冷却以满足渗碳体分解所需时间；一是钢的内部有显微间隙或周围介质阻力小，以满足石墨形成和发展时钢的密度减小和体积变化的要求。终轧温度过低，有加工硬化现象，且随变形程度的增加，显微间隙增加，这就为随后缓冷及退火时石墨的优先析出和发展创造了条件。因此过共析钢的终轧温度应比 A_1 线高出 $100 \sim 150℃$。

7.3.4.3　变形速度或轧制速度对产品组织性能的影响

变形速度或轧制速度主要影响到轧机的产量，因此，提高轧制速度是现代轧机提高生产率的主要途径之一。但是，轧制速度的提高受到电机能力、轧机设备及强度、机械化自动化水平以及咬入条件和坯料规格等一系列设备和工艺因素的限制。要提高轧制速度，就必须改善这些条件。轧制速度或变形速度通过硬化和再结晶的影响也对钢材性能质量产生一定的影响。此外，轧制速度的变化通过摩擦系数的影响，还经常影响到钢材尺寸精确度等质量指标。总的说来，提高轧制速度不仅有利于产量的大幅度提高，而且对提高质量、降低成本等也都有益处。

1960 年以来大力发展的所谓"控制轧制"工艺，是严格控制非调质钢材的轧制过程，运用变形过程热动力因素的影响，使钢的组织结构与晶粒充分细化，或使在一定碳含量时珠光体的数量减少，或通过变形强化诱导有利夹杂沉淀析出，从而提高钢的强度和冲击韧性，降低脆性转变温度，改善焊接性能，以获得具有很好综合性能的优质热轧态钢材。根据轧制中细化晶粒方法的不同，控制轧制可分为再结晶控制轧制法和未再结晶控制轧制法两种，前者是在 γ 区间使轧制变形和再结晶不断交替发生，让奥氏体晶粒随温度降低而逐步细化，在重结晶后得到细小的铁素体晶粒；而后者则是对某种成分的钢，在 γ 区内一定温度（难再结晶的温度）以下轧制，虽经大变形量而再结晶难以发生，使奥氏体晶粒充分细化，直至通过重结晶而转变为铁素体，得到极其细小的晶粒。从而大大提高钢的综合性能。此外：还有双相区控制轧制，是将加热至奥氏体化温度的轧件冷却到两相区，在 A_1 以上的温度继续进行轧制，轧后冷至一定温度进行热处理，以获得所需的组织和性能。

合金钢锭开坯除采用轧制方法以外，有时还采用锻造方法。一般常在钢锭塑性很差、初生脆性晶壳及柱状晶严重时，或者在车间没有较大的开坯机时，采用锻造方法进行开坯。合金钢之所以往往利用锻造开坯，有以下主要原因：

（1）锻造时再结晶过程进行得比较充分。锻造的操作速度一般很慢，全锭锻打一遍需较长的时间，因而有充分的时间进行再结晶恢复过程。由于塑性差的高合金钢再结晶温度往往较高及再结晶速度往往较慢，故这一点对塑性的恢复便非常有利。除此以外，在锻造时还可以多次回炉加热以提高塑性，比轧制时要灵活得多。

（2）锻造时三向压应力状态一般较轧制时要强，这也有利于塑性。还可以采用圆弧形或菱形锤头，像轧制时的孔型一样，以防止自由宽展所形成的锻裂缺陷。

（3）在锻造过程中发现裂纹等缺陷时便于及时铲除掉，而轧制时则不能铲除，只能任其自由发展扩大。此外，锻打时还可连续不断地进行翻钢，使各部分都能受到加工，有利于提高成型质量。

（4）用于锻造的钢锭，其锥度可以大到 4.5% 以上，亦即钢锭锥度不像轧制所用钢锭一样受到限制。因而为了改进合金钢锭质量便可采用较大的锥度，这对于高合金钢来说尤其重要。

因此，对于低塑性合金钢锭的开坯往往采用锻造的方法。而在钢锭经过开坯以后，组织已较致密，塑性大有提高，一般便可比较顺利地进行轧制。由于锻造生产力低且劳动条件差，故应尽量以轧制来代替。

7.3.5 钢材的轧后冷却与精整

如前所述，某种钢在不同的冷却条件下会得到不同的组织结构和性能，因此轧后冷却制度对钢材组织性能有很大的影响。实际上，轧后冷却过程就是一种利用轧后余热的热处理过程。实际生产中就是经常利用控制轧制和控制冷却的手段来控制钢材所需要的组织性能的。显然，冷却速度或过冷度，对奥氏体转化的温度及转化后的组织会产生显著的影响。随着冷却速度的增加，由奥氏体转变而来的铁素体—渗碳体混合物也变得愈来愈细，硬度也有所增高，相应地形成细珠光体、极细珠光体及贝氏体等组织。

对于某些塑性和导热性较差的钢种，在冷却过程中容易产生冷却裂纹或白点。白点和冷裂的形成原因并不完全相同，前者的形成虽然是由于钢中内应力（组织应力）的存在，但主要还是由于氢的析出和聚集造成的；而后者却主要是由于钢中内应力的影响。钢的冷却速度愈大，导热性和塑性愈差，内应力也愈大，则愈容易产生裂纹。凡导热性差的钢种，尤其是高合金钢如高速钢、高铬钢、高碳钢等，都特别容易产生冷裂。但如前所述，这些高合金钢却并不易产生白点。

根据产品技术要求和钢种特性，在热轧以后应采用不同的冷却制度。一般在热轧后常用的冷却方式有水冷、空冷、堆冷、缓冷等数种。钢材冷却时不仅要求控制冷却速度，而且要力求冷却均匀，否则容易引起钢材扭曲变形和组织性能不均等缺陷。

钢材在冷却以后还要进行必要的精整，例如，切断、矫直等，以保证正确的形状和尺寸。钢板的切断多采用冷剪。钢管多用锯切，简单断面的型材多用热剪或热锯，复杂断面多用热锯、冷锯或带异型剪刀的冷剪。钢材矫直多采用辊式矫直机，少数也采用拉力或压力矫直机。各类钢材采用的矫直机型式也各不一样。按照表面质量的要求，某些钢材有时还要进行酸洗、镀层等。按照组织性能的要求，有时还要进行必要的热处理或平整。某些产品按要求还需要进行特殊的精整加工。

7.3.6 钢材质量的检查

生产工艺过程和成品质量的检查，对于保证成品质量具有很重要的意义。现代轧钢生产的检查工作可分为熔炼检查、轧钢生产工艺过程的检查及成品质量检查三种。熔炼检查和轧钢过程的检查主要应以生产技术规程为依据，特别应以技术规程中与质量有密切关系的项目作为检查工作的重点。

现代轧机的自动化、高速化和连续化使得有必要和有可能采用最现代化的检测仪器，例如，在带钢连轧机上采用 X 射线或 γ 与 β 射线对带钢厚度尺寸进行连续测量，在高速线材轧机上采用激光连续测径等。依靠这些连续检测信号和数学模型，对轧机调整乃至轧件温度调整，实现全面的计算机自动控制。

对钢材表面质量的检查要予以很大注意，为此要按轧制过程逐工序地进行取样检查。为便于及时发现缺陷，在生产流程线上近代采用超声波探伤器及 γ 射线探伤器等对轧件内部缺陷进行在线连续检测。采用荧光磁粉法、涡流探伤法对表面缺陷进行连续检测。

最终成品质量检查的任务是确定成品质量是否符合产品标准和技术要求。检查的内容取决于钢的成分、用途和要求，一般包括化学分析、机械和物理性能检验、工艺试验、低倍组织及显微组织的检验等。产品标准中对这些检查一般都作了规定。

7.4　拟订轧制产品生产工艺过程举例

7.4.1　拟订轧钢产品生产工艺过程举例

现在以滚珠轴承钢为例来进一步说明制订钢材生产工艺过程和规程的步骤和方法。

滚珠轴承钢的主要技术要求（详见 YB9—68）为：（1）滚珠轴承钢应具有高而均匀的硬度和强度，没有脆弱点或夹杂物，以免加速轴承的磨损；（2）因此，钢材表面脱碳层必须符合规定的要求，例如，$\phi 5 \sim 15\text{mm}$ 的圆钢脱碳层深度应小于 0.22mm，$\phi 100 \sim 150\text{mm}$ 者应小于 1.25mm；（3）尺寸精度要符合一定的标准；表面质量要求较高，表面应光滑干净，不得有裂纹、结疤、麻点、刮伤等缺陷；（4）化学成分：滚珠轴承钢（GCr9、GCr15、GCr15MnSi）一般含碳量为 $w(\text{C}) = 0.95\% \sim 1.15\%$，含铬量为 $w(\text{Cr}) = 0.6\% \sim 1.5\%$，含铬低时含碳高。例如 GCr15 成分为：$w(\text{C}) = 0.95\% \sim 1.05\%$；$w(\text{Mn}) = 0.2\% \sim 0.4\%$；$w(\text{Si}) = 0.15\% \sim 0.35\%$；$w(\text{Cr}) = 1.30\% \sim 1.65\%$，$w(\text{S}) \leqslant 0.020\%$；$w(\text{P}) \leqslant 0.027\%$；（5）在钢材组织方面，显微组织应具有均匀分布的细粒状珠光体，钢中碳化物网状组织不得超过规定级别，钢中碳化物带状组织也不得超过规定级别，低倍组织必须无缩孔、气泡、白点和过烧过热现象，中心疏松、液析和夹杂物级别应小于一定级别等。

滚珠轴承钢的钢种特性主要为：（1）滚珠轴承钢属于高碳的珠光体铬钢，钢锭浇铸和冷却时容易产生碳和铬的偏析，因此钢锭开坯前应采用高温保温或高温扩散退火；（2）导热性和塑性都较差，变形抗力不大，与碳钢相差不多，故应缓慢加热升温，以防炸裂；（3）脱碳敏感性和白点敏感性都较大，也易于产生过热和过烧；（4）轧后缓慢冷却时，有明显的网状碳化物析出，依过冷度不同，碳化物析出的温度也不同。一般在终轧温度低于 800℃ 时，碳化物开始析出，且随轧件的延伸而被拉长为带状组织；（5）热轧摩擦系数比碳素钢要大，因而宽展也大。

根据滚珠轴承钢的技术要求和钢种特性来考虑它的生产工艺过程和规程。滚珠轴承钢主要是轧成圆钢，由很小的直径（$\phi 6\text{mm}$）到很大的直径，且大部分作为冷拉钢原料，因而对于其表面质量的要求很严格。考虑到这一点，轧制时以采用冷锭装炉加热较为合适（或热装炉时须经热检查及热清理），这样在装炉之前可以进行细致的表面清理，从而可使钢材表面质量得到改善。

钢坯在清理之前要进行酸洗。可采用砂轮清理或风铲清理。由于导热性差；不宜用火焰清理冷钢坯。

为了减少碳化物偏析，如前所述可以在钢锭开坯前采用高温保温或高温扩散退火。考虑到扩散退火需时间太长，在经济上不合算且产量低，故以采用高温保温为宜，即加热到高温阶段给予较长保温时间。

轴承钢的加热必须小心地进行。考虑到这种钢容易脱碳，而对于脱碳这方面的技术要求又很严格，并且此种钢还易于过热过烧（开始过烧温度约 1220～1250℃），因而钢锭加热温度不应超过 1180～1200℃。钢锭由于轴心带疏松且有低熔点共晶碳化物存在，故更易于过烧。钢坯经轧制后尺寸变小，更易脱碳，故应使加热温度更低一些。故小型钢坯加热温度不应高于1050～1100℃。

要制定轧制规程，应依据滚珠轴承钢的塑性和变形抗力的研究资料以及对轧后金属组织性能的要求，去设计孔型和压下规程以及确定轧制温度规程。看情况可以采用轧制，也可采用锻造进行开坯。由于滚珠轴承钢有相当高的塑性，在各轧制道次中可采用很大的压下量。滚珠轴承钢的变形抗力与碳钢差不多，其摩擦系数约为碳钢的 1.25～1.35 倍，宽展也约比碳钢大20%。在设计孔型和压下规程时应该考虑到这些特点。考虑到对表面提出的严格要求，因而在设计孔型和压下规程时要采用适当的孔型（例如箱形孔型与菱形孔型），以便于去除氧化铁皮，并借助合理的孔型设计来减少轧制过程中可能产生的表面缺陷。

滚珠轴承钢轧制后不应有网状碳化物存在。众所周知，轧制终了温度愈高，在高碳钢中析出的网状渗碳体便愈粗大。因此终轧温度应该尽可能低一些。如果开轧温度比较高，则为了保证较低的终轧温度，可在送入最后 1～2 道之前，稍作停留以降低温度。但若终轧温度过低，例如若低于 800℃时，碳化物开始析出，且随轧件的延伸而被拉长为带状组织，这也是不允许的。此外，终轧道次的压下量也应较大，以便更好地使碳化物分散析出，防止网状碳化物形成，同时也能使晶粒尺寸因之减小。

在许多情况下，尤其当轧制大断面钢材时，甚至在较低的终轧温度下也可能在最后冷却时产生网状碳化物。这时冷却速度很重要。冷却速度愈大，网状碳化物愈少。考虑到这一点，除了使终轧温度足够低以外，还应使钢材尽可能地快速冷却到大约 650℃ 的温度。

由于有白点敏感性，故轧后钢材应该在很快冷却到 650℃ 以后，便进行缓冷。缓冷之后，进行退火以降低硬度，便于以后加工；然后进行酸洗，清除氧化铁皮，以便于检查和清理，并提高表面质量。

综上所述，可将滚珠轴承钢的生产工艺过程归纳为：

钢锭→清理→加热→轧制→切断————————————————→缓冷→退火→酸洗→检查清理
　　　　　　　　　　　　　　　　　　　　　　　　　　　　　　↑
　　　　　└→锻造→缓冷→酸洗→清理→加热→轧制→切断

7.4.2　拟订有色金属轧材生产工艺过程举例

现以紫铜板带材为例说明制订有色金属与合金轧材生产工艺过程的方法。

紫铜的主要加工特性是塑性很好，变形抗力较低，表面较软而易刮伤，变形后有明显的方向性，氧化能力强，导电性及导热性很高；另一方面对紫铜板带的主要技术要求，例如对其表面质量、板形质量、尺寸（厚度）精度及组织性能等方面的要求一般也比较高。

紫铜锭坯的表面缺陷较多时，热轧前要进行铣面，以防止锭坯的表面缺陷热轧时压入轧件里层。但采用石墨结晶器的紫铜半连续锭坯表面有较薄的一层细晶粒，表面缺陷较少，热轧前锭坯不宜铣面，否则热轧时易产生表面裂纹及加剧表面氧化。

　　热轧后坯料可以采用铣面，也可以采用酸洗除去热轧时产生的表面缺陷。目前国内中、小工厂大多采用酸洗，热轧时产生的表面缺陷可以在酸洗及随后冷轧与中间退火等中间工序暴露、分散及清除。对于产品表面质量要求较高的产品，也有同时采用锭坯铣面及热轧后坯料铣面的工艺，但两次铣面引起的金属损失会大大影响成材率。

　　紫铜表面氧化能力很强，热轧坯料酸洗后大多被清刷。有的工厂生产中出现热轧氧化皮轻微压入时，采用氧化退火使表层氧化皮爆裂并随后酸洗去除，这种办法可以提高表面质量，但相应增加了金属的氧化损失。紫铜的成品退火趋向于采用保护性气体退火及真空退火，以免除成品退火后的酸洗工序。通常软态板带材成品在成品退火前要进行成品矫直和剪切，以避免表面划伤。

　　紫铜的软、硬板带材成品冷轧加工率大多在 30% ~ 50% 左右，由于紫铜塑性好且变形抗力低，为了提高生产率，有的工厂将成品冷轧加工率加大到 60% ~ 90%。对于有产品性能要求的热轧板带，应注意控制热轧时的轧制温度。如果热轧前加热温度超过 950℃ 时，终轧温度相应也较高，轧后呈完全再结晶状态，但表面氧化较严重；如果加热温度低于 750℃，则终轧温度也较低，会出现不完全再结晶组织，使表面及中心层出现晶粒组织不均和性能不均。故一般加热温度应在 750 ~ 950℃ 之间，以保证合适的终轧温度。

　　根据不同的生产设备条件和产品技术要求，紫铜板带可采用不同的生产工艺流程。例如某厂采用带式法生产硬态紫铜带，由 100mm × 400mm × 440mm 的锭坯直接热轧及冷轧成 0.5mm 厚的带材，由于二辊轧机能力小，故采用了如下的工艺流程：

　　铸坯—热轧（6mm）—酸洗—冷轧（1.8mm）—退火—酸洗—冷轧（0.9mm）—退火—酸洗—冷轧（0.5mm）—剪切矫直—检查。

　　而另一工厂，由于有强大的四辊轧机，采用 180mm × 620mm × 1100mm 铸坯生产软态紫铜雷管带的工艺流程则为：

　　铸坯—加热—热轧（12mm）—铣面—冷轧（2 辊轧机，至 5.5mm）—冷轧（4 辊轧机，至 1.7mm）—冷轧（4 辊轧机，至 0.5mm）—剪切矫直—退火—检查。

　　前一流程的优点是充分利用了铸造后的余热，进行直接热轧；而后一流程的优点则为充分利用了紫铜的良好塑性，不经中间退火进行了大压下量（> 90%）冷轧加工，简化了生产工序。

8 型材轧制工艺基础

经过塑性加工成形的具有一定断面形状和尺寸的直条实心金属材称为型材。通常将复杂断面型材和棒线材统称为型材。型材生产历史悠久,产品品种规格众多,断面形状和尺寸的差异大,因而生产方式也十分繁多。尽管钢材生产中钢板和钢管的比例在不断提高,但根据各个国家的具体条件,型材仍占钢材总量的 30% ~ 60%。我国目前的型材产量占钢材总产量的 50% 左右。型材广泛应用于国民经济的各个部门,如机械、金属结构、桥梁建筑、汽车、铁路车辆制造和造船等部门,在国民经济中仍占有不可缺少的地位。

1783 年英国人科特(K. Cort)创造的第一台带孔型二辊式轧机,轧制出各种规格的扁钢、方钢、圆钢和半圆钢,开创了型材生产的历史。到 19 世纪中叶,由于工业革命的兴起,西欧国家大量修筑铁路,需要很多的钢轨及其配件,促进了型材生产的迅速发展。自 20 世纪 30 年代开始,在世界上,由于板带材生产较易于实现生产过程的连续化和自动化,同时还由于焊接技术、冲压技术、冷弯成形技术日趋完善,对板带材需求日益增长,板带材生产得以迅速发展。尽管如此,由于型材生产历史悠久、品种繁多、规格齐全、用途广泛,在很多领域内都是不可替代且是生产方式最经济的,所以在金属材料的生产中型材占有非常重要的地位。目前在世界上,工业发达国家轧制型材的总产量约占轧材总产量的 1/3。

在中国,型材的生产最早始于 1907 年汉阳的汉冶萍钢铁厂,以后在大连、鞍山、太原、重庆、本溪、沈阳、抚顺、上海、天津、唐山等地相继建厂生产大中小型各类型材。1949 年以前,中国的型材生产异常薄弱,发展速度也十分缓慢,只能生产少量的简单断面型材。1949 年以后,中国的型材生产得到了迅速发展,从 20 世纪 50 年代开始,鞍山钢铁公司大型厂恢复生产并扩建,在此基础上又相继建成了武汉钢铁公司大型厂、包头钢铁公司轨梁厂和攀枝花钢铁公司轨梁厂等大型型材生产基地,与此同时,地方中小型型材生产也迅速发展,建成了鞍钢中型厂、唐钢中型厂、马钢二轧厂等一批骨干生产厂,以及鞍山、上海、沈阳、天津等地建成一大批小型厂与线材厂,型材的品种、规格和质量基本上满足了国内经济建设的需求。20 世纪 80 年代以后,随着中国现代化建设发展需求的提高,具有当时国际先进水平的马鞍山钢铁公司 H 型钢厂和莱芜钢铁总厂万能连轧机以及上海、天津、湘潭、酒泉等一大批连轧棒材与高速线材厂等一批现代化型钢轧机也相继投产。

由于以汽车工业为代表的某些行业的生产能力明显小于工业发达国家,故中国的钢材市场对板带的需求小于型材。在产钢大国中,只有中国的型材总产量超过板带的总产量,占轧材总产量的 50% 以上。以往中国在建筑等使用钢材的行业,一直执行节约钢材或不使用钢材的政策,所以钢结构的使用远远少于工业化国家,因此,在型材总量中,钢结构用的 H 型钢、槽钢和钢桩等有代表性的型钢产品比例明显低于其他产钢大国。

8.1 型材分类及生产特点

8.1.1 型材分类及用途

型材常用的分类方法主要有以下 5 种:

(1)按生产方式分类。型材按生产方式可以分成热轧型材、冷轧型材、冷弯型材、冷拔型材、挤压型材、锻压型材、热弯型材、焊接型材和特殊轧制型材等。热轧具有生产规模大、生产效率高、能耗少和生产成本低等优点，是生产型材的主要方式之一。

（2）按断面特点分类。型材按其横断面形状可分成复杂断面型材和简单断面型材。复杂断面型材又叫异型断面型材，是指横断面由两个以上的简单几何形状组成，具有长而薄的翼缘。因此又可以进一步分成凸缘型材、多台阶型材、宽薄型材、局部特殊加工型材、不规则曲线型材、复合型材、周期断面型材和金属丝材等等。简单断面型材的横断面对称、外形比较均匀、简单，如方钢、圆钢、扁钢及六角钢等。

（3）按使用部门分类。型材按使用部门分类有铁路用型材（钢轨、鱼尾板、道岔用轨、车轨、轮箍等）、汽车用型材（轮辋、轮胎挡圈和锁圈等）、造船用型材（L型钢、球扁钢、Z字钢、船用窗框钢等）、结构和建筑用型材（H型钢、工字钢、槽钢、角钢、吊车钢轨、窗框和门框用材、钢板桩、螺纹钢筋等）、矿山用钢（U形钢、槽帮钢、矿用工字钢、刮板钢等）和机械制造用异型材等。

（4）按断面尺寸大小分类。型材按断面尺寸可分为大型、中型和小型型材，其划分常以它们适合在大型、中型或小型轧机上轧制分类。大型、中型和小型的区分实际上并不严格。另外还有用单重（kg/m）来区分的方法。一般认为，单重在 5kg/m 以下的是小型材，单重在 5~20kg/m 的是中型材，单重超过 20kg/m 的是大型型材。

（5）按使用范围分类。有通用型材、专用型材和精密型材。

型材的断面形状，尺寸范围及用途见表 3-8-1。

表 3-8-1　型材的表示方法、尺寸范围及用途

品　种	表示方法	规格范围	用　途
H 型钢	高×宽/mm×mm	（80~1100）×（46~454）	土木建筑、矿山支护、桥梁、车辆、机械工程
钢　轨	单重/kg·m⁻¹	5~30 38~75 80~120	轻轨 重轨 吊车轨
工字钢	腰高的 1/10（No）	No5~No63（（50~630）mm×（32~115）mm）	土木建筑、造船、金属结构件
槽　钢	腰高 1/10 的（No）	No5~No45（（50~450）mm×（32~115）mm）	土木建筑、车辆制造、金属结构件
U 形钢	单重/kg·m⁻¹	18~36	结构件、矿山支护
Z 字钢	高度/mm	60~310	铁路车辆、结构件
T 字钢	腿宽×厚度/mm×mm	（150×9）~（400×32）	铁路车辆、结构件
等边角钢	边长的 1/10（No）	No2~No25（（20×20）mm~（250×250）mm）	土木建筑、造船、机械、车辆、结构件
不等边角钢	（长边长/短边长）的 1/10（No）	No2.5/1.6~No25/16.5（25/16mm~250/165mm）	土木建筑、造船、结构件
扁　钢	厚×宽/mm×mm	（3~60）×（10~240）	薄板坯、焊管坯
线　材	直径/mm	4.5~13	建筑、冷拔
球扁钢	宽×厚/mm×mm	（50×4）~（270×14）	造船
带肋钢筋	外径/mm（No）	No12~No40	建筑、地基、混凝土结构

8.1.2 型材的生产特点

型材生产具有如下特点：

（1）品种规格多。型钢品种与规格目前已达万种以上，而在生产中，除少数专业化型钢轧机（如 H 型钢轧机、重轨轧机、线材轧机）生产专门产品外，绝大多数型材轧机都在进行多品种多规格生产。因此，轧辊储备量大，换辊较频繁，管理工作比较复杂。

（2）断面形状差异大。在型材产品中，除了方、圆、扁钢断面形状简单且差异不大外，大多数是复杂断面型材，如工字钢、H 型钢、Z 字钢、槽钢和钢轨等，这些钢材不仅断面形状复杂，而且互相之间断面形状差异很大，这些产品的孔型设计和轧制生产都有其特殊性，在生产中，必须采用相应的技术措施。

（3）不均匀变形严重。在轧制过程中存在严重的不均匀变形；孔型各部存在明显的辊径差；非对称断面在孔型内受力、变形不均；断面各分支部分接触轧辊和变形的非同时性；断面各处温度不均匀，而产生轧后冷却收缩不均匀，造成轧件弯曲和扭转，工具磨损也不均匀，轧件尺寸难以精确计算，轧机调整和导卫装置设计、安装复杂。同时复杂断面型材的单个品种或规格通常都批量较小，故复杂断面型材的连轧技术发展缓慢。

（4）轧机结构和轧机布置形式多种多样。在结构形式上有二辊式轧机、三辊式轧机、四辊万能轧机、多辊孔型轧机、Y 型轧机、45°轧机和悬臂式轧机等。在轧机布置形式上有横列式、顺列式、棋盘式、半连续式及连续式布置等。生产过程中轧机类型的选用及布置形式取决于生产品种、生产规模以及产品的技术要求等许多因素。

8.2 型材轧制的咬入条件

在孔型中轧制的咬入条件与平辊轧制矩形断面的咬入条件其原理是一样的，只是增加了一个孔型侧壁斜度对轧件受力条件的影响。

在型钢生产中所采用的孔型系统很多，如箱-方孔型系统、菱-方孔型系统、椭圆-方孔型系统、椭圆-圆孔型系统等。尽管其孔型的形状不同，但就其开始咬入时轧件与轧辊的接触情况看，基本上有两种可能，其一是轧件与孔型顶部先接触（即与平辊轧制矩形件相似），其二是轧件与孔型侧壁先接触。

以箱形孔型轧制矩形轧件且轧件与孔型侧壁接触的情况为例，来分析轧辊咬入轧件的条件。如图 3-8-1 所示：

当轧件先与孔型侧壁接触时，孔型侧壁对轧件有一个夹持作用，此时，实现轧辊咬入轧件的条件应满足：$T_x \geq N_{0x}$。其中 $T_x = T\cos\alpha$，$T = N \cdot f$，$N_{0x} = N_0\sin\alpha$，$N_0 = N\sin\theta$，式中 N、T、N_0 分别为轧辊孔型

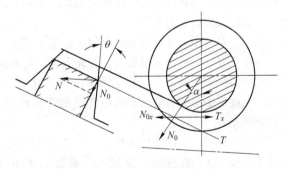

图 3-8-1 孔型轧制时的咬入条件

侧壁作用在轧件上的正压力；轧辊对轧件作用的摩擦力，轧辊对轧件作用的径向力，θ 为孔型的侧壁斜度，f 为轧辊与轧件间摩擦系数。

$$Nf\cos\alpha \geq N\sin\theta\sin\alpha \tag{3-8-1}$$

$$\frac{f}{\sin\theta} \geq \tan\alpha \tag{3-8-2}$$

$$\frac{\beta}{\sin\theta} \geqslant \alpha \tag{3-8-3}$$

当 θ 为 90°时，$\beta \geqslant \alpha$，即与平辊上轧辊矩形轧件时的咬入条件相同。当 θ 角小于 90°时，极限咬入角增大了 $1/\sin\theta$ 倍，这说明孔型中轧制时，孔型侧壁斜度角 θ 越小对咬入越有利。

8.3　型材轧制时的金属变形

　　在孔型中轧制，轧件的变形与平辊轧板不一样，它们具有如下特征：1）压下率在横向上分布不一致；2）轧辊的工作直径和辊面线速度在横向上分布不一致；3）轧辊与轧件的接触弧长度在横向上分布不一致；4）变形受到孔型侧壁的限制；5）在断面上容易产生温度分布差，呈现出复杂的三维变形状态，存在明显的不均匀变形。

8.3.1　轧制变形参数

　　轧制型材时，轧件的厚度、工作辊径和压下率在沿宽度方向上是变化的，只是在确定了孔型形状和轧件形状后，才能像平辊轧板一样，确定轧件的宽厚比（件宽/厚度）、辊件厚比（轧辊工作直径/件厚）、压下率等轧制参数和孔型轴比（孔高/宽度）。当菱件进菱孔时，轧件的宽厚比 B_0^*/H_0^*，孔型轴比 H_1^*/B_K，辊件厚比 D_c/H_0 及压下率 $(H_0 - H_1)/H_0$ 的定义见图 3-8-2。计算压下率时，件厚用轧制前后的平均厚度 $\overline{H_0}$，$\overline{H_1}$，轧辊直径用孔型内的平均直径 $\overline{D}$。这种对应平辊轧制的平均值叫做"等效平均值"，将孔型中轧制的复杂变形参数换算成平辊轧制的参数的方法叫做矩形换算法。

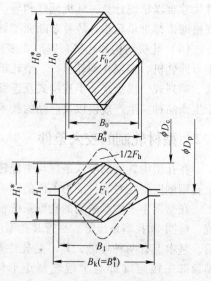

　　表示型材的轧制条件和轧制特征的参数有：轧槽内轧件的形状、速度分布、应力分布、温度分布，以及由这些参数所决定的轧件宽展、孔型充满度、延伸、出口速度、轧制力和轧制力矩等等。

　　在这些参数中，孔型特有的参数是孔型充满度，轧件应该按照合适的程度充满孔型，过充满及欠充满都将造成轧件的断面形状不良，过充满将出现"耳子"，在

图 3-8-2　孔型轧制时各参数的
定义（菱件进菱孔）

后续轧制过程中形成折叠。充满程度用充满率 B_1/B_c 表示。B_1 是轧后件宽，B_c 是允许极限值，常用轧槽宽 $B_k = B_c$。

　　轧件的宽展，常用宽展系数 $\beta = B_1/B_0$ 和宽展率 $\beta - 1$ 表示。同样，延伸系数 $\lambda = F_0/F_1$，延伸率为 $\lambda - 1$。轧件出口速度 v_1、轧辊转速 N 和轧辊的工作直径的 D_w 的关系为 $D_w = v_1/(\pi N)$。基础辊径为 D_c，前滑系数为 D_w/D_c，前滑率为 $f = D_w/D_c - 1$。延伸效率是延伸应变占压下应变的比例，也是一个很重要的轧制参数。

8.3.2　孔型轧制时的延伸和宽展

　　对延伸孔型来说，轧制中尽可能地抑制各道次的宽展，而加大延伸率，这在减少道次数和节约能量方面是极为重要的。在孔型中轧制，由于沿宽向压下不均匀和孔型侧壁的约束作用，延伸效率与平辊轧制有明显区别，一般是，不均匀压下会使延伸效率下降，而孔型侧壁的约束使延伸

效率上升。在轧制棒线材时，为提高延伸效率，采用中心两侧压下均匀，侧壁约束较大的孔型。

孔型的高宽比 H_1^*/B_k 大，侧壁斜度小，孔型中的充满度 B_1/B_k 大，则轧件侧面的自由表面小，这些条件都加强了宽向的约束，可以提高延伸效率。除了孔型带来的特殊问题外，还有与平辊轧制一致的就是：辊件高比 D_e/H_0 小，摩擦系数 μ 小，延伸效率提高。

轧件在孔型中轧制，由于孔型形状的影响，轧件在孔型中不再是自由宽展，轧件在孔型中的宽展确定比较复杂。一般来说，压下不均匀的孔型将加大宽展。在压下量较小时，凹孔型的宽展大于凸孔型，随延伸增加，孔型两侧的约束作用逐渐增强，有利于延伸，凹孔型的宽展逐渐小于凸孔型。在小压下时宽展大，主要原因是由于压下的不均匀分布，特别是两边大压下所致。

8.3.3 孔型轧制时的前滑和后滑

对于型材和棒线材的连轧，为保持各机架间的金属秒流量相等，避免轧件受拉或者堆钢，必须调节各机架的轧辊转速。为准确控制机架间张力，需要研究轧辊的名义线速度及轧件出口速度的前滑和轧件入口速度的后滑。根据经验，简单的方法是，将平均轧辊圆周速度 $\bar{v}=\pi \overline{ND}$ 作为基准，平均前滑值 $\bar{f}=\dfrac{v_1}{v}-1$ 与延伸率、前张力和后张力有关。延伸率越大，前张力越大，前滑也越大。后张力越大，则前滑越小。

8.4 型材轧制工艺

大、中型型钢的生产工艺过程，根据各生产厂所生产的品种及设备的不同而异，一般在原料材质上的要求并不特殊，在目前的技术水平下，几乎可以全部使用连铸坯。连铸坯的断面形状可以是方形、矩形，连铸技术水平高的使用异型坯。坯料的检查一般依靠肉眼，采用火焰清理。用连铸坯轧制普通型钢，绝大多数可以不必检查和清理，从这个角度说，大、中型型钢生产最容易实现连铸坯热装热送，甚至直接轧制工艺流程。

8.4.1 加热、轧制

现代化型材生产的加热一般是使用步进炉，以避免水印对产品质量的不利影响。

通用型材的轧制工艺并不复杂，工艺流程的例子见图 3-8-3。型材轧制分为粗轧、中轧和精轧。粗轧的任务是将坯料轧成适用的雏形中间坯。在粗轧阶段，轧件温度较高，应该将不均匀变形尽可能放在粗轧孔型轧制的阶段。中轧的任务是令轧件迅速延伸，接近成品尺寸。精轧是为保证产品的尺寸精度，延伸量较小，成品孔和成前孔的延伸系数一般为 1.1~1.2 和 1.2~1.3，现代化的型钢生产对轧制过程有以下要求：

```
连铸坯→加热→除鳞→粗轧————→中轧——→精轧——→精整
        └→热装补热—┘  （两辊孔型）   （两辊孔型或万能孔型）
```

图 3-8-3 现代通用型材加热、轧制的工艺流程举例

（1）一种规格的坯料在粗轧阶段轧成多种尺寸规格的中间坯。型钢的粗轧一般都是在两辊孔型中进行。如果型钢坯料全部使用连铸坯，从炼钢和连铸的生产组织来看，连铸坯的尺寸规格是愈少愈好，最好是只要求一种规格。而型钢成品的尺寸规格却是愈多，企业开拓市场的能力就愈强，这就要求粗轧具有将一种坯料开成多种坯料的能力。粗轧既可以对异型坯进行扩腰扩边轧制，也可以进行缩腰缩边轧制。其典型的例子是用板坯轧制 H 型钢。

（2）对断面形状简单型材产品在专业程度较高的工厂可采用连铸连轧（CC-DHCR 及 CC-DR）工艺。

（3）对于异型材，在中轧和精轧阶段尽量多使用万能孔型和多辊孔型轧制。由于多辊孔型和万能孔型有利于轧制薄而高的边，并且容易单调整轧件断面上各部分的压下量，可以有效减小轧辊的不均匀磨损，以提高尺寸精度。

（4）型钢连轧，由于轧件的断面截面系数大，不能使用活套，机架间的张力控制一般是采用驱动主电机的电流记忆法或者是力矩记忆法进行。

（5）对于绝大多数型钢，一般都要求产品低温韧性好和具有良好的可焊接性，为保证这些性能，在材质上就要求碳当量低。对这些钢材，实行低温加热和低温轧制可以细化晶粒，提高材料的机械性能。在精轧后进行水冷，对于提高材料性能和减少在冷床上的冷却时间也有明显好处。

8.4.2　精整

型材的轧后精整有两种工艺，一种是传统的热锯切定尺，定尺矫直工艺。一种是较新式的长尺冷却、长尺矫直、冷锯切工艺，工艺流程的例子见图 3-8-4 所示。

轧制→热锯→冷却→辊矫直──→检查清理→补矫直→包装
　　　　└→长尺冷却→辊矫直──→冷锯切──↑

图 3-8-4　型材的精整工艺流程

型钢精整，较突出之处就是矫直。型材的矫直难度大于板材和管材，原因一是因在冷却过程中，由于断面不对称和温度不均匀造成的弯曲大。二是型材的断面系数大，需要的矫直力大。由于轧件的断面比较大，因此矫直机的辊距也必须大，矫直的盲区大，在有些条件下，对钢材的使用造成很大影响，例如：重轨的矫直盲区明显降低了重轨的全长平直度。减少矫直盲区，在设备上的措施是使用变节距矫直机，在工艺上的措施就是长尺矫直。

8.5　型材轧机及其布置形式

8.5.1　型材轧机分类

型材轧机一般用轧辊名义直径（或传动轧辊的人字齿轮节圆直径）命名，例如 650 型材轧机即指轧机轧辊名义直径为 650mm。一个轧钢车间，往往有若干列或若干架轧机，通常以最后一架精轧机的轧辊名义直径作为轧钢机的标称。型材轧机按其用途和轧辊名义直径可分为轨梁轧机、大型型材轧机、中型型材轧机、小型型材轧机、线材轧机或棒、线材轧机等。各类轧机的轧辊名义直径尺寸范围见表 3-8-2 所列，一般情况下小断面的型材在小辊径的轧机上轧制，大断面的型材在大辊径的轧机上轧制。各种规格的轧机均有一个适合的产品范围，在此范围内轧机的生产率高、产品质量好、轧辊强度和设备能力均能得到充分发挥。

表 3-8-2　型材轧机按轧辊名义直径的分类

轧机类型	轨梁轧机	大型轧机	中型轧机	小型轧机	线材轧机
轧辊名义直径 /mm	750 ~ 950	650 以上	350 ~ 650	250 ~ 300	150 ~ 280

8.5.2 型材轧机的典型布置形式

型钢轧机的布置形式主要取决于生产规模大小，轧制品种和范围以及选用的原料情况和投资成本等。其典型的布置形式有：横列式（包括一列、二列和多列）、顺列式、棋盘式、半连续式和连续式等，如图3-8-5所示。

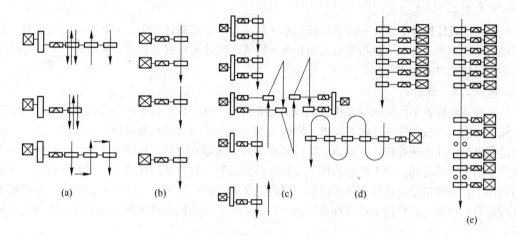

图 3-8-5　型钢轧机的典型布置形式

（a）横列式；（b）顺列式；（c）棋盘式；（d）半连续式；（e）连续式

8.5.2.1　横列式

横列式布置的轧机大多数用一台交流电机同时传动数架三辊式轧机。在一列轧机上进行多道次穿梭轧制。在每架轧机上可以轧制若干道次，变形灵活，适应性强，品种范围较广，控制操作容易。另外横列式轧机还具有设备简单、造价低、建厂快等优点。其缺点为：（1）产品尺寸精度不高，品种规格受限制。由于横列式布置，换辊一般由机架上部进行，故多采用开口式或半闭口式机架。由于每架排列的孔型数目较多，辊身较长，辊身长与辊径比 $L/D \approx 3$，因而轧机刚度不高，这不但影响产品尺寸精度，而且也难以轧制宽度较大的产品。（2）轧件需要横移和翻钢，故长度不能大。间隙时间长，轧件温降大，因而轧件长度和壁厚均受限制。（3）不便于实现自动化。第一架轧机受咬入条件限制，希望轧制速度低，末架轧机为保证终轧温度和减少轧件头尾温差，又希望轧制速度高一些，而各架轧机辊径差又受接轴倾角限制不能过大。这种矛盾只有在速度分级后才能解决，从而促使横列式轧机向二列式、多列式发展。产品规格越小，轧机列数就越多。

8.5.2.2　顺列式

各架轧机顺序布置在 1~3 个平行纵列中，各架轧机单独传动，每架只轧一道，但机架间不形成连轧。这种布置的优点是：各机架的速度可单独设置或调整，使轧机能力得以充分发挥。由于每架只轧一道，故轧辊 $L/D \approx 1.5 \sim 2.5$，且机架多为闭口式，故轧机刚度大，产品尺寸精度高；由于各机架轧机互不干扰，故机械化、自动化程度较高，调整亦比较方便。其缺点为：轧机布置比较分散，由于不连轧，故随轧件延伸而机架间的距离加大，厂房很长，因此，轧件温降仍然较大，不适于轧制小型或壁薄的产品；另外机架数目多，投资大，建厂较慢。为了弥补上述缺点，可采用顺列布置、可逆轧制，从而减少机架数和厂房长度。

8.5.2.3　棋盘式

棋盘式布置的轧机介于横列式和顺列式轧机之间，前几架轧件较短时采用顺列式，后几架精轧机布置成两横列，各架轧机互相错开，两列轧辊转向相反，各架轧机可单独传动或两架成组传动，轧件在机架间靠斜辊道横移。这种轧机布置紧凑，适于中小型型钢生产。

8.5.2.4　半连续式

半连续式轧机介于连轧和其他形式轧机之间。常用于轧制合金钢，多通过对旧有设备改造获得的轧机布置。其中一种布置形式粗轧为连续式，精轧为横列式；另一种粗轧为横列式或其他形式，精轧为连续式。

8.5.2.5　连续式

连续式轧机各架轧机纵向紧密排列成为连轧机组。每架轧机可单独传动或集体传动，每架只轧一道次。一根轧件可在数架轧机上同时轧制，各机架间遵循秒流量相等的原则。连续式轧机的优点是：轧制速度快、产量高；轧机紧密排列，间隙时间短，轧件温降小，对轧制小规格和轻型薄壁产品有利；由于轧件长度不受机架间距限制，故在保证轧件首尾温差不超过允许值的前提下，可尽量增大坯料重量，以提高轧机产量和金属收得率。其缺点是：机械和电器设备比较复杂，投资大，并且生产品种受限制。目前，产量较高的中型连轧车间的年产量可达160万 t。

8.6　型材轧制的孔型系统举例

图 3-8-6 是轧制角钢的孔型系统实例。图 3-8-7 是轧制槽钢的孔型系统。图 3-8-8 是轧制几种异型材的孔型系统。使用万能轧机孔型轧制异形材的效果由于两辊轧机孔型，用万能轧机轧制重轨、U 形钢板桩、某些特殊型钢的孔型系统的例子见图 3-8-9、图 3-8-10。

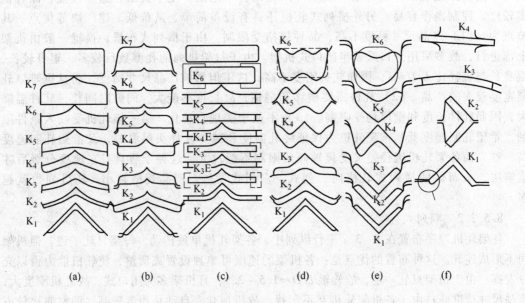

图 3-8-6　轧制角钢的孔型系统
（a）蝶式；（b）切分式；（c）平轧式；（d）W 式；（e）斜切式；（f）弯曲轧法

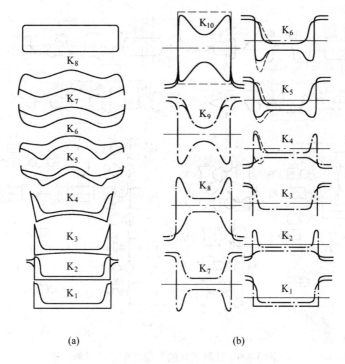

(a)　　　　　　　　　　　(b)

图 3-8-7　轧制槽钢的孔型系统

（a）蝶式轧法；（b）直轧法

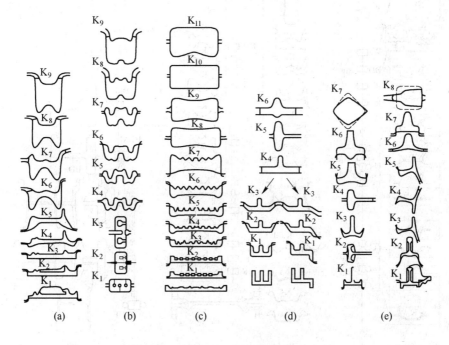

(a)　　　(b)　　　(c)　　　(d)　　　(e)

图 3-8-8　轧制异型材的孔型系统举例

（a）轨枕扣件；（b）缓冲元件；（c）运输机械用齿条；（d）机械零件；（e）窗框

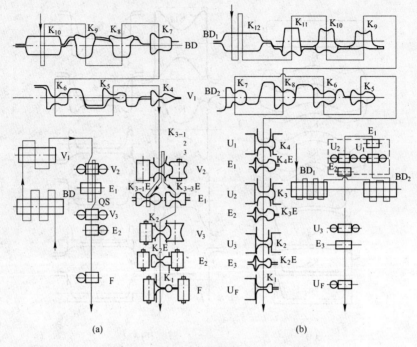

图 3-8-9　轧制重轨的万能孔型系统举例

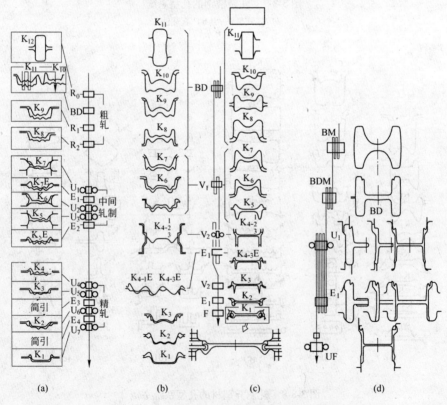

图 3-8-10　轧制钢板桩的万能轧机孔型系统
(a) U 型（连轧）；(b) U 型；(c) Z 型；(d) H 型

9 大、中型型材及复杂断面型材生产

9.1 初轧开坯

9.1.1 初轧开坯生产的历史

初轧及开坯轧机的主要任务是将炼钢厂提供的钢锭或大规格连铸坯轧成合乎成材轧机所需要的小断面坯料，也有部分开坯机可直接生产部分大、中型型材。在没有使用连铸坯"一火成材"或即使有连铸坯但不具备一火成材条件的企业，初轧和开坯是不可缺少的工序之一。在老式的轧钢生产体系中，初轧厂是整个生产体系的咽喉，是钢锭到成材的必由之路，初轧机起着非常重要的作用。

而连铸技术成熟之后，各工业先进国家的连铸比已经逐步达到96%以上，有些国家甚至达到了100%，我国在20世纪末，连铸比也已经达到了90%以上。因此传统的初轧开坯生产方式即将成为历史。目前，钢铁生产所用的坯料绝大部分都已是连铸坯，即用连铸板坯、方坯和矩形坯、异型坯和管坯等供给成品轧机，成品轧机再轧制成各种型材、板材和管材等。

自20世纪80年代起，世界上就没再新建过大型初轧机，我国宝钢的双机架工作辊直径1300mm初轧机是世界上最后建设的一台大型板坯和管坯初轧机。

目前普通钢材的轧制绝大多数都使用连铸坯，只有在用连铸法浇铸有困难时，才用钢锭经初轧轧成钢坯。例如生产超出规定压缩比的极厚钢材；超出连铸结晶器尺寸的大单件重坯；生产高合金钢等特殊钢坯，用连铸法还难以保证质量。

我国到20世纪末，尚有初轧机20多套，总开坯生产能力约在3000万t/a以上。轧机规格在 $\phi700 \sim 1300mm$ 之间，上述轧机中除个别的轧机还可以轧制一些钢材外，主要的任务就是开坯，小部分轧机带有钢坯连轧机。除 $\phi1300mm$ 轧机的设备较为先进外，其他初轧机的装备水平基本上都是20世纪50年代的水平。

我国初轧机大部分为单机架，适用于使用大钢锭，轧制大坯，它们可以为下游的热宽带钢轧机、中厚板轧机、轨梁轧机、大型轧机、大直径无缝管轧机等供应坯料。在前述开坯机中，个别为双机架或者是带钢坯连轧机，可以为中小型轧机、线材轧机、小无缝管轧机等供坯，有的也可以直接轧制少量的成品钢材（如大规格圆等）。

我国还有 $\phi500 \sim 650mm$ 三辊开坯轧机100套以上，总生产能力在3000万t/a。由于设备简单，投资少，技术易掌握，所以建设容易。其生产能力适应年产 $30 \sim 50$ 万t钢材的小型钢铁联合企业，在其中充当着类似初轧机的角色。随着各企业的发展和壮大，这种小开坯机在生产能力上早已不适应生产的需要，这些开坯机面临着何去何从的问题。

由于我国的连铸技术起步较晚，因此相应地延长了这些初轧机的寿命。自20世纪90年代以来，我国的连铸生产能力有了迅速的发展，而且在普通钢厂正在向全连铸的方向发展。初轧机面临着被淘汰或是必须加以改造以适应新的生产形式的局面。

9.1.2 我国初轧及开坯轧机的发展方向

我国是一个发展中国家，资金比较短缺，市场比较广阔，科技发展跟不上生产发展的要求。因此，不能像先进工业国家那样，在连铸发展之后立即将原有初轧厂、开坯车间关停，将

设备报废回炉，而是要采用一种逐渐过渡的方法，顺利完成这一历史转变。对于不同企业而言，也应量体裁衣，防止一刀切、一个模式。对以下情况，初轧机还是有保留和使用价值的。

（1）$\phi1000$mm 以上初轧机采用连铸-初轧联合开坯工艺。主要用于成品轧机套数多、所需坯料尺寸规格多、一两种连铸坯很难适应这种要求的情况。工业先进国家，很多企业是采用这样的工艺路线，并且多采用热装，节省了能源。这样做的好处是：充分发挥连铸收得率高、质量好的优点，连铸可以只铸造一种固定断面的大方坯，容易组织生产，作业率高，而且又可以实现对下游轧钢厂灵活供坯。其缺点是两火成材。

对于有些特殊钢种，坯料断面大可以更有效地保证质量，例如轮胎钢帘线对坯料的要求极严。为保证质量，使用连铸大方坯，开坯后进行清理检查，再轧成材对提高产品的合格率有明显的优越性。这时采用连铸—初轧联合开坯工艺是有好处的。

（2）特钢钢厂内的部分初轧机及开坯机可以考虑继续保留并不断完善，以保证部分特殊钢种轧制压缩比的要求，适应特殊钢连铸坯规格大、需要再开坯的要求，保证生产特殊钢产品的需要。由于目前一些钢种，如马氏体合金工具钢、阀门钢等连铸尚未过关，用连铸坯生产轴承钢的技术也还存在问题，故生产这些钢材的模铸还需要保留。在工业先进国家里，合金钢厂的连铸比较普通钢厂低大约10%。因此合金钢厂保留初轧机还是必要的。另外，由于产量的关系，合金钢厂内的初轧机一般采用 $\phi850\sim700$ 小初轧机或 $\phi650$ 三辊开坯机开坯，而合金钢材的上限规格尺寸偏大，故有条件的轧机可考虑一火成材生产一些大规格成品材，如碳素结构钢、合金结构钢和齿轮钢等。因此在 10 年左右的时间内，仍可能保持初轧、连铸并存的格局，随着技术的进步，连铸比不断增加，连铸品种逐渐扩大，最终过渡到以连铸为主。

至于生产产品比较单一，批量比较大的企业，如棒线材厂、H 型钢厂、板带钢厂、钢管厂，则可以考虑全连铸的模式，这些厂矿闲置下来的初轧机、开坯机可另作他用，厂房可用于上述企业产品的进一步深加工。

由于我国初轧机的生产能力巨大，这部分存量资产有很大的利用价值，对这部分初轧机应考虑改造加以利用。可考虑的改造方案有以下几种。

（1）改造为棒材轧机。在原初轧机后增设一组紧凑式连轧机组，可一火生产棒材。此改造方案主要适用于较小规格的初轧机。紧凑式轧机机架间距小，占地距离短，设备轻、投资少，比较适用于老车间的改造。

（2）改造为中厚板轧机。利用现有初轧机，增建一架四辊精轧机，同时进行一些必要改造，建设矫直机、冷床等设备可生产中厚板。

（3）改造为 H 型钢轧机。H 型钢轧机的开坯机就是二辊可逆开坯机，因此原初轧机可以利用，在初轧车间的后面继续建设万能粗轧机和万能精轧机即可。由于 H 型钢对原料的要求在尺寸上比中厚板轧机苛刻，并且建设 H 型钢车间，原有的初轧厂房面积不够，因此需要接长，从而占用场地大，投资较多，故该项改造的难度较大。

9.2   典型产品生产

9.2.1   H 型钢和工字钢

9.2.1.1   特性及用途

H 型钢是断面形状类似于大写拉丁字母 H 的一种经济断面型材，它又被称为万能钢梁、宽边（缘）工字钢或平行边（翼缘）工字钢。H 型钢的断面形状与普通工字钢的区别如图3-9-1所示。H 型钢的横断面通常分为腰部和边部两部分，有时也称为腹板和翼缘。

H 型钢的边部内侧与外侧平行或接近于平行，边的端部呈直角，因此得名平行边工字钢。与腰部高度相同的普通工字钢相比，H 型钢的腰部厚度小，边部宽度大，因此又得名宽边工字钢。由形状特点所决定，腰薄、边宽（翼缘宽）、翼缘平行、边端呈直角，断面高度和边宽之比较小，断面形状和尺寸合理，与等高度、相同重量的工字钢相比，其惯性矩及力学性能要优越得多。用在不同要求的金属结构中，不论是承受弯曲力矩、压力负荷、偏心负荷它都显示出优越的性能，与普通工字钢相比较大大提高了承载能力，因此，采用 H 型钢在建筑上可使构件质量减轻30% ~ 60%，用在桥梁上可减轻质量15% ~20%，一般结构可减轻 10% ~25%。

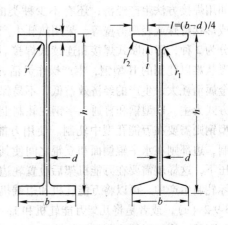

图 3-9-1　H 型钢和普通工字钢的区别

由于其边部内侧与外侧平行，边端呈直角，便于拼装组合成各种构件，即美观又大方，还可节约焊接和铆接工作量达25%左右，大大加快工程的建设速度，缩短工期。

由于具有上述优点，H 型钢的应用广泛，其用途完全覆盖普通工字钢，广泛地用于：各种民用和工业建筑结构；各种大跨度的工业厂房和现代化高层建筑，尤其是地震活动频繁地区和高温工作条件下的工业厂房；要求承载能力大、截面稳定性好、跨度大的大型桥梁；重型设备；高速公路；舰船骨架；矿山支护；地基处理和堤坝工程；各种机械零件等。目前，在发达国家，大型型钢大部分被 H 型钢所代替，特别是主要产钢国家的 H 型钢产量占钢材总量的 4% ~8%，而我国仅占0.4%。日本是世界上 H 型钢产量最高的国家，H 型钢占型钢产量的50%左右，而普通工字钢产量占型钢产量的2.3%。

9.2.1.2　H 型钢分类

H 型钢的产品规格很多，分类方法有如下几种：

（1）按产品边宽分类可以分为宽边、中边和窄边 H 型钢。宽边 H 型钢的边宽 b 大于或等于腰高 h，中边 H 型钢的边宽 b 大于或等于腰高 h 的 $1/2$，窄边 H 型钢的边宽 b 等于或小于腰高 h 的 $1/2$。

（2）按用途分类可分为 H 型钢梁、H 型钢柱、H 型钢桩、厚边 H 型钢梁。一般以窄边 H 型钢作为梁材（其高度与腿宽之比为 2:1 ~ 3:1），宽边 H 型钢作为柱材（其高度与腿宽之比为 1:1）。故又有梁型 H 型钢和柱型 H 型钢之称。

（3）按生产方式分类可分为焊接 H 型钢和轧制 H 型钢。

（4）按尺寸规格划分为大、中、小号 H 型钢。通常将腰高在 700mm 以上的产品称为大号，腰高在 300 ~700mm 的产品称为中号，腰高小于 300mm 的产品称为小号 H 型钢。

国际上 H 型钢的产品标准分为英制系统和公制系统两大类。美、英等国采用英制，中国、日本、德国和俄罗斯等国采用公制。尽管英制和公制采用的计算单位不同，但对 H 型钢大都使用四个尺寸表示它们的规格，即腰高 h，腰厚 d，边宽 b 和边厚 t。尽管各国对 H 型钢尺寸规格大小的表示方法不同，但所产生的产品尺寸规格范围及尺寸公差相差不大。

9.2.1.3　生产方法

H 型钢可用热轧和焊接两种方法生产。焊接 H 型钢20 世纪50 年代初首先出现在美国，以后在其他国家得到了一定发展。它是将厚度合适的带钢裁成一定的宽度，在连续式焊接机组上将边部和腰部焊接在一起。一般认为，当 H 型钢的断面模数超过10000 时，用热轧方法生产不如用焊接方法生产经济；还有不少种类的 H 型钢尽管断面模数不算大，但由于其尺寸特殊，或形状特殊或轻型薄壁等，采用热轧生产困难，常常也采用焊接方法生产。H 型钢焊接工艺可分为 2 种，即间断式焊接和连续式焊接。焊接方法生产 H 型钢的优点是：可以生产各种断面形状难以轧制的 H 型钢，生产操作灵活，适合小批量、多品种的市场需求。但焊接 H 型钢有金属消耗大，生产的经济效益低，不易保证产品性能均匀等缺点。因此，H 型钢生产多以轧制方式为主。H 型钢和普通工字钢在轧制上的主要区别是，工字钢可以在两辊孔型中轧制，而 H 型钢则需要在万能孔型中轧制。使用万能孔型轧制，H 型钢的腰部在上下水平辊之间进行轧制，边部则在水平辊侧面和立辊之间使其同时轧制成形。由于仅有万能孔型尚不能对边端施加压下，这样就需要在万能机架后设置轧边端机，俗称轧边机，以便加工边端并控制边宽。在实际轧制生产中，可以将万能轧机和边端机组成一组可逆连轧机，使轧件往复轧制若干次，如图 3-9-2（a），或者是将几架万能轧机和 1～2 架轧边端机组成一组连轧机组，每道次施加相应的压下量，将坯料轧成所需规格形状和尺寸的产品。在轧件边部时，由于水平辊侧面与轧件之间有滑动，故轧辊磨损比较大。为了保证轧辊重车后能恢复原来的形状，除万能成品孔型外，上下水平辊的侧面及其相应的立辊表面都有 3°～10°的倾角，即万能粗轧机和中轧机的立辊是双圆锥形。成品万能孔型，又叫万能精轧孔，其水平辊侧面与水平辊轴线垂直或有很小的倾角，一般在 0°～0.3°，立辊呈圆柱状，见图 3-9-2(d)。

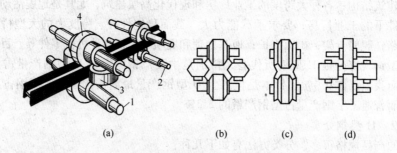

（a）　　　　　　　　　　（b）　　　　　　（c）　　　　　（d）

图 3-9-2　用万能轧机轧制 H 型钢

（a）万能-轧边端可逆连轧；（b）万能粗轧孔；（c）轧边端孔；（d）万能成品孔
1、4—水平辊；2—轧边端辊；3—立辊

用万能轧机轧制 H 型钢，轧件断面可得到较均匀的延伸，边部内外侧轧辊表面的速度差较小，可减轻产品的内应力及外形上的缺陷。适当改变万能孔型中的水平辊和立辊的压下量，便能获得不同规格的 H 型钢。万能孔型轧辊几何形状简单，不均匀磨损小，寿命大大长于两辊孔型，轧辊消耗可大为减少。万能孔型轧制 H 型钢的最大优点是同一尺寸系列只有边部和腰部的厚度尺寸是变化的，其余部位尺寸是固定不变的，可以方便的根据用户要求的产品尺寸量材使用。因此，同一万能孔型轧出的同一系列 H 型钢可具有多种腰厚和边厚尺寸，使产品规格数量大大增加，为用户选择最节材的尺寸规格提供了极大的方便。

在无万能轧机的情况下，有时为了满足生产建设的急需，也可将普通的二辊式轧机加装立辊框架，组成万能孔型轧制 H 型钢。用这种方式轧制 H 型钢，产品尺寸精度较低，腰部和边部之间难以形成直角，成本高，规格少，而且轧制柱材 H 型钢极为困难，故只适用于小批量的应急生产。

9.2.1.4　H 型钢的生产概况

早在 1883 年，美国的西蒙（L. Seamen）就申请了轧制 H 型钢的轧机专利。这种轧机是利用原三辊式型钢轧机加装特殊导板，轧制边部内侧斜度较大的 H 型钢。这是最早的 H 型钢轧制。1902 年德国建成了世界上第一台带旋转立辊和单独设置轧边端机的 H 型钢轧机。这台轧机的出现奠定了 H 型钢轧机的基本形式。万能轧机的发展可分为三个阶段。1950 年以前为第一阶段，发展速度较慢，世界上仅约 7 套 H 型钢轧机。1950 年至 1970 年为第二阶段，在此阶段万能轧机在数量上得到了迅速的发展，建成了约 60 套 H 型钢轧机。自 1970 年以后，由于计算机技术在轧制工业上的成功应用，轧制工艺和轧机结构都得到了进一步的完善。世界各国纷纷建设各种新式的万能轧机，万能轧机的建设跃入第三阶段，并向着连续化、自动化、用连铸坯作原料及扩大品种等方向发展。万能轧机除轧制 H 型钢外，还进一步扩大了生产品种，如轧制钢轨、槽钢、角钢、扁钢、T 型钢和钢桩等，由此带来了型钢生产技术的重大发展。

到 2000 年，世界上约有上百套万能型钢轧机。H 型钢的产量和用量最大的国家是日本，在品种上，除常规 H 型产品外，还有腰部带波浪的浪腰 H 型钢，边部外侧带凸起花纹的 H 型钢和耐候 H 型钢，以满足各种特殊条件下的建筑构架的需求。腰高大于 900～1200mm，或更大的规格用尖角厚扁钢(10～50)mm×(900～1200)mm 焊接而成。有一种新的生产工艺，H 型钢和尖角厚扁钢可在一套万能连轧机上生产。

我国 H 型钢起步较晚，我国轧制 H 型钢生产开始于 20 世纪 70 年代，当时在包钢轨梁厂曾用二辊孔型加装立辊框架的方式生产过少量腰高为 300mm 的 H 型钢，以满足当时国内建设急需。后来，武汉、上海、鞍山、宝鸡和山海关等地的金属结构厂和桥梁厂均可生产焊接 H 型钢。中国的第一条轧制 H 型钢生产线于 1991 年在马鞍山钢铁公司投产。该生产线由一组可逆式万能-轧边端连轧机组和一台万能精轧机组成。采用长尺冷却和长尺矫直工艺。根据设计，可按国际标准生产腰高 200mm 以下的梁型型钢和腰高 150mm 以下的柱型 H 型钢。从德国和日本引进，具有当时国际先进水平的马鞍山钢铁公司 H 型钢厂和莱芜钢铁总厂万能连轧机等一批现代化 H 型钢轧机分别于 1998 年和 1999 年相继投产。前者可生产腰高 700mm，边宽 400mm 的 H 型钢，一期设计产量 60 万 t/a。后者可生产腰高 360mm，边宽 200mm 的 H 型钢，设计产量 40 万 t/a。

9.2.1.5　H 型钢的生产工艺过程

H 型钢的工艺流程图如图 3-9-3。

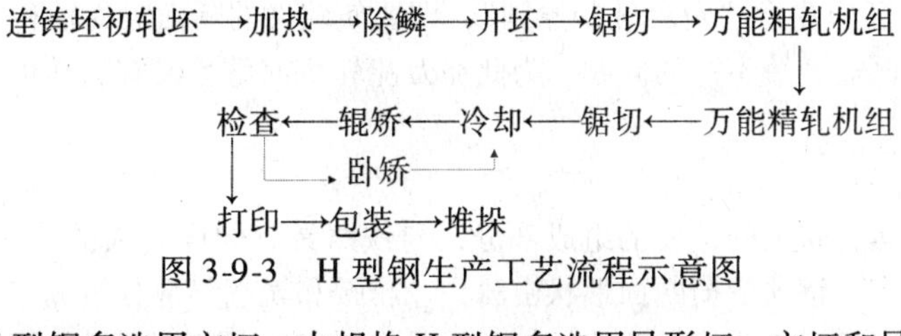

连铸坯初轧坯——加热——除鳞——开坯——锯切——万能粗轧机组

检查——辊矫——冷却——锯切——万能精轧机组

卧矫

打印——包装——堆垛

图 3-9-3　H 型钢生产工艺流程示意图

一般小规格 H 型钢多选用方坯，大规格 H 型钢多选用异形坯，方坯和异形坯多为连铸坯，也可由初轧机直接供料。

钢坯在经过精整和称重后，装入步进式加热炉中加热到 1200～1250℃ 出炉。步进式加热炉大多数采用双绝热滑轨和轴流式烧嘴，可对不同规格钢坯提供最佳的温度控制，并节约燃料。

在 H 型钢生产过程中，坯料加热的好坏，直接影响 H 型钢生产的产量和质量。H 型钢的特点之一是腰薄边厚，终轧后腰部与边部温度几乎相差 150℃，故要求坯料加热温度差尽量小，要求钢坯加热后温差不超过30℃。

钢坯出炉后，先用180MPa的高压水除鳞，然后被送入开坯机轧制。开坯机一般为两辊可逆式轧机，在开坯机上需要轧制7～13道左右，然后轧件被送往热锯，热锯只负责切去头尾形状不规则部分。最后再把轧件送入万能粗轧机轧制，一般轧制数道后送入万能精轧机，轧一道最后成形。这时还要再次切去头尾，并按订货要求把轧件切成定尺长度再送往冷床冷却。由于H型钢腿厚与腰厚之比较大，如采用平放，容易因腰腿冷却速度不一致，造成腰部波浪，故一般多采用立冷。现在多数都采用步进式冷床，这不仅可以减少原来用链式拖运机造成的缺陷，而且容易控制钢材冷却速度。经过冷却后的H型钢被送入矫直机矫直。由于H型钢断面模数较大，一般都采用8辊或9辊式矫直机矫直，矫直辊间距最大可达2200mm，同时还需用卧矫进行补充矫直。钢材经矫直后被送到检查台检查尺寸、外形和表面质量，并根据标准做出标志，然后按不同等级、不同长度进行分类、堆垛和打捆后送入仓库。对不合格产品按再处理品进行重矫后，用冷锯切断或修磨、焊补后再重新检查。

为了生产出质量好，成本低的H型钢，精整工序也是重要的一环。从热锯、冷却、矫直、打捆、包装和入库都配有计算机自动程序控制装置，实现了精整工序生产的自动化和连续化。

9.2.1.6　H型钢孔型设计

H型钢的轧制方法很多，但大致可分为两类：一类是在二辊式轧机上轧出异形坯而后在四辊万能轧机上精轧；另一类用连铸异形坯，在二辊开坯机和四辊万能轧机上精轧。二辊式轧机开坯时的孔型设计同工字钢孔型设计相同。万能轧机的孔型设计则包括辊型设计和压下规程设计两部分。辊型设计包括以下内容：（1）水平辊直径与立辊直径的选择。水平辊直径取决于所轧H型钢的边宽度b，b值大，水平辊直径大，立辊直径的大小取决于轧辊强度。（2）水平辊和立辊辊身长度设计。水平辊辊身取决于所轧产品的腰高，立辊辊身长取决于产品的边宽，并留有一定余量。（3）水平辊侧面斜度和立辊辊面锥度的确定。水平辊侧面斜度和立辊辊面锥度是一致的，成品孔型一般取0～15′，成品前的万能孔型通常为4°～8°。

压下规程设计时必须使各道次轧件腰部和边部的延伸相等或接近相等。违反这一原则将会引起很大的质量问题。若腰部的延伸系数比边部的延伸系数大时，则腰部将会出波浪；若二者相反，则边部将出波浪或导致腰裂。若腰部的延伸系数与边部的延伸系数相差很大时，可能使边部和腰部分开，完全不能轧制。在万能孔型中为保证H型钢正常轧制，必须使腰部和边部横断面积的相对变化相同或接近相同。

轧制H型钢时还应注意"对称轧制原则"，即要使轧件的断面对称轴和轧辊孔型的对称轴一致，否则将出现两边长短不一的问题，为此在万能轧机前后，没有随动可调的导卫装置。

9.2.2　钢轨

钢轨作为铁路运行轨道的重要的组成部分，与铁路具有同样悠久的历史。在1840年前后就开始了钢轨的生产。钢轨的横断面形状由轨头、轨腰和轨底三部分组成。轨头是与车轮相接触的部分；轨底宽度较大，是接触轨枕的部分。最早的钢轨横断面形状为圆形，很快就演变成现在的形状。英国曾出现过L型钢轨和双头钢轨。在现代化铁路运输生产中，世界各国对钢轨的技术条件有不同的要求，但钢轨的横断面形状都是一致的。钢轨的规格以每米长的重量来表示。其品种有轻轨、重轨、电车轨及吊车轨等。普通钢轨的重量范围为5～78kg/m，起重机轨重可达120kg/m。常用的钢轨规格有9、12、15、22、30、38、43、50、60、75kg/m。通常将30kg/m以下的钢轨称为轻轨。在此重量以上的钢轨称为重轨。轻轨主要用于森林、矿山、盐场等工矿内部的短途、轻载、低速专线铁路。重轨主要用于长途、重载、高速的干线铁路或地铁。也有部分钢轨用于工业结构件。电车轨用在市内有轨电车上，吊车轨铺在厂房的吊车轨道上。现代化的铁路，载重量不断增长，时速越来越高，因此对钢轨的强度、韧性和耐磨性等均提出越来越高的要求。为保证钢轨有较大的纵向抗弯截面模数而不断增加轨底宽度和轨腰高度，从而使钢轨单重达到70kg/m以上。以重型钢轨代替较轻型钢轨是世界各国干线铁路发展的共同趋势。高速铁路的发展又对重轨提出了高尺寸精度和高平直度的要求。为了减少重轨接头带来的问题，现代化铁路将单根重轨长度由原来的25m，加大到100m，并采用焊接方法进行连接。

钢轨的使用缺陷主要有断裂、踏面磨损、踏面剥离、压溃等等。为适应铁路运输高速、重载的需要，除使用大断面钢轨外，还要求钢轨有更高的强韧性。提高强韧性有两个途径：合金化和热处理。俄罗斯、美国和日本等国主要采用钢轨热处理的方法提高强韧性，对钢轨进行轨头全长淬火。西欧一些国家则采用合金化钢轨以提高强韧性。

由于使用性能的要求，重轨生产的工艺比一般型钢更复杂，要求进行轧后冷却、矫直、轨端加工、热处理和探伤等工序。图3-9-4为重轨工艺流程的例子。

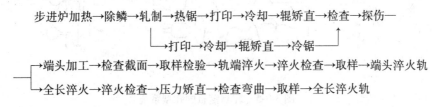

图3-9-4 重轨生产的工艺流程举例

9.2.2.1 重轨的轧制

重轨的轧制方式分为两辊孔型法和万能孔型法。两辊孔型法是一种传统的轧制方法，按孔型配置方式的不同又分为直轧法和斜轧法两种，在一般二辊或三辊轧机上采用箱形—帽形—轨形孔型系统进行轧制。为了保证轧出足够宽的轨底，需用足够高的矩形坯料，1～2个箱形孔，3～4个帽形孔，5～6个轨形孔。斜轧法将轨形孔采用斜配置，与直配置相比不但减少了孔型轧槽深度，增大了轧辊强度，有利于加大变形量，而且还减少了辊径差和轧辊重车量、提高了孔型使用寿命，被较多采用。万能孔型法是利用万能轧机轧制重轨。万能轧机是由一对水平辊及一对立辊所组成，其轧辊轴线在同一垂直平面内，立辊可为主动或被动，但需保证辊面线速度与水平辊一致。在四辊轧机后，紧跟一架二辊水平轧机，作为辅助成型机架，轧制钢轨的端部，主附机架均为可逆式，在轧制中形成连轧，轧制方法类似于H型钢轧制。由于万能孔型轧制法不存在闭口槽，为上下对称轧制，所以轧件内部残余应力小，轧辊的磨损减轻，轧制能耗下降，而且轧件的尺寸精确，轨底加工好，轧机调整灵活。轧制高速铁路用重轨的效果优于二辊孔型，与二辊孔型法相比，产量可提高1.8倍，作业率提高10%，辊耗降低20%。工业先进国家主要的大、中型型材轧机都是万能轧机，故重轨也是由万能孔型轧制为主。两辊孔型法和万能孔型轧法的孔型系统见图3-9-5所示。

9.2.2.2 重轨的冷却

轧后的重轨经热锯切头切尾和定尺长度后送往冷床或缓冷坑冷却。重轨的轧后冷却分为自然冷却和缓冷两种方式。当炼钢厂采用无氢冶炼方法时（转炉冶炼钢和真空脱气法），重轨轧后可直接在冷床上冷却，而在其他情况下，为去除钢轨中的氢，防止冷却过程氢析出而造成的白点缺陷，将重轨放在缓冷坑中冷却，或在保温炉中进行保温，以使氢从重轨中缓慢析出。

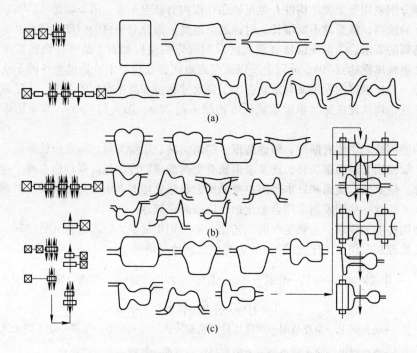

图 3-9-5　轧制钢轨的孔型系统
（a）斜轧孔型系统；（b）直轧孔型系统；（c）万能孔型系统

采用自然空冷时，为使轧件冷却均匀，防止由于重轨头、底温度不均产生收缩弯曲，影响矫直质量，重轨在上冷床时要求侧卧，使相邻重轨头、底相接，冷却至 200℃ 以下时，方可吊下冷床进行矫直。矫直温度要求低于 100℃。

当采用缓冷工艺时，重轨在冷床上冷却至磁性转变点温度以下，便由侧卧翻正，用磁力吊车成排吊往缓冷坑。重轨入坑温度一般为 550 ~ 600℃，每排重轨间用隔铁隔开，以保证缓冷均匀，有的车间在缓冷坑内还设置辅助煤气烧嘴，以补充热量维持应保持的温度。重轨装满缓冷坑后立即加盖盖好，缓冷时间一般为 5 ~ 6h，待坑温降至 300℃ 左右揭盖，然后在坑内仍停放 1.5h，以减少可能产生的温度应力，重轨出坑后在 100℃ 以下温度进行矫直。

当采取等温炉保温时，重轨冷却至 500 ~ 550℃ 后入炉保温 2 ~ 3h，再随炉冷却至 200℃ 左右出炉。

9.2.2.3　重轨的轨端及轨头全长淬火

火车车轮在通过两根重轨接头处会产生较大的振动和冲击，因此要求重轨端部有足够的强度、韧性和耐磨性，避免轨端过早报废而影响整根重轨寿命，因此轨端需要淬火以提高其力学性能。轨端的淬火工艺如下，将重轨两端 80 ~ 100mm 长的一段放在 2500Hz 的感应加热器内快速加热至 880 ~ 920℃，然后喷冷却水淬火至 450 ~ 480℃，再利用自身余热回火，从而得到均匀的索氏体组织，使重轨端部得到所要求的力学性能。这种方法简单易行，可以在生产线上实现自动化程序控制。但由于只对重轨端局部进行淬火，还难以满足弯道、隧道等特殊地段对轨头全长的性能要求，加上干线铁路上的钢轨已由短轨焊接为长轨，故轨端淬火已逐渐为轨头全长淬火所取代。

钢轨全长淬火的目的在于提高整根重轨头部的强度、韧性和耐磨性，以适应高速重载列车运行线路和弯道、隧道等特殊地段的要求。经过轨头全长淬火的重轨，与未经处理的重轨相比，可提高使用寿命两倍以上。

按淬火工艺的不同，重轨轨头全长淬火可分为轧后余热淬火和重新加热淬火两类。后者按其加热热源不同，又有电感应加热和火焰加热两种，淬火介质可为水、汽水混合物、油，淬火后利用自身余热回火。

钢轨全长淬火的要求是：重轨头部踏面下为索氏体组织，并呈帽形分布，有一定的淬透深度，各部冷却均匀，残余应力小，处理后重轨的弯曲度小，便于矫直。

轧后余热淬火的设备置于重轨轧制生产线上，并利用终轧后的温度对重轨进行淬火，该工艺生产效率高，成本低并且占地面积小。但这种方法要求生产节奏稳定，并能够根据来料的温度波动自动调节淬火时间和用水量，以保证得到稳定的组织和性能，因此常采用计算机自动控制。淬火后轧件利用自身余热回火，要求在冷床上均匀冷却，然后矫直、钻眼、检查、入库。

重轨重新加热淬火可以在单独的淬火生产线上进行，生产组织比较灵活，但需要有中间仓库，再加热设备和淬火前后的处理设备，能耗较高，占地面积和投资均较大。由于重轨轨头全长淬火时，重轨受热不均要产生纵向弯曲，故有时在淬火前将其反向预弯，有时采用夹持防弯装置，或在淬火冷却后重新矫直。

钢轨首先经过辊式矫直机进行矫直，如矫直后仍有残余弯曲，则可用压力矫直机予以补充矫正。最先进的矫直方法是采用带有水平辊和立辊的联合矫直机组，可同时矫直立弯和旁弯。

9.2.2.4   重轨的轨端加工

重轨端部加工包括铣头、钻眼等工序以及轨端高频感应淬火等构成专用加工线。有的生产线采用高效能的联合加工机床，利用冷锯代替铣床，可同时进行锯头、钻孔和倒棱作业。每根重轨的加工时间仅需 20s。钻眼的钢轨适合于重轨间用鱼尾板机械连接的场合，如果重轨采用焊接连接，则可免去钻眼工序。

9.2.3   经济断面型材和深加工型材

近年来，各部门对型材需求的提高，目前世界各国都普遍重视和发展经济断面型材和深加工高精度型材的生产。

经济断面型材是指断面类似普通断面的型材，但断面各部分金属分布更加合理或减少钢材断面面积，既能保证使用要求，又可节约金属的钢材，使用时的经济效益高于普通型材的型材。根据形状和用途的不同，经济断面主要品种有 H 型钢、轻型薄壁型材和专用经济断面型材；根据生产方式的不同，经济断面钢材可分为纵轧、冷弯、热弯、楔横轧和斜轧等经济断面钢材。

H 型钢由于其腰薄、边宽、高度大、规格多、翼缘内外侧平行和边端平直的特点，是一种用途广泛的经济断面型材。国际上 H 型钢的发展十分迅速，品种规格日益增加，产量的增加也更加迅速。

随着轧钢生产设备和工艺技术的进步，特别是低合金钢的发展与应用，为了提高金属的利用率、节约金属、降低建筑结构和机器的重量和成本，而使经济断面型材得到了迅速发展。轻型薄壁型材有轻型工字钢、轻型槽钢及角钢，它们比普通工字钢、槽钢的腰薄、边宽、腿内侧斜度小。既可以节约金属，又减少用户的加工费用，因此可以显著提高社会经济效益。

专用经济断面型材是指用于专一用途的型材。开发专用经济断面型材，对提高金属利用率以及对提高社会经济效益具有重要意义。常见的专用经济断面型材有重轨、垫板、接板、汽车轮辋、汽车挡圈、汽车锁圈、槽帮钢、吊车轨、轻轨、帽型钢、球扁钢、钢桩、履带板、U 形钢、叶片钢、船用窗框钢等，广泛用于铁路运输、汽车制造、机械制造、船舶制造、建筑行业、煤炭工业等。

　　深加工高精度型材是指用冷轧、冷拔、冷弯等加工方法，用板带、热轧型材或棒线材作原料而制成的各种断面形状的型材。深加工型材一般具有光滑表面(0.8μm)、平整度、高尺寸精度和优良的力学性能或者是具有热轧型材所不能获得的断面形状。它比热轧型材利用率高，并且重量小、强度大、性能好，可以满足许多特殊需要，因此得到了广泛的应用和迅速发展。深加工型材应用于国民经济的许多部门，已经成为现代轻工业、建筑业、机械制造业、汽车和船舶等交通工具制造业的重要原材料，如制造摩托车、自行车构架，电冰箱和洗衣机等家用电器及仪器仪表的外壳，建筑行业用的冷拉预应力钢筋、轻型房屋构架用的冷弯型钢，钢丝绳、钢丝网等钢丝制品均属深加工高精度型材。深加工高精度型材早期在欧洲从 17 世纪开始生产，但得到迅速发展还是 20 世纪 50 年代以后的事。它在现代工业所需钢材中所占的比重将会继续增大，故其生产也必将会得到迅速发展。

9.3　大型型材轧机的典型布置形式

　　型钢轧机的布置形式，绝大多数是横列式和串列式布置，以生产 H 型钢为主的万能轧机有少量的半连续式布置。

9.3.1　串列式

　　典型的串列式大型型钢轧机多数是万能轧机，其轧机组成最常见的方式是：粗轧机为一台或两台二辊可逆式开坯机（简称 BD 机），中轧机是一组万能-轧边端-万能 3 机架可逆连轧机组（简称 UEU 机组）或者是一组或两组万能-轧边端可逆连轧机组（简称 UE 机组），精轧机是一台成品万能轧机（简称 U_f 轧机）。见图 3-9-6 所示。

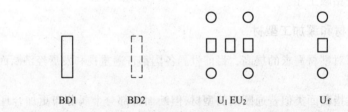

BD1　　　　　BD2　　　　　U_1 EU_2　　　　U_f

图 3-9-6　串列式大型型钢轧机的典型布置

　　大型型钢轧机在布置形式上近年来有以下发展。

　　（1）各架万能轧机可根据需要很方便地转换成两辊轧机。

　　（2）以生产 H 型钢为主时，不设置万能精轧机，NEU 机组形成 X-H 孔型系统，在 H 孔型直接轧出成品，优点是大大缩短厂房长度。

9.3.2　横列式

　　横列式大型型钢轧机以一列式和两列式最多，这种布置的历史最悠久。两列式布置，其BD 机一般为两辊可逆开坯机，第二列的轧机为三辊轧机。一列式布置的机架一般是三辊轧机。对于产品品种较多的情况，横列式大型轧机有其优越性，即使在工业先进国家，这种布置形式也还是有广阔的生存空间。如果在多列的横列式布置的轧机中再装备 1～2 架万能轧机，则横列式布置的轧机将具有很强大的市场竞争力。

9.3.3 半连续式

大型型钢半连续式布置的轧机多见于万能连轧机，其布置见图3-9-7所示。在万能连轧机组前有一台或两台二辊可逆开坯机，万能连轧机由5~9架万能轧机(U)和2~3架轧边端机(E)组成，万能轧机数目较多时，则分成两组。从设备条件上看，万能连轧机由于是连续布置，应该最适合于生产轻型薄壁的H型钢。但实际上，H型钢在连轧时，由于轧件形状的限制，在整个连轧线的长度上，轧辊冷却水充满了由轧件腰部、两条上腿和上、下游轧辊所组成的空间，无法排出，轧件腰部温降很快，故万能连轧机轧制轻型薄壁型材的优点并不明显。另外，由于型材的市场常常要求多规格、小批量，因此连续式布置满足这种要求既有困难也不经济。故在世界范围内，万能型钢连轧机的数量并不多。

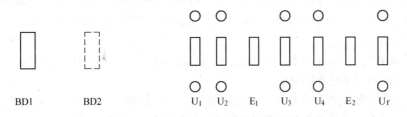

图 3-9-7 半连续式万能型钢轧机的典型布置

9.4 二辊孔型与四辊万能孔型轧制凸缘型钢的区别

9.4.1 凸缘型钢的轧制特点及使用万能孔型轧制凸缘型钢的优点

异型钢材的共同特点是具有腰部和边部（或称为腿部），且边与腰之间互相垂直或者成一定的角度，如工字钢、槽钢、钢轨、丁字钢、窗框钢或其他有凸缘的型钢等，因此也称作凸缘型钢。轧制这类型钢时，常用开闭口边交替轧制或在开口边或在闭口边连续轧制。研究异型钢材变形时，常以工字钢为对象，这是由于轧制工字钢时所用的孔型具有开口边和闭口边以及腰部，因此它有较强的代表性。

9.4.1.1 二辊孔型轧制凸缘型钢的轧法及轧不出平行边的原因

由轧辊形状和轧件的变形特性所决定，两辊孔型轧制凸缘型钢最大的困难在于轧不出薄而且高的边（腿），因为边和辊面是相互垂直的。为了轧出来，只有采用带所谓开、闭口边的孔型，见图3-9-8所示。这种孔型在轧制过程中存在以下问题：

（1）除腰部外，孔型横断面上各处变形程度不同。

（2）轧件的边部必须带一定的斜度，不能轧出内外侧均无斜度的平行边。

（3）轧辊消耗大，其原因一是辊环直径大，二是斜度小时轧辊的车修量大，三是辊面上线速度差大。

（4）动力消耗大。

（5）产品尺寸精度低。

（6）轧制效率低，对轧边部来说，两道才能顶一道。

（7）闭口边的楔卡使轧件边宽拉缩严重。要轧出一定的边宽必须用断面高度更大的坯料。

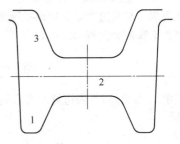

图 3-9-8 两辊轧机轧制
普通工字钢的孔型
1—闭口边；2—腰；3—开口边

　　这种孔型是轧不出来带平行边、宽边的薄腰 H 型钢的。轧不出平行边的原因主要是由于孔型的侧壁不能无斜度，无斜度则轧辊不能车修，轧件难以脱槽。轧不出宽边的原因是辊径差太大。例如 650 轧机轧制边宽为 150mm 的产品，最大的辊径为 ϕ850mm，而最小的辊径为 ϕ480mm，在实际生产中，使用 ϕ850mm 的大轧辊，而强度却只能按 ϕ480mm 计算，工具费用消耗很大。辊径差大的另外两个后果，一是沿着轧件的边部轧辊的线速度差大，轧辊磨损严重，二是边高拉缩严重。轧不出薄腰的原因主要在于二辊轧机总是要多配几个孔型，辊身长度大，弹跳大，故腰部不能轧薄，要轧制出边部薄而高的凸缘型钢，从孔型方面来考虑，使用万能孔型是最有效的。

　　9.4.1.2　使用万能孔型轧制凸缘型钢的优点

　　(1) 立辊从左右方向直接压下，可直接轧制薄而高的平行边。

　　(2) 轧制过程中轧件的边高拉缩小，要求的坯料高度小，因此可以不用或少用异形坯。粗轧的道次可以减少，在万能孔型中轧制时可以直接对边部施加以较大的压下量，得到较大的延伸，减少总道次数。

　　(3) 只简单地改变压下规程（辊缝），就可以轧出厚度不同的产品。另外通过轧边端孔型的调整，可以同时改变边部的宽度。

　　(4) 孔型中的辊面线速度差小，轧辊的磨损较小并且均匀。另外由于轧辊的几何形状简单，容易使用具有高耐磨性能的新型材料轧辊。轧辊的加工和组装也比较简单。

　　(5) 轧制过程一般是在对称压下的情况下进行，变形相对比较均匀。

　　(6) 不依靠孔型的侧压和楔卡使轧件变形，因此轧件的表面划伤较小，轧制动力消耗小。

9.4.2　轧件在万能孔型和轧边端孔型中的变形特点

　　H 型钢的轧制要使用万能孔型和轧边端孔型。前者的作用是将边部和腰部轧薄，使轧件延伸。后者的作用是在加工边端。在这两种孔型中轧件的变形都有各自的特点。

　　9.4.2.1　轧件在万能孔型中的变形特点

　　(1) 腰部和边部的变形区形状近似于平辊轧板。水平辊轧腰的变形区形状就是平辊轧板，但轧件的变形受到边部的影响。边部变形区，水平辊侧面是一个半径极大的双曲面，接近于平板，立辊是一个圆或者是一个接近圆的椭圆，相当于在一个平板和圆辊之间轧板。由变形区形状所决定，在万能孔型中轧件的变形较均匀，远远好于两辊孔型轧制工字钢。所以辊耗、能耗都比较小，是一种较经济的轧制方式。

　　(2) 边部和腰部的变形互相影响。边部的变形大，将对腰部产生拉延；反之，则腰部拉延边部。对宽边产品，边部拉腰部的现象明显，因为边部的断面积远大于腰部。用 F_y 和 F_b 分别表示腰部和边部的断面积

$$F_b = 2tb$$

式中，t 为边厚；b 为边宽。考虑到腰厚 d，一般是边厚的 0.75 以下，并且 b 不小于腰高 h，于是

$$F_y = d(h - 2t) = 0.75t(h - 2t) = 0.75th - 1.5t^2$$

$$\frac{F_b}{F_y} = \frac{2tb}{0.75th - 1.5t^2} = \frac{2b}{0.75h - 1.5t} \geqslant 3$$

这种情况下，如果边部的压下大，则腰部很容易拉薄，甚至不接触轧辊，腰部的表面质量很差。

反之，腰部也拉边部，虽然情况不会有边部拉腰部那么严重，但也不可忽略。尤其是对于窄边的产品，腰部压下大将边宽拉小，边宽是很不容易轧出来的，除非是特殊情况，应避免拉小。在孔型设计时应充分考虑这一点。

（3）腰部全后滑。从定性上说，立辊是被动的，水平辊侧面从边根向上立辊辊面上各点的线速度越来越小，所以轧件的出口速度低于水平辊的名义线速度。

（4）边部的变形区长，立辊先接触轧件。如果轧件咬入端是一个平断面，腰部无舌头，则咬入将出现困难。在生产中要注意切头后是否影响万能孔型的咬入。日本最早建设的万能轧机，曾经将轧边端机放在万能轧机之前，以保证咬入。设计万能孔型时，最好使来料的内腔比水平辊的宽度小 1~2mm，以保证咬入。

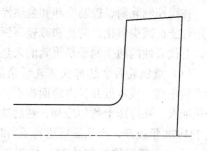

图 3-9-9　万能孔型轧后轧件边端的形状

（5）轧制后边端不齐，外侧宽展大，见图 3-9-9。造成这种现象的主要原因一是水平辊侧面对边部内侧的金属质点作用有向下的摩擦力；二是边部内侧轧辊的线速度差大，轧件出辊时要保持一个整体，边端受到边根的拉缩，类似于轧件闭口边的拉缩；三是边部外侧立辊的压下量大，宽展也大。由于边端不齐，所以为了保证产品质量，轧边端孔型是必不可少的。

9.4.2.2　轧件在轧边端孔型中的变形特点

（1）从变形区形状参数 l/h 可知（l 为变形区投影长度，h 是变形区的平均高度），轧边端过程是典型的高件轧制。轧制时的变形深入不下去，宽展集中在轧辊接触面附近，形成明显的双鼓变形，造成轧件边端局部增厚。双鼓局部增厚的边部在后续的万能孔型中产生不均匀压下，一是造成强迫宽展，边宽又得到恢复，二是造成水平辊侧面和立辊的不均匀磨损，对应双鼓局部增厚处出现槽沟。因此，轧边端的压下量应尽量小，只要轧平边端即可。

（2）轧边端时变形区内轧件的断面形状是窄而高，边根不能横向移动，边端受到摩擦力的约束，压下量一旦过大，轧件边部会出现塑性失稳而弯曲，将达不到轧边端的目的。由于这一原因，轧边端压下量也不能过大，一般情况下，轧边端道次的压下率不应大于5%。

（3）由于轧边端时轧件与轧辊的接触面很窄，压下量较小，接触面积很小，所以在万能—轧边端往复可逆轧制时存在着张力饱和现象。张力一旦加大，轧边端孔型中的轧件将被拉住或者拔出。可以自动调节张力。

9.5　大、中型型钢生产新技术

9.5.1　连铸异型坯及连铸坯直接热装轧制

过去，由于技术水平的限制，连铸只能生产断面形状简单的坯料。生产大型工字钢、槽钢、钢板桩和 H 型钢等产品所需要的异型坯只能通过轧制的方法得到。近年来，近终形连铸技术有了迅速发展，连铸异型坯已经可以满足大生产的要求。使用连铸异型坯可以大大缓解型钢轧制中开坯机的压力，明显减少开坯机的异型孔型数量，减少轧制道次，例如，使用连铸板坯轧制 H 型钢，在开坯机往往需要轧制19~23道次，而使用连铸异型坯则只需7~9道次。开坯道次减少，可以降低坯料的加热温度；减少轧辊消耗；缩短轧制周期；使用连铸异形坯可减少轧件腰、腿的不均匀变形，使头尾过渡区缩短，减少切头、尾量，有明显的经济效益。我国于1997年投产的某大型万能轧机使用连铸异形坯，生产从 H200mm 到 H700mm 的 H 型钢，在生产线上只配置了一台开坯机，运行情况良好，连铸坯直接热装轧制（CC-DHCR）技术在我国也有应用。

9.5.2　在线控轧控冷和余热淬火

在线控制轧制、控制冷却和余热淬火的目的是在不明显增加生产成本的前提下提高钢材的使用性能，减少氧化，防止和减轻型钢的翘曲和变形，降低残余应力。在大型钢材生产的领域内，有代表性的两个例子是重轨的余热淬火和 H 型钢的控制冷却。

（1）重轨轧后余热淬火。轧后余热淬火是在轧制线上，利用终轧后的温度进行的淬火，生产效率高，成本低并且占地面积小。要保证得到稳定的组织和性能，淬火后轧件要利用自身余热回火，在冷床上均匀冷却，然后矫直、钻眼、检查、入库。国产的重轨轧后余热淬火生产线于1998年投产，产品质量达到了当时的国际先进水平。

（2）H 型钢的控制冷却。H 型钢在轧制过程中，边部和腰部的温度有明显差别，如果自然冷却，冷却后轧件的残余应力很大，影响产品的使用性能。为了提高产品性能质量和发挥钢的性能潜力，提高冷却速度，在成品机架后要设有控制冷却系统，在冷床上根据 H 型钢的规格尺寸利用喷水进行立冷或平冷，边部和腰部的冷却强度可根据需要进行调整。

9.5.3　长尺冷却和长尺矫直

长尺冷却和长尺矫直，是在精轧机出口处不锯切轧件，在长尺冷床上冷却后再进行矫直锯切。此举的优点是：提高轧件的平直度；减少矫直盲区；提高产品定尺率，减少矫直辊消耗，提高矫直速度和生产率。某些产品例如重轨，实现长尺冷却和长尺矫直对提高产品质量具有特殊的意义。长尺冷却和长尺矫直对车间长度、冷床和冷锯有专门的要求。我国已经有多套长尺冷却和长尺矫直生产线投入使用，但是在整个大、中型型钢生产中采用该工艺的比例尚需进一步提高。

9.5.4　热弯型钢

热弯是用钢坯先热轧成厚度不等并有适当凸凹的扁钢或异型断面的型钢，在轧后余热的条件下，连续弯曲成为开式、半封闭式或封闭式的异型断面型钢。这种工艺优点是：该成型方式既可以生产出热轧方法无法生产的型钢，也能生产出冷弯方法不能生产的型钢，而且利用余热成型，能耗小，材料塑性好，其断面上力学性能均匀，避免了冷弯加工硬化和弯曲处的微裂纹等。

国外近几年开始了一些断面形状简单的热弯型钢的研究和试生产。在美国对一些低塑性的钛板进行了热弯成型的研究。

由于热弯型钢比冷弯型钢可节材10%左右，故每年节材可达几十万吨，再加上节能的经济效益明显，因此值得大力进行研究和开发。

热轧热弯不等壁厚矩形管与相同外形尺寸的冷弯焊接钢管相比较，其断面上的金属分布更为合理，而且产品力学性能指标有所提高，因此可以达到节约金属的目的。冷弯矩形管和热弯不等壁厚矩形管的形状及尺寸如图3-9-10所示。

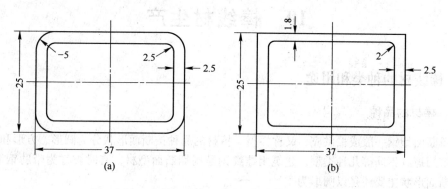

图 3-9-10　冷弯矩形管和热弯矩形管形状尺寸的比较

（a）冷弯矩形管；（b）热弯矩形管

10　棒线材生产

10.1　棒线材的种类和用途

10.1.1　棒材的品种

简单断面型钢一般成根供应，又称棒材。棒材的品种按断面形状分为圆形、方形和六角形以及建筑用螺纹钢筋等几种类型，建筑用螺纹钢是周期断面型材，有时被称为带肋钢筋。棒、线材的断面形状主要还是以圆形为主。

国外通常认为，棒材的断面直径为 $\phi9 \sim 300mm$，国内一般认为：棒材车间的产品范围是断面直径为 $\phi10 \sim 50mm$。

10.1.2　线材的品种

线材是热轧材中断面最小的一种，国内一般把产品断面直径为 $\phi5 \sim 13mm$ 并成盘卷状态交货的产品称为线材。但目前国内外已将线材的断面直径扩大到 $\phi5 \sim 38mm$，呈盘卷状交货的产品最大断面直径规格为 $\phi40mm$。线材的品种按断面形状分为圆形、方形、六角形和异形等。其中主要是圆形。

线材的钢种较多，有普通碳素钢、优质碳素钢、碳素弹簧钢、碳素工具钢、合金结构钢、合金弹簧钢、轴承钢、合金工具钢、不锈钢、电热合金钢等。其中主要以碳素钢和低合金钢为主。

10.1.3　棒线材的用途

棒线材的断面形状简单，用量巨大。我国棒线材的总产量占钢材总产量的比例超过40%，是世界上最高的。预计随着我国经济现代化程度的提高，棒线材在钢材总量中的比例将会逐步降低。

棒线材的用途非常广泛，在国民经济中占有重要地位。棒线材的用途一般分为两类：一是棒线材产品直接被使用，主要用作在钢筋混凝土的钢筋、配筋和焊接结构方面。另一类是经过深加工才能制成成品，深加工产品的用途更为广泛和重要。例如各类商品钢丝及专用弹簧钢丝、焊丝、冷镦钢丝、镀锌钢丝、通讯线、轮胎钢丝及钢帘线、高强度钢丝及钢绞线、轴承钢丝、工具钢丝、不锈钢丝、各种钢丝绳、钢钉和标准件等等。可以说遍布国民经济各个部门，是不可缺少的重要品种。深加工的方式主要有拉拔、锻造、挤压、回转成形和切削等，为了便于进行这些深加工，加工之前需要进行退火、酸洗等处理。加工后为保证使用时的机械性能，还要进行淬火、正火或渗碳等热处理。有些产品还要进行镀层、喷漆、涂层等表面处理。棒线材的分类及用途见表3-10-1。

表 3-10-1　棒线材的产品分类和用途

钢　种	用　途	钢　种	用　途
一般结构用钢	一般机械零件、标准件	易切削钢	机械零件和标准件
低合金钢	钢筋混凝土建筑	工具钢	切削工具、钻头、刀具、模具、制钉、手工工具
优质碳素结构钢	汽车零件、机械零件、标准件	轴承钢	滚珠、滚柱轴承
合金结构钢	重要的汽车零件、机械零件、标准件	不锈钢	不锈钢焊条、医用缝合针、高级铆钉
弹簧钢	汽车、机械用弹簧、钢丝	焊条钢	焊条、焊丝

10.1.4　对棒线材的质量要求

由于国民经济的发展，对棒线材的质量要求更加严格。由于棒线材的用途广泛，因此市场对它们的质量要求也是多种多样的，一是表面质量，二是综合机械性能。根据不同的用途对力学性能、冷加工性能、热加工性能、易切削性能和耐磨耗性能等也各有所偏重。但总体要求是：提高内部质量，根据深加工的种类，材料本身应具有的合适的性能，以减少深加工工序，提高最终产品的使用性能。

用作建筑材料的螺纹钢筋和线材，主要是要保证其化学成分并具有良好的可焊性，要求物理性能均匀、稳定，以利于冷弯，并有一定的耐蚀性。

作为拔丝原料的线材，为减少拉拔道次，要求直径较小，并保证化学成分和物理性能均匀稳定、金相组织尽可能索氏体化，尺寸精确，表面光洁，对脱碳层深度、氧化铁皮等均有一定要求。脱碳不仅使线材的表面硬度下降，而且使其疲劳也降低。近年来，线材轧后冷却较普遍地采用了控制冷却法，使氧化铁皮厚度大大减少，减少二次加工前的酸洗时间，降低了金属消耗，从而提高了成材率。

10.2　棒材生产

10.2.1　棒材的生产工艺

10.2.1.1　坯料

棒材的坯料现在各国都以连铸坯为主，对于某些特殊钢种有使用初轧坯的情况。为兼顾连铸和轧制的生产，目前生产棒材的坯料断面形状一般为方形，边长 120 ~ 150mm。

当采用常规冷装炉时，为了保证钢材表面质量和尺寸公差的要求，对一般钢材可采用目视检查，手工清理的方法。对质量要求严格的钢材，则采用超声波探伤方法或荧光磁粉方法进行检查和清理。

采用连铸坯热装炉或直接轧制工艺时，必须保证无缺陷高温铸坯的生产。对于有缺陷的铸坯，可进行在线热检测和热清理，或通过检测将其剔除，形成落地冷坯，进行人工清理后，再进入常规工艺轧制生产。

10.2.1.2　加热和轧制

加热和轧制工艺流程如下：

$$冷坯加热 \longrightarrow 粗轧 \longrightarrow 中轧 \longrightarrow 精轧$$
$$连铸坯热装加热 \longrightarrow$$

（1）加热。在现代化的轧制生产中，棒材的轧制速度较高，轧制中的温降较小甚至出现升温，故一般棒材轧制的加热温度较低。加热要严防过热和过烧，要尽量减少氧化铁皮。对易脱碳的钢种，要严格控制高温段停留时间，采取低温、快热、快烧等措施。对于现代化的棒材生产，一般是用步进式加热炉加热，由于坯料较长，炉子较宽，为保证尾部温度，采用侧进侧出的方式。为适应热装热送和连铸直轧，有的生产厂采用电感应加热、电阻加热以及无氧化加热等。

（2）轧制。为了提高生产效率和经济效益，适合棒材的轧制方式是连轧，尤其在采用 CC—DHCR 或 CC—DR 工艺时，就更是如此。连轧时，一根坯料同时在多机架中轧制，在孔型设计和轧制规程设定时要遵守各机架金属秒流量相等的原则。在棒材轧制的过程中，前后孔型应该交替地压下轧件的高向和宽向，这样才能由大断面的坯料得到小断面的棒材。轧辊轴线全平布置的连轧机在轧制中需要对轧件进行扭转翻钢，将带来轧件表面易被扭转导卫划伤，轧制不稳定等问题。为避免轧件在前后机架间的扭转，较先进的棒材轧机，其轧辊轴线是平、立交替布置的，立辊轧机由于需要上传动或者是下传动，故投资明显大于全平布置的轧机。棒材生产轧制道次多，而且连轧，一架轧机只轧一个道次，故棒材车间的轧机架数多。现代化的棒材车间机架数一般多于18架。为提高产品的组织性能和质量往往采用控制轧制和控制冷却技术。

10.2.1.3　冷却和精整

棒材一般的冷却和精整工艺流程如下：

　　──飞剪──控制冷却──冷床──定尺切断──检查──包装
　　　　　（余热淬火）　　　　　　　　（探伤）

由于棒材轧制时轧件出精轧机的温度较高，对优质钢材，为保证产品质量，要进行控制冷却，冷却介质有风、水雾等等。即使是一般建筑用钢材，冷床也需要较大的冷却能力。

有一些棒材轧机在轧件进入冷床前对建筑用钢筋进行余热淬火。余热淬火轧件的外表面具有较高的强度，内部具有较好的塑性和韧性，建筑钢筋的平均屈服强度可提高约1/3。

10.2.2　小型棒材轧机的布置

小型棒材轧机种类繁多，轧机的类型和布置形式多种多样，过去曾经使用的主要有连续式、半连续式和横列式小型轧机。在现代化的钢材生产体系中，棒材都是用连轧的方式生产的。棒材车间的轧机数目一般都比较多，分成粗轧、中轧和精轧机组。

10.2.2.1　小型棒材轧机的布置

（1）横列式轧机。最早的棒材轧机都是横列式轧机。轧线由一架或两架三辊式 φ400mm 轧机和一列 5~7 架 φ250mm 轧机组成，在轧后仅有简易的冷床、冷剪和简易收集台架。多数横列式小型轧机使用 55~90mm 方坯作原料，生产 φ12~25mm 的圆钢和螺纹钢，年产量在 2~12 万 t 之间。

横列式轧机因为有扭转轧制，精轧机列间有围盘，速度低，生产率低，轧件头尾温差大，产品精度低，坯料的规格小，单重小，收得率低，这些横列式轧机所固有的缺点仍无法克服，淘汰或改造现有横列式小型轧机已是历史发展的必然。

（2）半连续式小型轧机。半连续式轧机是由横列式机组和连续式机组组成的。其粗轧机多为一架或两架三辊式轧机，采用箱形孔共轭轧制。半连续式小型轧机粗轧机的另一种形式是机架横移的二辊可逆式轧机。半连续式小型轧机的缺点是横列式机组限制了轧制速度，不易实现自动化，影响轧机的经济技术指标。

（3）连续式小型轧机。连续式小型轧机是当今世界上最为流行、用得最多的一种小型轧机。常用坯料为 130mm × 130mm ~ 150mm × 150mm，坯料单重为 1.5~2.5t。小型连续式轧机的经济规模在年产 30~60 万 t 之间。

近年来，新建棒材轧制线的轧机多为平、立交替布置，实现全线的无扭转轧制，以利于提高产品的表面质量，减少操作事故。机架多为偶数道次组合，对于不同的坯料规格和成品尺寸有18架、20架、22架甚至24架的不等的小型轧机，但轧制线由18个机架组成的小型轧机是当今最为典型的碳素钢小型轧机，并分为粗、中、精轧机组，其间设飞剪供切头、分段和处理事故之用。

粗轧机组采用易于操作和换辊的机架，中轧机组采用短应力线的高刚度轧机，电气传动采用直流单独传动或交流变频传动，微张力和无张力轧制是现代全连续式小型轧机又一明显的特点。粗轧和中轧的部分机架为微张力控制，中轧的部分机架和精轧机组为无张力控制。机架之间设有气动立式上活套，以实现无张力轧制保证产品的尺寸精度。在设备上，进行机架整体更换和孔型导卫的预调整并配备快速换辊装置，使换辊时间缩短到 5~10min，轧机的作业率大为提高。

10.2.2.2 型、棒材一体化节能型轧机

型、棒材短流程节能型轧机是当今型、棒材一体化轧机发展的重要趋势。在这方面意大利、德国等均开展了大量的研制工作。至今，意大利的 DANILI 公司已生产了 4 台这种类型的轧机，其中 1 台建在我国某钢铁厂。这 4 台轧机的布置形式虽各有不同，但其基本设计思想是一致的。图3-10-1 示出了在我国某厂所建的型、棒材一体化轧机，它采用了直接热装的短流程节能型轧机的设备布置。

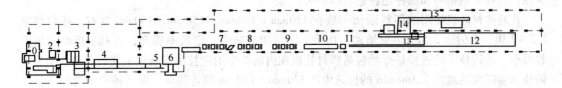

图 3-10-1 我国某钢铁厂型、棒材一体化节能型轧机车间平面布置图

0—钢包炉；1—钢包回转台；2—连铸机；3—钢坯冷床；4—热存储装置；5—冷上料台架；

6—步进式加热炉；7—粗轧机；8—中轧机；9—精轧机；10—水冷装置；11—分段剪；12—冷床；

13—多条矫直机和连续定尺冷飞剪；14—非磁性全自动堆垛机；15—打捆机和称重装置

厂房设备布置的主要参数为：原料规格：120mm × 120mm × 12000mm，150mm × 150mm × 12000mm。产品规格：圆钢 $\phi1260mm$，螺纹钢 $\phi1050mm$，扁钢（25mm × 5mm）~（120mm × 12mm），角钢（25mm × 5mm）~（100mm × 12mm），（45mm × 28mm × 4mm）~（100mm × 80mm × 10mm），槽钢（50mm × 37mm）~（126mm × 74mm），六角钢 13~53mm，方钢 12~50mm，工字钢 100~126mm。钢种：低碳钢、中碳钢、低合金钢、弹簧钢、齿轮钢。年产量：40 万 t。

连铸机为 4 流（预留第 5 流），拉速 2.2m/min，产量 90.8t/h。步进式加热炉，燃料为重油，炉底有效面积 12000mm × 14500mm，最大生产能力 120t/h。

粗轧机：6 架悬臂式，轧辊尺寸 $\phi685/590mm × 300mm$（1~3 架），$\phi585/590mm × 300mm$（4~6 架），电机功率 450kW。中轧机：6 架短应力线式，轧辊尺寸 $\phi470/405mm × 700mm$，电机功率 750kW。精轧机：6 架短应力线式（13~18 架）轧辊尺寸 $\phi470/405mm × 700mm$（13~15 架），$\phi370/320mm × 600mm$（16~18 架），电机功率 750kW，轧机产量约为 100t/h。全部机架配有辊缝自动控制装置（AGC），出口装有余热淬火—回火装置。齿条步进式冷床尺寸 96m × 14.6m，配有堆垛退火装置。具有一套全目标自动化系统，保证恒定的产量和质量。

连铸坯被切成长度为 12m 的定尺送至加热炉。运输辊道带有可开启的保温罩。可根据不同的条件将隔热罩打开或关闭，以控制入炉温度。在运送过程中通过红外测温仪对连铸机进行温度测量和控制。用光电测量装置测量坯料长度，对其中不符合要求者剔除，使进入加热炉的坯料完全满足温度和长度的要求。加热炉配有先进的优化燃料系统，使加热炉能在不同坯料入炉温度条件下，不降低炉子的产量。加热好的坯料用高压水除鳞后，经粗轧、中轧和精轧，轧成所需的规格。粗轧机只有一套系统，共用于全部产品。中、精轧机的孔型系统是按产品分组对应的。每一组轧机后设有飞剪，对轧件进行切头和切尾。由精轧机后的飞剪切成定尺。在精轧机后设有在线淬火-回火装置，对钢筋轧后进行余热淬火-回火处理。步进式冷床对轧件进行冷却，并同时对轧件进行矫直。在冷床的堆垛缓冷装置上，使弹簧扁钢缓慢冷却，使其最终硬度适合冷剪。冷却后轧件经全自动化的多条矫直，连续定尺飞剪，非磁性堆垛，棒材计数，短

尺收集，打捆，称重和贴标签等一系列现代化处理。

综上可见，这种型、棒材一体化节能型轧机在生产中具有设备先进，自动化程度高，在一台轧机上可以生产质量高的多种产品，金属的收得率高，生产率高，生产周期短，操作人员少。

10.2.3　棒材轧制新技术

10.2.3.1　直接使用连铸坯

目前，普通碳素钢、低合金钢和大部分合金钢棒材轧机都以连铸坯为原料，并且以连铸坯为原料的合金钢钢种和品种还在进一步扩大。

普通棒材轧机使用的坯料断面一般在 130mm × 130mm ~ 150mm × 150mm 左右，坯料单重 1.5 ~ 2.0t，有的达 2.5t。单重增加，切头、尾量相对减少，定尺率提高，有利于提高金属的收得率。连铸技术的进步是推动包括棒材轧机在内的整个冶金技术发展最主要的动力。高速连铸技术可以成功地以 4.3m/min 的拉速生产 130mm × 130mm 的连铸坯，即连铸机单流的产量已可达 33t/h。以连铸机本身而言，无论是从质量还是从产量角度，都不需要更大断面的铸坯，小型轧机更应充分利用连铸的成果，以减少机架数量和轧制过程的变形功。

随着合金钢连铸技术水平的提高，优质碳素钢、合金结构钢、弹簧钢、奥氏体不锈钢、轴承钢等现在都可直接进行连铸。合金钢连铸坯向中断面过渡的趋势将加快，更多的合金钢钢种和品种正在采用 160mm × 160mm ~ 240mm × 240mm 的连铸坯，300mm × 300mm 以上的大方坯的数量在逐渐减少，因此减少连铸机和棒材轧机的投资，推动棒材轧机生产水平的提高。

10.2.3.2　连铸坯热装热送或直接轧制

随着连铸技术的日趋完善，已经实现了无缺陷铸坯的连续生产，这就使热送热装具有实际的应用价值。连铸坯以 650 ~ 800℃ 热装热送，这相当于加热炉能力提高了 20% ~ 40%，烧损量比冷装坯减少 0.2% ~ 0.3%，节省燃料 30% ~ 45%。若采用高温直接热装工艺，如意大利的"黑匣子"CC-DHCR 工艺，在 900 ~ 1100℃ 装炉，则节能达 80% ~ 85%。同时热送热装技术还可以减少钢坯的库存量和仓库面积，减少设备和操作人员，缩短生产周期，加快资金周转，降低生产成本，获得相当的经济效益。热送热装技术的应用需要用连铸连轧生产的管理模式来组织，即全流程的在线、离线协同化，保证时间顺序节奏的匹配和工序节奏的匹配。要适当解决连铸和轧钢之间节奏的不平衡情况，连铸坯的缓冲措施有：设置保温罩（坑），双步进梁式的加热炉；热坯从中间装入，冷坯从炉尾装入的双段炉等多种型式等。

10.2.3.3　柔性轧制技术

实现了连铸热装热送甚至连铸坯直接轧制等先进的工艺以后，对于小批量、多品种的生产，在规格和品种改变时，会增加轧机停机的时间。为减少停机，人们研究了柔性轧制技术，该技术利用无孔型轧制、共用孔型等手段迅速改变轧制规程，改变产品规格。随着三维轧制过程解析手段的进步，柔性轧制技术已经达到实用阶段。另外，长寿命轧辊、快速换辊技术等的日趋成熟都为棒材的柔性轧制技术提供了条件。

无孔型轧制技术可使轧槽寿命提高 1 倍以上，轧辊寿命提高 2 ~ 4 倍，具有优良的除鳞效果，生产时通过调整辊缝来改变压下量，就可实现不同规格坯料的共用，减少换辊时间，可提高轧机作业率。

无孔型轧制的关键是各道轧件的稳定性，因此要控制各道次轧件断面的高宽比，并采用夹持性较好的导卫装置。

10.2.3.4　高精度轧制技术

　　轧制产品尺寸精度的提高会产生巨大经济效益。钢材应用部门连续化自动化作业的迅猛发展，除要求钢材的性能均匀一致外，还要求钢材尺寸精度提高。棒线材的直径公差大小对深加工的影响较大，故用户对棒材的尺寸精度要求越来越高，棒材的高精度化是轧钢技术发展的重要趋势之一。棒材在轧制时，轧件高度上的尺寸是由孔型控制，可以有保证，但宽度上的尺寸却是算出来的或者是根据经验确定的，孔型不能严格限制宽度方向的尺寸。另外机架间的张力和轧件的头、尾温差也会明显地对轧件的尺寸产生影响。为保证轧件的尺寸精度，目前常用的办法是采用真圆孔型和三辊孔型严格控制轧件的高向和宽向尺寸，或在成品孔型后设置专门的定径机组以及采用尺寸自动控制 AGC 系统等，棒材产品的尺寸精度目前可以达到 ±0.10mm。发展的目标是棒材产品的尺寸精度达到 ±0.05mm。

10.2.3.5　低温轧制

　　旧式轧机的轧制速度低，在轧制过程中轧件的温降大，因此把开轧温度提得很高。新式的连轧机轧制速度提高，轧件在轧制过程中产生的变形热，使轧件温度基本维持不变，甚至还有升温，这就为低温轧制创造了条件。

　　低温轧制是指在低于常规热轧温度下的轧制，低温轧制不仅可以降低能耗，减少金属的烧损，并且还可以提高产品质量，可创造很大的经济效益。

　　棒材的低温轧制规程一般有两种。一种是利用连轧机轧件温降很小或升温的特点，降低开轧温度，从 1000～1100℃ 降至 850～950℃，终轧温度与开轧温度相差不大，需要提高轧机的强度，增加电机功率和轧制能耗，但由于加热温度的降低，节约燃料，综合平衡后仍可节约能源 20% 左右。

　　另一种是不仅降低开轧温度，并且利用机组间的冷却段将终轧温度降至再结晶温度（700～800℃）以下，并配合以 40%～50% 的变形量，即完成变形热处理过程，达到细化晶粒、组织均匀，提高钢材的力学和焊接性能、改善钢材表面质量的效果，效果优于任何传统的热处理方法。因此现代化的轧机往往把机组间的距离拉大，有的甚至采用大的侧围盘或增加中间冷却水箱。低温轧制工艺可以实现对晶粒尺寸的控制。目前对低温轧制实施的主要限制是，由于轧机和驱动主电机是按传统的设计参数设计的，因此设备能力不足。

10.2.3.6　无头轧制

　　在轧制过程中，采用连铸连轧或用焊接方法，将加热好的钢坯首尾相接焊在一起，连续供坯，不断轧制，在一个换辊周期内，轧件长度可无限延长的轧法叫做无头轧制。无头轧制的优点是：（1）减少切损。棒材连轧需多次切头，第一次切头断面较大，不切头可提高成材率 1%～2%；（2）棒材定尺率接近 100%；（3）生产效率提高了 12%～16%；（4）对导卫和孔型无冲击，不缠辊；（5）生产成本（能耗和设备维护）降低了 2.5%～3%；（6）尺寸精度高，因为轧制时仅存在着一个头部，所以能明显减少轧件纵向尺寸和性能不均现象。

　　在传统的轧钢生产过程中，相邻轧件间要有一定的间隔，以便给下游留有一定的缓冲时间。从而因轧机频繁咬钢而加大了堆钢出现的概率，同时咬入产生的冲击载荷也会导致设备使用寿命降低，辊耗增大，有效作业率不高等问题。多年来，在棒材轧制方面，人们一直都在致力于如何提高轧机生产率、金属收得率以及生产的自动化。

　　20 世纪 50 年代，苏联就开发了棒材无头轧制技术，但由于相关的技术没有跟上，因此没有得到有效应用。由于连铸和连轧技术的成熟，近年来，又重新刺激了棒材无头轧制技术的发展。

　　棒线材无头轧制技术主要有两种形式：焊接型无头轧制技术（包括 EWR 和 EBROS 工艺）和铸轧型无头轧制方式（ECR）。焊接型无头轧制是在轧机前将前一根坯料的尾部与后一根坯料的头部焊接成一条无头尾的坯料,进入轧机形成一种不间断的轧制,EWR 的生产成本低。EWR 无头连焊连轧在我国钢铁公司已有成功的应用。

铸轧型无头轧制,将高效连铸与直接热轧结合在一条生产线上,使连铸坯在不切断的情况下连续不断地进入轧机,进行不间断的轧制。ECR 无头连铸连轧技术是生产特殊钢和普通钢线材产品的短流程工艺,包括单一的连续的在线热处理、表面精整和检验程序。这种方式要求连铸和轧制这两个工序要极好的衔接。因为一方出问题马上会影响另一方,因此,自动化智能化程度极高。

要实现棒材的无头轧制,头尾对焊和高速剪切是实现无头轧制的核心技术。日本钢管公司(NKK)从 1992 年开始着手研究开发棒材的无头轧制技术,于 1997 年在东京制铁(株)高松工厂开发成功了世界上第一条棒材无头轧制生产线,后来命名为 EBROS(Endless Bar Rolling System),并于 1998 年 3 月投产。

除日本外,意大利的棒材无头轧制技术也已经达到了实用水平。国内无头轧制还处于起步阶段,主要还是引进国外先进的无头轧制技术。

10. 2. 3. 7 切分轧制

应用切分技术是现代棒材轧机的特点之一。切分轧制是指在型钢轧机上利用特殊轧辊孔型和导卫装置将一根轧件沿纵向切成两根(或多根)轧件,进而轧出两根(或多根)成品轧材的轧制工艺。目前切分轧制的主要方法是轮切法、辊切法和圆盘剪切分法。轮切法是用特殊的孔型将轧件轧成预备切分的形状,在轧机的出口安装不传动的切分轮,利用分切力将轧件的连接带切开,这种方法在连轧机上普遍采用,是目前切分轧制的主要方法。辊切法是利用特殊设计的孔型,在变形的同时将轧件切开。此法无需其他辅助设备,操作简单,但要求轧辊孔型的强度和韧性,要求轧辊孔型设计合理准确。圆盘剪切分是轧件在轧制过程中,通过预切分孔型将其轧制成并联形式的产品。在成品轧机后设有圆盘剪,通过剪切而成单根钢坯或钢材。这种方法操作不便,用得较少。目前已能实现棒材的二切分、三切分、四切分,其中多根切分可采用扭转切分法和分阶段切分法。

切分轧制的优点如下:

(1)显著地提高生产率。切分轧制可缩短总的纯轧时间,加快轧制节奏,提高小时产量。如轧制 $\phi 8mm$ 和 $\phi 10mm$ 小规格产品时,若轧制速度相同,则切分轧制的轧机小时产量比单根轧制提高 88% ~91%;在轧制 $\phi 16mm$ 和 $\phi 18mm$ 较大规格的钢筋时,切分轧制的机时产量可比单根轧制提高一倍,从而做到各种规格的产量平衡,使加热炉的能力得到充分发挥。

(2)产品尺寸精度高。采用切分轧制工艺时,头尾温差小,负荷均匀,且切分后两线同时咬入和轧制,可避免单根轧制时轧辊不对称弯曲所造成的尺寸偏差,因此,切分轧制的尺寸精度可比单根轧制提高 5% ~6%。

(3)可以扩大产品规格范围。对已建设好的生产线,采用相同的坯料和轧制制度,可使产品的最小规格范围进一步扩大,如原有生产规格为 $\phi 14mm$ 的产品,通过切分轧制可生产到 $\phi 10mm$、$\phi 12mm$ 的产品。

(4)降低能耗和成本。切分轧制可缩短轧制时间,轧件的热损失较小,可将钢坯的加热温度降低 40℃左右,燃料消耗可降低 20% 左右,电耗可降低 15% 左右,轧辊消耗可降低 15%左右,总的生产费用可降低 10% ~15%。

(5)减少机架数,节省投资。例如,将 130mm 方坯轧成 $\phi 12mm$ 钢筋的轧制道次,可从单根轧制的 16 道次减少为 14 道次。因此,新建的棒材轧机,采用切分轧制工艺可减少两个机架,缩短了厂房长度,节省了投资。

10.2.4 棒材轧后余热淬火

为提高棒材的使用性能，控制冷却和轧后余热淬火工艺已广泛地用于棒材生产中。是既行之有效又经济效益好的措施。对合金钢采用精轧前后控制冷却，可使轴承钢的球化退火时间减少，网状组织减少。奥氏体不锈钢可进行在线固溶处理，对齿轮钢可细化晶粒。

经余热淬火的钢筋其屈服强度可提高 150~230MPa。采用这种工艺还有很大的灵活性，同一成分的钢通过改变冷却强度，可获得不同级别的钢筋（3~4 级）。余热淬火用于碳当量较小的钢种，在淬火后，钢筋在具有良好屈服强度的同时还具有良好的焊接性能，延伸性能和弯曲性能。与添加合金元素的强化措施相比较，余热淬火的生产成本低，并且可以提高产品的合格率。

10.2.4.1 余热淬火原理

钢筋的轧后余热淬火或轧后余热处理的原理是：轧件离开终轧机后进入冷却水箱，利用轧件的余热通过快速冷却进行淬火，使钢筋表面具有一定厚度的淬火马氏体，而心部仍为奥氏体。当钢筋离开冷却水箱，缓慢地自然冷却后，心部余热向表面层扩散，使表层的马氏体自回火。当钢筋在冷床上缓慢地自然冷却时，心部的奥氏体发生相变，形成铁素体和珠光体或奥氏体、铁素体加珠光体，进而提高强度与塑性，改善韧性，从而得到良好的综合力学性能。

10.2.4.2 轧后余热淬火处理工艺的特点

（1）提高钢筋屈服强度。经轧后余热淬火处理的钢筋其屈服强度可提高 150~230MPa。

（2）可获得不同强度级别的钢筋（400~550MPa）。淬火温度与屈服强度存在着某种固定的相关关系，只要控制一定的淬火温度，时间和水流量，就可以得到预定的屈服强度，并可用于各种直径的钢筋。因此，采用这种工艺具有很大的灵活性。只要通过试验找出淬火温度、时间、水流量与某种成分钢的屈服强度之间的相关关系，通过改变终轧温度和淬火的冷却强度，就可以用同一成分的钢获得不同屈服强度级的钢筋。

（3）轧后余热淬火处理的钢筋具有良好的延展性、弯曲性和焊接性。因为余热淬火的碳当量较小，除了具有良好屈服强度性能外，还具有良好的塑韧性和焊接性能。

（4）生产成本低。与添加合金元素强化措施（即微合金化）相比，余热淬火钢筋的合金元素极少，因此成本低。并可以减少不合格数量 2%~5%，即使不合格还可以通过调节冷却强度加以挽救。与一般热处理强化钢筋比较，不仅由于利用轧制余热，不需要重新加热，节约了热量消耗，缩短了生产周期，提高了生产率，降低了生产高强度钢筋的成本，而且还提高了综合力学性能。

10.2.4.3 余热淬火的工艺过程

钢筋余热淬火工艺是首先在表面生成一定量的马氏体（要求不大于总面积的33%，一般控制在 10%~20% 之间），然后利用心部余热和相变热使轧材表面形成的马氏体进行自回火。余热淬火工艺根据冷却的速度和断面组织的转变过程，可以分为三个阶段：

第一阶段为表面淬火阶段（急冷段），钢筋离开精轧机后以终轧温度尽快地进入高效冷却装置，进行快速冷却。其冷却速度必须大于使表面层达到一定深度淬火马氏体的临界速度。钢筋表面温度低于马氏体开始转变温度（M_s 点），发生奥氏体向马氏体相转变。该阶段结束时，心部温度仍很高，处于奥氏体状态。表层则为马氏体和残余奥氏体组织，表面马氏体的深度取决于强烈冷却的持续时间。

第二阶段为自回火阶段，钢筋通过快速冷却装置后，在空气中冷却。此时钢筋各截面内外温度梯度很大，心部热量向外层扩散，传至表面的淬火层，对已形成的马氏体进行自回火。根据自回火温度不同，其表面组织可以转变为回火马氏体和回火索氏体，表层的残余奥氏体转变为马氏体，同时邻近表层的奥氏体根据钢的成分和冷却条件不同而转变为贝氏体、屈氏体或索氏体组织，而心部仍处在奥氏体状态。该阶段的持续时间随着钢筋直径和第一阶段冷却条件而改变。

第三阶段为心部组织转变阶段，这个阶段在冷床上完成。棒材中心未发生转变的奥氏体，其相变的过程接近于等温转变。此时心部由奥氏体转变为铁素体和珠光体或铁素体、索氏体和贝氏体。心部组织产生的类型取决于钢的成分、钢筋直径、终轧温度和第一阶段的冷却效果和持续时间等。

在这个表面淬火及自回火的工艺过程中，终轧温度、淬火时间、水的流量或者压力是要控制的关键参数，而最终棒材产品的力学性能仅取决于以下三点：表面马氏体环形面积与总断面面积之比，回火马氏体力学性能，心部的组织状态。而回火马氏体的性能主要取决于棒材化学成分和回火温度，回火温度则应控制第一阶段末棒材表面温度。

10.3　线材生产

10.3.1　线材的生产特点

线材的断面尺寸是热轧材中最小的，所使用的轧机也是最小型的。从钢坯到成品，轧件的总延伸非常大，需要的轧制道次很多，一般线材轧机分为粗轧、中轧、精轧机三个机组，所以线材车间的轧机最多，温降也大。线材的特点是断面小，长度大，要求尺寸精度和表面质量高。但增大盘重、减小线径同提高质量、尺寸精度之间存在一定矛盾。因为盘重增加和线径减小，会导致轧件长度增加，轧制时间延长，从而轧件终轧温度下降，头部和尾部温度差加大，结果造成轧件头、尾尺寸公差加大，组织和性能不均，给调整工作带来困难，往往头尾尺寸有耳子。为保证终轧温度，在断面小，道次多的情况下只有向高速发展才可能解决温降大的矛盾。温降大还带来对孔型及导卫装置磨损快及损坏也快。正是由于上述矛盾，推动了线材生产技术的发展。所以线材生产由横列式发展到连续式，并且向着连续化、高速化、自动化、高精度化方向发展。

10.3.2　线材的生产工艺

线材生产的一般工艺流程如图 3-10-2 所示。

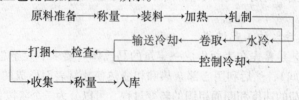

图 3-10-2　线材生产工艺流程图

10.3.2.1　坯料

线材的坯料各国现在都以连铸坯为主，对于某些特殊钢种（尤其是沸腾钢和某些合金钢）有使用初轧坯的情况。为兼顾连铸和轧制的生产，目前生产线材的坯料断面形状一般为方形，边长 120～150mm。连铸时希望坯料断面大，而轧制工序为了适应小线径，大盘重，保证终轧温度，则希望坯料断面尽可能小。但是为了保证盘重，则生产线材的坯料一般较长，最长达22m。并开始采用连铸连轧，或焊接钢坯，将坯料无限延长实行"无头轧制"法。

由于线材成卷供应，不便于轧后探伤和清理，故对坯料表面质量要求较严，对连铸坯最常见的表面缺陷是针孔及氧化结疤。连铸坯的内部质量常以偏析、中心疏松和裂纹的有无和轻重为判断依据。连铸坯对中心疏松、缩孔、裂纹、皮下气泡及非金属夹杂等都有一定要求，我国目前用的连铸小方坯对此有专门的评级方法，具体要求由生产厂和用户确定。对一般钢材，采用目视检查即由人工检查钢坯的表面缺陷，只能检查出比较明显的缺陷。对质量要求严格的钢材，采用电磁感应探伤检查钢坯的表面缺陷；用超声波探伤检查钢坯的内部缺陷。必须对钢坯表面缺陷进行清理。钢坯的清理方法很多，主要有火焰清理，手动砂轮及自动砂轮清理方法。

10.3.2.2　加热

现在的线材生产，轧制速度很高，轧制过程中的温降较小甚至出现升温，故一般线材轧制的加热温度较低。为了减少温降，应使加热炉尽量靠近轧机，并采用侧装侧出的步进式加热炉。

高速线材轧机坯重大，坯料长，钢坯的加热温度是否均匀特别重要。最理想的是钢坯各点到达第一架轧机时其轧制温度始终一样。要做到这一点常将钢坯两端温度提高一些，钢坯头部先接触轧辊，温降大，尾部出炉后在加热炉与第一架轧机之间停留的时间较前端长，要求第一架轧制时温度相同，通常钢坯两端比中部加热温度高 $30\sim50℃$。

10.3.2.3　轧制

为解决小线径、大盘重和线材质量要求的矛盾，需要增加轧制速度。目前线材轧机成品出口速度一般为 $100m/s$，高者达到 $140m/s$。线材轧机的高速是通过小辊径，高转速得到的，因为在其他条件相同时有利于延伸而不利于宽展。目前，新建线材精轧机轧辊辊径仅为 $\phi152mm$，而转速高达 $9000r/min$ 以上。

机架多，分工细。线材车间产品断面比较单一，轧机专业化程度较高。由于从坯料到成品，总延伸较大，每架轧机只轧一道，因此现代化线材轧机一般为 $21\sim28$ 架，多数为 25 架，分为粗、中、精轧机组，有时精轧还分为两组。为平衡机组的生产能力和保证产品精度，粗轧多采用大延伸，低转速和多槽轧制，而精轧则采用小延伸，高轧速和单槽多线轧制方法，即设置数列精轧机组，每个机组只同时轧制一根线材。现代化高精度线材轧机在精轧机组后还设定径机，使尺寸公差控制在 $0.1mm$ 以下。

10.3.2.4　冷却和精整

线材精轧后的温度很高，为保证产品质量要进行散卷控制冷却。控制冷却能够使金属内部晶粒细化，提高机械性能，表面氧化铁皮减少。根据产品的用途有珠光体型控制冷却和马氏体型控制冷却。

10.3.3　线材轧制的孔型

线材的孔型设计是制定轧制工艺的重要组成部分。合理的孔型系统与合理的孔型设计，对顺利轧制，提高轧机生产能力及保证产品质量有很大作用。轧制线材时，所采用的孔型系统很多。在选择孔型系统时根据轧机结构形式和工艺特点，选用合适的延伸系数则能轧出符合尺寸公差和表面质量好的线材。孔型系统的选择与轧机类型，原料尺寸，轧机设备条件及生产操作条件有关。

粗、中轧机组的设备大多是水平二辊轧机顺列式布置，轧机强度大。粗、中轧机组的轧制工艺采用单线或多线轧制，除中轧机组最末一两架外，其他各架的孔型对所有产品都是共用的。

由奇数道次组成的粗、中轧机组的延伸孔型系统，以选择箱（变态箱）—椭圆（双弧椭圆）—圆—椭圆—圆的组合孔型系统最理想，也可选用箱—椭圆—方—椭圆—圆的组合孔型系统。

　　由偶数道次组成的粗、中轧机组的延伸孔型系统，以选择椭圆—圆—椭圆—圆的组合孔型系统最理想，也可选用箱—箱—椭圆—方—椭圆—圆的组合孔型系统。

　　粗轧机为紧凑式轧机单线轧制的粗、中轧延伸孔型系统，则应选择箱（平）—箱（平）—箱（平）—六角—方—椭圆—圆的组合孔型系统。

　　在粗轧阶段，利用高温塑性好的特点采用较大的延伸系数 1.3 ~ 1.45，紧凑式轧机为 1.4 ~ 1.7，中轧机组采用中等的延伸系数 1.25 ~ 1.38。

　　现代高速线材轧机的预精轧、精轧机组多采用椭圆—圆孔型系统。预精轧机组一般由 4 个机架组成，平均延伸系数为 1.21 ~ 1.31。精轧机组一般由 8 ~ 10 个机架组成，多数为 10 个机架，精轧机组的平均延伸系数为 1.215 ~ 1.255。

10.3.4　线材轧机的类型及布置

10.3.4.1　线材轧机的发展

　　随着用户对线材产品尺寸精度、表面质量、性能及盘重等日益增长的需要，促进了线材轧机不断发展，经历了横列式、半连续式、连续式直到高速无扭轧机。每一个新的机型，每一个新的布置都使线材的轧制速度、轧制质量和盘重有所提高。

　　（1）横列式轧机。横列式线材轧机是最老的一种。开始时为单列式，数列轧机横向单列由一个电机传动，后来发展为多列式，每列由一个电机传动，同一机列各架转数相同，见图 3-10-3。

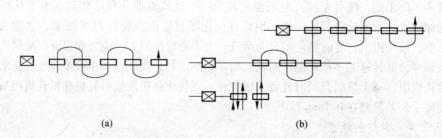

（a）　　　　　　　　　　　　　　　（b）

图 3-10-3　单列式和多列式线材轧机的布置示意图
（a）单列式；（b）多列式

　　由于横列式线材轧机各架转数相同，限制了速度的提高，轧制周期长，活套很长，温降很大，限制了盘重和生产率，且成品精度和性能较差。即使是多列，终轧速度也不会超过 10m/s，盘重不大于 100kg。

　　（2）半连续式轧机。半连续式轧机是由横列式机组和连续式机组组成的。布置形式见图 3-10-4。

　　该轧机一般由粗轧、中轧、精轧机组成。其布置形式有：

　　1）粗轧是连续式，精轧为横列式。其布置如图 3-10-4（a）所示；

　　2）粗、中轧为横列式，精轧为连续式，其布置如图 3-10-4（b）所示；

　　3）粗、精轧为横列式，中轧为连续式，其布置如图 3-10-4（c）所示。

　　半连续式轧机中最有代表性的一种为复二重式线材轧机，也称双二辊式线材轧机，其布置形式如图 3-10-5 所示。其粗轧机组可以是横列式、连续式或跟踪式轧机，中、精机组为复二重

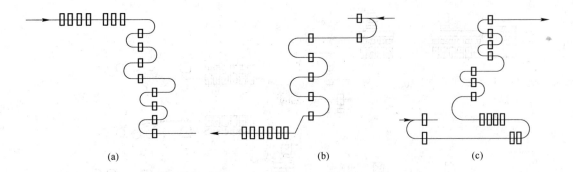

图 3-10-4 半连续式线材轧机布置
（a）粗轧为连续式；（b）精轧为连续式；（c）中轧为连续式

式轧机，复二重式线材轧机的特点是：两两一组，一组内的两台轧机连轧，为避免机架间堆钢并保证小断面轧件的稳定轧制，在两机架间应人为地造成拉钢，实现张力轧制。而相邻两组间保持微堆钢。为提高轧制效率和保证稳定，复二重式线材轧机适于使用延伸系数较大的孔型系统，例如：椭圆-方或六角-方孔型系统。

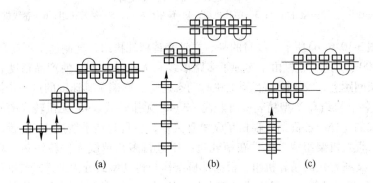

图 3-10-5 复二重式线材轧机布置示意图
（a）粗轧机为横列式；（b）粗轧机为跟踪式；（c）粗轧机为连续式

相对于横列式线材轧机，复二重式轧机基本上解决了轧件温降问题，并且由于取消了反围盘，轧制时工艺稳定，便于调整。但是与高速无扭线材轧机相比，其工艺稳定性和产品精度都较差，而且劳动强度大，盘重小。因此，它已经退出了大生产。1960～1980 年间，我国的复二重式轧机曾经在技术上和产量上达到一个高峰。根据目前我国的技术政策规定，已取消横列式和复二重式轧机。

（3）传统连续式轧机。这类轧机的粗、中、精轧都是连续轧制，每架轧机只轧一道。与横列式轧机相比，连续式轧机的优点是：轧制速度高，轧件沿长度方向上的温差小，产品尺寸精度高，产量高，线材盘重大。图 3-10-6 是连续式线材轧机布置示意图。

各种形式的连续式线材轧机，其粗轧和中轧机组都大体相同，而精轧机组结构型式在不断发展中。1）水平二辊式。精轧机是由一组或两组多机架水平二辊式轧机所组成，轧件在每一组精轧机组中进行多线连轧。其基本形式如图 3-10-6(a) 所示。由于这类轧机在轧制过程中，轧件有扭转翻钢，故轧制速度不能高，一般是 20～30m/s，年产量约为 20 万～30 万 t。2）平立交替式。平立交替式的精轧机组，采用直流电机单独传动和平、立辊交替布置的连轧机进行

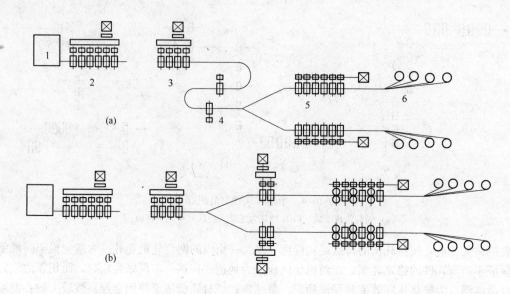

图 3-10-6　连续式线材轧机布置示意图

（a）水平二辊式；（b）平、立交替式

1—加热炉；2—粗轧机组；3—中轧机组；4—预精轧机组；5—精轧机组；6—卷线机

多路轧制，如图 3-10-6（b）所示。线材的平、立辊交替精轧机组，轧制速度可提高到 30～45m/ s，盘重可达 1000kg。这类轧机由于实现了多路单线和无扭转轧制，使产品精度和质量可以提高，但由于机架间距大，咬入瞬间各架电机有动态速降，影响了其速度的进一步提高，已逐渐被 45°高速无扭精轧机组和 Y 型精轧机所取代。3）45°无扭转式。45°无扭转式的精轧机组实际上是平立交替式的变种，各机架轧辊相互成垂直关系，各自与地平线成 45°配置，机组由两路或四路的多架二辊式机架组成。轧件在精轧机组中进行多路单线无扭转轧制。轧机布置如图 3-10-7所示。45°无扭转式的精轧机组，根据轧机结构与传动型式分为悬臂式与框架式两种，悬臂式 45°无扭精轧机组轧辊以悬臂方式敞露在整体之外。各对轧辊通过内齿或外齿轮传动，轧辊辊身短，直径又小，轧机刚度较大，生产出成品精度高，精轧速度已达 75m/s。框架式 45°无扭转高速轧机为闭口式框架式，该轧机由 8 个机架组成，成组传动，相邻各架轧辊互成 90°；轧辊直径一般为 260 mm，辊身长 290mm。

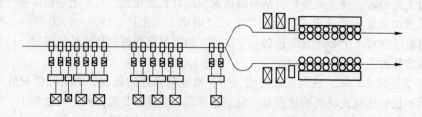

图 3-10-7　45°无扭转式精轧机组的连续式线材轧机示意图

（4）Y 型三辊式线材精轧机组。Y 型精轧机组由 4～14 架轧机组成，每架由 3 个互成 120°角的盘状轧辊组成，相邻机架相互倒置 180°。轧制时轧件无需扭转，轧制速度可达 60m/s。Y 型三辊式线材精轧机组的孔型系统如图 3-10-8 所示。一般是三角形—弧边三角形—弧边三角形—圆形。对某些合金钢亦采用弧边三角—圆形孔型系统，轧件在孔型内承受三面加工，其应

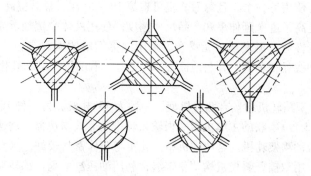

图 3-10-8　Y 型三辊式线材精轧机组的孔型系统

力状态对轧制低塑性钢材有利。轧件在交替轧制过程中，受 6 个方向的压缩，使得变形及周围冷却都比较均匀。进入 Y 型轧机的坯料一般是圆形，也有六角形坯。轧件的变形比较均匀，在孔型的断面面积较为准确，因此各机架间的张力控制也较为准确。轧制中轧件角部位置经常变化，故各部分的温度比较均匀，易去除氧化铁皮，产品表面质量好，而且轧制精度也高。Y 型轧机由于轧辊传动结构复杂，多用于轧制特殊难轧合金和有色金属合金。

10.3.4.2　高速线材轧机

（1）高速线材轧机机型

所谓高速轧机一般指最大轧制速度高于 40m/s 的轧机。高速轧机的特点是高速、单线、无扭、微张力、组合结构、碳化钨辊环和自动化，采用了快速换辊和导卫装置。其产品特点是盘重大、精度高、质量高。

高速轧机其机型按每个轧辊大小来划分，可分为大辊径（ϕ250 ~ 290mm）和小辊径（ϕ152 ~ 210mm）两种；按轧辊中心线相对于地平面布置的角度来划分，可分为 15°/75°、45°、平—立辊交替二辊式等；按轧辊的支撑状况分，可分为双支点和悬臂式两种。而 45°高速轧机，按机架间轧辊交汇位置不同，又可分为侧交和顶交两种；按其传动方式不同，又可分为外齿传动和内齿传动两种。总的要求是轧机重心低，刚性好，便于调整和换辊。

（2）高速线材轧机的发展及结构型式

高速无扭精轧机组的主要机型是摩根型轧机，目前在世界上已建成的约 350 套线材轧机中有 2/3 是摩根轧机。其他机型有德马克型轧机、阿希洛型轧机、Y 型轧机以及泊米尼型等。此外，还有克虏伯型、摩格斯哈玛型、达涅利型和台尔曼型等机组。

摩根公司在第一台高速无扭精轧机投产后，发展非常迅速，目前摩根线材精轧机的发展已进入第Ⅵ代。第一代摩根 45°轧机始于 1966 年，设计速度为 50m/s；第二代是从 1970 年开始，设计速度为 60m/s；第三代从 1976 年开始，设计速度为 75m/s；第四代是从 1979 年开始，设计速度为 90m/s；第五代是从 1981 年开始，设计速度为 100m/s；第六代是从 1986 年开始，设计速度为 120m/s。现在的摩根型 45°轧机最高设计速度为 140m/s。

摩根型 45°精轧机组是由 8 ~ 10 架轧机组成的整体机组，各架轧机以很短的中心距（约 400 ~ 600mm）成直线组合排列，机组总长只有 5m 左右。所有机架由一台或两台直流电机成组传动，电机经增速器、三联齿轮箱、上下接轴、精密伞齿轮和斜齿轮带动轧辊，取消了普通轧机的接轴和联轴器，使各回转部分得到动平衡，保证轧机在高速下运行平稳，消除了振动，因而可进行高速无扭轧制。使用由合金钢辊轴和耐磨性好的碳化钨辊套组成的组合式小辊径轧辊，以液压螺母无键连接方式将辊套固定在辊轴上，装卸方便。碳化钨辊套上刻有 2 ~ 4 个轧槽，当一个磨损后可使用另一个，且每对轧辊可重磨 19~20 次，显著提高了轧辊的使用寿命。采用小辊径轧辊，提高了道次延伸率和产品尺寸精度。使用液体摩擦轴承或静压轴承，摩擦系数低，寿命长，抗振性好，不发热，无噪音。采用油雾润滑的滚动导板，可在高速下连续工作。相邻机架轧辊轴线互相垂直，并与地面成 45°交角。不仅便于消除氧化铁皮，而且可实现高速无扭轧制。

德马克（Demag）型精轧机组。有两种机型，一种为 45°轧机，另一种 15°/75°轧机。这两种机型都是由 2 台（或 3 台）串联的主电机由一根输入轴带动立式增速器，增速同步齿轮的两种输出轴上下布置，各带动 4 架轧机。这两种机型，轧辊与箱体密封较好，水和氧化铁皮不容易进入箱体。各机架均采用双摇臂斜楔机构调整辊缝，利用油压缸平衡。德马克型高速线材精轧机组主要缺点是箱体内有一对圆柱齿轮，使齿轮箱复杂，箱体增大，不利于制造。德马克型的两种机型轧制速度都可达到 100m/s。其中 15°/75°精轧机组由 10 架轧机组成，相邻两架轧机轧辊线相互垂直，一对轧辊轴线与水平面成 15°交角，相邻的一对轧辊线与水平面成 75°交角，交替布置。机架间距为 800mm。单号机架前装椭圆滚动入口导卫，双号机架入口及所有机架出口装滑动导板。滚动导卫采用油气润滑。整个机组由 2~3 台直流电机集体转动。轧辊采用碳化钨，辊环直径为 210mm。与 45°轧机相比，15°/75°机型上轴标高较低，机组顶高下降，轧制稳定，换辊方便，可节省人力与时间，提高了生产率。轧机底座与基础直接连在一起，高速运转时震动小，噪音低。

10.3.5　线材生产主要技术

高速无扭热轧线材生产发展趋势仍然以提高轧速、增大盘重、提高轧制精度、扩大规格范围，向着改善产品力学性能，简化工艺操作，提高作业率方向发展。随着机械制造技术，自动测控水平的飞速发展，精轧机速度在不断提高，坯料断面尺寸已达 200mm²，成品单重超过 2t，线材规格上限扩大到了 ϕ25mm。

10.3.5.1　精密轧制技术

为了进一步提高线材尤其是合金钢线材尺寸精度，开发了在无扭精轧机后增设减定径机的精密轧制技术，其中最有代表性的是摩根公司的 RSM、柯克斯—达涅利的减定径机组 RSB、达涅利公司的双模块 TMB 机组，它们提高产品精度，都能达到 DIN 标准公差的一半，线材产品精度可达 ±0.1mm。

（1）摩根公司的 RSM 减定径机。RSM 减定径机实际上是由 4 架悬臂式轧机组成的，采用 V 形布置，前两架起减径作用，后两架起定径作用。减径机和定径机都可单独由滑座移出轧制线，以便快速换辊。

RSM 减定径机采用椭圆-圆孔型系列，可以轧制 ϕ5.0~25mm 的轧件，并且无扭轧机只采用一个系列的孔型即可。这主要是因为 RSM 减定径机可通过调整减径机和定径机之间的减速箱速比来调整两个机架间的速比，以保证减径机和定径机之间的连轧关系。

RSM 减定径机可以在低温（700℃）下轧制，可以根据不同钢种的金相特点决定轧制温度，从而使产品金相组织更加致密、均匀，提高了产品的力学性能。

（2）达涅利公司的双模块 TMB 机组。达涅利公司的双模块 TMB 机组在线材生产技术中向前迈出了重要一步。它能在产品品种、规格、数量、轧速、材质、尺寸、公差、材料收得率及设备利用率诸方面产生巨大经济效益。TMB 把传统的大大模块精轧机组分成两组相续的三角形模块。每对轧辊与相邻的另一对轧辊成 45°角。第一模块为固定式，由 8 或 10 架轧机组成，属预精轧机。第二模块安装在滑板（小车）上为移动式，分成两个组合式机架（4 对轧辊），每架两对孔型作为精轧机生产所有产品。TMB 分为 2 组，每组 2 架，这 2 组精轧机各有 1 个电机通过过程控制系统实现电气联锁，各组的机械传动系统有 2 个减速比可供选择，允许孔型设计选择 12% 或 16% 的压下率。孔型系统为椭圆—圆系统，可采用 4 架或 2 架轧机。TMB 给优质特殊钢线材生产带来巨大效益，具体表现在：①产品规格大，尺寸精度高，产品通常范围为 $\phi 5.5 \sim 20mm$，使 $\phi 4.5 \sim 5.0mm$ 和 $\phi 24 \sim 25mm$ 的产品生产成为可能；②精轧速度高达 120m/s，可提高小规格机时产量，单线大规格机时产量可达 120t；③轧机利用系数高达 92%，成材率超过 97%，分别比传统轧机提高 5% 和 0.5%；④全部产品可实现低温轧制，产品性能好，并可节能降耗。

（3）RSB 减径定径机组。柯克斯-达涅利公司的三辊减定径机（RSB）由 3～10 架三辊 Y 型轧机组成，三辊围绕轧制线相隔 120° 布置，构成一个孔型。具有离线装配和快速换辊功能。这种减定径机最主要的优点是：由于采用三辊轧制变形原理，能够轧制一些高合金钢，并且消除了材料宽展对轧件精度的影响；机架刚度及许用轧制力和轧制扭矩比常规机架提高 30%。这样特别适合轧制高变形抗力的材料，并且适合低温轧制。

10.3.5.2　低温轧制技术

采用低温轧制可降低燃料消耗，减少脱碳、烧损、改善轧件表面质量。但需将轧机强度及电机功率提高。目前最新的轧机开轧温度可低至 850℃，进无扭精轧机温度也可低至 850℃，与此相应，重负荷和超重负荷无扭精轧机得到广泛应用。

10.3.5.3　粗、中轧机采用全平/立布置实现全线无扭轧制

由于采用了单线布置，为粗、中轧机组采用平、立交替布置，进而为全轧制线无扭提供了可能，减少了因轧件扭转造成的表面和内部缺陷及废品。粗轧机因轧件断面较大，不能采用活套无张力轧制，因此采用微张力控制系统，粗、中轧制各架轧机均采用单独电机传动，以便电控系统调整。

10.3.5.4　高速剪切技术

高速切头切尾飞剪机的使用，能对吐丝机前的线卷自动进行切头、尾操作，并将切掉的头、尾部分作碎断处理，避免了精整区人工切头、尾和取样操作。并能在约 300℃ 的温度下压卷和捆扎，不仅缩短了冷却线长度，还能及时对轧件进行抽样质检。高速飞剪机在微机控制下，能精确控制剪切线卷的头尾长度，目前最大剪切速度已达 120m/s，并正向着 140m/s 目标努力。

10.3.6　线材控制冷却

随着高速轧机的发展，线材控制冷却技术也得到了迅速的发展。从轧后穿水冷却发展到成圈的散圈冷却，把轧制过程中的塑性变形加工和热处理工艺结合起来，控制冷却已从人工调节和控制发展到能根据钢种和终轧温度实现计算机控制。

线材控制冷却的主要优点是：（1）提高了线材的综合机械性能，并大大改善了其在长度方向上的均匀性；（2）改善了金相组织，使晶粒细化；（3）减少氧化损失，缩短酸洗时间；（4）降低线材轧后温度，改善劳动条件；（5）提高了产品质量，有利于线材二次加工。

国内外提出的各种控制冷却方法，其基本参数的选取主要是基于得到二次加工所需的良好的组织和性能。根据轧后控制冷却所得到的组织不同，线材控制冷却可以分为珠光体型控制冷却和马氏体型控制冷却。珠光体控制冷却是在连续冷却过程中使钢材获得索氏体组织，而马氏体型控制冷却则是通过轧后淬火-回火处理，得到中心索氏体，表面为回火马氏体的组织。

10.3.6.1　珠光体型控制冷却

　　为了获得有利于拉拔的索氏体组织，线材轧后应由奥氏体温度急冷至索氏体相变温度下进行等温转变，可得到索氏体组织，图 3-10-9 为碳质量浓度等于 0.5% 钢的等温转变曲线。由图可见，为了得到索氏体组织，理论上应使相变在 630℃ 左右发生（曲线 a）。而实际生产中完全的等温转变是难以达到的。铅浴淬火（曲线 b）近似上述曲线，但由于线材内外温度不可能与铅浴淬火槽的温度立即达到一致，故其实际组织内就有先共析铁素体的残余和一部分粗大的珠光体。线材控制冷却（曲线 c）则是根据上述原理将终轧温度高达 1000～1100℃ 的线材立即通过水冷区急冷至相变温度。此时加工硬化的效果被部分保留，被破碎的奥氏体晶粒晶界成为相变时珠光体和铁素体的结晶核心，从而使珠光体和铁素体细小。此后减慢冷却速度，使冷却速度类似等温转变，从而得到索氏体、较少铁素体和片状珠光体的组织。图中曲线 d 是通常未经控制冷却的线材。其组织内部存在相当数量的先共析铁素体和

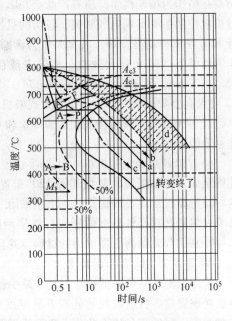

图 3-10-9　$w(C)=0.5\%$ 钢的等温转变曲线
$w(C)=0.5\%$；$w(Si)=0.53\%$；$w(Mn)=0.23\%$

粗大的层状珠光体，因此性能差且晶粒不均匀，氧化铁皮厚且不均。控制冷却的斯太尔摩法，施罗曼法等都是根据上述原理设计的。

10.3.6.2　马氏体型控制冷却

　　如图 3-10-10 所示，线材轧后以很短的时间进行强制冷却，使线材表面温度急剧降至马氏体开始转变温度以下，使钢的表面层产生马氏体，在线材出冷却段以后，利用中心部分残留热量以及由相变释放出来的热量使线材表面层的温度上升，达到一个平衡温度，使表面马氏体回火。最终得到中心为索氏体，表面为回火马氏体的组织。

10.3.6.3　线材控制冷却的工艺

　　线材轧后冷却的目的主要是得到产品所要求的组织和性能，使其性能均匀和减少二次氧化铁皮的生成量。一般线材轧后控制冷却过程可分为三个阶段，第一阶段的主要目的是为相变作

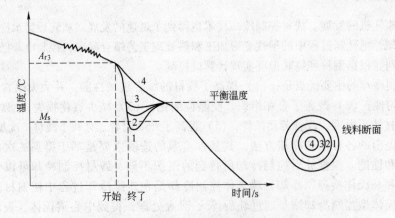

图 3-10-10　穿水冷却线材断面温度的变化简图

组织准备及减少二次氧化铁皮生成量。一般采用快速冷却，冷却到相变前温度，此温度成为吐丝温度；第二阶段为相变过程，主要控制冷却速度；第三阶段为相变结束，除有时考虑到固溶元素的析出采用慢冷外，一般采用空冷。按照控制冷却的原理和工艺要求，线材控制冷却的基本方法是：首先让轧制后的线材在导管（或水箱）内用高压水快速冷却，再由吐丝机把线材吐成环状，以散卷形式分布到运输辊道上，使其按要求的冷却速度均匀风冷，最后以较快的冷却速度冷却到可集卷的温度进行集卷、运输和打捆等。

10.3.6.4　线材控制冷却方法简介

（1）斯太尔摩法　线材从成品轧机轧出后通过水冷套管快速冷却至接近相变温度后，经导向装置引入线圈形成器（吐丝机），线材在成圈的同时陆续落在连续移动的链式运输机上，使每圈相隔一定距离而成散圈。视钢种不同，在运输过程中可用鼓风机强制冷却，或自然冷却，或加罩缓冷，以控制线材组织性能。为了上述目的，运输机速度可调，如减少线圈搭接点冷却又不均造成的组织性能差，在冷却风机、风道内设有"加灵"装置，且运输机速度可分段控制。当线材圈冷却至相变完成温度（约550～450℃）后，通过集卷器收集并打捆。其布置如图3-10-11所示。

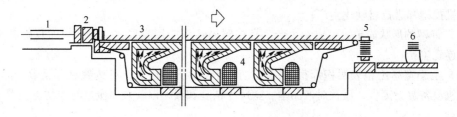

图3-10-11　斯太尔摩控制冷却法

1—水冷套管；2—吐丝机；3—运输机；4—鼓风机；5—集卷器；6—盘条

（2）施罗曼法　与斯太尔摩法不同，它强调在水冷带上控制冷却，而在运输机上自然空冷。其作用是线材出精轧机后经环形喷嘴冷却器冷却至620～650℃。然后，经卧式吐丝机成圈并先垂直后水平放倒在运输链上，通过自由的空气对流冷却，而不附加鼓风，冷却速度为2～9℃/s。为了适应不同要求，通过改变在运输带上的冷却型式而发展了各种形式的施罗曼法，如图3-10-12为五种类型的施罗曼法控制冷却示意图。其1型适于普碳钢；2型适于要求冷却速度较慢的钢种；3型在运输带的上部加一罩子，适于要求较长转变时间的特殊钢种；4型适于要求低温收卷的钢种；5型适于合金钢。

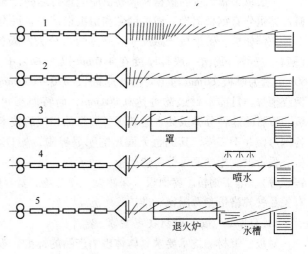

图3-10-12　施罗曼冷却线的5种形式

11　板、带材生产概述

11.1　板、带产品特点、分类及技术要求

11.1.1　板、带产品的外形、使用与生产特点

　　板、带产品外形扁平，宽厚比大，单位体积的表面积也很大，这种外形特点带来其使用上的特点：(1)表面积大，故包容覆盖能力强，在化工、容器、建筑、金属制品、金属结构等方面都得到广泛应用；(2)可任意剪裁、弯曲、冲压、焊接、制成各种制品构件，使用灵活方便，在汽车、航空、造船及拖拉机制造等部门占有极其重要的地位；(3)可弯曲、焊接成各类复杂断面的型钢、钢管、大型工字钢、槽钢等结构件，故称为"万能钢材"。

　　板、带材的生产具有以下特点：

　　(1)板、带材是用平辊轧出，故改变产品规格较简单容易，调整操作方便，易于实现全面计算机控制和进行自动化生产；

　　(2)带钢的形状简单，可成卷生产，且在国民经济中用量最大，故必须而且能够实现高速度的连轧生产；

　　(3)由于宽厚比和表面积都很大，故生产中轧制压力很大，可达数百万至数千万牛顿，因此轧机设备复杂庞大，而且对产品厚、宽尺寸精度和板型以及表面质量的控制也变得十分困难和复杂。

11.1.2　板、带材的分类及技术要求

11.1.2.1　板、带材产品分类

　　一般将单张供应的板材和成卷供应的带材总称为板、带材。板、带材品种规格繁多。按材料种类粗分有钢板钢带、铜板铜带和铝板铝带等，每类又可按尺寸规格和材料及用途细分为很多种。例如板、带钢按产品尺寸规格一般可分为厚板(包括中板和特厚板)、薄板和极薄带材(箔材)三类。我国一般称厚度在4.0mm以上者为中、厚板(其中4~20mm者为中板，20~60mm者为厚板，60mm以上者为特厚板)，4.0~0.2mm者为薄板，而0.2mm以下者为极薄带钢或箔材。目前箔材最薄可达0.001mm，而特厚板可厚至500mm以上，最宽可达5000mm。板、带材的这种分类虽然也是基于各类产品相似的技术要求和生产工艺与设备特点，但实际上各国习惯并不一样，其间也无固定的明显界限，如日本规定3~6mm为中板，6mm以上为厚板。板带钢按用途又可分为造船板、锅炉板、桥梁板、压力容器板、汽车板、镀层板(镀锡、镀锌板等)、电工钢板、屋面板、深冲板、焊管坯、复合板及不锈、耐酸耐热等特殊用途钢板等。有关品种规格可参看国家标准。

11.1.2.2　板、带材技术要求

　　对板、带材的技术要求具体体现为产品的标准。板、带材的产品标准一般包括有品种(规格)标准、技术条件、试验标准及交货标准等。根据板、带材用途的不同，对其提出的技术要求也各不一样，但基于其相似的外形特点和使用条件，其技术要求仍有共同的方面，归纳起来就是"尺寸精确板型好，表面光洁性能高"。这两句话指出了板带钢主要技术要求的四个方面。

（1）尺寸精度要求高　尺寸精度主要是厚度精度，因为它不仅影响到使用性能及连续自动冲压后步工序，而且在生产中的控制难度最大。此外厚度偏差对节约金属影响也很大。板、带钢由于 B/H 很大，厚度一般很小，厚度的微小变化势必引起其使用性能和金属消耗的巨大波动。故在板、带钢生产中一般都应力争高精度轧制以及按负公差轧制。

（2）板型要好　板型要平坦，无浪形瓢曲才好使用。例如，对普通中厚板，其每米长度上的瓢曲度不得大于 15mm，优质板不大于 10mm，对普通薄板原则上不大于 20mm，因此对板、带钢的板型要求是比较严的。但是由于板、带钢既宽且薄，对不均匀变形的敏感性又特别大，所以要保持良好的板型就很不容易。板、带愈薄，其不均匀变形的敏感性越大，保持良好板型的难度也就愈大。显然，板型的不良来源于变形的不均匀，而变形的不均又往往导致厚度的不均，因此板型的好坏往往与厚度精确度也有着直接的关系。

（3）表面质量要好　板、带钢是单位体积的表面积最大的一种钢材，又多用作外围构件，故必须保证表面的质量。无论是厚板或薄板，表面皆不得有气泡、结疤、拉裂、刮伤、折叠、裂缝、夹杂和压入氧化铁皮，因为这些缺陷不仅损害板制件的外观，而且往往败坏性能或成为产生破裂和锈蚀的策源地，成为应力集中的薄弱环节。例如，硅钢片表面的氧化铁皮和表面的光洁度就直接败坏磁性，深冲钢板表面的氧化铁皮会使冲压件表面粗糙甚至开裂，并使冲压工具迅速磨损，至于对不锈钢板等特殊用途的板、带，还可提出特殊的技术要求。

（4）性能要好　板、带钢的性能要求主要包括机械性能、工艺性能和某些钢板的特殊物理或化学性能。一般结构钢板只要求具备较好的工艺性能，例如，冷弯和焊接性能等，而对机械性能的要求不很严格。对甲类钢钢板，则要保证性能，要求有一定的强度和塑性。对于重要用途的结构钢板，则要求有较好的综合性能，除要有良好的工艺性能、一定的强度和塑性以外，还要求保证一定的化学成分，保证良好的焊接性能、常温或低温的冲击韧性、或一定的冲压性能、一定的晶粒组织以及各向组织的均匀性等等。

除了上述各种结构钢板以外，还有各种特殊用途的钢板，如高温合金板、不锈钢板、硅钢片、复合板、涂镀层板等，它们或要求特殊的高温性能、低温性能、耐酸耐碱耐腐蚀性能，或要求一定的物理性能(如磁性)等。

11.2　板、带轧制技术的发展

轧件变形和轧机变形是在轧制过程中同时存在的。我们的目的是要使轧件易于变形和轧机难于变形，亦即发展轧件的变形而控制和利用轧机的变形。由于板、带轧制的特点是轧制压力极大，轧件变形难，而轧机变形及其影响又大，因而使这个问题就成为左右板、带轧制技术发展的主要矛盾。促进板带技术进步的推动力是不断增长的社会需求，亦即社会对不断提高产品质量，缩短工艺流程，降低成本，增加经济和社会效益的需求。

要使板、带在轧制时易于变形，主要有两个途径：一是努力降低板、带本身的变形抗力（可简称内阻），其最有效的措施就是加热并在轧制过程中抢温保温，使轧件具有较高而均匀的轧制温度；二是设法改变轧件变形时的应力状态，努力减小应力状态影响系数，减少外摩擦等对金属变形的阻力（可简称外阻），甚至化害为利以进一步降低金属变形抗力。至于控制和利用轧机的变形，则包括了增强和控制机架的刚性和辊系的刚性、控制和利用轧辊的变形以及采用液压弯辊与厚度和板型自动控制等各种实用技术措施。

11.2.1　围绕降低金属变形抗力(内阻)的演变与发展

板材最早都是成张地在单机架或双机架轧机上进行往复热轧的。这种轧制方法只适宜于轧制不太长及不很薄的钢板，因为这样才有利于轧制温度的保持，使轧制时有较低的变形抗力。对于轧制厚度4mm以下的薄板，由于温度降落太快及轧机弹跳太大，采用单张往复热轧十分困难。为了生产这种薄板，便只好采用叠轧的方法。因为只有通过叠轧使轧件总厚度增大，并采用无水冷却的热辊轧制，才能使轧制温度容易保持及克服轧机弹跳的障碍，以保证轧制过程的顺利进行。这种叠轧方法统治着薄板生产达三百年之久，直到现今在很多工业落后的国家还仍然采用。这种轧制方法的金属消耗大、产品质量低、劳动条件差、生产能力小，显然满足不了国民经济发展日益增长的需要。鉴于单层轧制薄而长的钢板时温度降落得太快，如果不叠轧，便必须快速操作和成卷轧制，才能争取有较高的和较均匀的轧制温度。这样，人们便很自然地想到采取成卷连续轧制的方法。

第一台板、带钢半连续热轧机在1892年建立，但由于受当时技术水平的限制，轧制速度太低(2m/s)，使轧件温度降落太快，故并不成功。直到1924年第一台宽带钢连轧机在美国以6.6m/s的速度正式生产出合格产品。自20世纪30年代以后，板、带钢成卷连续轧制的生产方法得到迅速发展，在工业先进国家中很快占据了板带钢生产的统治地位。

连轧方法是一种高效率的先进生产方法，虽然它的出现在很大程度上解决了优质板、带钢的大规模生产问题，但其建设投资大、设备制造难、生产规模只适合于大型钢铁企业的大批量生产。对于批量不大而品种较多的中小型企业，若想采用先进的成卷轧制方法，还必须另寻道路。显然，可逆式轧机更加适合于这方面的用途。为了在轧制过程中抢温保温，人们便很自然地提出将板卷置于加热炉内的边轧制边加热保温的办法，因而于1932年在美国创建了第一台试验性炉卷轧机，到1949年终于正式应用于工业生产。这种轧机的主要优点是可用较少的设备投资和较灵活的工艺道次生产出批量不大而品种较多的产品，尤其适合于生产塑性较差、加工温度范围较窄的合金钢板带。但由于它有着单机轧制的特点，故产品表面质量及尺寸精度都较差，其单位产量的投资要比连轧方法大一倍以上。

为了寻求更好的高效率轧制方法，20世纪40年代以后人们又开始进行着各种行星轧机的试验研究。行星轧机的基本特点是利用分散变形的原理实现金属的大压缩量变形。由于大量变形热使轧件在轧制过程中不仅不降低温度，反而可升温50～100℃，这就从根本上彻底解决了成卷轧制带钢时的温度降落问题。通过行星轧机生产带钢与其他板、带钢生产方法的比较可知，行星轧机每吨产品的投资和成本与连续式轧机相比都大大地降低了，在经济上行星轧机不仅要比炉卷轧机优越得多，而且甚至有赶上和超过连续式轧机的希望。显而易见，对中小型企业生产热轧板卷而言，行星轧机应该是大有发展前途的。

随着所轧板、带钢厚度的不断减小，当厚度小于0.8～1.0mm以下时，若仍成卷热轧，则轧制温度很难保持，并且轧制薄板还必须前后施加较大的张力，才能使板形平直及轧制过程正常进行，因而便只好放弃热轧而采用冷轧的方法。

但是冷轧毕竟是金属变形抗力更大、耗能更多而且工序复杂的加工方式。能否不用冷轧而继续采用热轧或温轧的方法生产出厚度在1mm以下的薄带钢，这也是近代板、带钢生产技术的一个发展方向，并且一些工业发达的国家已经在着手研究。其生产试验方案之一如图3-11-1所示。在通常的热轧以后追加水冷装置和温轧机架，于铁素体珠光体领域，最好是铁素体单相区进行低温热轧或温轧，由追加的近距离卷取机进行卷取。试验表明，将这种板卷进行再结晶退火以后，具有与通常一次冷轧退火方法所得产品相同的深冲性能，而价格更为便宜。近年采用无头轧制技术的热连轧和薄板坯连铸连轧机都能热轧1.0mm，甚至0.8mm厚的带钢卷，并可以取代部分的冷轧带钢。

从降低金属变形抗力、降低能源消耗及简化生产过程出发，近代还出现了连铸连轧及无锭

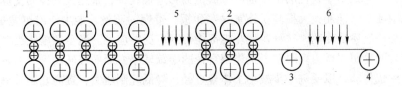

图 3-11-1　试验轧机布置举例

1—热轧精轧机列；2—附加机列；3—近距卷取机；4—远距卷取机；5、6—喷水

轧制(连续铸轧)等生产方法。这些新工艺在有色金属板、带及线材生产方面早已广泛应用，现正向钢铁生产领域延扩。早在 20 世纪 50 ~ 60 年代，苏联和中国即已采用连续铸轧的生产方法生产铁板及试验生产钢板了。1981 年日本堺厂实现了宽带钢的连铸—直接轧制。1989 年及 1992 年德国 SMS 及 DMH 公司分别在美国和意大利实现了薄板坯连铸连轧和连续铸轧，就是明显例证。图 3-11-2 为各种金属连续铸轧机示意图。

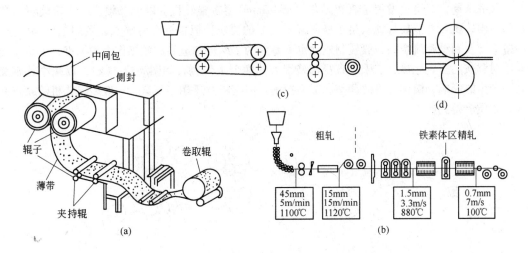

图 3-11-2　各种连续铸轧机示意图(举例)

(a)带材双辊直接铸轧机；(b)薄板坯连续铸轧、连铸—连轧生产线；(c)双带式铸轧机；(d)铝板铸轧机

11.2.2　围绕降低应力状态影响系数(外阻)的演变与发展

板带钢热轧时重点在降低内阻，但随着产品厚度减小，降低外阻也愈趋重要。轧制厚度更薄而且又不加热的板、带钢，不仅内阻大，而且外阻更大，此时若不致力于降低外阻的影响，要想轧出合格产品就极其困难。故冷轧板、带时重点在降低外阻。通常降低外阻的主要技术措施就是减小工作辊直径、采用优质轧制润滑和采取张力轧制，以减小应力状态影响系数。其中最主要、最活跃的是减小轧辊直径，由此而出现了从二辊到多辊的各种形式的板、带钢轧机。

板、带生产最初都是采用二辊式轧机。为了能以较少的道次轧制更薄更宽的钢板，必须加大轧辊的直径，才能有足够的强度和刚度去承受更大的压力，但是轧辊直径增大又反过来使轧制压力急剧增大，从而使轧机弹性变形增大，以致在轧辊直径与板厚之比达到一定值以后，就使轧件根本不可能实现延伸。这样，在减小轧制压力和提高轧辊强度及刚度的两方面要求之间便产生了尖锐的矛盾。为了解决这个矛盾，采用了大支撑辊与小工作辊分工合作的办法，使矛盾得到解决。最初带有支撑辊的轧机是 1864 年出现的三辊劳特轧机，接着就是 1870 年开始出现的四辊轧机。它采用小直径的工作辊以降低压力和增加延伸，采用大直径的支撑辊以提高轧机的强度和刚度。这样便大大提高了轧制效率和板、带钢的质量，能生产出更宽更薄的钢板。因此，无论是热轧还是冷轧，这种四辊轧机都能得到广泛的应用。通常四辊轧机多是采用工作辊传动，较大的轧制扭转力矩限制了工作辊直径的继续减小。因而在轧制更薄的板带钢时，还可以采用支撑辊传动，以便进一步减小工作辊直径，降低轧制压力，提高轧制效率。

　　四辊轧机纵然采用支撑辊传动，但其工作辊也不可能太小。因为当直径小到一定限度时，其水平方向的刚度即感不足，轧辊会产生水平弯曲，使板形和尺寸精度变坏，甚至使轧制过程无法进行。这样，在四辊轧机上轧制极薄带钢时，降低压力与保证轧辊刚度之间又产生了新的矛盾。因而为了进一步减小轧辊直径，就必须设法防止工作辊水平弯曲。六辊式轧机本来就是为解决这一矛盾而产生的。但由图 3-11-3(d) 可以看出，六辊轧机由于几何上的原因，其工作辊直径若小于支撑辊直径的四分之一时，将使工作辊不能接触轧件，因而使工作辊直径的减小受到限制。为了达到更进一步减小工作辊直径的目的，1925 年以后出现了罗恩(Rohn)型多辊轧机。但是罗恩型轧机对于宽板带钢的生产还嫌刚性不足，于是 1932 年以后，主要是第二次世界大战末期，又迅速发展了森吉米尔(Sendizimir)型多辊轧机。以十二辊、二十辊轧机为代表的多辊轧机虽然能较好地满足了极薄带钢生产的要求，但也存在着缺点，主要是结构复杂，制造安装及调整都较难，一般轧制速度也不高。为了减轻制造和调整操作上的困难，于是又出现不对称式的多辊轧机，它采用直径相差很大的两个工作辊，如图 3-11-3(g)，以减小轧辊交叉所产生的影响，简化轧机的调整和板型控制。但它毕竟还相当复杂，一般多辊轧机的缺点并未在本质上得到改善。

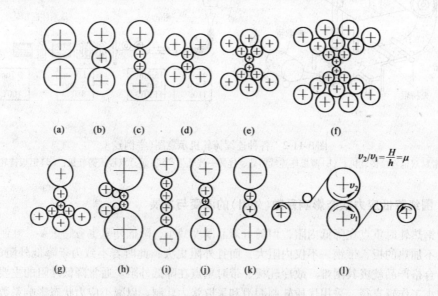

图 3-11-3　各种结构轧机的发展

(a)二辊式；(b)三辊式；(c)四辊式；(d)六辊式；(e)十二辊式；(f)二十辊式；(g)不对称八辊；
(h)偏八辊；(i)HC 轧机；(j)异径五辊及泰勒轧机；(k)不对称异径四辊；(l)异步二辊

　　1952 年出现的偏八辊轧机是生产中行之有效并受欢迎的轧机，其主要特点是在采用支撑辊传动的四辊冷轧机的工作辊一侧增加了侧向支撑辊，并将工作辊的轴线偏移于支撑辊轴线的一侧，以防止工作辊的旁弯，从而可使工作辊直径大大减小，如图 3-11-3(h)所示。这种轧机由于工作辊游动而使咬入能力减弱，轧辊受力稳定性往往也嫌不够。不对称异径辊轧机采用游动的小工作辊负责降低压力，而用大工作辊提供咬入和传递力矩，避免了上述缺点；如图 3-11-3(j)、(k)所示，由于一个工作辊直径的减小，便大大减小了变形区长度和单位压力，从而不仅大幅度降低了轧制压力，而且还大幅度减小了轧制力矩和能耗，并显著改善了产品厚度精度和板型质量。

1971 年苏联发表了 B. H. Выдрин 等人的拔轧（ПВ）式异步轧机专利，轧制过程如图 3-11-3(1)所示，其要点为两辊速度不等，其速度之比等于延伸率，并且轧件对上、下辊有包角，其前、后加张力。上下两辊对接触表面上的摩擦力大小相等、方向相反，快速辊的前滑为零，即其接触弧上全为后滑区，而慢速辊则全为前滑区。变形区形成"全搓轧"区，从而使轧制薄板时的压力得以大幅度降低，异步轧制还可以减少薄边和裂边，可进行良好的板形控制，提高厚度精度及轧机的轧薄能力，并可大大简化自动控制系统和提高其快速响应性。近代东北大学在 ПВ 轧制法的基础上进一步研究，在普通四辊带钢轧机上实现了异步轧制，并取得成功，已在工业生产中应用。

其实，采用单传动辊轧制（例如，叠轧薄板）也自然地要使两工作辊产生一定的速度差，从而使轧制压力有所降低。例如，当单辊传动轧制两辊速度差 5%～10%时，将在一定的变形区长度上出现搓轧区，一般可能使轧制压力下降约 5%～20%。由于单传动辊轧制时上下辊速度的配合是自然的，过程简单易行，无需复杂的控制系统，因而也很值得研究。日本新日铁室兰厂将 1420 热连轧机组最后三架改成单辊传动的异径辊轧机（图 3-11-4）上的工作辊的直径由 665mm 改成 408mm，为游动辊。试验表明，轧制压力减少 20%～40%，薄边大为减少，轧薄能力增强，且小辊磨耗并无明显增加，取得了很好的效果。这主要是由于采用异径辊轧制的作用，与现代有意控制速比的异步轧制并不相同。

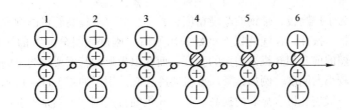

图 3-11-4　某厂热连轧机不对称异径轧制时轧辊的配置
◎—游动的小工作辊（φ480）

在改进润滑效率以降低外摩擦影响方面，值得指出的是热轧润滑的发展。如图 3-11-5 所示，热轧采用润滑后可使轧制压力减小约 10%～20%，同时使所轧带钢的断面形状和表面质量也得到改善。此外，还可使轧辊的磨损消耗减少约 30%（图 3-11-6），增长了轧辊的使用寿命，减少了轧辊消耗及换辊的时间。热轧润滑在油种选择上的要求基本上与冷轧相似，即要求其摩擦系数小，难以热分解，价格便宜和来源广阔。在给油的方法上要使油给到轧辊上不被水冲走，以充分发挥润滑效果。一般多在支撑辊出口侧给油，但也可在工作辊入口侧尽量靠近带钢的地方给油，都可收到较好的效果。

11.2.3　围绕减少和控制轧机变形提高产品质量的演变与发展

要减少轧机变形的不利影响，除上面所述的减小轧制压力的种种措施以外，主要就是增强及控制轧机（轧辊）的刚度和变形。

增大轧机刚度包括加大机架牌坊的刚度和辊系的刚度，例如，增大牌坊立柱断面、加大支

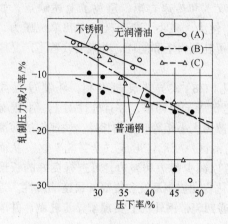

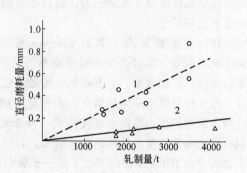

图 3-11-5　轧制润滑油对压力的影响图　　　　图 3-11-6　轧制润滑油对轧辊磨耗的影响
（A）—矿物油＋菜籽油 0.2%；（B）—矿物油＋　　　　1—无润滑油；2—牛油润滑
菜籽油 0.3%；（C）—牛油 0.1%

撑辊直径、采用多辊及多支点的支撑辊、提高轧辊材质的弹性模量及辊面硬度等。由于钢板愈宽愈薄愈难轧，故薄带钢多辊轧机和宽厚板轧机便集中反映了这些特点。多辊轧机的工作机座为矩形整体铸成，既短又粗，刚性很强。宽厚板轧机牌坊立柱断面现已达 10000cm² 以上，牌坊重达 250～450t，轧机刚性系数增至 8000～10000kN/mm，支撑辊直径达 2400mm。冷轧机的刚性系数则最大达 30000～40000 kN/mm。因此，为了提高轧机刚性，使得板、带钢轧机变得愈来愈粗大而笨重。

应该指出，为了提高板、带钢的厚度精度，并不总是要求提高轧机的刚度，而是要求轧机最好做到刚度可控。按此，在连轧机上最好采用所谓"刚度倾斜分配"的轧机，即在来料厚度不均影响较强烈的前几架轧机采用大的刚度，而在以板形和精度要求为主的后几机架，特别是末架，则采用较小的刚度。例如，某厂五机架冷连轧采用了如图 3-11-7 所示的刚度分配，结果使板厚精度比一般连轧机有显著的提高。某一轧机的自然刚度虽然是不变的，但由于增设了液压装置，实际发生作用的轧机刚度系数随辊缝调节量的不同而不同，故称其为刚度可变，而此时的轧制称为变刚度轧制（此刚度为等效和当量刚度）。

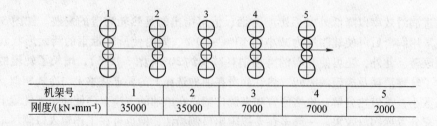

机架号	1	2	3	4	5
刚度/(kN·mm⁻¹)	35000	35000	7000	7000	2000

图 3-11-7　刚度倾斜分配的冷连轧机

轧机的刚度不论如何提高，轧机的变形也只能减小而不能完全消除。因而在提高轧机刚度的同时，还必须采取措施来控制和利用这种变形，以减小其对板、带钢厚度的影响。这就是要对板、带钢的横向和纵向厚度进行控制。如前所述，板、带钢纵向厚度的自动控制问题迄今可以说已基本解决。近年着重研究发展的是横向厚度和板形的控制技术。控制板形和横向厚差的传统方法是正确设计辊型和利用调辊温、调压下来控制辊型，但它们的反应缓慢而且能力有限。为了及时而有效地控制板形和横向厚差，近代广泛采用了"弯辊控制"技术。本来辊型快速调整装置在冷轧薄板的多辊轧机早已采用，例如，采用机械式调支撑辊弯曲变形（弯辊）的装置，使用效果很好。但对大型四辊轧机，辊型快速调整系统却只是 20 世纪 60 年代以来采用了液压弯辊技术以后才发展起来的。到 20 世纪 70 年代新建的大型四辊板带轧机几乎全都装设了液压弯辊装置，这样不仅可有效地提高了精度和保证了板形，而且还可以延长轧辊寿命，减少换辊次数，提高轧机产量。这种方法存在的问题是在对宽板带钢轧制时，工作辊的弯辊效果不大，而支撑辊的弯辊设备又过于庞大，轧辊轴承和辊颈要承受较大的反弯力，影响其寿命和精度，此外液压装置的使用和维护也较复杂，并且由于板形检测技术尚未过关，目前还很难实现自动控制。因此，人们又进一步研究新的控制板形和厚度的方法，近代出现的 HC 轧机、CVC 轧机以及很多控制板形的新技术和新轧机就是要更好地解决这个问题。这部分内容将在第 15 章中详细叙述。

12　热轧板、带材生产

12.1　中、厚板生产

近代由于船舶制造、桥梁建筑、石油化工等工业迅速发展，由于钢板焊接构件、焊接钢管及型材的广泛应用，需要大量宽而长的优质厚板，使中、厚板生产得到很快发展。日本中、厚板生产为世界之冠，约占钢板生产的20%，我国约占15%。中、厚板生产日益趋向合金化和大型化。轧机日趋重型化、高速化和自动化。3m以上的巨型四辊宽厚板轧机目前已成为生产中、厚板的主流设备，在全世界300余台轧机中约占130余台，大多数为1960年以后所建。新建的中、厚板厂其生产规模年产高达200～240万t。

12.1.1　中、厚板轧机的型式及其布置

中、厚板轧机的型式不一，从机架结构来看有二辊可逆式、三辊劳特式、四辊可逆式、万能式和复合式之分；就机架布置而言又有单机架、顺列或并列双机架及多机架连续或半连续式轧机之别。

二辊可逆式轧机是一种旧式轧机，由于其辊系的刚度较差，轧制精度不高，目前已不再单独兴建，只是有时作为粗轧或开坯机之用。三辊劳特式轧机也是一种过时的中板轧机，其上、下轧辊直径700～850mm，中辊直径500～550mm，辊身长度1800～2300mm，它可以采用交流电机传动以实现往复轧制，这种轧机投资少，建厂快，但由于辊系刚度仍不够大，轧机咬入能力较弱，前后升降台等设备也比较笨重复杂，故已逐渐为四辊轧机所代替。四辊可逆式轧机是现代应用最广泛的中、厚板轧机，适于轧制各种尺寸规格的中、厚板，尤其是轧制精度和板形要求较严的宽厚板，更是非用它不可。万能式轧机现在主要的形式是在主机架的一侧（和两侧）安装了一对（或两对）立辊的四辊（或二辊）可逆式轧机。这种轧机的本意是要生产齐边钢板，不用剪边，以降低金属消耗，提高成材率。但理论和实践表明：立辊轧边只是对于轧件宽厚比（B/H）小于60～70时才能产生作用，而对于可逆式中、厚板轧机，尤其是宽厚板轧机，由于B/H太大，用立辊轧边时钢板很容易产生纵向弯曲，不仅起不到轧边作用，反而使操作复杂，容易造成事故，并且立辊与水平辊要实现同步运行还会增加电气设备和操作的复杂性。一句话，就是"投资大、效果小、麻烦多"。因此，自20世纪70年代以来，新建轧机一般已不采用立辊机架。值得指出的是近年来为了提高成材率对于厚板的V-H轧制（立辊加水平辊轧制）又在进行积极研究开发，其目的是想用其生产不用切边的钢板和对板带宽度进行更有效的控制。这当然是很有意义和前途的研究。总之，厚板轧制技术发展很快。现代新建的厚板轧机轧辊尺寸可达(ϕ1200/2400mm)×5500mm，最大轧制压力达45000～100000kN，牌坊重量达250～450t，最大轧制速度为5～7.5m/s，主传动电机功率达18000kW。采用全面计算机控制。年产量达180～240万t。

中、厚板轧机的布置早期多为单机架式，后发展为双机架式和多机架式。当前，单机架式虽仍占一席之地，而占主导地位的已是双机架式轧机了，它是把粗轧和精轧两个阶段的不同任务和要求分别放到两个机架上去完成。其主要优点是：不仅产量高，而且表面质量、尺寸精度和板形都较好，更适合厚板的控轧控冷，并可延长轧辊寿命，缩短换辊次数等。其粗轧机可采用二辊可逆式、四辊可逆式，早期也采用三辊劳特式，而精轧机则一般皆用四辊可逆式。我国

目前已将原有大多数2300mm三辊劳特式轧机改造成四辊单机架或双机架轧机。而双机架式还是以二辊粗轧机加四辊精轧机的顺列布置较普遍。美国、加拿大等多采用二辊加四辊式，而欧洲和日本则多采用四辊加四辊式。后者的优点是：粗、精轧道次分配较合理，产量高；可使进入精轧机的来料断面较均匀，质量好；粗、精轧可分别独立生产，较灵活。缺点是粗轧机工作辊直径大，因而轧机结构笨重而复杂，使投资增大。

连续式或半连续式多机架轧机是生产宽带钢的高效率轧机，实际也是一种中、厚板轧机。因其成卷生产的板带厚度已达25mm或以上，这就是说几乎所有的中板，或者说几乎2/3的中、厚板，都可在连轧机上生产。但其宽度一般不大，而且轧制较厚的中板时常导致终轧温度过高。由于轧制中、厚板一般用不着抢温保温，故不一定要专门采用昂贵的连轧机来生产，只用单、双机架可逆式轧机即可满足一般要求。

1997年美国蒙特利埃厂采用TSP工艺兴建了一条中等厚度板坯的中厚板连铸连轧生产线。该厂采用步进式加热炉和3450mm炉卷轧机，以$(127 \sim 152) \times (1220 \sim 3048)$的铸坯直接热装轧制$4.8 \sim 50mm$厚的钢板和$2.5 \sim 20mm$厚的板卷，年产100万t。生产各种碳结钢、HSLA钢、不锈钢、各种船板、桥梁板、锅炉板及管线钢板，性能质量良好。迄今这种短流程连铸连轧工艺发展迅速，已达$7 \sim 8$家之多。我国南京钢厂等已引进该项技术，正待开发。该项工艺技术将大幅度节约能耗和提高成材率，大大降低成本。

图3-12-1为日本住友金属鹿岛制铁所厚板工厂的平面布置。该厂采用双机架四辊可逆式轧机，轧辊尺寸为（$\phi 1005/2005mm$）$\times 5340mm$，最大轧制压力90000kN，粗、精轧机电机容量分别为$2 \times 5000kW$及$2 \times 4490kW$。全厂面积137780m^2，年产192万t。

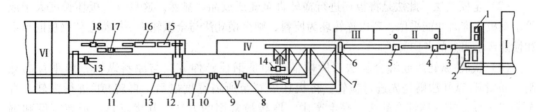

图3-12-1　日本住友金属鹿岛制铁所厚板工厂平面布置

Ⅰ—板坯场；Ⅱ—主电室；Ⅲ—轧辊间；Ⅳ—轧钢跨；Ⅴ—精整跨；Ⅵ—成品库

1—室状炉；2—连续式炉；3—高压水除鳞；4—粗轧机；5—精轧机；6—矫直机；7—冷床；

8—切头剪；9—双边剪；10—纵剪；11—堆垛机；12—端剪；13—超声探伤；14—压

力矫直机；15—淬火机；16—热处理炉；17—涂装机；18—喷砂机

12.1.2　中、厚板生产工艺

轧制中、厚板所用的原料可采用扁锭、初轧板坯、连铸板坯和压铸坯等几种。使用连铸坯已是主流。为了保证板材的组织性能轧制应该具有足够的压缩比，美国认为$4 \sim 5$倍的压缩比已够，日本则要求在6倍以上，而联邦德国则认为3.1倍即可。图3-12-2为不同板厚（压缩比）与铁素体晶粒度的关系。可见提高压缩比有利于组织性能的保证。我国生产实践表明，采用厚150mm的连铸坯生产厚12mm以下的钢板较为理想。实际上对一般用途的钢板宜取$6 \sim 8$倍以上，而重要用途者宜在$8 \sim 10$倍以上更为可靠。

中厚板的轧制过程可分为除鳞、粗轧和精轧几个阶段。除鳞是要将炉生铁皮和次生铁皮除净以免压入表面产生缺陷。这必须在轧制开始趁铁皮尚未压入表面时进行。除鳞方法有多种，例如投以竹枝、杏条、食盐等，或采用辊压机、钢丝刷，或用压缩空气、蒸汽吹扫，或用除鳞机和高压水等等。实践表明，现代工厂只采用投资很少的高压水除鳞箱及轧机前后的高压水喷头即可满足除鳞要求，其水压过去为12MPa 左右，嫌低，现已采用 18 ~ 25MPa 以上，合金钢则需更高的水压值。

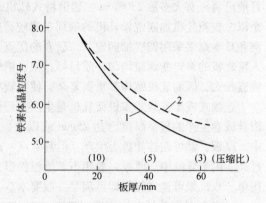

图 3-12-2　铁素体晶粒度与板厚的关系
1—1/2 板厚，中部；2—1/2 板厚，边部

　　粗轧阶段的主要任务是将板坯和扁锭展宽到所需要的宽度并进行大压缩延伸,为此而有多种操作方法,主要的有纵轧法、横轧法、综合轧法以及最近日本开发的平面形状控制法(MAS)等。

　　(1) 全纵轧法　所谓纵轧即钢板轧制的延伸方向与原料（锭、坯）纵轴方向相重合的轧制。当板坯宽度大于或等于钢板宽度时，即可不用展宽而直接纵轧成成品，这可称之为全纵轧操作方式。其优点是产量高，但存在着钢板横向性能太低的缺点，因其在轧制中始终只向一个方向延伸，使钢中偏析和夹杂等呈明显条带状分布，带来钢板组织和性能的严重各向异性，使横向性能（尤其是冲击韧性）往往不合格。故此种操作法实际用得不多。

　　(2) 全横轧法　此法是将板坯进行横轧直至轧成成品。显然，这只有当板坯长度大于或等于钢板宽度时才能采用。若以连铸坯为原料，则全横轧法与全纵轧法一样都会使钢板的组织和性能产生明显的各向异性。

　　(3) 横轧-纵轧法或综合轧法　所谓横轧即是钢板延伸方向与原料纵轴方向垂直的轧制，而横轧-纵轧法则是先进行横轧，将板坯展宽至所需宽度以后，再转 90° 进行纵轧，直至完成。故此法又称综合轧法，是生产中、厚板最常用的方法。其优点是：板坯宽度和钢板宽度可以灵活配合，并可提高横向性能，减少钢板的各向异性，因而它更适合于以连铸坯为原料的钢板生产，但它使产量有所降低，并易使钢板成桶形，增加切边损失，降低成材率（图 3-12-3）。此外，由于横向延伸率不大，使钢板组织性能的各向异性改善不多，横向性能往往仍嫌不足。

　　(4) 平面形状控制轧法　即 MAS 轧制法及差厚展宽轧制法。综合轧制法是中、厚板常用

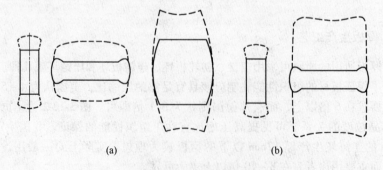

(a)　　　　　　　　　　　　(b)

图 3-12-3　综合轧制及横轧变形情况比较
(a) 综合轧制；(b) 横轧

的轧法，一般可分为三步，首先是纵轧 1~2 道以平整板坯，称为整形轧制，然后转 90°进行横轧展宽，最后再转 90°进行纵轧成材。综合轧制易使钢板成桶形，增加切损，降低成材率。日本新开发的平面形状控制轧法就是在整形轧制或展宽轧制时改变板坯两端的厚度形状，以达到消除桶形，提高成材率的目的。

MAS 轧制法是日本川崎制铁所水岛厂钢板平面形状自动控制法的简称，由于坯形似狗骨，故又称狗骨头轧制（DBR）法。它就是根据每种尺寸的钢板在终轧后桶形平面形状的变化量，计算出粗轧展宽阶段坯料厚度的变化量，以求最终轧出的钢板平面形状矩形化。轧制中为了控制切边损失，在整形轧制的最后一道中通过抬、压水平辊沿轧制方向给予预定的厚度变化，然后转钢横轧，利用宽向不均匀延伸，减少横轧时的平面桶形，最终纵轧时便可以使平面板形矩形化，称为整形 MAS 轧法，过程如图 3-12-4 所示；而为了控制头尾切损，在展宽轧制的最后道次沿轧制方向给予预定的厚度变化，则称为展宽 MAS 轧法。

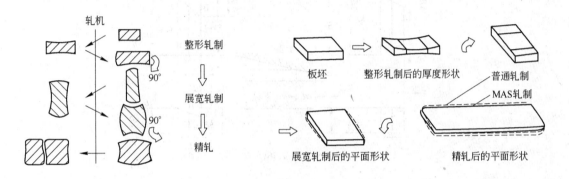

图 3-12-4 MAS 轧制过程示意图

近年日本又开发出新的平面形状控制法称为差厚展宽轧制法，其过程和原理如图 3-12-5 所示。如图 3-12-5（a）在展宽轧制中平面形状出现桶形，端部宽度比中部要窄 ΔB，令窄端部的长度为 αL（其中 α 为系数，取 0.1~0.12；L 为板坯长度即轧件宽度），若把此部分展宽到与中部同宽，就可得到矩形，纵轧后边部将基本平直。为此进行如图 3-12-5（b）那样的轧制，即将轧辊倾斜一个角度 θ，在端部多压下 Δh_e 的量，让它多展宽一点，使其成矩形。

采用 MAS 轧制法或差厚展宽轧制法可以明显减少切边切头损失，提高了成材率。日本水岛制铁所第二厚板厂用 MAS 法可提高成材率 4.4%。在普通轧制法中展宽比愈大，切损愈大，而在 MAS 法中切损与展宽比无关。

但是在采用这些新的轧制方法，尤其是 MAS 轧制法时，要求轧机必须高度自动化，并利用平面形状预测数学模型，通过计算机自动控制才能实现。现代厚板轧机都设有液压 AGC 系统来控制厚度精度，一些厂家还利用 AGC 技术生产楔形板或变厚度板。很多中厚板轧机采用工作辊交叉（PC）或窜辊技术（HCW 或 CVC）控制钢板的凸度和板形。

中、厚板的粗轧和精轧阶段并无明显的界限。通常双机架式轧机的第一架称为粗轧机，第二架为精轧机。粗轧的主要任务是整形、展宽和延伸，精轧则是延伸和质量控制，包括厚度、板形、性能及表面质量的控制，后者主要取决于精轧辊面的精度和硬度。

为使板形平直，钢板轧后须趁热进行矫直。矫直机已由二重式进化为 9~11 辊四重式。终矫温度常为 500~750℃。对特厚钢板采用压力矫直机更为合适。为矫直高强度钢板还须设置高强度冷矫机。为了冷却均匀并防止划伤，近代多采用步进式运载冷床，并在冷床中设置了雾化冷却、层流和水幕冷却。厚板冷至 200~150℃ 以下便可进行检查、划线和剪切了。现代一

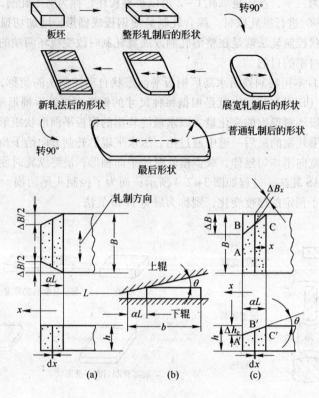

图 3-12-5　差厚展宽轧制法过程及原理示意图

（a）展宽轧制后的形状；（b）轧辊倾斜轧端部；（c）新轧制法轧后的形状

般采用自行式自动量尺划线机和利用测量辊的固定式量尺划线机，与计算机控制系统相结合，使精整操作更为合理。厚度 26mm 以下的钢板采用圆盘剪，速度可达 100～120m/min，美国还打算采用连续双圆盘剪剪切厚至 40mm 的钢板，以提高效率及切边质量。厚至 50mm 的钢板采用双边剪进行切边。横切剪型式由侧刀剪和摇摆剪改进为滚切剪。

　　如果对钢板机械性能有特殊要求，还需要进行热处理。近年来在中厚钢板生产中虽已广泛采用控制轧制与控制冷却新工艺，可提高钢板的机械性能，取代部分产品的常化工艺的效果，但控轧、控冷工艺还不能完全取代热处理。一些优质产品及合金与低合金高强度钢板仍需要常化或调质处理。并且热处理以后具有整批产品性能稳定的优点。因此现代化厚板厂一般都具有热处理设备，例如采用无氧化辊底式炉或同步运转的步进梁式炉（对不锈钢）等设备进行正火或淬火处理，采用直火式辊底炉进行回火处理。淬火在辊式，压力或槽式淬火机内进行，以辊式淬火机最为常用。对于一些质量要求高的产品如桥梁板等还要求进行探伤检查。现代厚板厂普遍安装离线连续超声波探伤仪，探伤温度在 100℃ 以下探伤速度最大为 60m/min。

12.2　热连轧带钢生产

　　自 1924 年第一台带钢热连轧机投产以来，连轧带钢生产技术得到了很大的发展，特别是 20 世纪 60 年代以来由于数值晶闸管技术、计算机控制技术、液压传动技术、厚度板形宽度控制技术和升速轧制技术及层流冷却等新设备新工艺的应用，热连轧技术的发展更为迅速。现代热连轧机的发展趋势和特点是：（1）为提高产量而不断提高速度（最高速度可达30m/s以上），加大卷重（45t以上）和主电机容量，增加轧机的强度和刚度，采用快速换辊及换剪刃装置等，使机组产量大幅度提高（300~600万t/a）；（2）当前降低成本，提高经济效益，节约能耗和提高成材率成为关键问题，为此而迅速开发了一系列新工艺新技术。突出的是普遍采用连铸坯及热装和直接轧制工艺、无头轧制工艺、低温加热轧制、热卷取箱和热轧工艺润滑及车间布置革新等；（3）为了提高质量而采用高度自动化和全面计算机控制，采用各种AGC系统和液压控制技术，开发各种控制板形的新技术和新轧机，利用升速轧制和层流冷却以控制钢板温度与性能。使厚度精度由过去人工控制的 ±0.2mm 提高到 0.05mm，终轧和卷取温度控制在 ±15℃ 以内。在工业发达国家中，热连轧带钢已占板带钢总产量的80%左右，占钢材总产量的50%以上，因而在现代轧钢生产中占着统治地位。现代板带热连轧生产还出现了很多新技术，1997年以后日本又开发了无头轧制技术，全面提高了产量、质量和成材率，如表3-12-1所示。随着薄板坯连铸连轧生产技术的发展，更多的新技术正在迅速产生和发展中。

表 3-12-1　板带热连轧机生产技术（新技术）

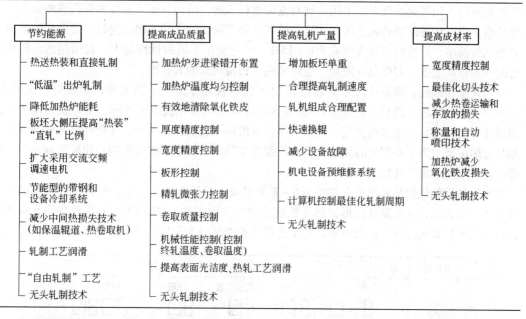

热轧带钢生产工艺过程主要包括原料准备、加热、粗轧、卷板、焊接、精轧、冷却及飞剪、卷取等工序。

12.2.1　原料选择与加热

热连轧带钢所用的原料主要是初轧板坯和连铸板坯。由于连铸坯的前述优点，加之比初轧坯物理化学性能均匀，且便于增大坯重，故对热带连轧更为合适，其所占比重亦日趋增大，很多工厂连铸坯已达100%。热带连轧机所用板坯厚度一般为 150~300mm，多数为 200~250mm，最厚达 350mm。近代连轧机完全取消了展宽工序，以便加大板坯长度，采用全纵轧制，故板坯宽度要比成品宽度大，由立辊轧机控制带钢宽度，而其长度则主要取决于加热炉的宽度和所需坯重。板坯重量增大可以提高产量和成材率，但也受到设备条件、轧件终轧温度与前、后允许温度差，以及卷取机所能容许的板卷最大外径等的限制。目前板卷单位宽度的重量不断提高，达到 15 ~ 30kg/mm，并准备提高到 33 ~ 36kg/mm。

关于板坯加热工艺及其所采用的连续加热炉型式，基本上与中厚板相类似，但由于板坯较长，故炉子宽度一般比中厚板要大得多，其炉膛内宽达 9.6 ~ 15.6m。为了适应热连轧机产量增大的需要，现代连续式加热炉，无论是热滑轨式或步进式，一方面都采用多段（6 ~ 8 段以上）供热方式，以便延长炉子高温区，实现强化操作快速烧钢，提高炉底单位面积产量；另一方面尽可能加大炉宽和炉长，扩大炉子容量。为了增加炉长，最好采用步进式炉，它是现代热连轧机加热炉的主流。

为了节约热能消耗，近年来板坯热装和直接轧制技术得到迅速发展。热装是将连铸坯或初轧坯在热状态下装入加热炉，热装温度越高，则节能越多。热装对板坯的温度要求不如直接轧制严格。直接轧制则是板坯在连铸或初轧之后，不再入加热炉加热而只略经边部补偿加热，即直接进行的轧制。

12.2.2　粗轧

热带轧制和中、厚板轧制一样，也分为除鳞、粗轧和精轧几个阶段，只是在粗轧阶段的宽度控制不但不用展宽，反而要采用立辊对宽度进行压缩，以调节板坯宽度和提高除鳞效果。立辊轧机采用上传动的型式比下传动要好，前者又是万向接轴式较滑键式为好。万向接轴式的大立辊结构简单，造价较滑键式便宜 7% ~ 15%，但它使吊车轨面标高加大，甚至超出由轧机决定的轨面标高之上，若受条件限制，也可采用上传滑键式的大立辊。

板坯除鳞以后，接着进入二辊轧机轧制（此时板坯厚度大，温度高，塑性好，抗力小，故选用二辊轧机即可满足工艺要求）。随着板坯厚度的减薄和温度的下降，变形抗力增大，而板形及厚度精度要求也逐渐提高，故须采用强大的四辊轧机进行压下，才能保证足够的压下量和较好的板形。为了使钢板的侧边平整和控制宽度精确，在以后的每架四辊粗轧机前面，一般皆设置有小立辊进行轧边。

现代热带轧机的精轧机组大都是由 6 ~ 8 架组成，并没有什么区别，但其粗轧机组的组成和布置却不相同，这正是各种形式热连轧机主要特征之所在。图 3-12-6 为几种典型轧机的粗轧机组布置形式示意图。由图可知，热带连轧机主要区分为全连续式、半连续式和 3/4 连续式

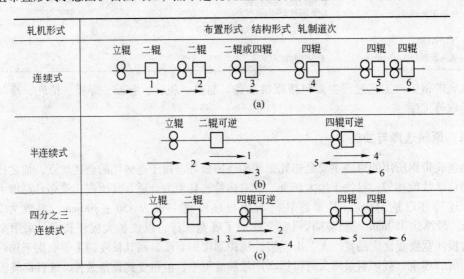

图 3-12-6　粗轧机组轧制六道时的典型布置形式

三大类，不管是哪一类，实际上，其粗轧机组都不是同时在几个机架上对板坯进行连续轧制的，因为粗轧阶段轧件较短，厚度较大，难以实现连轧，温度降较慢，也不必进行连轧。因此各粗轧机架间的距离须根据轧件走出前一架以后再进入下一机架的原则来确定，其数值一般如下：

机架名称	立辊~粗1	粗1~粗2	粗2~粗3	粗3~粗4	粗4~粗5
间距/m	15~17	18~23	25~30	36~42	48~64

机架名称	粗5~粗6	粗6~精轧	精轧机架间		
间距/m	73~79	115~135	5.5~6		

随着板坯厚度减小和长度的增加，必然引起粗轧机架间距的增大，使轧制流程线延长，轧件温度降增大，次生铁皮增多，带来很多不利。为了缩短机架之间的距离，粗轧机组最后两架采用了连续式布置。其两架中心距离约为10m。

半连续式轧机有两种形式：图3-12-6(b)中粗轧机组是由两架可逆式轧机组成，主要用于复合半连续轧机，设有中厚板加工线设备，既生产板卷，又生产中厚板。这样半连续式轧板粗轧阶段道次可灵活调整，设备和投资都较少，故适用于产量要求不高，品种范围又广的情况。

为了大幅度提高产量，广泛采用全连续式轧机。所谓全连续就是指轧件自始至终没有逆向轧制的道次，而半连续则是指粗轧机组各机架主要或全部为可逆式而言。如图3-12-6(a)，全连续式轧机粗轧机由5~6个机架组成，每架轧制一道，全部为不可逆式，大都采用交流电机传动。这种轧机产量可高达400万~600万t/a，适合于大批量单一品种生产，操作简单，维护方便，但设备多，投资大，轧制流程线或厂房长度增大。

全连续式轧机的粗轧机组每架只轧一道，轧制时间往往要比精轧机组的轧制时间少得多，亦即粗轧机的利用率并不很高，或者说粗轧机生产能力与精轧机不相平衡。近年来，为了充分利用粗轧机，同时也为了减少设备和厂房面积，节约投资，而广泛发展一种3/4连续式新布置形式，它是在粗轧机组内设置1~2架可逆式轧机，把粗轧机由六架缩减为四架。根据某厂的计算资料可知，在一定生产条件下，当轧制1.5mm及12.7mm厚的产品时，粗轧机组轧制节奏约为35s，而精轧机组轧制节奏分别约为130s和40s。较厚的板带，薄弱环节已不是轧机而是加热炉了。可见，对绝大多数产品，轧机的薄弱环节不是在粗轧机组，3/4连轧机已能够满足精轧能力的要求。3/4连轧机的可逆式轧机可以放在第二架，也可以放在第一架，前者优点是大部分铁皮已在前面除去，使辊面和板面质量好些，但第二架四辊可逆轧机的换辊次数比第一架二辊可逆式要多二倍。一般还是倾向于前者。总之，3/4连轧机较全连轧机所需设备少，厂房短，总的建设投资要少5%~6%，生产灵活性也稍大些，但可逆式机架的操作维修要复杂些，耗电量也大些。对于年产300万t左右规模的带钢厂，采用3/4连轧机一般较为适宜。

粗轧机组各机架都采用万能轧机，轧机前都带小立辊，主要目的是用以控制板卷的宽度，同时也起着对准轧制中心线的作用。各水平辊机架和立辊机架的压下规程或轧辊开度，由计算机通过数学模型进行设定，速度规程也按一定程序进行控制，由于立辊与水平辊形成连轧关系，为了补偿水平辊辊径变化及适应水平辊压下量的变化，立辊必须能进行调速。随着板卷重量和板坯厚度的增加，要求增加每道的压下量，为此便要求增大电机功率和轧辊直径，以提高咬入能力和轧辊的扭转和弯度强度。现代热连轧机工作机架轧辊直径范围如表3-12-2所示。

表 3-12-2　现代热带连轧机各机架轧辊直径　　　　　　（mm）

机 架 轧 辊	辊身长度		
	1700	2300	2800
	轧辊直径		
粗轧二辊或可逆轧机工作辊	1250 ~ 1350		1350 ~ 1450
粗轧机工作辊	1100 ~ 1200		1200 ~ 1300
支撑辊	1550 ~ 1600		1700 ~ 1800
破鳞机立辊	1200 ~ 1300		1200 ~ 1300
万能机架立辊	950 ~ 650		1000 ~ 650
精轧机工作辊	900 ~ 650		1000 ~ 800

在粗轧机组最后一个机架后面，设有带坯测厚仪、测宽仪、测温装置及头尾形状检测系统，利用此处较好的测量环境和条件，得出必要的精确数据，以便作为计算机对精轧机组进行前馈控制和对粗轧机组与加热炉进行反馈控制的依据。

为了减少输送辊道上的温度降以节约能耗，近年来很多工厂还采用在输送辊道上安置绝热保温罩或补偿加热炉（器），或在轧件出粗轧机组之后采用热卷取箱进行热卷取等新技术。辊道保温罩绝热块的结构如图 3-12-7 所示，它利用逆辐射原理，以耐火陶瓷纤维做成绝热毡，受热的一面覆以金属屏膜，受热时金属膜（0.05 ~ 0.5mm 厚）迅速升至高温，然后作为发热体将热量逆辐射返回给钢坯。这种保温罩结构简单，成本低，效率高，采用它以后可降低加热炉出坯温度达 75℃，从而提高成材率 0.15%，节约燃耗 14%，还可提高板带末端温度约 100℃，使板带温度更加均匀，可轧出更宽更薄重量更大及精度性能质量更高的板卷，并可使带坯在中间辊道停留达 8min 而仍保持可轧温度，便于处理事故，减少废品，提高成材率。这种保温隔热罩自 1982 年在英国 BSC 的纳肯特厂投产应用以来，已被德国、法国、美国等很

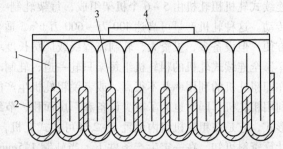

图 3-12-7　辊道保温罩逆辐射绝热块结构示意图
1—绝热毡；2—金属屏；3—金属屏的折叠部分；4—安装件

多工厂采用，取得了显著效益。此外，为防止板料在轧制过程中其横向边角部的温降，还研究成功了多种在精轧机入口加热板坯角部的技术，主要有电磁感应加热法、煤气火焰加热法和保温罩加热法等。日本新日铁堺厂为实现 CC-DR 工艺而采用煤气火焰加热法后，使厚 2.0mm 的带钢在精轧机出口处的温度（距边缘 40mm 处）升高约 18℃，使带钢质量得到明显提高。热卷取箱结构如图 3-12-8 所示。其主要优点为：（1）粗轧后在入精轧机之前进行热卷取，以保存热量，减少温度降，保温可达 90% 以上。（2）首尾倒置开卷，以尾为头喂入轧机，均化板带的头尾温度，可以不用升速轧制而大大提高厚度精度。（3）起储料作用，这样可增大卷重，提高产量。（4）可延长事故处理时间约 8 ~ 9min，从而可减少废品及铁皮损失，提高成材率。（5）可使中间辊道缩短约 30% ~ 40%，节省厂房和基建投资。因此在热轧带钢生产中采用热卷取箱是发展的方向。采用这些技术都可使板坯加热与出炉温度得以降低。若采用低温轧制技术使板坯出炉温度由 1250℃ 降至 1150℃，可节能（16.7 ~ 29.3）× 10^7 J/t，远大于轧机电耗的增加值（2.1 × 10^7 J/t），并对减少烧损和提高成材率十分有利。

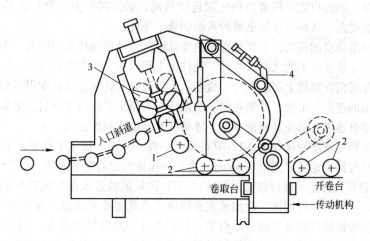

图 3-12-8　热卷取箱结构示意图
1—支撑辊；2—托辊；3—弯曲辊；4—推杆

若是采用无头轧制工艺，则板坯在热卷及开卷之后经切头（尾）剪，进入移动式焊接机（川崎为感应加热镦锻焊接机，大分厂为激光焊接机），焊接后用滚削式刮刺机进行刮削毛刺（图 3-12-11），再经高压水除鳞进行精轧。

12.2.3　精轧

由粗轧机组轧出的带钢坯，经百多米的中间轨道输送到精轧机组进行精轧。精轧机组的布置比较简单，如图 3-12-9 所示。带坯在进入精轧机之前，首先要进行测温、测厚并接着用飞剪切去头部和尾部。切头的目的是为了除去温度过低的头部以免损伤辊面，并防止"舌头"、"鱼尾"卡在机架间的导卫装置或辊道缝隙中。有时还要把轧件的后端切去，以防后端的"鱼尾"或"舌头"给卷取及其后的精整工序带来困难。现代的切头飞剪机一般装置有两对刀刃，

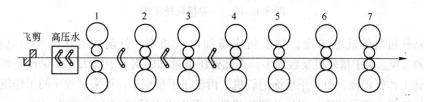

图 3-12-9　精轧机组布置简图

一对为弧形刀，用以切头，这有利于减小轧机咬入时的冲击负荷，也有利于咬钢和减小剪切力；另一对为直刀，用于切尾。两对刀刃在操作上比较复杂，实际上往往都是一对刀刃，切成钝角形或圆弧形。据现场反映，这样做，在尾部轧制后并没有出现燕尾。甚至有的工厂对厚而窄的带钢根本不剪尾部。飞剪型式有曲拐式和转鼓式两种，二者各有利弊，应按其具体情况选型。

带钢钢坯切头以后，即进行除鳞。现代轧机已取消精轧水平辊破鳞机，只在飞剪与第一架精轧机之间设有高压水除鳞箱以及在精轧机的前几机架之前设高压水喷嘴，利用高压水破除次生氧化铁皮即可满足要求。除鳞后进入精轧机轧制。精轧机组一般由 6～7 架组成连轧，有的还留出第八架、九架的位置。增加精轧机架数可使精轧来料加厚，提高产量和轧制速度，并可

轧制更薄的产品。因为粗轧原料增加和轧制速度提高，必然减少温度降，使精轧温度得以提高，减少头尾温度差，从而为轧制更薄的带钢创造了条件。

过去精轧机组速度的提高，主要受穿带速度及电气自动控制技术的限制。为了稳妥安全防止事故，精轧机穿带速度不能太高，并且在轧件出末架以后，入卷取机以前，轧件运送速度也不能太高，以免带钢在辊道上产生飘浮。故在六十年代以前轧制速度长期得不到提高，只有随着电气控制技术的进步，出现了升速轧制、层流冷却等新工艺新技术以后，采取了低速穿带然后与卷取机同步升速进行高速轧制的办法，才使轧制速度大幅度提高。

现在一般的精轧速度变化如图 3-12-10 的型式。图中（A）段从带钢进入 $F_1 \sim F_7$ 机架，直至其头部到达计时器设定值 P 点（0～50m）为止，保持恒定的穿带速度；（B）段为带钢前端从 P 点到进入卷取机为止，进行较低的加速；（C）段从前端进入卷取机后开始到预先给定的速度上限为止，进行较高的加速，此加速主要取决于终轧温度和提高产量的要求；（D）达到最高速度后，至带钢尾部离开减速开始机架（F_1）为止，维持最高速度；（E）带钢尾端离开最末机架后，到达卷取机前要使带钢停住，但若减速过急，则会使带钢在输出辊道上堆叠，因此当尾端尚未出精轧机组之前，就应提前减速到规定的速度；（F）带钢离开最末架（F_7）以后，立即将轧机转速回复到后续带钢的穿带速度。总之，由于采取升速轧制，可使终轧温度控制得更加精确和使轧制速度大为提高，现在末架的轧制速度一般已由过去的10m/s 左右提高到24m/s，最高可达30m/s。可以轧制的带钢厚度薄到 1.0～1.2mm，甚至0.8mm。

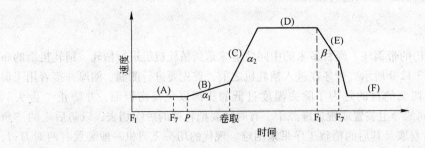

图 3-12-10　一般精轧速度图

提高精轧机组的轧制速度，要求相应增加电机功率。目前，精轧机每架电机功率为6000～12000kW。由于精轧机架数增多，头几架压下量和轧制力矩增大，为保证扭转强度，要求增大精轧工作辊辊径，而对于后面的轧机，由于压下量变小，可采用较小的工作辊径。日本最近在热连轧机上进行试验，将后几架轧机的上工作辊直径由 650mm 改为 408mm，采用单辊传动的异径辊轧制，使轧制压力降低 20%～40%。近年国外研究采用将粗轧后的带坯进行卷取再进入精轧机轧制的技术，用以代替升速轧制，已取得很好的经济效果。

为适应高速轧制，必须相应地有速度快、准确性高的压下系统和必要的自动控制系统，才能保证轧制过程中及时而准确地调整各项参数的变化和波动，得出高质量的钢板。精轧机压下装置的型式最常见的是电动蜗轮蜗杆式。近代发展的液压压下装置在热带连轧机上也已开始采用，它的调节速度快，灵敏度高，惯性小，效率高，其响应速度比电动压下的快七倍以上，但其维护比较困难，并且控制范围还受到液压缸的活塞杆限制。因此，有的轧机把它与电动压下结合起来使用，以电动压下作为粗调，以液压压下作为精调。

在精轧机组各机架之间设有活套支持器。其作用，一是缓冲金属流量的变化，给控制调整以时间，并防止成叠进钢，造成事故；二是调节各架的轧制速度以保持连轧常数，当各种工艺参数产生波动时发出信号和命令，以便快速进行调整；三是带钢能在一定范围内保持恒定的小张力，防止因张力过大引起带钢拉缩，造成宽度不均甚至拉断。最后几个精轧机架间的活套支持器，还可以调节张力，以控制带钢厚度。因此，对活套支持器的基本要求便是动作反应要快，而且自动进行控制，并能在活套变化时始终保持恒张力。活套支持器可分为电动、气动、液压及气-液联合的几种。过去的电动恒力矩活套支持器的缺点是张力变化较大，动作反应慢，控制系统复杂。但近来采用了晶闸管供电并改进了控制系统，出现的恒张力电动活套支持器，其反应灵活，便于自动控制，故在新建的热带连轧机上得到应用。液压的活套支持器反应迅速，工作平稳，但维护困难；气-液联合驱动的活套支持器，可用在精轧机组最后两台轧机之间调节带钢张力。

为了灵活控制辊形和板形，现代热带连轧机上皆设有液压弯辊装置，以便根据情况实行正弯辊或负弯辊。

近代热连轧机一般约每4小时换工作辊一次，全年换辊达2000次以上。因此为了提高产量，必须进行快速换辊以缩短换辊时间，过去的套筒换辊方式已被淘汰。现在以转盘式和小车横移式换辊机构比较盛行，后者比前者结构简单，工作可靠，但在换支撑辊时需将小车吊走或移走。

为了使带钢厚度及机械性能均匀，必须使带钢首尾保持一定的终轧温度。而控制调整精轧出口速度则是控制终轧温度的最重要、最活跃和最有效的手段。实践表明，只需采用0.025～0.125m/s²的加速度，即可使终轧温度维持恒定范围。除调整轧制速度以外，在各机架之间还设有喷水装置，也可起一定的作用。

为测量轧件的温度，在精轧入口和出口处都设有温度测量装置。为测量带钢宽度和厚度，精轧后设有测宽仪和X射线测厚仪。测厚仪和精轧机架上的测压仪、活套支持器、速度调节器及厚度计式厚度自动调节装置组成厚度自动控制系统，用以控制带钢的厚度精度。

当采用无头轧制工艺时，其工艺流程与传统轧制工艺的比较如图3-12-11所示。无头轧制是在传统轧制机组上，将经粗轧后的中间坯进行热卷、开卷、剪切头尾、焊接及刮削毛刺，然后进行精轧，精轧后再经飞剪切断然后卷取。其优点是：1）无穿带问题，按一定速度及恒定张力进行轧制，不受传统轧法的速度限制，不仅可使生产率提高15%，而且提高厚度精度及改善板形，使成材率也提高0.5%～1.0%；2）无穿带、甩尾、飘浮等问题，带钢运行稳定，

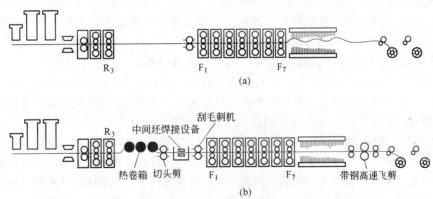

图 3-12-11 无头轧制与传统轧制的工艺流程比较
(a) 传统轧制工艺；(b) 无头轧制工艺

可生产 0.8～1.0mm 薄带材；3）有利于润滑轧制、大压下量轧制及进行强力冷却，为生产表面与性能质量好的板带创造了条件；4）减少轧辊冲击和黏辊，延长轧辊寿命。

12.2.4　调宽轧制（AWC）及自由程序轧制（SFR）

高度现代化的钢铁工业生产要求提高产量、质量、节省能源、降低消耗及成本，因而向着高度连续化、自动化的方向发展。尤其是为了实现炼钢－连铸－轧钢等多工序同期性连续生产，就必然要求轧制技术的高度灵活和可靠，也就是要求高度柔性生产。尽可能不在或少在更换产品与铸坯原料的规格品种，更换轧辊与导卫等装置，改变轧制工艺条件及处理事故等方面耽误时间，以保证过程的节奏性和连续性不受影响和破坏，这在热连轧带钢生产中主要包括有灵活变更宽度的技术，自由程序（或随意计划）轧制技术及缩减换辊的次数与时间等。

12.2.4.1　调宽轧制（AWC）

现代化的板坯连铸机一般具有在线调宽技术，但即使连铸机具有快速调宽装置，为了稳定浇铸作业，稳定炼钢与连铸的节奏均衡及减少锥形板坯的长度，也应尽量减少结晶器宽度的调节变化，亦即结晶器宽度的改变应该是越少越好，而将调宽改变板坯规格的任务主要交给轧钢去承担。在轧钢车间调控板坯的宽度采用的技术主要有：

（1）设立定宽（径）轧机或大立辊破鳞机，实现宽度大压下，如日本大分厂设立了立-平-立（VHV）三联可逆式定径轧机，道次压下量可达 150mm，总减宽量可达 1050mm。由于前端和尾端宽度缩小而增加剪切损失，使金属收得率降低，为此大分厂采用了宽度自动控制和挤压轧制技术，使收得率达 99% 以上。日本堺厂为了提高轧机的宽度压下能力，将立辊破鳞机改造成一架可逆式轧机，经 5 道次压下，可使侧边总压下量达 150mm。

（2）一些工厂（如堺厂等）由于使用 M 机架的立辊轧边，提供了一种宽度自动控制（AWC）功能。这种功能在大压下量轧制或轧制因结晶宽度改变而形成的锥形板坯时，能使宽度得到较精确的控制。板坯的宽度用宽度计进行测量。利用测出的板坯宽度，计算出立辊的开口度（辊缝），再根据测量辊测得的数据，定时进行立辊开口度的调整。当不使用 AWC 时，带钢宽度变化达 5.5mm，而当使用 AWC 时，则宽度差得到消除，使板宽精度大大提高。在堺厂，锥度达 140mm 的板坯可直接送往热带轧机进行轧制。

（3）采用定宽压力机以大压下量有效地调整板坯宽度，如我国宝钢 1580mm、鞍钢 1780mm 轧机即是如此，侧压下最大可达 350mm。

除此之外，原来常规热带轧机中采用的一些板宽控制技术在连铸连轧生产中仍然可以使用，对调控板、带宽度精度也可起较大的作用。

12.2.4.2　自由程序（或随意计划）轧制技术（SFR）

在常规连铸与轧钢生产工艺中，板坯出连铸机后进行冷却，送板坯存放场进行检查清理及堆垛存放，再运往轧钢车间按照轧钢生产管理计划编组，按每套轧辊先轧宽板后逐渐轧制窄板的一定程序进行轧制生产。连铸与轧钢是两个独自编制生产计划的互不相干的工厂。但在连铸-连轧生产中，铸坯不经冷却，直接热送到加热或补热装置，然后立即直接进行热轧，炼钢、连铸与轧钢三者联成一个整体，服从于统一的全厂总生产计划。在这里轧钢机再也不能强调自己的独立计划，不能再按先宽后窄的生产程序独自安排选择了，而必须服从炼钢与连铸计划安排。这样对轧钢必须是来什么料就得刻不容缓地轧什么料，产品必然是宽窄相混，即进行所谓"锯齿形"生产，也就是进行板宽不规则的或程序自由的生产。自由程序轧制与常规轧制的情况比较如图 3-12-12 及表 3-12-3 所示。

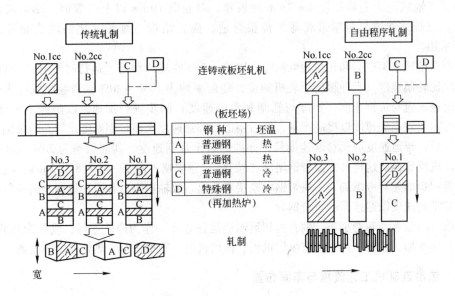

图 3-12-12 热带轧机操作比较

表 3-12-3 自由程序轧制与常规轧制的比较

项 目	常规轧制	自由程序轧制	项 目	常规轧制	自由程序轧制
产品由窄到宽的推移	0mm	自 由	工作辊辊型曲线种数	8	1
产品厚度的改变	0.5~2 倍	0.25~4 倍	连铸坯的宽度组数	30	11
同一宽度的带钢的轧制长度	23km	90km	不同钢种混合轧制数	0	5

　　为了实现自由程序或随意计划轧制，必须增长轧辊的使用寿命，减少及均化轧辊的磨损，即采用 HCW 移辊技术及在线磨辊技术（ORG），以保证板带的板形平坦度和厚度精度质量，并加强自动控制及快速换辊技术。

12. 2. 5 轧后冷却及卷取

　　精轧机以高速轧出的带钢经过输出辊道，要在数秒钟之内急冷到 600℃ 左右，然后卷成板卷，再将板卷送去精整加工。

　　轧件从最后一架精轧机到卷取机只有 120~190m 的距离，由于轧速很高，要在 5~15s 之内急速冷却到卷取温度曾经是一个限制着轧速提高的困难问题。并且对热轧带钢组织和性能的要求也必须在较低的卷取温度和很高的冷却速度下才能得到满足。为此，近年出现了高冷却效率的层流或集管式冷却方法，它采用循环使用的，流量达 200m³/min 低压大水量的高效率冷却系统。

　　经过冷却后的带钢即送往 2~3 台地下卷取机卷成板卷。卷取机的数量一般是三台，交替进行工作。由于焊管的发展，要求生产 16~20mm 甚至 22~25mm 的热轧板卷，因此目前卷取机卷取的带钢厚度已达 20mm。带钢厚度不同，冷却所需要的输出辊道长度亦不同。故目前有的轧机除了考虑在距末架精轧机 190m 处装置三台厚板卷取机以外，还在 60m 近处再装设 2~3 台近距离卷取机，用以卷取厚度 2.5~3mm 以下的薄带钢。当然也有不少轧机只在距精轧末架约 120m 处装设三台标准卷取机。卷取机形式按抱紧辊数量来分，有二辊式、三辊式或四辊式等多种。二辊式适于卷取厚度 1～2mm 的板卷，对卷取 10mm 以上的带钢，质量很差，卷得不紧。三辊式卷取机对厚带和薄带都很合适，而其结构与维修又比四辊式简易，故为人们所乐用。

带钢出精轧末架以后和在被卷取机咬入以前，为了在输出辊道上运行时能够"拉直"，辊道速度应比轧制速度高，即超前于轧机速度，超前率约为 10%～20%。当卷取机咬入带钢以后，辊道速度应与带钢速度（亦即与轧制和卷取速度）同步进行加速，以防产生滑动擦伤。加速段开始用较高加速度以提高产量，然后用适当的加速度来使带钢温度均匀。当带钢尾部离开轧机以后，辊道速度应比卷取速度低，亦即滞后于带钢速度，其滞后率为 20%～40%，与带钢厚度成反比例。这样可以使带钢尾部"拉直"。卷取咬入速度一般为 8～12m/s，咬入后即与轧机等同步加速。考虑到下一块带钢将紧接着轧出，故输出辊道各段在带钢一离开后即自动恢复到穿带的速度以迎接下一块带钢。

卷取后的板卷经卸卷小车、翻卷机和运输链运往仓库，作为冷轧原料，或作为热轧成品，继续进行精整加工。精整加工线有纵切机组、横切机组、平整机组、热处理炉等设备。

12.2.6　热带连轧机工艺流程与车间布置

某 1700 热带连轧机工艺过程及平面布置如图 3-12-13 所示。该厂所用板坯最大重量 30t，其尺寸为 (150～250) mm × (500～1600) mm × (4000×10000) mm。热轧板卷厚度为 1.2～12.7mm，宽 500～1550mm，最大单位宽度重量 19.6kg/mm。采用 3 座步进式加热炉，其生产能力各为 270t/h。采用大立辊轧机及高压水除鳞。轧机为 3/4 连续式，设有粗轧机 4 架（R_1～R_4），精轧机七架（F_1～F_7）。轧机主要技术性能见表 3-12-4。

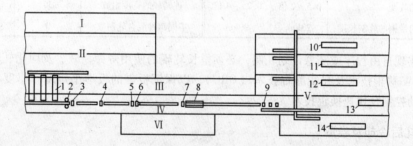

图 3-12-13　某 1700 热带连轧机车间平面布置图

Ⅰ—板坯修磨间；Ⅱ—板坯存放场；Ⅲ—主电室；Ⅳ—轧钢车间；Ⅴ—精整车间；Ⅵ—轧辊磨床

1—加热炉；2—大立辊机架；3—R_1，二辊不可逆；4—R_2，四辊可逆；5—R_3，四辊交流；6—R_4，四辊直流；
7—飞剪；8—精轧机组，F_1～F_7；9—卷取机；10、11、12—横剪机组；13—平整机组；14—纵剪机组

表 3-12-4　某 1700 热连轧机主要技术性能

轧　机	大立辊	R_1	R_2	R_3	R_4	F_1～F_3	F_4	F_5～F_6	F_7
型　式	上传动式	二辊不可逆	四辊可逆	四辊	四辊	四辊	四辊	四辊	四辊
工作辊直径 /mm	1180	1270	1200	1200	1200	800	760	760	760
支撑辊直径 /mm			1550	1550	1550	1570	1570	1570	1570

轧 机	大立辊	R_1	R_2	R_3	R_4	$F_1 \sim F_3$	F_4	$F_5 \sim F_6$	F_7
轧制速度 /(m·min^{-1})	70	102	152/246	150/300	300	103/251 170/417 260/633	358/873	442/1075 513/1395	573/1395
电机容量 /kW	1250 交流	4600 交流	10000 直流	7500 直流	6500 交流	7600×3 直流	7600 直流	7350×2 直流	5000 直流

12.3 中小型企业薄板带钢生产

高速连续轧制的方法无疑是当前生产薄板带钢的主要方向，但它不是唯一的方向。宽带连轧机的投资大、建厂慢、生产规模太大，受到资源和需要等条件的限制，也有不利的一面。随着发展中国家的兴起，随着工业先进国家废钢的日益增多，随着较薄板坯的铸造技术的提高，中小型企业板带钢生产的方法又将日益得到重视和发展。

12.3.1 叠轧薄板生产

叠轧薄板是最古老的热轧薄板生产方式。顾名思义，叠轧薄板就是把数张钢板叠放在一起送进轧辊进行轧制。它的优点是设备简单，投资少，生产灵活性大，能生产厚度规格范围在 0.28 ~ 1.2mm 之间的薄板。目前除冷轧外，一般再无其他轧制方法可以代替叠轧提供这一厚度范围的板材。我国目前还存在着相当数量的叠轧薄板车间。叠轧薄板的缺点是产量、质量与成材率均很低，且劳动强度大，产品的成本也高。因此在薄板生产的发展中，它已让位于现代的冷轧薄板生产。

12.3.2 炉卷轧机热轧带钢生产

成卷热轧薄板的一个重要问题是如何解决钢板温度降落太快的问题。因而为了在轧制过程中抢温保温，便很自然地提出将板卷放置于加热炉内，即一边加热保温（实际只能保温难以加热）一边轧制的方法，这就是所谓炉卷轧制方法。这种轧机简称炉卷轧机，国外叫做 Stekel 轧机，如图 3-12-14 所示。1932 年创建于美国的第一台试验性炉卷轧机，直到 1949 年才正式应用于工业生产。这种轧机的主要优点是在轧制过程中可大大减少钢板温度的降落，因而可用较灵活的工艺道次和较少的设备投资（与连轧相比）生产出各种热轧板卷，适合于生产批量不大而品种较多的产品，更适合于生产加工温度范围较窄的特殊钢带。这种轧机的缺点是：(1) 二次铁皮多，故表面质量较差。(2) 各项消耗较高，技术经济指标较低。(3) 工艺操作比连轧还要复杂。

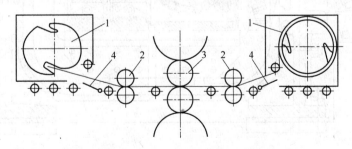

图 3-12-14 炉卷轧机轧制过程

1—卷取机；2—拉辊；3—工作辊；4—升降导板

　　炉卷轧机组合形式主要为二机架式，其次也有采用三机架式及复合式的。三机架式包括二辊式粗轧机和万能粗轧机各一架。炉卷精轧机一架。二机架式即除四辊式炉卷轧机以外，前面只有一台粗轧机，一般为二辊式或二辊万能式，个别有用三辊式或四辊万能式的。有的车间除生产板卷以外，还设有中厚板加工线以生产中厚板，这种轧机可称为复合式炉卷轧机。

　　近年来，利用现代成熟的轧制新技术如弯辊、移辊技术、高灵敏厚度控制技术、轧制中除鳞技术等对炉卷轧机进行改造，使炉卷轧机的声誉得到提高。特别是美国蒂平斯公司开发出了TSP工艺，利用电炉炼钢、连铸中等厚度（125mm）板坯配一台炉卷轧机组成连铸连轧生产线，可以较小的年产量（40~200万t）生产厚1.5~20mm的各种带钢。其投资和生产费用及生产成本都低于其他薄板坯连铸连轧方法。美国俄勒冈公司1998年投产一套3759mm最大型炉卷轧机，年产量100~120万t。卷重达40t可生产厚4.76~203mm、宽达3454mm的钢板。我国已投产或在建的有5套炉卷轧机。

12.3.3　行星轧机热轧带钢生产

　　行星轧机的设计思想出现于1941年，但直到1950年，第一台工业性轧机才正式建成。迄今为止英国、加拿大、意大利、前苏联、日本、瑞士、德国和我国相继建立了400~1450mm行星轧机。行星轧机的结构示意图如图3-12-15所示。行星轧机的主要优点是：（1）轧制压力很小，而总变形量却很大，即利用分散变形的原理，逐层多次地实现金属的压缩变形，由于工作辊直径以及每个工作辊的压下量都很小，所以轧制压力便大大减小，仅为一般轧

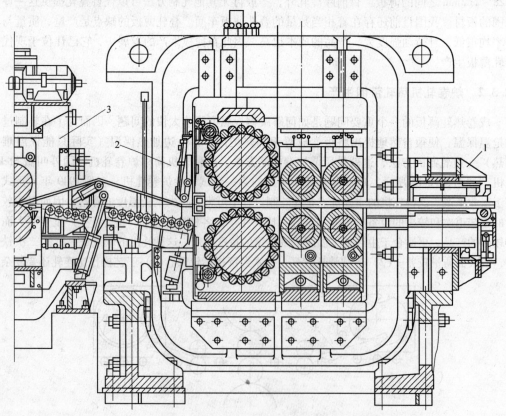

图 3-12-15　行星轧机

1—轧边机；2—行星轧机（包括送料辊）；3—平整机

机的 $\frac{1}{5} \sim \frac{1}{10}$；而总的压下率却可以很大，达到 90% ~98%。(2) 由于很大的变形率，使轧件在轧制过程中不但不降低温度，反而可升高温度 50 ~100℃，这就从根本上彻底解决了成卷轧制带钢时的温度降落问题。(3) 采用行星轧机大大简化了薄板带钢的生产过程，降低了各项消耗，节约了劳动力，大大节省了轧制设备和生产面积，减少了建设投资，从而使生产成本大为降低。(4) 在生产规模上适合于中小型企业生产的需要，一般一台 700 ~1200mm 行星轧机即可年产约 15 ~25 万 t 热轧板卷。但行星轧机结构复杂，生产事故较多，轧机作业率不高是其缺点。

如上所述，双行星轧机虽然具有很多优点，但其设备结构过于复杂，使其制造、使用、调整和维修都较难，事故较多，作业率不高。因此行星轧机必须向简化设备的方向发展。而 20 世纪 60 年代以后，单行星辊轧机的出现，便是行星轧制技术的一个革新和进步。

12.4 薄板带坯连铸-连轧及连续铸轧技术

12.4.1 SMS 公司薄板坯连铸-连轧技术（CSP，Compact strip production）

所谓薄板坯应是指普通连铸机难以生产、厚度在 60（或 90）mm 以下且可以直接进入热连轧机精轧机组轧制的板坯。一般认为就大众板带钢产品而言，薄板坯厚度以 10 ~60mm 为佳，这样不仅可以保证质量，而且保证一定的产量，便于炼钢、连铸与轧钢生产能力的均衡匹配，可直接采用 CC-DHCR 工艺连铸连轧成各种规格的板带，省去粗轧机组等昂贵设备，大大降低基建投资和生产成本，为中小型企业提供了成卷生产板带钢的方法和途径。

美国纽柯公司克拉福兹莱钢厂采用 SMS 公司开发的薄板坯连铸连轧技术（CSP）建立了一条年产 80 万 t 带钢的生产线，已于 1989 年投产。该厂由电炉炼钢，采用钢包冶金和保护浇注，以 4 ~6m/min 的速度铸出厚 50mm 宽 1371mm 的薄板坯，经切断后通过一座长达 64m、在主轧制线上的直通式补偿加热炉，直接进入 4 架（后增至 5 ~6 架）四辊式连轧机轧制成厚 2.5 ~9.5mm 的钢带，经过层流冷却系统后，进入地下卷取机卷成最大重量达 18t 的板卷（其工艺流程如图 3-12-16 所示）。我国近年来引进五套 CSP 生产线，轧机增至 5 ~6 架，辊底式加热炉增至 200 多米，最薄可生产厚度为 1.2 ~2.0mm 的板卷，年生产能力 200 万 t，现均已达产，并收到良好效益。

SMS 公司的薄板坯连铸连轧工艺，出连铸机的薄板坯厚度一般在 50mm 以上，这样厚的板坯不仅要增加精轧的压缩率和精轧机设备，而且由于难以热卷取而只能放长条输送保温，大大地增加了输送保温加热的设备和操作困难，并且使板坯氧化铁皮损失和散热损失成倍增大。因此，从连铸连轧工艺要求，出连铸机的薄板坯厚度应该还要继续减小，最好是小到 10 ~20mm，则一出连铸机便可以进行热卷取，然后成卷保温输送至精轧机组轧制成材，这样其经济效益将

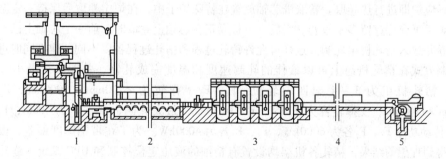

图 3-12-16 美国（Nucor）公司的薄板坯连铸机-热带钢轧机联合生产的新钢厂（年产量 82 × 10⁴t）

1—薄板坯连铸机；2—隧道式加热线；3—热带钢精轧机；4—层流冷却线；5—地下卷取机

更为显著。为此，MDH 公司开发的薄板坯连续铸轧技术可以铸轧出厚度在 15mm 以下适于热卷取的板卷。

12.4.2　MDH 公司薄板坯连续铸轧工艺（ISP, In line Strip Production）

MDH 公司薄板坯连续铸轧技术的主要特点不仅在于采用直弧式结晶器，还在于连铸的同时可进行连续铸轧减薄，包括带液心压缩和软心固态无头连续轧制。

这种深入的开发研究可生产连铸薄板坯的厚度为 120~10mm，最大宽度为 2800mm。而且试验结果表明，与最佳轧制工艺相连接的薄板坯技术不但降低了投资和生产资本，还在形状稳定、表面质量和成品性能方面有所改善。这些优点不仅适用于钢铁联合企业，而且对小型钢厂也如此，因而使小型钢厂能够以年产量$(25~160) \times 10^4 t$ 能力生产板带。

MDH 公司与意大利 Finarvadi 公司共同利用连续铸轧技术在意大利 Gremona 建立了一个在线生产的带钢厂，已于 1991 年投产。该厂的生产线设备布置示意如图 3-12-17 所示。该厂设计年产量为 $50 \times 10^4 t$ 优质碳钢和不锈钢。单流连铸生产薄板坯，结晶器规格为 650~1330mm × 60~80mm，出连续铸轧机组的产品尺寸为 650~1330mm × 15~25mm，最大铸速为 6m/min，板卷最大重量为 26.6t。精轧后带钢厚度为 1.7~12mm，炼钢炉容量 100t，连铸机半径 5.2m，中间包容量 20t。在连铸机下部，为了在铸坯全凝固后立即进行大的压下及控制板坯的板型凸度，而设置 3 架四辊轻型轧机，工作辊为 $\phi410mm \times 1500mm$，支撑辊为 $\phi800 \times 1400mm$。备有液压 AGC 系统，允许最大轧制力为 1300t，主传动功率 500kW。

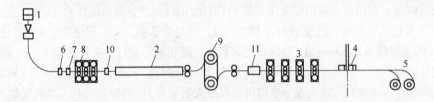

图 3-12-17　Demag Arvedi ISP 生产线
1—连铸；2—感应均热炉；3—精轧机；4—层流冷却；5—卷取机；6—矫直（除鳞）；
7—边部加热；8—轧机；9—热卷取机；10—切断机；11—除鳞

实践证明，这种薄板坯连续铸轧工艺不仅降低了板坯厚度，而且轧出的板带性能质量优良，具有良好的效益。

板坯出连铸机后，用摆动剪切成定尺，经绝热辊道再送入感应加热炉，进行加热和均温。带坯出感应炉即进行热卷取。卷取机芯轴放置在特殊炉子中，在炉中卷取后保持一定温度。这个特殊炉子可允许存留多个板卷。当后一个板卷正在芯轴上卷取时，前一个芯轴上已卷完的板卷可开卷并送入精轧机组轧制。这样可允许铸轧过程和精轧过程各以不同的速度同时进行。以这种轧制方式在精轧机组上可以最佳的轧制速度和温度完成轧制，并能获得最小带钢厚度1.7mm。精轧机组为 3~4 架四辊轧机，F_1、F_2 工作辊为 $\phi700mm \times 1900mm$，F_3、F_4 为$\phi600mm \times 1900mm$，支撑辊皆为 $\phi1450mm \times 1400mm$。最大轧制力 F_1、F_2 为 4000t，F_3、F_4 为2500t。传动功率 F_1、F_2 各为 6000kW，F_3、F_4 各为 4000kW。为了在带钢厚度偏差、板形平直度方面得到理想的结果，精轧各机架均设置有精细的液压定位控制和 UPC 系统。终轧速度最大达 10m/s。带钢出精轧机后，经层流冷却达到最佳温度，然后进行卷取。地下卷取机功率为750kW。板卷内径 762mm，外径最大达 2000mm。

近十多年来，世界薄板坯连铸连轧工艺得到迅猛发展。除 CSP 和 ISP 工艺以外，还有意大利达涅利公司的 FTSCR 工艺、日本住友金属的 QSP 工艺、奥钢联的 CONROLL 工艺等，此外还有采用中板坯（100~150mm）连铸连轧技术的美国蒂平公司的 TSP 工艺、中国鞍钢的 ASP 工艺等。所有这些工艺几乎都采用了 ISP 工艺的连铸坯液心铸轧技术。各种工艺互相取长补短，发展到现在形成了一种中、薄板坯连铸连轧的综合工艺，如我国唐山等地钢厂的超薄带钢连铸连轧生产线，即以 FTSCR 工艺为基础的综合工艺。

12.4.3　轧材的组织性能特点

按照曼内斯曼钢管公司采用的轧制工艺（该工艺是控制轧制或控轧后急冷），在轧板机和曼内斯曼研究所的试验机上把 Mn-Nb 钢的厚度 70mm 薄板坯轧成厚 16mm 板。加热炉加热温度在 800~1200℃。

与一般的厚板坯相比，薄板坯晶粒非常细，如图 3-12-18 所示。大约 1min 的快速凝固防止了晶粒长大。而以 200mm 厚的板坯为例，在约 16min 的凝固时间中晶粒长大却很明显。研究表明，带液心铸轧时晶粒的细化作用约为相应较薄（相同厚度）的连铸薄板坯的 4 倍，而且与钢种无关。

由于降低了加热温度，使轧制后轧材保持了较细的组织结构，保证了屈服点和抗拉强度不变。同时，细晶粒也有助于大大改善韧性，见图 3-12-19。在普通板坯情况下转变温度为 -25℃，而在薄板坯情况下降至 -60℃。实际上当抗拉强度相同时，薄板坯的韧性明显优越。

由于薄板坯初始厚度小及较细的原始组织，有可能使用较低的加热温度。加热温度低使轧出的厚板韧性较好。因此，当采用薄板坯铸轧工艺时，应该重新考虑目前所使用的合金系统。这意味着新工艺不仅扩大了浇铸和轧制范围，而且对冶炼操作也有影响。也就是说，在不改变成品质量的条件下，与常规生产相比可以降低合金成本。

对同一炉钢的普通板坯和薄板坯的冷轧板对比调查表明，薄板坯的深加工性能较好。薄板

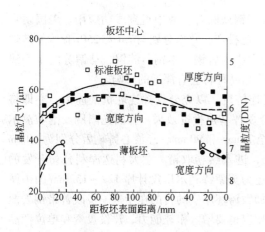

图 3-12-18　标准板坯和薄板坯（浇注）
空冷后晶粒尺寸的比较（API-X60）

□、■——200mm×1200mm 板坯厚度和
　　　宽度方向的晶粒尺寸；

○、●——53mm×1200mm 薄板坯厚度和
　　　宽度方向的晶粒尺寸

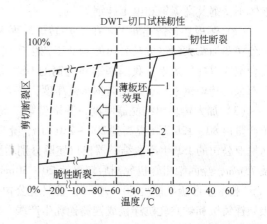

图 3-12-19　薄板坯对轧制板材转变温度降低的影响

1—转变温度：$-20 \sim -30℃$，板坯厚度为 h_0：250mm；
板厚 h_c：15.9mm；变形率 h_0/h_c：15.7；X70；
σ_s：482MPa；σ_b：565MPa；

2—转变温度：$\leqslant -60℃$；板坯厚度 h_0：70mm；板厚 h_c：
15.9mm；变形率 h_0/h_c：4.4；X70；
σ_s：510MPa；σ_b：590MPa

坯的冷轧显示了较好的无方向性。

业已证明，薄板坯凝固期间不发生 AlN 析出，而普通厚板坯凝固时则发生这种情况。当连铸机与轧机连接时，这种效果（可归因于薄板坯的迅速凝固及冷却）具有很大的优点，设计炉温时不必再考虑解决 AlN 析出问题。

在连铸-轧制过程中铸流（坯）减薄产生晶格变形而引起再结晶，原浇铸组织转变为轧制组织。这种现象意义重大，导致了材料性能的变化，连铸-轧制的薄板坯可作为成品板厚。连铸-连轧工艺为在连铸机上直接生产低、中级厚板提供了可能性。通过在连铸机出口后的正火或加速冷却可以进一步提高抗拉强度和韧性，调整 DIN 标准值。

12.4.4　薄板坯连铸连轧技术新发展

从 1989 年第一条薄板坯连铸连轧生产线投产以来，到 2001 年全世界已有 23 条生产线投入生产，和正在建设的生产线一起共达 38 条之多，年总生产能力达 5200 万 t。其中 CSP 工艺 18 条，ISP 工艺 4 条，达涅利公司开发的 FTSC 软压下技术生产线 3 条，美国 Tippins 公司等开发的 TSP 工艺（配炉卷轧机）2 条。按地区分北美占 15 条，欧洲 4 条，亚洲 18 条，其中在中国将建设 8 条，年生产能力约 1000 万 t。到 2004 年我国已建及将建的中、薄板坯连铸连轧生产线达 12 条之多。薄板坯连铸连轧技术正在迅猛发展之中，其主要趋势为：

（1）产品不断扩大，成品带卷厚度向更薄的方向发展。生产厚度薄至 1mm 的带卷不仅可部分代替冷轧带卷，而且在继续冷轧时减少道次与轧程，从而带来巨大的经济效益。为了生产薄 1.0mm 左右的产品，纽柯公司 CSP 工艺精轧机组已增至 6 架。Arvedi 公司 ISP 工艺精轧机由 4 架增为 5 架。1996 年投产的美国阿克梅公司及在建设中的 Trico 公司等多家 CSP 生产线及韩国光阳厂的 ISP 生产线等都是按生产薄至 1mm 的带卷设计。德国蒂森公司、我国涟钢及唐钢等公司的薄板坯连铸连轧生产线都是以生产最薄 0.8mm 带卷为目标，都已顺利投产。

产品除已大量生产的低、中碳钢、结构用钢与管线用钢以外，还生产了奥氏体不锈钢，铁素体不锈钢及高碳钢和电工硅钢等。

（2）薄板坯连铸连轧工艺在高炉-转炉流程大型钢铁联合企业中得到成功应用。美国阿克梅公司和加拿大阿尔戈马公司的 CSP 工艺生产线都已投产，它们分别与 75t 和 250t 顶吹氧转炉配合都取得良好效果。我国邯钢和包钢的 CSP 生产线及唐钢、本钢、涟钢、马钢等的生产线也都采用转炉钢水。这对提高钢水纯净度，扩大产品品种将会有深远的影响。

（3）加大铸坯出结晶器厚度，并增设第二流连铸机，以充分发挥连轧机的能力，亦即将年产量由 80～120 万 t 提高到 200～250 万 t，充分发挥基建投资效果。韩国光阳厂及南非萨尔达尼亚公司的 ISP 生产线结晶器出口坯厚分别增至 75mm 和 90mm，经液心铸轧后分别为 60mm 及 75mm，经两架粗轧机轧制后坯厚为 20～30mm，进入热卷取箱。意大利达涅利公司开发的 FTSC 技术生产板坯厚度 70～90mm。德马克公司还为美蒙特利尔厂设计厚 127～152mm 的中厚板坯连铸机和炉卷轧机连接成连铸连轧生产线。加大铸坯厚度的目的在于进一步改善带钢表面质量和加大压缩比，提高每流连铸机的能力。但相应也要增大粗轧能力、建设投资和单位产品电耗。

此外，在薄板坯连铸连轧生产中还不断采用很多新技术，如电磁制动技术、液压振动技术、无头轧制技术及高压水除鳞技术（由 23.0MPa 增至 40～43.5MPa）等。

12.4.5　薄带连续铸轧技术

自 1857 年英国 H. 贝塞麦（Bessemer）提出双辊铸机（又称无锭轧机）以后，很多人对此种以重压大变形为特征的铸轧机(图3-12-20(a))进行过详细试验研究，都因其产品质量低劣而未能成功。二次世界大战后前苏联利用以轻压小变形为特征的倾斜式异径双辊无锭轧机(图3-12-20(b))大批量生产铸铁板，取得成功。与此同时，美、法等国开发研究铝板带等有色金属的各种双辊铸轧机也取得显著成就，在工业生产上推广应用。但在钢带连铸(铸轧)方面，由于人们将注意转向于常规厚板坯连铸技术的开发，而未受到应有的重视。1958年我国东北工学院曾利用异径双辊铸轧机(图3-12-20(b))，采取轻压快速铸轧的工艺路线在实验室铸轧出硅钢板和铸铁板，以后受到国家科委支持，在长春建立了我国第一条钢铁无锭轧制，即板带连铸试验生产线，于1960年铸轧出宽600mm、厚2~3mm的钢板和铁板各百余吨，取得当时国际领先的成就，以后由于国家经济困难而被迫中途停顿。20世纪70年代末期，受能源危机的冲击，带钢连铸重新引起了人们的兴趣，单辊和双辊连铸在非晶技术的带动下又重新得到发展。到20世纪80年代中、末期，美国、日本、德国等许多厂家都宣布采用双辊或单辊铸造不锈钢或硅钢成功。1984年日本川崎制铁采用双辊法(图3-12-20(c))铸轧出0.2~0.6mm厚、500mm宽的高硅钢及碳钢带。1986年日本金属工业公司也宣布研制用以铸轧厚1~4mm不锈钢薄带的新型异径双辊铸轧机成功(图3-12-20(d))。以后德国克房伯钢公司也采用这种铸轧机于1990年铸轧出厚1~5mm、宽达1000mm的不锈钢带。到20世纪90年代，美国阿·路德卢姆钢公司。澳BHP钢公司、韩国浦项钢铁公司等多个厂家都宣称铸轧宽1200~1400mm以上、重10~25t以上的不锈钢带卷成功。但他们都认为距离实现工业化生产还需要一段时间。20世纪80年代初，我国东北工学院也恢复了对钢带连续铸轧的试验研究，用异径双辊铸轧机于1985年铸轧出2×150mm的高速钢带，制作出一批组织性能优异的铣刀片。以后，上海钢

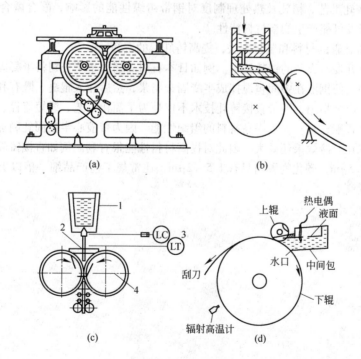

(a)　　　　　　　　　　(b)

(c)　　　　　　　　　　(d)

图 3-12-20　各种板带铸轧机举例

(a) H. 贝塞麦式铸轧机；(b) 倾斜式异径双辊铸轧机(斜注)；(c) 上铸式同径双辊铸轧机(CSM. 川崎等多数厂家用)；(d) 下铸式异径双辊铸轧机(日本金属工业、德国克房伯等厂家)

1—中间罐；2—水口；3—自动液位控制；4—辊式结晶器

铁研究所和原东北工学院分别承担了铸轧不锈钢带和高速钢带的国家科研任务，并分别通过了国家验收和技术鉴定。现在，世界各国正处于试验研究接近成品形状的薄带连铸的高潮，预计不久的将来即可取得工业化生产的成就，实现钢带生产工艺流程的技术革命。据报道，由新日铁和三菱重工共同开发的世界首套带钢连铸机已于 1998 年开始工业化试生产。钢水可直接铸成厚 2 ~ 5mm、宽 700 ~ 1330mm 的不锈钢带，铸速 20 ~ 75m/min，生产线长仅 68.9m。

钢带直接铸轧（DSC）工艺是接近成品形状的连铸和半凝固轧制加工的综合过程，其主要技术关键在于：

（1）钢水熔炼和净化技术。保证钢液优质纯净是铸轧成功的基础。

（2）钢流浇注技术。控制熔池液面，保证供钢要恒流、恒温、层流稳静、无污染。

（3）铸轧温度、轧制压力、铸轧速度和冷却强度必须自动检测，由计算机通过数学模型进行自动调控。这是防止变形区产生前滑、后滑引起裂纹缺陷、防止产生负偏析及保证成形质量的关键。

（4）研究侧挡技术。精巧设计侧挡板，保证边部整齐、无飞翅，便于后部精轧加工及提高成材率。

（5）铸轧机的轧辊凸度和板凸度调整技术及板形控制技术。因为铸轧出的钢带必须经精轧加工，才能保证表面和尺寸精度质量，故铸轧机必须能调整板凸度和板形，才能适应后部的精轧加工。

（6）铸轧半凝固加工变形理论研究，包括高温塑性、抗力、裂纹及负偏析形成机理等，这与提高钢带质量密切相关。

（7）研究铸轧工艺、精轧及热处理制度对钢带组织性能的影响，配合微合金化技术与控轧控冷技术，开发可能产生的新材料特性。

（8）研究铸轧辊的材料和制造方法，提高铸轧辊的寿命。

此外，还应开发研究新的铸轧技术。例如日本石川岛播磨重工公司将半凝固技术引入到双辊法连铸工艺中，使钢液在中间包搅拌成半凝固金属浆，然后注入辊缝，既有利于侧挡，又提高了铸带质量。应该指出，钢带直接铸轧技术不仅是为了简化工艺、缩短流程、提高效益，而且可能创造出新机能材料，大大提高材料的组织性能。因为带液心半凝固轧制加工使晶粒和析出物变细的效果比急冷效果还要大，因此对提高材料性能很有利。例如直接铸轧的高速钢带平均晶粒直径只 3.5μm，碳化物颗粒只有 1.5 ~ 2μm，比常规工艺产品细一倍以上，其红硬性及耐磨性都大为提高。

13 冷轧板、带材生产

13.1 冷轧板、带材生产工艺特点

薄板、带材当其厚度小至一定限度（例如 < 1mm）时，由于保温和均温的困难，很难实现热轧，并且随着钢板宽厚比的增大，在无张力的热轧条件下，要保证良好的板形也非常困难。采用冷轧方法可以较好地解决这些问题。首先，它不存在温降和温度不均的毛病，因而可以生产很薄、尺寸公差很严和长度很大的板卷。其次，冷轧板、带材表面光洁度可以很高，还可根据要求赋予各种特殊表面。这一优点甚至使得某些产品虽然从厚度来看还可采用热轧法生产，但出于对表面光洁度的要求却宁可采用冷轧。此外，近来从降低板卷的热轧和冷轧所需总能耗的观点出发，还有人主张加大冷轧原料板的厚度，扩大冷轧的范围，以便在热轧时实现低温加热轧制，大幅度节约能源的消耗。

冷轧板、带材不仅表面质量和尺寸精度高，而且可以获得很好的组织和性能。通过冷轧变形和热处理的恰当配合，不仅可以比较容易地满足用户对各种产品规格和综合性能的要求，还特别有利于生产某些需要有特殊结晶织构和性能的重要产品，例如硅钢板、深冲板等。

较之热轧，冷轧板、带材的轧制工艺特点主要有以下 3 个方面。

13.1.1 加工温度低，在轧制中将产生不同程度的加工硬化

由于加工硬化，使轧制过程中金属变形抗力增大，轧制压力提高，同时还使金属塑性降低，容易产生脆裂。当钢种一定时，加工硬化的剧烈程度与冷轧变形程度有关。当变形量加大使加工硬化超过一定程度后，就不能再继续轧制。因此板、带材经受一定的冷轧总变形量之后，往往需经软化热处理（再结晶退火或固溶处理等），使之恢复塑性，降低抗力，以利于继续轧制。生产过程中每两次软化热处理之间所完成的冷轧工作，通常称之为一个"轧程"。在一定轧制条件下，钢质愈硬，成品愈薄，所需的轧程愈多。

由于加工硬化，成品冷轧板、带材在出厂之前一般也都需要进行一定的热处理，例如最通常的再结晶退火处理，以使金属软化，全面提高冷轧产品的综合性能，或获得所需的特殊组织和性能。

13.1.2 冷轧中要采用工艺冷却和润滑（工艺冷润）

（1）工艺冷却 冷轧过程中产生的剧烈变形热和摩擦热使轧件和轧辊温度升高，故必须采用有效的人工冷却。轧制速度愈高，压下量愈大，冷却问题愈显得重要。如何合理地强化冷却成为发展现代高速冷轧机的重要研究课题。

实验研究与理论分析表明，冷轧板带钢的变形功约有 84% ~ 88% 转变为热能，使轧件与轧辊的温度升高。我们关心的是在单位时间内发出的热量，即变形发热率 q，以便采取适当措施及时排除或控制这部分热量。变形发热率是直接正比于轧制平均单位压力、压下量和轧制速度的。因此，采用高速、大压下的强化轧制方法将使发热率大为增加。如果此时所轧的又是变形抗力较大的钢种，如不锈钢、变压器硅钢等，则发热率就增加得更加剧烈。因而必须加强冷轧过程中的冷却，才能保证过程的顺利进行。

水是比较理想的冷却剂，因其比热大，吸热率高且成本低廉。油的冷却能力则比水差得多。表 3-13-1 中给出了水与油的一些吸热性能的比较资料。由表可知，水的比热要比油大一

倍, 热传导率水为油的 3.75 倍, 挥发潜热水比油大 10 倍以上。由于水具有如此优越的吸热性能, 故大多数轧机皆采用水或以水为主要成分的冷却剂。只有某些特殊轧机 (如二十辊箔材轧机), 由于工艺润滑与轧辊轴承润滑共用一种润滑剂, 才会采取全部油冷, 此时为保证冷却效能, 需要供油量足够大。

表 3-13-1　水与油的吸热性能比较

项　目 种　类	热　容 /(J·(kg·K)⁻¹)	热导率 /(W·(m·K)⁻¹)	沸　点/℃	挥发潜热 /(J·kg⁻¹)
油	2.093	0.146538	315	209340
水	4.197	0.54847	100	2252498

应该指出, 水中含有百分之几的油类即足以使其吸热能力降低三分之一左右。因此, 轧制薄规格的高速冷轧机的冷却系统往往就是以水代替水油混合液 (乳化液), 以显著提高吸热能力。

增加冷却液在冷却前后的温度差也是充分提高冷却能力的重要途径。在老式冷轧机的冷却系统中, 冷却液只是简单地喷浇在轧辊和轧件之上, 因而冷却效果较差。若用高压空气将冷却液雾化, 或者采用特制的高压喷嘴喷射, 可大大提高其吸热效果并节省冷却液的用量。冷却液在雾化过程中本身温度下降, 所产生的微小液滴在碰到温度较高的辊面或板面时往往即时蒸发, 借助蒸发潜热大量吸走热量, 使整个冷却效果大为改善。但是在采用雾化冷却技术时, 一定要注意解决机组的有效通风问题, 以免恶化操作环境。

实际测温资料表明, 即使在采用有效的工艺冷润的条件下, 冷轧板卷在卸卷后的温度有时仍达到 130 ~ 150℃, 甚至还要高, 由此可见在轧制变形区中的料温一定超过该温度。辊面温度过高会引起工作辊淬火层硬度的下降, 并有可能促使淬火层内发生组织分解 (残余奥氏体的分解), 使辊面出现附加的组织应力。

另外, 从其对冷轧过程本身的影响来看, 辊温的反常升高以及辊温分布规律的反常或突变均可导致正常辊型条件的破坏, 直接有害于板形与轧制精度。同时, 辊温过高也会使冷轧工艺润滑剂失效 (油膜破裂), 使冷轧不能顺利进行。

综上所述, 为了保证冷轧生产的正常, 对轧辊及轧件应采取有效的冷却与控温措施。

(2) 工艺润滑　冷轧采用工艺润滑的主要作用是减小金属的变形阻力, 这不但有助于保证在已有的设备能力条件下实现更大的压下, 而且还可使轧机能够经济可行地生产厚度更小的产品。此外, 采用有效的工艺润滑也直接对冷轧过程的发热率以及轧辊的温升起到良好影响。在轧制某些品种时, 采用工艺润滑还可以起到防止金属粘辊的作用。冷轧中采用工艺润滑还可以明显延长轧辊使用寿命, 现代科学研究表明, 轧制润滑条件通过改变变形区内摩擦的条件, 影响变形区内的应力分布, 从而对钢带织构产生影响。

生产与试验证明, 就润滑效果而言, 天然油 (植物油与动物油) 最优, 矿物油次之, 水最差。在天然油中, 棕榈油最好, 其次为棉籽油、豆油、菜籽油、动物油等。棕榈油价格昂贵, 生产普板时很少使用。天然油润滑效果虽好但易酸败, 故使用天然油作为润滑剂时通常要一定量的防腐剂。相比之下, 矿物油性能稳定, 来源丰富, 成本低廉, 但油膜软脆, 因此采用矿物油作为润滑剂时通常要加一定量的天然油和抗压剂及其他添加剂以增加油膜强度和改善其综合性能。

实验研究表明, 为保证冷轧生产的顺利进行, 钢板表面上只需一层很薄的油膜就够用了。例如国外某冷轧机生产马口铁时, 耗油量只需 0.5 ~ 1.0kg/t 左右, 油量再多亦无益减小摩擦。

冷轧生产中冷却和润滑系统通常是一体的, 既能冷却又能润滑。除特殊生产机理外一般均使用乳化液作为冷却润滑剂。乳化液是将少量油 (2% ~ 5% 左右) 加水充分搅拌而成。生产中乳化液是循环使用的，受到金属碎屑、氧化铁皮末等污染和空气的氧化作用，乳化液会产生酸败，因此重复使用时必须过滤。过滤器的结构大小视生产量和所需乳化液的流量不同而定，即可根据具体生产情况选择。一般根据机组的组成条件不同，工艺冷却润滑可同时有多套系统并存。例如典型的五机架冷轧机有三套冷润系统。第一套为水系统，第二套为乳化液系统，第三套为清净剂系统。由酸洗线送来的原料板卷表面上已涂上一层油，足够连轧机第一架润滑之用，故第一架喷以工业软化水即可；中间各架采用乳化液冷却系统；末架可喷清洗剂以清除残留润滑油，使轧出的成品带钢不经电解清洗就足以保证不出现油斑，故这种产品亦有"机上净"板材之称。由于冷轧乳化液在使用过程中会混入其他机械润滑油，以及受氧化而酸败，因此要经常取样监控 pH 值、皂化值、黏度等，超标及时更换，以防止产生板带的热擦伤、油斑、残碳等缺陷。一般对冷轧润滑剂要求良好的润滑性、冷却性、清洗性、防锈性、退火性和防腐性，所以油的配方比较复杂。

13. 1. 3　冷轧中的张力轧制

所谓"张力轧制"就是轧件的轧制变形是在一定的前张力和后张力作用下实现的。张力的作用主要有：（1）防止带材在轧制过程中跑偏；（2）使所轧带材保持平直和良好的板形；（3）降低金属变形阻力，便于轧制更薄的产品；（4）可以起适当调整冷轧机主电机负荷的作用。

轧制带材时在张力作用下，若轧件出现不均匀延伸，则沿轧件宽向上的张力分布将会发生相应的变化，即延伸较大一侧的张力减小，而延伸较小的一侧则张力增大，结果便自动地起到纠正跑偏的作用。张力纠偏的缺点是张力分布的改变不能超过一定限度，否则会造成裂边，轧折甚至引起断带。

由于轧件的不均匀延伸将会改变沿带材宽度方向上的张力分布，而这种改变后的张力分布反过来又会促进延伸的均匀化，故张力轧制有利于保证良好的板形。此外，在轧制过程中，当未加张力时，不均匀延伸将使轧件内部出现残余应力。加上张力后，可以大大削减甚至消除压应力，这就大大减轻了在轧制中板面出现浪皱的可能，保证冷轧的正常进行。当然，所加张力的大小也不应使板内拉应力超过允许值。

带材在任何时刻下的张应力 σ_z 可用下式表示

$$\sigma_z = \sigma_{z0} + \frac{E}{l_0}\int_{t_0}^{h}\Delta v \mathrm{d}t \qquad (3\text{-}13\text{-}1)$$

同理，设带材断面积为 A，则总张力 $Q = A\sigma_z$ 或

$$Q = A\sigma_{z0} + \frac{AE}{l_0}\int_{t_0}^{h}\Delta v \mathrm{d}t \qquad (3\text{-}13\text{-}2)$$

式中　l_0——带材上 a、b 两点间的原始距离；

　　　σ_{z0}——带材原始张应力；

　　　Δv——b 点速度 v_b 与 a 点速度 v_a 之差，$\Delta v = v_b - v_a$；

　　　E——带材的弹性模量。

若把 a，b 两点分别看成是连轧机中前架的出口点与后架的入口点，l_0 近似地视为机架间的距离，则式（3-13-1）、式（3-13-2）即表示了机架间张力的建立与变化的规律。当原始张力 σ_{z0} 等于零，则式（3-13-1）表示张力的建立过程；若 σ_{z0} 不为零，则该式即反映张力从一个稳定态到另一个稳定态的变化规律。由式（3-13-1）可知，σ_z 与 v_a 及 v_b 的绝对大小无关，而仅与其差值有关。当 $\Delta v = 0$，则张力无从建立或者不会发生变化，若 Δv 一旦出现并保持为正值，则 σ_z 将随时间而增加，很快达到允许值，引起拉"细"或断片。张力从一个稳定值（包括零

值）变至另一稳定值必须经历一个 Δv 由产生到消失的过渡过程。Δv 的产生是张力赖以建立或发生改变的推动力；$\Delta v \to 0$ 则是达到新的平衡状态（新的张力稳定值）的必要条件。

由此可见，张力 σ_z 的产生与变化最终归结为 Δv 的产生与变化的规律。无论是单机可逆式轧机或多机连轧，甚至任何张力装置，其张力的产生与变化在本质上均与此相同。

由于张力的变化会引起前滑及轧辊速度在一定程度的反向改变，故连轧过程有一定的自调稳定作用。但是这种作用是有限的，不能代替轧制过程的自动控制。通过改变卷取机、开卷机、轧机的电机转速以及各架的压下，可以使轧制张力在较大的范围内变化。借助准确可靠的测张仪并使之与自动控制系统结成闭环，可以按要求实现恒张力控制。配备这种张力闭环控制系统是现代冷轧机的起码要求，最好是用电子计算机对不同轧制条件下的张力设定和闭环增益进行计算。

生产中张力的选择主要指平均单位张力 σ_z。从理论上讲，σ_z 似乎应当尽量选高一些，但不应超过带材的屈服极限 σ_s。实际 σ_z 应取多大数值要视延伸不均匀的情况、钢的材质与加工硬化程度以及板边情况等因素而定。根据以往的经验，$\sigma_z = (0.1 \sim 0.6)\sigma_s$，变化范围颇大。不同的轧机，不同的轧制道次，不同的品种规格，甚至不同的原料条件，皆要求有不同的 σ_z 与之相适应。一般在可逆轧机的中间道次或连轧机的中间机架上，σ_z 可取 $(0.2 \sim 0.4)\sigma_s$，一般不超过 $0.5\sigma_s$。为防止退火粘结卷取张力可小一些。开卷张力则更小，几乎可忽略。一般做法是先按经验选择一定的 σ_z 值，然后再进行校核。例如某厂 5 机架连轧机前张力分别为 1、110、140、150 及 $200\text{N}/\text{mm}^2$，卷取张力为 $30\text{N}/\text{mm}^2$。

13.2　冷轧板、带材生产工艺流程

13.2.1　冷轧板、带材的主要品种、工艺流程及车间布置

具有代表性的有色金属板、带产品是铝、铜及其合金的板、带材和箔材。

铝箔生产的技术难度较大，工艺流程较为复杂。例如厚度为 0.007mm 的纯铝箔材的生产工艺流程为：

坯料带卷→重卷或剪切→坯料退火→粗轧→精轧→合卷并切边→
中间退火→清洗→双合轧制→分卷→成品退火→剪切→检查→包装

而铝合金箔材（LF21，LF2，LY12 合金）的生产工艺流程为：

坯料带卷→重卷或剪切→坯料退火→粗轧→精轧→切边→
中间退火→清洗→精轧→剪切→成卷退火→检查→包装

铝和铝合金塑性好，轧制时加工率大，轧纯铝箔材时总加工率可达 99%，且其变形抗力也低，故轧制时一般多采用二辊或四辊轧机，很少选用多辊轧机，箔材轧制时对辊型要求极为精确，轧制不同厚度的坯料，需要采用不同的辊型，否则将产生各种缺陷甚至拉断。在一台轧机上往往只轧一道，只有在粗轧（厚 $0.8 \sim 0.04\text{mm}$）时，才在一台轧机上进行多道次轧制。但也有的粗轧精轧各道次全在一台轧机上进行。或粗轧一台，而精轧各道分别在几台或一台轧机上进行。由于塑性高，对于厚 0.007mm 以上的产品可不用中间退火。纯铝箔材一般中间退火在 $150 \sim 180℃$ 范围，达到温度后即出炉，不用保温，这样强度降低不大，有利于张力轧制，若温度过高及进行保温，则强度降低太多反而不利于轧制。故计算轧制时的总加工率可不考虑中间退火的影响。为使箔材表面不留下润滑剂残余物，成品退火的保温要久些（$4 \sim 8\text{h}$）。当采用低闪点润滑剂时，在双合前可不进行清洗。清洗工序也有很小的加工率（$< 7\%$），但对这点小加工率往往忽略不计。

　　具有代表性的冷轧板、带钢产品是：金属镀层薄板（包括镀锡板和镀锌板等）、深冲钢板（以汽车板为其典型）、电工用硅钢板与不锈钢板等。

　　镀锡板是镀层钢板中厚度最小的品种。过去曾经一度流行的热浸镀锌法被较先进的电镀锡工艺所取代。电镀锡板的锡层厚度较小而且外表美观。镀锌板厚度大于镀锡产品，其抗大气腐蚀性能相当好。连续镀锌工艺适于处理成卷带钢，表面美观，铁锌合金过渡层很薄，故加工性能很好。镀锌板经辊压成瓦垄形后作为屋面瓦使用；其他用途还有用来制造日用器皿，汽油桶，车辆用品以及农机具等。

　　非金属涂层的薄钢板除搪瓷板外，还有塑料覆面薄板、彩色涂层钢板以及各种化学表面处理钢板，其用途甚广。前者可以代替镍、黄铜、不锈钢等制造抗腐蚀部件或构件，多用于车辆、船舶、电气器具、仪表外壳以及家具的制造。

　　深冲钢板的典型代表是汽车钢板，它是薄钢板的另一重要类型，其厚度多在 0.5 ~ 0.6mm 范围内。在汽车工业发达的国家中，此类钢板的产量约占全部薄钢板的三分之一以上。汽车钢板的特点是宽度较大（达 2000mm 以上），并且对表面质量与深冲性能要求较高，是需求量庞大而且生产难度也较高的优质板品种。

　　镀层钢板和深冲钢板两大类产品，再加上其他一些作一般结构用途的普通薄钢板，在产量上占了全部薄板的大部分。余下的便是各种特殊用钢与高强钢等品种。这主要包括电工用硅钢板（电机、变压器钢板），纯铁电工薄板，耐热、不锈钢板等。这些品种虽然需要量不算很大，却多是国民经济发展与国防现代化所急需的关键性产品。

　　一般可以认为冷轧薄板、带钢中有三大典型产品，即镀锡、镀锌板、汽车板与电工硅钢板。其生产工艺流程大致如图 3-13-1 所示。图 3-13-2 则为现代冷轧车间的平面布置一例。由图可见，在冷轧薄板生产中，表面处理（即酸洗、清洗、除油、镀层、平整、抛光等）与热

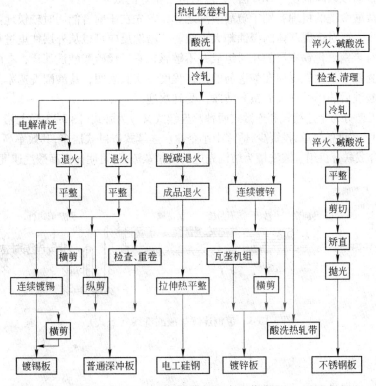

图 3-13-1　冷轧板带钢生产工艺流程

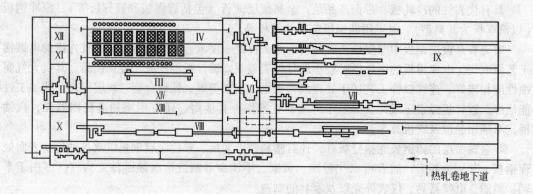

热轧卷地下道

图 3-13-2　冷轧车间平面布置图
Ⅰ—连续酸洗机组；Ⅱ—五机架冷连轧机；Ⅲ—电解清洗机组；Ⅳ—退火工段；Ⅴ—单机式平整机；
Ⅵ—双机平整机；Ⅶ—连续电镀锡机组；Ⅷ—连续镀锌机组；Ⅸ—剪切跨；Ⅹ—油毡；
Ⅺ—计算机房；Ⅻ—轧钢主电室；ⅩⅢ—轧辊工段；ⅩⅣ—机修、电修、液修

处理工序占有显著地位。事实上在冷轧薄板车间中，占地面积最大并且种类最为繁多的也正是表面处理与热处理设备。主轧跨间在整个厂房面积中占不大的一部分。

13.2.2　原料板卷的酸洗与除鳞

　　为了保证板带的表面质量，带坯在冷轧前必须去除氧化铁皮，即除鳞。除鳞的方法目前还是以酸洗为主，其次为喷砂清理或酸碱混合处理。近年还在试验研究无酸除鳞的新工艺，日本利用高压水喷铁矿砂以除铁皮（NID 法），已取得了很好的效果。

　　热轧带钢盐酸酸洗的机理有别于硫酸酸洗之处，首先在于前者能同时较快地溶蚀各种不同类型的氧化铁皮，而对金属基体的侵蚀却大为减弱。酸洗反应可以从外层往里进行，因此，盐酸酸洗的效率对带钢氧化铁皮层的相对组成并不敏感，它不像硫酸酸洗那样，在酸洗反应速率方面相当程度受制于氧化铁皮层在酸洗前的松裂程度。实验表明，盐酸酸洗速率约为硫酸酸洗的两倍，而且酸洗后的板带表面银亮洁净，受到欢迎。

　　带钢酸洗工艺分为半连续式和连续式两种。连续式又分为卧式（图 3-13-3）与塔式两类。半连续以推拉式为主，其设备简单，投资少，适宜中小企业。连续式以卧式居多，其效率高，产量大，易于和其他机组组合成联合机组。酸洗槽为结构先进的浅槽紊流式，可明显提高酸洗速度和质量。

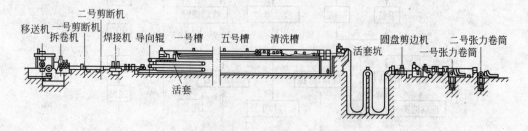

图 3-13-3　带钢连续盐酸酸洗线（卧式）

13.2.3　冷轧

　　现代冷轧机按辊系配置一般可分为四辊式与多辊式两大类型，按机架排列方式又可分为单

机可逆式与多机连续式两种。前者适用于多品种、小批量或合金钢产品比例大的情况，虽其生产能力较低，但投资小、建厂快、生产灵活性大，适宜于中小型企业。连续式冷轧机生产效率与轧制速度都很高，在工业发达国家中，它承担着薄板、带材的主要生产任务。相对来说，当产品品种较为单一或者变动不大时，连轧机最能发挥其优越性。从 20 世纪 60 年代以后，轧制较薄规格产品的冷连轧机逐渐形成通用五机架式、专用六机架式及供二次冷轧用的三机架与双机架式等数种。通用五机架式的产品规格较广，厚为 0.25 ~ 3.5mm，辊身长为 1700 ~ 2135mm。专用六机架式冷连轧机专门用来生产镀锡原板，产品厚度可小至 0.09mm，辊身长一般不大于 1450mm。为生产特薄镀锡板（厚 0.065 ~ 0.15mm），近年来在冷轧车间还专门设置了二机架式或三机架式的"二次冷轧"用的轧机，由 5 ~ 6 机架的冷连轧机供坯，总压下率不超过 40% ~ 50%，其辊身长很少超过 1400mm。厚度较小的特殊钢及合金钢产品则经常在多辊式轧机上生产，或为单机轧制，或为多机连轧，甚至近代还出现完全连续式的多辊轧机。

轧制速度决定着轧机的生产能力，也标志着连轧的技术水平。通用五机架式冷连轧机末架轧速约为 25 ~ 27m/s，六机架末架最大轧速一般为 36 ~ 38m/s，个别轧机的设计速度达 40 ~ 41m/s。现代冷连轧机的板卷重量一般均 30 ~ 45t，最大达 60t。

一般冷连轧机组分为常规冷连轧、全连续冷轧和酸洗轧制联合机组。常规冷连轧机组由开卷、轧制、卷取三部分组成，是一种单卷生产的轧制方式。轧制过程可分为穿带、稳速轧制、甩尾。具体过程如下：酸洗后的钢卷继开卷、切头、平头、对正轧制中线后将其依次喂入辊缝设定好的各架轧机，直至前端进入卷取机芯轴并建立张力即告完成穿带过程。通常穿带过程易出现跑偏等事故，故需人工干预，速度较低，穿带后开始升速，达到最高速度后稳速轧制（过焊缝时还要降速），当轧件尾部离开开卷机时，为保持轧制稳定性而开始甩尾降速。因此这种轧制方式有穿带、甩尾的升降速过程，同时卷与卷之间还必须有一定间隔时间，加之穿带、甩尾过程易破坏辊面而增加了换辊的次数，所以常规连轧的作业率不高，一般是 75% 左右。同时穿带、甩尾，加、减速轧制过程轧件尺寸、板形均有问题，成材率受损失。全连续冷连轧的出现解决了这些问题。

图 3-13-4 所示即为某厂的一套五机架式全连续冷轧机组的设备组成。其中五机架式冷连轧机组中所有各机架均采用全液压式轧机，第一机架刚性系数调至无限大，最末二架之刚性系数则很小，这样有利于厚度自动控制。原料板卷经高速盐酸酸洗机组处理后送至开卷机，拆卷后经头部矫平机矫平及端部剪切机剪齐在高速闪光焊接机中进行端部对焊。板卷焊接连同焊缝刮平等全部辅助操作共需 90s 左右。在焊卷期间，为保证轧钢机组仍按原速轧制，需要配备专门的活套仓。该厂的活套仓采用地下活套小车式的，能储存超过 300m 以上的带钢，可在连轧

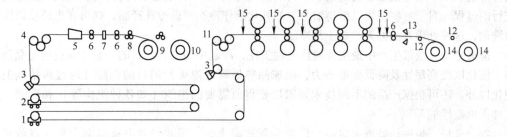

图 3-13-4　五机架全连续冷轧机组设备组成示意图

1、2—活套小车；3—焊缝检测器；4—活套入口勒导装置；5—焊缝机；6—夹送辊；

7—剪断机；8—三辊矫平机；9、10—开卷机；11—机组入口勒导装置；

12—导向辊；13—分切剪断机；14—卷取机；15—X 射线测厚仪

机维持正常入口速度的前提下允许活套仓入口端带钢停走 150s。在活套仓的出口端设有导向辊，使带钢垂直向上经由一套三辊式的张力导向辊给第一机架提供张力，带钢在进入轧机前的对中工作由激光准直系统完成。在活套储料仓的入口与出口处装有焊缝检测器，若在焊缝前后有厚度的变更，则由该检测器给计算机发出信号，以便对轧机作出相适应的调整。这种轧机不停车调整的先进操作称为"动态规格调整"，它只有借助计算机的控制才能实现。进行这种动态规格调整后不同厚度的两卷间的调整过渡段为 3 ~ 10m 左右。

全连续冷轧消除了穿带、甩尾过程，节省了升降速时间；减少了换辊次数；提高了成材率和表面质量；作业明显提高（达 90%）。尽管如此，酸洗与冷轧分开两条生产线，仍有焊接、剪切重复和两条生产线间运输问题，因此近些年新建的生产线均把酸洗和冷轧连成一条酸洗冷连轧生产线（我国原有的几条常规冷连轧生产线均改造为酸轧联合生产线）。为进一步提高作业率，1986 年日本新日铁广畑厂建设投产一套酸洗-冷轧-连续退火及平整的联合无头连续生产线（FIPL），如图 3-13-5 所示，投产后，作业率达 95%，收得率达 96.9%，能耗降低了 40%。

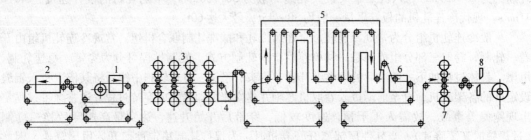

图 3-13-5　酸洗-冷轧-连续退火全过程连续生产线（FIPL）

1—入口段；2—酸洗除鳞段；3—冷轧段；4—清洗段；5—连续退火段；
6—后部处理段；7—平整段；8—出口段

13.2.4　冷轧板、带钢的精整

冷轧板、带钢的精整一般主要包括表面清洗、退火、平整及剪切等工序。

板、带钢在冷轧后进行清洗的目的在于除去表面上的油污（故又称"脱脂"），以保证板带退火后的成品表面质量。清洗的方法一般有电解清洗、机上洗净与燃烧脱脂等数种。前者采用碱液（苛性钠、硅酸钠、磷酸钠等）作为清洗剂，外加界面活性剂以降低碱液表面张力，改善清洗效果。通过使碱液发生电解，放出氢气与氧气，起到机械冲击作用，可大大加速脱脂进行的过程。对于一些使用以矿物油为主的乳化液作冷润剂的冷轧产品，则可在末道喷以除油清洗剂，这种处理方法称为"机上洗净法"。

退火是冷轧板带生产中最主要的热处理工序，冷轧中间退火的目的一般是通过再结晶消除加工硬化以提高塑性及降低变形抗力，而成品热处理（退火）的目的则除开通过再结晶消除硬化以外，还可根据产品的不同技术要求以获得所需的组织（如各种织构等）和性能（如深冲、电磁性能等）。

在冷轧板、带钢热处理中应用最广的是罩式退火炉。罩式炉的退火周期太长（有的长达几昼夜），其中又以冷却时间占比例最大，采用"松卷退火"代替常用的紧卷退火可以大大缩短退火周期，但其工序繁琐，退火前后都需重卷，故未能推广应用。近年紧卷退火本身也经历了很多革新，例如采用了平焰烧嘴以提高加热效率，采用了快速冷却技术以缩短退火周期。快速冷却法主要有两种：一种是使保护气体在炉内或炉外循环对流实现一种热交换式的冷却，它

可使冷却时间缩短为原来的三分之一；另一种是在板卷之间放置直接用水冷却的隔板，它可使退火时间较原来缩短二分之一。

冷轧板、带材成品退火的另一新技术便是连续式退火。其作业方式与连续酸洗类似，亦分为卧式与塔式（立式）两种。图3-13-6即为供处理镀锡板之用的塔式连续退火设备。根据以往经验，带钢连续退火后，硬度和强度偏高而塑性与冲压性能则较低，故很长时间内连续退火不能用于处理深冲钢板和汽车钢板。日本通过对连续退火的大量工业研究，证明用连续退火方法处理铝镇静深冲用钢是可能的，条件是需要十分准确地保证锰和硫含量的比例，并且热轧后卷取温度应高于700℃。实验表明，经连续退火处理的带钢机械性能同于甚至优于罩式退火处理者，连续退火生产出来的深冲板的特点是塑性应变比 R 值特别高。这样一来，冷轧板、带钢的主要品种（如镀锡板、深冲板直到硅钢片与不锈钢带）都可以采用经济、高效的连续退火处理，这也是近年在冷轧薄板热处理技术方面的一个突破。

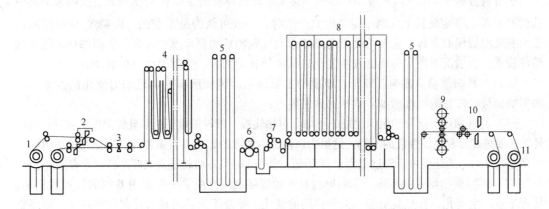

图 3-13-6　白铁皮塔式连续退火机组设备组成示意图

1—开卷机；2—双切头机；3—焊头机；4—带钢清洗机组；5—活套塔；6—圆盘带；
7—张力调节器；8—塔式退火炉；9—平整机；10—切头机；11—卷取机

在冷轧板、带材的生产工序中，平整处理占有重要的地位。平整实质上是一种小压下率（0.5%～5%）的二次冷轧，其功用主要有三：（1）避免小变形冲压时出现"滑移线"亦即吕德斯线。以一定压下率进行平整后，钢的应力-应变曲线即可不出现"屈服台阶"。（2）冷轧板、带材在退火后再经平整，可以使板的平直度（板型）与板面的光洁度有所改善。（3）改变平整的压下率，可以使钢板的机械性能在一定的幅度内变化，这可以适应不同用途的镀锡板对硬度和塑性所提出的不同要求。

14　板、带材高精度轧制和板形控制

板、带材的高精确度主要是指厚度（纵向和横向）的精确度。既然板、带材是由轧辊辊缝中轧出来的，辊缝的大小和形状决定了板、带材纵向和横向厚度的变化（后者又影响到板形），那么要提高产品的厚度精度，就必须研究轧辊辊缝大小和形状变化的规律。

14.1　板、带材轧制中的厚度控制

14.1.1　板、带材厚度变化的原因和特点

由弹跳方程 $h = S_0 + P/K$ 可知，影响带材实际轧出厚度的主要有 S_0、K 和 P 三大因素。其中轧机刚度 K 在既定轧机上轧制一定宽度的产品时，一般可认为是不变的。影响 S_0 变化的因素主要有轧辊的偏心运转、轧辊的磨损与热膨胀及轧辊轴承油膜厚度的变化，它们都是在压下螺丝位置不变的情况下使实际辊缝发生变化，从而使轧出的板、带材厚度发生波动。

轧制力 P 的波动是影响板带轧出厚度的主要因素。因而所有影响轧制力变化的因素都必将影响到板、带材的厚度精度。这些因素主要有：

（1）轧件温度、成分和组织性能的不均　对热轧板、带材最重要的是轧件温度的波动；对冷轧则主要是成分和组织性能的不均。这里应该指出，温度的影响具有重发性，即虽在前道消除了厚度差，在后一道还会由于温度差而重新出现。故热轧时只有精轧道次对厚度控制才有意义。

（2）坯料原始厚度的不均　来料厚度有波动实际就是改变了 P-h 图中 B 线的位置和斜率，使压下量产生变化，自然要引起压力和弹跳的变化。厚度不均虽可通过轧制得到减轻，但终难完全消除，且轧机刚性愈低愈难消除。故为使产品精度提高，必须选择高精度的原料。

（3）张力的变化　它是通过影响应力状态及变形抗力而起作用的。连轧板、带材时头、尾部在穿带和抛钢的过程中，由于所受张力分别是逐渐加大和缩小的，故其厚度也分别逐段减小和增大。此外，张力还会引起宽度的改变，故在热连轧板带时应采用不大的恒张力。冷连轧板带时采用的张力则较大，并且还经常利用调节张力作为厚度控制的重要手段。

（4）轧制速度的变化　它主要是通过影响摩擦系数和变形抗力，乃至影响轴承油膜厚度来改变轧制压力而起作用的。速度变化一般对冷轧变形抗力影响不大，而显著影响热轧时的抗力；对冷轧时摩擦系数的影响十分显著，而对热轧则影响较小，故对冷轧生产速度变化的影响特别重要。此外速度增大则油膜增厚，致使压下量增大并使带钢变薄。

上述各个因素的变化与板厚的关系绘成 P-h 图，列于表 3-14-1 中。

14.1.2　板、带材厚度控制方法

在实际生产中为提高板、带材厚度精度，采用了各种厚度控制方法。

（1）调压下（改变原始辊缝）　调压下是厚度控制最主要的方式，常用以消除由于影响轧制压力的因素所造成的厚度差。图 3-14-1（a）为板坯厚度发生变化，从 h_0 变到 $(h_0 - \Delta h_0)$，轧件塑性变形线的位置从 B_1 平行移动到 B_2，与轧机弹性变形线交于 C 点，此时轧出的板厚为 h'_1，与要求的板厚 h 有一厚度偏差 Δh。为消除此偏差，相应地调整压下，使辊缝从 S_0 变到 $(S_0 + \Delta S_0)$，亦即使轧机弹性线从 A_1 平行移动到 A_2，并与 B_2 重新交到等厚轧制线上的 E' 点，使板厚恢复到 h。

表 3-14-1　各种因素对板厚的影响

变化原因	金属变形抗力变化 $\Delta\sigma_s$	板坯原始厚度变化 Δh_0	轧件与轧辊间摩擦系数变化 Δf	轧制时张力变化 Δq	轧辊原始辊缝变化 ΔS_0
变化特性	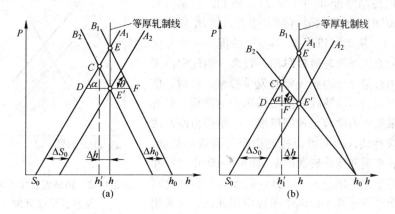				
轧出板厚变化	金属变形抗力 σ_s 减小时板厚变薄	板坯原始厚度 h_0 减小时板厚变薄	摩擦系数 f 减小时板厚变薄	张力 q 增加时板厚度变薄	原始辊缝 S_0 减小时板厚度变薄

图 3-14-1（b）是由于张力、轧制速度、轧制温度及摩擦系数等的变化而引起轧件塑性线斜率发生改变的，同样调整压下的办法使两条曲线重新交到等厚轧制线上，保持板厚不变。

图 3-14-1　调整压下改变辊缝控制板厚原理图
（a）板坯厚度变化时；（b）张力、速度、抗力及摩擦系数变化时

由图 3-14-1（a）可以看出，压下的调整量 ΔS_0 与料厚的变化量 Δh_0 并不相等，由图可以求出：

$$\Delta S_0 = \frac{\Delta h_0 \tan\theta}{\tan\alpha} = \Delta h_0 \frac{M}{K} \qquad (3\text{-}14\text{-}1)$$

式中，$M = \tan\theta$ 为轧件塑性线的斜率，称为轧件塑性刚度。上式说明，当料厚波动 Δh 时，压下必须调 $\Delta h_0 M/K$ 的压下量才能消除产品的厚度偏差。这种调厚原理主要用于前馈即预控 AGC，即在入口处预测料厚的波动，据以调整压下，消除其影响。

由图 3-14-1（b）可以看出，当轧件变形抗力发生变化时，压下调整量 ΔS_0 与轧出板厚变化量 Δh 也不相等，由图可求出：

$$\frac{\Delta h}{\Delta S_0} = \frac{K}{M+K} \qquad (3\text{-}14\text{-}2)$$

$\Delta h / \Delta S_0$ 是决定板厚控制性能好坏的一个重要参数,称为压下有效系数或辊缝传递函数,它常小于 1,轧机刚度 K 愈大,其值愈大。

近代较新的厚度自动控制系统,主要不是靠测厚仪测出厚度进行反馈控制,而是把轧辊本身当作间接测厚装置,通过所测得的轧制力计算出板带厚度来进行厚度控制的,这就是所谓的轧制力 AGC 或厚度计 AGC。其原理就是为了厚度的自动调节,必须在轧制力 P 发生变化时,能自动快速调整压下(辊缝)。可由 P-h 图求出压力 P 的变化量(ΔP)与压下调整量 ΔS_0 之间的关系式为:

$$\frac{\Delta S_0}{\Delta P} = -\frac{1}{K}\left(1 + \frac{M}{K}\right) \tag{3-14-3}$$

由于 P 增加,S_0 减小,即 ΔP 为正时,ΔS_0 为负,故符号相反。

由图 3-14-1 及式(3-14-2)可以看出,如果轧件变形抗力很大即 M 很大,而轧机刚度 K 又不大时,则通过调压下来调厚的效率就很低。因此,对于冷连轧薄钢板的最后几机架,为了消除厚差,调压下就不如调张力效率大,响应快。此外调压下对于轧辊偏心等高频变化量也无能为力。

(2)调张力　即利用前后张力来改变轧件塑性变形线 B 的斜率以控制厚度(图 3-14-2)。例如,当来料有厚差而产生 δH 时,便可以通过加大张力,使 B_2 斜率改变(变为 B_2'),从而可以在 S_0 不变的情况下,使 h 保持不变。这种方法在冷轧薄板时用得较多。热轧中由于张力变化范围有限,张力稍大即易发生拉窄、拉薄,使控制效果受到限制。故热轧一般不采用张力调厚。但有时在末架也采用张力微调来控制厚度。采用张力厚控法的优点是响应性快,因而可以控制得更为有效和精确;缺点是在热轧带钢和冷轧较薄的品种时,为防止拉窄和拉断,张力的变化不能过大。因此,目前即使在冷轧时的厚度控制上往往也并不倾向于单独应用此法,而采用调压下与调张力相互配合的联合方法。当厚度波动较

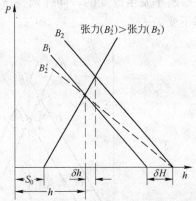

图 3-14-2　调整前后张力来改变轧件
塑性变形线 B 的斜率

小,可以在张力允许变化范围内能调整过来时则采用张力微调,而当厚度波动较大时则改用调压下的方法进行控制。这就是说,在冷连轧中,张力厚控也只适用于后几架的精调 AGC。

(3)调轧制速度　轧制速度的变化影响到张力、温度和摩擦系数等因素的变化。故可以通过调速来调张力和温度,从而改变厚度。例如,近年来新建的热连轧机,都采用了"加速轧制"与 AGC 相配合的方法。加速轧制的目的,是为了减小带坯进入精轧机组的首尾温度差,保证终轧温度的一致,从而减小了因首尾温度差所造成的厚度差。

依实际轧制情况之不同,可采用各种不同的厚度控制方案。在实际生产中为了达到精确控制厚度的目的,往往是将多种厚控方法有机地结合起来使用,才能取得更好的效果。其中最主要、最基本、最常用的还是调压下的厚度控制方法。特别是采用液压压下,大大提高响应性,具有很多优点。近年来广泛地应用带有"随动系统"(采用伺服阀系统)的轧辊位置可控的新液压压下装置,利用反馈控制的原理实现液压自动调厚。值得指出的是近年发展的电气反馈液压压下系统,除具有上述定位和调厚的功能以外,还可通过电气控制系统常数的调整来达到任意"改变轧机刚度"的目的,从而可以实现"恒辊缝控制",即在轧制中保持实际辊缝值 S 不变,也就保证了实际轧出厚度不变。这种厚控方法目前在热连轧中还用得不多,但在冷轧带钢

中，由于轧辊偏心运转对厚差影响较大，不能忽视。因此为了消除这种高频变化的厚度波动，必须采用这种液压厚控系统。

前面提到的用厚度计的方法测量厚度，虽然可以避免了时滞，提高了灵敏度，但它对某些因素，例如，油膜轴承的浮动效应、轧辊偏心、轧辊的热膨胀和磨损等，却难以检测出来，从而会使结果产生误差。因此，实际生产中都是两种方法同时并用，亦即还必须采用 X 射线测厚仪来对轧制力 AGC 不断进行标定或"监控"。换句话说，为了提高测厚精度，在弹跳方程中还需增加几个补偿量，这主要是轧辊热膨胀与磨损的补偿和轴承油膜的补偿。由轧辊热膨胀和磨损所带来的辊缝变化以 G 表示之，这可以利用成品 X 射线测厚仪所测得的成品厚度，以及利用由此实测产品厚度按秒流量相等原则所推算出的前面各架的厚度，把它们和用厚度计方法所测算出的各架厚度值进行比较，从而求得各架的 G 值。因此，可以将这种功能称之为"用 X 射线测厚仪对各架轧机的 AGC 系统进行标定和监视"。油膜补偿即是由于轧制速度的变化使支撑辊油膜轴承的油膜厚度发生变化，最终影响到辊缝值。设其影响量为 δ，则最终轧出厚度应为：

$$h = S_0 + \frac{P - P_0}{K} - \delta - G \tag{3-14-4}$$

在轧机速度变化时，AGC 系统应根据此式对所测厚度进行修正。

14.2 横向厚差与板形控制技术

14.2.1 板形与横向厚差的关系

板、带材横向厚差是指沿宽度方向的厚度差，它决定于板、带材轧后的断面形状，或轧制时的实际辊缝形状，一般用板、带材中央与边部厚度之差的绝对值或相对值来表示，因而是一种借助厚度测定便可得出的具体指标。它对于成材率的提高也有重要的意义。

从用户的角度看，最好是断面厚度差为零。但这是在目前的技术条件下还不可能达到的。此外，在无张力或小张力轧制时，为了保证轧件运动的稳定性，使操作稳定可靠，轧件不致跑偏和刮框，也要求轧制时实际工作辊缝稍具凸形，亦即要有一定的"中厚量"。当然从技术上还是要求尽量减少这种断面的厚度差。

板形是指板、带材的平直度，即是指浪形，瓢曲或旁弯的有无及程度而言。在来料板形良好的条件下，它决定于延伸率沿宽度方向是否相等，即压缩率是否相同。若边部延伸率大，则产生边浪，中部延伸大，则产生中部浪形或瓢曲。一边比另一边延伸大，则产生"镰刀弯"。浪形和瓢曲缺陷尚有多种表现形式，如图 3-14-3 所示。对于所有板、带材都不允许有明显的浪形或瓢曲，要求其板形良好。板形不良对于轧制操作也有很大影响。板形严重不良会导致勒辊、轧卡、断带、撕裂等事故的出现，使轧制操作无法正常进行。

常见的板形表示方法如下：

（1）相对长度表示法　将轧后的板材

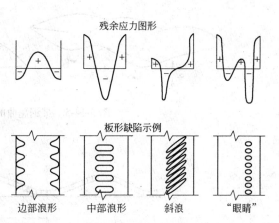

图 3-14-3 板形缺陷

L_0 长，沿板材横向均匀裁成若干条并铺平，如图 3-14-4 所示，可以看出横向各条长度不同。这样横向最长和最短的相对长度差 $\Delta L / L$ 可以作为板形的一种表示方法。加拿大铝业公司利用相对长度差定义板形单位，称为 I 单位，一个 I 单位相当于相对长度差为 10^{-5}，即 ΣI 为：

$$\Sigma I = 10^5 \left(\frac{\Delta L}{L} \right) \tag{3-14-5}$$

通常，为保证板形良好，热轧板控制在 50 个 I 单位之内，冷轧板要控制在 20 个 I 单位之内。

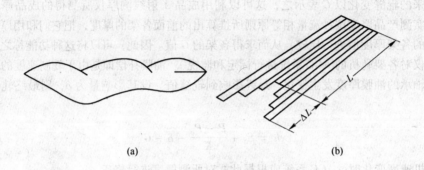

(a)　　　　　　　　　　　　　　　　　　　(b)

图 3-14-4　翘曲带钢及其分割

(a) 带钢翘曲；(b) 分割后的翘曲带钢

（2）波形表示法　在翘曲的钢板上测量相对长度来求出相对长度差很不方便，所以人们采用了更为直观的方法，即以翘曲波形来表示板形，称之为翘曲度。图 3-14-5 所示为带钢翘曲的两种典型情况。将带材切取一段置于平台之上，如将其最短纵条视为一直线，最长纵条视为一正弦波，则如图 3-14-6 所示，可将带钢的翘曲度 λ 表示为：

$$\lambda = \frac{R_\mathrm{v}}{L_\mathrm{v}} \times 100\% \tag{3-14-6}$$

式中　R_v——波幅；

L_v——波长。

这种方法直观、易于测量，所以许多人都采用这种方法表示板形。

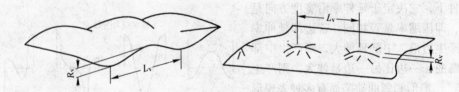

图 3-14-5　带钢翘曲的两种典型情况

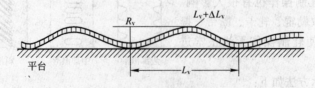

图 3-14-6　正弦波的波形曲线

设在图 3-14-6 中与长为 L_v 的直线部分相对应的曲线部分长为 $L_v + \Delta L_v$，并认为曲线按正弦规律变化，则可利用线积分求出曲线部分与直线部分的相对长度差。

因设波形曲线为正弦波，可得其方程为：

$$H_v = \frac{R_v}{2}\sin\left(\frac{2\pi y}{L_v}\right)$$

故与 L_v 对应的曲线长度为：

$$L_v + \Delta L_v = \int_0^b \sqrt{1 + \left(\frac{dH_v}{dy}\right)^2}\,dy$$

$$= \frac{L_v}{2\pi}\int_0^{2\pi} \sqrt{1 + \left(\frac{\pi R_v}{L_v}\right)^2 \cos^2\theta}\,d\theta$$

$$\approx L_v\left[1 + \left(\frac{\pi R_v}{2L_v}\right)^2\right]$$

因此，曲线部分和直线部分的相对长度差为：

$$\frac{\Delta L_v}{L_v} = \left(\frac{\pi R_v}{2L_v}\right)^2 = \frac{\pi^2}{4}\lambda^2 \tag{3-14-7}$$

式（3-14-7）表示了翘曲度 λ 和最长、最短纵条相对长度差之间的关系，它表明带钢波形可以作为相对长度差的代替量。只要测量出带钢波形，就可以求出相对长度差。冷轧板的翘曲度一般应小于 2%。

除了上述表示法外还有矢量表示法、残余应力表示法、断面形状的多项式表示法以及厚度相对变化量差表示法。这些对板形控制都很有意义。

为了保证板形良好，必须遵守均匀延伸或所谓"板凸度一定"的原则去确定各道次的压下量。由于粗轧时轧件较厚，温度较高，轧件断面的不均匀压缩可能通过金属横向流动转移而得到补偿，即对不均匀变形的自我补偿能力较强，故不必过多考虑板形质量问题，当然由于其对精轧板形也有重要影响，所以也必须加以注意。而到了精轧阶段，特别是轧制较薄的板、带材时情况就不一样了，此时轧件刚端的作用不足以克服阻碍金属横向移动的摩擦阻力，亦即对于不均匀压缩变形的自我补偿能力很差，并且还由于厚度较小，即使是绝对压下量的微小差异也可能导致相对延伸率的显著不均，从而会引起板形变坏。板带厚度愈小，对不均匀变形的敏感性就愈大。故为了保证良好的板形，就必须按均匀变形或凸度一定原则，使其横断面各点延伸率或压缩率基本相等。

如图 3-14-7 所示，设轧制前板、带边缘的厚度等于 H，而中间厚度等于 $H+\Delta$，即轧前厚度差或称板凸量为 Δ；轧制后钢板相应横断面上的厚度分别为 h 和 $h+\delta$，即轧后厚度差或板凸量为 δ。而 Δ/H 及 δ/h 则为板凸度。

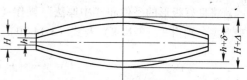

图 3-14-7　轧制前后板带厚度变化

钢板沿宽度上压缩率相等的条件，可以写成钢板边缘和中部延伸率 λ 相等的条件

$$\frac{H+\Delta}{h+\delta} = \frac{H}{h} = \lambda$$

由此可得

$$\frac{\Delta}{\delta} = \frac{H}{h} = \lambda; \quad \frac{\Delta}{H} = \frac{\delta}{h} = \cdots = \frac{\delta_z}{h_z} = 板凸度$$

$$\delta = \frac{h}{H}\Delta = \frac{\delta_z}{h_z}h \tag{3-14-8}$$

式中 δ_z、h_z——成品板的厚度差及厚度。

由此可见，要想满足均匀变形的条件，保证板形良好，就必须使板带轧前的厚度差 Δ 与轧后的厚度差 δ 之比等于延伸率 λ。或者轧前板凸度（Δ/H）等于轧后板凸度（δ/h），即板凸度保持一定。本道次轧前的板厚也就是前一道次轧后的板厚，亦即前一道次轧制时辊缝的实际形状。因此，在均匀变形的原则下，后一道次的板厚差 δ 要比前一道次的板厚差 Δ 为小，即其差值为：

$$\Delta - \delta = (\lambda - 1)\delta \tag{3-14-9}$$

由于轧辊的原始辊型及因辊温差所产生的热辊型在前后道次中几乎是不变的，故此差值主要取决于轧辊因承受压力所产生的挠度值。这就是说，要保证均匀变形的条件，就必须后一道次轧制时轧辊的挠度小于前一次的挠度；也就是在轧辊强度相同的情况下。后一道次的轧制压力 P_2 必须小于前一道次的轧制压力 P_1。其所小的差值可由挠度计算公式反推求出，即由

$$\Delta - \delta = \frac{2P_1}{K_R} - \frac{2P_2}{K_R} = \frac{2}{K_R}(P_1 - P_2)$$

故得 $$P_1 - P_2 = \frac{K_R(\Delta - \delta)}{2} = \frac{K_R(\lambda - 1)\delta}{2} \tag{3-14-10}$$

式中 K_R——轧辊刚度系数。

由此可见，为了保证良好的板形，满足均匀变形的条件，在设备强度一定的情况下，使轧制力逐道减少是有科学根据的。这就是通常按逐道减小压力的压下规程设计方法的理论基础。

显然，这里说的板厚差 Δ 及 δ，实际就是前道和后道的中厚量或板凸量。由式（3-14-9）及式（3-14-10）可知，从均匀变形原则出发，后一道次的"中厚量" δ 比前一道次的"中厚量" Δ 要小（$\lambda - 1$）δ 的数值，或者前一道次的"中厚量"为后一道次"中厚量"的 λ 倍。由此可见良好的板形只有在随着轧制的进行，使"中厚量"也逐道次减小时才能获得。设实际轧制中轧件宽度中心处的辊型凹度，即轧件中厚量之半 t 为：

$$t = y - y_t - W \tag{3-14-11}$$

式中 y，y_t，W——分别为工作辊在轧件宽度上的弯曲挠度值、热凸度及原始辊型凸度值。

若将良好板形的条件和"中厚法"操作（主要为使轧制操作稳定，防止轧件跑偏）结合起来考虑，则由式（3-14-8）及式（3-14-10）可得：

$$t = y - y_t - W = \frac{\delta}{2} = \frac{\delta_z}{2h_z}h$$

由 $y = P/K_R$，经变换后可得

$$P = \frac{K_R\delta_z}{2h_z}h + K_R(y_t + W) \tag{3-14-12}$$

此方程式可用直线表示如图 3-14-8 所示。此直线反映了板凸度保持一定时压力与板厚的关系，其斜度依成品板凸度（δ_z/h_z）及宽度（影响到 K_R）等而变化，即因产品不同而不同。各道次的压力 P 和板厚 h 值基本上应落在此直线的附近，才能保持均匀变形。但也应指出，实

际生产中并非严格遵守板凸度一定的原则不可，尤其是粗轧道次更可放宽。轧件愈厚，温度愈高，张力愈大，则对不均匀变形的自我补偿能力愈强，就愈可不受限制。此时各道的 P 与 h 值只需落在图3-14-8 阴影区内即可。但至精轧道次，则一般应收敛到此直线上，按板凸度一定原则确定压下量，以保证板形质量。钢板愈薄，这种道次应愈多。

由图3-14-9 可见，为了保证操作稳定，必须使轧制压力大于 $K_R(y_t + W)$ 值；为了保证均匀变形或良好板形，必须随 h 的减小而使压力 P 逐道次减小，即需使轧制压力 P 与轧出厚度 h 成正比减小。而压力减小即是轧辊挠度减小，因而使带钢"中厚量"逐道减小，亦即使板厚精度也逐道次得到提高。

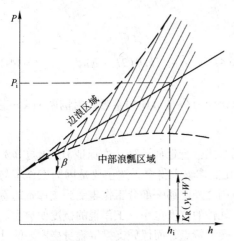

图 3-14-8 板形与压力及板厚的关系

$$\tan\beta = \frac{K_R\Delta}{H} = \frac{K_R\delta_z}{h_z}$$

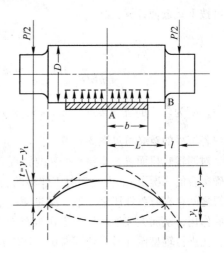

图 3-14-9 原始辊型凸度的确定

14.2.2 影响辊缝形状的因素

既然板、带材横向厚差和板形主要决定于轧制时实际辊缝的形状，故必须研究影响实际辊缝形状的因素，并据以对轧辊原始形状进行合理的设计。

影响辊缝形状的因素主要有轧辊的弹性变形，轧辊的不均匀热膨胀和轧辊的不均匀磨损。

（1）轧辊的不均匀热膨胀 轧制过程中轧辊的受热和冷却条件沿辊身分布是不均匀的。在多数场合下，辊身中部的温度高于边部（但有时也会出现相反的情况），并且一般在传动侧的辊温稍低于操作侧的辊温。在直径方向上辊面与辊心的温度也不一样，在稳定轧制阶段，辊面的温度较高，但在停轧时由于辊面冷却较快，也会出现相反的情况。轧辊断面上的这种温度不均使辊径热膨胀值的精确计算很困难。为了计算方便，一般采用如下的简化公式：

$$\Delta R_t = y_t = K_T\alpha(T_Z - T_B)R = K_T\alpha\Delta TR \qquad (3\text{-}14\text{-}13)$$

式中 T_Z, T_B——辊身中部和边部温度；

$\qquad R$——轧辊半径；

$\qquad \alpha$——轧辊材料的线膨胀系数，钢辊 α 可取为 $13 \times 10^{-6}/℃$，铸铁辊 α 为 $11.9 \times 10^{-6}/℃$；

$\qquad K_T$——考虑轧辊中心层与表面层温度不均匀分布的系数，一般 $K_T = 0.9$。

（2）轧辊的磨损 轧件与工作辊之间及支撑辊与工作辊之间的相互摩擦都会使轧辊不均

匀磨损，影响辊缝的形状。但由于影响轧辊磨损的因素太多，故尚难从理论上计算出轧辊的磨损量，只能靠大量实测来求得各种轧机的磨损规律，从而采取相应的补偿轧辊磨损的办法。

（3）轧辊的弹性变形　这主要包括轧辊的弹性弯曲和弹性压扁。轧辊的弹性压扁沿辊身长度分布是不均匀的，这主要是由于单位压力分布不均匀所致。此外，在靠近轧件边部的压扁也要小一些，使轧件边部出现变薄区，随着轧辊直径的减小，边部变薄区也减小，一般情况下这个区域虽然不很大，却也影响成材率。在工作辊与支撑辊之间也产生不均匀弹性压扁，它直接影响到工作辊的弯曲挠度。轧辊的弹性弯曲挠度一般是影响辊缝形状的最主要的因素。通常二辊轧机轧辊的弯曲挠度应由弯矩所引起的挠度和切力所引起的挠度两部分组成，其辊身挠度差可按下式近似计算：

$$y = PK_w$$

$$K_w = \frac{1}{6\pi ED^4}[32L^2(2L + 3l) - 8b^2(4L - b) + 15kD^2(2L - b)] \tag{3-14-14}$$

式中，K_w 为轧辊的抗弯柔度，mm/kN；k 为考虑剪切应力分布不均匀系数，对圆断面 $k = \frac{32}{27}$。式中各符号的意义可见图 3-14-9。

对四辊轧机而言，支撑辊的辊身挠度差可以用上式进行近似计算（在保证 D_1/D_2 与 B/L 值正确配合的情况下）。但轧制时工作辊的实际挠度比支撑辊大得多，这主要是因为工作辊与支撑辊之间存在有弹性压扁变形，结果使位于板宽范围之外的那一部分工作辊受到支撑辊的悬臂弯曲作用，从而大大地增加了工作辊本身的挠度。轧件的宽度愈小，工作辊的挠度便愈大。因此，在进行辊型设计时，若不考虑工作辊这一弹性变形特点，而仅凭支撑辊辊身挠度差的计算来处理问题，其结果必然与实际不符。亦即四辊轧机工作辊的弯曲挠度不仅取决于支撑辊的弯曲挠度，而且也取决于支撑辊和工作辊之间的不均匀弹性压扁所引起的挠度。如果支撑辊和工作辊辊型的凸度均为零，则工作辊的挠度为：

$$f_1 = f_2 + \Delta f_y \tag{3-14-15}$$

式中　f_1——工作辊的弯曲挠度；

　　　f_2——支撑辊的弯曲挠度；

　　Δf_y——支撑辊和工作辊间不均匀弹性压扁所引起的挠度差。

根据有关资料介绍，工作辊挠度计算公式为：

$$f_1 = K_{w1}P \qquad K_{w1} = \frac{A_0 + \varphi_1 B_0}{L\beta(1 + \varphi_1)} \tag{3-14-16}$$

支撑辊的挠度计算公式：

$$f_2 = K_{w2}P \qquad K_{w2} = \frac{\varphi_2 A_0 + B_0}{L\beta(H\varphi_2)} \tag{3-14-17}$$

式中　P——轧制力；

　　K_{w1}——工作辊柔度；

　　K_{w2}——支撑辊柔度；

　φ_1，φ_2——系数，可按下式计算：

$$\varphi_1 = \frac{1.1n_1 + 3n_2\xi + 18\beta K}{1.1 + 3\xi}; \quad \varphi_2 = \frac{1.1n_1 + 3\xi + 18\beta\xi}{1.1n_1 + 3n_2\xi}$$

$$A_0 = n_1\left(\frac{a}{L} - \frac{7}{12}\right) + n_2\xi ; \quad B_0 = \frac{3 - 4u^2 + u^3}{12} + \xi(1 - u), \left(u = \frac{b}{L}\right)$$

式中 a——两压下螺丝中心距;

       L——辊身长度;

       b——轧件宽度。

工作辊和支撑辊之间不均匀弹性压扁所引起的挠度为:

$$\Delta f_y = \frac{18(B_0 - A_0)K\bar{q}}{1.1(1 + n_1) + 3\xi(1 + n_2) + 18\beta K}$$

其中

$$K = \theta\ln 0.97\frac{D_1 + D_2}{q\theta}, \quad \theta = \frac{1 - \gamma_1^2}{\pi E_1} + \frac{1 - \gamma_2^2}{\pi E_2}$$

式中 D_1, D_2——工作辊、支撑辊直径;

       $\bar{q}$——工作辊与支撑辊间的平均单位压力,$\bar{q} = \dfrac{P}{L}$。

上列各式中 n_1、n_2、ξ、β 和 θ 的计算公式列于表 3-14-2 中。

表 3-14-2 n_1、n_2、ξ 和 β 参数计算

轧 辊 材 料	全 部 钢 辊	铸铁工作辊,锻钢支撑辊
E、G、γ 值 符号代表的参数	$E_1 = E_2 = 215600\mathrm{MPa}$ $G_1 = G_2 = 79380\mathrm{MPa}$ $\gamma_1 = \gamma_2 = 0.30$	$E_1 = 16660\mathrm{MPa}$, $E_2 = 215600\mathrm{MPa}$ $G_1 = 6860\mathrm{MPa}$, $G_2 = 79380\mathrm{MPa}$ $\gamma_1 = 0.35$, $\gamma_2 = 0.30$
$n_1 = \dfrac{E_1}{E_2}\left(\dfrac{D_1}{D_2}\right)^4$	$n_1 = \left(\dfrac{D_1}{D_2}\right)^4$	$n_1 = 0.773\left(\dfrac{D_1}{D_2}\right)^4$
$n_2 = \dfrac{G_1}{G_2}\left(\dfrac{D_1}{D_2}\right)^4$	$n_2 = \left(\dfrac{D_1}{D_2}\right)^4$	$n_2 = 0.864\left(\dfrac{D_1}{D_2}\right)^4$
$\xi = \dfrac{kE_1}{4G_1}\left(\dfrac{D_1}{L}\right)^2$	$\xi = 0.753\left(\dfrac{D_1}{L}\right)^2$	$\xi = 0.674\left(\dfrac{D_1}{L}\right)^2$
$\beta = \dfrac{\pi E}{2}\left(\dfrac{D_1}{L}\right)^4$	$\beta = 34600\left(\dfrac{D_1}{L}\right)^4$	$\beta = 26700\left(\dfrac{D_1}{L}\right)^4$
$\theta = \dfrac{1 - \gamma_1^2}{\pi E_1} + \dfrac{1 - \gamma_2^2}{\pi E_2}$	$\theta = 0.263 \times 10^{-5}\mathrm{mm^2/N}$	$\theta = 0.296 \times 10^{-5}\mathrm{mm^2/N}$

14.2.3   轧辊辊型设计

从以上分析可知,由于轧制时轧辊的不均匀热膨胀、轧辊的不均匀磨损以及轧辊的弹性压扁和弹性弯曲,致使空载时原本平直的辊缝在轧制时变得不平直了,致使板带的横向厚度不均和板形不良。为了补偿上述因素造成的辊缝形状的变化,需要预先将轧辊车磨成一定的原始凸度或凹度,赋予辊面以一定的原始形状,使轧辊在受力和受热轧制时,仍能保持平直的辊缝。

在设计新轧辊的辊型曲线(凸度)时,主要是考虑轧辊的不均匀热膨胀和轧辊弹性弯曲(挠度)的影响。由于轧辊热膨胀所产生的热凸度,在一般情况下与轧辊弹性弯曲产生的挠度相反，故在辊型设计时，应按热凸度与挠度合成的结果，定出新辊凸度（或凹度）曲线。

（1）根据大量的实践资料统计，轧辊不均匀热膨胀产生的热凸度曲线，可近似地按抛物线计算：

$$y_{tx} = \Delta R_t \left[\left(\frac{x}{L} \right)^2 - 1 \right] = -\Delta R_t \left[1 - \left(\frac{x}{L} \right)^2 \right] \tag{3-14-18}$$

式中　y_{tx}——距辊中部为 x 的任意断面上的热凸度；

　　　ΔR_t——辊身中部的热凸度，按式（3-14-13）计算；

　　　L——辊身长度之半；

　　　x——从辊身中部起到任意断面的距离，在辊身中部 $x=0$；在辊身边缘 $x=L$。

（2）由轧制力产生的轧辊挠度曲线，一般可以按抛物线地规律计算：

$$y_x = y \left[1 - \left(\frac{x}{L} \right)^2 \right] \tag{3-14-19}$$

式中　y_x——距辊身中部为 x 的任意断面的挠度；

　　　y——辊身中部与边部的挠度差，对于二辊轧机按式（3-14-14）计算。

将轧辊热凸度曲线和挠度曲线叠加起来（如图 3-14-9），得出原为平辊身的轧辊在实际轧制过程中的辊缝形状的凸度（或凹度）曲线，即：

$$t_x = y_x - y_{tx} = \left[K_w P - K_T R \alpha \Delta T \right] \left[1 - \left(\frac{x}{L} \right)^2 \right] \tag{3-14-20}$$

当 $x=0$ 时，即在辊身中部，则可得 $y_x = y$，$y_{tx} = \Delta R_t = y_t$，故得其最大实际凸度为：

$$t = y - y_t$$

式（3-14-20）即轧辊辊型的磨削凸凹曲线。如果 t 值为正值，说明由于轧制力引起的挠度大于不均匀热膨胀产生的热凸度，故此时原始辊型应磨成凸度，反之，则为凹度（例如叠轧薄板时）。轧辊必须预先磨制成这样的原始凸度，才能在实际轧制过程中使辊缝保持平直。

求出为了保持辊缝平直所需要的原始辊型总凸度以后，如何将这个总凸度分配到各个轧辊上去，以及为了补偿支撑轧辊的磨损又如何变化历次更换的工作辊的凸度？这就是辊型的配置问题。一般当凸度不大时（例如在四辊轧机和三辊劳特轧机等），由于工作辊和支撑辊的换辊周期不一样，因而完全有可能做到每更换一次工作辊时使其辊型凸度适当增加，以弥补支撑辊磨损带来的影响。例如 1200mm 可逆式冷轧机在轧制厚度为 0.5mm 以下的产品时，工作辊要换 16 次，支撑辊才换 1 次。因此当轧制宽度为 1020mm 的硅钢片时，配新换支撑辊的工作辊的凸度为 0.07mm，以后随着支撑辊的逐渐磨损，工作辊凸度依次递增至 0.13mm。对于三辊劳特轧机而言，实际生产中亦采用以不同的中辊凸度来补偿大辊的磨损的方法。

在实际生产中，原始辊型的选定并不是或者不完全是依靠计算，而主要是依靠经验估计与对比。在大多数的情况下，一套行之有效的辊型制度都是经过一段时期的生产试轧，反复比较其实际效果之后才最终确定下来的，并且随着生产条件的变化还要作适当的改变。检验原始辊型的合理与否应从产品质量、设备利用情况、操作的稳定性以及是否能有利于辊型控制与调整等方面来衡量。凸度选得过大，会引起中部浪形，并易使轧件横穿或蛇行乃至张力拉偏造成断带等问题；凸度过小又有可能限制轧机负荷能力的充分发挥，即为了防止边浪而不能施加较大的压力。当然在采用液压弯辊装置的现代化板、带轧机上，原始辊型凸度的选择可以大为简化，但由于弯辊装置的能力也有一定的限制，因而还需要有一定的原始辊型与之配合工作。辊型凸度选得合适时，液压弯辊在其能力范围内将能有效地消除板形缺陷。

按经验确定原始辊型凸度的方法，一般都是先参照国内外已有的同类或相似轧机的经验数据预选一个凸度值，再根据试轧效果逐次加以修订。至于理论计算，则多是参考性的。计算结果的参考价值取决于公式的正确性和原始参数的可靠程度。表 3-14-3 及表 3-14-4 分别为可逆式四辊冷轧机及宽带钢热连轧机的原始辊型凸度配置实例。它们的共同特点是：随着支持辊的逐渐磨损，工作辊凸度也渐次相应的增加。不同之点则为：在连轧情况下，每一机架的支撑辊磨损速度都不一样，所以每一机架工作辊凸度的递增速度也有所不同。

表 3-14-3　1200mm 单机可逆式四辊冷轧机辊型配置实例

品　种		工作辊凸度值/mm	备　注
$B = 1020$mm	T8A	$0.07 \sim 0.10$	
$B = 1020$mm	硅钢板	$0.07 \sim 0.13$	
$B = 800$mm	硅钢板	$0.28 \sim 0.32$	支撑辊前期用小值，后期用大值，只上工作辊有凸度，下工作辊凸度为零
$B = 760$mm	镀锡板	$0.25 \sim 0.28$	
$B = 820 \sim 870$mm	普通板	$0.15 \sim 0.18$	
$B = 1020$mm	普通板	$0.05 \sim 0.10$	

表 3-14-4　宽带钢 1700 精轧机组的辊型配置实例

工作辊周期	机　架　号					
	3	4	5	6	7	8
	工作辊凸度/mm					
1	0.00	0.00	0.00	0.00	0.00	0.00
2	0.05	0.00	0.00	0.00	0.00	0.00
3	0.05	0.05	0.00	0.00	0.00	0.00
4	0.05	0.05	0.05	0.00	0.00	0.00
5	0.05	0.05	0.05	0.05	0.00	0.00
6	0.05	0.05	0.05	0.05	0.05	0.00
7	0.05	0.05	0.05	0.05	0.05	0.05
8	0.08	0.05	0.05	0.05	0.05	0.05
9	0.08	0.05	0.05	0.05	0.05	0.05

辊型设计习题：有一架二辊轧机，采用钢轧辊，辊身长度为 930mm；辊径 ϕ630mm；压力为 600t；板材宽度为 750mm；辊身中部与边缘的温度差为 10℃；压下螺丝中心距 1380mm。根据这些条件，试设计合理辊型。

14.2.4　辊型及板形控制技术

设计原始辊型时，只考虑正常生产中相对稳定的工艺条件。但实际上由于产品规格和轧制条件不断变化，且辊型又不断磨损，想用一种辊型去满足各种轧制情况的需要是根本不可能的。这就需要在轧制过程中根据不同的情况不断地对辊型和板形进行灵活调整和控制。控制辊型的目的就是控制板形，故辊型控制技术实际就是板形控制技术，但后者含义更广，它往往把板形检测以及许多旨在提高板形质量的新技术和新轧机都包括了进去。这方面的技术近年来发展很快，可以分为常用辊型控制技术及板形控制的新技术和新轧机两类。

（1）常用辊型控制技术主要有调温控制法和弯辊控制法等　调温控制法是人为地向轧辊某些部分进行冷却或供热，改变辊温的分布，以达到控制辊型的目的。热源一般就是依靠金属本身的热量和变形热，这是不大好控制的。可作为灵活控制手段的就是调节轧辊冷却水的供量和分布。通过对沿辊身长度上布置的冷却液流量进行分段控制，可以达到调整辊型的目的。这种方法是在生产中早已应用的传统方法，虽然有效，但一般难以满足调整辊型的快速性要求。但近年经过革新采用提高了冷却效率的分段冷却控制，作为弯辊控制或其他控制板形方法的辅助手段还是很有效的。

为了及时而有效地控制板材平直度和横向厚度差，需要一种反应迅速的辊缝调整方法。利用弯辊控制法，通过控制轧辊在轧制过程中的弹性变形可以达到这一目的。所谓液压弯辊技术就是利用液压缸施加压力使工作辊或支撑辊产生附加弯曲，以补偿由于轧制压力和轧辊温度等工艺因素的变化而产生的辊缝形状的变化，以保证生产出高精度的产品。

液压弯辊技术一般分为以下两种：

1）弯工作辊的方法（当 $L/D < 3.5$ 时用之）。这又可以分为两种方式，如图 3-14-10 所示：（a）弯辊力加在两工作辊瓦座之间。即除工作辊平衡油缸以外，尚配有专门提供弯辊力的液压缸，使上下工作辊轴承座受到与轧制压力方向相同的弯辊力 N_1，结果是减少了轧制时工作

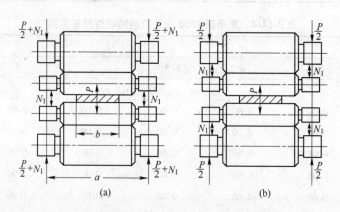

图 3-14-10　弯曲工作辊的方法

（a）减小工作辊的挠度；（b）增加工作辊的挠度

辊的挠度。这称为正弯辊。（b）弯辊力加在两工作辊与支撑辊的瓦座之间，使工作辊轴承座受到一个与轧制压力方向相反的作用力 N_1，结果是增大了轧制时工作辊的挠度，这称为负弯辊。热轧和冷轧薄板轧机多采用弯工作辊的方法。实际生产中由于换辊频繁，用（a）式装置需要经常拆装高压管路，影响油路密封，而且浪费时间。故更倾向于采用（b）法。或者将油缸置于与窗口牌坊相连的凸台上，以避免经常拆装油管。比较理想的是（a）法与（b）法并用，即选用所谓的工作辊综合弯辊系统，可以使辊型在更广泛的范围内调整，甚至用一种原始辊型就可以满足不同品种和不同轧制制度的要求。

2）弯曲支撑辊的方法（工作辊 $L/D \geqslant 3.5$ 时用之）。这种方法是弯辊力加在两支撑辊之间。为此，必须延长支撑辊的辊头，在延长辊端上装有液压缸（图3-14-11），使上下支撑辊两端承受一个弯辊力（N_2）。

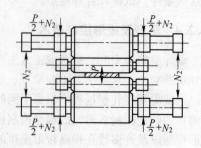

图 3-14-11　弯曲支撑辊

此力使支撑辊挠度减小，即起正弯辊的作用。弯曲支撑辊的方法多用于厚板轧机，它比弯工作辊能提供较大的挠度补偿范围，且由于弯支撑辊时的弯辊挠度曲线与轧辊受轧制压力产生的挠度曲线基本相符合，故比弯工作辊更有效，对于工作辊辊身较长（$L/D \geqslant 4$）的宽板轧机，一般以弯支撑辊为宜。

液压弯辊所用的弯辊力一般在最大轧制压力的 10%～20% 范围内变化。液压缸的最大油压一般为 20～30MPa。近年还制成能力更大的液压弯辊系统。

（2）板形控制新技术和新轧机　上述液压弯辊控制虽是一种无滞后的辊型控制的有力手段，但它还有一定的局限性。首先，它受到液压油源最大压力的限制，致使它还不能完全补偿在更换产品规格时实际需要的大幅度曲线变化。而且实践表明，弯辊控制对于轧制薄规格的产品，尤其是对于控制"二肋浪"等作用不大，有时还会影响所轧出板带的实际厚度。因此尽管液压弯辊技术已得到广泛应用，但人们仍然不断研究开发更完美更有效控制板形的新技术和新轧机，其中值得注意的主要有以下几种：

1）HC 轧机。HC 轧机为高性能板形控制轧机的简称，其结构如图 3-14-12 所示。当前日本用于生产的 HC 轧机是在支撑辊和工作辊之间加入中间辊并使之作横向移动的六辊轧机。在支撑辊背后再撑以强大的支撑梁，使支撑辊能作横向移动的新四辊轧机正在研究。HC 轧机的主要特点有：（a）具有大的刚度稳定性。即当轧制力增大时，引起的钢板横向厚度差很小，因为它也可以通过调整中间辊的移动量来改变轧机的横向刚度，以控制工作辊的凸度，此移动量以中间辊端部与带钢边部的距离 δ 表示，当 δ 大小合适，即当中间辊的位置适当，即在所谓 NCP 点（non control point）时，工作辊的挠度即可不受轧制力变化的影响，此时的轧机的横向刚度可调至无限大；（b）HC 轧机具有很好的控制性。即在较小的弯辊力作用下，就能使钢板的横向厚度差发生显著的变化。HC 轧机还设有液压弯辊装置，由于中间辊可轴向移动，致使在同一轧机上能控制的板宽范围增大了（图 3-14-13）；（c）HC 轧机由于上述特点因而可以显著提高带钢的平直度，可以减少板、带钢边部变薄及裂边部分的宽度，减少切边损失；（d）压下量由于不受板形限制而可适当提高。由于 HC 轧机的刚度稳定性和控制性都较一般四辊轧机好得多，因而能高效率地控制板形，因此 HC 轧机自 1972 年以后得到了较快的发展。

HC 轧机的出现从理论和实践上纠正了一个错误观念，即认为支撑辊的挠度决定于工作辊的挠度，因而为了提高其弯曲刚度，便不断增大支撑辊直径。但实际上尽管支撑辊很大且有快速弯辊装置，其板平直度仍然不理想。而且理论与实践表明：工作辊的挠曲一般大于支撑辊的

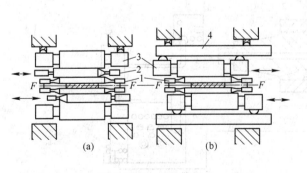

图 3-14-12　HC 轧机

（a）六辊式（中间辊移动式）；（b）支撑辊移动式

1—工作辊；2—中间移动辊；3—支撑辊；4—支撑梁

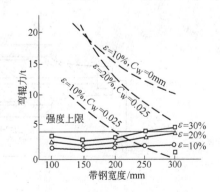

图 3-14-13　弯辊力与板宽的关系

实线为 HC 轧机资料；虚线为普通轧机资料；

C_W 为原始辊型凸度

挠曲达数倍之多。其原因一方面是由于工作辊与支撑辊之间以及工作辊与被轧板带之间的不均匀接触变形，使工作辊产生附加弯曲；另一方面则由于轧辊之间的接触长度大于板宽，因而位于板宽之外的辊间接触段，即图 3-14-14（a）中指出的有害接触部分使工作辊受到悬臂弯曲力而产生附加挠曲。最近几年来，基于这种分析和对轧机总体弹性变形分布的研究，创造出 HC 轧机。由图 3-14-14（b）可见，由于消除了辊间的有害接触部分而使工作辊挠曲得以大大减轻或消除，同时也使液压弯辊装置能有效地发挥控制板形的作用。这是 HC 轧机技术中心之所在，是板、带轧机设计思想的一个大进步。

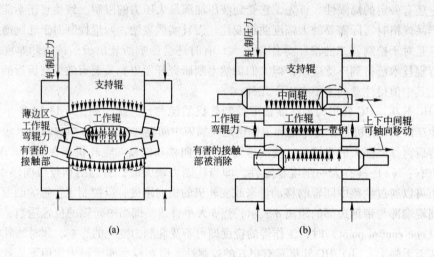

图 3-14-14　一般四辊轧机和 HC 轧机的比较

（a）一般四辊轧机；（b）HC 轧机

2）支撑辊的凸度可变的（VC 辊）技术。支撑辊带有辊套，内有油槽，用高压油来控制辊套鼓凸的大小以调整辊型。1977 年在住友金属鹿岛厂平整机上使用，此后，在冷轧机及和歌山热带轧机扩大应用。此支撑辊具有较宽范围的板形控制能力，在最大油压 49MPa 时，VC辊膨胀量为 0.261mm，轧辊构造如图 3-14-15 所示。

3）特殊辊型的工作辊横移式轧机。近年来德国西马克和德马克公司分别开发出工作辊横移式 CVC 轧机和 UPC 轧机，二者工作原理相同，只是 CVC 轧机辊型呈 S 形，UPC 轧机辊呈雪

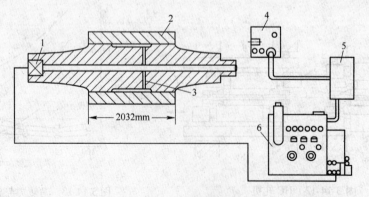

图 3-14-15　VC 辊的构造

1—回转接头；2—辊套；3—油沟；4—操作盘；5—控制盘；6—油泵

茄形（见图3-14-16（a）、（b））。这种轧机工作辊横移时，辊缝凸度可连续由最小值变到最大值，所以调整控制板形的能力很强。

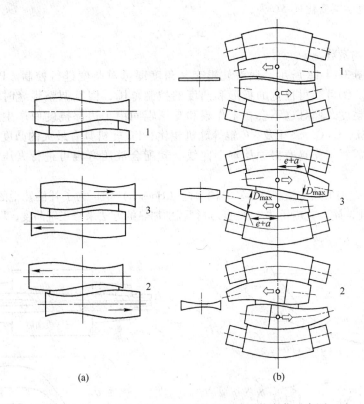

图 3-14-16 CVC(a)与 UPC(b)轧辊辊缝形状变化示意图
1—平辊缝；2—中凸辊缝；3—中凹辊缝

4）辊缝控制（NIPCO）技术。NIPCO（Nip Control）技术是瑞士苏黎世 S-ES 公司最近开发的，如图 3-14-17 所示。其特点是四辊轧机的支撑辊由固定的辊轴、旋转轴套和若干个固定在辊轴上、顶部装有液压轴承的液压缸组成。通过控制液压缸的压力可连续调整辊缝形状，有较强的控制板形的能力。

5）对辊交叉（PC）轧制技术（Pair Cross roll）。在日本新日铁公司广畑厂于 1984 年投产的 1840mm 热带连轧机的精轧机组上首次采用了工作辊交叉的轧制技术。PC 轧机的工作原理是，通过交叉上下成对的工作辊和支撑辊的轴线形成上下工作辊间辊缝的抛物线，并与工作辊的辊凸度等效。等效轧辊凸度 C_r 由下式表示：

$$C_r = \frac{b^2 \tan^2 \theta}{2D_w} \approx \frac{b^2 \theta^2}{2D_w}$$

式中 b——带材宽度，mm；

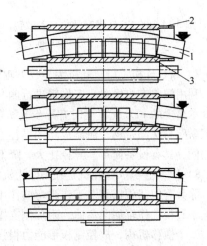

图 3-14-17 NIPCO 轧辊受力分布因板宽而变化
1—固定轴身；2—旋转辊套；3—安装在
液压缸上的液压轴承

　　　　θ——工作辊交叉角度，(°)；

　　　　D_w——工作辊直径，mm。

　　因此，带材凸度变化量 ΔC 为：

$$\Delta C = \delta C_r$$

式中　δ——影响系数。

　　因此，如图 3-14-18 所示，调整轧辊交叉角度即可对凸度进行控制。PC 轧机具有很好的技术性能：①可获得很宽的板形和凸度的控制范围，因其调整辊缝时不仅不会产生工作辊的强制挠度，而且也不会在工作辊和支撑辊间由于边部挠度而产生过量的接触应力。与 HC 轧机、CVC、SSM 及 VC 辊等轧机相比，PC 轧机具有最大的凸度控制范围和控制能力。②不需要工作辊磨出原始辊型曲线。③配合液压弯辊可进行大压下量轧制，不受板形限制。

　　6）用辊心差别加热法控制辊形。德国赫施（Hoesch）钢厂为了补偿轧辊的磨损，采用在支撑辊辊心钻孔，插入电热元件，分三段进行区别加热的方法来修正辊凸度，取得很好的效果（图 3-14-19）。

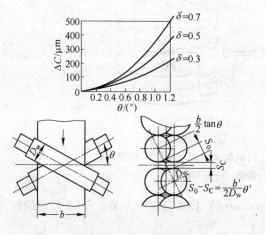

图 3-14-18　PC 轧辊交叉角与等效辊凸度

$b = 1500\text{mm}$；$D_w = 700\text{mm}$

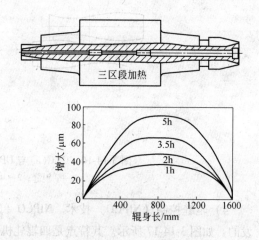

图 3-14-19　可三区段加热的支撑辊图

　　7）FFC 轧机。FFC 轧机为异径五辊轧机（图 3-14-20），中间小工作辊轴线偏移一定的距离，利用侧向支撑辊对小工作辊进行侧弯辊，以便配合立弯辊装置对板形进行灵活控制。1982年日本出现的 FFC 轧机同时有异步轧机的功能，其中间的小工作辊也是传动辊。1983 年原东北工学院与沈阳带钢厂研制成功的异径五辊轧机小工作辊为惰辊，靠摩擦传动，故两工作辊速度相同，具有设备简单、异径比大、降低轧制压力幅度大的特点。

　　8）UC 轧机。UC 轧机是在 HC 轧机的基础上发展起来的，与 HC 轧机相比，辊系结构相似，除具有中间辊横移、工作辊弯曲作用外，又增加了中间辊弯曲及工作辊直径小辊径化。为防止小直径工作辊侧向弯曲，附加侧支撑机构（见图 3-14-21）。由于 UC 轧机具有两个弯辊系统，一个横移机构，故控制板形能力很强，适宜轧制硬质合金薄带。

　　9）最近德国联合工程公司和国际轧机咨询公司联合开发了一种获得专利的自动补偿支撑辊系统。自动补偿（SC）辊的基本原理比较简单，目的是补偿由加载造成的支撑辊的挠度。SC 支撑辊是由冷缩套和辊轴装配而成的，如图 3-14-22 所示。该冷缩套中间与辊轴是过盈配合，在冷缩紧配合区外，辊轴和辊套间有一向轧辊两端逐渐增大的缝隙。当轧辊承受负载时，这一缝隙部分闭合，因而辊套的总挠度接近于辊轴的挠度。同时由于 SC 辊套两端与轴间存在缝隙，因而，与传统支撑辊相比在支撑辊和工作辊之间接触面的整个挠度将大大降低，如图 3-14-23所示。当在工作辊轴承座间施加正轧辊挠度时，由于工作辊端头的灵活性，工作辊上可产生较大的挠度。因此，增强了弯辊系统的能力。

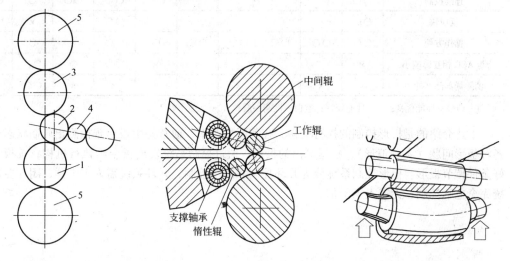

图 3-14-20　FFC 轧机示意图　　图 3-14-21　UC 轧机侧支撑机构　　图 3-14-22　自动补偿支撑辊

1—大工作辊；2—小工作辊；3—中间支撑辊；4—侧支撑辊；5—支撑辊

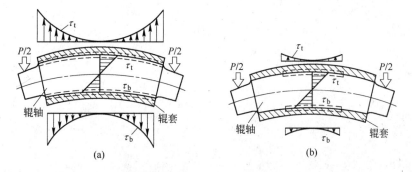

$$(a) \qquad\qquad (b)$$

图 3-14-23　剪切应力 τ_t 和 τ_b 在辊套冷缩配合区的分布

（a）传统辊套辊；（b）SC 辊

表 3-14-5 为各种板形控制方法的控制特性比较。由表可见对辊交叉技术、移辊技术（HC、CVC 等）及弯辊技术和分段冷却方法（控制热凸度）等是行之有效的常用方法。

表 3-14-5　各种板形控制方法的控制特性比较（分段冷却）

控制特性	弯　辊	阶梯辊	倒角支撑辊	大凸度支撑辊	双轴承座	移辊（HC）	交叉辊	张应力分布	热凸度	CVC
中边部质量	×				○	○○	○○			○○
形状修正能力	×					○	○		×	○○

续表 3-14-5

控制特性	弯　辊	阶梯辊	倒角支撑辊	大凸度支撑辊	双轴承座	移辊 (HC)	交叉辊	张应力分布	热凸度	CVC
板宽适应性		×	×			○	○○			○○
连续控制	○○					○○	○○	○○	○	○○
反应快	○○					○	○○		×	○○
操作方便	○○	○○	○○	○○	○○	○	○○		○	○
与 AGC 相互影响小	×					×	○○	○	○○	×
消除局部凸度能力	×	×	×	×	×	×	×	×	○○	×

注：○○—性能优良；○—性能较好；空白—性能一般；×—性能不好。

　　上述介绍的是板形控制的执行机构，在实际生产中，通常是由板形辊检测出轧制状态下的各种板形问题（各种浪形），根据测出的板形，通过控制系统发出指令给执行机构，按板形良好条件调节板形。板形控制系统分为开环控制和闭环控制，开环系统需人工干预，闭环控制系统完全电脑控制，无需人工干预。

15   板、带材轧制制度的确定

板、带材轧制制度主要包括压下制度、速度制度、温度制度、张力制度及辊型制度等，其中主要是压下制度（它必然涉及到速度制度、温度制度和张力制度）和辊型制度，它们决定着实际辊缝的大小和形状，也可以说由它们实际组成板、带钢的孔型，而板、带钢轧制制度或规程的设计也可称之为板、带钢孔型设计。它主要就是根据产品的技术要求、原料条件及生产设备的情况，运用数学公式（模型）或图表进行计算，决定各道的实际压下量、空载辊缝、轧制速度等，并根据产品特点确定轧制温度及辊型制度，以便在安全操作条件下达到优质、高产、低消耗的目的。

15.1   制定轧制制度的原则和要求

板、带材轧制制度的确定要求充分发挥设备潜力、提高产量、保证质量，并且操作方便、设备安全。一句话，就是要多快好省、方便安全地生产出优质产品。故合理的轧制规程设计必须满足下述的原则和要求。

15.1.1   在设备能力允许的条件下尽量提高产量

充分发挥设备潜力以提高产量的途径不外是提高压下量、缩减轧制道次、确定合理速度规程、缩短轧制周期、减少换辊时间、提高作业率及合理选择原料增加坯重等。对可逆式轧机而言主要是提高压下量以缩减道次。而对连轧机则主要是合理分配压下并提高轧制速度。无论是提高压下量或提高速度，都涉及到轧制压力、轧制力矩和电机功率。一方面要求充分发挥设备的潜力，另一方面又要求保证设备安全和操作方便，这就是只能在设备能力允许的条件下去努力提高产量。从设备能力着眼，限制压下量和速度提高的主要因素有以下几点：

（1）咬入条件   粗轧阶段及连轧机组的前几架由于轧件厚、温度高、速度低、轧制压下量大，此时咬入条件可能成为限制压下量的因素。轧制板、带材时许用的最大咬入角在很大程度上取决于轧机型式、轧制速度、轧辊材质及表面状态、钢板的温度、钢种特性及轧制润滑情况等。一般特点是速度高，咬入能力变低。最大咬入角与轧制速度的关系为：

轧制速度/$(m \cdot s^{-1})$	0	0.5	1.0	1.5	2.0	2.5	3.5
最大咬入角/（°）	25	23	22.5	22	21	17	11

由于可逆式轧机上的轧制速度是可调的，故可采用低速咬入，使允许的最大咬入角 α_{max} 增大。已知 α_{max}，便可由下式求出最大压下量 Δh_{max}。

$$\Delta h_{max} = D(1 - \cos\alpha_{max}) = D\left(1 - \frac{1}{\sqrt{1 + f^2}}\right) \tag{3-15-1}$$

冷轧时也可用简化公式

$$\Delta h_{max} = Rf^2 \tag{3-15-2}$$

式中 D, R——轧辊的直径和半径；

f——摩擦系数。

通常在现代的热轧四辊轧机上，咬入条件不是限制压下量的因素。但当轧辊直径小、速度快时，或在采用单辊传动时，咬入能力显著降低，此时便须考虑咬入条件的限制。

（2）轧辊及接轴叉头等的强度条件　最大允许轧制压力 P_{yx} 和最大允许轧制力矩一般取决于轧辊等零件的强度条件。通常在二辊和三辊轧机上最大轧制压力取决于轧辊辊身强度。

在现代四辊轧机上，由于支撑辊辊身强度很大，P_{yx} 还往往取决于支撑辊辊颈的弯曲强度和轴承寿命。

最大允许轧制力矩 M_{max} 除取决于电机额定力矩之外，从机械设备角度则通常取决于传动辊的辊颈强度及万向接轴的板头与叉头强度。

（3）电机能力的限制　此即电机过载和发热能力的限制。一般常以过载电流来限制最大压下量和加速度等动态电流，令过载时的最大功率 N_{max} 小于过载系数与额定功率 N_{od} 的乘积。通常用均方根电流校验电机的发热情况，要使均方根功率 N_z 小于电机额定功率 N_{od}，即

$$N_{max} < K_1 N_{od} \qquad (3\text{-}15\text{-}3)$$

$$N_z = \sqrt{\frac{N_{zh}^2 t_{zh} + N_K^2 t_j}{t_{zh} + t_j}} < N_{od} \qquad (3\text{-}15\text{-}4)$$

式中　N_{zh}，N_K——轧制功率及空转功率；

$\qquad$ t_{zh}，t_j——轧制时间和间隙时间；

$\qquad$ K_1——过载系数，通常可取 $K_1 = 2.5$。

由此可见，当电机发热过负载时，重新分配各道压下量并无多大补益，而只有通过增加道次和时间来解决。功率负荷主要取决于轧制力矩和轧制速度，故在确定压下量时，须综合考虑转矩与转速的乘积值。

此外，还应根据各种轧机的具体情况考虑其他限制因素。例如在连轧机组上还须注意各架轧制速度不能超出其允许速度范围，并应使速度留有 5%～10% 的余地，以供速度调整及适应轧制条件（如辊径）变化之用。

15.1.2　在保证操作稳便的条件下提高质量

15.1.2.1　保证操作稳便的钢板轧制定心条件

当轧辊辊身为圆柱形，即其辊型凸度为 ±0 时，若钢板由轧制中心线偏移 a 距离，由图3-15-1 可见，则轧辊两端轴承上所受的力就不再相等，于是两边牌坊及零件的弹性变形，即弹跳也就不再相等，从而使两个轧辊轴线不再平行，亦即使上辊产生了倾斜。这样当然要使钢板两边的压下率不相等，使轧出的钢板两边厚度不相等。由图 3-15-1 可以求出由于钢板偏移 a 而引起的钢板两侧厚度差 Δ_1 为

$$\Delta_1 = \frac{4PaB}{A^2 K} \qquad (3\text{-}15\text{-}5)$$

式中　P——轧制压力，kN；

$\qquad$ B，a——钢板宽度及钢板由轧制中心线偏移的距离，mm；

$\qquad$ A——两压下螺丝轴线之间的距离，mm；

$\qquad$ K——轧机刚度（不包括轧辊刚度），kN/mm。

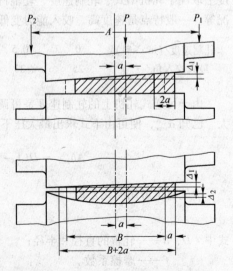

图 3-15-1　钢板由中心线偏移时的情况

由轧制原理可知，压下率增大，将使金属出辊速度增加而入辊速度减小。既然钢板两边的压下量不相等，则压下较大的一边出辊速度较大而进辊速度较小，使带钢形成镰刀弯，向着压下较小的那边继续偏移。由此可见，在十分平直的辊缝中轧制时，因钢板偶然偏移而产生的这种轧辊倾斜在轧制过程中具有自动扩大的趋势，因而使轧件难以稳定，很易发生跑偏甚至刮框等事故，破坏轧制过程的正常进行。

为了轧制时能使轧件稳定于轧制中心线而不产生偏移，亦即当略有偏移时具有自动定心的力量，使小的偶然偏移不向着扩大而向着缩小的方向发展，必须使轧制时辊缝的形状亦即钢板断面的形状呈凸透镜形状，也就是要使实际辊面形状呈凹形。为使钢板有一定的自动定心力量，轧辊究竟应该具有多大的凹度才合适？为解决此问题，我们假定两个轧辊的凹度全并到一个轧辊上而使另一轧辊呈圆柱形。如图 3-15-1 所示，钢板在凹形轧辊内横向移动一个 a 的距离，将使钢板在偏移那一边的压下率增加，亦即使其厚度减小，而另一边则相反。这个作用正好与上述由于偏移引起轧辊倾斜，而使钢板那一边的压下率减小、厚度增大的作用完全相反。显然只有在这两种作用的影响能够互相抵消，或者前者比后者大时，才能使钢板具有自动定心的力量。设实际轧制中辊型呈抛物线状，则在轧件宽度中心处的辊型凹度 t 为

$$t = y - y_t - W \tag{3-15-6}$$

式中 y，y_t，W——分别为工作辊在轧件宽度上的弯曲挠度值、热凸度值及原始辊型凸度值。

因此在 $(B + 2a)$ 处钢板边部的厚度要比在 B 处的厚度减小 Δ_2 值，即

$$\Delta_2 = (y - y_t - W)\left[\left(\frac{B+2a}{B}\right)^2 - 1\right] \tag{3-15-7}$$

式中 Δ_2——由于轧制辊面呈抛物线凹形而使偏移侧边部变薄的值。

若令两种作用抵消，则

$$\Delta_1 - \Delta_2 = \frac{4PaB}{A^2K} - (y - y_t - W)\left[\left(\frac{B+2a}{B}\right)^2 - 1\right] = 0 \tag{3-15-8}$$

令 $a \to 0$，即偏移的距离极小时，经变化即可得出为了使轧件能自动定心所必需的最大原始辊型凸度值，亦即

$$\frac{4PaB}{A^2K} = (y - y_t - W)\left[\left(\frac{B+2a}{B}\right)^2 - 1\right] \tag{3-15-9}$$

由此便可求出为了产生此挠度所必须的最小轧制压力，再由轧制压力便可确定出为使轧件能自动定心所必须的最小压下量。这就是说，为了使轧件能自动定心，防止跑偏以保证操作稳定，便必须在制定压下规程和辊型设计时，要使轧制时辊缝的实际形状呈凸形，而轧出的板、带断面中部要比边部略厚一些。这是长久以来国内外工厂在实际生产中所经常采用的操作方法，即所谓"中厚法"或"中高法"。由上式可以推知，这个中厚量，即板凸度至少应该为 ΔH

$$\Delta H \geqslant \frac{PB^2}{KA^2} \tag{3-15-10}$$

由式（3-15-10）看出，中厚量与轧制压力及钢板宽度成正比，而与机架的刚度及压下螺丝中心线间的距离的平方成反比。这说明，为了提高钢板的厚度精度而又使操作简便，就必须努力提高轧机的刚度。机架刚度不仅对钢板纵向精度有影响，而且对横向厚度精度有重要影响。

15.1.2.2 提高板形及尺寸精度质量

板、带材轧制的精轧阶段对于保证钢板的性能、表面质量、板形及尺寸精度质量有着极为重要的作用。为了保证板形质量及厚度精度，必须遵守均匀延伸或所谓"板凸度一定"的原

则去确定各道次的压下量。

　　这里应该指出，按"板凸度一定"原则所确定的各道次的板凸量（即中厚量）绝对值是逐道减小的，而按式（3-15-10）确定的、为保证自动定心所需要的中厚量必须等于或大于一定值（PB^2/KA^2），因此二者之间往往要出现矛盾。而且上述为自动定心所需的中厚量，主要是针对单块轧制较长的中厚板，前后不带张力，且无导板夹持的自由轧制的情况下求出的，故其值较大。例如在中厚板轧机上轧制宽 2100mm 的钢板，若压下螺丝间距 A 为 3475mm，牌坊刚度 K 为 12000kN/mm，轧制压力 P 为 15000kN 时，中厚量等于 0.46mm。这在厚板一般还算可以，但对于薄板则超出了厚度公差范围，是不能允许的。因此，若不带张力且无导板夹持，要想单张轧出厚度精确且较长的薄板就十分困难。可见上述中厚量的计算不适于薄板轧制过程，也不完全适合于较短轧件单块轧制的情况。

　　此外，制定板、带轧制规程时，还应注意保证板材组织性能和表面质量。例如有些钢种对终轧温度和压下量有一定要求，都需根据钢种特性和产品技术要求在设计轧制规程时加以考虑。

15.2　压下规程或轧制规程设计（设定）

15.2.1　概述

　　板、带钢轧制压下规程是板、带轧制制度（规程）最基本的核心内容，直接关系着轧机的产量和产品的质量。压下规程的中心内容就是要确定由一定的板坯轧成所要求的板、带成品的变形制度，亦即要确定所需采用的轧制方法、轧制道次及每道压下量的大小，在操作上就是要确定各道次压下螺丝的升降位置（即辊缝的开度）。与此相关联的，还要涉及到各道次的轧制速度、轧制温度及前后张力制度的确定及原料尺寸的合理选择，因而广义地说来，压下规程的制订也应当包括这些内容。

　　制定压下规程的方法很多，一般可概括为理论方法和经验方法两大类。理论方法就是从充分满足前述制定轧制规程的原则要求出发，按预设的条件通过理论（数学模型）计算或图表方法，以求最佳的轧制规程。这当然是理想的和科学的方法。但是，在实际生产中由于变化的因素太多，特别是温度条件的变化很难预测和控制，故虽事先按理想条件经理论计算确定了压下规程，但在实际中往往并不可能实现。因而在人工操作时就只能按照实际变化的具体情况，凭操作人员的经验随机应变地处理。这就是说，在人工操作的条件下，即使花费很大力气把合理压下规程制定出来了，却也不可能按理想的条件得到实现。只有在全面计算机控制的现代化轧机上，才有可能根据具体变化的情况，从上述原则和要求出发，对压下规程进行在线理论计算和控制。

　　由于在人工操作的条件下，理论计算方法比较复杂而用处又不大，故生产中往往参照现有类似轧机行之有效的实际压下规程，亦即根据经验资料进行压下分配及校核计算，这就是所谓经验的方法。这种方法虽然不十分科学，但较为稳妥可靠，且可通过不断校核和修正而达到合理化。因此，这种方法不仅在人工操作的轧机上用得广泛，而且在现代计算机控制的轧机上也经常采用。例如，常用的压下量或压下率分配法、能耗负荷分配法等基本上都是经验方法。应该指出，即使是按经验方法制定出来的压下规程，也和理论的规程一样，由于生产条件的变化和人工控制的误差，很难在实际操作中实现原定规程。

　　基于上述情况，生产中通常采用原则性与灵活性相结合的方法来处理压下规程问题。这就是：（1）根据原料、产品和设备条件，按前述制定轧制规程的原则和要求，采用理论或经验的方法制定出一个原则指导性的初步压下规程，或者只从保证设备安全出发，通过计算规定出最大压下率的限制范围，有了这个初步规程或限制范围，就基本上保持了原则性与合理性；(2) 在实际操作中，以此规程或范围为基础，根据当时的实际情况具体灵活掌握，这样就有了适应具体情况的灵活性。没有一个从实际条件出发并根据科学计算而定出的原则性规程或范围，就难以合理地充分发挥设备能力；而没有实际操作中的随机应变，便无法适应生产条件的变化，保证生产的顺利进行。这两方面相辅相成，体现为原则性与灵活性的结合。

在计算机控制的现代化轧机上，自然更便于根据具体情况，从理论原则和要求出发，进行合理轧制规程的在线计算和控制。这就更好地体现了原则性与灵活性的结合。事实上，在计算机控制的情况下也不可能在生产中完全按照最初设定的压下规程进行轧制，而必须根据随时变化的实测参数，对原压下规程进行再整定计算和自适应计算，及时加以修订，这样才能轧制出高精度质量的产品。

通常在板、带生产中制定压下规程的方法和步骤为：(1) 在咬入能力允许的条件下，按经验分配各道次压下量，这包括直接分配各道次绝对压下量或压下率、确定各道次压下量分配率 ($\Delta h/\Sigma \Delta h$) 及确定各道次能耗负荷分配比等各种方法；(2) 制定速度制度，计算轧制时间并确定逐道次轧制温度；(3) 计算轧制压力、轧制力矩和总传动力矩；(4) 校验轧辊等部件的强度和电机功率；(5) 按前述制定轧制规程的原则和要求进行必要的修正和改进。

由于有关轧制压力及力矩等各项计算的原理和方法已在加工原理等课程中讲授过，在此不再重复。下面只通过具体实例进一步阐述在几种典型轧机上常用的几种设计（设定）压下规程或轧制规程的方法。

15.2.2 中、厚板轧机压下规程设计

现代中、厚板轧机多为四辊可逆式轧机，因此这里主要讲述可逆式轧机轧制中、厚板常用的压下规程设计方法，这种方法同样也适用于热连轧的粗轧机组及其他轧机。

例 15-1 已知原料规格为 115mm × 1600mm × 2200mm，钢种为 Q235；产品规格为 8mm × 2900mm × 17500mm；开轧温度为 1200℃，横轧时开轧温度为 1120℃；轧机为单机架四辊可逆式，设有大立辊及高压水除鳞；工作辊直径为 ϕ930 ~ 980mm，支撑辊直径为 ϕ1660 ~ 1800mm，辊身长度 4200mm，最大允许轧制压力为 4200 × 10^{4}N，扭转力矩为 2 × 224 × 10^{4}N · m，轧制速度为 0 ~ 2 ~ 4m/s，主电机功率为 2 × 4600kW，试制定其压下规程（计算从横轧开始）。

解 (1) 轧制方法：先经立辊侧压一道及纵轧一道，使板坯长度等于钢板宽度，然后转90°，横轧到底。

(2) 采用按经验分配压下量再进行校核及修订的设计方法：先按经验分配各道压下量，排出压下规程如表 3-15-1 所示。

(3) 校核咬入能力：热轧钢板时咬入角一般为 15° ~ 22°，低速咬入可取为 20°，故 $\Delta h_{max} = D$ $(1 - \cos\alpha)$ = 55mm，故咬入不成问题（D 取 930mm）。

(4) 确定速度制度：中、厚板生产中由于轧件较长，为操作方便，可采用梯形速度图（图 3-15-2）。根据经验资料取平均加速度 $a = 40$r/(min · s)，平均减速度 $b = 60$r/(min · s)。由于咬入能力很富余，故可采用稳定高速咬入，对 3、4 道，咬入速度取 $n_1 = 20$r/min，对于 5、6、7 道取 $n_1 = 40$r/min，对于 8、9、10 道取 $n_1 = 60$r/min。为减少反转时间，一般采用较低的抛出速度 n_2，例如取 $n_2 = 20$r/min，但对间隙时间长的个别道次可取 $n_2 = n_1$。

(5) 确定轧制延续时间：如图 3-15-2 所示，每道轧制延续时间 $t_j = t_{zh} + t_0$，其中 t_0 为间隙时间，t_{zh} 为纯轧时间，$t_{zh} = t_1 + t_2$。设 v_1 为 t_1 时间内的轧制速度，v_2 为 t_2 时间内的平均速度，

l_1 及 l_2 为在 t_1 及 t_2 时间内轧过的轧件长度，l 为该道轧后轧件长度，则，$v_1 = \pi D n_1/60 , v_2 = \pi D(n_1 + n_2)/120$，$t_2 = \dfrac{n_1 - n_2}{b}$，故减速段长 $l_2 = t_2 v_2$，而 $t_1 = (l - l_2)/v_1 = (l - t_2 v_2)/v_1$。$D$ 取平均值。

对于 3、4 道，取 $n_1 = 20 = n_2$（因轧件短），即 $t_2 = 0$，故 $t_{zh} = t_1 = \dfrac{l}{v_1} = 2.17\text{s}$ 及 3.1s。

对于 5、6、7 道取 $n_1 = 40$，$n_2 = 20$；对 8、9、10 道取 $n_1 = 60$，$n_2 = 20$，分别算出结果。

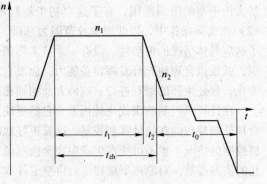

图 3-15-2　梯形速度图

再确定间隙时间 t_0：根据经验资料在四辊轧机上往返轧制中，不用推床定心时（$l < 3.5\text{m}$），取 $t_0 = 2.5\text{s}$，若需定心，则当 $l \leqslant 8\text{m}$ 时取 $t_0 = 6\text{s}$，当 $l > 8\text{m}$ 时，取 $t_0 = 4\text{s}$。

已知 t_{zh} 及 t_0，则轧制延续时间便可求出。

（6）轧制温度的确定：为了确定各道轧制温度，必须求出逐道的温度降。高温时轧件温度降可以按辐射散热计算，而认为对流和传导所散失的热量大致可与变形功所转化的热量相抵消。由于辐射散热所引起的温度降在热轧板、带时，可用以下公式近似计算：

$$\Delta t^0 = 12.9 \frac{Z}{h}\left(\frac{T_1}{1000}\right)^4 \tag{3-15-11}$$

有时为简化计算，也可采用以下经验公式

$$\Delta t^0 = \frac{t_1^0 - 400}{16} \times \frac{Z}{h_1} \tag{3-15-12}$$

式中　t_1^0，h_1——分别为前一道轧制温度（℃）与轧出厚度，mm；

　　　Z——辐射时间，即该道的轧制延续时间 t_j，$Z = t_j$；

　　　T_1——前一道的绝对温度，K。

由于轧件头部和尾部温度降不同，为设备安全着想，确定各道温度降时，应以尾部为准。现按公式（3-15-11）计算逐道温度降。例如第三道（横轧第一道），已知横轧开轧温度为 1120℃，则第三道尾部温度为

$$t^0{}'_3 = t_3^0 - \Delta t_3^0 = 1120 - 12.9\frac{Z}{h}\left(\frac{T_1}{1000}\right)^4$$

$$= 1120 - 12.9 \times \frac{2.17}{90}\left(\frac{1120 + 273}{1000}\right)^4 = 1119℃$$

（7）计算各道的变形程度：由加工原理可知，若按图 3-15-3 所示的变形抗力曲线查找变形抗力时，需先求出各道的压下率（$\Delta h/H\%$），例如第 3、4 道的压下率分别为 28% 和 30.5%（按已分配的各道压下量）。

（8）计算各道的平均变形速度 $\bar{\varepsilon}$：可用下式计算平均变形速度

$$\bar{\varepsilon} = 2v\sqrt{\frac{\Delta h}{R}}(H + h) \tag{3-15-13}$$

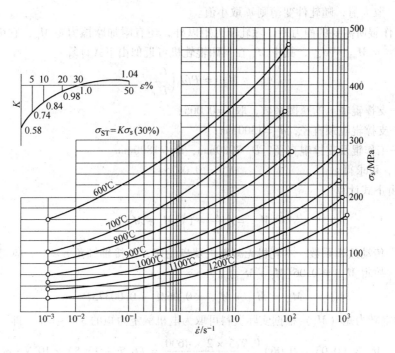

图 3-15-3　变形抗力曲线（Q235）

式中　R、v——轧辊半径及线速度。

例如第三道，轧制速度 $v = \pi Dn/60 = \pi \times 980 \times 20/60 = 1000\text{mm/s}$，故

$$\bar{\dot{\varepsilon}} = \frac{2 \times 10^3}{90 + 65} \times \sqrt{\frac{25}{490}} \approx 3\text{s}^{-1}$$

（9）求各道的变形抗力：按图 3-15-3，由各道相应的变形速度及轧制温度即可查找出 30% 压下率时钢的变形抗力，再经换算成该道实际压下率时的变形抗力。例如第三道由 $\dot{\varepsilon} = 3\text{s}^{-1}$ 及 $t = 1119℃$，查出 30% 压下率时的变形抗力为 $8.2 \times 10^7\text{Pa}$，再由图 3-15-3 左上角的辅助曲线查得该道压下率为 28% 时的变形程度修正系数 $K \approx 1$，故可求出该道变形抗力为 $8.2 \times 10^7\text{Pa}$。

（10）计算各道的平均单位压力（$\bar{p}$）：根据中、厚板轧制的情况，可取应力状态影响系数 $\eta = 0.785 + 0.25l/\bar{h}$，其中 h 为变形区轧件平均厚度，l 为变形区长度，单位压力大（$> 20 \times 10^7\text{Pa}$）时应考虑轧辊弹性压扁的影响，由于轧制中厚板时 $\bar{p}$ 一般在此值以下，故可不计压扁影响，此时变形区长度 $l = \sqrt{R\Delta h}$，例如第三道 $l = \sqrt{490 \times 25} = 111\text{mm}$，则

$$\bar{p}_3 = 1.15\sigma_s\eta = 1.15\sigma_s\left(0.785 + 0.25\frac{1}{\bar{h}}\right) = 1054 \times 10^5\text{Pa}$$

（11）计算各道总压力：各道总压力按下式计算

$$P = Bl\bar{p} = 2900 \times 111 \times 105.4 = 346 \times 10^5\text{N} \qquad (3\text{-}15\text{-}14)$$

（12）计算传动力矩：轧制力矩按下式计算

$$M_z = 2P\psi\sqrt{R_1\Delta h} \qquad (3\text{-}15\text{-}15)$$

式中　ψ——合力作用点位置系数（或力臂系数），中厚板一般 ψ 取为 $0.4 \sim 0.5$，粗轧道次 ψ

取大值，随轧件变薄则 ψ 取小值。

传动工作辊所需要的静力矩，除轧制力矩以外，还有附加摩擦力矩 M_{m}，它由以下两部分组成，即 $M_{\mathrm{m}} = M_{\mathrm{m1}} + M_{\mathrm{m2}}$，其中 M_{m1} 在本四辊轧机可近似由下式计算：

$$M_{\mathrm{m1}} = P f d_{\mathrm{z}} \left(\frac{D_{\mathrm{g}}}{D_{\mathrm{z}}} \right) \tag{3-15-16}$$

式中　f——支撑辊轴承的摩擦系数，取 $f = 0.005$；

　　　d_{z}——支撑辊辊颈直径，$d_{\mathrm{z}} = 1300\mathrm{mm}$；

D_{g}、D_{z}——工作辊及支撑辊直径，$D_{\mathrm{g}} = 980\mathrm{mm}$，$D_{\mathrm{z}} = 1800\mathrm{mm}$。

代入后，可求得　　　　　　　$M_{\mathrm{m1}} = 0.00354P$

M_{m2} 可由下式计算

$$M_{\mathrm{m2}} = \left(\frac{1}{\eta} - 1 \right)(M_{\mathrm{z}} + M_{\mathrm{m1}}) \tag{3-15-17}$$

式中　η——传动效率系数，本轧机无减速机及齿轮座，但接轴倾角 $\alpha \geqslant 3°$，故可取 $\eta = 0.94$，故得 $M_{\mathrm{m2}} = 0.06(M_{\mathrm{z}} + M_{\mathrm{m1}})$。

故　　　　　　　$M_{\mathrm{m}} = M_{\mathrm{m1}} + M_{\mathrm{m2}} = 0.06M_{\mathrm{z}} + 0.00375P$

轧机的空转力矩（M_{K}）根据实际资料可取为电机额定力矩的 $3\% \sim 6\%$，即

$$M_{\mathrm{K}} = (0.03 \sim 0.06) \frac{0.975 \times 2 \times 4600}{40} = (6.7 \sim 13.5) \times 10^4 \mathrm{N \cdot m}$$

取 $M_{\mathrm{K}} = 10^5 \mathrm{N \cdot m}$。

由于采用稳定速度咬入，即咬钢后并不加速，故计算传动力矩时忽略电机轴上的动力矩。因此电机轴上的总传动力矩为：

$$M = M_{\mathrm{z}} + M_{\mathrm{m}} + M_{\mathrm{K}} = 1.06M_{\mathrm{z}} + 0.00375P + M_{\mathrm{K}} \tag{3-15-18}$$

例如，第三道（取 $\psi = 0.5$）总力矩为：

$M_3 = 1.06 \times 0.111 \times 3460 \times 10^4 + 0.00375 \times 3460 \times 10^4 + 10^5 = 43 \times 10^5 \mathrm{N \cdot m}$

其余各道计算结果列于表 3-15-1 中。

表 3-15-1　中厚板轧制压下规程设计示例（产品规格 8mm×2900mm×1700mm）

道次	轧制方法	机架型式	轧件尺寸/mm			压下量		轧制速度/r·min⁻¹		轧制时间/s	间隙时间/s	轧制温度/℃	变形程度/%	变形速度/s⁻¹	σ_{sp}/MPa	η系数	变形区长度/mm	总压力/MN	总力矩/MN·m
			h	b	l	Δh	$\Delta h\%$	稳速	抛出										
0	除鳞	除鳞	115	1600	2200	—	—					1200							
1	轧边	立辊	115	1550	2260	50	3.1	20											
2	纵轧	四辊	90	1550	2900	25	21.7	20											
机后转90°开始横轧																			
3	横轧	四辊	65	2900	2150	25	28	20		2.15	2.5	1119	28	3	82	1.14	111	34.60	4.30
4	横轧	四辊	45	2900	3100	20	30.5	20		3.1	2.5	1115	30.5	3.7	88	1.23	99	35.70	3.99
5	横轧	四辊	33	2900	4230	12	27	40		3.1	6	1109	27	8.0	100	1.29	77	33.10	2.93
6	横轧	四辊	23	2900	6070	10	30	40	20	3.0	6	1098	30	10.2	110	1.41	70	36.20	2.92
7	横轧	四辊	16	2900	8724	7	30	40	20	4.3	6	1073	30	12.3	115	1.53	58	34.00	2.32
8	横轧	四辊	12	2900	1163	4	25	60	20	4.1	6	1048	25	19.4	130	1.57	44	30.00	1.61
9	横轧	四辊	9.5	2900	1469	2.5	21	60	20	5.1	6	1016	21	20	140	1.6	35	26.20	1.17
10	横轧	四辊	8	2900	1744	1.5	16	60	20	6.0		974	16	19.5	145	1.55	27	20.20	0.75

根据中、厚板轧制的特点，粗轧阶段的前期道次主要应校核咬入能力及最大扭转力矩的限制条件，而精轧阶段则主要应考虑板形尺寸及性能质量的限制，应使轧制压力逐道减小。由表 3-15-1 计算结果来看，此规程基本上可作实际压下操作时的参考。

当采用计算机控制时，压下规程的设定也同样有经验方法和理论方法两种。前者即是按经验分配压下量或负荷率并进行校核计算及修正，其步骤方法与以上所述基本相似，只是最后尚需计算出各道的空载辊缝，以便调定压下螺丝的位置。后者则是从制定规程的原则和要求出发，例如从力矩和板形的限制条件出发，计算出较合理的压下规程及各道次的空载辊缝。如前所述，理论计算方法比较复杂麻烦，只有在计算机控制的现代化轧机上，才有可能按理论方法进行轧制规程的在线计算和控制。近来国外对厚板轧制计算机控制技术及数学模型的研究发展很快。日本鹿岛及和歌山两制铁所的厚板厂研制了"板凸度一定"的压下规程计算方法及数学模型，其基本思路是精轧阶段前期按最大力矩限制条件进行设定计算，中间作过渡缓和处理；并且为了保证板型精度，采用由成品道次向上逆流计算各道次压下量的方式。其基本计算顺序如图 3-15-4 所示。

最近日本水岛制铁所厚板厂进一步发展了完全自动化的厚板生产系统，利用计算机控制可以将轧辊的热膨胀和磨损以及轧制过程中的板形凸度等组成控制模型，使板形及厚度达到更高的精度质量。如图 3-15-5 所示，计算压下规程时，在精轧的板形控制阶段并不一定要遵循"板凸度一定"的原则，而是尽量采用最大压下量，但是轧制压力仍然逐道减小，最终归结到成品板凸度所需要的压力（P_n）。这样在保证板凸度较小的基础上，使生产能力得到较大的提高。

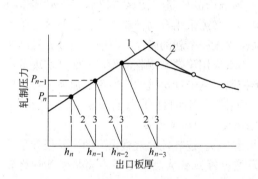

图 3-15-4 厚板轧制压下规程计算顺序
1—按板凸度一定原则确定 Δh；h_n—成品厚度；
2—按最大力矩限制确定 Δh

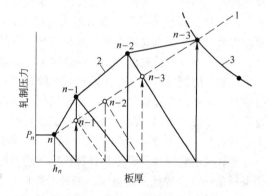

图 3-15-5 确定厚板轧制压下规程的新方案
1—按板凸度一定原则的 Δh；2—该厂实际压下方案；
3—按最大力矩限制条件的 Δh

15.2.3 热连轧板、带钢轧制规程设定

15.2.3.1 确定连轧机压下规程的一般方法

带钢热连轧机的粗轧机组一般不采用多机连续轧制，其轧制特点和压下规程的制定方法基本上和前述中、厚板者相类似。由于其主要任务只是开坯压缩，将板坯轧成带坯，故质量要求不高，而相对于轧件厚度和压下量来说，轧机的弹跳影响也较少，故其轧制规程的设定计算便可以采用更简单的方法进行。例如，轧制压力的计算往往可以采用单位轧件宽度的轧制压力估算值（例如 $1.0 \times 10^4 \sim 1.1 \times 10^4 \, \text{N/mm}$）乘以轧件宽度和钢种修正系数的简单办法大致求出，

便可基本满足要求。因此本节只着重讲述连轧机组轧制规程设定的一部分主要问题。

连轧机组轧制规程设定的主要内容，是根据来料情况及产品要求确定各架轧机的空载辊缝和空载速度，也就是确定各架轧机的压下制度、速度制度和温度制度。其中主要是各架压下量或轧出厚度的设定。厚度设定之后，才能确定各架的轧制速度。由于各架轧出厚度实际等于空载辊缝值加上轧机的弹跳值，故欲确定各架的空载辊缝值，便必须由实际厚度减去轧机弹跳值。轧机的弹跳值又取决于很多因素，所以对弹跳值的估计很难精确，从而使空载辊缝的正确设定十分困难。在人工操作时对弹跳值只是根据经验来估计，因而只能采用逐步过渡的办法来进行调整，也就是在换辊后，先进行"试轧规格"的轧制。例如，我国某厂一般常用4.0mm×1050mm普碳钢作为试轧规格，因为考虑规格厚一些比较好掌握一点。试轧时根据轧出的实测厚度不断调整修改原设定的辊缝值和速度，使实际厚度接近于额定值（4.0mm）。然后再在此基础上逐步改轧其他规格，改动的幅度一般不能太大，主要取决于工人的操作经验，通常每次板厚变动 ±0.5~1.0mm，板宽变动 ±100~200mm 左右。改换规格时调整轧机已经不再考虑各架辊缝和速度绝对值大小，而只根据改换规格的幅度考虑各架应作的调整值。这样改换规格后的开始 1~2 块料的成品厚度也还难以达到额定值，但通过调整即可逐步达到要求。达到要求以后对于同一批料，一般由于人工操作来不及调整，故不再作调整，因而人工操作时同批料的各板卷厚度差值就较大，甚至达 0.2mm 以上。人工操作时采用这种逐步过渡的办法，还容易导致各架负荷不均，造成负荷向前面机架或向后面机架积累的现象，从而不仅影响整个机组能力的充分发挥，而且影响带钢的质量。

采用电子计算机进行连轧机轧制规程设定控制，使人工操作时的这些困难问题有可能得到较好的解决。随着连轧机轧制速度的不断提高，人工操作更加困难，连轧机轧制规程设定偶有失误，就会造成堆钢事故，或引起张力过大，严重影响产品质量，使钢带拉薄、拉窄甚至拉断。因此，为了实现高速连轧并达到高产优质的要求，必须采用自动控制系统，提高自动化程度。而电子计算机控制的采用，使轧钢工业的自动化进入一个新的阶段。目前采用计算机已实现了从加热炉到卷取机整个生产过程的综合控制，不仅应用于轧制规程的设定，而且实现了厚度控制、宽度控制、温度控制、节奏控制乃至板形控制。电子计算机的应用不仅加强了对生产过程的实测反馈控制，而且利用数学模型实现了"预控"。因而目前电子计算机控制一般多采用"预控"和"反馈控制"相结合的方式，使控制精度得到显著提高。

连轧机组轧制规程设定是计算机控制的主要功能之一。连轧轧制规程设定的主要任务是根据来料条件（主要是钢坯温度、钢种、带坯厚度及宽度等）和成品要求（主要是厚度和终轧温度）去确定各架轧机的空载辊缝和速度。精轧设定的第一次计算是在粗轧以后根据实际检测结果（厚度、宽度、温度等）和成品规格要求，利用数学模型进行预测计算，以决定各机架的负荷分配、压下规程，算出轧制力，确定各架空载辊缝，亦即压下螺丝的位置。此外，还要根据各架出口厚度，计算各架的活套张力及平衡锤的给定值，以进行给定。至于活套位置则已标准化，可根据图表值给定。第二次计算是在带坯到达精轧机入口时，根据从粗轧出口到精轧入口所实际经过的时间，再次利用计算温度降的数学模型算出温度，以进行轧制规程的再整定计算。如果其实际经过的时间与第一次计算所用的标准值出入不大，也可不作第二次计算。第三次当带钢进入精轧第一架和第二架后，利用轧制压力等实测数据进行自适应计算，以进一步修正以后各架的设定值。但带钢头部硬度不能代表整个带坯的硬度，穿带时也可能发生不平衡状态，因而虽然计算机有这种功能，但往往并不采用。最后当带钢通过整个精轧机组以后收集所测得的温度、厚度、压力、速度、电压、电流等各种数据，并将这些数据反馈给计算机作自适应和自校正计算，以改进下一块带钢的设定计算。为了提高计算机控制精度和扩大计算机控制的能力，近年来大力发展"自适应"的方法。自适应的基本思想是利用计算机的快速运算和逻辑判断能力，实时地用实测的反馈信号来检查效果，修正错误，及时校正数学模型，使下一次或下一道次的计算能更正确、更接近实际一些。自适应方法在厚度控制、宽度控制、温度控制度等都得到应用，尤其是对轧制力的计算更是十分必要。因为，影响轧制力的因素太多，使轧制力的计算很难精确，只有根据实测结果反馈以不断校正数学模型，才可能使计算逐步符合实际情况。

连轧机组制定轧制规程的中心问题是合理分配各架的压下量，确定各架实际轧出厚度，亦即是确定各架的压下规程。制定连轧机组压下规程的方法很多，最常用的是利用现场经验资料直接分配各架压下率或厚度以及分配各架能耗负荷两种方法。这些都是经验方法。分配能耗负荷的方法（简称能耗法），实际也只是以分配能耗负荷为手段以达到分配各架压下量、确定各架轧出厚度的目的。连轧机组分配各架压下量的原则，一般也是充分利用高温的有利条件，把压下量尽量集中在前几架。对于薄规格产品，在后几架轧机上为了保证板形、厚度精度及表面质量，压下量逐渐减少。但对于厚规格的产品，后几架压下量也不宜过小，否则对板形不利。在具体分配压下量时，习惯上一般考虑：1）第一架可以留有适当余量，即是考虑到带坯厚度的可能波动和可能产生咬入困难等，而使压下量略小于设备允许的最大压下量；2）第二、三架要充分利用设备能力，给予尽可能大的压下量；3）以后各架逐渐减少压下量，到最末一架一般在 10%～15% 左右，以保证板形、厚度精度及性能质量。连轧机组各架压下率一般分配范围如表 3-15-2 所示。

表 3-15-2 连轧机组各机架压下率分配范围

机架号		1	2	3	4	5	6	7
压下率/%	六机架	45～50	35～45	30～40	25～35	15～25	10～15	
	七机架	40～50	35～45	30～40	25～40	25～35	20～28	10～15

现代连轧机组轧制规程设定最常用的还是"能耗法"。这就是从电机能量（功率）合理消耗观点出发，按经验能耗资料推算出各架压下量。对于轧机强度日益增大，轧制速度日益提高的现代连轧机而言，由于电机功率往往成为提高生产能力的限制因素，采用这种方法是比较合理的。为了便于按能耗资料推算出各架压下量，必须找出能量消耗。即找出功率消耗（或马达电流）与压下量（或轧件厚度）之间的定量关系。这就是所谓单位能耗曲线。这种曲线靠单纯理论推导计算十分复杂而又很难符合实际，故都是根据工厂实测经验资料来建立。在生产条件下，根据实际测得的电压与电流值便可求出轧制时所实际需要的功率，再经过加工整理，绘成所轧规格的能耗曲线。当轧机型式、原料与产品规格及轧制温度与压下制度一定时，轧制功率与轧机的小时产量有关，亦即与轧制速度有关。为便于比较和应用，通常采用单位小时产量的轧制功耗，即所谓单位能耗 W（单位：kW·h/t），相当于每小时轧制一吨钢材所消耗的功率或能量。若令轧机每小时产量为 $Q(t)$，功率消耗为 N（单位：kW·h），则

$$W = \frac{N}{Q} = \frac{UI}{Q \times 10^3} \tag{3-15-19}$$

可见只要实测出电流（I）与电压（U）的数值，便不难求出 W 值。多年来各种轧钢机，尤其是带钢连轧机在轧制各种规格和钢种的钢材生产过程中已做了许多试验，积累了相当丰富的能耗实测资料。为了使试验数据具有通用性，从所测电机功率消耗中扣除了空转功率及电机铁损等非轧制功率，并将其画成曲线或整理成表格，以便于实际应用。我们常见的能耗曲线形式如图 3-5-4、图 3-5-5 所示，其中图 3-5-4 常用于初轧机，型钢轧机；图 3-5-5 常用于钢板轧机。

理论推导可以证明：单位能耗是延伸系数的对数函数。由于延伸系数 $\mu = H_0/h$ ，当坯厚 H_0 一定时，轧制厚度愈小，即是延伸愈大，所以习惯上用 h 表示横坐标，这样在使用上也比较方便。应指出实际上这些曲线对于每套轧机都不可能完全一样，即使情况基本相同的轧机，也会有 10% 或更多一点的差异；并且轧制规程特别是温度规程对能耗的影响很大。例如轧不锈钢时，带钢温度若比标准温度降低 55℃，就会使轧制能耗增大约 25%；降低 166℃，则几乎增加 100%。因此，为便于实际应用，每套轧机最好要积累自己的实验资料，做出自己的单位能耗曲线。

能耗曲线除可以用来制定压下规程以外，还可用以选择轧钢机的电机容量。由式（3-15-19）可得

$$N = WQ = 3600vbh\gamma W \tag{3-15-20}$$

式中　v、γ——轧制速度及钢的密度；

　　　b、h——轧制的宽度和厚度。

已知总的单位能耗，便可求得总的电机功率，然后再根据需要分配到各架轧机上去，得到各架轧机的功率。

为了计算方便，有人还力图将能耗曲线数式化（参看本篇参考文献 1 的 308 页），例如我们可以将能耗曲线写成

$$a_i W_\Sigma = A\left[K_1 \left(\ln \frac{h_0}{h_i} \right)^2 + K_2 \left(\ln \frac{h_0}{h_i} \right) + K_3 \right]$$

则得

$$h_i = h_0 \exp\left[\frac{K_2 - \sqrt{K_2^2 - 4K_1\left(K_3 - \dfrac{a_i W_\Sigma}{A}\right)}}{2K_1} \right] \tag{3-15-21}$$

式中　K_1、K_2、K_3——由现场统计所得的系数；

　　　a_i——i 架的累积能耗分配系数或负荷分配比；

　　　W_Σ——总能耗；

　　　A——取决于钢种和轧制温度的系数。

只要根据能耗曲线资料，给出各架的负荷分配比 a_i，即可求出各架的厚度 h_i 值。因此，厚度分配是否合理主要取决于 a_i 的分配是否合理。

用能耗曲线资料进行分配的方法，各厂并不完全一样。常用的负荷分配方法有以下几种。

（1）等功耗分配法　这就是让每架轧机轧制时所消耗的功率相等。因此只要求出轧制该种产品时在连轧机组的总单位能耗，然后除开最后 1～2 架由于考虑板形精度而采用较小的能耗（即较小压下量）以外，将所剩的全部能耗平均分配到其余各架轧机上去，便可求得其余各架轧后厚度。这种方法在冷连轧机组上，当各架电动机容量相等时，也可用作初分配的方法。

（2）等相对功率分配法　假如连轧机组各轧机的主电机容量并不相等，则能耗的分配就不能按等功耗原则，而必须按照各架轧机的相对电机容量来进行分配。设连轧机组的总电机功率为 $\sum\limits_{i=1}^{n} N_i$，相应的单位总能耗为 W_Σ，则应分配到各架轧机的能耗应为：

$$W_i = W_\Sigma \frac{N_i}{\sum\limits_{i=1}^{n} N_i}$$

这样，对于各架轧机的电动机来说，实际就是等相对负荷分配原则。而当各架电机容量相等时，实际就是等功耗的原则。

（3）按负荷分配系数或负荷分配比进行分配的方法　这也是根据生产实践的能耗经验资料总结归纳出来的比较实用和可靠的方法，在生产中经常被采用。这里负荷分配比是指累积负荷分配比，但有时也指单道的负荷分配比，在电子计算机控制的现代化轧机上，按各类规格品种的产品制定有标准负荷分配表，例如，表 3-15-3 为某厂轧制厚度 1.8～2.3mm 宽度为 900～1200mm 的普碳带钢的标准负荷分配比，根据这些负荷分配比，即可求出各架的轧后厚度和压下量。

表 3-15-3　标准负荷分配比表举例

机架号	1	2	3	4	5	6	7
累积 a_i/%	14	28	46	64	78	90	100
单道 a'_i/%	14	14	18	18	14	12	10

15.2.3.2　热连轧机组轧制规程设定计算的一般过程和步骤（以 7 架连轧机为例）

（1）输入给定数据　带坯的厚度或宽度由粗轧最后一架 R_4 后面的 γ 射线测厚仪及光电测宽仪测得。出 R_4 轧机后亦即进入连轧机组前的带坯目标厚度，一般可根据成品厚度由规定表格查出，例如，某厂规定为：

成品厚度/mm	约 3.59	3.6～5.99	6～9.99	10～12.7
带坯厚度/mm	32	34	36	38

尚需确定精轧开轧温度：带坯经粗轧末架 R_4 后测得出口温度，然后根据带坯厚度和由粗轧末架到精轧机所需时间，利用在空冷区间辐射散热的理论模型计算出带坯头部到达精轧机入口时的温度预测值。等到带坯运送到飞剪前面，再经测温以进行校正。成品厚度、终轧温度等根据技术要求皆有一定目标值作为输入给定数据。

（2）确定轧制总功率　当精轧温度和钢种已知时，便可利用能耗曲线确定由带坯轧成成品所需要的总轧制功率。例如，如图 3-15-6 所示，当精轧第一架 F_1 入口带坯厚度为 30mm，精轧末架 F_7 出口成品厚度为 2.7mm 时，由能耗曲线便可查得所需总功率为 29.8kW·h/t。

（3）负荷分配　得到精轧机组的总功率消耗以后，要具体分配给各机架上去。这可以根据具体设备条件及前述制定规程的原则要求，采用上述负荷分配方法确定出各种产品在各机架上的负荷分配比。例如，轧制上述 2.7mm 厚、1000mm 宽的产品时，便可按标准负荷分配比表进行各机架的负荷分配（表 3-15-4）。

（4）确定各机架出口厚度　可以根据各机架的负荷分配比，用数学模型计算出各机架的出口厚度。也可由负荷分配比表计算出各机架的累积

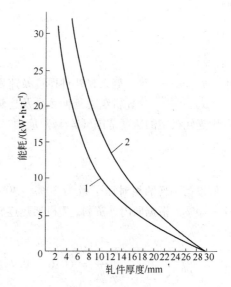

图 3-15-6　精轧机能耗曲线
1—低碳钢，h=2.7mm；2—低合金钢，h=4.5mm

能耗，据此由图 3-15-6 即可查出对应的各机架的轧出厚度，结果列入表 3-15-4。

表 **3-15-4**　　（带坯：$H=30\text{mm}$，$h=2.7\text{mm}$，$B=1000\text{mm}$ 低碳钢）

机　架　号	1	2	3	4	5	6	7
单道负荷分配比/%	14	14	18	17	14	13	10
累积负荷分配比/%	14	28	46	63	77	90	100
累积能耗/kW·h·t^{-1}	4.176	8.35	13.72	18.8	22.97	26.85	29.83
轧出厚度/mm	18.5	12.0	7.5	5.2	3.8	3	2.7
压下量/mm	11.5	6.5	4.5	2.3	1.4	0.8	0.3
压下率/%	38.5	35.5	37.5	31	27	21	10

（5）确定最末机架 F_7 的出口速度 v_7　末架出口速度的上限受电机能力和带钢轧后的冷却能力限制，并且厚度小于 2mm 的薄带钢在速度太高时，还会在辊道上产生漂浮现象，但速度太低又会降低产量且影响轧制温度，故应尽可能采取较高速度。一般穿带速度依带钢厚度之不同在 4～10m/s 之间。带钢厚度减少，其穿带速度增加；带钢厚度在 4mm 以下时；穿带速度可取 10m/s 左右。穿带速度的设定可有多种方式。

有的工厂按温度模型或其他经验统计公式由所需终轧温度和成品厚度去确定应有的轧制速度。

近年来出现另一种观点，就是末架速度应该在电机能力允许的条件下，根据最大产量来决定。而另为控制终轧温度专门设计了在轧制过程中采用大量冷却水来进行控制的系统。

（6）其他各机架轧制速度的确定　末架轧制速度确定之后，便可利用秒流量相等的原则，根据各架轧出厚度和前滑率，求出各架轧辊速度。前滑率 S 主要为压下率的函数，可以通过理论公式或经验统计公式进行计算。

连轧机各架轧制速度应有较大的调整范围。根据流量方程的一般形式（忽略前滑）

$$h_0 v_0 = h_1 v_1 = h_2 v_2 = \cdots = h_7 v_7 = C$$

可得

$$\frac{v_7}{v_0} = \frac{h_0}{h_7} = \mu_\Sigma$$

$$v_0 = v_1 \frac{h_1}{h_0} = v_1 \left(1 - \frac{\Delta h_1}{h_0}\right) = \frac{v_7}{\mu_\Sigma}$$

式中　h_0、v_0——第一架入口轧件厚度及速度；

　　　　μ_Σ、C——连轧机组总延伸系数及连轧常数。

则连轧机组的速度范围（v_7/v_1）应为

$$\frac{v_7}{v_1} = \left(1 - \frac{\Delta h_1}{h_0}\right)\mu_\Sigma \tag{3-15-22}$$

假设第一架的相对压下量为 30%～40%，则连轧机组的速度范围应该为最大总延伸的 60%～70%。根据国内外资料，7 机架热连轧机组金属最大总延伸可达 25～30，则速度范围约为：

$$\frac{v_7}{v_1} = (0.6 \sim 0.7)\mu_\Sigma = 15(17.5) \sim 18(21)$$

假定 v_7 最大为 23m/s，则第一架最低出口速度应为 1.54～1.32m/s。当金属总延伸最小时，第一架便具有最大的出口速度。因此连轧机组的最高和最低速度范围是由最大和最小的金属总延伸的工艺要求和电机制造技术的可能条件来确定的。一般直流电动机的调速范围约为 3 左右，根据调速的可能，v_7 最小速度约为 7.6m/s。为了满足不同品种的要求，各架调速范围应力求增大。如图 3-15-7 所示，c、d 线为总延伸最大和最小的产品所需各架的速度，a、b 线为轧机应具有的最大速度和最小速度，阴影部分为轧机应具有的速度调节范围。由于其形状为锥形，故常称为速度锥。由轧制工艺要求所提出的总延伸及速度范围必须落入此速度范围之内，否则连轧过程将无法实行。为了便于调整并考虑最小工作辊径的使用，a、b 线的范围应比 c、d 线的范围大些，即是轧机速度锥范围要比工作速度范围增大约 8% ~ 10%。此外，轧制试轧规格时的末架速度的选择还要照顾到整个前后品种的调速范围，使换规格时便于调整。速度调整的方法在旧轧机上常采用以机组中间的某一架（例如，第三架）作为基准架，速度不变，其他各

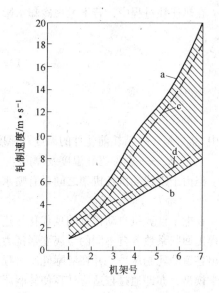

图 3-15-7　精轧机组各架速度范围

架配合基准架进行调速；在现代新建的热连轧机上则允许各机架都可以自由调速，灵活性较大，自然在电气设备投资上要贵一些，因为它要求每架轧机都有自己的变压器，不像前者可以几个机架共用公用母线。

（7）功率校核　各机架轧制速度确定以后，用能耗曲线进行功率校核。各机架所需要的功率 N_i 为

$$N_i = (Q_i - Q_{i-1})V \times 3600 \tag{3-15-23}$$

式中　$Q_i - Q_{i-1}$——单位能耗，即每轧一吨钢所消耗的千瓦小时数；

　　　　V——金属秒流量，$V = Bh_7 v_7 \gamma$（γ 为钢的比重）。

按此计算的各架所需功率校验各架电机能力是否充分利用或超过负荷。应使计算的 N_i 小于电机额定功率。

（8）轧制压力计算　轧制压力的计算方法基本上与中厚板轧制规程相类似。为了计算平均单位压力，必须计算金属变形抗力和应力状态影响系数，而为了计算金属变形抗力，又必须计算各架轧制温度、变形速度、变形程度。考虑轧辊压扁影响的变形区长度等。计算的内容及方法与中厚板的情况相类似，但有其不同特点。在热连轧及冷轧板、带钢的过程中，由于单位压力较大，故计算轧辊半径时必须考虑压扁的影响。考虑压扁以后的轧辊半径 R' 采用以下公式计算

$$R' = R\left(1 + \frac{2C_0 P}{b\Delta h}\right) \tag{3-15-24}$$

$$C_0 = \frac{8(1 - \gamma^2)}{\pi E}$$

式中　E、γ——轧辊材料的弹性模数及泊松系数。

则压扁后的变形区长度

$$l = \sqrt{R'\Delta h}$$

在热连轧过程中，若不考虑冷却水影响，各机架轧制温度（t_i）可按以下经验公式近似计算

$$t_i = t_0 - c\left(\frac{h_0}{h_i} - 1\right)$$

$$C = \frac{(t_0 - t_n)h_n}{h_0 - h_n}$$

式中　t_0、h_0——精轧前轧件的温度及厚度；

　　　t_n、h_n——轧件终轧温度及厚度。

但由于现代轧机各机架之间设有喷水冷却，故各机架的轧制温度计算必须考虑冷却水的影响。

在电子计算机自动控制的现代化热连轧机上，根据各连轧机的具体情况，通过数理统计方法得出回归系数各自不同的金属变形抗力和应力状态影响因素的各种复杂的数学模型，用以计算出各道的轧制压力。并在实际轧制过程中，通过第一、二架轧机的实测压力进一步修正这些数学模型，亦即通过自适应计算使轧制压力能得出更加准确的结果。这些都只有在全面计算机控制的条件下才可能实现。如果在旧式轧机上仍然要由人工计算轧制压力以制定压下规程，则亦可根据热连轧板带的具体特点，采用前述中、厚板轧制所列举的类似方法进行轧制压力的大致计算。

（9）各机架压下位置即空载辊缝值的设定　在轧制过程中，轧机的弹跳反映到钢带上，就是使原来设定的压下量减少，轧出厚度增加，并且由于轧辊弯曲变形，使钢带的板形也产生变化，从而造成轧制规程设定和轧机调整上的困难。由于薄板、带的厚度和轧制时的压下量往往甚至要比弹跳值还小，并且对不均匀变形的敏感性又很大，所以必须对轧机的弹跳值进行精确的估计，才能轧出符合要求的产品。

由于轧机的弹跳，使轧出的钢板厚度 h 等于原来的空载辊缝再加上弹跳，或者说原来空载辊缝等于轧出带钢厚减去弹跳，亦即由下式

$$S_0 = h - \frac{P - P_0}{K}$$

根据各架轧出厚度 h 和计算出来的轧制压力 P，并由已知的 P_0 及 K 值，便可求出各架的相当空载辊缝值 S_0。但应该指出，用上式计算空载辊缝的精度不高。为了提高预报精度，实际控制中还需要加进一些修正和补偿，即需要有：（1）轧机刚度补偿。由于轧机刚度也依所轧板、带钢的宽度 B 而变化，故实际轧制刚度应等于 $[K - \beta(L - B)]$，其中 L 为辊身长度，β 为该轧机的宽度修正系数，β 与 K 均可根据实测预先求出；（2）油膜厚度补偿。由于在油膜轴承中油膜厚度随轧制速度和轧制压力而变化，即当加速时，油膜变厚，压力增大时则油膜变薄，因此需以调零时的轧辊转速 n_0 和轧制压力 P_0 为基础，用下式对油膜厚度 δ 进行修正

$$\delta = C\left(\sqrt{\frac{n}{P}} - \sqrt{\frac{n_0}{P_0}}\right)\frac{D}{D_0} \tag{3-15-25}$$

式中　n、P——实际轧制时轧辊转速及轧制压力；

　　　D_0、D——标准轧辊直径及实际轧辊直径；

　　　C——常数。

此外，压力的零位还经常由于轧辊热膨胀和磨损而发生变化，从而影响到带钢的厚度。对于这种变化，可以根据每个带卷实测厚度误差，用自学习反馈计算来监视修正。故往往将此修

正项称为测厚仪常数项。因此，实际的压下位置设定值应为

$$S_0 = h - \frac{P - P_0}{K - \beta(L - B)} + \delta + G \qquad (3\text{-}15\text{-}26)$$

式中　δ、G——油膜厚度修正项及测厚仪常数项。

综上所述，带钢热连轧轧制规程设定计算流程框图示意如图 3-15-8 所示。

应该指出，AGC 厚度控制系统主要用以解决带钢的纵向厚度均匀问题，如果精轧（连轧）机组的轧制规程设定不适当，S_0 过大或过小，使带钢头部厚度与给定值产生较大的偏差，此时若仍按原给定值作为 AGC 系统调整的标准，则将随着压下位置的不断调整，不仅使压下系统的负荷加重，而且将使带钢纵断面变成楔形，使板厚仍不均匀。因此，在实际操作中不得不采用"锁定控制"的方法，即是固定头部的厚度，将它作为标准值来调整其余部分的厚度。结果使板厚虽然比较均匀，但整个带钢的厚度与要求的额定值的偏差，亦即整带厚度偏差过大，这也不符合要求。可见要保证整带厚度的偏差合格，只依靠 AGC 系统难以控制，还必须依靠轧制规程的正确设定。过去轧制规程由操作工人根据经验去确定，困难较大。现在可以采用电子计算机来控制，使厚度质量指标大为提高。

实际生产时，首先要确定各机架"开轧规格"的空载辊缝和速度规程。手动操作时一般都用较厚的产品（例如 Q235 的 4mm×1050mm 产品）作为开轧规格再逐渐过渡到所要轧制的产品规格。采用计算机控制后，希望任意产品都可作开轧规格。因此可以利用精轧设定的数学分析模型对各种产品的开轧规程进行计算，并和现场实测资料相比较，最终确定其开轧规程（S_0 和 v），存入计算机中，以便以后需

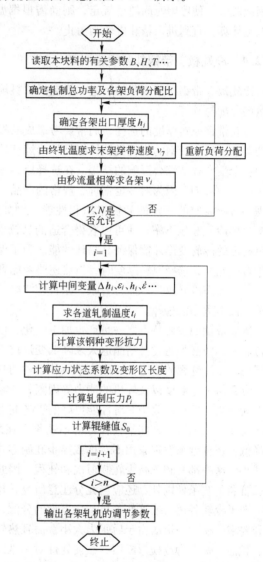

图 3-15-8　热连轧带钢轧制规程设定计算流程粗框图

要时采用之。当换辊后第一块料由粗轧末架 R_4 出来时以及还未到达精轧入口时，利用带坯温度、宽度及厚度的实测数据，进行如前所述的第一次及第二次设定计算，用存于计算机中的标准规程数据为基础，计算出各架由于来料参数的变动而应有的 S_0 和 v 的调整值。当这块料进入第一、二架轧机后，立刻根据其实测压力和 S_0，与计算结果比较，找出修正轧制力计算公式的自适应系数，及时改正以后各架的计算值。此时应注意到第一、二架实际轧出厚度和原计算所用的厚度有出入，因此应根据实际轧出厚度来重新计算 Δh 和 P，并与实测压力相比较来求

出这个修正系数。然后用此修正系数对以后各架辊缝设定进行再计算，并根据再计算结果对原设定值进行校正。最后，当带钢轧成成品，在出第 7 架（末架）以后，利用精轧出口处的 X 射线测厚仪检查带钢厚度差，根据其实测厚度，并利用各架轧机的实际速度，按秒流量相等原则，推算出各架较精确的轧出厚度，以此来检查辊缝设定的精度（包括由于轧辊热膨胀和磨损而使辊缝漂移所造成误差），而对原设计的辊缝进行自校正。如果带钢在检测区与精轧机之间因故耽误，使停留时间超过规定，则尚需根据温度降落每隔一定时间（例如 5 秒）作一次再整定计算，直到进入精轧机轧制为止。

15.2.4　冷轧板、带钢轧制规程制定

　　冷轧板、带钢压下规程的制定一般包括原料规格的选择、轧制方案的确定以及各道次的压下量的分配与计算。

　　冷轧带钢原料厚度的选择，通常要考虑成品板、带钢的质量要求，包括组织性能和表面质量的要求。板、带钢的物理机械性能是从冶炼开始经过轧制，到最终热处理为止的整个生产周期中各个生产环节综合影响的结果。在选择原料厚度时主要考虑的是冷轧总变形程度对性能及组织结构的影响。因为对一定钢种、规格的产品，必须有一定的冷轧总变形程度，才能通过热处理获得所需要的一定的晶粒组织和性能。例如，汽车板必须有 30% 以上（一般是 50% ~ 70%）的冷轧总压下率，才可以获得合适的晶粒组织和冲压性能。硅钢片等也是一样，都需要一定程度的冷轧变形才能保证其物理性能。为了保证表面质量，也必须有一定的冷轧变形程度相配合。此外，选择原料厚度时，当然还要考虑到轧机的生产能力的提高和热轧原料生产的可能性。从提高冷轧机生产能力着眼，原料薄些好，但这对热轧又不利甚至不可能。故应根据具体情况做出适当的选择。

　　冷轧带钢的主要特点之一是产生加工硬化，使变形抗力急剧增大而塑性降低。为了能继续进行轧制，便必须通过再结晶退火来降低变形抗力并恢复其塑性。这就带来一个冷轧轧程的确定问题。冷轧轧程的确定主要取决于所轧钢种的软硬特性，原料及成品的厚度、所采用的冷轧工艺方式与工艺制度以及轧机的能力等因素，并且随着工艺和设备的改进与革新，轧程方案也在不断变化。例如，改用润滑性能更好的工艺润滑剂，或采用直径更小的高硬度工作辊都能减少所需要的轧程数。又如某些牌号的不锈钢，在采用 150 ~ 200℃ 的温轧工艺时，变形抗力显著降低。还有近来发现采用不对称或异步轧制方式冷轧带钢时，可以使轧制压力和加工硬化大为减小，这些都有利于减少轧制道次和轧程。因此在确定冷轧轧程方案时，除了切实考虑已有的设备和工艺条件以外，还应当充分注意研究并挖掘各种提高冷轧效率的手段与可能性。

　　至于冷轧各道次或连轧各机架压下量的分配，基本上仍应遵循前述制定轧制规程的一般原则和要求。在第一道次由于后张力太小，而且热轧来料的板形与厚度偏差不均匀，甚至呈现浪形、瓢曲、镰刀弯或楔形断面，致使轧件对中难以保证，给轧制带来一定困难；此外，前几道有时还要受咬入条件的限制。故为了使来料得以均整及使轧制过程稳定，第一道次压下率不宜过大；但也不应过小，并且有的钢种（如硅钢）往往第一道宁可采用大压下量，以防止边部受拉，造成断带。中间各道次（各机架）的压下分配，基本上可以从充分利用轧机能力出发，或按经验资料确定各架压下量。最后 1 ~ 2 架（道）为了保证板形及厚度精度，一般按经验采用较小的压下率。但对于连轧机上轧制较薄的规格，例如，镀锡板，则应使最末两架之间的轧件要尽量厚一些，以免由于张力调厚引起断带，这样末架的压下率就可能增大到 35% ~ 40%。

　　制定冷轧带钢的轧制规程时，在确定各道（架）的压下制度及相应的速度制度以后，还必须选定各道（架）的张力制度。这也是冷轧带钢轧制规程的另一特点。

在设计冷轧板、带钢轧制规程时应考虑到上述特点。一种常用的压下规程设计法是：（1）先按经验并考虑到规程设计的一般原则和要求，对各道（架）压下进行分配；（2）按工艺要求并参考经验资料，选定各机架（道）间的单位张力；（3）校核设备的负荷及各项限制条件，并做出适当修正。

表 3-15-5　各种冷连轧机压下分配系数举例

机架数	压下分配系数 b_i				
	道次（机架）号				
	1	2	3	4	5
2	0.7	0.3			
3	0.5	0.3	0.2	0	
4	0.4	0.3	0.2	0.1	
5	0.3	0.25	0.25	0.15	0.05

分配各机架的负荷，也可像热连轧带钢一样，采用能耗法，例如，若手头有类似的单位能耗曲线资料，则可直接按上述原则确定各架负荷分配比，算出压下量，其方法与热连轧带钢相类似。但有时不易找到正好合适的能耗资料，也可根据经验采用分配压下系数的表格（如表3-15-5），令轧制中的总压下量为 $\Sigma\Delta h$，则各道的压下量 Δh_i 为

$$\Delta h_i = b_i \Sigma\Delta h \tag{3-15-27}$$

式中　b_i——压下分配系数。

在确定各架压下分配系数，亦即确定各架压下量或轧后厚度的同时，还需根据经验分析选定各机架之间的单位张力。在计算机控制的现代化冷连轧机上，各类产品往往都有事先制定的压下分配系数表及单位张力表，供设定轧制规程之用。各架马达负荷率在选好张力以后，还要利用能耗曲线重新核算，其方法是用所选定的前后张力值代入下式

$$N_i = A_1 v_1 [3600\gamma W + (Q_0 - Q_1) \times 10^3] \tag{3-15-28}$$

式中　A_1、v_1——轧出带钢的断面积及速度；

　　　γ、W——钢的比重及该架单位能耗；

　　　Q_1、Q_0——前、后张力。

计算出各架轧制功率 N_i 以后，再看其与额定功率 N_{0d} 的比值是否合适，应使各架负荷较满并留有裕量。

当各机架马达功率不同时，也可以完全从等马达负荷率出发来初步分配各机架的压下，即为了使各架有相同的负荷率或相同的裕量，可按各架功率大小求出各架的单位能耗（W_i），即

$$W_i = C_i W_\Sigma \tag{3-15-29}$$

$$C_i = \frac{N_{0di}}{\Sigma N_{0d}}$$

式中　W_Σ——轧制该种产品的单位总能耗；

　　　ΣN_{0d}——各架额定功率的总和；

　　　N_{0di}——第 i 架的额定功率。

得出各架的单位能耗以后，即可按能耗曲线查出各架的出口板厚。

　　分配好各架的压下量，求出各架的轧制速度，并进行功率校核以后，还要计算轧制力、校核设备强度及咬入等工艺限制条件，并按弹跳方程计算空载辊缝。这些都与热连轧机相似。

　　冷轧带钢时轧制压力的计算公式已在轧制原理中论述过。对于冷轧板、带钢的压力计算，一般说来，布兰德-福特公式及其简化形式 R. 希尔公式较为符合实际。故计算机控制的现代冷连轧机常用它作为轧制压力模型。但对于手工计算轧制压力的场合，此公式却过于复杂，不便计算。而 M. D. 斯通公式由于可用图解法确定考虑轧辊弹性压扁后的变形区长度，使计算简化，故常为人所乐用。斯通公式在轧制原理中已作详述。在这里不作介绍。

　　例 15-2　在 1200mm 四辊可逆式冷轧机上用 1.85mm × 1000mm 的原料轧制成 0.38mm × 1000mm 的带钢卷，钢种为 Q215，轧辊直径为 400/1300mm，最大允许轧制压力为 18MN，卷取机最大张力 0.1MN，拆卷机张力为 34kN，摩擦系数 f 因第一道不喷油，故取 0.08，以后喷乳化液取为 0.05 ~ 0.06。试设计其压下规程。

　　解　在可逆式轧机上至少要轧制 3 道，故参考经验资料，初步制定压下规程如表 3-15-6 所示。对此规程，主要只校核计算其轧制压力。

表 3-15-6　冷轧 0.38mm × 1000mm 带钢压下规程

道次号	H/mm	h/mm	Δh/mm	ε/%	轧速 /m·s^{-1}	前张力 /kN	后张力 /kN	$\bar{p}$/MPa	总压力 /kN
1	1.85	1.00	0.85	46	2.0	80	30	810	12200
2	1.00	0.50	0.50	50	5.0	50	80	1120	14100
3	0.50	0.38	0.12	24	3.0	30	50	1400	12300

　　Q215 钢种的加工硬化曲线如图 3-15-9 所示。

　　第一道　由退火原料开始轧制，压下量 $\Delta h = 0.85mm$，冷轧总压下率为 46%。求平均总压下率 $\Sigma \bar{\varepsilon}$：

$$\Sigma \bar{\varepsilon} = 0.4\varepsilon_0 + 0.6\varepsilon_1 = 0.6 \times 46\% = 28\%$$

由图 3-15-9 查出对应于 $\Sigma \bar{\varepsilon} = 28\%$ 的 $\sigma_{0.2} = 480MPa$。

　　求平均单位张力：由前张应力 $Q_1 = 80MPa$ 及后张应力 $Q_0 = 16MPa$。得：

$$\bar{Q} = \frac{80 + 16}{2} = 48MPa$$

故　　$1.15\bar{\sigma}_s - \bar{Q} = 1.15 \times 480 - 48 = 515MPa$

计算　　$l = \sqrt{R\Delta h} = \sqrt{200 \times 0.85} = 13mm$

$$\frac{fl}{h} = 0.08 \times \frac{13}{1.43} = 0.73$$

故　　$\left(\frac{fl}{h}\right)^2 = 0.73^2 = 0.53$

　　计算图 3-5-1 的第二个参数 $2af(1.15\bar{\sigma}_s - \bar{Q})/\bar{h}$，求出 $a = 0.0022$，则得 $2af(1.15\bar{\sigma}_s - \bar{Q})/\bar{h} = 0.127$。

　　由图 3-5-1 查出　　$x = \frac{fl'}{h} = 0.84$

　　由表 3-5-1 查出　　$\frac{(e^x - 1)}{x} = 1.567$

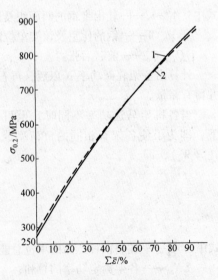

图 3-15-9　Q215 加工硬化曲线
1—纵向；2—横向

故平均单位压力

$$\bar{p} = 1.567(1.15\sigma_s - \bar{Q}) = 810\text{MPa}$$

由 $fl'/h = 0.84$ 可求出 $l' = 15\text{mm}$

故得第一道总压力

$$P_1 = Bl'\bar{p} = 12.2\text{MN}$$

第二道　入口总压下率为46%，出口总压下率为73%；$\Delta h = 0.5\text{mm}$，平均总压下率为62%；对应于 $\sum\bar{\varepsilon} = 62\%$ 的 $\sigma_{0.2} = 700\text{MPa}$。

前张应力 $Q_1 = 100\text{MPa}$ 及后张应力 $Q_0 = 80\text{MPa}$，故得 $\bar{Q} = 90\text{MPa}$。

由 $\sqrt{R\Delta h} = l = 10mm$，故 $fl/\bar{h} = 0.66$，则 $(fl/\bar{h})^2 = 0.43$。

由 $a = 2.2 \times 10^{-2}$，$f = 0.05$ 及 $\bar{h} = 0.75\text{mm}$，可求出 $2af(1.15\sigma_s - Q)/\bar{h} = 0.21$。

由图 3-5-1 查出 $x = \dfrac{fl'}{h} = 0.84$，则 $l' = 12.6\text{mm}$。

由表 3-5-1 查出

$$\frac{e^x - 1}{x} = 1.567$$

故得

$$\bar{p} = 1.567(1.15\sigma_s - \bar{Q}) = 1120\text{MPa}$$

则总压力

$$P_2 = Bl'\bar{p} = 14.1\text{MN}$$

第三道计算类推。计算结果列于表 3-15-6 中。由压力分布情况来看，此规程可行。

16　热轧无缝管材的主要加工形式
和基本工艺过程

16.1　管材生产概述

16.1.1　钢管的特性及分类

钢管是指两端开口并且具有封闭的中空断面，其长度与横断面周长之比较大的钢材。管材的用途非常广泛，几乎涉及到所有的工业部门，这是与其特性分不开的。钢管的特性有两个方面：其一具有封闭的中空几何形状，可以作为液、气体及固体的输送管道；其二在同样重量下，钢管相对于其他钢材具有更大的截面模数，也就是说它具有更大的抗弯、抗扭能力，属于经济断面钢材、高效钢材。因此各国对钢管的生产和发展都十分重视，各主要工业国家的钢管产量，一般占钢材总产量的 10% ~ 15%，我国约占 8% ~ 10% 左右。

管材的品种繁多，生产性能也各不相同，主要的分类方式有：

（1）按生产方式分类。管材按生产方式分为热轧（挤压）、焊接和冷加工三类。热轧无缝管是将实心的管坯或钢锭穿孔并轧制成空心断面的钢管，基本工序是穿孔和轧管。高合金钢种用挤压方式生产，有色金属无缝管以挤压方法生产为主。焊接管（有缝管）是将钢板或钢带用各种成型方法弯卷成所要求的横断面形状，然后用不同的焊接方法将焊缝焊合而获得钢管的过程，基本工序是成型与焊接。这种管材生产的连续性强，效率高，成本低，单位产品的投资少，加之带材生产的迅速发展，使得它在管材产量中的比重不断增长。目前，焊接钢管在各主要工业国家占钢管总产量的 50% ~ 70%，我国的焊接钢管比重约占为 55%。随着焊接技术和焊缝热处理技术的提高以及采用焊管机后再加热和张力减径工艺，基本上消除了焊缝和热影响区性能差的缺点并可扩大机组产品规格，现在焊接管已经不只是用于一般的输送管道，而且已用做锅炉管、石油管，并部分地取代了无缝钢管。冷加工钢管的原料为热轧管，是钢管的二次加工。冷加工是获得高精度、高表面光洁度、高性能管材的重要方法，包括有冷轧、冷拔、冷张力减径和冷旋压等。

（2）按产品的尺寸分类。衡量钢管产品尺寸主要有外径（D）、壁厚（S）和内径（d），而外径与壁厚之比叫壁厚系数（D/S），根据壁厚系数可将钢管分成四类：特厚壁管（$D/S \leqslant 10$）、厚壁管（$D/S = 10 ~ 20$）、薄壁管（$D/S = 20 ~ 40$）、极薄壁管（$D/S \geqslant 40$）。

（3）按用途分类。1）配管：配管就是输送管，用来输送液体和一些固体。包括石油、天然气、水煤气输送管以及煤炭、矿石、粮食的输送管体等；2）结构管：结构管用来制作各种机器零件以及构筑物架体，包括自行车管、管桩、各种结构件用管和轴承管等；3）石油管：石油管是指石油、天然气的钻采用管，包括钻杆、套管、油管等；4）热交换用管：这种管道通过管壁进行热交换，包括锅炉管、热交换器用管等；5）其他用管：包括电缆管、高压容器用管等。目前无缝钢管主要用作石油管、锅炉管、热交换管、轴承管以及一部分高压输送管道等。

（4）按材质分类。可分为有色金属及其合金管、普通碳素钢管、碳素结构钢管、合金钢管、轴承钢管、不锈钢管、复合材料管、镀层管以及涂层管等。

（5）按横断面形状分类。可分为圆管和异型管。异型管绝大多数是由冷拔法和热挤压法进行生产的。

（6）按纵向断面形状分类。可分为等断面钢管和变断面钢管，后者通常是用冷拔机或冷轧管机生产的。

（7）按管端状态分类。可分为光管和车丝管（带螺纹管），后者又分为普通车丝管和端头加厚（内加厚、外加厚或内外加厚）的车丝管。

表 3-16-1、表 3-16-2 是现在热轧无缝钢管和焊接钢管的产品规格范围。表 3-16-3 是目前冷加工钢管的规格范围。

表 3-16-1　热轧无缝钢管的产品规格范围

机 组 名 称	产品规格范围		
	外径/mm	壁厚/mm	轧管机后的最大长度/m
自动轧管机组	$\phi(27 \sim 406)$	3.2 ~ 40.5	10 ~ 16
周期轧管机组	$\phi(50 \sim 660)$	2.25 ~ 80.0	16 ~ 28
浮动芯棒连轧机	$\phi(25 \sim 168)$	2.0 ~ 23.0	~ 20
限动芯棒连轧机	$\phi(48 \sim 340)$	3.0 ~ 25.0	20 ~ 40
三辊斜轧轧管机	$\phi(51 \sim 240)$	10.0 ~ 50.0	~ 15
	$\phi(17 \sim 219)$	2.5 ~ 11.0	14 ~ 16
顶管机组	$\phi(210 \sim 1070)$	27 ~ 200	~ 9

表 3-16-2　焊接钢管的产品规格范围

焊 接 法		成 型 法	产品规格范围	
			外径/mm	壁厚/mm
炉　焊		连续辊式成型机	21.7 ~ 114.3	1.9 ~ 8.6
直缝连续高频电阻、感应焊		连续辊式成型机	12.7 ~ 508.0	0.8 ~ 14.0
电弧焊	埋弧焊接	直焊缝 连续排辊式成型机	400 ~ 1200	6.0 ~ 22.2
		辊式弯板机	300 ~ 4000	4.5 ~ 25.4
		UO 压力成型机	400 ~ 1625	6.0 ~ 40.0
		螺旋成型机	300 ~ 3660	3.2 ~ 25.4
	惰性气体保护电弧焊 TIG	连续辊式成型机	10.0 ~ 114.3	0.5 ~ 3.2
	MIG	压力成型机 辊式弯板机	50 ~ 4000	2.0 ~ 25.4

注：TIG 为惰性气体保护钨极的电弧焊接法；
　　MIG 为惰性气体保护金属极的电弧焊接法。

表 3-16-3　冷加工钢管的产品规格范围

冷加工方法	钢管产品的规格范围				
	最大外径/mm	最小外径/mm	最大壁厚/mm	最小壁厚/mm	外径/壁厚
冷　轧	$\phi450$	$\phi4.0$	60.0	0.040	60 ~ 250
冷　拔	$\phi765$	$\phi0.2$	20.0	0.001	2.1 ~ 2000
冷旋压	$\phi3000$	$\phi20.0$	38.1	0.040	> 2000

　　无缝钢管生产中热轧和冷轧机组的命名一般以该机组生产钢管的最大规格和轧管机的类型来表示。例如，140 连轧管机组，表示该机组生产的最大外径为 φ140mm 左右，轧管机型式为连续轧管机。LG-150 表示轧管机的型式为二辊周期式冷轧管机，轧制钢管的最大外径为 φ150mm。钢管热挤压机组是采用挤压机的最大挤压力或产品规格范围来表示其型号，例如 3150 挤压钢管机组，即挤压机的最大挤压力为 3150t。冷拔则以其允许的拔制力命名机组，例如 LB-100 表示拔制力的额定值为 100 t 的冷拔管机。

16.1.2　钢管生产的发展趋势

　　随着工业技术的发展，钢管在向高合金化、高精度、高质量方向发展。管材产品对高强韧性，对多种腐蚀性物质的高抗耐蚀性，对高温强度和低温韧性也日益广泛地提出了更高的要求。这些因素正促使着管坯化学成分不断变化，冶炼、加工工艺不断地发展。为了提高钢管的强韧性，现在从炼钢起就采取了一系列措施，包括严格控制炼钢原、辅材料质量、脱硫、真空脱气，进行稀土或钙处理，使钢中夹杂物变性或为球状以减少其不利影响。为了提高管材的强度，降低低温脆性转变温度，多在钢中添加铌、钒等元素，并在焊管坯、无缝管生产加工过程中，广泛采用了控制轧制及控制冷却方法。对管材产品尺寸、形状精度的要求也促使在线检测、自动控制技术的不断进步。

　　由于冶炼技术的提高，连铸管坯已在无缝钢管生产中广泛使用，现在各主要工业国家无缝钢管生产中几乎 100% 使用连铸管坯。另外，薄板坯连铸技术的开发研究，也为降低焊管坯成本开辟了新的途径。故焊管生产发展更为迅速，其取代无缝管的领域日益扩大。冷加工管生产也得到发展，而以焊管冷加工增长尤为迅速。

16.2　热轧无缝管的主要加工形式

　　热轧无缝管的加工过程基本可分为三步：

　　（1）穿孔　穿孔是将实心管坯穿制成空心毛管。毛管的内外表面质量和壁厚均匀性，都将直接影响到成品质量的好坏。所以根据产品技术条件要求，考虑可能的供坯情况，正确选用穿孔方法是重要的一环。

　　（2）轧管　轧管是将穿孔后的毛管壁厚轧薄，达到成品管所要求的热尺寸和均匀性。轧管是制管的主要延伸工序，它的选型，它与穿孔工序之间变形量的合理匹配，是决定机组产品质量、产量和技术经济指标好坏的关键。所以，目前机组皆以选用的轧管机型式命名，以其设计生产的最大产品规格表示其大小。

　　（3）定（减）径　定径是毛管的最后精轧工序，使毛管获得成品管要求的外径热尺寸和精度。减径是将大管径缩减到要求的规格尺寸和精度，也是最后的精轧工序。为使在减径的同时进行减壁，可令其在前后张力的作用下进行减径，即张力减径。

16.2.1　穿孔方法

16.2.1.1　斜轧穿孔

　　自 1885 年发明二辊斜轧穿孔机以来，斜轧穿孔至今仍是最广泛应用的穿孔设备。主要的穿孔设备有：曼内斯曼穿孔机、狄塞尔穿孔机、菌式穿孔机及三辊穿孔机。

　　（1）曼内斯曼穿孔机　二辊斜轧穿孔机的工作运动情况如图 3-16-1 所示。

　　这种穿孔方法的优点是对心性好，毛管壁厚较均匀；一次延伸系数在 1.25 ~ 4.5，可以直

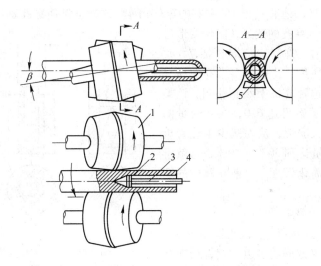

图 3-16-1 二辊斜轧穿孔工作运动示意图
1—轧辊；2—顶头；3—顶杆；4—轧件；5—导板

接从实心圆坯穿成较薄的毛管。主要缺点是这种加工方法变形复杂，容易在毛管内外表面产生和扩大缺陷，所以对管坯质量要求较高，一般皆采用锻、轧坯。由于对钢管表面质量要求的不断提高，合金钢比重的不断增长，尤其是连铸圆坯的推广使用，现在这种送进角小于13°的二辊斜轧机，已不能满足无缝钢管生产在生产率和质量上的要求，因而新结构的斜轧穿孔机相继出现，这其中有三辊斜轧穿孔机、主动导盘大送进角二辊斜轧穿孔机等。前者因只能穿制外径与壁厚之比小于10的厚管，限制了自己的推广，后者目前则发展较快。

（2）狄塞尔穿孔机　狄塞尔穿孔机是主动旋转导盘大送进角二辊斜轧穿孔机，1972年始见于德国，送进角18°左右，导板被两主动旋转导盘所替代，导盘的切线速度在变形区缩带比轧辊切线速度在轧制轴线上的分量大20%~25%。孔喉椭圆度可调近1.0，这样使最大延伸系数达到5.0，轴向金属滑动系数增加，毛管内外表面质量大为改善，从而提高了生产率，降低了单位能耗。顶杆采用线外循环冷却，在机架出口，向一侧循环运送冷却，冷却后送回穿孔轧制线，由于是线外脱出穿孔毛管送往下道工序，避免了顶杆小车的往复运动，缩短穿孔周期，提高了效率。

（3）菌式穿孔机　20世纪80年代又在上述结构特点的基础上，出现了主动旋转导盘、大送进角的菌式两辊斜轧穿孔机，如图3-16-2所示。轧辊为锥形，轧辊轴线与轧制线间除了有

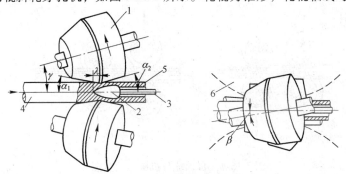

图 3-16-2 菌式二辊斜轧穿孔机工作示意图
1—轧辊；2—顶头；3—顶杆；4—管坯；5—毛管；6—旋转导盘

18°左右的送进角 β 外，还有一个 15°左右的辗轧角 γ。这样不仅使穿孔轴向滑动系数达到了

0.9，而且改善了斜轧穿孔的变形，降低变形过程中的切向剪切应力，抑制旋转横锻效应，改善了毛管内外表面质量，使得许多难穿的高合金钢管坯都可以在这种轧机上顺利轧制。该类型穿孔机最大延伸系数可达 6.0，在变形量的分配上，可承担较大变形，从而减少了轧管机的变形，穿孔扩径量达到 30% ~ 40%，这就可以减少管坯规格，简化管理。目前在新建的轧管机组上广泛采用。

16.2.1.2　压力挤孔

图 3-16-3 为压力挤孔操作过程示意图，1891 年问世，它是将方形或多边形钢锭放在挤压缸中，挤成中空杯体，延伸系数为 1.0 ~ 1.1，穿孔比（空心坯长度与内径比）为 8 ~ 12。

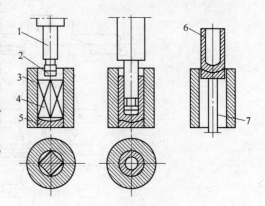

图 3-16-3　压力挤孔操作示意图
1—挤压杆；2—挤压头；3—挤压模；4—方锭；
5—模底；6—穿孔坯；7—推出杆

与二辊斜轧相比，这种加工方法的坯料中心处于不等轴全向压应力状态，外表面承受着较大的径向压力，因内、外表面在加工过程中不会产生缺陷，对来料没有苛刻要求，可用于钢锭、连铸方坯和低塑性材料的穿孔。此法加工主要是中心变形，特别有利于钢锭中心的粗大疏松组织致密化，虽然最大延伸只有 1.1，但中心部分的变形效果相当于外部加工效果的五倍。主要缺点是：生产率低，偏心率较大。

16.2.2　轧管方法

目前轧管的方法很多，各有特点和适用条件，现将几种主要轧制方法简介如下。

16.2.2.1　自动轧管机

自动轧管机是 1903 年由 R. C. 斯蒂菲尔发明，它能生产外径在 400mm 以下的中小直径钢管。由于轧后的管子靠回送辊自动送回，故称为自动轧管机，操作过程见图 3-16-4。钢管在轧机上一般轧制两道，变形集中在第一道，第二道用于消除上道孔型开口处管的偏厚量，所以第二道轧制前毛管需翻 90°。两次总延伸系数不大于 2.3。

自动轧管机的主要优点是：机组全部采用短芯头，生产中换规格时安装调整方便，易掌握，生产的品种规格范围广。缺点是：轧管机延伸率低，只能配以允许延伸较大的穿孔机；轧

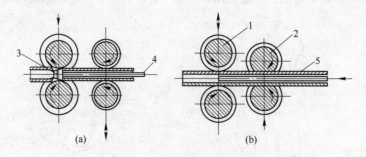

图 3-16-4　自动轧管机操作示意图
（a）轧制情况；（b）回送情况
1—轧辊；2—回送辊；3—芯头；4—顶杆；5—轧制毛管

管孔型开口处毛管沿纵向的壁较厚，其后必须配以斜轧均整机；轧制管体长度受到顶杆的限制；突出的问题是短芯头轧制管体内表面质量差，尺寸精度差，辅助操作的间隙时间长，占整个周期的60%以上。这类轧机现已停止发展。

16.2.2.2 连续轧管机

随着张力减径技术的不断完善和电气控制技术的发展，连续轧管机首先在小型机组中迅速发展起来。现在连续轧管机只生产一两种规格的毛管，由张力减径机完成全部产品规格的生产，从而大幅度减少了连续轧管机的工具储备量。

连轧管机组按照芯棒的运动特点可分为三种形式：全浮动（MM）、半浮动（Neuval）和限动（MPM）芯棒连轧管机。

（1）全浮动芯棒连轧管机 图3-16-5为连续轧管过程简示图，连轧管的最大延伸系数可达5.0，机架数7～9架，后部均设有张力减径机。它的主要优点是：长芯棒轧制，钢管内表面质量好；便于机械化、自动化生产，效率高；不要求大延伸穿孔，可降低对管坯塑性的要求。第一代钢管连轧机的芯棒随轧件运行，称为全浮动芯棒连续轧管机，它的主要缺点是壁厚均匀性无论是横剖面上还是纵向都很不理想，存在"竹节现象"；芯棒长而重，生产时一般12根一组循环使用，产品规格越大，芯棒自重也越大，所以早期只能在小型机组中推广采用。

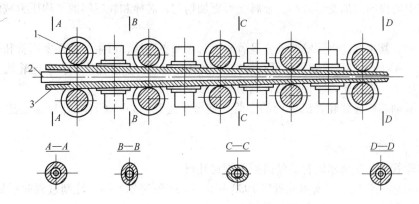

图3-16-5 连续轧管机轧制过程简示图
1—轧辊；2—浮动芯棒；3—毛管

（2）限动芯棒连轧管机 为克服全浮动芯棒连轧管机的缺点及扩大产品规格范围，1978年限动芯棒连续轧管机在意大利正式投产。限动芯棒就是轧制时芯棒自己以规定速度控制运行，它的操作过程如下：穿孔毛管送至连轧管机前台后，将涂好润滑剂的芯棒快速插入毛管，再穿过连轧管机组直至芯棒前端达到成品前机架中心线，然后推入毛管轧制，芯棒按规定恒速运行。毛管轧出成品机架后，直接进入与它相连的三机架定径机脱管，当毛管尾端一离开成品机架，芯棒即快速返回前台，更换芯棒准备下一周期轧制。生产时只需四五根芯棒为一组循环使用。

与全浮动芯棒连轧管机相比它具有以下优点：1）缩短了芯棒长度和同时运转的芯棒根数，降低了工具的储备和消耗，使得中等直径的钢管能够在这种类型的轧机上生产；2）连轧管机与脱管定径机直接相连，无需专设脱棒工序；3）轧制时芯棒恒速运行，各机架轧制条件始终稳定，改善了毛管壁厚、外径的竹节性"鼓胀"；4）无需松棒、脱棒，可将毛管内径与芯棒间的空隙减小，使孔型开口处不易出耳子，可提前使用椭圆度小的高严密性孔型，控制金属的横向流动提高轧制产品的尺寸精度；可实现较大变形使轧机延伸系数达到6.0；可采用较厚的穿孔毛管，提高轧后毛管的温度和均匀性。主要缺点是回退芯棒延误时间，降低生产率，只适于中型以上机组使用。

（3）半浮动芯棒连轧管机　1978 年在法国投产了一台半浮动芯棒的小型连续轧管机，管坯在卧式大送进角狄塞尔穿孔机上穿成毛管后与顶杆一起拔出，送往七机架连续轧管机，17m 长的穿孔顶杆在此即作为轧管机的限动芯棒，轧制时芯棒以恒速运行，轧制结束时限动装置松开，让芯棒与毛管一起浮动轧出，线外脱棒。这样既可以节省芯棒回退时间，又利用了限动芯棒在轧制过程中的优点。

（4）少机架限动芯棒连轧管机　1992 年南非托沙厂建了一台少机架限动芯棒连续轧管机组（MINI-MPM），其特点是适当加大斜轧穿孔的变形量，连轧机减到 4 ~ 5 架，降低建设投资，提高机组灵活性，能即时变换生产的品种规格，适应市场变化，年产量为 7 ~ 20 万 t。该机组在连轧机前设置一台毛管定径机，使毛管内径与芯棒间的空隙减到最小，提高连轧的稳定性。全部连轧机采用液压压下，便于轧辊自动设定和调整，更好地实施 AGC 控制。

（5）三辊限动芯棒连续轧管机　为进一步提高钢管尺寸精度，意大利因西公司新开发了三辊限动芯棒连续轧管机（PQF）。根据变形量大小可由 4 ~ 7 个机架组成，三个轧辊均为主动传动。从变形方式看，与目前的二辊连轧机的最大差异是减小了轧槽顶部和底部两侧的速度差，使孔型中的横向附加变形减小，金属变形更加均匀，芯棒和轧辊间的平均压力减低，芯棒稳定性提高。

实践证明，其生产的钢管壁厚偏差显著改善，表面更光洁，可生产高强度钢管和外径与壁厚比大于 40 ~ 43 的大口径薄壁管，可有效的实施 AGC 控制。对减径产品，在连轧机上可进行首尾部分预压下，抵消张力减径时的管端增厚，减少切损。

现代的限动芯棒连续轧管机生产的钢管，壁厚偏差达 ±（3 ~ 6）%，外径偏差达 ±（0.2 ~ 0.4）%。

16.2.2.3　高精度轧管机

阿塞尔轧管机和狄塞尔轧管机是高精度管材轧机。

（1）阿塞尔轧管机　阿塞尔轧管机 1933 年由 W. J. 阿塞尔发明。轧制过程简示如图 3-16-6 所示。特点是无导板长芯棒轧制，便于调整，生产换规格方便，适于生产高表面质量、高尺寸精度的厚壁管。缺点是生产效率低，生产薄壁管比较困难。最大管径 270mm，壁厚公差可控制在 ±（3 ~ 5）%，外径差为 ±0.5%。就轧管机结构而言，有四种形式。

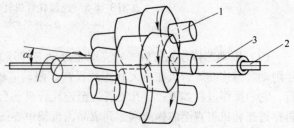

图 3-16-6　阿塞尔轧管机工作示意图
1—轧辊；2—浮动芯棒；3—毛管

1）阿塞尔轧管机主要用于生产高精度的厚壁管，生产钢管的外径与壁厚比在 3.5 ~ 11.0，下限受脱棒的限制，上限受到轧制时尾部出现三角喇叭口易轧卡的限制。

2）特朗斯瓦尔轧管机是 1967 年法国瓦莱勒克公司推出的，其特点是毛管轧至尾端时，机架的入口牌坊绕轧制线旋转，以减小送进角，来扩大变形区孔喉直径，阻止尾三角产生，使生产管材的外径与壁厚比达到 20 以上。

3）快速抬辊法轧管机。20 世纪 80 年代初期曼内斯曼米尔公司采用快速抬辊法消除尾三角，它是在轧制钢管接近尾端时，快速抬起轧辊，在钢管尾部留下一段几乎不经轧制的管端，在后部工序中予以切除。此法尤适于旧轧机改造，但增加了切损。

4）带 NEL（无尾切损装置）轧管机。近年来德国又推出了预轧法来消除尾三角，它是在轧机入口侧牌坊上，或机架入口前增设一预轧机构（NEL），当轧制钢管接近尾端100mm左右时，由预轧装置先给以减径减壁，而主轧机只给少量压下量防止了尾三角的出现。该措施的优点是：保持了机架原来的刚性，轧制过程中孔喉直径不变，变形条件稳定，保证了钢管的尺寸精度，减少了尾端切损，提高了金属收得率。

（2）狄塞尔轧管机又有两种形式。

1）狄塞尔轧管机。狄塞尔轧管机1929年首先问世于美国，主动旋转导盘的二辊斜轧轧管机，主要用于生产高精度薄壁管，外径与壁厚比可达30，壁厚公差可控制在±（3～5）%。主要缺点是：允许延伸率小于2.0，生产率低，轧制钢管短。一直发展不大。20世纪70年代以来，由于增大导盘直径，改小辊面锥角，增大送进角到8°～12°，和采用限动芯棒等措施，使生产率有所提高，毛管轧制长度达到14～16m。

2）Accu-Roll 轧管机。20世纪80年代以来，美国艾特纳-斯唐达德公司又进一步将狄塞尔轧管机轧辊改为锥形，增设辗轧角，改善了变形条件，使最大延伸率达到3.0，外径壁厚比达到35，产品的表面质量、尺寸精度均有提高，图3-16-7为其操作过程示意图。

16.2.2.4 顶管机

图3-16-8是顶管机的操作过程示意图。就是在压力挤孔的空心杯体内插入芯棒，推过一系列环模（一般十道最多十七道）达到减径、减壁、延伸的目的。

现代顶管机均为三辊或四辊构成的辊模，减面率比旧式环模增长了一倍以上；在压力挤孔后增设斜轧延伸机，加长管体、纠正空心杯的壁厚不均；并且可适当加大坯重，提高生产率。目前顶管后管长为12～14m，张力减径后长度可达21～77m，外径范围21～219mm，壁厚2.5～11.0mm。这种轧机的主要优点是单位重量产品的设备轻、占地少、能耗低；可用方形坯；操作较简单易掌握。适于生产碳钢、低合金钢薄壁管。主要缺点是坯重轻，一般在500kg左右，生产的管径、管长都受到一定限制；杯底切头大，金属消耗系数高。

20世纪70年代末，为提高坯料重量，在欧洲出现了以斜轧穿孔代替压力挤孔的顶管生产方法，即所谓CPE法。此法是将斜轧穿透的荒管，用专设的器械挤压或锻打收口，成为缩口的顶管坯。这样使坯料最大重量从500kg增到1500kg；可能生产的最大管径扩

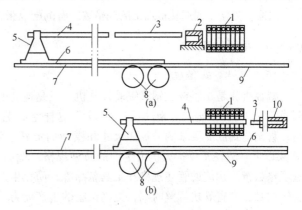

图 3-16-8　顶管机操作过程示意图
（a）原始位置；（b）加工终了位置
1—环模；2—杯形坯；3—芯棒；4—推杆；5—推杆支持器；
6—齿条；7—后导轨；8—齿条传动齿轮；
9—前导轨；10—毛管

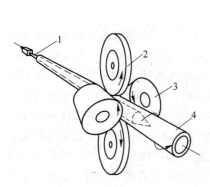

图 3-16-7　Accu-Roll 轧机示意图
1—芯棒；2—导盘；3—菌式轧辊；4—毛管

大到240mm；壁厚公差从±(7~8)%降为±(3~6)%；管长增加，切头重量减小，使收得率提高约2%。

此法还可用于生产特大直径的厚壁管。工艺过程比较简单，首先将锭在挤孔机上挤成空心杯，然后通过几个环模顶出封头的管筒，切头后即得厚壁管。目前生产的管筒直径200~1500mm，壁厚25~203mm，最大长度9.0m，采用的钢锭最重达到22t。

16.2.2.5　周期轧管机

这种轧机亦称皮尔格轧机，1891年由曼内斯曼兄弟发明，1900年芯棒移动才达到完全机械化，成为目前状态。其操作过程见图3-16-9。

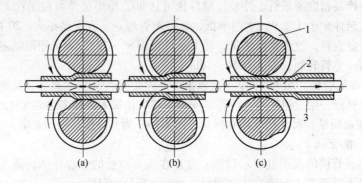

图 3-16-9　皮尔格轧管机的操作过程

（a）送进坯料阶段，箭头为送进方向；（b）咬入阶段；（c）轧制阶段，箭头为轧件运行方向

1—轧辊；2—芯棒；3—毛管

此轧机操作的基本特点是锻轧，轧辊旋转方向与轧件送进方向相反，轧辊孔型沿圆周为变断面，轧制时轧件反送进方向运行。送料由作往复运动的芯棒送进机构完成。这种轧制形式的延伸系数在7~15，可用钢锭直接生产。目前主要用于生产大直径厚壁管、异形管，利用锻轧的特点还可生产合金钢管。生产的规格范围外径114~665mm；壁厚2.5~100mm；轧后长度可达40m。该轧机的主要缺点是：效率低辅助操作时间占整个周期的25%；孔型不易加工；芯棒长，生产规格不宜过多。为减少周期轧机皆采用线外插芯棒锻头，再送往主机轧制，以减少辅助操作时间。为减少周期轧机加工的规格数，有的配以张力减径来满足机组生产规格范围的要求。

16.2.3　毛管精轧

16.2.3.1　减径机

减径机就是二辊或三辊式纵轧连轧机，只是连轧的是空心管体。二辊式前后相邻机架轧辊轴线互垂90°，三辊式轧辊轴线互错60°。这样空心毛管在轧制过程中所有方向都受到径向压缩，直至达到成品要求的外径热尺寸和横断面形状。为了大幅度减径，减径机架数一般都在15架以上。减径不仅扩大机组生产的品种规格，增加轧制长度，而且减少前部工序要求的毛管规格数量，相应的管坯规格和工具备品等，简化生产管理。另外还会减少前部工序更换生产规格次数，节省轧机调整时间，提高机组的生产能力。正是因为这一点，新设计的定径机架数很多也由原来的5架变为7~14架以上，这在一定程度上也起到减径作用。减径机有两种形式，一是微张力减径机，减径过程中壁厚增加，横截面上的壁厚均匀性恶化，所以总减径率限制在40%~50%；二是张力减径机，减径时机架间存在张力，使得缩径的同时减壁，进一步扩大生产产品的规格范围，横截面壁厚均匀性也比同样减径率下的微张力减径好。所以张力减径近年来发展迅速，基本趋势是：（1）三辊式张力减径机的采用日益广泛，二辊式只用于壁厚大于 10 ~ 12mm 的厚壁管，因为这时轧制力和力矩的尖峰负荷较大，用二辊式易于保证强度；（2）减径率有所提高，入口毛管管径日益增大，最大直径现在已达 300mm；（3）出口速度日益提高，现已到 16 ~ 18m/s；（4）近年来投产的张力减径机架数不断增加，目前最多达到 28 ~ 30 架。

16.2.3.2　定径机

定径机和减径机构造形式一样，一般机架数 5 ~ 14 架，总减径率约 3% ~ 7%，增加定径机架数可扩大产品规格，给生产带来了方便，新设计车间定径机架数皆偏多。

三辊斜轧管机组，还设有斜轧旋转定径机，其构造与二辊或三辊斜轧穿孔机相似，只是辊型不同。与纵轧定径相比较，斜轧定径的钢管外径精度高，椭圆度小，更换规格品种方便，不需要换辊，只要调整轧辊间距即可；缺点是生产率低。

16.2.3.3　热扩管机

随着工业技术尤其石油与化学工业的发展，大直径无缝钢管需求量逐年增加，尽管大型周期式轧管机组与顶管机组可以生产一部分大直径钢管，但其设备庞大，一次性投资高，且生产大直径薄壁管有一定困难，而管材热扩径解决了这一难题，其方法主要有以下几种。

斜轧热扩径在斜轧扩管机上进行。斜轧扩管机有两个装在箱形机架内的悬臂式锥形轧辊。轧辊中心线与轧制中心线在水平面上相交成 60° ~ 80° 角，两个轧辊由直流电机驱动，其旋转方向相同。锥形轧辊工作锥之前有一个入口锥使管子在咬入后受到一定程度的减径，以改善咬入条件，然后辗轧管壁扩径。机组中一般设有均整机与定径机，以消除钢管内外螺纹和改善外径与壁厚的尺寸精度，相对扩径量可达 70% ~ 130%。斜轧扩管的特点是一次变形量大、变形速度快、产量高，适于生产各种钢种的大直径和尺寸精度较高的中、薄壁厚无缝钢管。但其机组设备庞大，投资高，且不能生产异形及变截面管。

拉拔热扩径在热拉扩管机上进行。先在管端扩一个喇叭口，其扩口直径比热扩后管直径大 100mm 左右，以利热扩管时内外卡环卡住管端进行水冷，然后由链条牵引拉杆并带动顶头从荒管内部通过以实现扩径减壁及长度缩短的变形过程。拉拔式扩管一般加热 3 次，每次加热后扩径 1 ~ 4 个道次，总相对扩径量 ≤45%。拉拔扩径的特点是，扩管机既能热扩又能热拔，既能热扩圆管，也能热拔异形及变截面管；拉拔扩管机设备重量轻，投资少，更换工具简便；但因拉拔扩管为自由变形，扩管产品的表面缺陷易暴露和扩大，壁厚精度和外径精度不高。

近年来出现了一种区别于传统拉拔扩管工艺的中频感应加热液压二步推进式热扩管新工艺，用来生产大口径钢管。其基本原理是：置于中频线圈中的原料钢管，经中频感应加热后，靠液压缸活塞运动，推过尾部固定于油缸固定架上的锥形内模芯棒，达到扩径的目的。该工艺虽然设备简单，每个机组仅有数十吨。稳定的钢管快速中频感应跟踪加热和稳定的液压推进速度相匹配，较好地解决了原料变形温度的可调、恒定的基本条件，达到了节能目的和产品性能稳定效果。变拉动芯棒扩管为推动原料管扩径，使变形后的钢管不再受轴向力，且具有极短应力线。钢管经中频加热扩径，相当于对管体进行正火处理，经检验分析，金相组织均匀、晶粒更加细化，力学性能好，因而它成为当前最流行的大口径钢管生产工艺。

16.3　热轧无缝钢管生产的一般工艺过程

热轧无缝钢管机组不同，产品技术要求不同，工艺流程也不同，以连轧管机组为例，生产钢管的一般工艺流程如图 3-16-10 及图 3-16-11 所示。

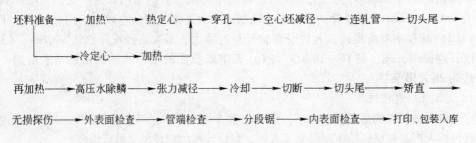

图 3-16-10　连轧管生产的工艺流程

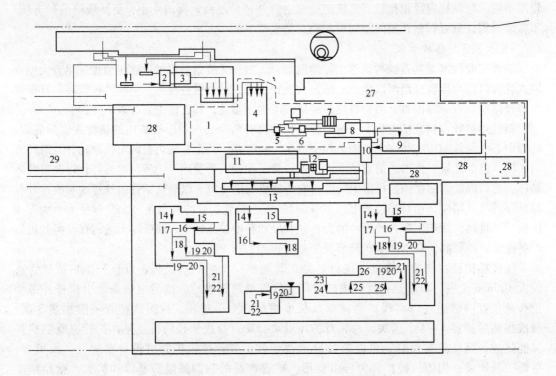

图 3-16-11　某连轧管车间工艺流程示意图

1—管坯测长；2—管坯称重；3—管坯锯断；4—步进式加热炉；5—定心机；6—穿孔机；7—连轧管机；8—脱棒机；9—再加热炉；10—张力减径机；11—冷床；12—锯；13—中间仓库；14—切头；15—矫直机；16—无损探伤；17—切定尺；18—检查；19—测长；20—打印；21—称重；22—打捆；23—倒棱；24—水压试验；25—用户检查；26—涂油；27—变电站；28—机修间；29—水处理

　　热轧无缝钢管生产流程与一般钢材生产相同，包括轧前准备、加热、轧制、精整、机械加工和检查包装等几个环节，但钢管有它自身的特点。

　　轧制无缝钢管的坯料有钢锭、热轧坯、连铸圆管坯，最近有的国家还采用了空芯连铸管坯。目前无缝钢管的坯料正向着连铸化发展，发达的工业国家连铸坯比重已近100%，连铸圆管坯的最大直径已达 $\phi400mm$，中低合金钢种也已完全可以采用连铸圆坯生产了，低塑性高合金钢种目前尚需使用锻轧圆管坯，但有些厂家已经掌握了轴承钢、奥氏体不锈钢圆管坯的连铸技术。为适应小型机组需要，我国自行研制的水平连铸机，已连续生产了 $\phi60\sim130mm$ 的圆管坯，为轧管供坯提供了新的途径。

管坯进厂后均需检查清理，这对斜轧穿孔机组尤为重要，因管坯上的缺陷会在斜轧过程中扩大。如成品表面质量要求高或高合金钢种，管坯还需全剥皮，剥皮后的表面光洁度不低于三级。

管坯切断方法，我国新建厂均采用冷锯或火焰切割。

为保证钢管壁厚均匀，穿孔时必须对准坯料轴心。因此，压力挤孔前，锭或方坯需定形，斜轧穿孔前圆坯须定心。定形就是用定形机压缩方坯或锭的角部，使对角线相等，定心即在圆坯端头轴心位置打一圆孔，确保穿孔时准确对心。如来料已能保证这一精度，也可省去这一工序。德国有的厂家认为，如果斜轧穿孔机前、后台对中好，管坯两端直径偏斜不大于 1.5mm，只要适当增长辊身即可保证穿孔毛管的壁厚均匀性，不必定心。定心的方法有冷定心和热定心。

无缝钢管生产过程中有实心坯加热和毛管中间加热，定（减）径机前和轧管机前均可能设置再加热炉，采用控制轧制工艺时定径前加热也起着热处理炉的作用。用于管坯加热的炉型有环形炉、步进炉、分段快速加热炉以及感应炉等，应用较广的为环形炉，步进炉在连轧管机上使用为连铸管坯热送热装创造了条件。毛管中间再加热炉的炉型有步进式、分段快速式和感应式等，步进式、分段快速加热式应用较广。管坯加热制度视不同穿孔方法而异。压力挤孔与一般型钢轧制相同，斜轧穿孔由于变形激烈，穿孔过程皆伴有温升，这一点对温度敏感性强的合金钢种尤需注意。管坯出炉温度是否合适，必须以穿孔后毛管的内外表面质量和穿孔后温度是否在该钢种的最佳塑性温度区为准。一般出炉温度比最高塑性温度低 20~40℃。合金钢、高合金钢的最高塑性温度区，斜轧穿孔多用扭转法、锥形试件斜轧法或斜轧穿孔法确定。再加热炉的主要问题是严格控制氧化铁皮的生成，所以必须快速加热，保持炉内正压和还原性气氛。再加热的出炉温度视所在工序而定，轧管机前应加热到最高塑性温度，减径机前应根据钢种和对产品性能的要求，按控制轧制制度或冷却制度而定，一般不超过 1000℃。应当指出，正确控制终轧温度和冷轧制度，不仅能改善钢管性能，而且能充分利用轧后余热，节省能源，所以钢管生产过程中在线常化或在线淬火处理已普遍采用。现在还有定径前毛管先冷到 600℃以下，然后再加热到合适温度出炉定径，这不仅多利用一次相变改善管体组织，还使得毛管全长温度均匀，准确控制终轧温度，更好地实施控制轧制，提高管材性能。

17　斜轧原理与工具设计

17.1　斜轧过程的运动学

　　斜轧是热轧无缝钢管生产中的主要加工方法之一，现以菌式两辊斜轧机为例，对斜轧时轧件运动的基本规律作一分析。

　　斜轧过程中轧件的运动特点是螺旋前进，随着轧件的螺旋前进，逐渐完成加工变形。对这类轧机来说，形成这种运动的原因有两点：（1）两辊同向旋转；（2）轧辊轴线相对轧制线倾斜一送进角 β。

　　图 3-17-1 是正常轧制条件下变形区内任一点的速度矢量分析图。设调整送进角时轧辊围绕旋转的点为回转中心 O，该中心向轧制线的垂线为回转轴，回转轴与轧制线组成的平面为轧制主平面，与轧辊轴线组成的平面为轧辊主平面，垂直回转轴包括轧制线在内的平面为主垂直平面。送进角（β）即轧辊轴线与轧制线在主垂直平面上投影的夹角。轧辊还围绕回转中心平行主轧制平面旋轧一辗轧角（ψ），则轧辊轴线在轧制主平面上的投影与轧制线的夹角即为辗轧角。分析可得变形区内任一点 O_x 的辊面旋转切线速度于轧件轴向、切向的分量为：

$$u_{xx} = u_x \cos\omega_R \sin\beta + u_x \sin\omega_R \sin\psi \tag{3-17-1}$$

$$u_{xy} = u_x \cos\omega_R \cos\beta \cos\omega_S - u_x \sin\omega_R \cos\psi \sin\omega_S \tag{3-17-2}$$

式中　u_{xx}、u_{xy}——轧辊接触表面上任一点的切线速度，在 x、y 轴上的分量；

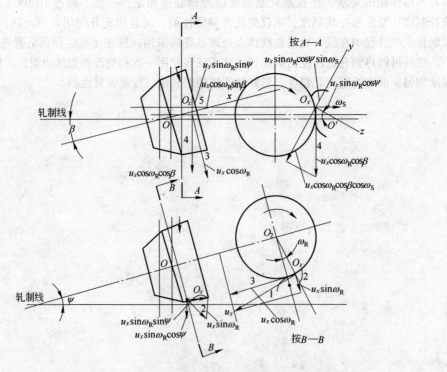

图 3-17-1　斜轧变形区内任一点的速度矢量分析图

ω_R——O_x、轧辊轴心 O_2 连线与轧辊主平面在 BB 剖面上的投影线的夹角；

ω_S——O_x、轧件轴心 O' 连线与主轧制平面在 AA 剖面上的投影线的夹角。

因为 ω_R、ω_S 均很小，在实际工程计算中对菌式辊型或桶式辊型均可按下式计算各分量为：

$$u_{xx} = u_x \sin\beta \qquad (3\text{-}17\text{-}2a)$$

$$u_{xy} = u_x \cos\beta \qquad (3\text{-}17\text{-}2b)$$

变形区内金属存在塑性变形，不可能与相应接触点等速运行，彼此间存在一定的相对滑动，这一般用金属的运动速度与辊面相应接触点的运动速度比表示，称为滑动系数。则金属在轧件轴向和切向的速度可表示为：

$$v_{xx} = S_{xx} u_{xx} \qquad (3\text{-}17\text{-}3a)$$

$$v_{xy} = S_{xy} u_{xy} \qquad (3\text{-}17\text{-}3b)$$

式中　v_{xx}、v_{xy}——接触表面任一点金属的速度在轧件轴向和切向的分量；

S_{xx}、S_{xy}——接触表面任一点金属在轧件轴向和切向的滑动系数。

轧辊任一截面的轧辊表面切线速度已知为：

$$u_x = \frac{\pi D_x n}{60} \qquad (3\text{-}17\text{-}4)$$

式中　D_x——变形区内轧辊任一截面的直径；

n——轧辊转速，r/min。

因为轧件变形区内任一点的旋转切线速度亦可用轧件本身的转速 n_x、外径 d_x 来表示

$$v_{xy} = \frac{\pi n_x d_x \xi_x}{60}$$

所以轧件任一剖面的转速，通过式（3-17-3b）与式（

轧件每被轧辊加工一次在 x 轴方

式中　m——轧

ξ

式中　D_{ch}、d_{ch}、S_{chx}、S_{chy}——为变形区出口相应各参数；

　　　　F_{ch}、F_x——为变形区出口面积和变形区内任一剖面面积。

从式（3-17-3a）到式（3-17-7）不难看出，如提高轴向滑动系数，就可以缩短轧制时间，减少在变形区内的反复加工次数，直接影响到轧机的产量、质量和能耗。但变形区内金属相对工具接触表面的滑动问题，至今尚未求得实用的表达式，所以目前生产中选用滑动系数时，一般采用现有设备上的实测值，或条件相近的已有测定值，或利用条件类似的经验公式进行计算。

O. A. 勃略兹柯夫斯基建议按以下经验式计算：

对穿孔机
$$S_{chx} = 0.68\left(\ln\beta + 0.05\, \frac{d}{d_R}\varepsilon_0 \right)f\sqrt{m} \tag{3-17-8}$$

对延伸机
$$S_{chx} = 0.9\left(\ln\beta + 0.05\, \frac{d}{d_m}\varepsilon'_0 \right)f\sqrt{m} \tag{3-17-9}$$

式中　d——轧件外径，mm；

　d_R、d_m——顶头和芯棒外径，mm；

　　　f——摩擦系数；

　　　β——送进角，（°）；

　　　m——轧辊数；

　　　ε_0——顶头前管坯外径的压缩率，%；

　　　顶头前毛管的外径压缩率，% 。

区内金属滑动的基本特点是整个变形区金属在轴向全后滑（$S_{xx} < 1$），切

长度内出现前滑（$S_{xy} > 1$），有时也可能在接近出口处出现切

棒三辊斜轧轧管机上，也可能在接近出口处存在轴向

数均大致近于 1.0，此值可用于工程计算。不

斯曼穿孔机为 0.50 ~ 0.90；菌式两

辊轧量小取上限；三辊斜轧穿

30。实践证明，加大送

降低延伸系数等，都

用顶头润滑剂；

也应具

和内

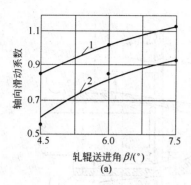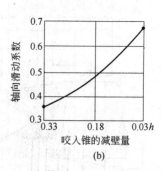

图 3-17-3　影响阿塞尔轧管机轴向滑动系数的因素

（a）辊脊高度 h 和送进角 β 的影响；（b）轧辊咬入锥减壁量的影响

1—辊脊高 8mm；2—辊脊高 12.5mm

$$\Delta u_x = u_x - v_x = u_x \sqrt{\cos^2\beta(1 - S_{xy})^2 + \sin^2\beta(1 - S_{xx})^2} \qquad (3\text{-}17\text{-}10)$$

相对滑动速度对轧制轴线的夹角 θ 为：

$$\theta = \arctan\left(\frac{1 - S_{xy}}{1 - S_{xx}}\cot\beta\right) \qquad (3\text{-}17\text{-}11)$$

在该点的摩擦力 T 的方向如图 3-17-4，与接触辊面对金属的相对速度 Δu_x 同向。

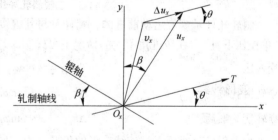

不难看出，在正常轧制条件下如果轴向阻力增高，轴向滑动系数随之下降，θ 角减小，于是摩擦力在轴向的分量相应增加，直至达到新的平衡继续轧制为止。这时摩擦力的切向分量相应减小，轧件转速随之下降，于是切向滑动中性线便向切向前滑区移动，使得切向前滑区的阻力矩不断下降，后滑区的旋转力矩不断上升，直至切向旋转力矩与阻力矩重新平衡为止。所以，切向前滑区的

图 3-17-4　变形区内任一点的相对速度矢量分析图

剩余摩擦力是斜轧轴向滑动系数小于 1.0 时，仍能继续轧制的条件，直至轧件在变形区内只旋转不前进为止。

17.2　斜轧过程中轧件的变形

斜轧穿孔是斜轧管体中变形比较复杂的一个工序，现通过这一过程来阐明斜轧过程的基本变形规律。

如图 3-17-5，变形可分为四区：穿孔准备区Ⅰ，从坯料接触辊面到顶头尖端止，作用是实现管坯的一次咬入；增加接触面积，提高咬入力为管坯二次咬入积累足够的剩余摩擦力；穿孔区Ⅱ，从轧件触到顶尖至管壁压缩到规定的尺寸止，顶头开始参与变形，主要作用是进行管坯穿孔和毛管减壁，同时产生扩径和延伸；均整区Ⅲ，一般顶头尾部皆有一均整段，使顶头的工作母线与轧辊相应的工作母线平行，以达到均匀壁厚和平整毛管内外表面的目的；规圆段Ⅳ，从毛管内壁离开顶头到外表面离开辊面止，这时顶头和导板完全与轧件脱离接触，只靠轧辊的

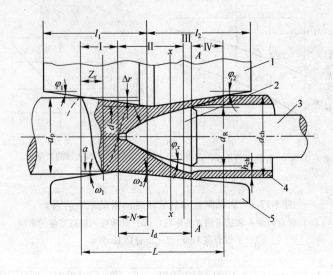

图 3-17-5　二辊斜轧穿孔变形区

1—轧辊；2—顶头；3—顶杆；4—轧件；5—导板

辗轧消除毛管的椭圆度，变形主要集中在前两段变形区，现对其加以讨论。

17.2.1　变形计算

斜轧轧件是螺旋运动前进的，轧件每与轧辊接触一次承受一次加工变形，命每次加工量为"单位压下量"，在送进角不大的情况下可按图 3-17-5 计算如下：

咬入区
$$\Delta r_{x+z} = z_x \tan\varphi_1 \qquad\qquad\qquad (3\text{-}17\text{-}12)$$

穿轧区孔喉前
$$\Delta h_{x+z} = z_x(\tan\varphi_1 + \tan\varphi_x) \qquad\qquad (3\text{-}17\text{-}13)$$

穿轧区孔喉后
$$\Delta h_{x+z} = z_x(\tan\varphi_x - \tan\varphi_2) \qquad\qquad (3\text{-}17\text{-}14)$$

可见斜轧是小压下量连续变形的积累过程，加工时无顶头区任一剖面的接触宽度 b_{x+z}，按图 3-17-6（a）可近似地求得：

$$b_{x+z} \approx \sqrt{\frac{2R_{x+z}r_{x+z}}{R_{x+z} + r_{x+z}}\Delta r_{x+z}} \qquad\qquad (3\text{-}17\text{-}15)$$

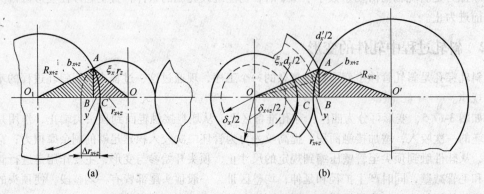

图 3-17-6　斜轧变形区轧件任一横剖面的接触宽度示意图

（a）咬入区；（b）穿轧区

使用结果证明此式未考虑切向变形和顶头存在的影响，与实际测定值相差甚大，因此建议采用以下计算方法。

按图 3-17-6（a）知：

$$b_{x+z}^2 = \xi_x^2 r_x^2 - (r_{x+z} + CB)^2 = R_{x+z}^2 - (R_{x+z} - CB)^2$$

解得

$$b_{x+z} = \sqrt{\frac{D_{x+z}^2}{4} - \left[\frac{D_{x+z}}{2} - \frac{\xi_x^2 d_x^2 - d_{x+z}^2}{4(D_{x+z} + d_{x+z})}\right]^2} \tag{3-17-16}$$

对于顶头参与变形时的接触宽度如图 3-17-6（b）所示。当轧件向前移动未接触轧辊时没有压下，但变形区内轧件外径在顶头的作用下不断扩大，直至碰到下一轧辊为止，此时轧件的外径由 d_x 扩为 d_x'。因为此时无延伸，可根据体积不变定律求得：

$$d_x' = \sqrt{(\xi_x d_x)^2 + \delta_{x+z}^2 - \delta_x^2}$$

式中 δ_x、δ_{x+z}——x 剖面和下一单位螺距横剖面的顶头直径。

按图 3-17-6（b）三角形 AOB 和 $AO'B$ 求得，顶头参与变形后的接触宽度为：

$$b_{x+z} = \sqrt{\frac{D_{x+z}^2}{4} - \left[\frac{D_{x+z}}{4} - \frac{\xi_x^2 d_x^2 + \delta_{x+z}^2 - \delta_x^2 - d_{x+z}^2}{4(D_{x+z} + d_{x+z})}\right]^2} \tag{3-17-17}$$

式中，椭圆系数 ξ_x 在无顶头区取 1.1，有顶头区取 1.2。据统计，实际接触宽度还比上述方法计算的接触宽度平均大 1.2 倍。

变形区长度 L 按图 3-17-5 为：

$$L = \frac{d_p - d}{2\tan\varphi_1} + \frac{d_{ch} - d}{2\tan\varphi_2} \tag{3-17-18}$$

考虑送进角的影响可按下式计算：

$$L = \left(\frac{d_p - d}{2\tan\varphi_1}\right)^{\cos\beta} + \left(\frac{d_{ch} - d}{2\tan\varphi_2}\right)^{\cos\beta} \tag{3-17-18'}$$

17.2.2 变形特点分析

由式（3-17-14）到式（3-17-18'），不难看出斜轧的单位压下量和坯料直径相比是很小的，接触宽度也很窄，所以在这种"集中"外力作用下，使得斜轧穿孔变形沿横剖面的分布很不均匀。这在咬入区和穿孔区的开始阶段，主要表现为高断面的表面变形；在穿轧区管壁渐薄，工具接触表面的摩擦影响变大，则主要表现为管壁切向、轴向的严重切变形。另外还有管体的扭转变形，管壁的反复弯曲等。正是这些变形促成和扩大了穿孔毛管的内外表面缺陷，如折叠、裂纹和离层等。

17.2.2.1 高断面斜轧变形区

高断面两辊斜轧的主要问题，是防止过早地出现孔腔，在毛管内表面形成"折叠"，对低塑性材料也可能出现"离层"。这是斜、横轧和连续横锻中普遍存在的物理现象。特点是一定成分的金属在一定工艺变形条件下（加工温度、变形速度、工具设计等），管坯径缩率达到一定临界值 ε_l 后，便沿轴心出现纵向微裂纹，进而形成孔腔。对这一现象的形成机理首先正确地加以系统阐述的是德国人 E. 锡贝尔，前苏联 А. Д. 托姆列诺夫第一个给出分析表达式。

实际形成孔腔的原因有二：（1）"外端"的影响。大量试验研究表明圆坯横锻的一次径向压缩率在 6% 以下时，最大塑性变形区仅发生在与工具接触的表面附近，轴心区变形很小，特点类似双鼓变形，见图 3-17-7（a）。一次径缩率达到 10% 以上才出现类似单鼓变形的特点，见图 3-17-7（b）。但这里的双鼓变形是发生在一个横截面的内部，于剧烈变形区 I、III 两侧还存在着变形很小的"外端"，这样 I、III 区内金属的横向流动，对两侧外端起了一种"楔入"作用，使轴心区 II 承受很强的横向附加张应力。（2）表层变形。斜轧条件下表层金属的塑性变形剧烈，金属连续不断地沿着轴向和切向流动，作为一个整体必然牵引着轴心区金属不断地流向表层，于轴心形成三向附加张应力。这样，斜轧实心体轴心区的工作应力状态，是在外力作用方向

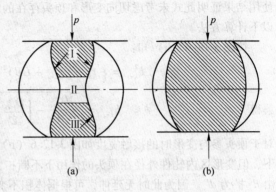

图 3-17-7　横锻圆坯的变形特点
（a）压缩率在 6% 以下；（b）压缩率在 10% 以上

为压应力，其他两向为张应力。因为两个因素在横向引起的附加应力同向，所以横向张应力的数值最高，增长速度最快。斜轧条件下金属每被轧辊加工一次后完全恢复再结晶是不可能的，故上述的附加应力都将部分地以残余应力形式保留下来，并随反复加工次数的增加而积累增大。不管轧件如何转动，这个应力场在轴心区的基本相位是不变的。于是当工作应力状态发展到一定极限值后，相对主应力约 45° 的最大切应力方向上便开始产生切变形。经多次反复，由于加工硬化和晶体内部缺陷的存在，这些部分便在最大横向张应力作用下出现裂纹，逐渐发展成轴心疏松区，形成孔腔。所以在二辊斜轧条件下临界径向压缩率是反映金属塑性的重要指标。要改善管材表面质量，就应按孔腔形成机理创造最佳变形条件，提高此临界极限值。为此应设法减少轧件在轧辊咬入锥的反复辗轧次数，限制残余应力的积累程度；提高纵横变形比，控制横向张应力的发展；关于单位压下量，有人认为宜小不宜大，宜以分散小变形的方法来缓和横截面上的变形不均匀性，但是实践表明，采用大送进角减少金属在变形区内的反复辗轧次数，加大单位压下量使塑性变形迅速渗入坯料轴心，可使圆坯横断面上的变形均匀性大为提高。表现为坯端因表面变形造成的凹陷深度减小，临界径缩率提高，见图 3-17-8。

　　所以在生产中：（1）只要设备能力允许应采用大送进角轧制，目前最大已用到 18°；（2）只要轧制过程运行正常，轧辊压缩带处的孔喉椭圆度应尽量小一些。如狄塞尔穿孔机主动旋转导盘的孔喉椭圆度现在已调到近于 1.0，同时导盘的切线速度皆比轧件轴向运行速度高，也有利于提高变形区内金属的纵横变形比，这不仅可提高轧机生产率，在改善毛管内表面质量方面也取得了良好的效果；（3）穿孔顶头的作用也不可忽视，它的存在可降低轧件轴心的附加张应力，使临界径缩率有所提高。但这时附加张应力的最高值移至表面和轴心之间，对低塑性材料可能出现环裂，形成离层。顶头在变形区内的位

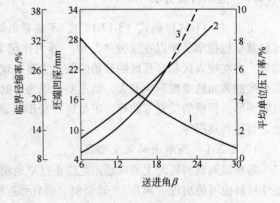

图 3-17-8　临界径缩率、坯端凹深、平均单位压下率与送进角的关系（试验钢种 Cr18Ni10Ti）
1—送进角对坯端凹深度大小的影响曲线；
2—送进角对平均单位压下量的影响曲线；
3—送进角对临界径缩率的影响曲线

置应使顶头前径缩率小于测定的临界径缩率；（4）变形区的总外径压缩率在保证正常轧制条件下，应尽量取得小一些，缩短变形区总长度，减少金属在变形区内的加工次数。

17.2.2.2 穿轧变形区

轧件进入穿轧区后，管壁迅速减薄，这时工具接触表面的摩擦力成为影响变形的主要矛盾，形成切向、轴向的附加切变形，以及管体的扭转变形等，这一阶段同样也可能造成裂纹、折叠和离层等缺陷，并且增加轧制能耗。这一阶段改善管体质量的关键在于如何降低附加切变形。显然在穿孔条件下要完全消除各向切变形是不可能的，但我们可以探讨最佳变形条件，使它降低到最低限度。

图 3-17-9 为穿孔试样的纵、横剖面图，斜轧穿孔过程中存在着两种变形，即基本变形（宏观变形）和附加变形（不均匀变形）。基本变形是指外观的形状的变化；附加变形是材料内部的直接观察不到的变形，是由金属的内应力引起的。

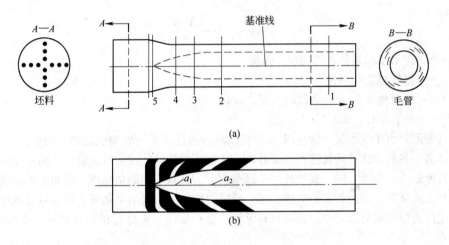

图 3-17-9 塑料穿孔试样的纵横剖面图
（a）试料横剖面切变形示意图；（b）试料纵剖面切变形示意图

（1）基本变形，即由圆坯穿成毛管的各向主变形，这包括有：

径向主变形
$$\varepsilon_r = -\ln\frac{d_p}{2h_{ch}}$$

轴向主变形
$$\varepsilon_1 = \ln\frac{l_{ch}}{l_p} = \ln\frac{F_p}{F_{ch}}$$

切向主变形
$$\varepsilon_c = \ln\frac{2(d_{ch} - h_{ch})}{d_p}$$

式中　h_{ch}——毛管壁厚；
　　d_{ch}、d_p——毛管和坯料外径；
　　l_{ch}、l_p——毛管和坯料长度；
　　F_{ch}、F_p——毛管和坯料横截面积。

（2）附加变形，即指轧件内部的变形，也称无用变形，有扭转变形、纵向剪切变形、横向剪切变形和管壁塑性弯曲等。这种变形会带来一系列的后果，如使变形时能耗增加，引起附加应力，易导致毛管内外表面缺陷和内部产生缺陷等。

　　1）扭转变形：扭转变形是指在变形区中，管坯-毛管各截面间产生相对角位移。例如，管坯上的纵向裂纹经穿孔后便变成螺旋形的外折叠，这就说明在变形区中管坯-毛管各截面间存在着相对角位移。扭转变形的大小可用所观察的截面相对于原始位置的转角 φ 或轧件表面扭转螺旋线的斜角 ψ 来表示，如图 3-17-10 所示。

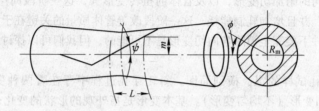

图 3-17-10　穿孔变形区中扭转变形的分布

$$\tan\psi = \frac{m}{L} = \frac{R_{\mathrm{m}}\phi}{L} \tag{3-17-19}$$

式中　ϕ——相对于原始位置的转角，弧度；

　　　ψ——扭转螺旋线斜角，(°)；

　　　L——测量角 ϕ 和 ψ 值区段的长度，mm；

　　　R_{m}——毛管半径，mm。

　　扭转变形是由于变形区中管坯-毛管各横断面的角速度不一致而引起的。由公式（3-17-6）分析变形区中各截面轧件的转速，可以看出，轧辊轧制带处轧件的转速最快，而在变形区入口和出口转速最小，由于在同一根管坯的不同断面上，具有不同的角速度，因而形成扭转。

　　生产实践证明，采用相应的措施，可以减轻扭转变形。采用主动驱动顶头可以减小扭转变形；采用菌式穿孔机可以减少扭转并提高毛管质量；采用三辊穿孔机穿孔时扭转变形小得多，甚至没有扭转变形。

　　2）纵向剪切变形是指内外层金属沿轴向产生附加的相互剪切变形。如图 3-17-11 所示，纵向剪切变形产生的原因是由于顶头轴向阻力造成的，一方面轧辊带动管坯金属轴向流动；另一方面顶头阻止金属轴向流动，最终导致各层金属流动有差异，可是各层金属是互相联系的，从而在各层金属间必然产生附加变形和附加应力，特别是和轧辊直接接触的外层金属和与顶头接触的内层金属附加变形更大。

　　纵向剪切变形使毛管内外表面层很容易出现缺陷，或者使管坯表面原有缺陷发展扩大。如穿孔低塑性高合金管时的横裂缺陷。实践证明，通过顶头正向驱动或顶头加润滑剂方法等可以

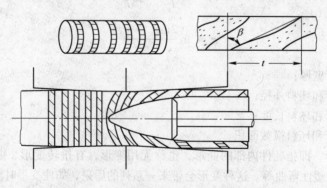

图 3-17-11　穿孔时金属的纵向剪切变形

减少顶头阻力，是减少纵向剪切变形有效的方法。

3）横向剪切变形是指内外层金属沿横向产生附加的相互剪切变形。在咬入区，实心坯由于表面变形的结果，外层金属沿横向流动的角速度大于内层，使金属纤维歪扭。在带顶头轧制的区间，毛管外表面和内表面层金属有较大的变形，切向流动角速度大于过渡层，使金属纤维弯曲成 C 形，减壁量越大，弯曲程度越大。

横向剪切变形是造成毛管纵裂、折叠和分层等缺陷的原因之一。分层缺陷多出现在靠近毛管的内外表面。厚壁管穿孔时的变形主要在内表面，即内表面附近的附加横向剪切变形最大。为了减轻横向剪切变形，应减少顶头阻力和横向变形。

4）塑性弯曲变形。斜轧穿孔时，空心毛管的管壁在轧辊和顶头间受到反复碾压，使管子产生了反复的塑性弯曲变形，特别是当毛管壁厚与直径之比大于 0.22～0.35 时，较厚的管壁金属具有较大的弯曲变形阻力，在管壁上产生较大的切向和轴向拉应力，而在弯曲和拉应力作用下，管子内表面易于出现裂纹和折叠。故应取较小的椭圆度和减少压缩次数。

17.3 斜轧的咬入条件

轧件咬入是实现变形的先决条件，管材生产常带有顶头或芯棒，因此，存在着两次咬入。轧件和轧辊刚接触的瞬间由轧辊带动轧件运动而把轧件咬入变形区中，称第一次咬入。当金属进入变形区内和顶头或芯棒相遇时，克服顶头或芯棒的轴向阻力而继续前进，称第二次咬入。后者，无论在轴向和切向的阻力均较大，满足一次咬入的条件不一定就能实现二次咬入。在生产实践中还常有二次咬入时由于轴向阻力太大发生轧卡，管料前进运动停止而旋转运动仍可继续的情况，所以二次咬入是能否实现斜轧过程的关键。

轧件斜轧是螺旋形运动，因此咬入除要求在轧制轴线方向上咬入力 X 大于阻止力 X' 外，还要求切向的旋转力矩 M 大于阻力矩 M'，而且首先必须满足旋转条件。所以斜轧咬入的极限条件是：

$$\Sigma M \geqslant 0, \quad \Sigma X \geqslant 0$$

17.3.1 第一次咬入条件

如果忽略轧件的惯性和推料机接触端面的摩擦阻力矩，综合考虑轧制轴向和旋转切向的极限平衡条件，可求得斜轧第一次咬入条件为：

$$f \geqslant \sqrt{\sin^2\varphi_1 + \left(\frac{b}{d_p}\right)^2\left(\frac{d_p}{D} + 1\right)^2} \tag{3-17-20}$$

式中 f——轧辊与轧件接触表面间的摩擦系数；

D、d_p——接触点辊径和坯料直径；

b——送钢时造成的接触宽度。

由式（3-17-20）知，要改善咬入应减小入口锥辊面锥角，加大辊径。送钢力要适当，过大会因强迫接触宽度 b 太大恶化轧件的旋转条件不能咬入，这一点对空心管体尤需注意。所以第一次咬入时，送钢力造成的接触宽度只能使坯料旋转，轧件自会螺旋前进，因为创造良好的旋转条件是建立斜轧运动的首要条件。如将式（3-17-15）、式（3-17-12）、式（3-17-7）代入式（3-17-20）。可得一次咬入后正常运行的关系式：

$$f \geqslant \sqrt{\sin^2\varphi_1 + \frac{\pi}{m}\left(\frac{d_p}{D}+1\right)^2 S_{xx}\tan\varphi_1\tan\beta} \qquad (3\text{-}17\text{-}20')$$

式中设咬入开始时轧件的椭圆度、切向滑动系数均近于 1.0。由式（3-17-20′）可见只要入口辊面角选取合适，轧件一次咬入后均能正常运行，只是轴向滑动系数 S_{xx} 有大、小之别而已。

17.3.2　第二次咬入条件

轧件前端进入变形区接触到顶头或芯棒时便开始了第二次咬入，轧件除受到轧辊摩擦力和正压力的作用外，还受到顶头或芯棒的阻力和阻力矩作用。第二次咬入的关键是前进条件。图 3-17-12 是二次咬入时轧件的受力分析。

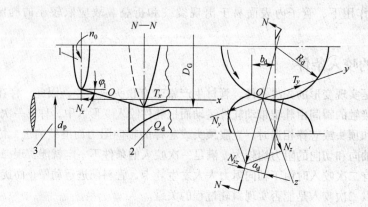

图 3-17-12　第二次咬入时轧件与工具接触表面的受力分析
1—轧辊；2—顶头；3—轧件

如忽略导板的阻滞作用，斜轧二次咬入的极限条件可示为：

$$T_y r_d - N_{yz}\overline{a_d} \geqslant 0 \qquad (3\text{-}17\text{-}21)$$

$$m(T_x - N_x) - Q_d \geqslant 0 \qquad (3\text{-}17\text{-}22)$$

经过一系列推导可以得出：满足二次咬入条件的关系式，其顶前的径缩率 ε_{dq} 必须大于临界径缩率 ε_{dxi}

$$\varepsilon_{dq} > \varepsilon_{dxi} \qquad (3\text{-}17\text{-}23)$$

求得第二次咬入的最小顶前径向压缩率 ε_{dxi} 等于：

$$\varepsilon_{dxi} \geqslant \frac{K_p K_r^2}{2\left[\sqrt{mf^2-(1+i)\xi\pi\tan\varphi_1\tan\beta}-\sqrt{m}\sin\varphi_1\right]\sqrt{\dfrac{\xi}{\pi(1+i)}\dfrac{\tan\beta}{\tan\varphi_1}}} \qquad (3\text{-}17\text{-}24)$$

式中　i——近似认为：$\dfrac{d_p}{D_d}=\dfrac{d_d}{D_d}$，并以 i 代之；

　　　m——轧辊数；

　　　β——送进角，（°）；

　　　ξ——管坯椭圆度系数；

$$K_{\mathrm{p}}\text{———}\frac{p_{\mathrm{d}}}{p}\text{二辊取 0.78，三辊取 0.83；}$$

p、p_{d}——轧辊和顶尖上的单位压力；

$$k_{\mathrm{r}}\text{———}\frac{r'_{\mathrm{d}}}{r_{\mathrm{p}}}\text{；}$$

r'_{d}——顶头尖端半径；

r_{p}——坯料半径。

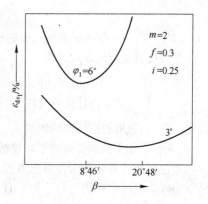

图 3-17-13　第二次咬入的顶前
最小径缩率与送进角的关系

由式（3-17-24）可知：增加辊数、减小入口辊面对轧制线的张角 φ_1、加大辊径、提高辊面摩擦系数、不使用过于磨损的顶头都有利于第二次咬入。送进角的影响如图 3-17-13 所示，有一个最小极限临界角 β_1。在临界值之前二次咬入的最小顶前径缩率随送进角而反变，在临界值之后则相反。

通过推导，可求得：

$$\tan\beta_1 = \frac{m}{8\pi(1+i)\tan\varphi_1}(4f^2 - \sin^2\varphi_1 - \sin\varphi_1\sqrt{8f^2 + \sin^2\varphi_1}) \tag{3-17-25}$$

由图 3-17-13 还可看出，入口辊面相对轧制轴线的张角 φ_1 愈小，最小顶前径缩率的临界送进角 β_1 愈大，最小顶前径缩率愈小。因此，从咬入这个角度看，采用较小的入口辊面张角 φ_1，不仅易于咬入，而且允许选用较大的送进角轧制，利于提高管体质量和轧机生产率。但应注意按式 3-17-25 计算的结果略偏大，因随送进角增加，实际入口辊面相对轧制线的张角 φ'_1 也在增大，其关系如下：

$$\tan\varphi'_1 = \frac{x\tan^2\beta}{\sqrt{x^2\tan^2\beta + (R_y + r_y)^2}} + \tan\varphi_1 \tag{3-17-25'}$$

式中　R_y、r_y——压缩带轧辊半径和坯料半径；

x——讨论剖面距离辊轴回转中心的距离。

综上所述，二辊斜轧穿孔机生产调整时，应使顶头前实际径缩率 ε_{d} 满足以下条件，做到既顺利咬入，又保证穿孔件不过早出现孔腔：

$$\varepsilon_1 > \varepsilon_{\mathrm{d}} > \varepsilon_{\mathrm{dxi}} \tag{3-17-26}$$

如果低塑性材料的临界径缩率小于二次咬入的顶前最小径缩率，则应深钻定心孔增加二次咬入时顶头前的接触区长度。

17.4　斜轧穿孔压力和力矩的计算

由于斜轧变形的复杂性，轧制压力计算还没有找到一个完整的理论公式。以下介绍的是实践证明比较近于实际的计算方法。

17.4.1　斜轧穿孔压力的计算

斜轧穿孔总压力 P 可简示如下：

$$P = F_1\overline{P_1} + F_2\overline{P_2} \tag{3-17-27}$$

——咬入锥和穿轧锥的平均单位压力；

F_1、F_2——咬入锥和穿轧锥的接触面积；

$$F_1 = l_1 \overline{b'_1} \qquad F_2 = l_2 \overline{b'_2}$$

$\overline{b'_1}$、$\overline{b'_2}$——咬入锥和辗轧锥的平均接触宽度。

平均接触宽度按下式计算：

$$\overline{b} = \frac{1}{\sum\limits_{i=1}^{n} l_i} \sum_{i=1}^{n} b_i l_i \tag{3-17-28}$$

式中　l_i——截取各剖面间的距离；

　　　b_i——相邻两剖面间的平均接触宽度。

单位压力计算分为两种情况考虑；一是咬入区的实心体部分；一是顶头参与变形的穿轧区。前者单位压力按式（3-17-29）计算：

$$p = 2k\left(1.25\ln\frac{2r}{b} + 1.25\frac{b}{2r} - 0.25\right) \tag{3-17-29}$$

式中　r——计算剖面的坯料半径；

　　　b——计算剖面的轧辊接触宽度；

　　　k——纯剪的屈服切应力，$k = 0.57\sigma_s$，σ_s 为一定变形温度、变形速度下的变形抗力。

式（3-17-29）的使用条件是 $1 \leqslant \dfrac{2r}{b} \leqslant 8.5$。穿轧区建议使用普兰特公式计算：

$$p = 2k(1 + 0.5\pi) \approx 5.14k \tag{3-17-30}$$

平均单位压力按截取相邻剖面间单位压力成梯形分布考虑，用下式计算：

$$\overline{p} = \frac{1}{\sum\limits_{i=1}^{n} l_i} \sum_{i=1}^{n} p_i l_i \tag{3-17-31}$$

式中　p_i——两相邻剖面间的平均单位压力。

据实测统计低碳钢穿孔的平均单位压力为 70～130MPa，不锈钢为 150～160MPa。

17.4.2　斜轧穿孔力矩的计算

穿孔机的传动力矩由以下几部分组成：轧制力矩、顶头的附加阻力矩，对二辊斜轧穿孔机还应考虑导板的阻力矩。轧辊轴承的摩擦力矩和一般机械轴承的算法原则相同，这里不作介绍了。

17.4.2.1　穿孔轧制力矩 M_z

垂直轧件轴线取截面，正常轧制条件下轧件对轧辊的压力方向如图 3-17-14（a）所示。

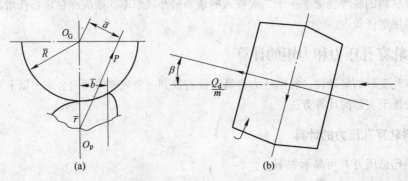

图 3-17-14　斜轧穿孔时轧件对轧辊的作用力方向图示
（a）轧件对轧辊的压力作用方向；（b）顶头阻力通过轧件作用在轧辊上的方向

每个轧辊上的轧制力矩 M'_z 为：

$$M'_z = p\bar{a} = p\,\frac{\bar{b}}{2}\Big(1 + \frac{\bar{R}}{\bar{r}}\Big) \tag{3-17-32}$$

式中　　　p——变形区内的总压力；

　　$\bar{b}$、$\bar{r}$、$\bar{R}$——变形区内的平均接触宽度、平均坯料半径、平均轧辊半径。

轧辊与轧件之间有一送进角 β，所以轧辊上的实际轧制力矩为：

$$M_z = \frac{M'_z}{\cos\beta} \tag{3-17-32'}$$

17.4.2.2　顶头阻力对轧辊形成的阻力矩 M_d

如图 3-17-14（b）所示，每个轧辊上顶头阻力形成的阻力矩为：

$$M_d = \frac{Q_d}{m}(\bar{R} + \bar{r})\sin\beta \tag{3-17-33}$$

式中　Q_d——顶头轴向阻力，据实测统计其值波动如下：

对曼内斯曼穿孔机：穿制薄壁管　　　　　$Q_d = (0.25 \sim 0.45)P$

　　　　　　　　　穿制厚壁管　　　　　$Q_d = (0.22 \sim 0.33)P$

对菌式二辊斜轧穿孔机：　　　　　　　　$Q_d = (0.32 \sim 0.40)P$

对桶式三辊斜轧穿孔机：　　　　　　　　$Q_d = (0.40 \sim 0.50)P$

对二辊斜轧延伸机：　　　　　　　　　　$Q_d = (0.15 \sim 0.20)P$

对二辊斜轧均整机：　　　　　　　　　　$Q_d = (0.35 \sim 0.50)P$

轧辊送进角对顶头阻力影响很大，送进角愈大阻力愈高，以上 Q_d 值是在送进角小于 13° 条件下测得的。

二辊斜轧穿孔机还必须考虑导板阻力矩，为简化计算，设轧件表面的运动方向与压缩带接触辊面的速度相同，以此确定导板摩擦力对轧件的作用方向。据测定导板上的压力约为轧制压力的 0.13 ~ 0.27。

根据计算的总力矩和轧辊转速即可求得功率和能耗。试验证明，延伸率愈大单位重量毛管的能耗愈高；同一延伸率毛管的管径愈大单位能耗愈低，轧辊转速影响不大；但送进角愈大单位能耗愈小。这里又一次反映出采用大送进角生产的效益。顶头位置一般认为，只要顶前径缩率能保证正常实现二次咬入即可，不宜过大，这样的单位毛管重量的能耗亦较低。

17.5　斜轧穿孔机的工具设计

工具设计的基本要求是：获得符合要求的几何形状和尺寸；良好的内外表面质量；咬入方便；轧制稳定；生产率高；单位产品重量的能耗小；工具磨损均匀耐用。

17.5.1　穿孔机轧辊设计

图 3-17-15（a）为目前常见的桶式穿孔机辊型图，分为三部分：（1）曳入锥；（2）辗轧锥；（3）压缩带，轧辊压缩带和导板或导盘构成的孔型一般称之为孔喉。它的位置，只要使曳入锥能进行必要的径向压缩率，保证轧制稳定即可，不必过后。使辗轧锥在可能的条件下长一些，这将有利于提高毛管壁厚的均匀性和内外表面质量。正确确定辊面锥角是辊形设计好坏的关键，按咬入条件入口辊面锥角 φ_1 宜小不宜大，只要能满足生产规格范围的径向压缩率要求即可。送进角小于 13° 斜轧穿孔机入口辊面锥角多为 3° ~ 3.5°。送进角在 13° 以上时，因为

入口辊面相对轧制线的实际张角 φ'_1 据式（3-17-25'）随送进角的增大而增加，所以入口辊面锥角 φ_1 需相应减小如图 3-17-15（b）。辗轧锥辊面锥角 φ_2 主要考虑毛管扩径量的要求，一般不宜取高，以免过分扩径增加了表面出现缺陷的概率。如采用毛管外径与来坯外径大致相等的等径穿孔原则，皆 $\varphi_1 = \varphi_2$。如扩径需要也可取 $\varphi_2 = \varphi_1 +$（1°~2°）。大送进角轧制时因为辗轧锥辊面相对轧制线的张角比实际的辊面锥角大，缩短了变形区长度，削弱了抛出力易发生后卡，因而采取多锥度辊型，距离轧辊回转中心愈远一般锥角应愈小，见图 3-17-15（b）。菌式辊型辊面相对轧辊轴线的辊面锥角 $\varphi_3 = \gamma + \varphi_1$，$\varphi_4 = \gamma - \varphi_2$，$\varphi_1$、$\varphi_2$ 为辊面相对轧制线的张角，γ 为辗轧角。大送进角时，辊面相对轧制线的张角 φ_1、φ_2 亦应加以修正。

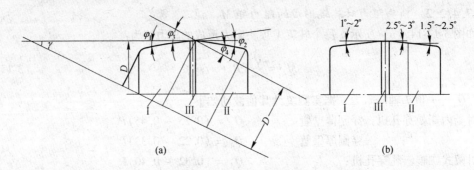

图 3-17-15 桶式和菌式辊型图

确定斜轧轧辊压缩带的直径 D 时，主要考虑毛管表面质量和咬入条件。试验证明辊径与最大轧制坯料外径比必须大于 3.5，不然会在毛管表面造成螺旋分布的断续"辊痕"，形成类似外折叠的缺陷。为了提高轧制过程的稳定性，改善大送进角轧制条件下的咬入和抛出能力，迫使斜轧穿孔的辊径日益增加。目前实际的辊径与最大坯料直径比在 3.5~6.8，大型机组因受到空间结构尺寸上的限制取下限。辊身长 L 应比要求的最长变形区大 100~200mm，一般辊身长约为最大辊径的 0.55~0.70，新轧机有加长的趋势，多在上限。

斜轧机轧辊的材料选择，既要有一定的耐磨性，又要求有较高的摩擦系数，以利咬入和抛出轧件。这一点对斜轧穿孔更为突出，所以辊面硬度受到一定限制。目前多采用 55Mn、65Mn 以及 55 号钢为材料的锻钢辊或铸钢辊，热处理后的辊面硬度为 HB141~184。

三辊斜轧穿孔机的辊型设计原则与二辊相同，不同者就是它的最大辊径受到要求生产的最小毛管外径的限制。如图 3-17-16 所示，当辊面间间隙 Δ 趋于零时即为最大辊径 D 和孔喉处可能轧制的最小轧件直径 d_{xi} 的极限条件。最小辊面间隙约为 3~4mm。

按图 3-17-16 几何关系可求得三辊斜轧穿孔孔喉处的最大辊径 D 的计算式：

$$D = 6.5 d_{xi} - 7.5 \Delta \qquad (3\text{-}17\text{-}34)$$

三辊斜轧的最小辊径受到轧制最大直径钢管时的强度限制。

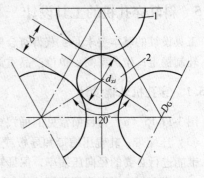

17.5.2 斜轧穿孔的顶头设计

图 3-17-17 是常见的斜轧穿孔球面顶头。构成一般有四部分：（1）穿轧锥是主要进行加工的部分；

图 3-17-16 三辊斜轧穿孔机最大辊径与
孔喉处最小轧件直径的关系图
1—轧辊；2—轧件

（2）均壁锥，它的主要作用是均整毛管壁厚，一般取为直线段，并且应与轧辊相应工作母线间形成等距缝隙。目前锥角多取与轧辊辗轧锥角相等，对大送进角轧机，顶头辗轧锥的锥角按式（3-17-25′）修正。长度一般取为毛管出口单位螺距的（1.5～2.0）倍。出口单位螺距应按该顶头轧制的最薄毛管计算；（3）反锥，就是在顶头末端略带一定反向锥度，以免划伤毛管的内表面。对于穿孔时自由松动配合的顶头反锥较长（见图3-17-17（b）），目的是使其单独放置在导板上时轴线保持水平；（4）鼻尖，作用是改变金属的流向，在顶头尖部形成间隙不与炽热的金属直接相接，有利于减缓尖部磨损提高使用寿命。空心顶头还可以在间隙处打眼，将润滑剂直接打入变形区，改进润滑条件提高穿孔效率和产品质量。我国使用较广的是水内冷顶头。以螺纹与顶杆紧固联结，这种联结方法一定要严格要求顶头轴线与顶杆轴线的平行性和同心度，不然顶头相对顶杆轴线的任何倾斜和偏移，在管体上造成的螺旋壁厚不均，据试验结果证明将是可拆松动联结顶头的两倍左右。

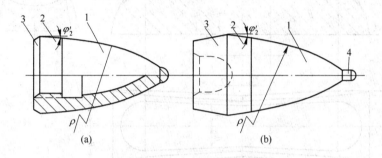

图 3-17-17　斜轧穿孔的球面顶头

（a）水内冷固接顶头；（b）水外冷可拆松动联结顶头

　　顶头设计的好坏主要取决于穿轧锥的长度和它的轮廓曲线设计，因为这决定了变形的分布规律。穿轧锥的长度完全取决于变形区的实际长短，即主要取决于坯料的总缩径量，另外辊面锥角和送进角也有明显影响。从变形区总长度中减去实现二次咬入要求的顶头前最低径缩率长度，和必要的均壁锥、毛管规圆段长度外，剩下部分便是穿轧锥的最大可能长度。如从变形区总长度中减去临界径缩率要求的变形区长度，和均壁段、规圆段长度，剩下部分便是穿孔锥最小设计长度。两者之差便是顶头设计允许的长度变化范围，也是生产时顶头位置可能的调节范围。考虑到轧机调整的需要可取最大可能设计余长的85%左右作为顶头穿轧锥的设计长度。这样设计的顶头不易发生前、后卡，调整也比较方便。目前常见的工作锥轮廓曲线多为球面形顶头，如图3-17-17。整个穿轧锥是以单半径构成，为使表面过渡平滑圆弧与均壁锥相切，与顶尖圆柱底相交。这种设计方法简单，同一尺寸顶头只要毛管内径大致相等即可选用，可适应较大范围的毛管规格和轧机调整情况。问题是变形主要集中于前锥，磨损严重。近年来按拟定的变形分布原则设计顶头穿孔锥的方法又重新提出。试验证明，只要变形分布曲线合理，这种顶头使用过程中磨损均匀、穿孔效率高、节能，但主要缺点是一条穿轧锥曲线只适于一种规格产品和轧机调整参数，不然就完全失去原来的意义，所以长期以来生产中未能推广。但是张力减径出现后，使得穿孔机生产的毛管规格锐减。顶头材质性能日益提高，因此关于顶头合理轮廓曲线的研究又引起了人们的兴趣。顶头材料要求具有良好的高温强度和耐磨性；良好的导热性；耐激冷激热性。目前常用的有 $3Cr_2W_8$、$20CrNi_3A$，穿制高温强度高的材料时多采用钼基合金 Mo-0.5Ti-0.02C。

17.5.3　斜轧穿孔的导向装置设计

导板是两辊斜轧穿孔机的导向装置之一，导板不仅能限制横向变形，增加孔型的封闭性，保证钢管的内表面质量，而且在一定程度上也影响到金属的运动学和动力学。设计应以同外径的薄壁管为准，因为薄壁管材要求导板与辊面吻合得更好。

图 3-17-18 是穿孔机导板的结构示意图，它与轧辊的相对位置见图 3-17-5。设计主要确定进、出口斜面的倾角 ω_1、ω_2，导板中间过渡带相对轧辊压缩带的距离。导板横截面形状沿轧

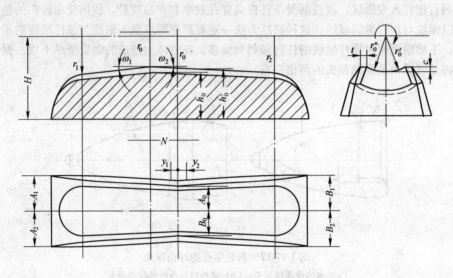

图 3-17-18　两辊斜轧穿孔机的导板图

件运行轴线的变化，主要根据与辊面密切吻合的要求，完全按空间几何关系推导。导板过渡带一般相对轧辊压缩带向入口方向前移一定距离 N，对碳钢和低合金钢其值大致与顶尖超前量相近。实践证明，这样配置能提高滑动系数，降低能耗，提高导板使用寿命。但对低塑性高合金钢为控制轧辊压缩带的椭圆度，一般将导板前移量 N 取得小些，或将过渡带作成一定长度的平段。入口斜面的倾角 ω_1 应本着轧件先与轧辊接触 1~2 个单位螺距后再与导板相遇的原则确定，以免发生前卡。小型机组的导板大多设有入口斜面。按上述考虑到图 3-17-5，导板入口斜面倾角 ω_1 可按下式计算：

$$\omega_1 = \arctan \frac{(d_p - a)\tan\varphi_1}{d_p - d - 2[(1 \sim 2)z_x + N]\tan\varphi_1} \tag{3-17-35}$$

导板出口斜面的倾角 ω_2 主要是控制变形区各断面的椭圆度，同时必须考虑在毛管内表面脱离顶头之前，外表面必须离开导板，防止后卡。按图 3-17-5，在极限条件下应在 A—A 剖面位置上，毛管内、外表面分别与顶头、导板脱离。据此 ω_2 按下式计算：

$$\omega_2 = \arctan \frac{2d_{ch} - (d_R + 2h_{ch}) - a}{2l_d} \tag{3-17-36}$$

导板工作面凹坑深 C 一般取 $5 \sim 30 \text{mm}$，边宽 t 取 $6 \sim 15 \text{mm}$，工作面圆弧半径一般在旋转毛管金属进入导板一侧的半径 r_0' 等于 $0.5 d_p$。在金属离开导板一侧的半径 r_0'' 等于 $0.75 d_p$，导板出口工作面圆弧半径 r_2 等于 $0.8 \sim 1.0 d_{ch}$。导板长度无需过长，能满足最大变形区长度要求即可。其他参数完全按空间几何关系推导。导板在变形区的安装位置，应靠近旋转毛管金属流进导板

一侧的辊面，以防轧卡。

导盘也是两辊斜轧穿孔机的导向装置之一，由于它工作性能的优越性，因此在两辊斜轧穿孔机上应用日益广泛，图3-17-19为导盘与轧辊的装置关系图，由几何关系求得：

$$H = D + b - \Delta_r - \Delta_{ch} - \sqrt{R^2 - \left(\frac{a}{2} - h_r\right)^2} - \sqrt{R^2 - \left(\frac{a}{2} - h_{ch}\right)^2} \qquad (3\text{-}17\text{-}37)$$

由此可知，辊距愈小、孔喉椭圆度愈小、R 愈大，盘体厚度愈薄。所以一般应用最小辊距、最小孔喉椭圆度和最大辊径的条件设计导盘厚度，以利于操作调整。

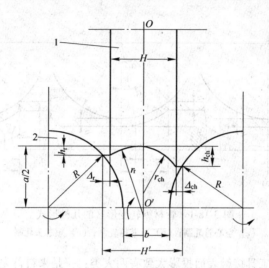

图3-17-19 导盘与轧辊的装配关系
1—导盘；2—轧辊

为保证足够的变形区长度，导盘外径取轧辊压缩带直径的 1.5 ~ 2.0 倍，导盘的工作表面取双半径构成，r_r 取生产管坯最小直径的 0.7 倍，r_{ch} 取 0.5 倍。采用单半径工作表面运转时振动较大。宝山钢管公司 140 连轧管机组的穿孔机导盘直径取孔喉辊径的 1.6 ~ 1.7 倍，孔喉椭圆度取 1.09，Δ_r 取 2 ~ 3mm，$\Delta_{ch} \geqslant \Delta_r$，$h_{ch} = 24$mm，$h_r = 21$mm，导盘工作表面用双半径构成。

18　管材纵轧原理和工具设计

18.1　管材纵轧变形区的特点

管材纵轧基本上有三种类型，如图 3-18-1 所示，有空心管轧制、长芯棒轧制和短芯头轧制。

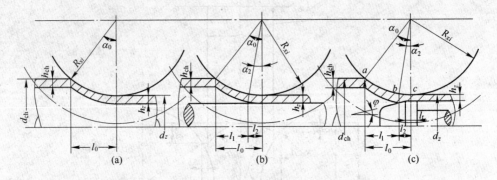

图 3-18-1　管材纵轧变形区的几种形式

（a）空心管轧制；（b）长芯棒轧制；（c）短芯头轧制

这三种轧制类型的工具接触表面投影大致有两大类：一是来料首先与孔型侧壁接触，与工具接触表面的投影如图 3-18-2（a）；二是来料首先与孔型槽底接触，与工具接触表面的投影如图 3-18-2（b）。无论哪一种工具接触表面情况，都是从点开始的，因此管件纵轧变形区可分为以下几个阶段：（1）压扁，开始咬入时由于孔型形状与毛管横剖面不相适应造成局部点接触，压扁便首先在此开始，特点是只有断面形状的变化，周长、壁厚无变化，无延伸；（2）减径，随着压扁的发展孔型壁与轧件接触表面不断增加，至一定程度后在径向接触应力作用下开始减径。特点是平均直径减小，毛管出现延伸，壁厚有所增减。因为孔型开口处金属沿径向流动的阻力较小，这里的壁厚较槽底大，开始出现横剖面上的壁厚不均。这两个变形阶段各在变形区

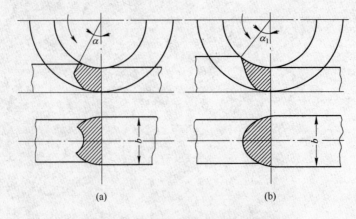

图 3-18-2　管材与孔型内接触表面的投影图

（a）与孔型侧壁首先接触的投影图；（b）与槽底首先接触的投影图

中占有的百分比，受到毛管原始相对壁厚（壁厚与外径比）和孔型限制展宽能力的影响。来料的相对壁厚愈小、孔型限制展宽的能力愈弱则压扁区愈长，愈不利于轧件延伸；（3）减壁，这是带芯棒或芯头轧管的最后阶段，从轧件的内表面开始接触芯头到该剖面完全离开变形区为止是减壁阶段。特点是管体在孔槽和芯头组成的孔型加工下，外径继续减小，壁厚很快轧薄，毛管迅猛延伸。由于孔型开口部分管壁得不到加工，槽底部分金属又横向宽展，使得孔型开口区的管壁更加偏厚，横剖面上的壁厚不均更加严重。这时孔型开口区的金属由于不均匀变形还承受着附加拉应力的作用，所以在孔型设计时必须认真改善宽向变形分布的均匀性，不然如孔型开口区的附加拉力过大，就可能在管体上出现周期性横裂，这一点对低塑性材料尤需注意。

因为管体纵轧有相当一部分压扁存在，所以单纯的"压下"已不能完全反映实际变形，而应改用平均直径减缩率表示。孔型的宽度也不取决于金属的宽展，而完全取决于管体的压扁扩展程度。因为这时实际的金属宽展值与压扁的扩展值相比太小了，可以略而不计。不过金属宽展对轧件横剖面上壁厚不均的影响还是很大的，仍然是管材纵轧需要研究解决的问题之一。管材纵轧的基本变形参数应是减径率、减壁率和延伸率。

正确选用孔型形状是提高管材尺寸精度和表面质量的重要环节之一。目前管材纵轧常用的孔型基本上有椭圆孔型（见图3-18-3（a）、（b）），和圆孔型（见图3-18-3（c）、（d）、（e））两大类。圆孔型考虑留有宽展余地，皆设有开口角 ψ，在此范围内以较大的半径作侧壁圆弧，形成一定的开口度。椭圆孔型必要时也可作此处理。要提高轧件尺寸精度，应尽量使变形沿孔型宽度方向分布均匀，降低宽展量，为此应努力提高孔型的严密性，椭圆孔型的严密性主要取决于孔型的宽高比，比值愈小严密性愈好。圆孔型除了决定于孔型宽高比之外，还受到孔型开口角的影响，小开口角利于提高孔型的严密性。如是同一孔型宽高比，带圆弧侧壁的圆孔型要比椭圆孔型限制展宽的能力强严密性好。

各种轧制条件下的变形区长度，如不计压扁影响，可按槽底接触长度计算如下，参看图3-18-1，变形区总长度 l_0 为：

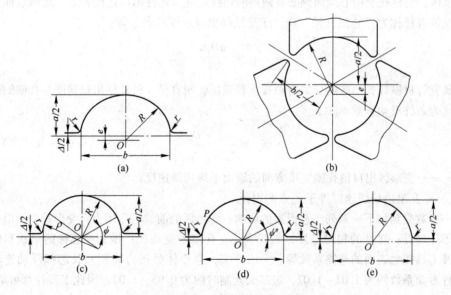

图 3-18-3　管材纵轧孔型图

（a）二辊椭圆孔型；（b）三辊椭圆孔型；（c）带侧壁圆弧圆孔型；（d）切线侧壁圆孔型；（e）圆孔型

$$l_0 = \frac{d_{ch} - d_z}{2} \sqrt{\frac{4R_{xi}}{d_{ch} - d_z} - 1} \tag{3-18-1}$$

长芯棒减壁区长度 l_2 为:

$$l_2 = \sqrt{(h_{ch} - h_z)(2R_{xi} + h_{ch} + h_z)} \tag{3-18-2a}$$

短芯头减壁区长度 l_2 为:

$$l_2 = \cos\varphi \sqrt{(R_{xi} + h_{ch})^2 - (R_{xi} + h_z - l_y\tan\varphi)^2 \cos^2\varphi} - \frac{1}{2}(R_{xi} + h_z - l_y\tan\varphi)\sin2\varphi \tag{3-18-2b}$$

式中　　R_{xi}——孔型槽底的轧辊半径;

　　　　φ——短芯头锥角;

　　　　l_y——短芯头圆柱段在变形区中的长度。

18.2　管材纵轧变形区的速度分析

管材纵轧变形区由于孔槽的存在使得前后滑区的分布比较复杂,为正确设计孔型和准确调整连轧机各机架转速,故首先必须弄清变形区内金属的运动特点。

变形区出口剖面上孔型内任一点的切线速度 v_x 可表示为:

$$v_x = \frac{\pi D_x n}{60} \tag{3-18-3}$$

式中　　n——轧辊转速,r/min;

　　　　D_x——孔型内任一点对应的辊径。

因为沿孔槽各点的半径在变化,相应的切线速度也各不相同,槽底最小,槽缘最大,两者的速度差可达20%~30%。但轧件是以同一速度离开轧辊,因此在同一出口截面上就会存在前、后滑区。对称孔型中心线两侧必有两点的切线速度与轧件出口速度相等,此两点称为中性点,对应的直径称为"轧制直径" D_z。于是轧件出口速度可表示为:

$$v_z = \frac{\pi D_z n}{60} \tag{3-18-4}$$

为研究管材纵轧变形区内金属滑动特点和确定轧制直径,设轧件出口速度与孔槽的平均切线速度比为条件滑动系数 S_{Ti}:

$$S_{Ti} = \frac{v_z}{v_{pi}} = \frac{D_z}{D_{pi}} \tag{3-18-5}$$

式中　　v_{pi}——变形区出口沿孔型宽度方向的辊面平均切线速度;

　　　　D_{pi}——孔型内切线速度等于 v_{pi} 点的辊径。

这一参数受到如下一系列工艺因素的影响:变形区的前、后作用力;变形程度;沿孔型宽度的变形均匀性;轧件的相对壁厚;辊径大小;孔型的宽高比;顶头或芯棒的形状和使用方法;以及工具接触表面的摩擦系数等。实测证实,空心体微张力轧制和长芯棒浮动连轧条件下,条件滑动系数约为1.02~1.07,短芯头轧制时约为0.95~1.02,因此工程计算可取 D_z 近似地等于 D_{pi},误差约在2%~7%。

按式(3-18-3)孔型平均速度的辊径可写为:

$$D_{pi} = \frac{60}{\pi n} v_{pi} \qquad (3\text{-}18\text{-}6)$$

根据图 3-18-4，变形区出口孔型的平均切线速度 v_{pi} 可按以下方法计算：

$$v_{pi} = \frac{F_v}{b} \qquad (3\text{-}18\text{-}7)$$

式中 F_v——变形区出口沿孔槽轮廓线的切线速度积分值。

$$F_v = 2\int_0^{b/2} v_x \mathrm{d}x = \frac{\pi n}{30}\int_0^{b/2} D_x \mathrm{d}x$$

将式（3-18-7）代入式（3-18-6）得：

$$D_{pi} = \frac{2}{b}\int_0^{b/2} D_x \mathrm{d}x = D_m - \frac{2}{b}\int_0^{b/2} 2y\mathrm{d}x$$

$$(3\text{-}18\text{-}6')$$

上式可简示为：

$$D_{pi} = D_m - \lambda b \qquad (3\text{-}18\text{-}6'')$$

式中 D_m——轧机的名义直径；

λ——孔型的速度系数。

按不同孔型的几何形状特点列出各自的 y 表达式，代入式（3-18-6'）即可求得各自的孔型速度系数 λ。对二辊式纵轧机，孔型宽高比在 1.05 ~ 1.12 的圆孔型和椭圆孔型，无张力轧制时系数 λ 可取为 0.75。

因为轧件速度与轧制直径的切线速度相同，所以反映出口截面孔槽各点金属滑动情况的系数可用下式表示：

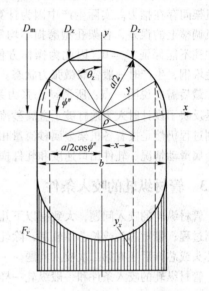

图 3-18-4 确定孔槽平均速度辊径图示

$$S_x = \frac{v_z}{v_x} = \frac{D_z}{D_x} \qquad (3\text{-}18\text{-}8)$$

式中，$D_x > D_z$，$S_x < 1.0$ 为后滑区，$D_x < D_z$，$S_x > 1.0$ 为前滑区，以孔槽底部的前滑值为最大。通常称管材纵轧的前滑系数即指此最大值而言。此值易于测定，可按下式计算：

$$S_{xmax} = \frac{D_z}{D_m - a} \qquad (3\text{-}18\text{-}9)$$

沿变形区的其他横剖面也同样存在着切线速度在轧制轴线方向上的分量与轧件速度相等的点，连接这些点便形成一空间曲线如图 3-18-5 所示，abc 曲线包含的面为前滑区，以外为后滑区。轧管机生产薄壁管时前滑区一般分布在减壁区，随着壁厚增加逐渐向减径带扩大。减径机前滑区的分布受到机架间作用力的影响，前张力增长前滑区相应扩大，后张力增长前滑区随之缩小，严重时完全消失，出现打滑现象，在毛管上留下印痕，这对产品的尺寸精度和表面质量都是极其不利的。后张力对变形区内金属变形和运动的影响皆比前张力为大。

对于连轧机变形区内金属的运动还关系到机架间的作用力问题。要机架间无恒作用力存在，必需各机架的金属秒流量相等：

$$F_1 v_1 = F_2 v_2 = \cdots = F_x v_x = \cdots = 常数$$

如设计使相邻两机架的下一架秒流量大于上一架，则机架间将产生张力，反之为推力。这一般用动态张力系数来衡量机架间秒流量不等的程度，称为动态张力系数，表达式如下：

$$C_x = \frac{F_x v_x - F_{x-1} v_{x-1}}{F_x v_x} \quad (3\text{-}18\text{-}10)$$

式中，$C_x > 0$ 表示机架间存在张力，$C_x < 0$ 表示机架间存在推力。实际生产中因为计算和轧机调整上的误差，各架孔型磨损不均等原因往往不能保证 $C_x = 0$，因此为操作方便和避免堆钢，生产时一般皆取微张力状态。

最后需要说明一点：所谓动态张力系数

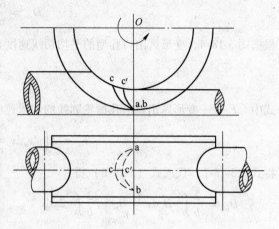

图 3-18-5　管材纵轧变形区内的前滑分布图

只是反映了设计时人为地打破了金属秒流量相等的原则，在机架间产生了张力或推力。但实际轧制过程仍然是按着各机架金属秒流量相等的原则进行的。只是在新的条件下改变了变形区内的金属滑动情况、轧件出口速度和轧件横剖面面积等，达到了新的平衡罢了。

18.3　管材纵轧的咬入条件

管材纵轧的咬入问题，大致有以下几种情况：空心管体轧制，一次咬入后即可建立稳定的轧制过程；带短芯头或长芯棒轧制，除轧件外表面接触到轧辊的一次咬入外，毛管内表面接触到芯头或芯棒后还有第二次咬入问题。一般二次咬入的阻力较大，易发生前卡。

管材纵轧的咬入条件和一般纵轧一样，即在轧件运动方向上的咬入力必须大于或等于阻滞力。

对于各种情况下用后推力强迫钢的第一次咬入条件，应满足以下经验公式：

$$\tan\alpha \leqslant \frac{2f}{1-f^2} \quad (3\text{-}18\text{-}11)$$

式中　f——轧辊接触表面的摩擦系数；

　　　α——开始接触点的第一次咬入角，如图 3-18-6 所示，可计算如下：

$$\tan\alpha = \frac{\sqrt{(D_m - a\sin\psi)^2 - (D_m - \sqrt{d_{ch}^2 - a^2\cos^2\psi})^2}}{D_m - \sqrt{d_{ch}^2 - a^2\cos^2\psi}} \quad (3\text{-}18\text{-}11')$$

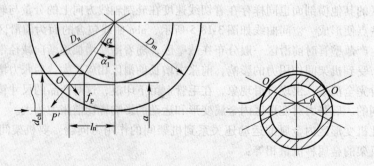

图 3-18-6　管材第一次咬入图示

定减径机一般皆为椭圆孔型系统，辊道自由送钢，皆与孔槽底首先接触，则第一次咬入条件应为：

$$\tan\alpha_1 \leqslant f \tag{3-18-12}$$

式中　α_1——槽底首先接触时的第一次咬入角，见图 3-18-6，可计算如下：

$$\tan\alpha_1 = \frac{\sqrt{(d_{ch} - a)(2D_m - d_{ch} - a)}}{D_m - d_{ch}} \tag{3-18-12'}$$

管材纵轧的第二次咬入受力情况比较复杂，促使轧件咬入的是轧辊在减径区对轧件作用的摩擦力在轧制线方向的分量 T_x。阻力咬入的力，有轧辊减径区的正压力 N、顶头上的正压力 N_d 和摩擦力 T_d 在轧制线方向上的分量（N_x、N_{dx}、T_{dx}）。所以保证实现二次咬入的条件是：

$$T_x \geqslant N_x + N_{dx} + T_{dx} \tag{3-18-13}$$

由上式可见，轧管时必须考虑一定的减径量，特别是小径管、厚壁管尤须注意加大毛管内径和顶头的外径差，扩大减径区提高咬入力。为减少顶头阻力还应选用合适的芯头和芯棒的润滑剂。

18.4　管材纵轧的轧制力和轧制力矩

纵轧管材有两种情况，一是带芯棒轧制，如长芯棒连续轧管机、自动轧管机；一是空心管轧制，如定减径机（见图 3-18-1）。它们轧辊上的总压力，可表示如下：

$$P = P_1 F_1 + P_2 F_2 \tag{3-18-14}$$

式中　F_1、F_2——减径区和减壁区接触表面的水平投影，空心管轧制时后者为零；
　　　P_1、P_2——减径区和减壁区的垂直平均单位压力。

18.4.1　接触表面水平投影面积计算

自动轧管机（图 3-18-1（c））孔型皆有开口侧壁，轧制圆形毛管时，变形区总接触表面的水平投影面积，В. П. 阿西伏罗夫建议用下式计算：

$$F = b\left(1 + \frac{D_m}{12D_{min}}\right)\sqrt{\frac{d_0 - a}{2}D_{min}} \tag{3-18-15}$$

式中　b——接触表面水平投影宽度，取为孔型宽度；
　　　d_0——毛管外廓线高度，取为毛管计算外径；
D_m、D_{min}——轧辊名义直径和孔型槽底的辊径。

上式未考虑管体在变形过程中存在压扁的影响，所以计算值比厚壁管实测值小 15% ~ 20%，薄壁管小 25% ~ 40%。

自动轧管机减壁段的水平投影面积为：

$$F_2 = (1.06 \sim 1.10)bl_2 \tag{3-18-16}$$

式中　l_2——孔型槽底的减壁区长度，

$$l_2 = \frac{D_{min}\tan\varphi}{2}\left[\sqrt{1 + \frac{4(\Delta h + l_y\tan\varphi)}{D_{min}\tan^2\varphi}} - 1\right]$$

其中　φ——短芯头锥角；
　　　l_y——短芯头圆柱段向入口方向伸出轧辊中心联线的长度；
　　　Δh——减壁区的轧壁量，

$$\Delta h = h_0 \left[1 - \frac{d_0 - h_0}{\mu_z (d_z - h_z)} \right]$$

其中　h_0、h_z——送入和轧后毛管壁厚；

　　　　d_0、d_z——送入和轧后毛管外径，后者可取为轧制孔型高度；

　　　　μ_z——延伸率。

减径区接触表面的水平投影面积为：

$$F_1 = F - F_2 \tag{3-18-17}$$

对长芯棒连续轧管机 A. Π. 阿涅西伏罗夫建议减径段接触表面的水平投影面积按下式计算

$$F_1 = \frac{1}{2} d_m \left[\sqrt{\frac{D_{min}}{2} (b_{x-1} - a_x)} - \sqrt{D_{min} \Delta h} \sin(\psi - \beta) \right] \tag{3-18-18}$$

式中　d_m——连轧机芯棒直径；

　　　D_{min}——孔型槽底的最小直径；

　　　b_{x-1}——送入毛管的高度，可取为前一机架的孔型宽度；

　　　a_x——讨论机架的孔型高度；

　　　Δh——孔型槽底的减壁量；

　　　ψ——孔型开口角；

　　　β——孔型开口角范围内，管壁与芯棒接触区占据的部分中心角。

$$\beta = \arccos \left(1 - 2 \frac{\Delta h}{d_m} \right) \tag{3-18-19}$$

减壁区接触表面的水平投影面积为：

$$F_2 = C(d_m + 2h_k) \sqrt{D_{min} \Delta h} \cos(\psi - \beta) \tag{3-18-20}$$

式中　h_k——轧制毛管在孔型开口处的壁厚，可取为上一机架孔型槽底的壁厚；

　　　C——系数，$\beta = 0$ 时等于 0.74，如孔型开口处的壁厚大于孔型槽底的壁厚则为 1.1。

对空心管轧制，变形区接触表面的水平投影面积按 A. A 舍夫钦柯建议为：

$$F = (0.80 \sim 0.85) b_n \sqrt{\frac{1}{2} (b_{x-1} - a_x) \left[D_{min} - \frac{1}{2} (b_{x-1} - a_x) \right]} \tag{3-18-21}$$

式中　b_n、b_{x-1}——本机架和上一机架孔型宽度；

　　　a_x——本机架孔型高度；

　　　D_{min}——孔型槽底的最小直径。

18.4.2　平均单位压力、芯棒轴向力计算

减径区的平均单位压力建议按下式计算：

$$p_1 = \eta k_f \frac{h_0}{d_{pi}} \tag{3-18-22}$$

式中　d_{pi}——减径区孔型高度的平均值；

　　　h_0——来料管壁厚度；

　　　k_f——轧制温度下不同变形速度的变形抗力，按图 3-18-7 查阅；

　　　η——考虑非接触区影响的系数，

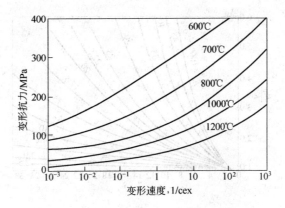

图 3-18-7 变形抗力与变形速度的关系

$$\eta = 1 + 0.9 \frac{d_{pi}}{l_1} \sqrt{\frac{h_0}{d_{pi}}}$$

式中 l_1——减径区长度。

减径区的变形速度按下式计算：

$$u_1 = \frac{2v_{min}}{d_{pi}} \sin \frac{\alpha}{2}$$

式中 v_{min}——孔型槽底的辊面切线速度；

α——第一次咬入角，见图 3-18-6。

减径区孔型的平均高度，带芯棒轧制时为：

$$d_{pi} = \frac{1}{2} \left[d_0 + D_m - \sqrt{(D_m - a)^2 - 4l_2^2} \right]$$

对于定、减径机变形区平均单位压力仍按式（3-18-22）计算，但非接触区影响系数应计算如下：

$$\eta_x = 1 + \frac{d_{x-1}}{2l_x} \sqrt{\frac{h_{x-1}}{d_{x-1}}} \tag{3-18-22'}$$

式中 d_{x-1}、h_{x-1}——来料平均管径和壁厚；

l_x——变形区长度。

张力减径过程中的张力对变形区平均单位压力影响较大，平均单位压力应按下式计算：

$$p = 1.15\sigma_s \eta \frac{2h}{d_{pi}} \left[1 - \left(\frac{1}{3}Z_{qi} + \frac{2}{3}Z_{ho} \right) \right] \tag{3-18-23}$$

式中 σ_s——轧制温度下金属的流动极限；

η——非接触区影响系数按式（3-18-22'）计算；

d_{pi}——变形区平均管径；

Z_{qi}、Z_{ho}——前、后张力系数，该系数将在减径机一节中介绍。

减壁区的平均单位压力一般按图 3-18-8 的 A. И. 采利柯夫曲线查阅确定，有关参数计算如下：

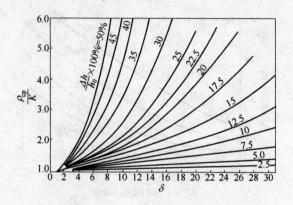

图 3-18-8　А. И. 采利柯夫曲线

$$K = 1.15k_f; \quad \delta = \frac{2fl_2}{\Delta h}; \quad \frac{\Delta h}{h_0} = \frac{\Delta h}{h_0} \times 100\%$$

式中　f——金属与辊面的摩擦系数，按式 C. 阿克隆法，$f = 1.05 - 0.0005t - 0.056v$；

　　　t——轧制温度；

　　　v——轧制速度；

　　　k_f——轧制温度变形速度下的变形抗力。

$$\mu_2 = \frac{2v_{min}}{h_0 + h}\alpha_2$$

式中　α_2——第二次咬入角，

$$\sin\alpha_2 = \frac{2l_2}{D_m - a + 2h_0}$$

　　　h_0——来料管壁厚度。

亦可按式（3-18-24）计算：

$$P_2 = K(1 + m) \tag{3-18-24}$$

式中　$K = 1.15k_f$；

　　　$m = \dfrac{2fl_2}{h_0 + h}$；

　　　k_f——轧制温度和变形速度下的变形抗力，按图 3-18-7 查寻，对高合金钢可将求得值加大

　　　　　1.5 倍，变形速度按下式计算：

$$u = \frac{v}{l_2}\frac{\mu - 1}{\mu}$$

　　　v——轧制速度；

　　　μ——延伸系数；

h_0、h——孔型槽底来料毛管和轧后毛管的壁厚。

芯棒上的轴向力，按式（3-18-25）、式（3-18-26）计算：对长芯棒连轧机

$$Q = p_2\pi d_m l_2 f \tag{3-18-25}$$

对自动轧管机

$$Q = p_2 \pi (d_m - l_2 \tan\varphi) l_2 (\tan\varphi + f') \tag{3-18-26}$$

式中　d_m——芯棒直径；

　　　f'——金属对芯棒的摩擦系数，对长芯棒连轧机取 $f' = 0.08 \sim 0.1$，对短芯头自动轧管机取与金属对轧辊的摩擦系数相等；

　　　φ——锥形短芯头的锥角。

18.4.3　管材纵轧的力矩计算

计算轧辊的传动力矩时，必须考虑到所有阻滞轧辊旋转的作用力。图 3-18-9 为纵轧管材时各作用力的分布情况。

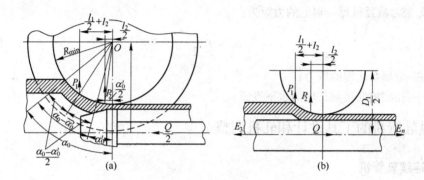

图 3-18-9　确定钢管轧制力矩的草图

(a) 自动轧管机；(b) 连续轧管机

自动轧管机每个轧辊的传动力矩为（图 3-18-9（a））

$$m = P_1 \left(l_2 + \frac{l_1}{2} \right) + P_2 \frac{l_2}{2} + \frac{Q}{2} \frac{D_m}{2} \tag{3-18-27}$$

式中　P_1、P_2——减径区和减壁区金属对轧辊的作用力；

　　　l_1、l_2——减径区、减壁区的变形区长度。

连续轧管机每个轧辊的传动力矩为（图 3-18-9（b））

$$m = P_1 \left(l_2 + \frac{l_1}{2} \right) + P_2 \frac{l_2}{2} + \frac{D_m}{4} (E_{ho} - E_{qi}) + \frac{1}{4} Q D_m \tag{3-18-28}$$

式中　E_{qi}、E_{ho}——机架的前后张力或推力，张力取正值；

　　　Q——芯棒对轧辊的轴向作用力，阻滞轧件运行的方向为正。

对连轧机来说，我们只能计算轧辊传动必须的最大力矩，因为钢管连轧从毛管和芯棒开始送入连轧机组到离开机组各机架的变形条件一直都在变化。也可以用下式近似估算各辊的力矩值

$$m = P_1 (l_2 + 0.65 l_1) + P_2 0.65 l_2 \tag{3-18-28'}$$

对张力减径机各机架的总传动力矩按下式计算：

对三辊轧机　　　$$m_z = fpd\sqrt{3} \left[\frac{D_m}{d} \left(\frac{\pi}{3} - 2\theta_z \right) - \left(\frac{\sqrt{3}}{2} - 2\sin\theta_z \right) \right] \tag{3-18-29}$$

对二辊轧机　　　　　　$m_z = fpd\left[\dfrac{D_m}{d}\left(\dfrac{\pi}{2} - 2\theta_z\right) - (1 - 2\sin\theta_z)\right]$　　　　　　(3-18-29′)

式中　f——金属对轧辊的摩擦系数；

　　　p——金属在轧辊上的作用力；

　　　d——孔型直径；

　　　D_m——名义轧辊直径；

　　　θ_z——轧制直径在孔型上对应的中心角。

　　需要说明的是计算机架和传动强度时，应当考虑在开始咬入时由于轧件和轧辊接触表面间的速度差，会使瞬时力矩达到上述计算值的 2 ~ 3 倍，有的甚至达到 5 倍。

　　对于无张力减径机每一辊上的力矩为：

$$m = P\frac{l}{2}$$ 　　　　　　(3-18-30)

式中　P——金属对轧辊的压力；

　　　l——孔型槽底接触长度的水平投影。

18.5　纵轧管机的工具设计和轧机调整

18.5.1　连续轧管机

　　连续轧管机多由两辊或三辊斜轧穿孔机提供毛管，经连轧机加工后送往张力减径机轧成要求的成品管热尺寸。穿孔机延伸系数大致为 1.8 ~ 2.8，连轧机延伸系数大致为 2.5 ~ 6.4，就是说这种机组的主要变形是在连轧机上完成的，所以连轧毛管的质量更加直接地影响着成品管材的形状和尺寸精度，因此正确设计连轧机的工具很为重要。连轧机孔型设计包括合理选择孔型系统；确定各道次孔型的宽高比；正确分配各机架的延伸系数；给定各机架间的运动张力系数，正确调速。设计应以减壁量最大的薄壁管为准，保证在横截面和纵截面上都获得要求的尺寸精度。

　　浮动芯棒连续轧管机目前常用的孔型有带圆弧侧壁或切线侧壁的圆孔型、椭圆孔型、带圆弧侧壁或切线侧壁的椭圆孔型等。椭圆孔侧的非接触区大，易脱棒，但对圆芯棒轧制来说沿孔型宽向变形很不均匀，毛管横剖面上的壁厚不均严重。圆孔型侧面非接触区小，沿孔型宽向变形较均匀，产品壁厚均匀性好，尺寸精度高，但不易脱棒。所以现代连轧机皆采用不同孔型形状的组合系统，各取其长。如九机架连轧机组的头两架无需考虑松棒问题，孔型宽高比就可取得比较小约 1.20 ~ 1.25，提高延伸能力。但这里穿孔毛管尺寸常波动，开始两道的减径量大，毛管铁皮多孔槽易磨损，所以孔型采用的是带有圆弧侧壁或切线侧壁的椭圆孔，因这种孔型允许大减径量，铁皮易脱落，孔槽磨损比较均匀。中间机架是主要减壁区，提高变形沿宽度方向的均匀性很是重要，所以多取带圆弧侧壁的圆孔型。开始孔型椭圆度应较大，约 1.25 ~ 1.30，以留有足够的宽展余地。以后椭圆度应较小约 1.24 ~ 1.25，因这里是毛管最后确定管壁阶段，需力求提高管壁的均匀性。最后两架是定径成型和松开芯棒，孔型椭圆度均很小，约 1.02 ~ 1.06。孔型可采用偏心值很小的椭圆孔，或采用开口角不大的有圆弧侧壁的圆孔，或采用圆孔。侧壁开口角一般前七架约在 40° ~ 45°，后两架为 30°。

　　图 3-18-10 为某一九机架连续轧管机采用的孔型图。表 3-18-1 为此孔型系统表。穿孔毛管尺寸 $\phi140$mm × 15mm，连轧后钢管尺寸 $\phi108$mm × 3.5mm，芯棒直径 98mm。

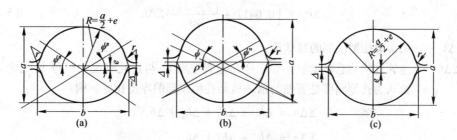

图 3-18-10 某九机架小型连续轧管机孔型图

（a）第一和第二机架孔型；（b）第三到第七机架孔型；（c）第八和第九机架孔型

表 3-18-1 九机架连续轧管机 ϕ108mm ×3.5mm 管材的孔型主要尺寸表

机架号	孔型尺寸/mm		孔型宽高比 G	开口角度/ (°)	偏心值 e/mm	孔型侧壁圆弧半径 ρ/mm	孔槽边角圆弧半径 r/mm	辊缝 Δ /mm	孔型槽壁厚/mm	孔型槽底的减壁量	
	高 a	宽 b								绝对值 /mm	相对值 /%
1	119	143	1.20	30	6	—	20	8	10.5	4.5	30
2	113	138	1.40	28	5	—	20	5	7.5	7.5	50
3	110	140	1.27	42	5	332	22.5	5	6	4.5	42.8
4	108	136	1.26	43	5	228	27	5	5	2.5	33.3
5	106	136	1.28	43	5	290	20	5	4	2	33.3
6	105	130	1.24	42	5	288	20	5	3.5	1.5	30
7	105	130	1.24	42	5	288	20	5	3.5	0.5	12.5
8	109	119	1.09	5			20	5	3.5	—	—
9	109	119	1.09	5			20	5	3.5	—	—

试验研究证明，要防止轧制毛管出耳子，减少孔型横向壁厚不均，改善轧件表面质量，变形分配量应主要集中在前三架，从第四架开始变形量即迅速下降。第六架到第八架主要起定径作用，最后成型机架只是使管子松棒。所以前三架的总减壁量一般达到 70% 以上，以后各机架逐渐减小，最后两架基本没有减壁量。因为来料尺寸可能有波动，第一架减径量又较大，所以减壁量多取第二架的 50% ~ 70%。图 3-18-11 为八机架连续轧管机的变形分配的情况。

如上所示，连续轧管机上的延伸分配，原则上可按抛物线特征进行。孔型设计前可按经验先设定各机架的延伸系数或减壁率，也可按有关公式计算各道变形。式（3-18-31）是九机架连续轧管机第二架到第七架减壁量的经验计算式：

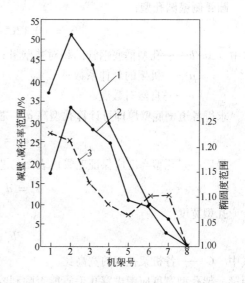

图 3-18-11 八机架连续轧管机的减壁、减径及椭圆度的分配情况

1—减壁率；2—减径率；3—椭圆度

$$\Delta h_x = \left[0.0417 + \frac{(7-x)^2}{40} \right] \Sigma \Delta h \qquad (3\text{-}18\text{-}31)$$

式中　Δh_x——第 x 架孔型顶部的减壁量；

　　　$\Sigma \Delta h$——连轧管机的总减壁量，等于穿孔毛管壁厚 h_{ch} 与连轧管毛管壁厚 h_z 之差。近似地认为孔型侧壁处管壁与前一机架孔型顶部的厚度相等。则：

$$\Sigma \Delta h = \Delta h_1 + \Delta h_3 + \Delta h_5 + \Delta h_7$$

$$\Sigma \Delta h = \Delta h_2 + \Delta h_4 + \Delta h_6$$

各孔型槽底的壁厚分别为：

$$h_9 = h_8 = h_7 = h_6 = h_z$$

$$h_5 = h_7 + \Delta h_7 = h_z + \Delta h_7; \quad h_4 = h_6 + \Delta h_6 = h_z + \Delta h_6$$

$$h_3 = h_5 + \Delta h_5 = h_z + \Delta h_7 + \Delta h_5; \quad h_2 = h_4 + \Delta h_4 = h_z + \Delta h_6 + \Delta h_4$$

$$h_1 = h_z + \Delta h_7 + \Delta h_5 + \Delta h_3 \text{ 或 } h_1 = h_{ch} - \Delta h_1$$

实际上孔型开口处轧件的壁厚与上一架槽底壁厚不等，因为变形过程中孔型开口处受到金属宽展和纵向附加张应力的影响。这一点轧制薄壁管时对计算轧件横剖面面积的准确性影响尤大，不予考虑就会打乱各机架实际的变形制度、轧制速度和机架间的作用力。试验研究表明延伸系数对孔型开口侧壁厚度变化的影响较大，孔型形状、断面收缩率、管壁与外径比、辊径等也有一定影响。以下是计算开口侧壁壁厚减薄率 y 的经验公式（应用范围：相对壁厚压缩率 10% ~40%）。

切线侧壁圆孔型：

$$y = \frac{1}{0.341 - 0.0073 \frac{\Delta h}{h}} \qquad (3\text{-}18\text{-}32)$$

圆弧侧壁圆孔型：

$$y = (0.12e^\mu - 0.35) \times 100\% \qquad (3\text{-}18\text{-}32')$$

式中　$\Delta h/h$——孔型槽底钢管的相对减壁量；

　　　μ——机架的延伸系数；

　　　e——自然对数底。

求得各道槽底壁厚即可计算孔型高 a_x，芯棒直径 d_m 已选定，则：

$$a_x = d_m + 2h_x$$

最后一架孔型高度应保证毛管内表面与芯棒间存在一定间隙 Δ_z：

$$a_z = d_m + 2h_z + \Delta_z$$

孔型宽度

$$b_x = G_x a_x$$

式中　G_x——各机架孔型的宽高比。

但第一架孔型宽度应考虑穿孔毛管能否顺利咬入，需满足以上条件：

$$b_1 = (1.025 \sim 1.030) d_{ch}$$

各道孔型的宽和高决定后作孔型图。圆弧侧壁半径 ρ 按下式计算。

$$\rho = \frac{a}{4} \cdot \frac{G_x^2 - 2G_x\cos\psi + 1}{1 - G_x\cos\psi} \tag{3-18-33}$$

式中　ψ——孔型两侧开口角；

椭圆孔型偏心度 e、圆弧半径 R 根据图 3-18-10（c）求得以下计算式：

$$\left.\begin{array}{l} e_x = \dfrac{a_x}{4}(G_x^2 - 1) \\[3mm] R_x = \dfrac{a_x}{4}(G_x^2 + 1) \end{array}\right\} \tag{3-18-34}$$

按孔型充满形状计算各孔型的横截面积，校核各架延伸系数。如算得各架延伸与开始设定相近则通过，不然需对孔型进行适当修正。

孔型完成后，关键在如何正确调整各机架的轧辊转速。首先在机架间要正确分布动态张力系数，使得既能保证产品尺寸精度又能方便脱棒。我们知道在张力作用下会使孔型延伸增加壁厚均匀，但轧件包裹芯棒较紧不易脱棒。在推力作用下会使孔型延伸降低，金属横向流动增加造成孔型开口侧壁厚度增大甚至过充满，但是轧件包裹芯棒较松易于抽出。所以浮动芯棒连轧机的前几架动态张力系数取 1.0% ~ 1.5%，保证产品尺寸精度。以后逐架减少直至最后几架将动态张力系数控制在 0 ~ -1.0%，形成一定的推力轧制以便脱棒。据此来调整各机架的轧辊转速 n_x：

$$n_x = n_{x-1}\mu_x \frac{D_{zx-1}}{D_{zx}(1 - C_x)} \tag{3-18-35}$$

$$D_{zx} = D + \Delta_x - \lambda_x a_x$$

式中　n_x、n_{x-1}——x 机架和上一机架轧辊转速；

　　　μ_x——x 机架的延伸系数；

　　　C_x——x 机架的动态张力系数，见式（3-18-10）；

D_{zx}、D_{zx-1}、D——x 机架和上一机架的轧制直径和各架的辊径；

　　　Δ_x、a_x——x 机架的辊缝值和孔型高度；

　　　λ_x——x 机架的孔型速度系数，按式（3-18-6′）计算或查图 3-18-12。

浮动芯棒连轧机的芯棒工作长度 L_z，应为最大轧制毛管长度 $l_{\max}$ 减去轧制时毛管向前滑出棒端的距离 ΔL。

$$L_z = l_{\max} - \Delta L \tag{3-18-36}$$

$$l_{\max} = l_{ch}\mu_z; \quad \Delta L = l_{\max}\left(1 - \frac{1}{\gamma}\right)$$

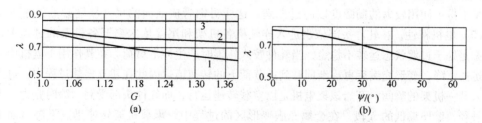

图 3-18-12　确定孔型速度系数的图示

（a）孔型速度系数与孔型椭圆度的关系曲线；（b）孔型速度系数与开口角的关系曲线

1—椭圆孔型；2—圆弧侧壁圆孔型；3—三辊式轧机的椭圆孔型

所以
$$L_z = l_{ch} \mu_z \frac{1}{\gamma} \qquad (3\text{-}18\text{-}36')$$

式中　γ——毛管和芯棒平均速度的比值，约为 1.45～1.55；

　　　　l_{ch}——穿孔毛管长度；

　　　　μ_z——连续轧管机延伸系数。

芯棒尾部还应留出一定长度作为轧后脱棒操作之用，具体长度视脱棒机构造而定，一般取
1.0～1.5m。

浮动芯棒连续轧管机轧制的毛管首尾，无论是直径、壁厚还是横截面积都有竹节性鼓胀现
象，如图 3-18-13 所示。这是浮动芯棒连轧机产品纵向尺寸精度的主要问题。

竹节性鼓胀段 B、D，产生在轧件逐渐充满连轧机组和最后逐渐离开连轧机组的过程中，
此时变形条件不稳定，尺寸波动较大。造成这种现象的原因有两点：（1）芯棒运行速度的影
响，如图 3-18-14 所示，在首尾的不稳定轧制过程中，芯棒在轧件作用下先后共变化 $2n-1$ 次
运动状态（n 为机架数），相对接触金属变化 $2n-2$ 次，只有 C 段是稳定轧制阶段。由于芯棒

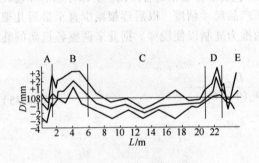

图 3-18-13　连轧钢管长度上的直径变化特点

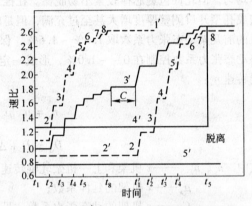

图 3-18-14　连轧管时芯棒的运行速度变化图
1'—毛管前端运行速度；2'—毛管尾端运行速度；
3'—浮动芯棒运行速度；4'、5'—高速
和低速限动芯棒的速度

速度不断提高，因此如图 3-18-15 所示，轧制速度与芯棒运行速度相等的同步机架不断向出口
方向移动。芯棒对管内壁的摩擦力方向，于同步机架前与轧件运动方向相同，后则与轧件运动
方向相反，因此管材尾部轧制时，随着同步机架向机组的出口转移，便有更多的金属被芯棒的
摩擦力拉向机组的出口方向，造成尾部尺寸胀大。由于存在这种不稳定的变形条件，迫使各机
架孔型不得不使用较大的椭圆度以防过充满，这样对钢管横断面的尺寸精度必然带来不良影
响。（2）电机特性，在轧件头部依次进入连轧机各机架和尾部依次离开各机架的过程中，电
动机都是处于过渡状态运转不稳定，当轧件咬入轧辊时产生冲击负荷，在其作用下电机由空载
转速迅速下降，变形充满后再逐渐回升到此载荷下的转速值。因此在建立连轧过程中，每当轧
件进入某一机架的瞬间，开始该架电机是以空载转速运行，而轧件头部受到一瞬时张力，于是
出现外径、壁厚偏低的 A 段。在金属充满变形区的过程中，承载机架转速迅速下降，而上一
机架转速已完全回升，于是在此两机架间张力迅速下降或推力上升，出现了外径、壁厚偏高的
B 段。尾部轧制时，随着轧件尾端依次离开各轧机，机架间的张力相应不断减小，或推力不断
增加，最后两三架则完全在推力下轧制，所以尾部又出现了尺寸偏大的 D 段。最后 E 段尺寸

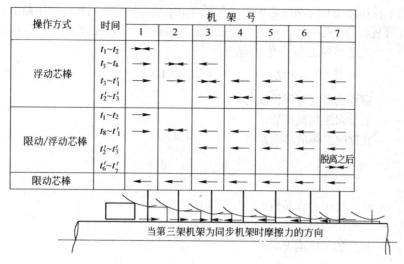

图 3-18-15　同步机架和芯棒摩擦力对轧管内表面的作用方向

较小的原因是尾部在最后两架中轧制时机架间无力作用，尺寸因此下降，并比较接近轧机的实际调整值。

　　为了改善浮动芯棒连轧管沿纵向壁厚的均匀性，目前主要从以下四方面着手：（1）改善传动电动机的速度调节性能，使动态速度降和恢复时间尽量减小；（2）采用自动控制系统按工艺要求即时改变轧机压下量，当首尾通过倒数第二、三机架时，立刻加大压下，控制壁厚增量，稳定轧制时再恢复到正常压下位置；目前首尾轧制时增加的壁厚压下量，除应考虑轧管机组本身的壁厚增量外，还要考虑到张力减径的首尾壁厚增量；（3）采用自动控制系统按工艺要求控制轧辊转速，如端部壁厚控制装置，就是在轧制钢管首尾时，将第一架降速 10%，第二架降速 5%，第三架以后各机架转速不变，从而增加前三个机架间的张力，控制钢管首尾壁厚增值；（4）创造良好的工艺变形条件，如提高芯棒表面的光洁度，加强芯棒润滑减小摩擦系数，降低芯棒摩擦力方向变化时，对各机架变形稳定性的影响；（5）采用限动芯棒。

　　1978 年在意大利和法国建成投产的限动芯棒连续轧管机，是连轧管机在改进工艺、提高产品尺寸精度上的一次突破。与浮动芯棒连轧机相比，这种轧制的主要特点是轧制过程中芯棒以规定的速度恒速运行，见图 3-18-14。这就避免了浮动芯棒在首尾轧制过程中不断加速和同步机架逐渐向机组出口方向转移的影响，从而较好地改善了首尾尺寸的鼓胀。由于各机架变形条件稳定，可以在前部机架较早地使用椭圆度较小严密性较好的圆孔型，提高轧管横截面的尺寸精度。由于严密性好的孔型延伸能力强，还可以提高机组的延伸，使用较厚的穿孔毛管，壁厚约比浮动芯棒连轧机增加近一倍。另外温度也有所提高，变形抗力、摩擦系数均有下降，因此轧制压力只有浮动芯棒连轧机的 30% ~ 50%；电能消耗降低 20% ~ 60%。同时辊径可以相对缩小，芯棒又较短，使得限动芯棒连续轧管机的规格范围得到进一步扩大。目前可生产外径达 400mm 的大径管，壁厚与外径比达 0.16 的厚壁管（浮动芯棒连轧时比值只有 0.12），轧制管长 40m 以上，将近是浮动芯棒连轧管的一倍。

　　限动芯棒连续轧管机的孔型设计特点如下：（1）机组的平均延伸系数约比浮动芯棒连轧机大 7% ~ 11%；（2）为提高产品精度，取圆弧侧壁的圆孔型，各机架孔型的宽高比 G、开口角 φ、侧壁圆弧半径与圆孔型半径的比值 K 见表 3-18-2；（3）二辊式脱管定径机的减径率按意大利达尔明公司提供的经验，管径在 293mm 以上取 3.5%，管径在 191mm 以下取 4.6%；（4）

芯棒长度取决于操作需要和轧制时芯棒的移送距离。限动芯棒轧制的操作程序如下：首先将芯棒穿过位于轧管机前的穿孔毛管，一直送到成品前机架附近，然后送钢轧制，芯棒按规定速度同时向前运行。因此芯棒的工作长度 L_z 应为：

$$L_z = l_{chmax} + (n-1)A + m \tag{3-18-37}$$

式中　　l_{chmax}——穿孔机最大毛管长度；

　　　　A、n——机架间距和机架数；

　　　　m——轧制时芯棒的移动距离，

$$m = v_m \left[\frac{l_z}{v_n} + \sum_{x=1}^{n-1} \frac{A_x}{v_x} \right]$$

其中　　v_x、v_n——任一机架和成品机架的轧制速度；

　　　　l_z——轧管机的毛管长度；

　　　　v_m——规定的芯棒速度。

表 3-18-2　限动芯棒连轧管机的孔型参数表

机架号	1~2	3	4~8	机架号	1~2	3	4~8
φ	30	25	25	K	∞	3	1.5
G	1.15	1.07	1.03				

　　规定芯棒速度的基本出发点是控制其表面温升，提高耐磨性。芯棒升温的热源主要有轧件对芯棒的传导热、变形热和变形时芯棒与轧件接触表面间的摩擦热。最近的研究证明，控制限动芯棒的温升也和浮动芯棒轧管一样主要在于限制芯棒和毛管接触表面之间的速度差，根据法国瓦卢雷克公司经验此差值的最大极限一般控制在 4.5m/s。如果机组的延伸大，机架数多，则芯棒的限动速度也应提高，以保证芯棒和毛管接触表面之间的速度差不超过最大极限值，目前多采用高速限动芯棒，芯棒的速度约和第一机架的入口速度相等，或高出 10% 左右。高速限动芯棒的温度实际比原来低速的温度低，因为高速时芯棒在最大热负荷作用下的时间缩短了。为延长芯棒的使用寿命，限动芯棒开始送入机架的原始位置，每次应变动一定距离。调节范围约半米左右。芯棒是连轧管机组的主要变形工具之一，其工作条件恶劣，磨损较为严重，影响到轧管的成本。提高芯棒寿命的措施是：采用芯棒表面处理以增加硬度和高温耐磨性如镀铬、喷涂；采用润滑剂如石墨、硼砂；控制芯棒冷却、加热时的热应力（调整一组芯棒根数和使用节奏、控制芯棒冷却）。

18.5.2　减径机

　　减径机可分为：（1）一般微张力减径机，作用就是减缩管径，生产机组不能轧制或加工起来很不经济的规格；（2）张力减径机，作用是减径又减壁，使机组产品规格进一步扩大；并可适当加大来料的重量，提高减径率轧制更长的成品。单此一项，据统计即可提高机组产量约 15%~20%。所以近 20~30 年来张力减径机得到迅速发展。减径机按主机架轧辊数分为三辊式和二辊式两种，三辊式应用较广，因三辊轧制变形分布较均匀，管材横剖面壁厚均匀性好，同样的名义辊径，三辊机架间距小可缩短 12%~14%。二辊主要用于壁厚大于 10~12mm 的厚壁管。从传动形式看有集体传动、单独传动和差动传动等，后两种的传动形式见图 3-18-16。以差动传动采用最广，因其便于调整速度能满足现代轧机对产品规格范围和精度的要求。单独传动也能满足这一点，只是投资昂贵，但在高速运转条件下（ >10~12m/s）比较安全可靠。集体传动已不使用。

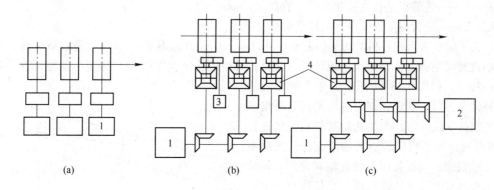

图 3-18-16　常用的减径机传动形式

（a）主轧机单独传动；（b）主电机集体传动差动调速的辅助电机单独传动；（c）主、辅电机均集体传动

1—轧机主传动电机；2—集体传动的差动调速辅助电机；3—单独传动的差动调速辅助电机；4—差动齿轮

18.5.2.1　减径机的一般工艺特点

普通微张力减径机因减径过程中管壁增厚和横截面上的壁厚不均严重，主要生产中等壁厚的管材，或以 5～11 架轧机作定径使用。

现代张力减径机因为张力大所以不仅可以减径，同时可以减壁，而且横截面上壁厚分布比较均匀，延伸系数达到 6～8。但它有个突出的缺点，就是首尾管壁相对中部偏厚，增加了切头损失。所以如何降低减径管首尾壁厚偏高的程度和长度，成为研究的主要课题之一。

研究证明，张减管端偏厚的主要原因是轧件首尾轧制时都是处于过程的不稳定阶段，首先，轧件两端总有相当于机架间距的一段长度，一直都是在无张力状态下减径；其次，前端在进入机组的前 3～5 机架之后，轧机间的张力才逐渐由零增加到稳定轧制的最大值，而尾部在离开最后 3～5 机架时，轧机间的张力又从稳定轧制的最大值降到零。这样轧件相应的前端壁厚就由最厚逐渐降到稳定轧制时的最薄值，尾端又由稳定轧制的最薄值逐渐增厚到无张力减径时的最大厚度。因此首尾厚壁段的切损率，主要取决于以下因素：（1）机架间距，机架间距愈小，厚壁端愈短；（2）轧机的传动特性，传动速度的刚性愈好，恢复转速的时间愈短，首尾管壁的偏厚值愈小，长度愈短；（3）延伸系数和减径率愈大首尾管壁的偏厚值愈大长度愈长；（4）机架间的张力愈大，首尾相对中间的壁厚差亦愈大，切损愈高。但从另一方面看，加大张力可以使用较厚的毛管提高机组产率。所以实际生产中应当摸索合理的张力制度，以求得最佳的经济效果。实践证明，进入减径机的来料长度应在 18～20m 以上，在经济上才是合理的。因此张力减径机多用于连续轧管机、皮尔格轧机和连续焊管机组之后。

目前试图用分析公式计算管端偏厚段的长度尚有一定困难，实际生产中多以经验公式估算。式（3-18-38）适用于总延伸为 1.5～7.0 的情况：

$$l_g = 2\mu_j A \frac{d_z - d_j}{d_z}\left(1 - \frac{h_z - h_j}{h_j}\right) + 150 \tag{3-18-38}$$

式中　l_g——管端切头长度，mm；

μ_j——减径机的延伸系数；

　　A——机架间距，mm；

　　d_z、d_j——轧管机毛管直径和减径后的直径，mm；

　　h_z、h_j——轧管机毛管壁厚和减径后的轧管壁厚，mm。

　　为了减少张力减径机的切头损失主要可以从下面几方面着手：（1）改进设备设计，尽量缩小机架间距；（2）改进工艺设计，尽量加长减径机轧出长度；（3）通过电器控制改善轧机传动特性，如图 3-18-17 所示为张力减径机的一种调速方案，稳定轧制时各机架转速根据张力要求按 a 线分布；前端轧制时使轧辊转速按 b 线分布，令各机架转速的增值总是依次略高于上一机架；尾端轧制时使轧辊转速按 c 线分布，令各机架转速的降低值总是依次小于上一机架。目的使轧件首尾通过减径机组所受的张力变形效应，基本上与稳定轧制时相近，减少管端增厚的程度和长度，减少切损；（4）提供两端壁厚较薄的轧管料；（5）"无头轧制"，这种轧制方法如能实现，将使偏厚端头的切损降到最低限度。但在实际生产中应用还存在一定

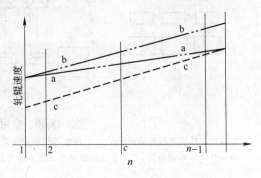

图 3-18-17　张力减径机的转速调节方案之一
a—正常轧制；b—轧件前端轧制；c—轧件尾端轧制

问题，目前发展势头不大。现代张力减径机轧后成品长度一般在 120～180m，进入冷床前由飞锯或飞剪切成定尺。

18.5.2.2　减径机的变形制度和孔型设计

　　减径机组的总减径率和单机径缩率是减径变形过程的重要参数。不适当地加大单机径缩率，或单机径缩率不变，增加机架数提高总减径率都会恶化成品管横剖面的壁厚均匀性，和加大首尾壁厚段的增厚程度。严重时在二辊轧机上出现"外圆内方"，在三辊轧机上出现"外圆内六角"。因此减径管的形状和尺寸精度限制了减径机的减径率和延伸值。目前微张力减径机的最大总减径率限制在 40%～45%；厚壁管限制在 25%～30%。张力减径机总减径率限制在 75%～80%，减壁率在 35%～40%，延伸系数达到 6～8。现代张力减径机机架数虽由 24 增加到 30，但主要是用于增加张力提升阶段和张力降低阶段的机架数，以保证轧制过程的稳定性和改善产品壁厚的均匀性。确定以上这些变形参数时，应认真考虑到产品尺寸精度要求。目前微张力减径机的单机径缩率取 3%～5%，考虑到成品管尺寸精度常限制在 3.0%～3.5%。张力减径机单机径缩率可高达 10%～12%，为控制管壁均匀性一般多限制在 6%～9%，管径大取下限。对薄壁管单机的最大径缩率还应考虑到变形过程中轧件横截面在孔型中的稳定性，不然就会在孔型开口处出现凹陷和轧折。管件横截面在孔型内的稳定性主要随相对壁厚 h/d、机架内辊数、平均张力系数 Z（轧机前后张力平均值）而改变。可根据有关的实测曲线确定不同变形条件下的最大允许单机径缩率。

　　减径机的孔型设计按以下步骤进行：首先向各机架分配径缩率；然后计算各架孔型的平均直径；再按各道平均直径具体设计各道孔型的形状和尺寸。

　　微张力减径机的管件径缩率一般第一架皆取机组平均径缩率的一半，保证顺利咬入和防止来料沿纵向直径波动，局部径缩量过大造成轧折。成品前架也取平均径缩率的一半，成品机架不给压下，这主要是为获得要求的尺寸精度。张力减径机除上述问题外，还应考虑提升和降低张力轧制过程的稳定性，以及控制管材首尾壁厚的增值。所以张力减径机开始第一架径缩率也取得很小，通过 1～2 架轧机后，再逐步增加径缩率，直到正常值，机架间的张力也相应提升

到正常的张力系数。保证顺利地咬入和稳定地建立起张力轧制过程。最后 3～4 架的径缩率也是逐渐减小，直至成品机架取零，相应机架间的张力也由正常值逐渐降到零。其目的也是保证张力降低过程中变形区不打滑，过程稳定；保证良好的管材尺寸精度；减少孔型磨损，延长使用寿命。中间各机架的径缩率原则上均匀分配。但实践表明，由于轧件温度愈来愈低，这样做轧机的负荷愈向出口愈高，轧辊也愈向出口磨损愈严重。所以合理的减径率分配应向出口逐渐下降，达到机架负荷与孔型磨损均匀化。一般皆使相邻机架间单机径缩率逐次降低 1.5%～2.0%。

孔型设计的第一步就是按上述原则向各机架分配径缩率，设任意机架的径缩率为 ε_x，按定义：

$$\varepsilon_x = \frac{d_{x-1} - d_x}{d_{x-1}}\%$$

所以

$$d_x = d_{x-1}(1 - \varepsilon_x) \qquad (3\text{-}18\text{-}39)$$

式中　d_x、d_{x-1}——第 x 架和上一架轧机的孔型平均直径。

因为来料和成品管尺寸以及各机架的径缩率均已知，所以按式 3-18-39 可求得各自的平均直径。各机架的径缩率应满足以下关系式：

$$(1 - \varepsilon_1)(1 - \varepsilon_2)\cdots(1 - \varepsilon_x)\cdots(1 - \varepsilon_n) = \frac{d_j}{d_z}$$

式中　d_j、d_z——依次为减径后管径和减径前管径。

按式（3-18-39）求得各架孔型的平均直径后，便可计算各孔型的具体尺寸，如图 3-18-18。计算孔型的关键是正确拟定孔型的椭圆度 G，求出孔型的轴长 a、b。Г. И. 古里雅夫推荐

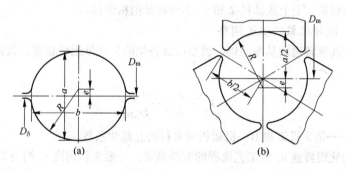

图 3-18-18　减径机孔型图
（a）二辊式孔型；（b）三辊式孔型

按下式计算孔型椭圆度：

$$G = \frac{1}{(1 - \varepsilon)^q} \qquad (3\text{-}18\text{-}40)$$

式中，q 表示孔型内可能的宽展程度，$q = 1$ 表示无宽展，$q < 1$ 表示负宽展，$q > 1$ 表示有宽展。二辊式无张力减径机 q 取 1.5；不锈钢取 2.0～2.5。三辊式张力减径机 q 取 0.75～1.25；对于粘辊比较严重的钢种，q 取 1.8～2.0。

二辊轧机孔型的平均直径 d 为：

$$d = \frac{1}{2}(a + b) \qquad (3\text{-}18\text{-}41)$$

按孔型椭圆度定义求得：

$$a = \frac{2d}{1 + G}; \quad b = \frac{2dG}{1 + G}$$

三辊轧机采用以下修正式：

$$d = \frac{1}{2\eta}(a + b) \tag{3-18-42}$$

$$\eta = 0.85 + 0.15G$$

按孔型椭圆度定义求得：$a = \dfrac{2d}{(1 + G)\eta}; b = \dfrac{2dG}{(1 + G)\eta}$

求得各孔型的轴长后，由图 3-18-18（a）求得两辊椭圆孔的主要尺寸：

$$\left. \begin{array}{l} e = \dfrac{a}{4}(G^2 - 1) \\[2mm] R = \dfrac{a}{4}(G^2 + 1) \end{array} \right\} \tag{3-18-43}$$

由图 3-18-18（b）求得三辊椭圆孔的主要尺寸：

$$\left. \begin{array}{l} e = \dfrac{a}{2} \dfrac{G^2 - 1}{2 - G} \\[2mm] R = \dfrac{a}{2} \dfrac{G^2 - G + 1}{2 - G} \end{array} \right\} \tag{3-18-44}$$

　　设计孔型时应以减径量最大，使用全部机架的产品为准。这样生产其他规格产品时，只需抽去中间不用的机架，安上成品机架和 1～2 台成品前机架即可。

18.5.2.3　减径机架的辊速调整

　　确定各机架轧辊转速的基本原则，就是保证各架的金属秒流量相等。按此原则求得各架的辊速系数 K_x：

$$K_x = \frac{n_x}{n_1} = \frac{D_{z1}\mu_{\Sigma x}}{D_{zx}\mu_1} \tag{3-18-45}$$

式中　$\mu_{\Sigma x}$、μ_1——第 x 机架和第一机架相对来料的总延伸系数。

　　第一机架的轧辊转速 n_1 按工艺流程的安排确定，一般来料速度 v_0 约为 $2.0 \sim 3.5 \text{m/s}$，则：

$$n_1 = \frac{60}{\pi} \frac{v_0 \mu_1}{D_{z1}} \tag{3-18-46}$$

　　各机架的轧制直径 D_{zx} 对于无张力减径机可以直接按式（3-18-6″）和图 3-18-12 求得，也可近似地按下式计算：

二辊式　　　　　　　　　$D_z = D_m - 0.75a \tag{3-18-47}$

三辊式　　　　　　　　　$D_z = D_m - 0.885d \tag{3-18-48}$

式中　a——二辊孔型的高度；

　　　d——三辊孔型的平均直径。

　　各机架的总延伸系数为：

$$\mu_{\Sigma x} = \frac{(d_z - h_z)h_z}{(d_x - h_x)h_x} \tag{3-18-49}$$

各架的壁厚 h_x 在无张力减径条件下，对于成品管壁厚小于 15mm 的碳钢和合金钢管，壁厚总变化为：

$$\Delta h = 0.0044(d_z - d_j) \tag{3-18-50}$$

对于成品管壁厚大于 15mm 的钢管为：

$$\Delta h = \frac{d_z - d_j}{14.9} \tag{3-18-51}$$

各机架的壁厚变化按外径减缩率成正比关系分配，所以各架的壁厚 h_x 为：

$$h_x = h_{x-1} + \Delta h \frac{d_{x-1} - d_x}{d_z - d_j} \tag{3-18-52}$$

代入式（3-18-49）即可求得任意机架的总延伸 $\mu_{\Sigma x}$。这样可根据式（3-18-45）求得各机架的辊速系数 K_x。按式（3-18-46）求得第一机架的转速 n_1 后，即可求得各机架的转速 n_x。然后根据轧机的实际传动形式和传动比 i_x，计算电动机的转速 N_x。对于单独传动的减径机组，各电机的转速应为：

$$N_x = n_x i_x \tag{3-18-53}$$

生产中因为电机特性的差异，工具磨损等工艺因素的不均匀性，绝对无张力轧制是不存在的，设计时一般皆按微张力考虑，将机架间的动态张力系数控制在 0.3% ~ 0.5%，这样可防止出现堆钢轧制，也便于调整控制。

张力减径机的调速计算原则与微张力相同，只是它的传动形式有的较为复杂，确定电动机转速计算比较烦琐罢了。只是计算轧制直径、延伸系数时应根据张力轧制条件下的变形特点考虑。现介绍一种经验计算法如下。

按图 3-18-19，轧制直径 D_z 可表示如下式：

$$D_z = D_m - a\cos\theta_z \tag{3-18-54}$$

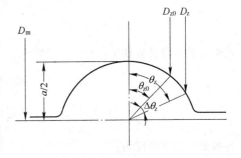

图 3-18-19　确定轧制直径图示

式中　θ_z、θ_{z0}——张力减径时孔型外廓线上相当于轧制直径的点所对应的中心角，和无张力时轧制直径的点所对应的中心角；

　　　$\Delta\theta_z$——在外力作用下轧制直径中心角的变量，令 $\Delta\theta_z$ 向孔型开口方向转动为正，向槽底方向转动为负，见图 3-18-19。

无张力减径时的轧制直径中心角 θ_{z0} 建议用下式计算：

$$\theta_{z0} = \frac{\psi_1}{2}\Big(1 - \frac{l}{fD_m}\Big) \tag{3-18-55}$$

式中　ψ_1——孔型对管件的包角，三辊轧机取 $\pi/3$，两辊取 $\pi/2$；

　　　l——孔型槽底的变形区接触长度；

　　　f——金属轧辊接触表面间的摩擦系数。

张力作用下产生的中心角变量按下式计算：

$$\Delta\theta_{zx} = \frac{\pi}{2n}\frac{d_{pix}\sin\psi_1}{2f\eta_x l_x \sin\frac{\pi}{n}}(Z_{qix} - Z_{hox}\mu_x) \tag{3-18-56}$$

式中　　n——机架的辊数；

$\quad\quad d_{\text{pix}}$——进入该孔型的毛管平均直径；

$\quad\quad \mu_x$——该机架的延伸系数；

$\quad\quad \eta_x$——考虑非接触区的影响系数，

$$\eta_x = 1 + \gamma \frac{d_{\text{pix}-1}}{l_x} \sqrt{\frac{h_{x-1}}{d_{\text{pix}-1}}}$$

$\quad\quad \gamma$——系数，减径机取 $0.5 \sim 0.6$；

Z_{qix}、Z_{hox}——前、后张力系数，$Z_{\text{qix}} = \dfrac{\sigma_{\text{qix}}}{K_f}$，$Z_{\text{hox}} = \dfrac{\sigma_{\text{hox}}}{K_f}$；

σ_{qix}、σ_{hox}——前、后张应力；

$\quad\quad K_f$——平面变形抗力 $K_f = 1.15\sigma_s$。

张力减径受到两方面的限制，一是轧制直径中心角变量 $\Delta\theta_z$ 只能变动在 $-\theta_{z0} < \Delta\theta_z < \psi_1 - \theta_{z0}$ 的范围内；二是前、后张力系数不得大于允许的塑性张力系数（轴向张应力与 K_f 的比值）。F. 诺曼、D. 汉克建议在 $800 \sim 1000$℃时塑性张力系数可取为 $0.75 \sim 0.85$，过大或温度过高则可能出现断裂。因此使用式（3-18-56）可以有两条途径：（1）选定各机架的轧制直径中心角变量 $\Delta\theta_z$，验算前、后张力系数和计算管材壁厚；（2）根据允许的塑性张力系数先选定各机架的张力系数，再验算轧制直径中心角变量和管壁厚度。

如按第一条途径，首先选定各机架的轧制直径中心角变量 $\Delta\theta_{zx}$，其次从第一机架开始，依次向后计算各架的张力系数和壁厚。适当调换式（3-18-56）可得式（3-18-57）。

$$Z_{\text{qix}} = \frac{2f\eta_x l_x \Delta\theta_{zx}}{d_{\text{pix}} \dfrac{\pi\sin\psi_1}{2n\sin\dfrac{\pi}{n}}} + Z_{\text{hox}}\mu_x \qquad\qquad (3\text{-}18\text{-}57)$$

式中有关参数计算如下：

$$Z_{\text{hox}} = Z_{\text{qix}-1}$$

$$\mu_x \approx \frac{d_{x-1} - h_{x-1}}{d_x - h_{x-1}}$$

各机架的管壁厚度为：

$$h_x = h_{x-1}\left(1 + \beta_x \frac{\Delta d_x}{d_{x-1}}\right) \qquad\qquad (3\text{-}18\text{-}57')$$

式中　$\beta_x = \dfrac{2\left(1 - \eta_x \dfrac{h_{x-1}}{d_x}\right)\left(1 - \dfrac{Z_x}{2}\right) - 1}{\left(1 - \eta_x \dfrac{h_{x-1}}{d_x}\right)\left(1 - \dfrac{Z_x}{2}\right) + 1}$；

$\quad\quad Z_x = \dfrac{Z_{\text{qix}} + Z_{\text{hox}}}{2}$。

如果计算的张力系数超过了允许的塑性张力系数值，则应在允许波动范围内重选 $\Delta\theta_{zx}$，校验张力系数。如最后壁厚不符合成品管要求，则需调整各架的 $\Delta\theta_{zx}$，重新计算。

实际机架间的张力在开始两三架由零逐渐升到最大值，在最后三四架由最大值降到零。在

此过渡阶段一定要注意增长和下降的速率不要过急，以免轧制直径中心角变量 $|\Delta\theta_{zx}| > \theta_{zo}$ 或 $\psi_1 - \theta_{zo}$，出现变形区轧件打滑的现象。为保证轧制过程的稳定性一般取：

$$|\Delta\theta_z| \leqslant 0.9\theta_{zo} \tag{3-18-58}$$

如按第二条途径，首先选定各机架的张力系数，一般第一和最后一架张力系数取约 0.2，第二架和成品前二架约取为 0.4，其他各机架取在机组的平均塑性张力系数之上。按选定的张力系数计算各架的轧制直径中心角变量 $\Delta\theta_z$，如 $|\Delta\theta_z| > 0.9\theta_{zo}$，则应重新选定该架的张力系数，验算新的 $\Delta\theta_z$。各架张力系数初步确定后需按式（3-18-57'）计算各架的管壁尺寸，如与成品管要求不合，则需重新调整各机架间的张力系数，重新计算。

定径机的孔型设计，轧辊转速的调整原则与减径机完全相同，只是单机径缩率较小，约为 1%～3%。

18.6 轧制表计算

热轧钢管生产的轧制表，就是分配各道的延伸，确定各道的横剖面形状，是以上各节工具设计的依据，无缝钢管热轧生产的特点是机组的型式一经选定，道次也基本稳定了，因此合理的延伸分配在于保证产品质量，协调各轧机的节奏时间和降低消耗，而不是简单地减少道次。编制轧制表是以成品管的钢种、规格为依据，从车间现有的设备、工具和坯料规格出发，合理分配各道次的变形量，计算出相应的毛管尺寸、坯料尺寸、工具的主要尺寸和轧机的主要调整参数等。轧制表是进行钢管生产和操作的技术指导规范，它在很大程度上决定整个机组的生产能力、钢管质量、工具寿命、能源及其他经济指标。编制后还应验算主要设备强度，测定验算各轧机上的节奏时间。如个别机组的节奏时间过长，或设备强度、能力不足，则应重新分配变形量，消除薄弱环节。

轧制表的编制应遵守下述原则：

（1）合理地分配各轧机的变形量，使得穿孔机、轧管机和减径机负担平衡。

（2）尽量用最少管坯尺寸种类和工具完成轧制计划。

（3）合理选择各轧机的变形参数，保证产品质量和生产力。斜轧穿孔机的延伸系数在 1.3～5.7 范围内，压缩带处的压缩率为 10%～17%，顶头前压缩率在 4%～9% 之间，合金钢取小值。轧管机的延伸系数，连轧管机的一般为 4～10；斜轧轧管机的延伸系数一般不超过 3；顶管机的延伸系数可达 15。在一般定径机上，每架直径压缩率不大于 3.5%，斜轧定径机的直径压缩量取 1～2mm。

（4）合理地选择管坯尺寸。管坯尺寸应根据毛管外径来选择，圆管坯直径应接近于毛管外径，一般管坯直径与毛管外径之差在 ±（5%～10%）范围内。

（5）了解制管材料的特性以及工艺过程和变形制度对管材力学性能、物理性能和工艺性能的影响，以便获得高性能的产品。

编制轧制表计算方法大致有两种：一种是按逆轧制道次方向计算，由定径向前推算到坯料尺寸，此法主要适用于新设计车间的典型产品；另一种是从轧管机出发向两头工序推算，此法主要适用于已投产车间的新产品设计。因为投产车间总有一定规格数量的坯料、工具和轧管机孔型系统等，所以设计新产品应首先考虑已有工具和坯料规格，以及轧管机孔型系统是否能满足要求，以尽量减少工具和坯料储备。不管哪种计算方法，思考方法与计算内容是相同的。

现以连续轧管机组为例叙述轧制表编制方法如表 3-18-3 所示。

表 3-18-3　连轧管机组轧制表计算方法

计 算 参 数	计 算 公 式	计 算 举 例
成品管尺寸/mm		
外径 D_G		$D_G = 38\text{mm}$
壁厚 h_G		$h_G = 3.5\text{mm}$
内径 d_G	$d_G = D_G - 2h_G$	$d_G = 38 - 2 \times 3.5 = 31\text{mm}$
长度 L_G		$L_G = 24000\text{mm}$（连轧管机后）
热成品管尺寸/mm		
外径 D'_G	$D'_G = D_G(1 + \alpha t)$。式中，α 为热膨胀系数；$(1 + \alpha t) = 1.01 \sim 1.013$；$t$ 为管子温度，℃	$D'_G = 38 \times 1.01 = 38.4\text{mm}$
内径 d'_G	$d'_G = (1 + \alpha t)d_G$	$d'_G = 1.01 \times 31 = 31.3\text{mm}$
壁厚 h'_G	$h'_G = (1 + \alpha t)h_G$	$h'_G = 1.01 \times 3.5 = 3.54\text{mm}$
减 径 机（带张力）		
减径机后管子外径 D_j/mm	$D_j = D'_G$	$D_j = D'_G = 38.4\text{mm}$
减径量，ΔD_j/mm	$\Delta D_j = D_z - D_j$	$\Delta D_j = 108 - 38.4 = 69.6\text{mm}$
减径率/%	$\dfrac{\Delta D_j}{D_z} = \dfrac{D_z - D_j}{D_z} \times 100\%$	$\dfrac{\Delta D_j}{D_z} = \dfrac{108 - 38.4}{108} \times 100\% = 64\%$
管子内径 d_j/mm	$d_j = D_j - 2h_j$	$d_j = 38.4 - 2 \times 3.54 = 31.3\text{mm}$ $h_z = 4\text{mm}$
来料壁厚 h_z/mm		
减壁率/%	$\dfrac{\Delta h_j}{h_z} = \dfrac{h_z - h_j}{h_z} \times 100\%$	$\dfrac{\Delta h_j}{h_z} = \dfrac{4 - 3.54}{4} \times 100 = 11.5\%$
减径机延伸系数 μ_j	$\mu_j = \dfrac{F_z}{F_j} = \dfrac{\pi(d_z + h_z)h_z}{\pi(d_j + h_j)h_j}$	$\mu_j = \dfrac{3.14(100 + 4)4}{3.14(31.3 + 3.54)3.54} = 3.4$
连 轧 管 机		
连轧管后管子		
外径 D_z/mm		$D_z = 108\text{mm}$
壁厚 h_z/mm	$h_z = h_j + \Delta h_j$	$h_z = 3.54 + 0.46 = 4\text{mm}$
内径 d_z/mm	$d_z = D_z - 2h_z$	$d_z = 108 - 2 \times 4 = 100\text{mm}$
连轧管机芯棒直径 δ_z/mm	$\delta_z = \dfrac{D_z - 2h_z - \Delta}{1 + \alpha t}$。式中，$\Delta$ 为芯棒与管内径之间隙，取 $1 \sim 3\text{mm}$；$1 + \alpha t$ 为考虑芯棒受热增大，等于 1.01	$\delta_z = \dfrac{108 - 2 \times 4 - 2}{1.01} = 97\text{mm}$
连轧管机延伸系数 μ_z	$\mu_z = \dfrac{F_m}{F_z} = \dfrac{D_m^2 - d_m^2}{D_z^2 - d_z^2}$	$\mu_z = \dfrac{5877}{1306} = 4.5$
穿 孔 机		
毛管断面积 F_m/mm²	$F_m = F_z \mu_z$	$F_m = 1306 \times 4.5 = 5877\text{mm}^2$
毛管内径 d_m/mm	$d_m = \delta_d + k_n$。式中，δ_d 为穿孔机顶头直径/mm；k_n 为扩展值 mm	$d_m = 97 + 8 = 105\text{mm}$

计 算 参 数	计 算 公 式	计 算 举 例
毛管壁厚 h_m/mm	$h_m = \sqrt{\dfrac{(\delta_d + k_n)^2}{4} + \dfrac{F_m}{\pi}} - \dfrac{\delta_d + k_n}{2}$	$h_m = \sqrt{\dfrac{(97+8)^2}{4} + \dfrac{5877}{3.14}} - \dfrac{97+8}{2}$ $= 68 - 52.5 = 15.5\text{mm}$
毛管外径 D_m/mm	$D_m = d_m + 2h_m$	$D_m = 105 + 2 \times 15.5 = 136\text{mm}$
穿孔机顶头直径 δ_d/mm	$\delta_d = d_m - \dfrac{k_m d_p}{100}$。式中，$k_m$ 为扩展率，取6%	$\delta_d = 105 - 0.06 \times 140 = 96.6 \approx 97\text{mm}$
管　坯		
管坯直径 d_p/mm	$d_p = (1.03 \sim 1.05) D_m$	$d_p = 1.03 \times 136 = 140\text{mm}$
管坯长度 l_p	$l_p = L_G \dfrac{D_z^2 - d_z^2}{d_p^2} \times 1.05$	$l_p = 24000 \dfrac{108^2 - 100^2}{140^2} \times 1.05$ $= 2140\text{mm}$
穿孔机延伸系数 μ_m	$\mu_m = \dfrac{d_p^2}{D_m^2 - d_m^2}$	$\mu_m = \dfrac{140^2}{136^2 - 105^2} = 2.3$

19 管材冷加工

19.1 管材冷加工概述

管材冷加工包括冷轧、冷拔、冷张力减径和旋压。因为旋压的生产效率低、成本高，主要用于生产外径与壁厚比在 2000 以上的特薄壁高精度管。冷轧、冷拔是目前管材加工的主要手段。冷轧的突出优点是减壁能力强，如二辊式周期冷轧机一道次可减壁 75% ~ 85%，减径 65%，可显著地改善来料的性能、尺寸精度和表面质量。冷拔一道次的断面收缩率不超过 40%，但它与冷轧比，设备比较简单，工具费用少，生产灵活性大，产品的形状规格范围也较广。所以冷轧、冷拔联用被认为是合理的工艺方案。近年来冷张力减径工艺日益得到推广，与电焊管生产连用，可以大幅度减少焊管机组本身生产的规格，节省更换工具的时间，提高机组的产量，扩大品种规格范围，改善焊缝质量。它也可为冷轧、冷拔提供尺寸合适的毛管料，有利于这些轧机产量和质量的提高。目前在冷张减机上碳钢管的总减径率约在 23% ~ 60%，不锈钢管约为 35%，可能生产的最小直径为 3 ~ 4mm。

在冷加工设备上进行温加工近年来引起普遍重视。一般用感应加热器将工件在进入变形区前加热到 200 ~ 400℃，使金属塑性大为提高，温轧的最大延伸率约为冷轧的 2 ~ 3 倍；温拔的断面收缩率提高 30%。使一些塑性低、强度高的金属也有可能得到精加工。关键在于寻得合适的润滑剂。但对温加工温度范围内塑性反降低的材料不能使用。图 3-19-1 是碳钢管和合金

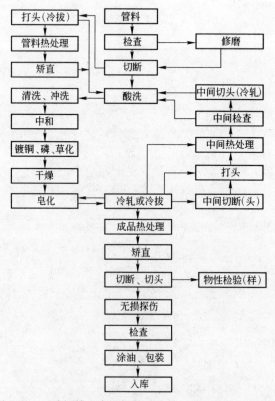

图 3-19-1 碳钢管和合金钢管的冷轧、冷拔生产工艺流程

钢管的冷轧、冷拔生产工艺流程图。

19.1.1 管材冷拔的主要方法

冷拔可以生产直径 0.2 ~ 765mm，壁厚 0.015 ~ 50mm 的钢管，是毛细管、小直径厚壁管以及部分异形管的主要生产方式，目前直线运动冷拔机的最大拔制长度已达 50m。图 3-19-2 是现有冷拔管材的主要方法。

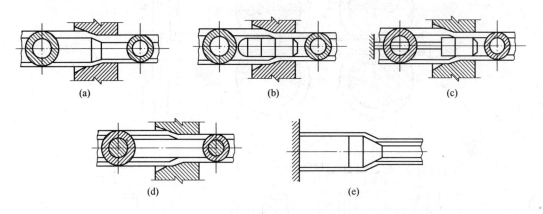

图 3-19-2 各种冷拔管材方法的示意图
(a) 空拔；(b) 浮动芯棒拔制；(c) 短芯头拔制；(d) 长芯头拔制；(e) 冷扩管

空拔（图 3-19-2 (a)）：它用于减径、定径，每道最大延伸系数 1.5。这主要受变形区内横断面上不均匀变形和材料本身强度的限制。对薄壁管还需考虑变形区内管体横断面形状稳定性的限制，所以无芯头拔制时壁厚与外径比不得小于 0.04。浮动芯头拔制（图 3-19-2 (b)）：它主要用于生产小径长管，每道延伸系数 1.2 ~ 1.8。它与上述空拔都是毛细管、小径厚壁管生产的主要方法，它们都便于采用卷筒拔制，卷筒拔制的最大管径，钢管 36mm，铜管 60mm；最大拔制速度，钢管达到 300m/min，铜管达到 720m/min，拔制长度在 130 ~ 2300 m；卷筒直径视拔制的管径和壁厚而定，管径愈大管壁愈薄，卷筒直径应愈大，目前最大卷筒直径已达 3150mm。确定延伸系数时应注意，卷筒拔制要比直线拔制小 15% ~ 20%。短芯头拔制（图 3-19-2 (c)）：这种拔制方法同时减径减壁，应用较广，一道的最大延伸系数 1.7 左右。主要受到被拔管体强度的限制，小直径管有时受到芯杆强度的限制。长芯棒拔制（图 3-19-2 (d)）：这种拔制方法的减壁能力强，可获得几何尺寸精度较高，表面质量较好的管材。小直径薄壁管（外径小于 3.0mm，壁厚小于 0.2mm）目前只有用此法生产。此法一道的最大延伸系数 2.0 ~ 2.2。为取消脱棒工序，现已研究出了冷拔和脱棒合并进行的方法，如冷拔的同时辗轧管壁，拔后便可自行脱棒。冷扩管（图 3-19-2 (e)）：冷扩管方法主要用于生产大直径薄壁管，进行管材内径的定径，制造双金属管等。一般钢管扩径量为 15% ~ 20%。

管材冷拔目前发展的总趋势是多条、快速、长行程和拔制操作连续化。如曼内斯曼——米尔公司制造的链式高速、多线冷拔管机，拔制速度达到 120m/min；同时可拔五根；最大拔制长度 60m。该厂生产的履带式冷拔机可以连续拔制，最大拔制速度为 100 ~ 300m/min。

19.1.2 管材冷轧的主要方法

目前生产中应用最广的还是周期式冷轧管机，该机 1928 年研制，1932 年在美国首先使用。它们是获得高精度薄壁管的重要手段，也是外径或内径要求高精度的厚壁管和特厚壁管，以及异形管、变断面管等的主要生产方法。两辊式周期冷轧管机的生产规格范围为：外径 4 ~ 250mm，壁厚 0.1 ~ 40mm。并可生产外径与壁厚比等于 60 ~ 100 的薄壁管。图 3-19-3 是两辊式周期冷轧管机的工作过程示意图。

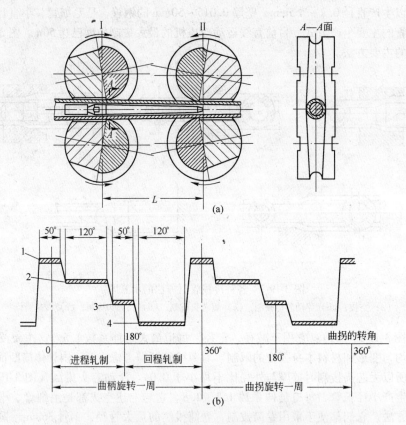

图 3-19-3　两辊式周期冷轧管机的工作过程示意图
（a）周期冷轧机运动示意图；（b）周期冷轧操作示意图

　　两辊式周期冷轧管机的孔型沿工作弧由大向小变化，入口比来料外径略大，出口与成品管直径相同，再后孔型略有放大，以便管体在孔内转动。轧辊随机架的往复运动在轧件上左右滚轧。如以曲拐转角为横坐标，操作过程如图 3-19-3（b）所示。开始 50° 将坯料送进，然后在 120° 范围内轧制，轧辊辗至右端后，再用 50° 间隙轧件转动 60°，芯棒也作相应旋转，只是转角略异，以求芯棒能均匀磨损。回轧轧辊向左滚辗，消除壁厚不均提高精度，直至左端止。如此反复。

　　图 3-19-4 为多辊式周期冷轧管机的工作示意图，1952 年由前苏联研制成功。这种轧机的操作过程和两辊式相同，不同的是对轧件 1 的加工是由安装在隔离架 2 内的 3 ~ 5 个小辊 3 进行的，小辊沿着固定在机头套筒 5 上的楔形滑轨 4 往返运动，依靠滑轨的摩擦力传动滚轧管材。机头套筒和小辊隔架间的运动关系见图 3-19-4（b），摇杆在往复摆动的过程中，一般使套筒两倍于隔离架的速度运行。楔形滑轨的表面曲线按变形要求设计。这种冷轧机送进量小，一道次最大横截面收缩率约 70% 左右但它的辊径小，同样变形量的轧制压力小；用多辊组成孔型槽浅，轧件和工具之间的滑动小，因而这种轧机可以生产高精度的特薄壁管。目前生产的规格范围为直径 4 ~ 120mm，壁厚 0.03 ~ 3.0mm，外径与壁厚比为 150 ~ 250。近年来冷轧的发

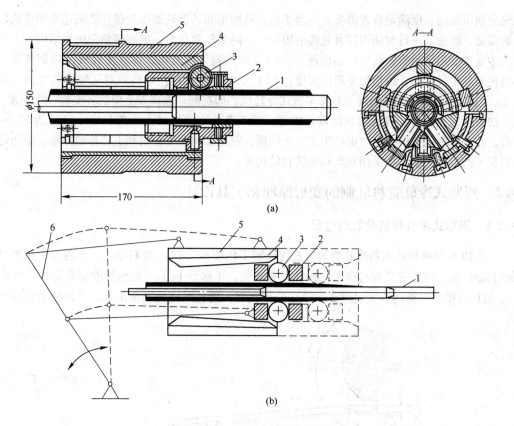

图 3-19-4　多辋式周期冷轧管机

（a）机头套筒构造图；（b）机头运动原理图

展趋势是多线、高速、长行程，坯料长度也不断增长。"多线"轧制目前已应用很广，2、3、4、6线冷轧机均有投产。"高速"是指不断提高机头单位时间内的往复次数。为了减小主传动系统承受的周期性变化的负载幅度，这类轧机皆设有动力平衡装置，现在高速冷轧机的速度约比旧式轧机提高一倍左右。"长行程"是指加大送进量，每次轧制的延伸长度也随之增加，因此要求轧机的行程长度与其相适应，不然就不能获得光洁的表面和尺寸精度。这样就从工具设计到轧机结构引起了一系列变化，两辋式冷轧机出现了马蹄形轧槽和环形轧槽（见图3-19-5），

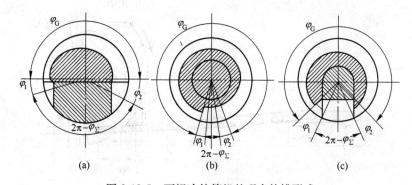

图 3-19-5　两辋冷轧管机的现有轧槽形式

（a）半圆形轧槽块；（b）环形轧槽块；（c）马蹄形轧槽块

φ_{Σ}—总中心角；φ_G—工作中心角；φ_1—转料角；φ_2—送进角

以充分利用圆周长度满足行程需要。应当指出，马蹄形和环形轧槽也是提高轧制速度和多线轧制的需要，因为同一行程使用这种轧槽的辊径小，降低轧制压力，能减轻整个机架结构。

为增加变形区的有效长度，还出现了：（1）附加辊架冷轧机，即在主轧机出口侧装置一小辊机架起定径作用，以增加变形区长度；（2）双对辊冷轧机，即将两对轧辊安装在同一机架上；（3）多辊式冷轧机出现了双排多辊式冷轧机，即在同一隔离架上前后各安装一组小辊。

加长坯料是提高轧机利用率的重要措施，近年来的冷轧机最大上料长度一般已达 12.5m 左右，几乎增加了一倍。同时也产生了一个问题，就是如何改变上料和上芯棒的方法，缩短已经很长了的机身长度。如采用双丝杠侧装料结构等。

19.2　周期式冷轧管机轧制的变形原理和工具设计

19.2.1　周期式冷轧管机的轧制过程

图 3-19-6 是两辊式周期冷轧管机的进程轧制工作图示。（1）管料送进：轧辊位于进程轧制的起始位置，也称进轧的起点 I，管料送进 m 值，I 移至 I_1，I_1，轧制锥前端由 II II 移至 II_1，II_1，管体内壁与芯棒间形成间隙 Δ；（2）进程轧制：进轧时轧辊向前滚轧，轧件随着向前滑

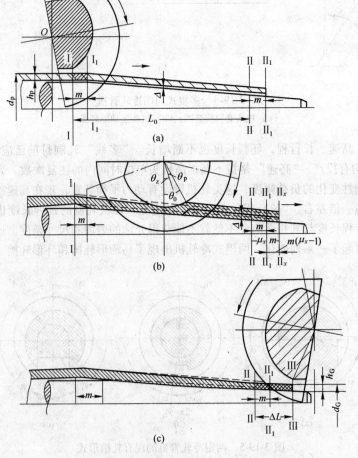

图 3-19-6　两辊式周期冷轧管机的进程轧制过程图

(a) 送进；(b) 滚轧；(c) 转动管料和芯棒

动，轧辊前部的间隙随之扩大。变形区由两部分组成，分为瞬时减径区和瞬时减壁区，各自所对应的中心角分别为减径角 θ_p 和减壁角 θ_0，两者之和为咬入角 θ_z，整个区域为瞬时变形区；（3）转动管料和芯棒：滚轧到管件末端后，设计孔型又稍大于成品外径，将料转动 $60° \sim 90°$。芯棒也同时转动，但转角略小，以求磨损均匀。轧件末端滑移至 ⅢⅢ，一次轧出总长 $\Delta L = m\mu_\Sigma$（μ_Σ 总延伸系数）。轧至中间任意位置时，轧件末端移至 $\text{Ⅱ}_x\text{Ⅱ}_x$，轧出长度为 $\Delta L_x = m\mu_{\Sigma x}$（$\mu_{\Sigma x}$ 为中间任意位置的积累延伸系数）；（4）回程轧制：又称回轧，轧辊从轧件末端向回滚轧。因为进程轧制时机架有弹跳，金属沿孔型横向也有宽展，所以回程轧制时仍有相当的减壁量，约占一个周期总减壁量的 $30\% \sim 40\%$。回轧时的瞬时变形区与进程轧制相同，也由减径和减壁两区构成。返程轧制时，金属流动方向仍向原延伸方向流动。

每一周期管料送进体积为 mF_0（F_0 是管料横截面积），轧制出口横截面积为 F_1，延伸总长 ΔL，则按体积不变条件可得：

$$\Delta L = \frac{F_0}{F_1}m = \mu_\Sigma m \tag{3-19-1}$$

如按进程轧制展开轧辊孔型，可分为空转管料送进部分和空转回转部分以及减径段、压下段、预精整段和精整段四段变形区，见图 3-19-7。

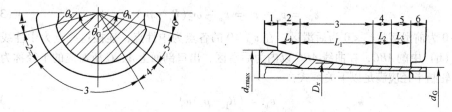

图 3-19-7 两辊式冷轧管机孔槽底部的展开图
1—空转送进部分；2—减径段；3—压下段；4—预精整段；5—精整段；6—空转回转部分

（1）减径段：压缩管料外径直至内表面与芯棒接触为止。因为减径时壁厚增加、塑性降低，横剖面压扁扩大了芯棒两侧非接触区，恶化了变形的均匀性，并且容易轧折。所以减径量愈小愈好。一般管料内径与芯棒最大直径间的间隙 Δ 取管料内径的 $3\% \sim 6\%$ 以下。壁厚增量

$$\Delta h_j \approx (0.7 \sim 0.8)h_0\frac{\Delta d_0}{d_0} \tag{3-19-2}$$

式中，d_0、Δd_0、h_0 分别为管料的外径、外径减缩量和壁厚。

（2）压下段：是主要变形阶段同时减径、减壁。正确设计这一段变形曲线和孔型宽度，是孔型设计的主要内容，设计应根据加工材料的性能和质量要求进行。

（3）预精整段：在此段最后定壁主要变形结束。

（4）精整段：主要作用是定径，同时进一步提高表面质量尺寸精度。

19.2.2 变形区内金属的应力状态分布

变形区内各点的应力状态主要受以下因素影响：外摩擦、变形的均匀性、变形的分散程度。

19.2.2.1 外摩擦的影响

为了解外摩擦的影响应先弄清接触表面间金属与工具的相对滑动特点。图 3-19-8 是冷轧管机进程轧制时孔型内各点的速度分布。如图轧辊绕主动齿轮节圆周上一点 O_1 旋转，O_1 是瞬

时中心，则变形区出口垂直剖面上各点的速度：轧辊轴心 G，$v_G = R_j\omega_G$；孔型槽底 C，$v_c = (R_j - \rho_c)\omega_G$；孔槽边缘 b，$v_b = (R_j - \rho_b)\omega_G$；孔型内任一点，$v_x = (R_j - \rho_x)\omega_G$；$R_j$ 为主动传动齿轮的节圆半径，ω_G 为轧辊转速。

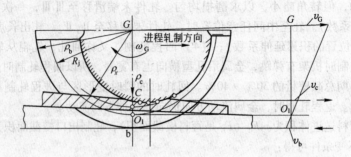

图 3-19-8　进程轧制时变形区出口垂直剖面上沿轧槽各点的速度分布

轧制时可认为整个垂直剖面上的金属以同一个速度 v_m 向机架进程轧制的运动方向流动，设与机架运行方向相同的速度为正，则变形区出口垂直截面上轧槽各点对接触金属的相对速度 v_{xd} 如图 3-19-9（a）所示。接触辊面上任一点相对轧件的速度等于

$$v_{xd} = v_m - v_x = v_m - \omega_G(R_j - \rho_x) \tag{3-19-3}$$

当 $v_{xd} > 0$ 为前滑区；$v_{xd} < 0$ 为后滑区；在 $v_{xd} = 0$ 的各点为中性点，连接这些点为中性线，如图 3-19-9（b）中的 ABC，在曲线 ABC 以内为后滑区，出口剖面上 A、C 所对应的半径称为轧制半径 ρ_z。轧制半径应满足以下关系式：

$$v_m = (R_j - \rho_z)\omega_G \tag{3-19-4}$$

如减少变形量，变形区内金属流动速度随之下降，后滑区便相应扩大。变形区内工具给轧件接触表面的摩擦力方向如图 3-19-9（b）所示。那么根据周期冷轧管机金属只向机架进程轧制的运动方向流动，则在前滑区金属承受三向附加压应力，在后滑区承受轴向附加拉应力，其他两向为附加压应力。

回程轧制时金属仍按进程轧制的方向流动，轧辊作反向旋转，所以在变形区出口截面内轧辊接触表面相对轧件的速度如图 3-19-10（a）所示。设仍以与机架运行方向相同的速度为正，

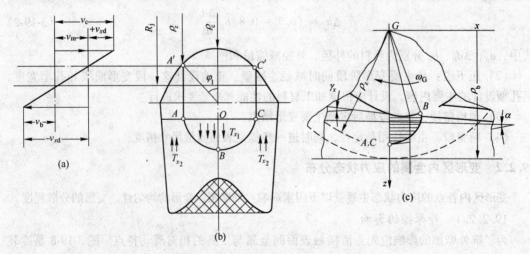

图 3-19-9　进程轧制时工具接触表面的相对速度和轧件上的摩擦力方向

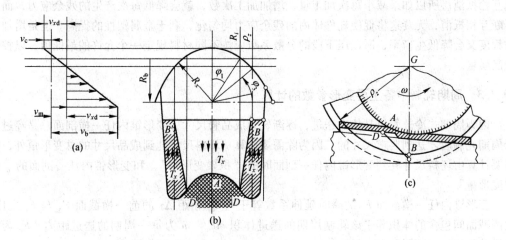

图 3-19-10　回程轧制时工具接触表面对金属的相对速度和摩擦力方向

反之为负，则按式（3-19-3）可得回轧时前、后滑区的分布情况和摩擦力方向，如图 3-19-10（b）所示，$BDD'B'$ 为后滑区。所以回轧时槽底部分金属在外摩擦力作用下受三向附加压应力，槽缘部分金属受轴向张应力，其余两向为压应力。恰好与正轧时相反。

芯棒接触表面的摩擦力方向，因轧件始终向机架进程轧制的运行方向延伸，所以总是和回轧时机架的运行方向相同，对接触表面的金属造成三向附加压应力。

19.2.2.2　不均匀变形的影响

因为周期冷轧管孔型和一般纵轧孔型一样，也有一定的开口度以防啃伤、轧折，所以加工时在孔型开口处形成一定的非接触区，这样无论正轧或回轧，孔型开口部分的金属皆受到附加轴向张应力，槽底部分金属受到附加轴向压应力。

综上所述周期冷轧管的出口截面上最常可能出现的工作应力状态分布将如图 3-19-11 所示。孔型开口处始终承受着拉应力，严重时甚至可能出现横裂，这是限制冷轧管一次变形率的主要原因之一。

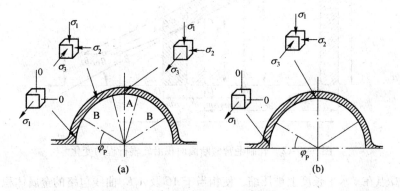

图 3-19-11　周期冷轧管材的工作应力状态图
（a）进程轧制；（b）回程轧制

19.2.2.3　加工分散程度的影响

因为轧制时有附加应力，轧制后必然以残余应力状态保留下来。但是无论从正轧和回轧造成的残余应力状态来看，还是从不均匀变形来看，只要回轧前旋转 60°～90°，这些残余应力都能互相抵消。所以如果减小每次加工量，增加加工次数，就会降低每次产生的残余应力，而且不断互相抵消，无疑这将促使轧件体内的残余应力均匀化，利于金属塑性的提高。但是增加分散程度又会降低生产率，所以压下段的分散系数应按不同材料规定一个允许的最低值，以控制产品质量。

19.2.3　周期轧制中各主要变形参数的计算

因为周期式冷轧管机是依次送进，逐渐轧到成品管尺寸，变形锥内任一横剖面总是经过若干周期轧制后才达到要求尺寸的。因为除需要计算从坯料尺寸轧到成品尺寸的总变形量外，还需要计算由坯料尺寸轧到变形锥内任一剖面时的"积累变形量"，和变形锥内任一剖面的"瞬时变形量"。

变形锥内任一横截面 F_x 的瞬时延伸系数等于与 F_x 相距 Δx 的前一横截面 $F_{\Delta x}$ 与 F_x 之比。此两截面间包含的体积等于该轧制周期的送进体积 mF_0。m 为每一周期的送进距离，F_0 为来料横截面积。现证明如下：

图 3-19-12 中的 AB 曲线是轧辊轧制直径接触点的轨迹，也可近似地视为变形锥的外廓线。现以纵坐标表示轧件横截面面积，横坐标表示轧辊行程，坯料尺寸和成品尺寸皆已知，确定任意截面 F_x 的瞬时延伸系数。给管料一送进量 m，曲线 AB 移到 A_1B_1，F_x 从 CD 移到 C_1D_1。管

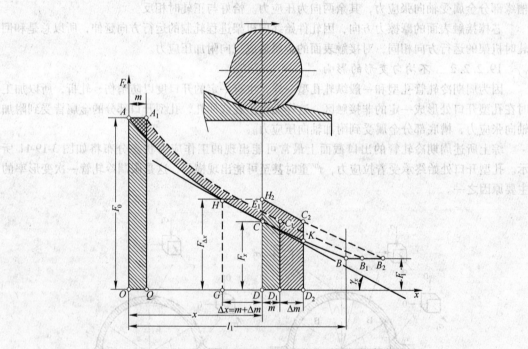

图 3-19-12　轧制毛管横断面面积沿轧辊行程的变化

料从 A 点到 C 点在 x 水平长度上被压缩，使相当于 AC 及 A_1E_1 曲线包络的金属体积右移，C_1D_1 被水平推移到 C_2D_2 移动 Δm。因此未轧部分坯料不再按 E_1B_1 而是按 H_2B_2 承受压缩，H_2B_2 相对 AB 移动 $\Delta x = m + \Delta m$。这样在 CD 位置上被压缩的断面不再是 E_1D，而是 H_2D，所以在 CD 位置的瞬时延伸系数 μ_x 应是 H_2D/CD。

按图 3-19-12 送进体积 mF_0 也可表示为体积 $v_{AA_1E_1C}$ 和 $v_{E_1C_1D_1D}$ 之和。在 AC 段上压缩时金属体积向右移动形成 $v_{E_1H_1C_2D_2D_1C_1}$，根据体积不变定律形成的体积 $v_{E_1H_1C_2D_2D_1C_1}$ 应与 $v_{AA_1E_1C}$ 相等，所以

$$v_{H_2C_2D_2D} = mF_0$$

由图 3-19-12 可知 $v_{H_2C_2D_2D}$ 相当于 v_{HGDC} 横移 Δx，H_2D 相当于 HG 向右移动 Δx，所以

$$\mu_x = \frac{HG}{CD} = \frac{F_{\Delta x}}{F_x} \qquad (3\text{-}19\text{-}5)$$

因此只要求得 Δx 便可求得任一断面 F_x 的瞬时变形参数，按图 3-19-12 可得：

$$F_0 m = \int_{x-\Delta x}^{x} F_x \mathrm{d}x \qquad (3\text{-}19\text{-}6)$$

只要知道函数 $F_x = f(x)$，便可由上式求得 Δx 值，如 $F_x = f(x)$ 是无解析式表达的曲线，或解析式很复杂可将 $HGDC$ 作梯形考虑。当机架一次进程中管壁绝对压下量很小时，可近似地求得：

$$\Delta x = \frac{F_0}{F_x} m = \mu_{\Sigma x} m \qquad (3\text{-}19\text{-}7)$$

设管料的外径、内径、壁厚分别以 d_0、d'_0、h_0 表示，相应的成品管尺寸分别以 d_1、d'_1、h_1 表示，以 d_x、d'_x、h_x 表示 F_x 的尺寸，以 $d_{\Delta x}$、$d'_{\Delta x}$、$h_{\Delta x}$ 表示 $F_{\Delta x}$ 的相应尺寸，则各变形参数可分别表示如下：

瞬时延伸系数：
$$\mu_x = \frac{F_{\Delta x}}{F_x} = \frac{h_{\Delta x}(d_{\Delta x} + d'_{\Delta x})}{h_x(d_x + d'_x)}$$

瞬时减壁量：
$$\Delta h_x = h_{\Delta x} - h_x$$

瞬时减壁率：
$$\frac{\Delta h_x}{h_{\Delta x}} = \frac{h_{\Delta x} - h_x}{h_{\Delta x}} \times 100\%$$

积累延伸系数：
$$\mu_{\Sigma x} = \frac{F_0}{F_x} = \frac{h_0(d_0 + d'_0)}{h_x(d_x + d'_x)} \qquad (3\text{-}19\text{-}8)$$

积累减壁量：
$$\Delta h_{\Sigma x} = h_0 - h_x$$

总延伸系数：
$$\mu_{\Sigma} = \frac{F_0}{F_1} = \frac{h_0(d_0 + d'_0)}{h_1(d_1 + d'_1)}$$

总减壁量：
$$\Delta h_{\Sigma} = h_0 - h_1$$

瞬时减壁量按图 3-19-13，可按下式计算：

$$\Delta h_x = \Delta x(\tan\gamma_x - \tan\alpha) \qquad (3\text{-}19\text{-}9)$$

式中 α——芯头锥角；

γ_x——A 点横截面处的工作锥度。

以上计算的是一个周期的变形量，是由进程轧制和回程轧制来完成的，回程轧制的变形量约占总变形量的 30% ~ 40%。

由式（3-19-7）可知变形区内任一断面，在每一轧制周期中向前移动 Δx，而 Δx 在变形区不同位置是逐渐增大的，所以计算任一断面在变形区内承受的加工次数比较复杂，不同的送进量、变形程度以及孔型形状等都会使各断面在变形区内的加工次数发生变化。如设孔型压下段的展开线为抛物线，则任意断面在变形区内

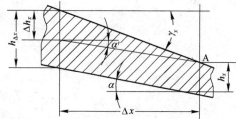

图 3-19-13 变形区 A 点瞬时减壁量图示

承受的加工次数，即变形分散系数 n_1 可近似的按下式计算：

$$n_1 = \frac{3l_1}{m(1 + 2\mu_\Sigma)} \tag{3-19-10}$$

式中　l_1——变形区压下段的水平长度。

　　从生产率来看，n_1 愈小愈好，但过小会加大每一周期的变形量，易在成品管上于孔型开口处出现横裂等缺陷。为此，不同材料的管材应在实践中试验确定允许的最小变形分散系数 n_1，作为孔型设计的依据之一。表 3-19-1 列举了一些材料允许的最小分散系数。

表 3-19-1　几种材料的最小分散系数

孔　　型	材　　料	变形程度/%	允许最小变形分散系数 n_{xi}
$68 \times 4 \rightarrow 41 \times 1.0$	铜	85	$6 \sim 7$
$70 \times 6 \rightarrow 38 \times 2.0$	1Cr18Ni9Ti	81	$11 \sim 12$

20　焊管生产工艺

20.1　电焊管生产方法概述

电焊管的生产方法很多，从成型手段来看主要有辊式连续成型机、履带式成型机、螺旋成型机、UOE成型机、排辊成型机等数种。

20.1.1　辊式连续成型机生产电焊管

中、小型直缝电焊钢管基本上都采用辊式连续成型机生产。最初用低频焊，20世纪60年代以后发展了高频焊，加热方法有接触焊和感应焊两种。钢种主要有低碳钢、低合金高强度钢。主要用作水煤气管道、锅炉管、油井管和机械工业用管等。

在连续式电焊管机组上生产的几种典型产品的工艺流程如图3-20-1所示。

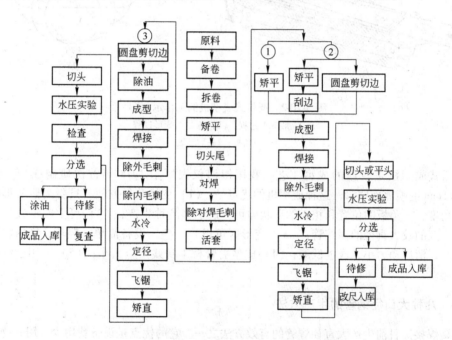

图3-20-1　连续式电焊管机组上生产的几种典型产品的工艺流程
①—水煤气管；②—一般结构管和输油管；③—汽车传动轴管

对不同钢种应根据不同工艺特性在成型、焊接、冷却等工序上采用不同的工艺规范，以保证焊接管质量。电焊管生产无论有色都黑色都得到较大的发展，技术上也提高很快。如发展了螺旋式水平活套装置；机组上采用了双半径组合孔型；高频频率多在350~450kHz，近年来又采用了50kHz超中频生产厚壁钢管；焊接速度最高达到了130~150m/min；内毛刺清除工艺可用于内径为15~20mm的钢管生产中；冷张力减径机组也日益引起重视；在作业线上和线外实行了多种无损探伤检验；如有需要（像厚壁管）在作业线上还设置了焊缝热处理设备；为提高焊缝质量和适应一些合金材料的焊接要求，还采用了直流焊、方波焊、钨电极惰性气体保护焊、等离子体焊以及电束焊等。在后部工序中不少机组均设有微氧化还原热镀锌、连续镀锌和表面涂层等工艺，并相应设有环保措施，控制污染。

20.1.2　履带式成型机生产电焊管

　　履带式成型机用于生产壁厚 0.5~3.25mm、外径 12~150mm 的各种薄壁管和一般用管。图 3-20-2(a)是它的成型过程示意图，图 3-20-2(b)是它的一般成型原理图。

　　履带式成型机不需要成型辊，主要部分是两个侧面的 V 形槽 2 和三角模板 1。当带材进入倾斜的三角板和 V 形槽构成的孔型后，在 I 段带材比三角板窄，未接触 V 形槽面。进入 II 段带材开始宽于三角板压出弯边。而后依次通过各段形成管材，如图 3-20-2(b)所示。

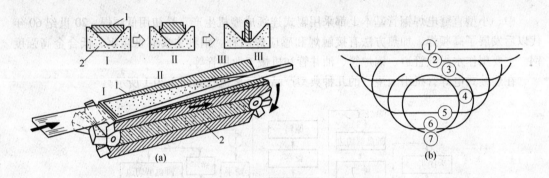

图 3-20-2　履带式成型机的工作示意图
(a) 一般成形过程；(b) 板带的变形过程
1—三角板；2—V 形板

　　履带式成型机是较新的成型工艺，我国银河仪表厂于 1978 年首次研制成功，生产了 85mm×1mm 的喷灌薄壁管。这种成型机的优点是：(1) 变换管径方便，只要调整 V 形槽的开口度和角度，三角板的位置和相应的形状即可，适于多品种生产；(2) 可生产辊式连续成型机不能生产的较大直径的薄壁管；(3) 变形区可以短一些，设备简单、轻巧，维修容易，占地面积小，消耗动力小，成本低廉；(4) 成型后管材本身残余应力小；(5) 可用于锥形管的成型焊接。

20.1.3　几种大口径钢管的生产方法

　　螺旋焊接是目前生产大直径焊管的有效方法之一。它的优点是设备费用少，用一种宽度的带钢可生产的钢管直径范围相当大。目前美国、联邦德国已生产出直径 3m 以上厚度 25.4mm 的螺旋焊管。图 3-20-3 为螺旋焊管机组流程图。

　　UOE 法电焊管生产是以厚钢板作原料，经刨边、开坡口和预弯边，先在 U 形压力机上压成 U 形，后在 O 形压力机上压成圆形管，然后预焊、内外埋弧焊，最后扩径以矫正焊接造成的管体变形，达到要求的真圆度和平直度，消除焊接热影响区的残余应力。UOE 焊管可生产直径为 406~1620mm、壁厚 6.0~40mm、长达 18m 的钢管。这种方法可能生产的最大直径受到板材能够生产的最大宽度的限制，设备投资也较大。但生产率高，适于大批量少品种专用管生产，是高压线输送管的主要生产方法。

　　排辊成型生产电焊管方法实质是由辊式连续成型机演变而来，图 3-20-4 是排辊的"下山"式成型过程和工作过程示意图。

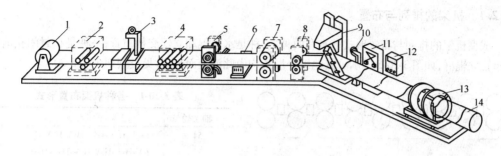

图 3-20-3　螺旋焊管机组工艺流程图

1—拆卷机；2—端头矫平机；3—对焊机；4—矫平机；5—切边机；6—刮边机；7—主递送辊；8—弯边机；

9—成型机；10—内焊机；11—外焊机；12—超声波探伤机；13—走行切断机；14—焊管

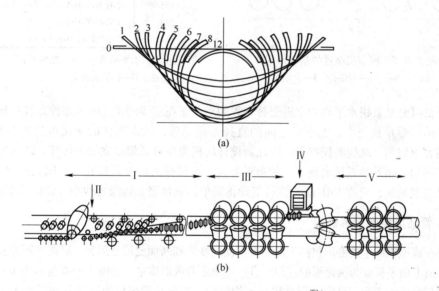

图 3-20-4　排辊成型过程示意图

（a）"下山"式成型过程示意图；（b）排辊成型机的工作过程示意图

I —预成型机架；II —边缘弯曲辊；III —带导向片辊的机架；IV —高频电焊装置；V —拉料辊

这种生产方法可生产直径 457～1270mm、最大壁厚 22.2mm 的钢管。它的生产工艺流程如下：

送进钢板或拆带卷→超声波检查→对焊→刨边或切边→排辊成型→高频预焊接→定径

　　　　　　　　　　　　　　┌—X 光检查—┐

→切定尺→脱脂→内焊（埋弧焊）→外焊→超声波检查全部焊接→扩径→水压试验→超声波

┌—X 光检查—┐

检查→管端平头→成品检查→用户检查→打印→涂保护层→出厂。

20.2　辊式连续成型机生产电焊钢管的基本问题

辊式连续成型机的电焊管机组在我国分布较广，现对它作以分析介绍。

20.2.1　机架的排列与布置

成型机架的排列与布置形式基本有两种：一种是水平辊和立辊交替布置；一种是在封闭孔前成组布置立辊群，如图 3-20-5 所示。其他组合形式均由此演变而来，常见类型列于表 3-20-1。

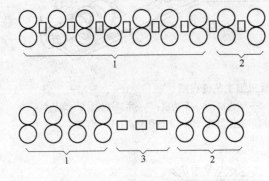

图 3-20-5　成型机布置的基本形式
1—开口孔；2—封闭孔；3—立辊组

表 3-20-1　各种机架布置形式

轴　径	排列方式
51	H – V-H-V-H-V-H-V-H
75	H-V-H-V-H-V-H-V-H-H
90	H-V-H-V-H-V-H-V-H-V-H
89	H-H-H-V-H-V-V-H-V-H
127	H-H-H-V-H-V-H-V-V-V-H-H-H
155	H-H-H-V-H-V-V-V-H-H-H-H
228	H-H-H-V-H-T-T-Q-Q-Q
254	H-T-T-H-H-H-H-Q-Q-Q

注：H—水平机架；V—立辊机架；T—三辊式机架；Q—四辊式机架。

整个机组完全采用水平辊和立辊交替布置的形式正在逐步淘汰。因为这种布置在封闭孔前几架管坯的变形角相当大，上下辊之间的直径差很悬殊，因而辊面的速比可达到 1.8～2.2，造成管坯表面划伤，轧辊磨损严重。因此新设计的机组将这几架以立辊组代替，既避免了划伤又简化了结构。国外最近还出现了一种布置形式，它仅仅头两架开口孔和封闭孔是水平机架，其余都是立辊机架，简称 VRF 法。该机组设备简单，重量轻，边缘延伸小，管坯成型质量好。

20.2.2　管坯成型的变形过程

管坯在成型机组中的变形包括纵向变形、横向变形和断面变形三部分。纵向变形是指管坯在轧制线方向上由平板变为圆筒形的过程而言，它决定着成形质量。如图 3-20-6 所示为带材成形过程中纵向变形的示意图。纵向变形过程是不均匀的，在前几架带钢边缘部分的延伸大于中心部分，在封闭孔型前两架时管坯中心变形角超过 180°后，中心部分的延伸又大于边缘，如图 3-20-7 所示。总的结果是，成型为圆筒以后，边缘的长度 L' 大于原来的长度 L，相对延伸率为：

$$\varepsilon = \frac{L' - L}{L} \times 100\% \tag{3-20-1}$$

为保证成型质量的稳定性，应使延伸了的边缘压缩时能恢复原来的形状，不致引起波浪和鼓包，这样板带边缘的纵向积累拉伸变形应在弹性变形极限以内。根据虎克定律：

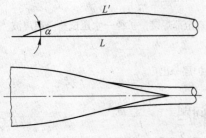

图 3-20-6　管坯成型的纵向变形示意图

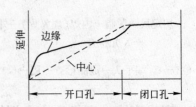

图 3-20-7　沿轧制线上管坯边缘和中心延伸系数的变化

$$\varepsilon \leqslant \frac{\sigma_s}{E}$$

式中 ε——纵向变形的延伸率；

σ_s——金属的流动极限，低碳钢为200MPa；

E——弹性模量2×10^5MPa；

所以低碳钢的边缘相对延伸率必须是：

$$\varepsilon \leqslant 0.1\%$$

由此取边缘上升角 $\alpha = 1° \sim 1°25'$。因此对碳结钢焊管，该机组生产最大直径 d_{max} 产品时所需的最小变形区长度 l 是：

$$l = \frac{d_{max}}{\tan\alpha} = (40 \sim 57)d_{max} \tag{3-20-2}$$

小于此值成型焊接后易起鼓包，太大增多机架也是浪费。为了保证成形质量，同时还需采取其他措施来控制带材边缘的相对延伸。

断面变形是指成型后（实际上还包括定径矫直的影响）壁厚变化而言。一般成型后壁厚总有所增加，管坯边缘部分的壁厚总比中间部分略小，但差值很小对质量无大影响，一般略而不计。

横向变形是指管坯在孔型中承受横向弯曲变形的问题，即轧辊的孔型设计，对此以后将专门讨论。

20.2.3 成型底线

成型底线是第一架至末架成型机的下辊孔型最低点的连线。成型底线的形式对于管坯成型的纵向变形过程有显著的影响。

成型底线的形式基本上为如图3-20-8所示的四种形式：1）上山法：底线在成型过程中逐渐上升；2）水平底线法：成型过程中底线为水平线；3）下山法：成型过程中底线逐渐下降；或者在预成型各架中逐渐下降，至封闭孔型后底线保持水平；4）边缘线水平法：成型过程中边缘线保持水平，成型底线按下山法演变。

生产中多采用水平底线法和下山法，两者相比前者较差，因为前者同一垂直剖面上中心和边缘的延伸不均匀性严重，下山法则比较均匀，如图3-20-9所示。并且最后的积累变形也是前者的边缘延伸比后者大。

单机模拟下山成型的试验证明，要在成型过程中减少边缘延伸量，使得出口管坯件保持平直运行，必须送料时

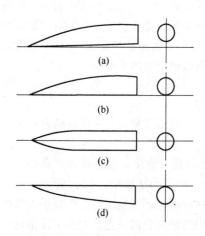

图 3-20-8   几种不同方式的成型底线

（a）上山法；（b）底线水平法；

（c）下山法；（d）边缘线水平法

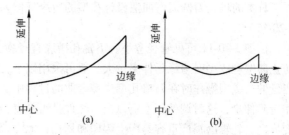

图 3-20-9   同一横剖面上各处的延伸分布情况

（a）底线水平法；（b）下山法

向下倾斜一定值，也就是使送料支撑点比下一机架的辊底线高出一下山值 S，如图 3-20-10（a），设支持点与机架中心线距离为 f，它们之间需保持一定关系：

$$S = Kf \qquad\qquad (3\text{-}20\text{-}3)$$

式中　K——根据变形量、板厚、管坯形状确定的系数，取 0.05 ~ 0.15。

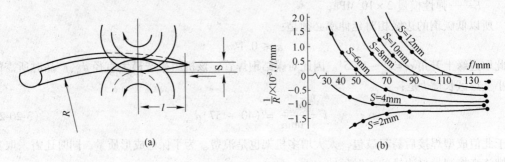

图 3-20-10　下山成型模拟装置示意图及其试验曲线
（a）下山成型模拟试验装置；（b）试验曲线图

图 3-20-10（b）是 S、f 与成型件离开成型辊时弯曲曲率 $\dfrac{1}{R}$ 的关系。正值表示向上弯曲，负值表示向下弯曲。可见一定的机架间距只有一定的下山值可使成型件离开成型辊时保持平直。所以，最好在机架之间增设下山成型的辅助装置，相对下一机架轧辊底线调整下山值以收到应有的效果。

20.2.4　薄壁管成型

通常将壁厚与管径比小于 0.02 的管材称为薄壁管。薄壁管生产在工艺上存在一系列困难：如对焊质量、焊接管缝质量不稳定；成型困难容易起波浪和鼓包；容易搭焊；飞锯切断容易引起切口变形；钢管在运输和拨料时容易引起压坑、变形等。其中最关键的就是边缘相对延伸过大引起的鼓包问题。影响边缘延伸的因素很多，除了原料和成品规格本身带来的影响因素外，以下一系列设计原则都对边缘延伸带来重要影响，其中包括：成型底线的形式、成型机架的数目、轧辊直径、机架间距、孔型设计、轧辊布置方式和速度差等。由于影响因素太多所以目前对边缘延伸的计算都是近似的。日本的加藤健三提出在成型机架中边缘与中心延伸量差值 ΔL 与该架变形区的成型高度 h 平方成正比，与该架的变形区长度 l 成反比。所以他给出如下关系式：

$$\Delta L \infty \ \frac{h^2}{l} \qquad\qquad (3\text{-}20\text{-}4)$$

日本的玛仓对圆周弯曲法设计孔型的边缘延伸差也提出了近似计算方法，计算结果示于图 3-20-11。

由图 3-20-11 可见管径愈小、下辊孔槽底直径愈大、机架数 n 愈多，边缘延伸率愈小。为防止薄壁管成型时边缘延伸率过大一般可采用以下方法：（1）下山法成型；（2）管坯中部适当延伸。成型操作时在开口孔型成型弯曲的过程中，使坯料中部受到微量压延，以减小边缘的相对延伸量，这时调整压下应以出口轧件是否平直为准。但这种措施的缺点是增加了成型机的变形功，轧辊磨损严重容易产生辊印和划伤；（3）增加变形区总长度，在可能的条件下增加变形的机架数目，减少相邻两机架之间的变形量，减少各架的成型高度，根据式（3-20-4）可显著减小边缘相对延伸率；（4）缩小机架间距，即在变形区总长度不变的条件下增加机架数。

因为管坯边缘在机架上受到压缩变形，可以部分抵偿边缘的相对延伸，而不是只靠最后几架成型机压缩吸收边缘的相对延伸率，改善成型条件；（5）采用双半径孔型设计，原则上这也是边缘变形法，这种成型方法在变形过程中，边缘上任一点的轨迹长度比较短，有利于防止边缘出现波浪和鼓包；（6）加大辊径，增大辊径就是加大每个机架的变形区长度，按式（3-20-4），边缘相对延伸率随之减小；（7）改进轧辊布置方式适当地设置立辊组。水平辊机架是产生边缘相对延伸的机架，而立辊机架除起引导和防止弹回作用以外，还有压缩和吸收边缘相对延伸的作用，所以如在封闭孔前布置三四架立辊组，则可有效地压缩和吸收在预成型机架中产生积累的边缘相对延伸率，防止鼓包；（8）调

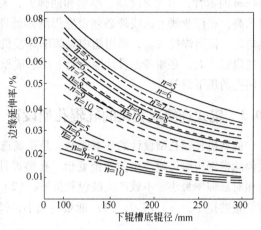

图 3-20-11 边缘相对延伸率和下辊槽底直径、机架数、钢管直径的关系
—$d = 139.8$mm 钢管；----$d = 89.1$mm；
—·—·— $d = 34.0$mm 钢管

整机架间的速度，在成型机架间使下一架的速度略大于上一机架在机架间产生一定的张力，可以防止产生波浪。在集体传动的机组上，可以逐架增大下辊槽底直径 $0.6 \sim 1.0$mm；（9）适当加大封闭孔的压下量有利于吸收部分边缘相对延伸，因管坯在封闭孔型中不再有相对的边缘延伸，封闭孔利用导向环和孔型侧壁，或侧辊对管坯边缘进行压缩加工将吸收部分边缘相对延伸；（10）在水平辊机架间设置小立辊群对边缘进行压缩加工；（11）采用下辊传动上辊被动的传动方式，可改善横断面上各点延伸分布的均匀性，减少划伤。

有两种成型机在成型过程中较好地吸收边缘延伸，适用于薄壁管成型。（1）排辊式成型机（图 3-20-4）；此法在边缘弯曲辊后根据自然成型曲线，密集地排列许多小辊，使管坯在弯曲成型的过程中压缩带材侧边，吸收边缘的相对延伸率。排辊成型可生产壁厚外径比达 0.005 的大直径薄壁钢管；（2）履带式成型机（图 3-20-2）；履带式成型机的原理，实质上是把排辊成型的排辊连续化，形成上下两块板。下板由履带组成用电机传动，传送管坯。上面是一块固定的三角板，三角板的纵向曲线和横向断面与下面的履带构成连续的成型孔型，带钢通过三角板与履带构成的孔型时产生的边缘相对延伸率，由三角板与履带对管坯的连续压缩而被吸收。另外三角板下端还对管底施加压力，使管底部分产生的延伸与三角板弯曲管坯时产生的边缘相对延伸平衡，防止波浪和鼓包产生。这种成型机用于小直径薄壁钢管生产，壁厚与直径比达到 0.01。

20.2.5 厚壁钢管生产

通常将壁厚与管径比在 0.1 以上的管材称为厚壁管，目前已部分取代无缝钢管，主要用作锅炉管、中高压输油输气管，以及机械制造结构用管等。因此在质量上有严格要求，工艺上也有一些特殊困难和要求，主要有：（1）原料的屈服极限和强度极限较高（$\sigma_s = 500$MPa/m^2、$\sigma_b = 650$MPa/m^2），要求机架有足够刚性；（2）要求较高的主电机功率；（3）由于钢种硬、壁厚大，弯曲的回弹大变形困难，边缘变形更是困难，所以要选用边缘变形或双半径孔型设计；（4）由于壁较厚，钢管的内周长和外周长相差很大，要求在成型以前刨边，使焊接时两边缘端面平行或者呈 X 形，保证管壁中心部分焊透；（5）必须清除内毛刺；（6）对于外径大于

114mm 的钢管，因为强度高、厚壁和回弹大，要采用四辊式挤压辊；（7）由于对钢管质量的要求高，在作业线上或线外必须设置焊缝热处理装置和无损检验装置；（8）为保证焊缝处加热均匀，提高焊接质量，采用超中频频率焊接机较合适。与薄壁管相比，厚壁管生产受设备能力的限制较大，必须考虑设计厚壁管专用的成型机组，采用边缘变形的双半径孔型设计，加大封闭孔的压下量等。

20.3　辊式连续成型机的轧辊孔型设计

成型机轧辊孔型设计的基本问题，是正确选择变形区长度，合理分配各机架的变形量，设法消除带钢边缘可能产生的残余变形。孔型设计应满足以下要求：（1）成型时带钢边缘产生的相对延伸率最小，不致产生鼓包和折皱；（2）带钢在孔型中成型稳定；（3）变形均匀，成型轧辊磨损小，并且均匀；（4）能量消耗小；（5）轧辊加工方便制造容易。

20.3.1　带钢边缘弯曲法

边缘弯曲法的成型过程如图 3-20-12 所示，是从带钢的边缘部分开始弯曲成型，弯曲半径 R 恒定，其值等于挤压辊孔型半径，或第一架成型机封闭孔孔型半径，然后逐架增加边缘弯曲宽度，逐架增加弯曲角 θ，直至进入上辊带有导环的封闭孔型成为圆管筒。

边缘弯曲法的特点是边缘上任一点 P 在成型过程中的运动轨迹 L 是一条摆线曲线，其运动方程为：

$$x = R(\pi - \theta) + R\sin\theta; \quad y = R(1 - \cos\theta)$$

$$L = R\int_0^\pi \sqrt{2(1 - \cos\theta)}\,\mathrm{d}\theta = 4R$$

这种成型方法的优点是：成型稳定；管坯边缘升起的高度小，其上任一点在成型过程中的轨迹长度 L 小，降低了边缘相对中心的延伸率，不易产生鼓包，成型质量较好；减小成型辊的切入深度，相应减少成型辊的直径；成型辊可分片组成，换辊轻便，中间平直部分可共用于不同规格的钢管成型，简化加工。缺点是：第一架变形辊咬入困难；整个孔型没有共用性，增加了轧辊加工、储备、管理的工作量，不适于在断续生产的短带焊管机组上使用。边缘弯曲法孔

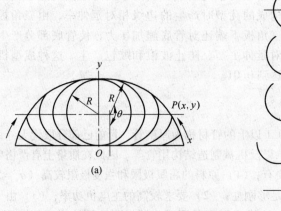
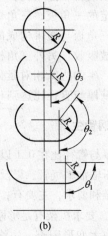

图 3-20-12　带钢边缘弯曲变形法示意图

（a）边缘弯曲法变形图；（b）边缘弯曲过程

型设计适用于直径大于200mm的焊管生产和低塑性高强度钢种。在薄壁管的成型中可以有效地防止边缘鼓包，在厚壁管生产中可以减少边缘回弹，提高焊接质量。

20.3.2 带钢圆周弯曲法

圆周弯曲法或称周长变形法，其成型过程是沿管坯全宽进行弯曲变形，弯曲半径逐架减小。当中心变形角$2\theta_i$小于180°时，管坯与上下辊沿整个宽度相接触。当中心变形角大于180°小于270°时，管坯与下辊接触，上辊仅与管中间部分接触。当$2\theta_i$大于270°以后，管坯在上辊带有导向环的封闭孔型中成型。见图3-20-13。

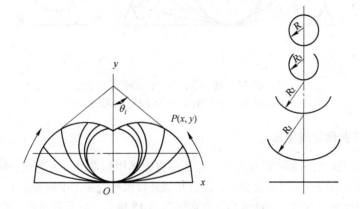

图 3-20-13　带钢圆周变形法示意图

（a）圆周弯曲法变形图；（b）圆周弯曲过程

圆周弯曲法的特点是，孔型弯曲半径在封闭孔前按正比例逐架减小，均匀分配在各开口孔机架上，半径和架次成线性关系。带钢边缘上一点P在成型过程中的运动轨迹是一条螺旋线，长度为：

$$L = \pi R \int_0^\pi \left[\frac{1}{\theta} \sqrt{1 + \frac{2}{\theta^2} - \frac{2\sin\theta}{\theta} - \frac{2\cos\theta}{\theta^2}} \right] d\theta = 4.44R$$

这种成型方法的优点是：变形比较均匀；轧辊加工制造简单，生产不同规格和壁厚的钢管时，轧辊有一定的共用性；可以减少轧辊储备、加工和管理的工作量；降低辊耗。缺点是：带钢边缘缺乏充分的变形，生产薄壁管时容易引起边缘鼓包；生产厚壁管时焊缝易呈现尖桃形；成型不稳带钢容易扭转、跑偏；边缘相对延伸比上法稍大。由于管坯在成型过程中采用了立辊作导向辊，克服了稳定性差的缺点，使这种变形方法得到较为广泛的应用，尤其适用于断续生产的短带焊管机组。也适用于外径在114mm以下，壁厚2.5~5.5mm的小直径焊管的生产。

20.3.3 带钢综合弯曲法

综合弯曲法或称双半径孔型计法，首先以挤压辊孔型半径为管坯边缘的弯曲半径r，将管坯边缘先弯曲到某一变形角，并在以后各成型架次中保持不变，这时管坯中间部分再按圆周变形法进行变形分配，弯曲成型过程如图3-20-14所示。双半径孔型设计方法吸取了边缘变形法和圆周变形法二者的优点，变形均匀，成型辊共用性差，成型轧辊加工较复杂。长带卷连续焊管机组采用这种孔型设计是合理的。

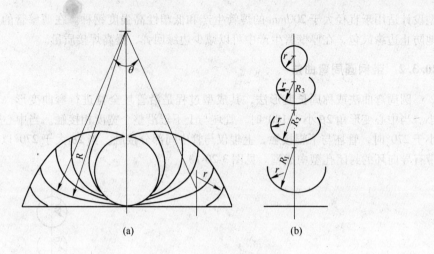

图 3-20-14　双半径孔型设计的变形示意图
（a）双半径弯曲变形图；（b）双半径弯曲的变形过程

20.3.4　双面弯曲侧弯成型法

　　双面弯曲侧弯成型法简称 W 成型法。它是先将管坯中间部分反向弯曲，同时成型管坯边缘，第二架水平辊采用双半径弯曲变形，以后几架开口水平辊采用中间变形辊，再进入带导向片的封闭孔型而成为圆管筒，弯曲成型过程如图 3-20-15 所示。它是双半径孔型设计法的发展。在 W 孔型中带钢边缘翘起的高度较双半径孔型中低，故减少了边缘变形直线段，有利于保证焊口平行；同时管坯边缘横向变形充分，升起高度小，避免了边缘纵向伸长引起的边部翘曲（鼓包）；弯曲变形成型稳定，成型质量好。

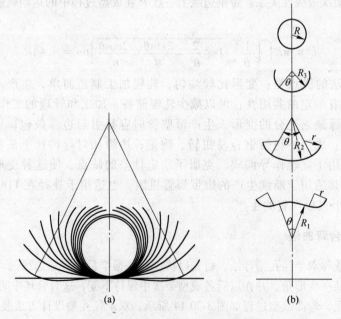

图 3-20-15　W 弯曲成型法示意图
（a）W 弯曲成型法管坯变形图；（b）W 弯曲的变形过程

1. 在 ϕ650mm 轧机上轧制钢坯尺寸为 100mm×100mm×200mm，第 1 轧制道次的压下量为 35mm，轧件通过变形区的平均速度为 3.0m/s 时，试求：
   （1）第 1 道次轧后的轧件尺寸（忽略宽展）；
   （2）第 1 道次的总轧制时间；
   （3）轧件在变形区的停留时间；
   （4）变形区的各基本参数。

2. 在 ϕ650mm 轧机上热轧软钢，轧件的原始厚度为 180mm，用极限咬入条件时，一次可压缩 100mm，试求摩擦系数。

3. 在辊面磨光并采用润滑的轧机上进行冷轧，当轧入系数为 $\frac{\Delta h}{D}=\frac{1}{730}\sim\frac{1}{410}$ 时，试求最大允许压下量及咬入角。

4. 已知轧辊的圆周线速度为 3m/s，前滑值为 8%，试求轧制速度。

5. 在轧制过程中，轧辊直径和轧制温度如何影响轧件的咬入、前滑、宽展及轧制压力。

6. 试述摩擦系数对轧制过程的影响。

7. 在实际轧制生产中，对轧制咬入困难的钢材，往往采用"撞车"冲撞轧件尾部的办法来使之咬入，试分析其原因。

8. 在轧制板材时，随着轧件宽度的增大，宽展量为何逐渐趋于不变？

9. 连铸及连铸-连轧工艺与传统模铸热轧工艺比较有何优越性？

10. 连铸与轧制的衔接模式及主要关键技术有哪些？

11. 试依据轴承钢的主要技术要求与钢种特性，分析拟定其生产工艺过程。

12. 型材生产的特点是什么？

13. 在设备选型时，根据什么参数确定型材轧机的大小？

14. 分析横列式型材轧机与连续式型材轧机的特点。

15. 二辊轧机孔型与四辊万能轧机孔型轧制凸缘型钢有什么区别？

16. 在万能轧机孔型中轧制时，轧件有什么样的变形特点？

17. 在什么情况下还要使用铸锭？

18. 棒、线材的生产特点是什么？

19. 棒、线材轧制的发展方向有哪些？

20. 简述螺纹钢筋余热淬火原理。

21. 简述线材轧后控制冷却原理。

22. 型材轧制的咬入条件和平辊轧制有什么区别？

23. 推动板、带轧制方法与轧机型式演变的主要矛盾为何？

24. 现代板、带热连轧生产中出现的新技术主要有哪些？

25. 板、带平直度（板形）控制方法主要有哪些？

26. 已知 Q235 板坯规格为 150mm×1400mm×2500mm，产品规格为 12mm×3000mm×14500mm，其他生产设备工艺条件与 15.2.2 节中的例题相同，试制定其压下规程。

27. 生产管材使用的原料有几种？分别适用于哪种穿孔方式？

28. 试述主动回转导盘、大送进角的菌式两辊斜轧穿孔机为什么是今后发展的趋势？

29. 轧管方法有哪些？各有什么特点？

30. 二辊斜轧时轧件、轧辊是如何运动的？矢量分析送进角小于 13° 的斜轧机轧件速度。

31. 斜轧穿孔的咬入有什么特点？并分析两次咬入条件。

32. 斜轧穿孔时实际的顶头前径率应在哪个区间内，才能保证轧制正常进行，且保证毛管内表面质量良好？试述其原因。

33. 轧辊的主要参数有哪些？说明各参数对轧制的稳定性和毛管质量有何影响？

34. 如何编制轧制表？

35. 分析张力减径机的优缺点，如何改善缺点？

36. 周期式冷轧管机轧辊孔型分为哪几段？解释各段的作用。

37. 焊管生产的成型底线如何分类？

参 考 文 献

1 王廷溥，齐克敏. 金属塑性加工学——轧制理论与工艺（第二版）. 北京：冶金工业出版社，2004

2 王廷溥等. 轧钢工艺学. 北京：冶金工业出版社，1981

3 赵志业等. 金属塑性变形与轧制理论. 北京：冶金工业出版社，1980

4 杨守山等. 有色金属塑性加工学. 北京：冶金工业出版社，1982

5 重庆钢铁设计院编写组. 线材轧钢车间工艺设计参考资料. 北京：冶金工业出版社，1979

6 李连诗. 钢管塑性变形原理（上册）. 北京：冶金工业出版社，1985

7 李长穆等. 现代钢管生产. 北京：冶金工业出版社，1982

8 首钢电焊钢管厂. 高频直缝焊管生产. 北京：冶金工业出版社，1982

9 曹鸿德. 塑性变形力学基础与轧制原理. 北京：机械工业出版社，1979

10 铃木弘. 塑性加工. 東京裳華房发行，1980

11 日本钢铁协会. 轧制理论及其应用，1975

12 日本钢铁协会. 上海宝山钢铁总厂资料室翻译组译，钢铁生产. 上海：上海科技出版社，1981

13 E. Siebl, Stahl und Eisen 1927, No4, p. 213

14 Ф. А. Данилов 等. Горялая прокатка и прессоваллие труб, Изд -во Металлургия，1971

15 Ю. Ф. Шевакин. Калибровка и усилия при холодной прокатке труб, Металлуршздат，1963

16 П. И. Полухин, Прокатное производстьо，1982

17 В. Б. Бахтиноь, Технология прокатного проидбидстьа，1983

18 王廷溥等. 板带材生产原理与工艺. 北京：冶金工业出版社，1995

19 龚尧等. 连轧钢管. 北京：冶金工业出版社，1990

20 董志洪. 世界 H 型钢与钢轨生产技术. 北京：冶金工业出版社，1999

21 白光润等. 孔型设计. 沈阳：东北大学出版社，1992

22 李曼云. 钢的控制轧制和控制冷却技术手册. 北京：冶金工业出版社，1998

23 刘相华. 刚塑性有限元及其在轧制中的应用. 北京：冶金工业出版社，1994

24 G. Salvador, 达涅利无头轧制工艺在长材轧机中的应用. 北京：钢铁（增刊），Vol. 34，1999，10. p. 643~648

25 田乃媛等. 薄板坯连铸及热装直接轧制. 北京：冶金工业出版社，1994

26 朱泉等. 中国冶金百科全书金属塑性加工卷. 北京：冶金工业出版社，1998

27 王占学. 控制轧制与控制冷却. 北京：冶金工业出版社，1998

28 M. Lestani, A. Poloni, The endless welding rolling process. MPT Inter-national. 1999，1，p. 70~75

29 张进之等，金属学报，1992（Vol. 28），No. 4，p. 164~168

冶金工业出版社部分图书推荐

书　名	作　者	定价(元)
钢管连轧理论	王先进　等编著	35.00
型钢孔型设计（第2版）	赵松筠　等编著	29.00
中厚板生产	张景进　主编	29.00
冷轧带钢生产问答	赵家骏　等修订	45.00
金属半固态成形理论与技术	管仁国　等编著	29.00
型钢孔型设计	孔云祥　主编	30.00
轧制测试原理	喻廷信　主编	32.00
常用有色金属资源开发与加工	董英　等编著	88.00
现代铜盘管生产技术	李耀群　等编著	26.00
冷轧薄钢板生产（第2版）	傅作宝　主编	20.00
高性能铜合金及其加工技术	刘平　等著	29.00
特殊钢钢丝	徐效谦　等主编	59.00
矫直原理与矫直机械	崔甫　著	42.00
轧钢过程自动化	丁修堃　主编	59.00
型钢生产知识问答	沈茂盛　等编著	29.00
有色金属压力加工	白星良　主编	29.00
金属压力加工理论基础	段小勇　主编	37.00
黑色金属压力加工实训	袁建路　等主编	23.00
加热炉	戚翠芬　主编	26.00
连续铸钢	陈雷　主编	25.00
金属塑性加工学——挤压、拉拔与管材冷轧	马怀宪　主编	35.00
现代材料表面技术科学	戴达煌　等编著	99.00
轧制工艺润滑原理技术与应用	孙建林　著	29.00
材料加工新技术与新工艺	谢建新　等编著	26.00
连续挤压技术及其应用	钟毅　著	26.00
钣金展开入门及提高	王景良　编著	10.00